Europe
Europa

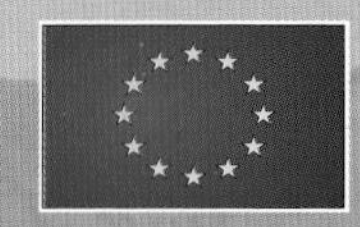

	Country	Code	Currency	Numbers	Motorway	Expressway	Road	City	Toll	‰
	Österreich / Austria	A	1 Euro (EUR) = 100 Cent	133 / 112	130	100	100	50	▣▣	0,5 ‰
	Shqipëria / Albania	AL	1 Lek (ALL) = 100 Quindarka	19 /17	110	90	80	40		0,1 ‰
	België/Belgique / Belgium	B	1 Euro (EUR) = 100 Cent	101 / 112	120	120	90	50		0,5 ‰
	Bălgarija / Bulgaria	BG	1 Lew (BGN) = 100 Stótinki	166 / 112	130/140		90	50	▣	0,5 ‰
	Bosna i Hercegovina / Bosnia and Herzegovina	BIH	Konvert. Marka (BAM) = 100 Fening	122 / 124	130	100	80	60		0,3 ‰
	Schweiz/Suisse/Svizzera / Switzerland	CH	1 Franken (CHF) = 100 Rappen	117 / 112	120	100	80	50	▣	0,5 ‰
	Kýpros/Kibris / Cyprus	CY	1 Euro (EUR) = 100 Cent	112	100	80	65	50		0,5 ‰
	Česká Republika / Czech Republic	CZ	1 Koruna (CZK) = 100 Haliru	158 / 112	130	110	90	50	▣▣	0,0 ‰
	Deutschland / Germany	D	1 Euro (EUR) = 100 Cent	110 / 112	⊘	⊘	100	50		0,5 ‰
	Danmark / Denmark	DK	1 Krone (DKK) = 100 Øre	112	130	80	80	50		0,5 ‰
	España / Spain	E	1 Euro (EUR) = 100 Cent	091 / 112	120	100	90	50	▣	0,5 ‰
	Eesti / Estonia	EST	1 Euro (EUR) = 100 Cent	112		110	90	50		0,0 ‰
	France / France	F	1 Euro (EUR) = 100 Cent	17 / 112	130	110	80	50	▣	0,5 ‰
	Suomi/Finland / Finland	FIN	1 Euro (EUR) = 100 Cent	112	120	100	80/100	50		0,5 ‰
	United Kingdom / United Kingdom	GB	1 Pound Sterling (GBP) = 100 Pence	112	70 mph (112)	70 mph (112)	60 mph (96)	30 mph (48)		0,8 ‰
	Elláda (Hellás) / Greece	GR	1 Euro (EUR) = 100 Cent	100 / 112	130	110	90	50	▣	0,5 ‰
	Magyarország / Hungary	H	1 Forint (HUF) = 100 Filler	107 / 112	130	110	90	50	▣	0,0 ‰
	Hrvatska / Croatia	HR	1 Kuna (HRK) = 100 Lipa	192 / 112	130	110	90	50	▣	0,5 ‰
	Italia / Italy	I	1 Euro (EUR) = 100 Cent	113 / 112	130	110	90	50	▣	0,5 ‰
	Éire/Ireland / Ireland	IRL	1 Euro (EUR) = 100 Cent	112	120	100	60/80	50		0,5 ‰
	Ísland / Iceland	IS	1 Krona (ISK) = 100 Aurar	112			80/90	50		0,5 ‰
	Luxembourg / Luxembourg	L	1 Euro (EUR) = 100 Cent	113 / 112	130		90	50		0,5 ‰
	Lietuva / Lithuania	LT	1 Euro (EUR) = 100 Cent	02 / 112	110/130	100/110	90	50		0,4 ‰
	Latvija / Latvia	LV	1 Euro (EUR) = 100 Cent	02 / 112	110	90	90	50		0,5 ‰
	Makedonija / Macedonia	MK	1 Denar (MKD) = 100 Deni	192 / 194	130	110	80	50/60	▣▣	0,5 ‰
	Norge / Norway	N	1 Krone (NOK) = 100 Øre	112	90/100	90/100	80	50	▣▣▣	0,2 ‰
	Nederland / Netherlands	NL	1 Euro (EUR) = 100 Cent	112	130	100	80	50		0,5 ‰
	Portugal / Portugal	P	1 Euro (EUR) = 100 Cent	112	120	100	90/100	50	▣	0,5 ‰
	Polska / Poland	PL	1 Zloty (PLN) = 100 Groszy	997 / 112	140	100/120	90	50	▣	0,2 ‰
	Kosovo / Kosovo	RKS	1 Euro (EUR) = 100 Cent	112 / 92	130	110	80	50		0,5 ‰
	România / Romania	RO	1 Leu (RON) = 100 Bani	112	130	100	90	50	▣▣▣	0,0 ‰
	Rossija / Russia	RUS	1 Rubel (RUB) = 100 Kopeek	02 / 03	110		90	60		0,0 ‰
	Sverige / Sweden	S	1 Krona (SEK) = 100 Öre	112	110	90/110	70/90	50		0,2 ‰
	Slovenská Republika / Slovakia	SK	1 Euro (EUR) = 100 Cent	158 / 112	130		90	80	▣▣	0,0 ‰
	Slovenija / Slovenia	SLO	1 Euro (EUR) = 100 Cent	113 / 112	130	110	90	50	▣	0,5 ‰
	Srbija / Crna Gora / Serbia / Montenegro	SRB MNE	1 Dinar (CSM) = 100 Para ; Euro	92 / 112	120	100	80	60		0,3 ‰
	Türkiye / Turkey	TR	1 Lira (TRY) = 100 Kurus	155 / 112	120		90	50	▣	0,5 ‰
	Ukrajina / Ukraine	UA	1 Griwna (UAH) = 100 Kopijken	02 / 03	130	110	90	60		0,0 ‰

Table of contents/Inhaltsverzeichnis/Sommaire/Inhoud

Political map/Politische Karte/Carte politique/Politieke kaart 4-5
Distances/Enfernungen/Distances/Afstanden 6-7
Ferry routes/Fährverbindungen/Ferry routes/Veerdiensten 8-9
Legend/Zeichenerklärung/Légende/Legenda 10-12
Key to map pages/Kartenübersicht/Tableau d'assemblage/Kaartenoverzicht 13

Maps/Karten/Cartes/Kaarten 14-128
Index of place names/Ortsregister/Index des localités/Plaatsnamenregister 129-208

St.-Cajetan-Straße 41, D-81669 München,
phone +49-89-458020-0, fax +49-89-458020-21
e-mail: info@kunth-verlag.de
www.kunth-verlag.de

Fanum House, Basing View,
Basingstoke, Hampshire RG21 4EA, UK
ISBN 978 0 7495 7986 9
A05634

Hill shading 1:2 000 000 / 1:4 000 000:
Produced using SRTM data from Heiner Newe, GeoKarta, Altensteig

Printed in China

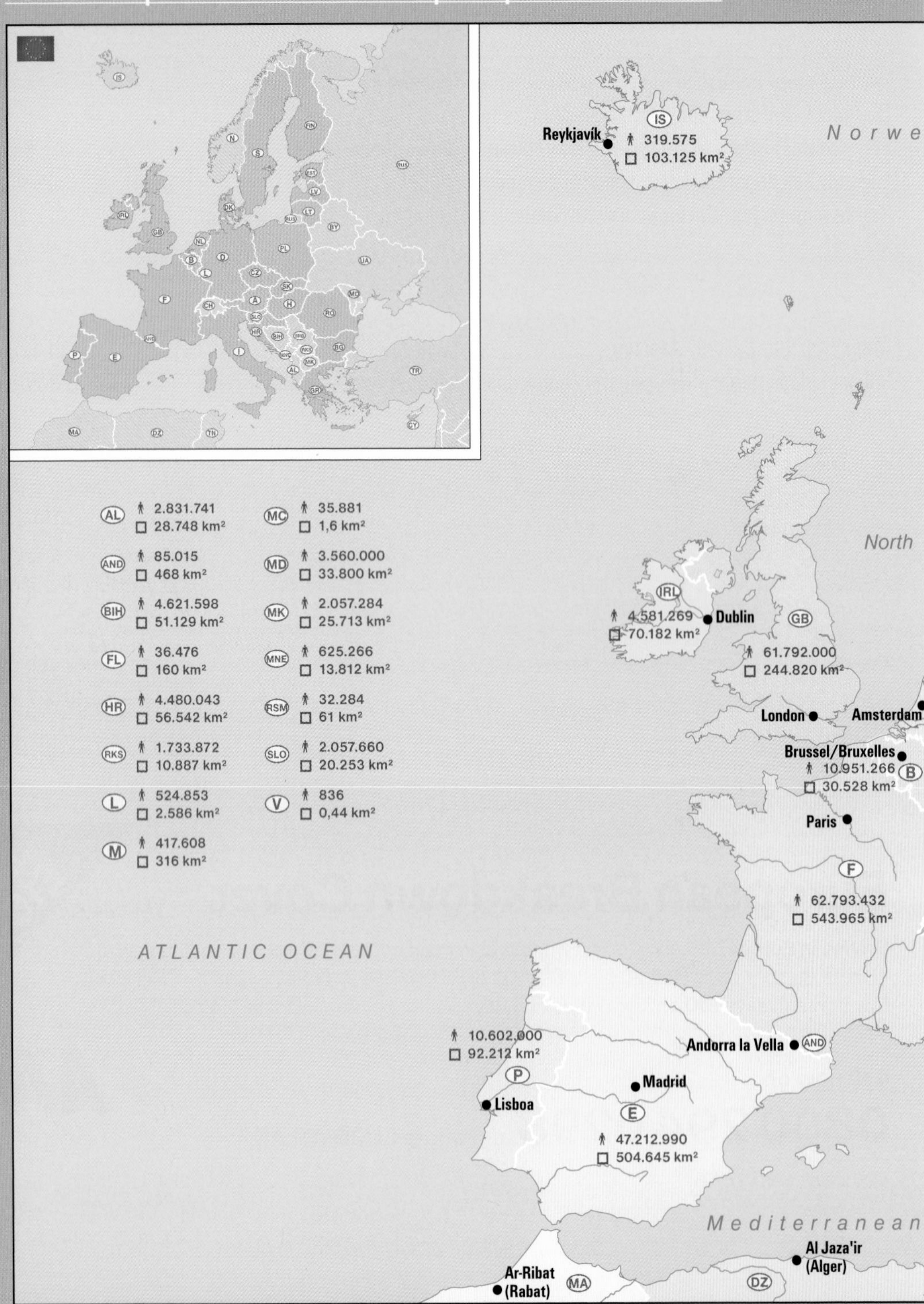

Reykjavík ⚲ 319.575 ◻ 103.125 km²

N o r w e

North

(AL) ⚲ 2.831.741 ◻ 28.748 km²

(AND) ⚲ 85.015 ◻ 468 km²

(BIH) ⚲ 4.621.598 ◻ 51.129 km²

(FL) ⚲ 36.476 ◻ 160 km²

(HR) ⚲ 4.480.043 ◻ 56.542 km²

(RKS) ⚲ 1.733.872 ◻ 10.887 km²

(L) ⚲ 524.853 ◻ 2.586 km²

(M) ⚲ 417.608 ◻ 316 km²

(MC) ⚲ 35.881 ◻ 1,6 km²

(MD) ⚲ 3.560.000 ◻ 33.800 km²

(MK) ⚲ 2.057.284 ◻ 25.713 km²

(MNE) ⚲ 625.266 ◻ 13.812 km²

(RSM) ⚲ 32.284 ◻ 61 km²

(SLO) ⚲ 2.057.660 ◻ 20.253 km²

(V) ⚲ 836 ◻ 0,44 km²

(IRL) ⚲ 4.581.269 ● Dublin ◻ 70.182 km²

(GB) ⚲ 61.792.000 ◻ 244.820 km²

London ● Amsterdam ●

Brussel/Bruxelles ●
⚲ 10.951.266 (B)
◻ 30.528 km²

Paris ●

(F) ⚲ 62.793.432 ◻ 543.965 km²

ATLANTIC OCEAN

⚲ 10.602.000 ◻ 92.212 km²

(P)

● Lisboa

Andorra la Vella ● (AND)

● Madrid

(E) ⚲ 47.212.990 ◻ 504.645 km²

Mediterranean

Al Jaza'ir (Alger) ●

Ar-Ribat (MA) ● (Rabat)

(DZ)

4

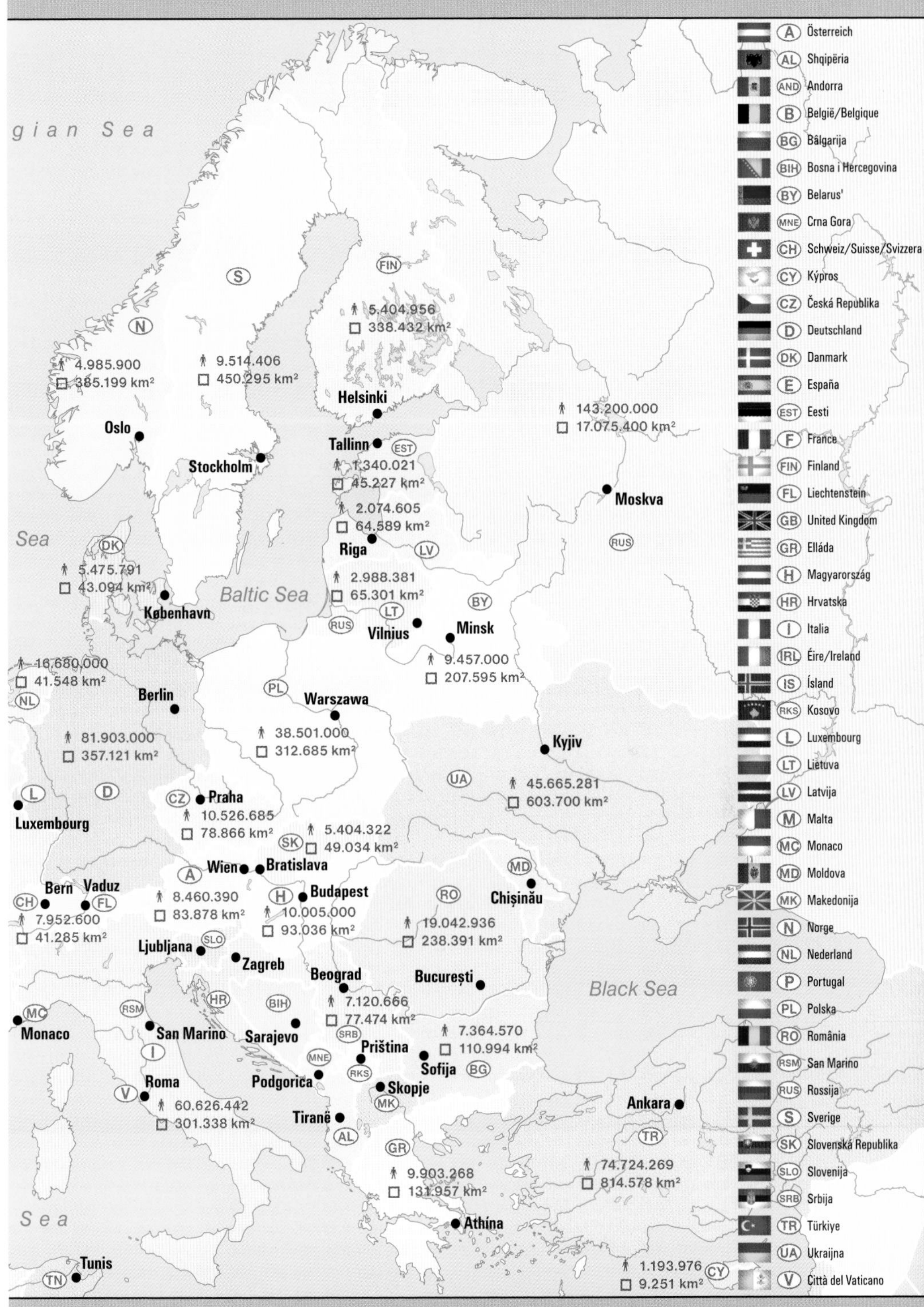

gian Sea

Sea

Baltic Sea

Black Sea

Sea

(A)	Österreich	
(AL)	Shqipëria	
(AND)	Andorra	
(B)	België/Belgique	
(BG)	Bălgarija	
(BIH)	Bosna i Hercegovina	
(BY)	Belarus'	
(MNE)	Crna Gora	
(CH)	Schweiz/Suisse/Svizzera	
(CY)	Kýpros	
(CZ)	Česká Republika	
(D)	Deutschland	
(DK)	Danmark	
(E)	España	
(EST)	Eesti	
(F)	France	
(FIN)	Finland	
(FL)	Liechtenstein	
(GB)	United Kingdom	
(GR)	Elláda	
(H)	Magyarország	
(HR)	Hrvatska	
(I)	Italia	
(IRL)	Éire/Ireland	
(IS)	Ísland	
(RKS)	Kosovo	
(L)	Luxembourg	
(LT)	Lietuva	
(LV)	Latvija	
(M)	Malta	
(MC)	Monaco	
(MD)	Moldova	
(MK)	Makedonija	
(N)	Norge	
(NL)	Nederland	
(P)	Portugal	
(PL)	Polska	
(RO)	România	
(RSM)	San Marino	
(RUS)	Rossija	
(S)	Sverige	
(SK)	Slovenská Republika	
(SLO)	Slovenija	
(SRB)	Srbija	
(TR)	Türkiye	
(UA)	Ukraijna	
(V)	Città del Vaticano	

Oslo

Stockholm

Helsinki

Tallinn (EST)
🏃 1.340.021
☐ 45.227 km²

🏃 2.074.605
☐ 64.589 km²

Riga (LV)

🏃 5.404.956
☐ 338.432 km²

🏃 4.985.900
☐ 385.199 km²

🏃 9.514.406
☐ 450.295 km²

🏃 143.200.000
☐ 17.075.400 km²

Moskva

(FIN)

(S)

(N)

(DK)
🏃 5.475.791
☐ 43.094 km²

København

🏃 2.988.381
☐ 65.301 km²

(LT)
Vilnius

(RUS)

Minsk
🏃 9.457.000
☐ 207.595 km²

(BY)

(RUS)

🏃 16.680.000
☐ 41.548 km²

(NL)

Berlin

🏃 81.903.000
☐ 357.121 km²

(PL)
Warszawa
🏃 38.501.000
☐ 312.685 km²

Kyjiv

(UA)
🏃 45.665.281
☐ 603.700 km²

(L)
Luxembourg

(D)

(CZ) Praha
🏃 10.526.685
☐ 78.866 km²

(SK)
🏃 5.404.322
☐ 49.034 km²

Wien Bratislava

(A)

(H) Budapest
🏃 8.460.390
☐ 83.878 km²

🏃 10.005.000
☐ 93.036 km²

(RO)

Chișinău

(MD)

🏃 19.042.936
☐ 238.391 km²

Bern Vaduz
(CH) (FL)
🏃 7.952.600
☐ 41.285 km²

Ljubljana (SLO)
Zagreb

Beograd

București

🏃 7.120.666
☐ 77.474 km²

🏃 7.364.570
☐ 110.994 km²

(MC)
Monaco

(RSM)
San Marino

(HR)
(BIH)
Sarajevo

(SRB)
Prishtina

Sofija (BG)

Skopje

(MNE)
Podgorica

(RKS)

(MK)

Tiranë

(AL)

Ankara

(TR)

(I)
Roma
🏃 60.626.442
☐ 301.338 km²

(V)

(GR)
🏃 9.903.268
☐ 131.957 km²

🏃 74.724.269
☐ 814.578 km²

Athína

🏃 1.193.976
☐ 9.251 km²

(CY)

(TN) Tunis

5

	Amsterdam	Athina	Barcelona	Belfast	Beograd	Berlin	Bern	Birmingham	Bordeaux	Bratislava	Bruxelles/Brussel	Bucureşti	Budapest	Calais	Dublin	Edinburgh	Frankfurt a.M.	Genova	Hamburg	Helsinki	Istanbul	København	Köln	Kyjiv	Le Havre	Lisboa
Amsterdam		2827	1566	1286	1720	656	833	734	1082	1211	210	2267	1398	363	1125	1196	443	1216	466	1953	2693	788	263	1943	598	2241
Athina	2827		2612	3758	1106	2338	2010	3206	2682	1662	2598	1168	1466	2844	3598	3668	2386	1780	2627	3227	1094	2767	2568	2307	2744	3768
Barcelona	1566	2612		2280	1988	1877	915	1728	637	1894	1376	2574	1926	2120	2190	1336	857	1776	3263	2961	2099	1383	3048	1251	1259
Belfast	1286	3758	2280		2800	1850	1745	594	1784	2349	1119	3415	2545	925	166	319	1521	2119	1676	3161	3773	1999	1331	3244	1191	2941
Beograd	1720	1106	1988	2800		1236	1334	2248	2031	560	1680	592	363	1877	2639	2709	1287	1159	1525	2125	979	1665	1469	1472	1971	3147
Berlin	656	2338	1877	1850	1236		956	1298	1632	683	774	1751	881	927	1689	1760	549	1177	289	1649	2320	434	576	1325	1148	2791
Bern	833	2010	915	1745	1334	956		1167	889	950	637	1920	1136	796	1564	1629	429	450	910	2397	2307	1232	583	2205	752	2044
Birmingham	734	3206	1728	594	2248	1298	1167		1232	1797	566	2794	1924	373	385	472	968	1567	1124	2609	3221	1447	779	2582	432	2233
Bordeaux	1082	2682	637	1784	2031	1632	889	1232		1936	891	2616	1967	869	1470	1540	1167	997	1483	2970	3003	1806	1065	2998	686	1162
Bratislava	1211	1662	1894	2349	560	683	950	1797	1936		1203	1071	201	1388	2151	2221	799	1063	968	1751	1640	1109	987	1256	1521	3052
Bruxelles/Brussel	210	2598	1376	1119	1680	774	637	566	891	1203		2227	1357	195	958	1028	402	1023	601	2088	2653	923	212	2163	406	2049
Bucureşti	2267	1168	2574	3415	592	1751	1920	2794	2616	1071	2227		874	2426	3196	3256	1833	1746	2035	2183	625	2175	2015	947	2585	3735
Budapest	1398	1466	1926	2545	363	881	1136	1924	1967	201	1357	874		1577	2315	2386	963	1094	1165	1776	1350	1305	1152	1123	1685	3083
Calais	363	2844	1365	925	1877	927	796	373	869	1388	195	2426	1577		764	777	600	1189	754	2241	2851	1077	410	2213	273	2025
Dublin	1125	3598	2120	166	2639	1689	1564	385	1470	2151	958	3196	2315	764		450	1326	1926	1480	2979	3578	1803	1136	2939	789	2616
Edinburgh	1196	3668	2190	319	2709	1760	1629	472	1540	2221	1028	3256	2386	777	450		1430	2021	1586	3071	3683	1909	1241	3043	894	2697
Frankfurt a.M.	443	2386	1336	1521	1287	549	429	968	1167	799	402	1833	963	600	1326	1430		808	496	1968	2261	818	189	1841	772	2306
Genova	1216	1780	857	2119	1159	1177	450	1567	997	1063	1023	1746	1094	1189	1926	2021	808		1244	2746	2123	1566	971	2210	1004	2013
Hamburg	466	2627	1776	1676	1525	289	910	1124	1483	968	601	2035	1165	754	1480	1586	496	1244		1502	2646	338	425	1603	997	2639
Helsinki	1953	3227	3263	3161	2125	1649	2397	2609	2970	1751	2088	2183	1776	2241	2979	3071	1968	2746	1502		3081	1173	1910	1546	2482	4125
Istanbul	2693	1094	2961	3773	979	2320	2307	3221	3003	1640	2653	625	1350	2851	3578	3683	2261	2123	2646	3081		2642	2442	1475	2944	4121
København	788	2767	2099	1999	1665	434	1232	1447	1806	1109	923	2175	1305	1077	1803	1909	818	1566	338	1173	2642		748	1744	1320	2962
Köln	263	2568	1383	1331	1469	576	583	779	1065	987	212	2015	1152	410	1136	1241	189	971	425	1910	2442	748		1947	580	2223
Kyjiv	1943	2307	3048	3244	1472	1325	2205	2582	2998	1256	2163	947	1123	2213	2939	3043	1841	2210	1603	1546	1475	1744	1947		2532	4183
Le Havre	598	2744	1251	1191	1971	1148	752	432	686	1521	406	2585	1685	273	789	894	772	1104	997	2482	2944	1320	580	2532		1845
Lisboa	2241	3768	1259	2941	3147	2791	2044	2233	1162	3052	2049	3735	3083	2025	2616	2697	2306	2013	2639	4125	4121	2962	2223	4183	1845	
Ljubljana	1234	1633	1462	2316	534	997	809	1764	1503	447	1156	1122	460	1382	2106	2183	801	623	1184	2126	1508	1390	984	1560	1437	2616
London	532	2952	1526	776	2046	1096	965	191	1030	1557	364	2592	1722	171	546	650	766	1364	922	2407	3019	1245	575	2379	298	2187
Luxembourg	360	2414	1180	1347	1500	743	453	795	995	1031	230	2077	1195	414	1145	1256	231	828	623	2106	2449	944	207	2048	531	2128
Lyon	923	2115	639	1672	1464	1238	305	1120	588	1368	732	2052	1399	759	1479	1582	700	475	1140	2625	2438	1463	746	2480	658	1742
Madrid	1770	3215	627	2474	2594	2320	1543	1768	691	2498	1578	3182	2529	1554	2146	2230	1835	1459	2169	3654	3567	2492	1752	3629	1374	626
Málaga	2321	3619	1031	3009	2998	2879	1947	2302	1242	2902	2129	3586	2933	2105	2717	2764	2381	1863	2720	4205	3943	2303		4033	1925	683
Marseille	1235	2156	508	1983	1535	1549	573	1431	648	1439	1044	2122	1470	1070	1792	1893	1012	400	1452	2937	2508	1775	1058	2570	970	1662
Milano	1076	1691	978	2057	1036	1038	318	1498	1014	940	884	1624	971	1023	1751	1959	668	140	1109	2424	2009	1432	826	2071	1044	2132
Minsk	1768	2583	2989	2957	1480	1150	1992	2405	2744	1201	1884	1357	1132	2038	2770	2866	1663	2196	1428	882	2006	1104	1683	560	2261	3901
Moskva	2469	3283	3690	3660	2181	1850	2693	3108	3445	1902	2585	1790	1832	2738	3470	3569	2364	2897	2128	1107	2524	1786	2384	852	2962	4602
München	826	2039	1343	1856	940	588	433	1317	1276	490	737	1525	655	935	1677	1765	393	628	776	1974	1914	981	575	1749	1022	2430
Oslo	1268	3440	2578	2478	2381	1083	1723	1926	2285	1705	1403	2713	1901	1556	2288	2387	1308	2057	814	1019	3314	607	1224	2343	1802	3442
Paris	502	2554	1071	1206	1771	1053	561	654	586	1350	311	2356	1491	288	1019	1116	573	914	892	2387	2745	1215	485	2336	197	1743
Praha	883	1991	1715	2025	889	355	806	1460	1549	333	902	1399	529	1100	1826	1922	510	1081	646	1641	1866	785	692	1405	1230	2702
Riga	1873	2830	3093	3062	1728	991	2183	2608	2829	1353	1775	1786	1356	1929	2874	2971	1768	2348	1280	396	2569	912	1575	1045	2153	3793
Roma	1662	1267	1366	2651	1296	1518	903	2099	1506	1200	1469	1884	1231	1608	2342	2553	1254	522	1669	2879	1743	1911	1411	2331	1638	2520
Rotterdam	76	2834	1525	1226	1735	693	802	674	1039	1237	151	2286	1411	304	1030	893	456	1177	501	1986	2708	824	257	1977	540	2196
Sankt-Peterburg	2424	3381	3645	3601	2279	1711	2648	2913	3249	1904	2389	2366	1907	2543	3272	3375		2899	1893	389	2948	1473	2138	1378	2715	4347
Sarajevo	1743	1175	2014	2864	305	1418	1271	2278	2059	723	1702	915	545	1905	2618	2682	1299	1068	1684	2334	1168	1832	1493	1652	2006	3175
Skopje	2155	701	2422	3241	439	1687	1767	2682	2463	1007	2113	690	810	2311	3040	3143	1721	1583	2104	2570	787	2117	1910	1645	2404	3576
Sofija	2113	798	2384	3193	398	1714	1726	2641	2422	1034	2072	383	769	2270	3033	3102	1680	1542	2063	2476	580	2144	1862	1320	2363	3535
Stockholm	1435	3415	2746	2647	2312	1082	1879	2095	2453	1756	1570	2764	1952	1724	2450	2556	1465	2213	985	517	3289	658	1392	1591	1970	3610
Strasbourg	602	2170	1130	1540	1314	753	238	988	964	893	434	1906	1067	617	1343	1450	223	613	703	2189	2287	1026	354	2003	688	2118
Tallinn	2183	3140	3450	3373	2038	1486	2320	2615	2944	1664	2096	2096	1666	2237	2969	3070	1882	2674	1588	88	2879	1139	1883	1461	2461	4101
Tiranë	2217	713	2360	3296	748	1967	1706	2730	2389	1316	2177	923	1119	2332	3101	3206	1785	1482	2170	2879	1015	2360	1967	1859	2432	3474
Vilnius	1665	2622	2886	2864	1520	1026	1943	2312	2641	1146	1781	1756	1148	1934	2672	2773	1560	2141	1324	689	2361	919	1580	751	2158	3798
Warszawa	1209	2343	2430	2401	1051	590	1448	1849	2185	684	1325	1338	687	1478	2204	2310	1104	1679	868	1062	1943	1009	1124	767	1702	3342
Wien	1148	1705	1829	2227	603	686	867	1675	1870	65	1107	1113	243	1305	2031	2137	715	991	976	1754	1580	1116	897	1343	1436	2983
Zagreb	1330	1493	1597	2405	395	1053	943	1853	1639	442	1289	982	344	1487	2213	2315	897	759	1280	2121	1368	1472	1079	1444	1580	2751

Ljubljana	London	Luxembourg	Lyon	Madrid	Málaga	Marseille	Milano	Minsk	Moskva	München	Oslo	Paris	Praha	Riga	Roma	Rotterdam	Sankt-Peterburg	Sarajevo	Skopje	Sofija	Stockholm	Strasbourg	Tallinn	Tiranë	Vilnius	Warszawa	Wien	Zagreb
1234	532	360	923	1770	2321	1235	1076	1768	2469	826	1268	502	883	1873	1662	76	2424	1743	2155	2113	1435	602	2183	2217	1665	1209	1148	1330
1633	2952	2414	2115	3215	3619	2156	1691	2583	3283	2039	3440	2554	1991	2830	1267	2834	3381	1175	701	798	3415	2170	3140	713	2622	2343	1705	1493
1462	1526	1180	639	627	1031	508	978	2989	3690	1343	2578	1071	1715	3093	1366	1525	3645	2014	2422	2380	2746	1130	3450	2360	2886	2430	1829	1597
2316	776	1347	1672	2474	3009	1983	2057	2957	3660	1856	2478	1206	2025	3062	2651	1226	3601	2864	3241	3193	2647	1540	3373	3296	2864	2401	2227	2405
534	2046	1500	1464	2594	2998	1535	1036	1480	2181	940	2338	1771	889	1728	1296	1735	2279	305	439	398	2312	1314	2038	748	1520	1051	603	395
997	1096	743	1238	2320	2879	1549	1038	1150	1850	588	1031	1053	355	991	1518	693	1711	1418	1687	1714	1082	753	1486	1967	1026	590	686	1053
809	965	453	305	1543	1947	573	318	1992	2693	433	1723	561	806	2183	903	802	2648	1271	1767	1726	1879	238	2320	1706	1943	1448	867	943
1764	191	795	1120	1768	2302	1431	1498	2405	3108	1317	1926	654	1460	2608	2099	674	2913	2278	2682	2641	2095	988	2615	2730	2312	1849	1675	1853
1503	1030	995	588	691	1242	648	1014	2744	3445	1276	2285	586	1549	2829	1506	1039	3249	2059	2463	2422	2453	964	2944	2389	2641	2185	1870	1639
447	1557	1031	1368	2498	2902	1439	940	1201	1902	490	1105	1350	333	1353	1200	1237	1904	723	1007	1034	1756	893	1664	1316	1146	684	65	442
1156	364	230	732	1578	2129	1044	884	1884	2585	737	1403	311	902	1775	1469	151	2389	1702	2113	2072	1570	434	2094	2177	1781	1325	1107	1229
1122	2592	2077	2052	3182	3586	2122	1624	1357	1790	1525	2713	2356	1399	1786	1884	2286	2366	915	690	383	2764	1906	2096	923	1756	1338	1113	982
460	1722	1195	1399	2529	2933	1470	971	1132	1832	655	1901	1491	529	1356	1231	1411	1907	545	810	769	1952	1067	1666	1119	1148	687	273	344
1382	171	414	759	1554	2105	1070	1023	2038	2738	935	1556	288	1100	1929	1608	304	2543	1905	2311	2270	1724	617	2237	2332	1934	1478	1305	1487
2106	546	1145	1479	2146	2717	1792	1751	2770	3470	1677	2288	1019	1826	2874	2342	1030	3272	2618	3040	3033	2450	1343	2969	3101	2672	2204	2031	2213
2183	650	1256	1582	2230	2764	1893	1950	2866	3569	1765	2331	1116	1922	2971	2553	893	3375	2682	3143	3102	2556	1450	3070	3206	2773	2310	2137	2315
801	766	231	700	1835	2341	1012	668	1663	2364	393	1308	573	510	1768	1254	456	2319	1299	1721	1680	1465	223	1882	1785	1560	1104	715	897
623	1364	828	475	1459	1863	400	140	2196	2897	628	2057	914	1081	2348	522	1177	2899	1068	1583	1542	2213	613	2674	1482	2141	1679	991	759
1184	922	623	1140	2169	2720	1452	1109	1428	2128	776	814	892	646	1280	1669	501	1893	1684	2104	2063	985	703	1588	2170	1324	868	976	1280
2126	2407	2106	2625	3654	4205	2937	2424	882	1107	1974	1019	2387	1641	396	2879	1986	389	2334	2570	2476	517	2189	88	2879	689	1062	1754	2121
1508	3019	2449	2438	3567	3971	2508	2009	2006	2524	1914	3314	2745	1866	2569	1743	2708	2948	1168	787	580	3289	2287	2879	1015	2361	1943	1580	1368
1390	1245	944	1463	2492	3043	1775	1432	1104	1786	981	607	1215	785	912	1911	824	1473	1832	2117	2144	658	1026	1139	2360	919	1009	1116	1472
984	575	207	746	1752	2303	1058	826	1683	2384	575	1224	485	692	1575	1411	257	2138	1493	1645	1862	1392	354	1883	1967	1580	1124	897	1079
1560	2379	2048	2480	3629	4033	2570	2071	560	852	1749	2343	2336	1405	1045	2331	1977	1378	1652	1645	1320	1591	2003	1461	1859	751	767	1343	1444
1437	298	531	658	1374	1925	970	1044	2261	2962	1022	1802	197	1230	2153	1638	540	2715	2006	2404	2363	1970	688	2461	2432	2158	1702	1436	1580
2616	2187	2128	1742	626	683	1662	2132	3901	4602	2430	3442	1743	2702	3793	2520	2196	4347	3175	3576	3535	3610	2118	4101	3474	3798	3342	2983	2751
	1538	942	939	2068	2472	1009	510	1588	2289	409	1999	1240	708	1741	770	1251	2245	554	965	924	2038	782	2051	949	1533	1072	383	140
1538		587	918	1720	2254	1229	1260	2202	2905	1120	1724	452	1270	2098	1897	472	2661	2067	2479	2438	1892	786	2098	2542	2109	1646	1473	1651
942	587		517	1634	2158	829	669	1878	2579	523	1427	372	732	1788	1254	355	2352	1494	1906	1864	1595	219	2096	1969	1774	1319	938	1081
939	918	517		1242	1646	317	448	2354	3044	733	1943	468	1080	2265	983	849	2958	1473	1897	1856	2111	495	2573	1823	2251	1795	1304	1072
2068	1720	1634	1242		545	1105	1576	3964	4135	1941	2975	2312	3538	1964	2745	1698	3887	2605	3028	2987	3140	1733	3630	2923	3334	2871	2433	2200
2472	2254	2158	1646	545		1506	1977	3988	4689	2342	3577	1810	2713	4092	2365	2263	4596	2979	3420	3379	3677	2129	4206	3319	3884	3428	2828	2596
1009	1229	829	317	1105	1506		521	2577	3278	1010	2255	779	1382	2729	909	1160	3234	1544	1965	1924	2422	806	2884	1863	2522	2060	1372	1140
510	1260	669	448	1576	1977	521		2077	2778	493	1921	853	865	2229	584	1041	2732	1045	1465	1423	2078	477	2365	1400	2022	1512	872	540
1588	2202	1878	2354	3434	3988	2577	2077		720	1627	1516	2159	1281	484	2338	1800	783	2447	1926	1744	1030	1791	794	2235	191	550	1213	1473
2289	2905	2579	3044	4135	4689	3278	2778	720		2362	1997	2863	1873	917	3041	2503	697	2382	2496	2265	1464	2570	1014	2938	908	1253	1916	2176
409	1120	523	733	1941	2342	1010	493	1627	2362		1588	822	381	1608	928	824	2166	962	1374	1332	1627	364	1916	1435	1594	992	406	549
1999	1724	1427	1943	2975	3577	2255	1921	1516	1997	1588		1703	1382	1069	2507	1302	1341	2430	2713	2741	523	1516	986	2956	1331	1605	1712	2068
1240	452	372	468	2312	1810	779	853	2159	2863	822	1703		1030	2055	1445	458	2619	1805	2204	2163	1873	488	2363	2262	2061	1605	1237	1377
708	1270	732	1080	2312	2713	1382	865	1281	1873	381	1382	1030		1282	1296	909	1777	1044	1334	1362	1427	606	1593	1542	1075	613	333	654
1741	2098	1788	2265	3538	4092	2729	2229	484	917	1608	1069	2055	1282		2482	1905	561	1916	2173	2078	547	1752	310	2482	291	664	1356	1723
770	1897	1254	983	1964	2365	909	584	2338	3041	928	2507	1445	1296	2482		1626	2993	892	1190	1686	2556	1062	2803	975	2284	1823	1135	903
1251	472	355	849	1728	2263	1160	1041	1800	2503	824	1302	458	909	1905	1626		2260	1757	2167	2126	1469	566	2002	2231	1699	1243	1161	1343
2245	2661	2352	2958	3887	4596	3234	2732	783	697	2166	1341	2619	1777	561	2993	2260		2447	2665	2571	899	2317	361	2975	714	1157	1849	2216
554	2067	1494	1045	2605	2979	1544	1045	2447	2382	962	2430	1805	1044	1916	892	1757	2447		459	586	2482	1340	2949	498	1691	1250	759	414
965	2479	1906	1897	3028	3420	1965	1465	2496	2496	1374	2713	2204	1334	2173	1190	2167	2665	459		229	2750	1747	2475	311	1957	1488	1040	828
924	2438	1864	1856	2987	3379	1924	1423	1744	2265	1332	2741	2163	1362	2078	1686	2126	2571	586	229		2709	1706	2389	540	1916	1447	999	787
2038	1892	1595	2111	3140	3677	2422	2078	1030	1464	1627	523	1873	1427	547	2556	1469	899	2482	2750	2709		1674	482	3008	838	1198	1764	2120
782	786	219	495	1733	2129	806	477	1791	2570	364	1516	488	606	1752	1062	566	2317	1340	1747	1706	1674		2090	1815	1767	1311	769	927
2051	2098	2096	2573	3630	4206	2884	2365	794	1014	1916	986	2363	1593	310	2803	1747	361	2949	2475	2389	482	2090		2793	602	975	1667	2034
949	2542	1969	1823	2923	3319	1863	1400	2235	2938	1435	2956	2262	1542	2482	975	2231	2975	498	311	540	3008	1815	2793		2268	1799	1264	910
1533	2109	1774	2251	3334	3884	2522	2022	191	908	1594	1331	2061	1075	291	2284	1699	714	1691	1957	1916	838	1767	602	2268		466	1158	1525
1072	1646	1319	1795	2871	3428	2060	1512	550	1253	992	1605	1605	613	664	1823	1243	1157	1250	1488	1447	1198	1311	975	1799	466		689	1056
383	1473	938	1304	2433	2828	1372	872	1213	1916	406	1712	1237	333	1356	1135	1161	1849	759	1040	999	1764	769	1667	1264	1158	689		376
140	1651	1081	1072	2200	2596	1140	640	1473	2176	549	2068	1377	654	1723	903	1343	2216	414	828	787	2120	927	2034	910	1525	1056	376	

All distances in this chart are in kilometres and include any part of the route taken by ferry.

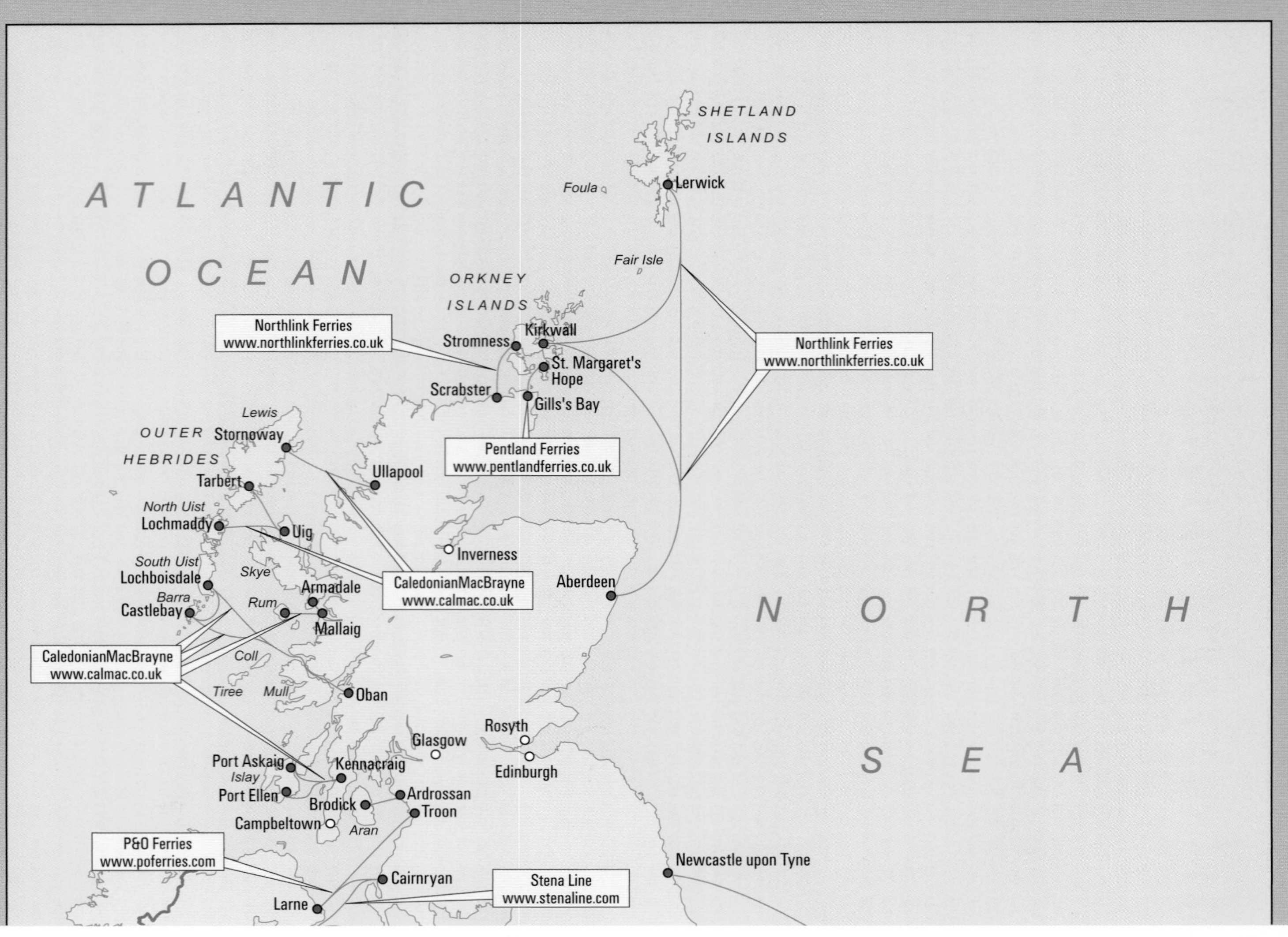
ATLANTIC
OCEAN
NORTH
SEA
SHETLAND
ISLANDS
Lerwick
Foula
Fair Isle
ORKNEY
ISLANDS
Kirkwall
Stromness
St. Margaret's Hope
Scrabster
Gills's Bay
Northlink Ferries
www.northlinkferries.co.uk
Northlink Ferries
www.northlinkferries.co.uk
Pentland Ferries
www.pentlandferries.co.uk
Lewis
OUTER
HEBRIDES
Stornoway
Ullapool
Tarbert
North Uist
Lochmaddy
Uig
Inverness
South Uist
Lochboisdale
Skye
Armadale
CaledonianMacBrayne
www.calmac.co.uk
Aberdeen
Barra
Castlebay
Rum
Mallaig
CaledonianMacBrayne
www.calmac.co.uk
Coll
Tiree
Mull
Oban
Rosyth
Glasgow
Edinburgh
Port Askaig
Islay
Kennacraig
Port Ellen
Brodick
Ardrossan
Troon
Campbeltown
Aran
P&O Ferries
www.poferries.com
Cairnryan
Stena Line
www.stenaline.com
Larne
Newcastle upon Tyne

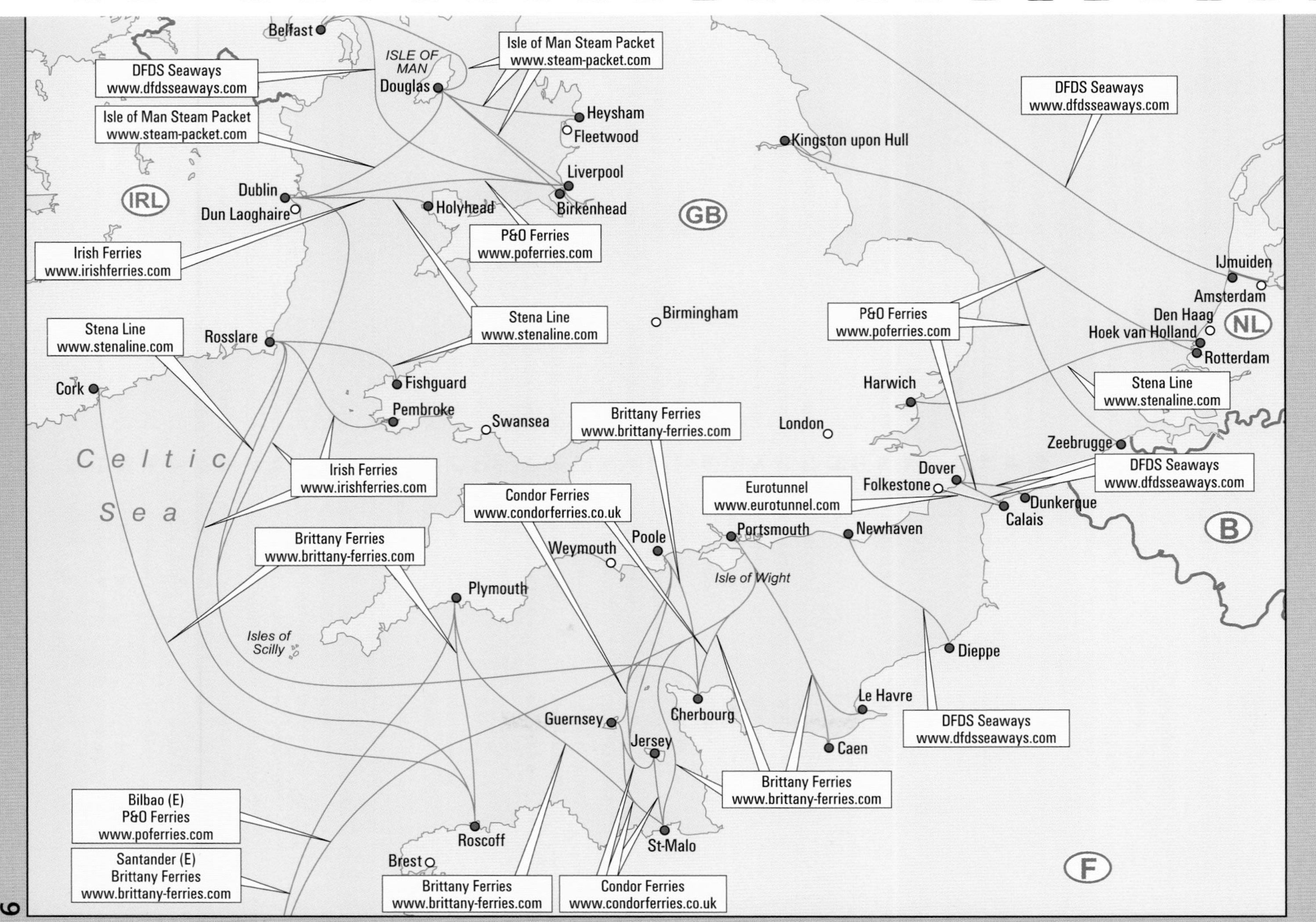

NL

IJmuiden
Amsterdam
Den Haag
Hoek van Holland
Rotterdam

B

F

DFDS Seaways
www.dfdsseaways.com

Stena Line
www.stenaline.com

DFDS Seaways
www.dfdsseaways.com

Zeebrugge
Dunkerque
Calais

Kingston upon Hull

P&O Ferries
www.poferries.com

Harwich

Dover
Folkestone
Newhaven

Dieppe

DFDS Seaways
www.dfdsseaways.com

Le Havre

Caen

Brittany Ferries
www.brittany-ferries.com

London

Eurotunnel
www.eurotunnel.com

Portsmouth
Isle of Wight

GB

Birmingham

Brittany Ferries
www.brittany-ferries.com

Poole

Cherbourg

Jersey

St-Malo

Condor Ferries
www.condorferries.co.uk

Isle of Man Steam Packet
www.steam-packet.com

Heysham
Fleetwood
Liverpool
Birkenhead

P&O Ferries
www.poferries.com

Stena Line
www.stenaline.com

Condor Ferries
www.condorferries.co.uk

Weymouth
Guernsey

Brittany Ferries
www.brittany-ferries.com

Holyhead

ISLE OF MAN
Douglas

Fishguard
Pembroke

Swansea

Plymouth

Roscoff

Brest

Brittany Ferries
www.brittany-ferries.com

Belfast

Irish Ferries
www.irishferries.com

Dublin
Dun Laoghaire

Rosslare

C e l t i c
S e a

Isles of
Scilly

DFDS Seaways
www.dfdsseaways.com

Isle of Man Steam Packet
www.steam-packet.com

Irish Ferries
www.irishferries.com

Stena Line
www.stenaline.com

IRL

Cork

Bilbao (E)
P&O Ferries
www.poferries.com

Santander (E)
Brittany Ferries
www.brittany-ferries.com

Legend/Zeichenerklärung/Légende/Legenda

GB　　　　　**D**　　　　　**F**　　　　　**NL**

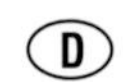

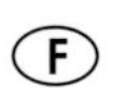

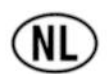

Significant points of interest · Herausragende Sehenswürdigkeiten · Curiosités remarquables · Opvallende bezienswaardigheden

GB	D		F	NL
Major tourist route	Autoroute		Circuit touristique important	Autoroute
Major tourist railway	Bahnstrecke		Ligne ferroviaire touristique	Spoorwegtraject
Highspeed train	Hochgeschwindigkeitszug		Train à Grande Vitesse	Hogesnelheidstrein
Shipping route	Schiffsroute		Itinéraire de navigation	Scheepsroute
UNESCO World Natural Heritage	UNESCO-Weltnaturerbe		Patrimoine naturel de l'humanité de l'UNESCO	UNESCO wereldnatuurerfgoed
Mountain landscape	Gebirgslandschaft		Paysage de montagne	Berglandschap
Rock landscape	Felslandschaft		Paysage rocheux	Rotslandschap
Ravine/canyon	Schlucht/Canyon		Gorge/canyon	Kloof/canyon
Glacier	Gletscher		Glacier	Gletsjer
Active volcano	Vulkan, aktiv		Volcan actif	Actieve vulkaan
Extinct volcano	Vulkan, erloschen		Volcan éteint	Dode vulkaan
Geyser	Geysir		Geyser	Geiser
Cave	Höhle		Grotte	Grotten
River landscape	Flusslandschaft		Paysage fluvial	Rivierlandschap
Waterfall/rapids	Wasserfall/Stromschnelle		Cascade/rapide	Waterval/stroomversnelling
Lake country	Seenlandschaft		Paysage de lacs	Merenlandschap
Desert	Wüstenlandschaft		Désert	Woestijnlandschap
Fossil site	Fossilienfundstätte		Site fossilifère	Fossielenplaats
Nature park	Naturpark		Parc naturel	Natuurpark
National park (landscape)	Nationalpark (Landschaft)		Parc national (paysage)	Nationaal park (landschap)
National park (flora)	Nationalpark (Flora)		Parc national (flore)	Nationaal park (flora)
National park (fauna)	Nationalpark (Fauna)		Parc national (faune)	Nationaal park (fauna)
National park (culture)	Nationalpark (Kultur)		Parc national (site culturel)	Nationaal park (cultuur)
Biosphere reserve	Biosphärenreservat		Réserve de biosphère	Biosfeerreservaat
Wildlife reserve	Wildreservat		Réserve animale	Wildreservaat
Protected area for sea-lions/seals	Schutzgeb. für Seelöwen/Seehunde		Rés. naturelle d'otaries/de phoques	Besch. geb. v. zeeleeuwen/-honden
Zoo/safari park	Zoo/Safaripark		Zoo/Parc Safari	Dierentuin/safaripark
Coastal landscape	Küstenlandschaft		Paysage côtier	Kustlandschap
Beach	Strand		Plage	Strand
Island	Insel		Île	Eiland
Underwater reserve	Unterwasserreservat		Réserve sous-marine	Onderwaterreservaat
UNESCO World Cultural Heritage	UNESCOWeltkulturerbe		Patrimoine culturel de l'humanité de l'UNESCO	UNESCO wereldcultuurerfgoed
Remarkable city	Außergewöhnliche Metropole		Métropole d'exception	Buitengewone metropolen
Pre-and early history	Vor- und Frühgeschichte		Préhistoire et protohistoire	Prehistorie en vroegste geschiedenis
Prehistoric rockscape	Prähistorische Felsbilder		Peintures rupestres préhistoriques	Prehistorische rotstekeningen
The Ancient Orient	Alter Orient		Ancien Orient	Oud-Oriënt
Minoan site	Minoische Kultur		Civilisation minoenne	Minoïsche cultuur
Phoenecian site	Phönikische Kultur		Civilisation phénicienne	Fenicische cultuur
Etruscan site	Etruskische Kultur		Civilisation étrusque	Etruskische cultuur
Greek antiquity	Griechische Antike		Antiquité grecque	Griekse oudheden
Roman antiquity	Römische Antike		Antiquité romaine	Romeinse oudheden
Vikings	Wikinger		Vikings	Vikingen

GB **D** **F** **NL**

Significant points of interest · Herausragende Sehenswürdigkeiten · Curiosités remarquables · Opvallende bezienswaardigheden

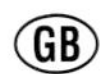

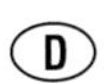

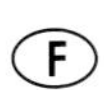

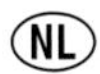

GB	D		F	NL
Places of Jewish cultural interest	Jüdische Kulturstätte	✡	Site d'intérêt culturel juif	Joodse cultuurhist. plaatsen
Places of Christian cultural interest	Christliche Kulturstätte	⛪	Site d'intérêt culturel chrétien	Christelijke cultuurhist. plaatsen
Places of Islamic cultural interest	Islamische Kulturstätte	☾	Site d'intérêt culturel islamique	Islamitische cultuurhist. plaatsen
Cultural landscape	Kulturlandschaft	∞	Paysage culturel	Cultuurlandschap
Historical city scape	Historisches Stadtbild	⛫	Cité historique	Historisch stadsgezicht
Impressive skyline	Imposante Skyline	⏣	Gratte-ciel impressionnant	Imposante skyline
Castle/fortress/fort	Burg/Festung/Wehranlage	♜	Château/forteresse/remparts	Burcht/vesting/verdedigingswerk
Palace	Palast/Schloss	⌂	Palais	Paleis
Technical/industrial monument	Techn./industrielles Monument	▣	Monument technique/industriel	Technisch/industrieel monument
Disused mine	Bergwerk geschlossen	⊠	Mine fermée	Mijn buiten bedrijf
Dam	Staumauer	▨	Barrage	Stuwdam
Impressive lighthouse	Sehenswerter Leuchtturm	▥	Très beau phare	Bezienswaardige vuurtoren
Notable bridge	Herausragende Brücke	▦	Pont remarquable	Opvallende brug
Tomb/grave	Grabmal	▢	Tombeau	Grafmonument
Monument	Denkmal	▯	Monument	Monument
Memorial	Mahnmal	▮	Mémorial	Gedenkteken
Theatre of war/battlefield	Kriegsschauplatz/Schlachtfeld	✕	Champs de bataille	Strijdtoneel/slagvelden
Space telescope	Weltraumteleskop	◎	Télescope astronomique	Ruimteteleskoop
Market	Markt	♣	Marché	Markt
Caravanserai	Karawanserei	▥	Caravansérail	Karavanserai
Festivals	Feste und Festivals	♫	Fêtes et festivals	Feesten en festivals
Museum	Museum	⛪	Musée	Museum
Theatre	Theater	◉	Théâtre	Theater
World exhibition/World Fair	Weltausstellung	⊕	Exposition universelle	Wereldtentoonstelling
Olympics	Olympische Spiele	⛬	Site olympique	Olympiade
Arena/stadium	Arena/Stadion	⬯	Arène/stade	Arena/stadion
Race track	Rennstrecke	▨	Circuit automobile	Circuit
Golf	Golf	⛳	Golf	Golf
Horse racing	Pferdesport	♞	Centre équestre	Paardensport
Skiing	Skigebiet	⛷	Station de ski	Skigebied
Sailing	Segeln	⛵	Port de plaisance	Zeilen
Wind surfing	Windsurfen	⛴	Planche à voile	Surfen
Surfing	Wellenreiten	◤	Surf	Surfriding
Diving	Tauchen	⊘	Plongée	Duiken
Canoeing/rafting	Kanu/Rafting	⛶	Canoë/rafting	Kanoën/rafting
Waterskiing	Wasserski	⛹	Ski nautique	Waterskiën
Beach resort	Badeort	⛱	Station balnéaire	Badplaats
Mineral/thermal spa	Mineralbad/Therme	♨	Station hydrothermale	Mineraalbad/thermen
Leisure park	Freizeitpark	◉	Parc de loisirs	Recreatiepark
Casino	Spielcasino	♠	Casino	Casino
Seaport	Seehafen	⚓	Port	Zeehaven

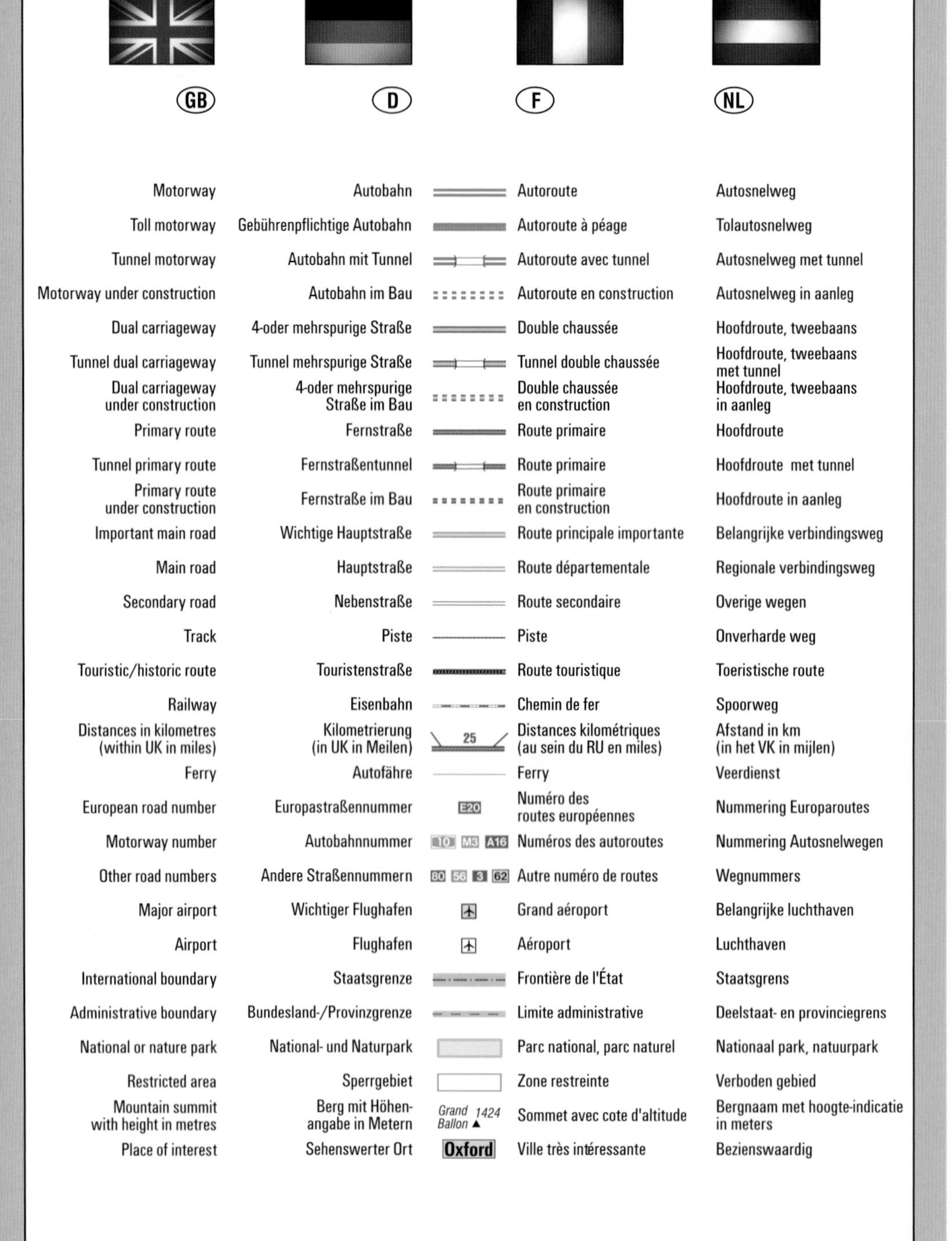

GB	D		F	NL
Motorway	Autobahn		Autoroute	Autosnelweg
Toll motorway	Gebührenpflichtige Autobahn		Autoroute à péage	Tolautosnelweg
Tunnel motorway	Autobahn mit Tunnel		Autoroute avec tunnel	Autosnelweg met tunnel
Motorway under construction	Autobahn im Bau		Autoroute en construction	Autosnelweg in aanleg
Dual carriageway	4-oder mehrspurige Straße		Double chaussée	Hoofdroute, tweebaans
Tunnel dual carriageway	Tunnel mehrspurige Straße		Tunnel double chaussée	Hoofdroute, tweebaans met tunnel
Dual carriageway under construction	4-oder mehrspurige Straße im Bau		Double chaussée en construction	Hoofdroute, tweebaans in aanleg
Primary route	Fernstraße		Route primaire	Hoofdroute
Tunnel primary route	Fernstraßentunnel		Route primaire	Hoofdroute met tunnel
Primary route under construction	Fernstraße im Bau		Route primaire en construction	Hoofdroute in aanleg
Important main road	Wichtige Hauptstraße		Route principale importante	Belangrijke verbindingsweg
Main road	Hauptstraße		Route départementale	Regionale verbindingsweg
Secondary road	Nebenstraße		Route secondaire	Overige wegen
Track	Piste		Piste	Onverharde weg
Touristic/historic route	Touristenstraße		Route touristique	Toeristische route
Railway	Eisenbahn		Chemin de fer	Spoorweg
Distances in kilometres (within UK in miles)	Kilometrierung (in UK in Meilen)	25	Distances kilométriques (au sein du RU en miles)	Afstand in km (in het VK in mijlen)
Ferry	Autofähre		Ferry	Veerdienst
European road number	Europastraßennummer	E20	Numéro des routes européennes	Nummering Europaroutes
Motorway number	Autobahnnummer	10 M3 A16	Numéros des autoroutes	Nummering Autosnelwegen
Other road numbers	Andere Straßennummern	80 56 3 62	Autre numéro de routes	Wegnummers
Major airport	Wichtiger Flughafen	✈	Grand aéroport	Belangrijke luchthaven
Airport	Flughafen	✈	Aéroport	Luchthaven
International boundary	Staatsgrenze		Frontière de l'État	Staatsgrens
Administrative boundary	Bundesland-/Provinzgrenze		Limite administrative	Deelstaat- en provinciegrens
National or nature park	National- und Naturpark		Parc national, parc naturel	Nationaal park, natuurpark
Restricted area	Sperrgebiet		Zone restreinte	Verboden gebied
Mountain summit with height in metres	Berg mit Höhenangabe in Metern	Grand 1424 Ballon ▲	Sommet avec cote d'altitude	Bergnaam met hoogte-indicatie in meters
Place of interest	Sehenswerter Ort	Oxford	Ville très intéressante	Bezienswaardig

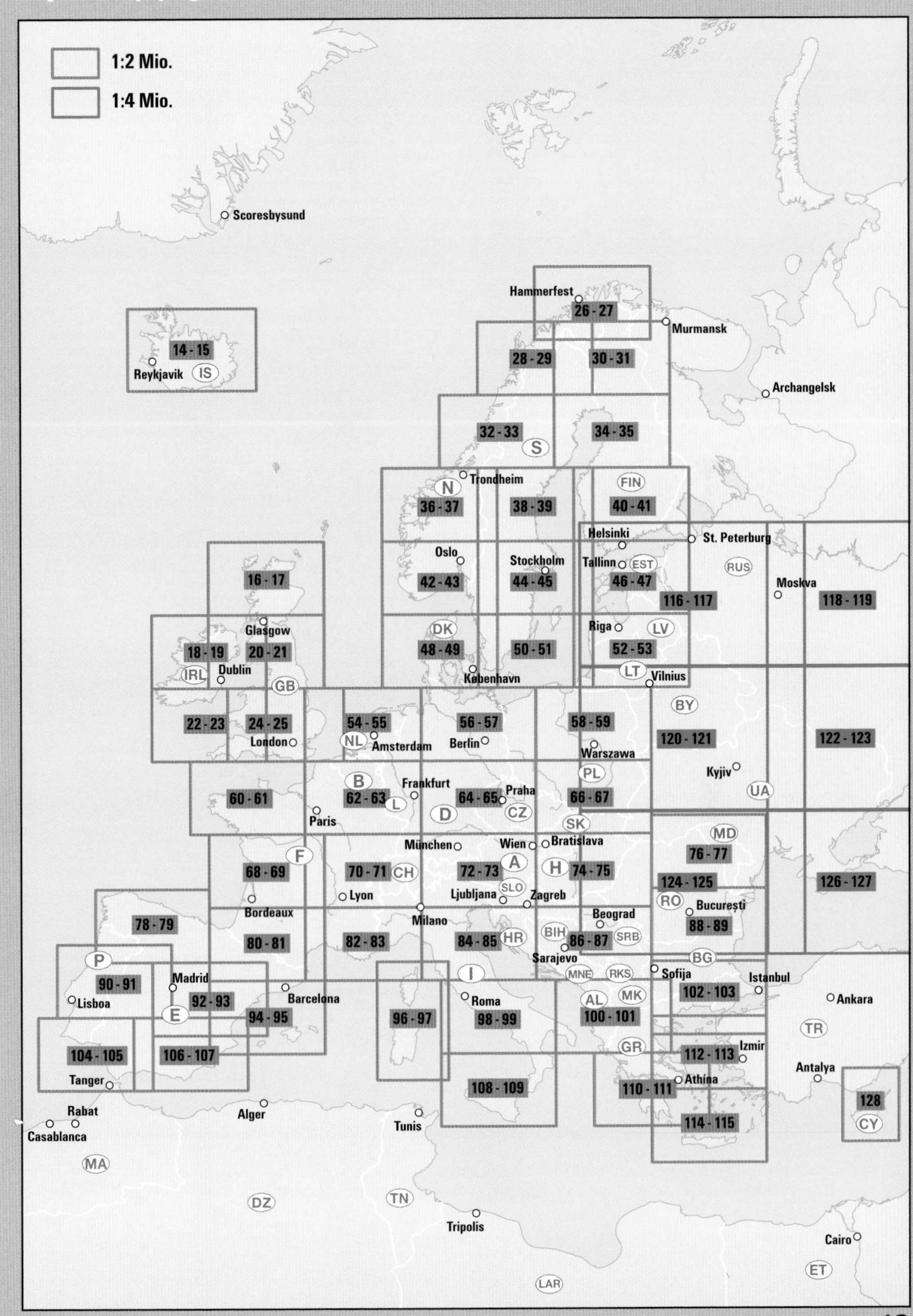

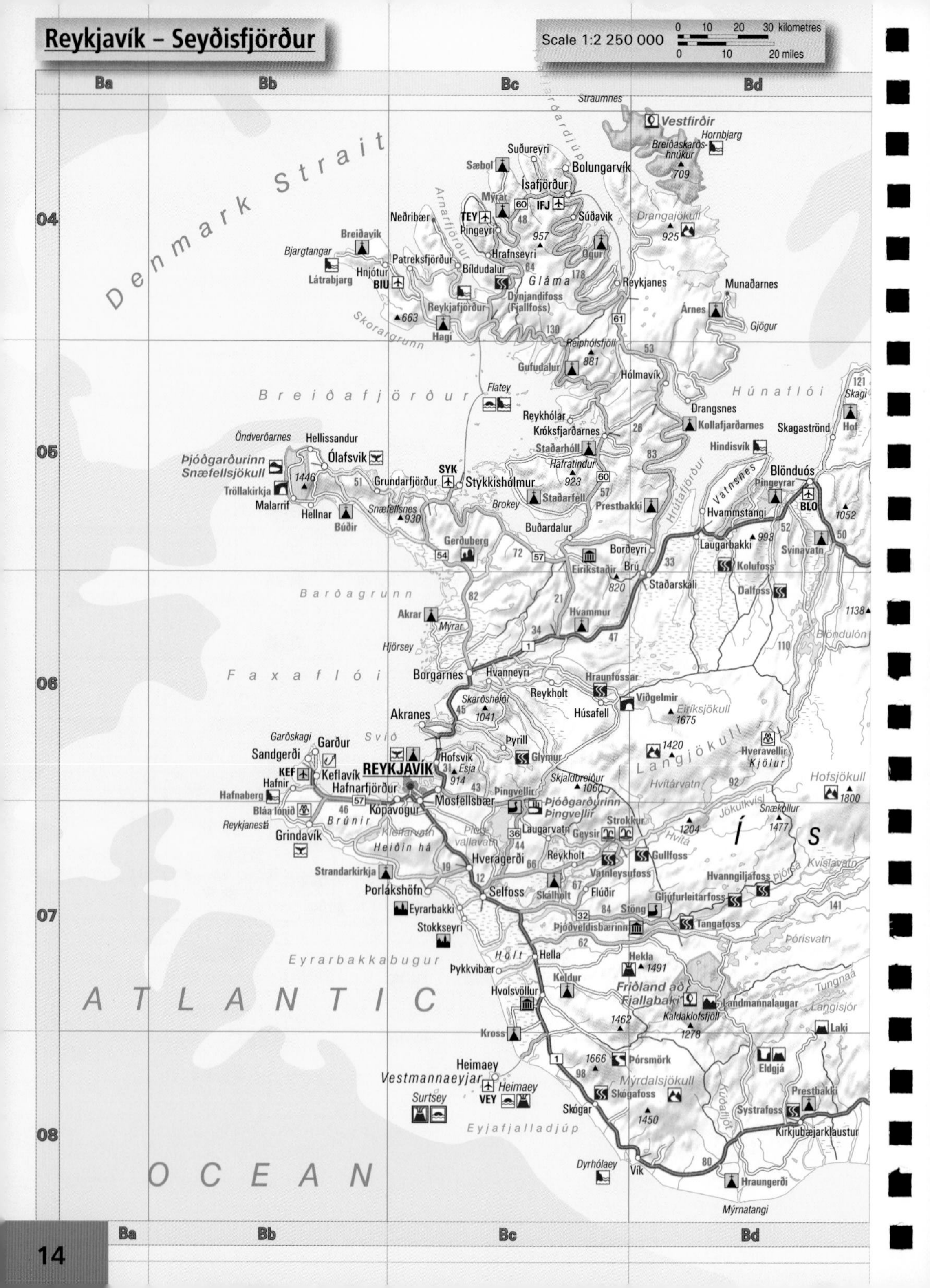
Scale 1:2 250 000
0 10 20 30 kilometres
0 10 20 miles
Ba
Bb
Bc
Bd
04
05
06
07
08
Denmark Strait
Straumnes
Vestfirðir
Hornbjarg
Breiðaskarðs-hnúkur
709
Suðureyri
Sæból
Bolungarvík
Ísafjörður
Mýrar
60
IFJ
TEY
Súðavík
Neðribær
Þingeyri
48
Drangajökull
925
957
Breiðavík
Bjargtangar
Hrafnseyri
Ögur
Patreksfjörður
Bíldudalur
64
Hnjótur
BIU
Látrabjarg
Gláma
178
Reykjanes
Munaðarnes
Dynjandifoss (Fjallfoss)
Reykjafjörður
Árnes
663
Skorargrunn
Hagi
130
61
Gjögur
Reiphólsfjöll
881
53
Gufudalur
Hólmavík
Breiðafjörður
Flatey
Húnaflói
121
Skagi
Reykhólar
Drangsnes
Hof
Króksfjarðarnes
26
Kollafjarðarnes
Skagaströnd
Öndverðarnes
Hellissandur
Staðarhóll
Hindisvík
Þjóðgarðurinn Snæfellsjökull
Ólafsvík
83
Hafratindur
Vatnsnes
Blönduós
SYK
923
60
1446
51
Grundarfjörður
Stykkishólmur
Þingeyrar
Tröllakirkja
57
Staðarfell
Prestbakki
BLO
Malarrif
Brokey
Hvammstangi
1052
Hellnar
Snæfellsnes
930
Búðir
Búðardalur
52
50
Laugarbakki
998
Gerðuberg
Svínavatn
72
Borðeyri
54
57
Eiríksstaðir
Brú
33
Kolufoss
820
Staðarskáli
Barðagrunn
82
Dalfoss
21
Hvammur
1138
Akrar
Mýrar
34
47
Blöndulón
Hjörsey
1
110
Faxaflói
Borgarnes
Hvanneyri
Hraunfossar
Reykholt
Víðgelmir
Skarðsheiði
Eiríksjökull
1675
Húsafell
45
1041
Akranes
Langjökull
Garðskagi
Svið
Þyrill
Hveravellir
Garður
1420
Sandgerði
Kjölur
Hofsvík
Glymur
KEF
Keflavík
REYKJAVÍK
31
Esja
Skjaldbreiður
Hofsjökull
Hafnir
914
1060
Hvítárvatn
92
Hafnarfjörður
43
Þingvellir
1800
Hafnaberg
57
Mosfellsbær
Þjóðgarðurinn Þingvellir
Jökulkvísl
Snækollur
Bláa lónið
46
Kópavogur
Strokkur
1204
1477
Reykjanestá
Brúnir
Kleifarvatn
Þingvallavatn
36
Laugarvatn
Geysir
Hvítá
Í
S
Kvíslavatn
Grindavík
Heiðin há
44
Hveragerði
Reykholt
Gullfoss
66
Vatnleysufoss
Hvanngiljafoss
Þjórsá
Strandarkirkja
19
12
Skálholt
67
Flúðir
Þorlákshöfn
Selfoss
Gljúfurleitarfoss
141
Eyrarbakki
32
84
Stöng
Stokkseyri
Þjóðveldisbærinn
Tangafoss
62
Þórisvatn
Eyrarbakkabugur
Holt
Hella
Hekla
1491
Þykkvibær
Keldur
Tungnaá
ATLANTIC
Hvolsvöllur
Friðland að Fjallabaki
Landmannalaugar
Langisjór
Kaldaklofsfjöll
1462
1278
Laki
Kross
1
1666
Þórsmörk
Heimaey
98
Eldgjá
Vestmannaeyjar
Heimaey
Mýrdalsjökull
VEY
Surtsey
Skógafoss
Prestbakki
Kúðafljót
Skógar
Systrafoss
1450
Kirkjubæjarklaustur
Eyjafjalladjúp
OCEAN
80
Dyrhólaey
Vík
Hraungerði
Mýrnatangi
Ba
Bb
Bc
Bd

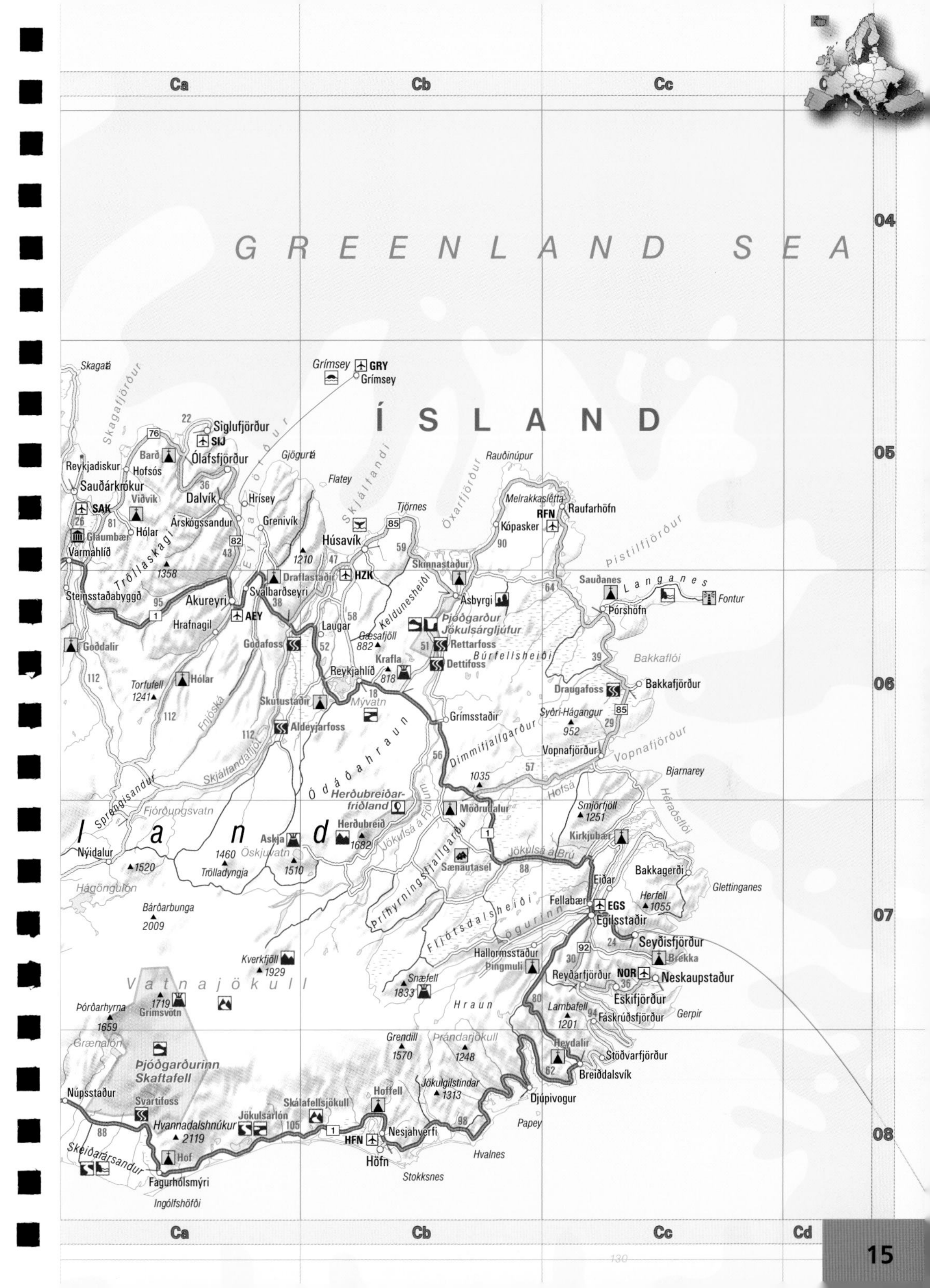

04

GREENLAND SEA

05

ÍSLAND

Skagató
Grímsey GRY
Grímsey

Skagafjörður
22 Siglufjörður
76 SIJ
Barð Ólafsfjörður Gjögurtá
Reykjadiskur Hofsós 36 Flatey
Sauðárkrókur Viðvík Dalvík Hrísey
SAK 26 81 Árskögssandur Grenivík
Glaumbær Hólar 82
Varmahlíð 43 Húsavík
1358 Draflastaðir HZK
Steinsstaðabyggð 95 Akureyri 59
1 Svalbarðseyri 38
Goðdalir Hrafnagil Laugar 58
112 Torfufell Hólar Goðafoss 52
1241 Skútustaðir Gæsafjöll
112 Myvatn 882
Aldeyjarfoss Reykjahlíð
112 818
Öð á ð a h r a u n
Herðubreiðar-
Fjörðupsvatn fríðland
Nýidalur Askja Herðubreið
1520 1460 Öskjuvatn 1682
Hágöngulón Trölladyngja 1510

Rauðinúpur
Tjörnes 85
Melrakkaslétta RFN Raufarhöfn
Kópasker
90
Skinnastaðir
Ásbyrgi 64 Sauðanes L a n g a n e s
Þjóðgarður Þórshöfn Fontur
Jökulsárgljúfur
Réttarfoss B ú r f e l l s h e i ð i
Dettifoss 39 Bakkaflói
Grímsstaðir Syðri-Hágangur Draugafoss Bakkafjörður
952 29 85
Dimmifjallgarður 56 57
1035 Vopnafjörður Vopnafjörður
Hofsá Bjarnarey
Móðrudalur Smjörfjöll
Þ r í h y r n i n g s f j a l l g a r ð u r 1251
1 Kirkjubær
Jökulsá á Brú Héraðsfjói
88 Bakkagerði
Eiðar Glettinganes
Sænautasel Fellabær EGS Hertell
Egilsstaðir 1055
Hallormsstaður 30 Seyðisfjörður
Þingmúli 92 24 Brekka
Snæfell Reyðarfjörður NOR Neskaupstaður
1833 H r a u n 36 Eskifjörður
Lambafell Fáskrúðsfjörður Gerpir
Grendill Þrándarjökull 80 1201
1570 1248 Heydalir Stöðvarfjörður
62 Breiðdalsvík

I
l a n d

Bárðarbunga
2009
Kverkfjöll
1929
V a t n a j ö k u l l
Þórðarhyrna 1719
1659 Grímsvötn
Grænalón
Þjóðgarðurinn
Skaftafell
Núpsstaður
Svartfoss
Hvannadalshnúkur Skálafellsjökull Hoffell Jökulgilstindar
2119 Jökulsárlón 105 1313 Djúpivogur Papey
Skeiðarársandur 88 1 HFN Nesjahverfi 98
Hof Höfn Hvalnes
Fagurhólsmýri Stokksnes
Ingólfshöfði

06

07

08

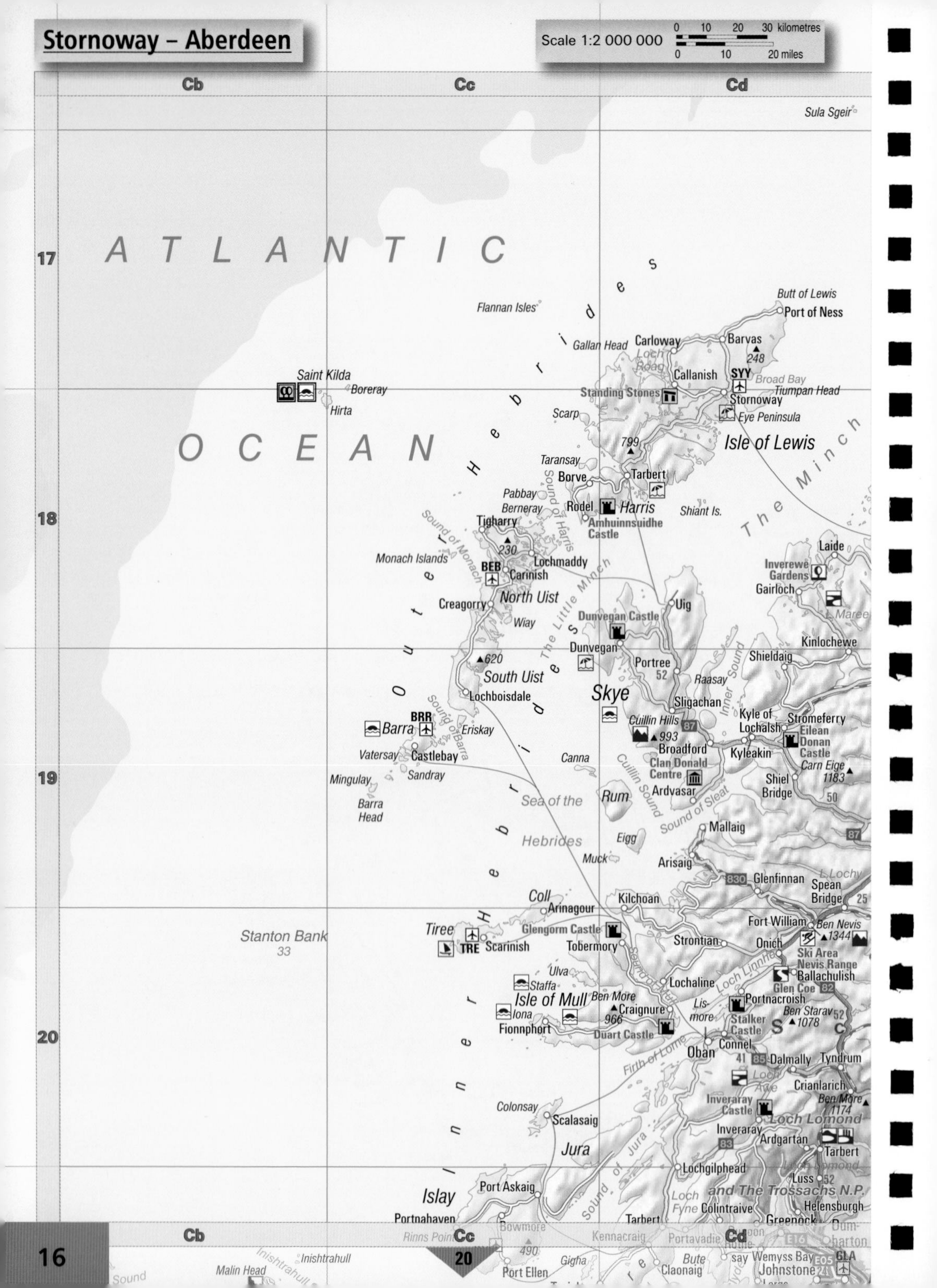
Scale 1:2 000 000
0 10 20 30 kilometres
0 10 20 miles
Cb
Cc
Cd
17
18
19
20
ATLANTIC
OCEAN
Sula Sgeir
Flannan Isles
Outer Hebrides
Inner Hebrides
Butt of Lewis
Port of Ness
Gallan Head
Carloway
Loch Roag
Barvas
248
Callanish
SYY
Broad Bay
Tiumpan Head
Saint Kilda
Boreray
Hirta
Standing Stones
Stornoway
Scarp
Eye Peninsula
799
Isle of Lewis
The Minch
Taransay
Borve
Tarbert
Sound of Harris
Pabbay
Berneray
Rodel
Harris
Shiant Is.
Amhuinnsuidhe Castle
Tigharry
Sound of Monach
230
Monach Islands
Lochmaddy
BEB
Carinish
The Little Minch
Laide
Inverewe Gardens
Gairloch
North Uist
Creagorry
Uig
Dunvegan Castle
L. Maree
Wiay
Kinlochewe
Dunvegan
Inner Sound
Shieldaig
620
Portree
52
South Uist
Raasay
Lochboisdale
Skye
Sligachan
Kyle of Lochalsh
Stromeferry
BRR
Barra
Sound of Barra
Eriskay
Cuillin Hills
87
993
Eilean Donan Castle
Broadford
Vatersay
Castlebay
Kyleakin
Canna
Clan Donald Centre
Carn Eige
1183
Mingulay
Sandray
Cuillin Sound
Shiel Bridge
Ardvasar
Barra Head
Sea of the Hebrides
Rum
Sound of Sleat
50
Mallaig
Eigg
Muck
Arisaig
830
Glenfinnan
L. Lochy
Spean Bridge
25
Coll
Arinagour
Kilchoan
Fort William
Ben Nevis
1344
Stanton Bank
33
Tiree
Glengorm Castle
TRE
Scarinish
Tobermory
Strontian
Onich
Ski Area Nevis Range
Ballachulish
Ulva
Staffa
Sound of Mull
Lochaline
Loch Linnhe
Glen Coe
82
Isle of Mull
Ben More
Portnacroish
Iona
Craignure
966
Lismore
Ben Starav
1078
Fionnphort
Duart Castle
Stalker Castle
Oban
Connel
Firth of Lorne
41
85
Dalmally
Tyndrum
Loch Awe
Crianlarich
Ben More
1174
Inveraray Castle
Colonsay
Scalasaig
Loch Lomond
Inveraray
83
Ardgartan
Jura
Sound of Jura
Tarbert
Lochgilphead
Luss
52
Port Askaig
Islay
Loch Fyne
and The Trossachs N.P.
Sound of Islay
Colintraive
Helensburgh
Portnahaven
Tarbert
Greenock
Dumbarton
Bowmore
Rinns Point
Kennacraig
Portavadie
E16
490
Inishtrahull
Inishtrahull Sound
Malin Head
Gigha
Bute
Wemyss Bay
GLA
Port Ellen
Claonaig
E05
Johnstone
20

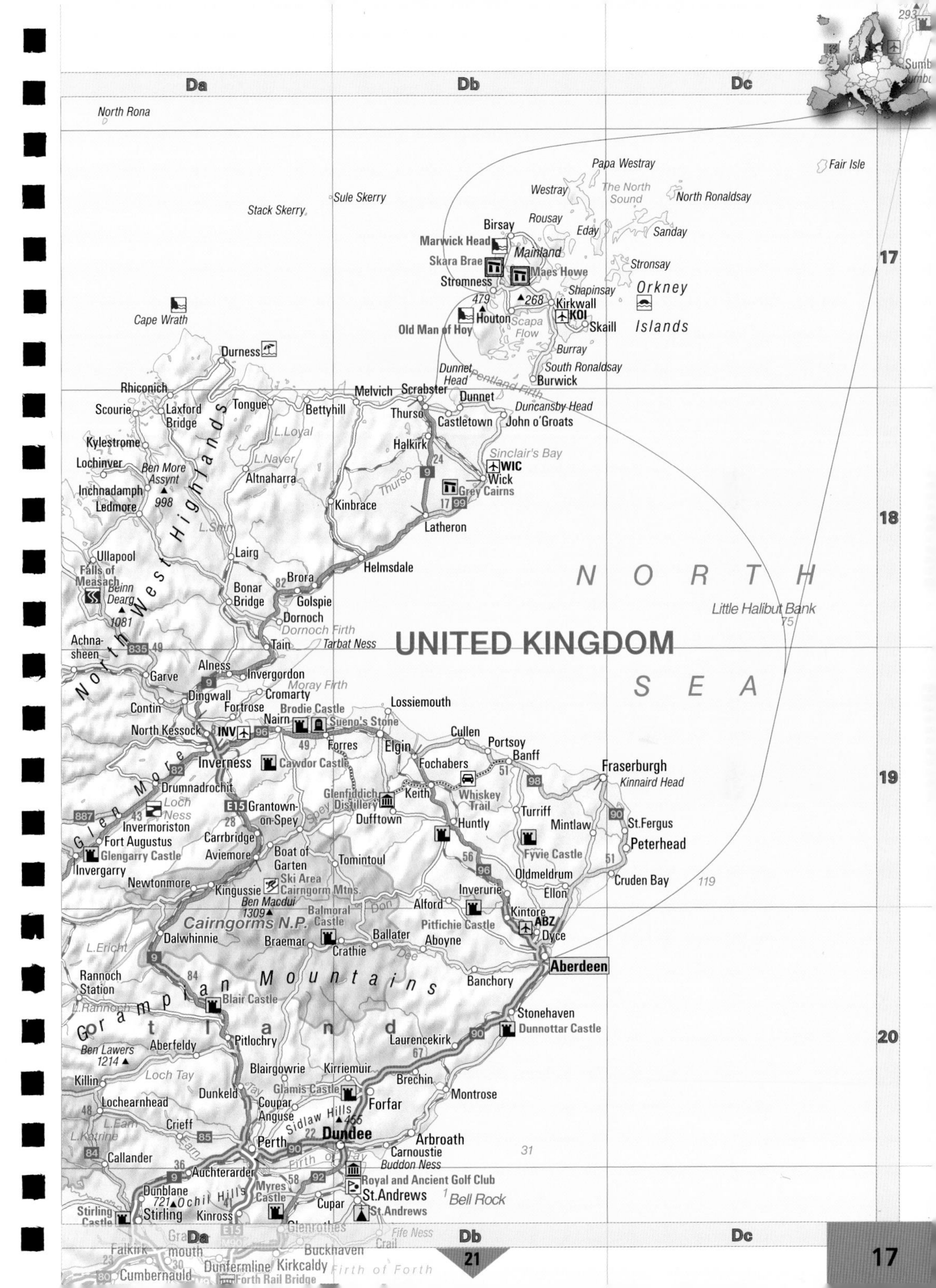

North Rona

Fair Isle

Stack Skerry,   Sule Skerry

Papa Westray
Westray   The North Sound   North Ronaldsay
Rousay   Eday   Sanday

Birsay
Marwick Head   Mainland
Skara Brae   Maes Howe   Stronsay
Stromness   Kirkwall   Orkney
479 ▲268 KOI   Islands
Old Man of Hoy   Houton Skaill
Scapa Flow
Burray
Dunnet Head   South Ronaldsay
Melvich Scrabster   Burwick
Rhiconich   Dunnet Pentland Firth
Scourie Tongue Bettyhill   Thurso Duncansby Head
Kylestrome Laxford L.Loyal Castletown John o'Groats
Bridge
Lochinver L.Nayer Halkirk
Ben More Altnaharra 24
Inchnadamph Assynt Thurso 9   Sinclair's Bay
Ledmore 998 Kinbrace   WIC
17 99 Grey Cairns Wick
Latheron
Ullapool
Falls of Beinn Helmsdale   N O R T H
Measach Dearg
1081 82 Brora   Little Halibut Bank
Achna- 835 49 Bonar Golspie   75
sheen Bridge Dornoch   S E A
Garve Alness Tain Dornoch Firth
Contin Dingwall Invergordon Tarbat Ness UNITED KINGDOM
North Kessock Fortrose Moray Firth
Cromarty Lossiemouth
INV 56 Nairn Sueno's Stone Cullen
49 Forres Portsoy
Inverness Cawdor Castle Elgin Banff Fraserburgh
Fochabers 51 Kinnaird Head
Drumnadrochit Glenfiddich Keith Whiskey 98
Loch Distillery Trail Turriff 90
E15 Grantown- Dufftown Huntly St.Fergus
Ness on-Spey Mintlaw Peterhead
28 Fyvie Castle 51
Invermoriston Carrbridge Tomintoul 56 Cruden Bay 119
Fort Augustus Aviemore 96
Glengarry Castle Boat of Oldmeldrum
Invergarry Garten Inverurie Ellon
Newtonmore Ski Area Alford Kintore
Kingussie Cairngorm Mtns. ABZ
Ben Macdui Pitfichie Castle Dyce
1309▲ Balmoral Aboyne
Cairngorms N.P. Castle Aberdeen
L.Ericht Dalwhinnie Braemar Ballater
Crathie Banchory
Rannoch 84
Station Blair Castle Stonehaven
L.Rannoch 90 Dunnottar Castle
Aberfeldy Pitlochry Laurencekirk
Ben Lawers 67
1214 ▲ Blairgowrie Kirriemuir Brechin
Killin Loch Tay Glamis Castle Montrose
Lochearnhead Coupar Forfar
48 Dunkeld Anguse Sidlaw Hills Arbroath
L.Earn Crieff 465 Carnoustie 31
L.Katrine 85 22 Dundee Buddon Ness
Callander 36 Perth Firth of Tay Bell Rock
9 Auchterarder Royal and Ancient Golf Club
Dunblane 58 92 Myres St.Andrews
Stirling 721▲ Ochil Hills Castle Cupar St.Andrews
Castle Stirling Kinross Fife Ness
Gran Da Glenrothes Crail Db Dc
Falkirk mouth Buckhaven
Cumbernauld Dunfermline Kirkcaldy Firth of Forth
Forth Rail Bridge

North West Highlands
Glen More
Grampian Mountains
Cairngorms N.P.
Scotland

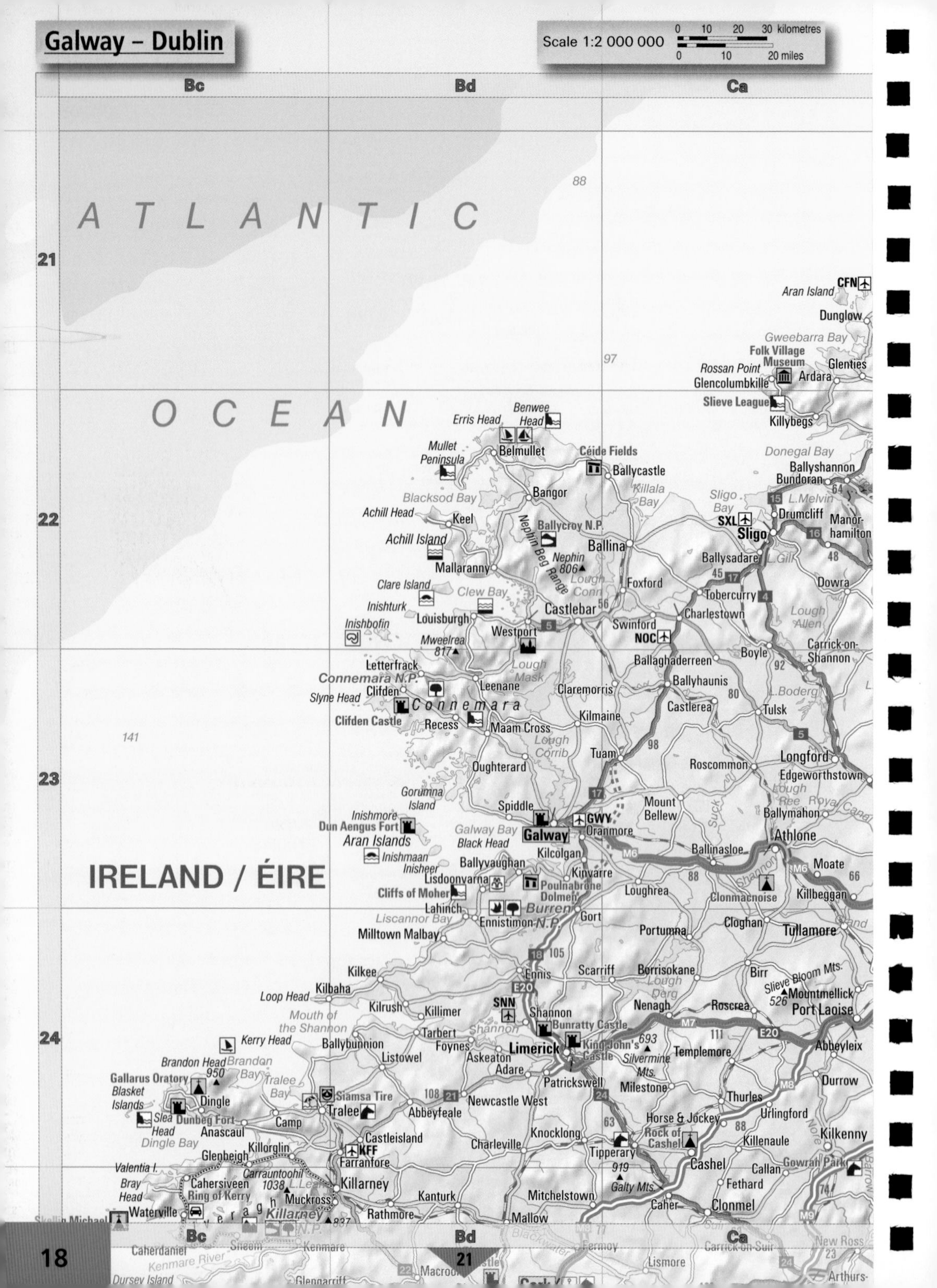

Scale 1:2 000 000

0   10   20   30 kilometres
0   10   20 miles

ATLANTIC

OCEAN

IRELAND / ÉIRE

Aran Island CFN
Dunglow
Gweebarra Bay
Folk Village
Rossan Point Museum Glenties
Glencolumbkille Ardara
Slieve League
Killybegs

Erris Head Benwee Head
Mullet Belmullet Céide Fields
Peninsula Ballycastle
Bangor Killala Donegal Bay
Blacksod Bay Bay Ballyshannon
Achill Head Keel Ballycroy N.P. Sligo Bundoran
Achill Island Nephin Bay L. Melvin
Mallaranny 806 Ballina SXL Sligo Drumcliff Manor-
Lough Ballysadare hamilton
Clare Island Conn Foxford Tobercurry Dowra
Inishturk Clew Bay Castlebar Charlestown Lough
Inishbofin Westport Swinford Allen
Louisburgh NOC Ballaghaderreen Boyle Carrick-on-
Mweelrea Lough Shannon
817 Mask Claremorris Ballyhaunis Tulsk
Letterfrack Leenane Castlerea
Connemara N.P. Kilmaine Longford
Clifden Maam Cross Tuam Roscommon Edgeworthstown
Slyne Head CONNEMARA Lough Lough
Clifden Castle Recess Corrib Ree
Oughterard Mount Ballymahon
Gorumna Spiddle Bellew Athlone
Island GWY Ballinasloe Moate
Inishmore Galway Bay Oranmore M6
Dun Aengus Fort Black Head Galway Kilcolgan Clonmacnoise Killbeggan
Aran Islands Inishmaan Ballyvaughan Kinvarre Tullamore
Inisheer Lisdoonvarna Poulnabrone Loughrea
Cliffs of Moher Dolmen Burren Gort Portumna Cloghan
Lahinch Ennistimon N.P. Birr
Liscannor Bay Scarriff Borrisokane Slieve Bloom Mts.
Milltown Malbay Ennis Nenagh Mountmellick
Kilkee Roscrea Port Laoise
Loop Head Kilbaha Killimer Shannon King's Templemore Abbeyleix
Mouth of Kilrush Tarbert Bunratty Castle John's Silvermine Durrow
the Shannon Kerry Head Ballybunnion Foynes Limerick Castle Mts. Milestone Thurles Urlingford
Brandon Head Listowel Askeaton Patrickswell Horse & Kilkenny
Gallarus Oratory Brandon Adare Jockey Killenaule
Blasket Bay Tralee Siamsa Tire Newcastle West Tipperary Rock of Callan Gowran Park
Islands Tralee Abbeyfeale Knocklong Cashel Cashel
Slea Dunbeg Fort Camp Castleisland Charleville Galty Mts. Fethard
Head Anascaul Killorglin KFF Mitchelstown Caher Clonmel
Valentia I. Glenbeigh Farranfore Kanturk Mallow
Bray Caherciveen Killarney Rathmore Fermoy Carrick on Suir New Ross
Head Waterville Muckross Arthurs-
Skellig Michael Killarney Lismore
Caherdaniel Kenmare Macroom Glenflesk

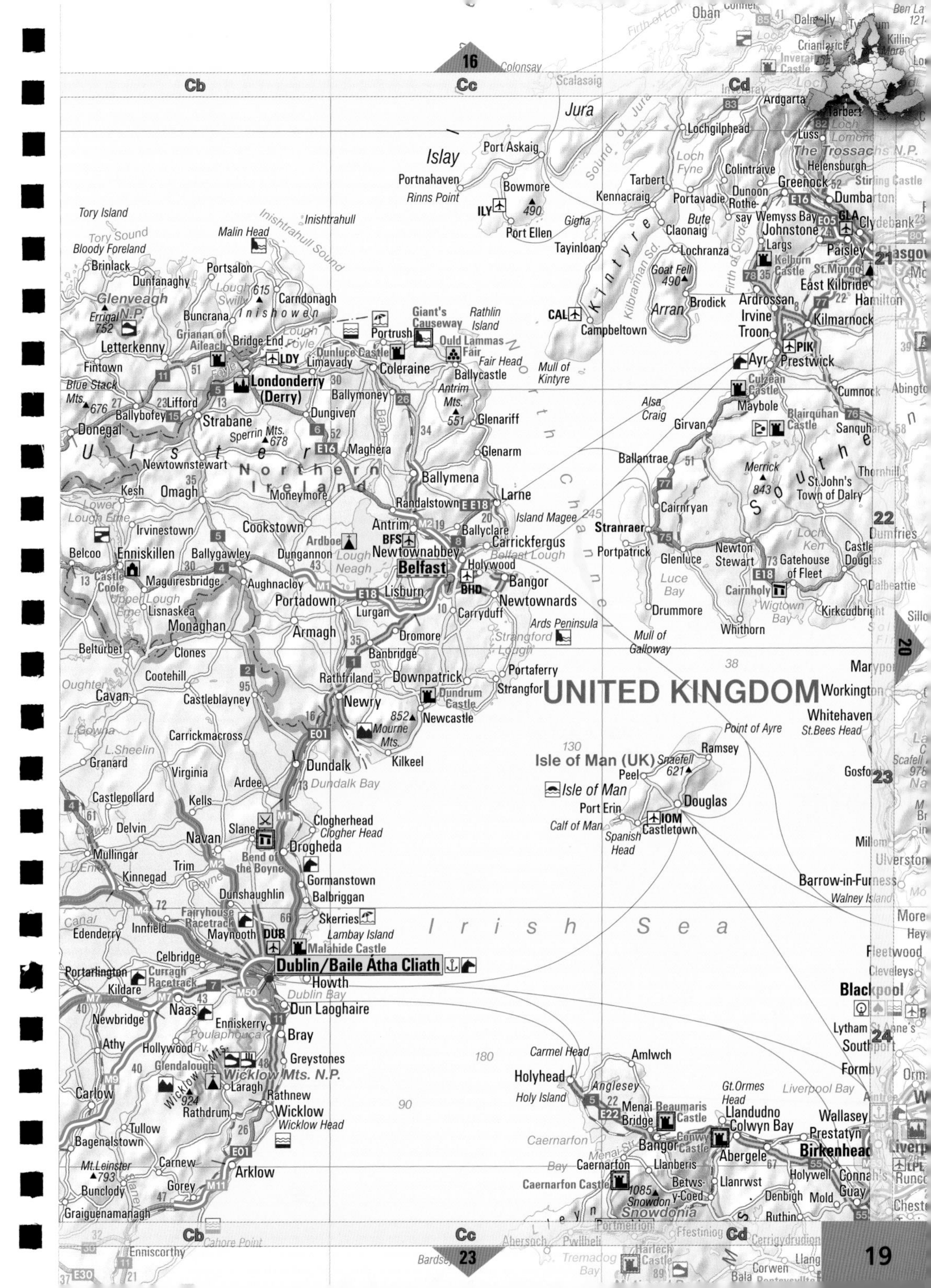
16
Cb
Cc
Cd
Colonsay
Scalasaig
Oban
Jura
Islay
Port Askaig
Portnahaven
Rinns Point
Bowmore
ILY
490
Port Ellen
Gigha
Tayinloan
Kintyre
CAL
Campbeltown
Mull of Kintyre
Lochgilphead
Loch Fyne
Tarbert
Kennacraig
Portavadie
Bute
Claonaig
Lochranza
Goat Fell 490
Arran
Brodick
Ardgartan
Luss
The Trossachs N.P.
Helensburgh
Colintraive
Dunoon
Rothesay
Greenock
Dumbarton
Wemyss Bay
GLA
Clydebank
Johnstone
Largs
Paisley
Kelburn Castle
St.Mungo
East Kilbride
Hamilton
Ardrossan
Irvine
Troon
Kilmarnock
PIK
Prestwick
Ayr
Culzean Castle
Maybole
Cumnock
Abington
Blairquhan Castle
Sanquhar
Girvan
Alsa Craig
Ballantrae
Merrick 843
St.John's Town of Dalry
Thornhill
Cairnryan
Stranraer
Portpatrick
Glenluce
Newton Stewart
Gatehouse of Fleet
Castle Douglas
Dumfries
Luce Bay
Cairnholy
Wigtown Bay
Kirkcudbright
Dalbeattie
Drummore
Whithorn
Mull of Galloway
22
Tory Island
Tory Sound
Bloody Foreland
Inishtrahull
Inishtrahull Sound
Malin Head
Brinlack
Dunfanaghy
Portsalon
Lough Swilly
615
Carndonagh
Glenveagh N.P.
Errigal 752
Buncrana
Inishowen
Grianan of Aileach
Letterkenny
Bridge End
Lough Foyle
LDY
Limavady
Dunluce Castle
Portrush
Giant's Causeway
Rathlin Island
Ould Lammas Fair
Fair Head
Ballycastle
Coleraine
Fintown
Londonderry (Derry)
Blue Stack Mts. 676
Ballybofey
Lifford
Strabane
Donegal
Ballymoney
Dungiven
Antrim Mts. 551
Glenariff
Sperrin Mts. 678
Maghera
Glenarm
Ulster
Northern Ireland
North Channel
Newtownstewart
Ballymena
Kesh
Omagh
Moneymore
Larne
Randalstown
Island Magee
Lower Lough Erne
Irvinestown
Cookstown
Antrim
BFS
Ballyclare
Carrickfergus
Ardboe
Lough Neagh
Newtownabbey
Belfast Lough
Belcoo
Enniskillen
Ballygawley
Dungannon
Belfast
Holywood
Castle Coole
Maguiresbridge
Aughnacloy
BHD
Bangor
Upper Lough Erne
Lisnaskea
Portadown
Lisburn
Newtownards
Lurgan
Carryduff
Monaghan
Armagh
Ards Peninsula
Dromore
Strangford Lough
Belturbet
Clones
Banbridge
Cootehill
Rathfriland
Downpatrick
Portaferry
Strangford
Oughter
Cavan
Castleblayney
Newry
Dundrum Castle
UNITED KINGDOM
852
Newcastle
Mourne Mts.
L.Gowna
Carrickmacross
L.Sheelin
Granard
Dundalk
Kilkeel
Virginia
Ardee
Dundalk Bay
Castlepollard
Kells
Delvin
Slane
Clogherhead
Clogher Head
Navan
Drogheda
Mullingar
Trim
Bend of the Boyne
Kinnegad
Gormanstown
Dunshaughlin
Balbriggan
Fairyhouse Racetrack
Skerries
Edenderry
Innfield
Maynooth
DUB
Lambay Island
Malahide Castle
Celbridge
Portarlington
Curragh Racetrack
Dublin/Baile Átha Cliath
Kildare
Howth
Dublin Bay
Newbridge
Naas
Dun Laoghaire
Enniskerry
Poulaphouca
Bray
Athy
Hollywood
Wicklow Mts.
Greystones
Glendalough
Wicklow Mts. N.P.
Carlow
Laragh
924
Rathnew
Rathdrum
Wicklow
Wicklow Head
Tullow
Bagenalstown
Mt.Leinster 793
Carnew
Arklow
Bunclody
Gorey
Graiguenamanagh
Cahore Point
Enniscorthy
Irish Sea
Workington
Whitehaven
St.Bees Head
Point of Ayre
Ramsey
Snaefell 621
Isle of Man (UK)
Peel
Isle of Man
Douglas
Port Erin
Calf of Man
IOM
Castletown
Spanish Head
Millom
Ulverston
Barrow-in-Furness
Walney Island
Fleetwood
Cleveleys
Blackpool
Lytham
Southport
Formby
Liverpool Bay
Carmel Head
Amlwch
Holyhead
Holy Island
Anglesey
Gt.Ormes Head
Llandudno
Colwyn Bay
Menai Bridge
Beaumaris Castle
Wallasey
Prestatyn
Caernarfon Bay
Bangor
Conwy Castle
Abergele
Birkenhead
Caernarfon
Llanberis
Caernarfon Castle
Betws-y-Coed
Llanrwst
Holywell
Connah's Quay
Denbigh
Mold
1085 Snowdon
Snowdonia
Ruthin
Portmeirion
Abersoch
Pwllheli
Ffestiniog
Tremadog Bay
Harlech Castle
Cerrigydrudion
Corwen
Bala
Bardsey
23
20
24
21

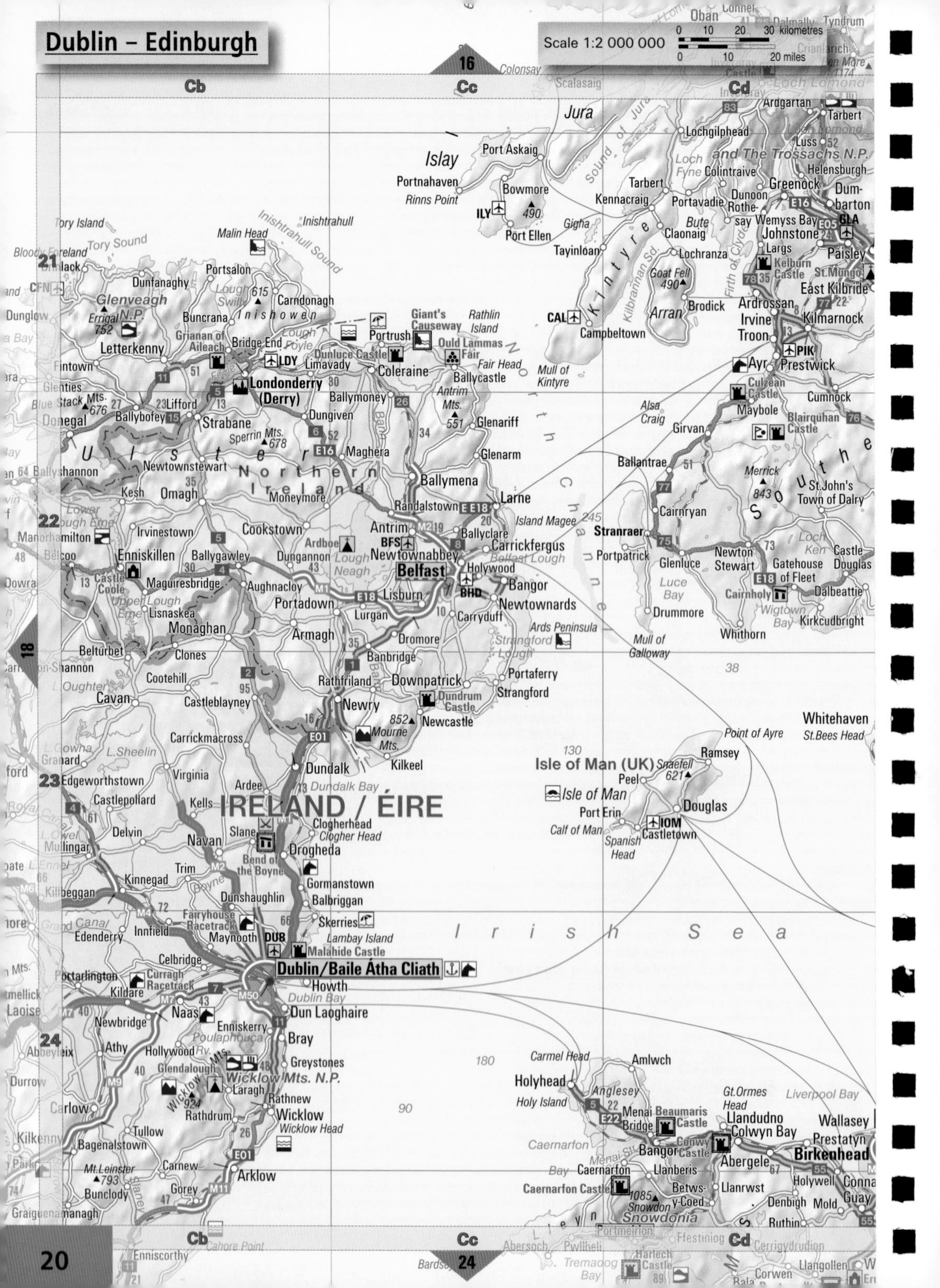

Dublin – Edinburgh

Cb   Cc   Cd

Oban

Dalmally Tyndrum

Colonsay   Scalasaig

Jura

Islay   Port Askaig
Portnahaven
Rinns Point   Bowmore   490
ILY   Port Ellen   Gigha

Tory Island   Inishtrahull
Malin Head   Inishtrahull Sound   Inishtrahull
Bloody Foreland   Tory Sound
Black   Dunfanaghy   Portsalon
21   Portaferry   Carndonagh
Glenveagh   Buncrana
Dunglow   Errigal N.P.   752   Grianan of
Bay   Letterkenny   Ailech
Fintown   Bridge End   LDY
Glenties   Strabane   Coleraine
Blue Stack Mts.   Ballybofey   Limavady
676   23 Lifford   Dungiven
Donegal   Ballyshannon   Sperrin Mts.   678   Maghera
Manorhamilton   Newtownstewart   Glenarm
22   Omagh   Moneymore
Belcoo   Enniskillen   Cookstown
Dowra   Castle Coole   Ardboe
13   Maguiresbridge   Aughnacloy
Lisnaskea   Portadown
Beltuirbet   Monaghan
Clones   Armagh
Cavan   Castleblayney
Cootehill
23   Edgeworthstown
Castlepollard   Virginia
Kells   Ardee
Mullingar   Delvin
Killbeggan   Navan   Slane
Kinnegad   Trim
Edenderry   Innfield   Dunshaughlin
Fairyhouse Racetrack
Maynooth   DUB
Celbridge   Malahide Castle
24   Naas   Enniskerry   Howth
Newbridge   Poulaphouca   Bray
Athy   Hollywood   Greystones
Glendalough
Wicklow Mts. N.P.
Rathnew
Carlow   Rathdrum   Wicklow
Wicklow Head
Mt.Leinster   793
Carnew
Bagenalstown   Gorey
Arklow
Tullow   Bunclody
Graiguenamanagh

Londonderry (Derry)
Ballymoney
Ballymena
Antrim   Belfast
Lisburn   Holywood   BHD
Lurgan   Newtownards
Banbridge   Ards Peninsula
Newry   Portaferry   Strangford
Rathfriland   Downpatrick
Dundrum Castle   Newcastle
Mourne Mts.   852
Kilkeel
Dundalk
Dundalk Bay

IRELAND / ÉIRE

Drogheda
Bend of the Boyne
Balbriggan
Skerries
Lambay Island

Dublin/Baile Átha Cliath
Dublin Bay
Dun Laoghaire

Giant's Causeway
Portrush
Dunluce Castle
Rathlin Island
Fair Head
Ould Lammas Fair
Ballycastle   Antrim Mts.   551   Glenariff
Mull of Kintyre
Campbeltown

Jura   Sound of Jura
Lochgilphead   Tarbert
Loch Fyne   Colintraive
Tarbert   Portavadie   Dunoon
Kennacraig   Rothesay   Wemyss Bay
Claonaig   Bute   Lochranza   Largs
Tayinloan   Goat Fell   490   Brodick   Kelburn Castle
Arran   Ardrossan   Irvine   Kilmarnock
Troon   Prestwick
Ayr   Culzean Castle   Cumnock
Maybole   Blairquhan Castle
Girvan   St.John's Town of Dalry
Ballantrae   Merrick   843
Cairnryan
Stranraer   Newton Stewart   Gatehouse of Fleet   Dalbeattie
Portpatrick   Glenluce   Castle Douglas
Luce Bay   Cairnholy   Kirkcudbright
Drummore   Whithorn   Wigtown Bay
Mull of Galloway
Point of Ayre   Ramsey   Whitehaven
St.Bees Head

Isle of Man (UK)   Snaefell   621
Peel   Douglas
Isle of Man
Port Erin   IOM
Calf of Man   Castletown
Spanish Head

Irish Sea

Holyhead   Anglesey   Amlwch
Holy Island   Carmel Head
Menai Bridge   Beaumaris Castle
Caernarfon   Bangor   Llandudno   Colwyn Bay   Prestatyn   Wallasey
Snowdon   Llanberis   Conwy Castle   Abergele   Birkenhead
Caernarfon Castle   1085   Betws-y-Coed   Llanrwst   Holywell   Conna
Snowdonia   Denbigh   Mold   Quay
Ruthin

Cb   Cc   Cd   24

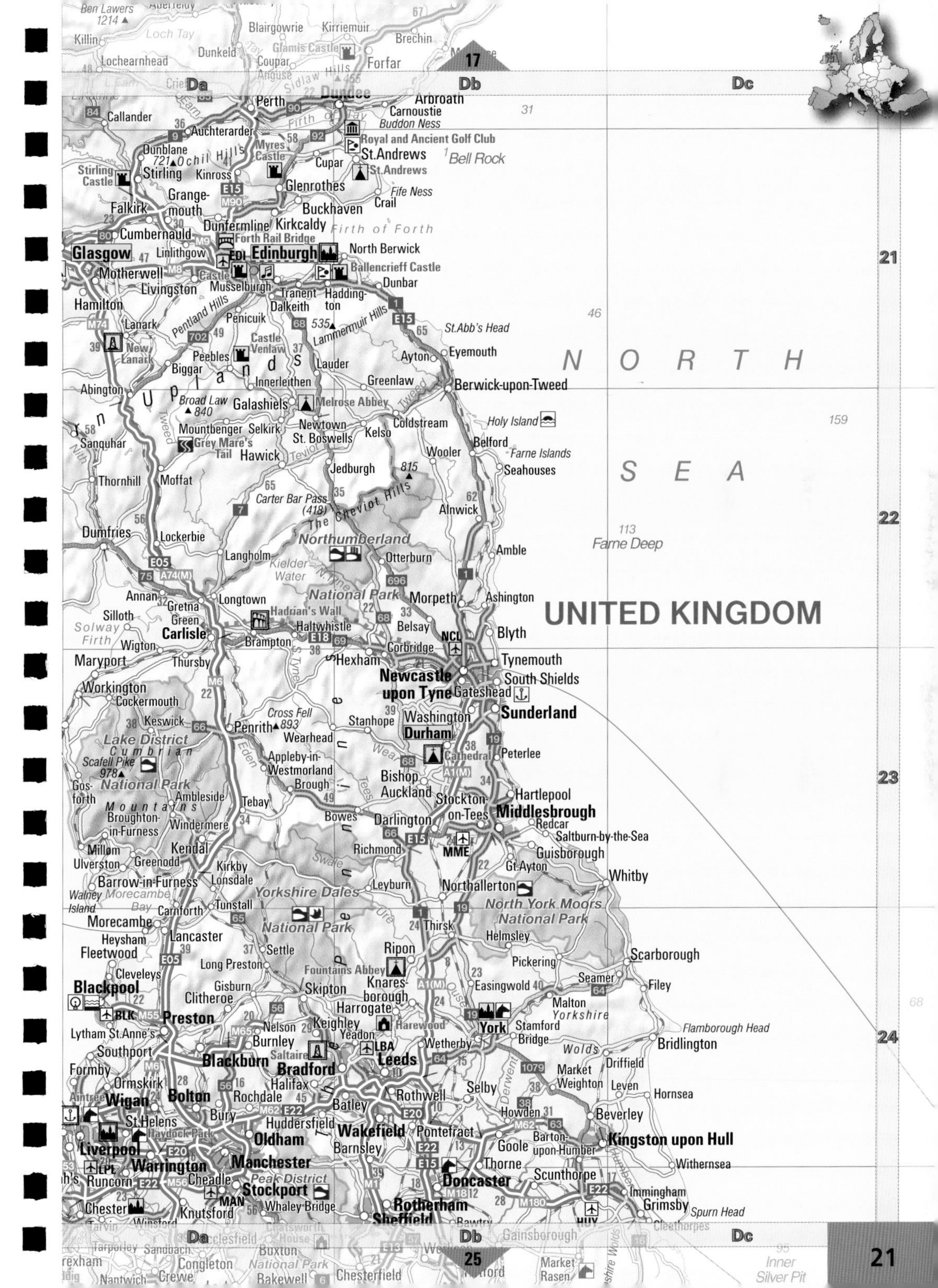
17
Da
Db
Dc
21
22
23
24
25
Ben Lawers
1214
Loch Tay
Killin
Blairgowrie
Kirriemuir
Brechin
Glamis Castle
Dunkeld
Forfar
Lochearnhead
Coupar Angus
Sidlaw Hills
455
Dundee
Arbroath
Carnoustie
Buddon Ness
Perth
Firth of Tay
Callander
Auchterarder
Royal and Ancient Golf Club
St.Andrews
Bell Rock
Dunblane
Ochil Hills
Myres Castle
Cupar
Stirling Castle
Stirling
Kinross
Glenrothes
Fife Ness
Crail
Falkirk
Grange-mouth
Buckhaven
Dunfermline
Kirkcaldy
Firth of Forth
Cumbernauld
Forth Rail Bridge
Glasgow
Linlithgow
Edinburgh
North Berwick
Ballencrieff Castle
Motherwell
Livingston
Musselburgh
Dunbar
Hamilton
Tranent
Hadding-ton
Dalkeith
Pentland Hills
Penicuik
Lammermuir Hills
Lanark
New Lanark
Castle Venlaw
St.Abb's Head
Eyemouth
Peebles
Lauder
Ayton
Biggar
NORTH SEA
Innerleithen
Greenlaw
Berwick-upon-Tweed
Abington
Broad Law
840
Galashiels
Melrose Abbey
Uplands
Mountbenger
Selkirk
Newtown St. Boswells
Kelso
Coldstream
Holy Island
Sanquhar
Grey Mare's Tail
Hawick
Wooler
Belford
Farne Islands
Seahouses
Jedburgh
815
Thornhill
Moffat
Carter Bar Pass (418)
The Cheviot Hills
Alnwick
Dumfries
Lockerbie
Northumberland
Farne Deep
Amble
Langholm
Kielder Water
Otterburn
National Park
Morpeth
Ashington
Annan
Gretna Green
Longtown
UNITED KINGDOM
Silloth
Hadrian's Wall
Haltwhistle
Belsay
Blyth
Solway Firth
Carlisle
Brampton
Corbridge
Wigton
Hexham
Tynemouth
Maryport
Thursby
South Shields
Workington
Newcastle upon Tyne
Gateshead
Cockermouth
Cross Fell
893
Washington
Sunderland
Keswick
Penrith
Stanhope
Lake District
Wearhead
Durham
Cumbrian
Appleby-in-Westmorland
Cathedral
Peterlee
Scafell Pike
978
Brough
Bishop Auckland
National Park
Hartlepool
Gosforth
Ambleside
Tebay
Stockton-on-Tees
Middlesbrough
Mountains
Broughton-in-Furness
Windermere
Bowes
Darlington
Redcar
Saltburn-by-the-Sea
Kendal
Richmond
MME
Guisborough
Millom
Ulverston
Greenodd
Kirkby Lonsdale
Gt.Ayton
Whitby
Barrow-in-Furness
Leyburn
Northallerton
Walney Island
Morecambe Bay
Yorkshire Dales
North York Moors National Park
Carnforth
Tunstall
Thirsk
Morecambe
National Park
Helmsley
Heysham
Lancaster
Ripon
Scarborough
Fleetwood
Settle
Pickering
Long Preston
Fountains Abbey
Seamer
Filey
Cleveleys
Knares-borough
Easingwold
Blackpool
Gisburn
Skipton
Malton
Clitheroe
Harrogate
Yorkshire
Preston
Flamborough Head
Lytham St.Anne's
Nelson
Keighley
Harewood
York
Stamford Bridge
Burnley
Yeadon
Bridlington
Southport
Saltaire
LBA
Wetherby
Wolds
Blackburn
Leeds
Driffield
Formby
Bradford
Market Weighton
Ormskirk
Halifax
Leven
Aintree
Wigan
Bolton
Rochdale
Rothwell
Selby
Hornsea
Batley
Howden
Beverley
Bury
St.Helens
Haydock Park
Huddersfield
Wakefield
Pontefract
Goole
Kingston upon Hull
Oldham
Barton-upon-Humber
Liverpool
Barnsley
Manchester
Thorne
Withernsea
Warrington
Cheadle
Peak District
Scunthorpe
Runcorn
Stockport
Doncaster
Immingham
MAN
Grimsby
Spurn Head
Chester
Knutsford
Whaley Bridge
Rotherham
Sheffield
Cleethorpes
Macclesfield
Chatsworth House
Gainsborough
Buxton
Congleton
National Park
Market Rasen
Crewe
Chesterfield
Bakewell
Inner Silver Pit

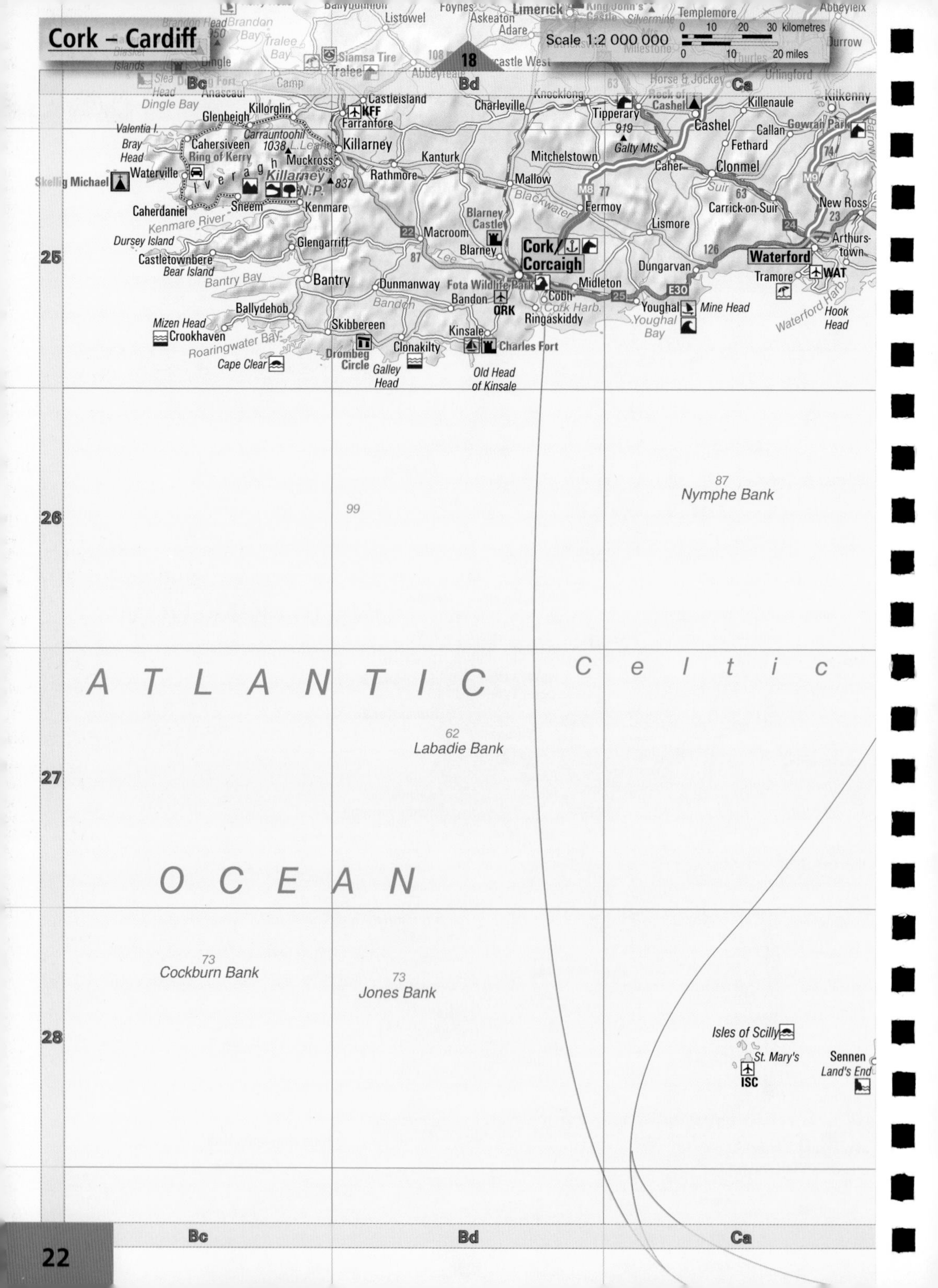
Scale 1:2 000 000
0 10 20 30 kilometres
0 10 20 miles
18
Bc
Bd
Ca
25
26
27
28
Limerick
Listowel
Foynes
Askeaton
Adare
Templemore
Abbeyleix
Durrow
Brandon Head
Brandon Bay
Tralee Bay
Blasket Islands
Dingle
Siamsa Tire
Tralee
Abbeyfeale
Castle West
Slea Head
Anascaul
Camp
Dingle Bay
Killorglin
Glenbeigh
Castleisland
KFF
Farranfore
Charleville
Knocklong
Tipperary
919
Galty Mts.
Rock of Cashel
Cashel
Killenaule
Kilkenny
Callan
Gowran Park
Fethard
Valentia I.
Bray Head
Cahersiveen
Ring of Kerry
Carrauntoohil
1038
Killarney
Muckross
Kanturk
Mitchelstown
Caher
Clonmel
Waterville
Iveragh
Killarney N.P.
837
Rathmore
Mallow
Blackwater
Fermoy
Suir
Carrick-on-Suir
New Ross
Skellig Michael
Caherdaniel
Sneem
Kenmare
Kenmare River
Blarney Castle
Lismore
Dursey Island
Glengarriff
Macroom
Blarney
Cork/Corcaigh
Waterford
Arthurstown
Castletownbere
Bear Island
Bantry Bay
Bantry
Dunmanway
Fota Wildlife Park
Midleton
Dungarvan
Tramore
WAT
Bandon
ORK
Cobh
Cork Harb.
Ringaskiddy
Youghal
Mine Head
Youghal Bay
Waterford Harb.
Hook Head
Ballydehob
Mizen Head
Crookhaven
Skibbereen
Kinsale
Charles Fort
Roaringwater Bay
Cape Clear
Drombeg Circle
Clonakilty
Galley Head
Old Head of Kinsale
87
Nymphe Bank
99
ATLANTIC
Celtic
62
Labadie Bank
OCEAN
73
Cockburn Bank
73
Jones Bank
Isles of Scilly
St. Mary's
ISC
Sennen
Land's End

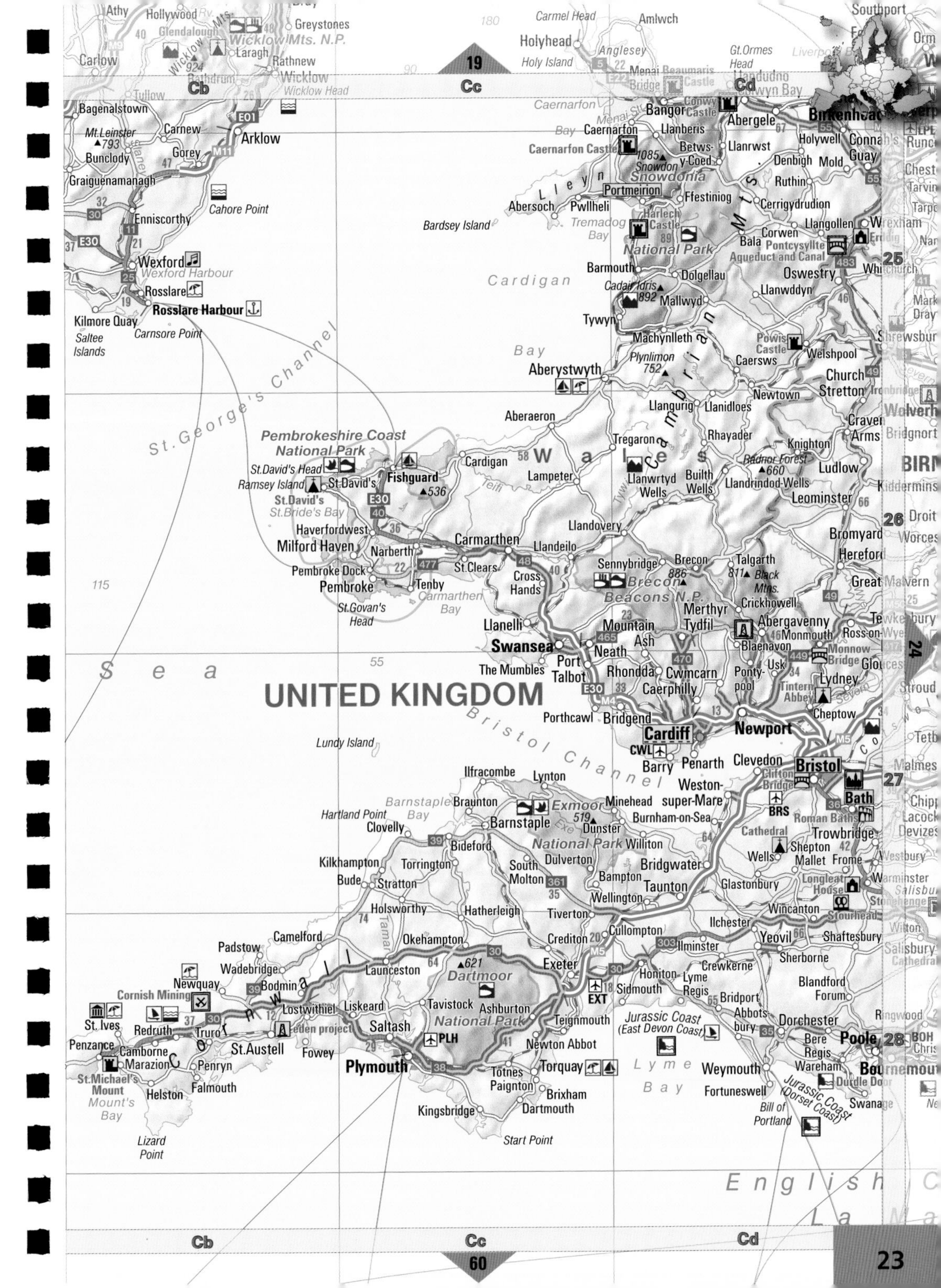

UNITED KINGDOM
Wales
Sea
St. George's Channel
Cardigan Bay
Bristol Channel
Lyme Bay
English Channel
Cambrian Mts.
Lleyn
Cornwall
Cb
Cc
Cd
19
60
24
25
26
27
28
Athy
Hollywood
Glendalough
Wicklow Mts. N.P.
Wicklow Mts.
Greystones
Laragh
Rathnew
Wicklow
Wicklow Head
Carlow
Rathdrum
Tullow
Bagenalstown
Mt.Leinster 793
Carnew
Arklow
Bunclody
Gorey
Graiguenamanagh
Cahore Point
Enniscorthy
Wexford
Wexford Harbour
Rosslare
Rosslare Harbour
Kilmore Quay
Carnsore Point
Saltee Islands
Carmel Head
Amlwch
Holyhead
Holy Island
Anglesey
Menai Bridge
Beaumaris Castle
Gt.Ormes Head
Llandudno
Colwyn Bay
Southport
Liverpool
Caernarfon Bay
Bangor
Conwy Castle
Abergele
Birkenhead
Caernarfon
Llanberis
Caernarfon Castle
1085 Snowdon
Betws-y-Coed
Llanrwst
Holywell
Connah's Quay
Runcorn
Denbigh
Mold
Chester
Snowdonia
Portmeirion
Ruthin
Abersoch
Pwllheli
Ffestiniog
Cerrigydrudion
Bardsey Island
Tremadog Bay
Harlech Castle
National Park
Bala
Corwen
Llangollen
Wrexham
Pontcysyllte Aqueduct and Canal
Barmouth
Oswestry
Whitchurch
Cadair Idris 892
Dolgellau
Mallwyd
Llanwddyn
Tywyn
Machynlleth
Powis Castle
Welshpool
Shrewsbury
Plynlimon 752
Caersws
Aberystwyth
Church Stretton
Newtown
Llangurig
Llanidloes
Aberaeron
Craven Arms
Bridgnorth
Tregaron
Rhayader
Knighton
Pembrokeshire Coast National Park
Radnor Forest 660
Ludlow
Cardigan
Lampeter
Llanwrtyd Wells
Builth Wells
Llandrindod Wells
St.David's Head
Fishguard
536
Ramsey Island
St.David's
St.Bride's Bay
Leominster
Kidderminster
Teifi
Haverfordwest
Llandovery
Bromyard
Droitwich
Worcester
Carmarthen
Llandeilo
Milford Haven
Narberth
Brecon
Talgarth
Hereford
Pembroke Dock
St.Clears
Sennybridge
886
811 Black Mts.
Pembroke
Tenby
Cross Hands
Brecon Beacons N.P.
Great Malvern
Carmarthen Bay
Crickhowell
St.Govan's Head
Llanelli
Merthyr Tydfil
Abergavenny
Tewkesbury
Mountain Ash
Monmouth
Ross-on-Wye
Swansea
Neath
Blaenavon
Monnow Bridge
Gloucester
The Mumbles
Port Talbot
Rhondda
Cwmcarn
Pontypool
Usk
Lydney
Caerphilly
Tintern Abbey
Stroud
Chepstow
Porthcawl
Bridgend
Cardiff
Newport
Lundy Island
CWL
Barry
Penarth
Clevedon
Bristol
Malmesbury
Ilfracombe
Lynton
Clifton Bridge
Bath
Weston-super-Mare
Chippenham
Barnstaple Bay
Braunton
Exmoor
Minehead
BRS
Lacock
Hartland Point
Clovelly
Barnstaple
519 Dunster
Burnham-on-Sea
Roman Baths
Devizes
Bideford
National Park
Williton
Cathedral
Trowbridge
Kilkhampton
Torrington
South Molton
Dulverton
Bridgwater
Wells
Shepton Mallet
Frome
Westbury
Bude
Stratton
Bampton
Taunton
Glastonbury
Longleat House
Warminster
Salisbury
Holsworthy
Hatherleigh
Wellington
Wincanton
Stonehenge
Tiverton
Stourhead
Tamar
Ilchester
Wilton
Padstow
Camelford
Okehampton
Crediton
Cullompton
Yeovil
Shaftesbury
Ilminster
Sherborne
621
Dartmoor
Exeter
Wadebridge
Launceston
Crewkerne
Newquay
Bodmin
Honiton
Lyme Regis
Sidmouth
Blandford Forum
Cornish Mining
EXT
Bridport
St. Ives
Redruth
Truro
Lostwithiel
Liskeard
Tavistock
Ashburton
Abbotsbury
Dorchester
Ringwood
Eden project
National Park
Teignmouth
Jurassic Coast (East Devon Coast)
Penzance
Camborne
St.Austell
Saltash
PLH
Bere Regis
Poole
Fowey
Newton Abbot
Marazion
Penryn
Plymouth
Torquay
Weymouth
Wareham
Bournemouth
St.Michael's Mount
Falmouth
Totnes
Paignton
Brixham
Durdle Door
Mount's Bay
Helston
Fortuneswell
Jurassic Coast (Dorset Coast)
Swanage
Kingsbridge
Dartmouth
Bill of Portland
Lizard Point
Start Point
115
55

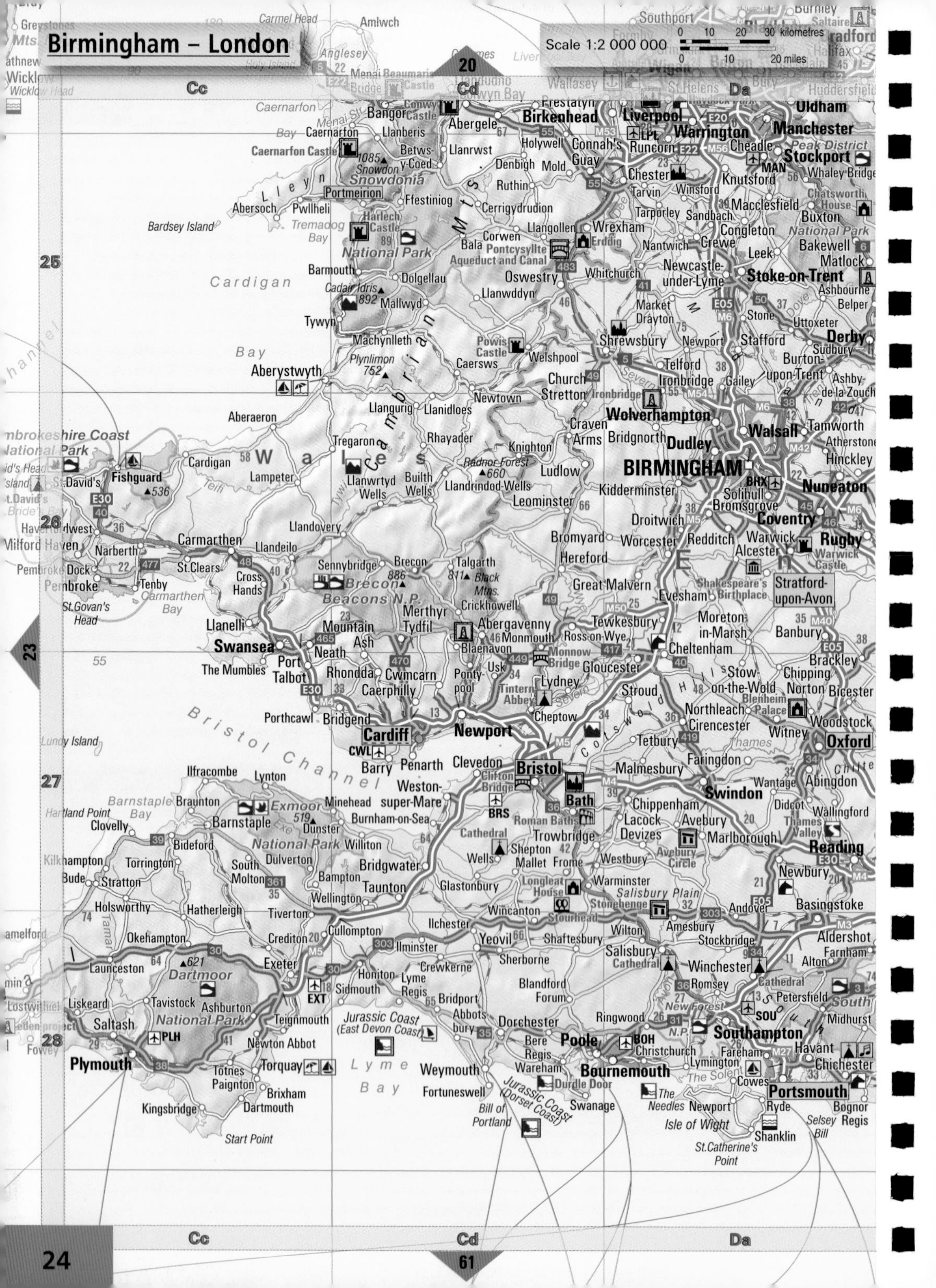
Scale 1:2 000 000
0 10 20 30 kilometres
0 10 20 miles
20
Cc
Cd
Da
25
26
27
28
23
Carmel Head
Amlwch
Anglesey
Holy Island
Menai Beaumaris
Bridge Castle
Llandudno
Colwyn Bay
Caernarfon
Bangor
Conwy Castle
Abergele
Prestatyn
Birkenhead
Liverpool
LPL
Warrington
Manchester
Oldham
Wallasey
St.Helens
Southport
Wigan
Bolton
Burnley
Huddersfield
Halifax
Bradford
Caernarfon Bay
Caernarfon Castle
Llanberis
Betws-y-Coed
Llanrwst
Snowdon
Snowdonia
Denbigh
Mold
Holywell
Connah's Quay
Runcorn
Cheadle
Stockport
MAN
Peak District
Whaley Bridge
Chester
Knutsford
Ruthin
Lleyn
Portmeirion
Ffestiniog
Cerrigydrudion
Abersoch
Pwllheli
Bardsey Island
Tremadog Bay
Harlech Castle
National Park
Llangollen
Wrexham
Erddig
Corwen
Bala
Pontcysyllte Aqueduct and Canal
Tarvin
Winsford
Tarporley
Sandbach
Macclesfield
Chatsworth House
Buxton
Congleton
Nantwich
Crewe
Leek
Bakewell
Matlock
National Park
Barmouth
Cardigan
Cadair Idris
892
Dolgellau
Oswestry
Whitchurch
Newcastle-under-Lyme
Stoke-on-Trent
Ashbourne
Belper
Mallwyd
Llanwddyn
Market Drayton
Stone
Uttoxeter
Derby
Tywyn
Machynlleth
Powis Castle
Welshpool
Shrewsbury
Newport
Stafford
Sudbury
Bay
Aberystwyth
Plynlimon
752
Caersws
Cambrian Mts.
Church Stretton
Telford
Ironbridge
Gailey
Burton-upon-Trent
Ashby-de-la-Zouch
Newtown
Ironbridge
Wolverhampton
Walsall
Tamworth
Aberaeron
Llangurig
Llanidloes
Craven Arms
Bridgnorth
Dudley
Atherstone
Pembrokeshire Coast National Park
Tregaron
Rhayader
Knighton
BIRMINGHAM
Hinckley
Cardigan
Wales
Radnor Forest
660
Ludlow
BHX
Nuneaton
St.David's
Fishguard
536
Lampeter
Llanwrtyd Wells
Builth Wells
Llandrindod Wells
Kidderminster
Solihull
Bromsgrove
Leominster
Coventry
Droitwich
Haverfordwest
Milford Haven
Llandovery
Carmarthen
Llandeilo
Bromyard
Worcester
Redditch
Warwick
Rugby
Narberth
Alcester
Warwick Castle
Pembroke Dock
Pembroke
St.Clears
Sennybridge
Brecon
Talgarth
886
811
Black Mtns.
Hereford
Tenby
Cross Hands
Carmarthen Bay
Brecon Beacons N.P.
Crickhowell
Great Malvern
Shakespeare's Birthplace
Stratford-upon-Avon
St.Govan's Head
Merthyr Tydfil
Abergavenny
Evesham
Llanelli
Mountain Ash
Monmouth
Ross-on-Wye
Tewkesbury
Moreton-in-Marsh
Banbury
Swansea
Neath
Blaenavon
Monnow Bridge
Cheltenham
Brackley
55
The Mumbles
Port Talbot
Rhondda
Cwmcarn
Caerphilly
Pontypool
Usk
Gloucester
Stow-on-the-Wold
Chipping Norton
Bicester
Tintern Abbey
Lydney
Stroud
Blenheim Palace
Porthcawl
Bridgend
Cheptow
Northleach
Cirencester
Woodstock
Bristol Channel
Cardiff
CWL
Newport
Tetbury
Witney
Oxford
Cotswold Hills
Lundy Island
Barry
Penarth
Clevedon
Bristol
Faringdon
Malmesbury
Ilfracombe
Lynton
Clifton Bridge
Bath
Swindon
Wantage
Abingdon
Weston-super-Mare
BRS
Hartland Point
Barnstaple Bay
Braunton
Exmoor
Minehead
519
Dunster
Burnham-on-Sea
Chippenham
Lacock
Avebury
Didcot
Wallingford
Clovelly
Barnstaple
Roman Baths
Devizes
Thames Valley
Bideford
National Park
Williton
Cathedral
Trowbridge
Marlborough
Reading
Kilkhampton
Torrington
South Molton
Dulverton
Wells
Shepton Mallet
Frome
Westbury
Avebury Circle
Newbury
Bude
Stratton
Bridgwater
Bampton
Taunton
Glastonbury
Longleat House
Warminster
Salisbury Plain
Wellington
Stonehenge
Andover
Basingstoke
Holsworthy
Hatherleigh
Tiverton
Wincanton
Stourhead
Ilchester
Wilton
Amesbury
Okehampton
Crediton
Cullompton
Ilminster
Yeovil
Shaftesbury
Salisbury Cathedral
Stockbridge
Aldershot
Farnham
Launceston
621
Dartmoor
Exeter
Crewkerne
Sherborne
Winchester
Alton
Honiton
Lyme Regis
EXT
Sidmouth
Blandford Forum
Romsey
Cathedral
Petersfield
Liskeard
Tavistock
Ashburton
National Park
Teignmouth
Bridport
Jurassic Coast (East Devon Coast)
Abbotsbury
Dorchester
Ringwood
New Forest N.P.
SOU
South
Midhurst
Saltash
PLH
Newton Abbot
Bere Regis
Poole
BOH
Christchurch
Southampton
Havant
Plymouth
Fowey
Torquay
Totnes
Paignton
Brixham
Dartmouth
Lyme Bay
Weymouth
Wareham
Bournemouth
Durdle Door
Lymington
The Solent
Fareham
Chichester
Cowes
Portsmouth
Kingsbridge
Fortuneswell
Jurassic Coast (Dorset Coast)
Swanage
The Needles
Newport
Ryde
Bognor Regis
Bill of Portland
Isle of Wight
Shanklin
Selsey Bill
Start Point
St.Catherine's Point
Cc
Cd
Da
61

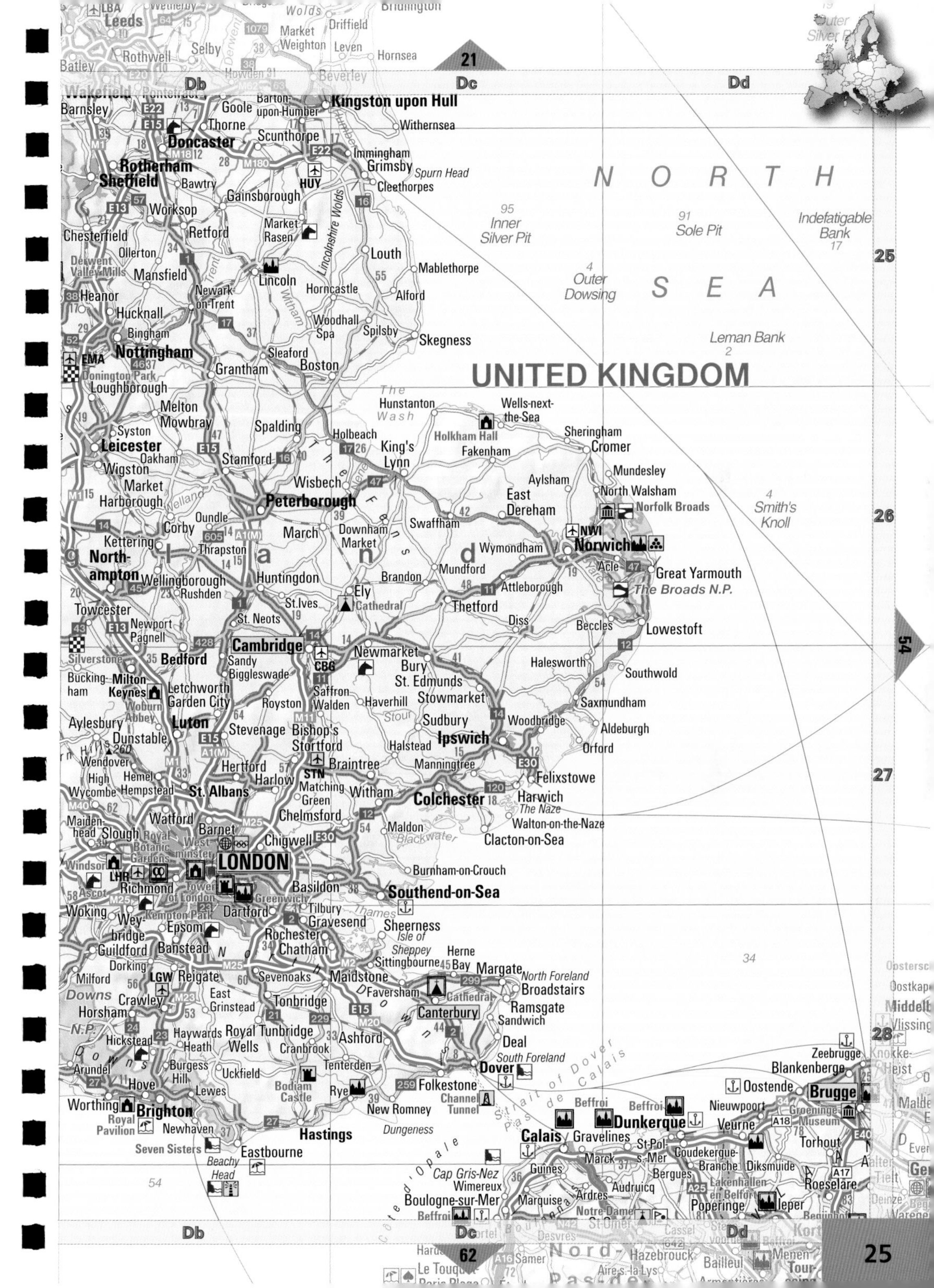

21
Db
Dc
Dd
Leeds
Selby
Rothwell
Batley
Wakefield
Pontefract
Barnsley
Goole
Thorne
Doncaster
Rotherham
Sheffield
Bawtry
Worksop
Chesterfield
Ollerton
Mansfield
Heanor
Hucknall
Bingham
Nottingham
EMA
Donington Park
Loughborough
Melton Mowbray
Syston
Leicester
Oakham
Wigston
Market Harborough
Corby
Kettering
Northampton
Wellingborough
Rushden
Towcester
Newport Pagnell
Silverstone
Bedford
Milton Keynes
Buckingham
Woburn Abbey
Leighton Buzzard
Aylesbury
Dunstable
Luton
Wendover
High Wycombe
Hemel Hempstead
St. Albans
Watford
Maidenhead
Slough
Windsor
LHR
Richmond
Ascot
Woking
Weybridge
Epsom
Guildford
Banstead
Dorking
Milford
LGW
Reigate
Crawley
Horsham
Downs
Hickstead
Haywards Heath
Arundel
Burgess Hill
Hove
Worthing
Brighton
Royal Pavilion
Newhaven
Lewes
Seven Sisters
Beachy Head
Eastbourne
Uckfield
Royal Tunbridge Wells
Cranbrook
Bodiam Castle
Hastings
Rye
Tenterden
Ashford
New Romney
Dungeness
Folkestone
Channel Tunnel
Dover
South Foreland
Deal
Sandwich
Ramsgate
Broadstairs
North Foreland
Margate
Herne Bay
Canterbury
Cathedral
Faversham
Sittingbourne
Maidstone
Tonbridge
Sevenoaks
East Grinstead
Rochester
Chatham
Gravesend
Tilbury
Dartford
Sheerness
Isle of Sheppey
Thames
Southend-on-Sea
Basildon
Burnham-on-Crouch
Chigwell
LONDON
Barnet
Westminster
Royal Botanic Gardens
Tower of London
Greenwich
Kempton Park
Chelmsford
Maldon
Blackwater
Matching Green
Harlow
Hertford
STN
Braintree
Witham
Colchester
Clacton-on-Sea
Walton-on-the-Naze
The Naze
Harwich
Felixstowe
Manningtree
Halstead
Ipswich
Sudbury
Stour
Woodbridge
Orford
Aldeburgh
Saxmundham
Southwold
Halesworth
Beccles
Lowestoft
Stowmarket
Bury St. Edmunds
Haverhill
Saffron Walden
Royston
Bishop's Stortford
Stevenage
Hitchin
Letchworth Garden City
Biggleswade
Sandy
Cambridge
CBG
Newmarket
St. Neots
St.Ives
Huntingdon
Ely Cathedral
Brandon
Thetford
Diss
Mundford
Attleborough
Wymondham
Norwich
NWI
Acle
Great Yarmouth
The Broads N.P.
Norfolk Broads
North Walsham
Mundesley
Cromer
Sheringham
Aylsham
East Dereham
Swaffham
Fakenham
Holkham Hall
Wells-next-the-Sea
Hunstanton
The Wash
King's Lynn
Downham Market
March
Wisbech
The Fens
Holbeach
Spalding
Stamford
Peterborough
Oundle
Thrapston
England
Grantham
Sleaford
Boston
Skegness
Spilsby
Woodhall Spa
Horncastle
Alford
Mablethorpe
Louth
Lincoln
Witham
Newark-on-Trent
Trent
Market Rasen
Lincolnshire Wolds
Gainsborough
Retford
Cleethorpes
Grimsby
Spurn Head
Immingham
HUY
Scunthorpe
Barton-upon-Humber
Kingston upon Hull
Withernsea
Humber
Howden
Beverley
Market Weighton
Driffield
Leven
Hornsea
Wolds
Bridlington
NORTH SEA
Inner Silver Pit
Sole Pit
Indefatigable Bank
Outer Silver Pit
Outer Dowsing
Leman Bank
Smith's Knoll
UNITED KINGDOM
Strait of Dover
Pas de Calais
Côte d'Opale
Cap Gris-Nez
Wimereux
Boulogne-sur-Mer
Calais
Guînes
Marquise
Ardres
Gravelines
Marck
Audruicq
Dunkerque
St-Pol-s.-Mer
Coudekerque-Branche
Bergues
St-Omer
Beffroi
Nieuwpoort
Veurne
Diksmuide
Poperinge
Ieper
Lakenhallen en Belfort
Oostende
Brugge
Groeninge Museum
Torhout
Roeselare
Tielt
Blankenberge
Zeebrugge
Knokke-Heist
Vlissingen
Middelburg
Maldegem
Le Touquet-Paris-Plage
Samer
Desvres
Hazebrouck
Aire-s.-la-Lys
Bailleul
Cassel
Menen
Nord-Pas-de-Calais
25
26
27
28
54
62

Scale 1:2 000 000

0 10 20 30 kilometres
0   10   20 miles

Gc   Gd   Ha

02

N O R W E G I A N

S E A 190

86

Hjelmsøya
Ingøya
Gunnarnes
Havøysund
Rolvsøya
Akkerfjord
Snøfjord
Revsbotn
HFT Hammerfest
03
Storelv
Rypefjord
Kvaløy
Struve Geodetic Arc
Sørvær
Sørøya 656
Breivkbotn
Eidvågeid
94 60 Kvalsund
22
Hasvik
HAA
Seiland
1079
Skaidi
Saraby
E06
Loppa
Silda
Stjernøya
Storekorsnes
Nyvoll
Lopphavet Loppa
Leirvik
Øksfjord
88
Bukta
Leirbotn
Stabbursdalen
nasjonalpark
Nord-Kvaløy
Fugløya
Sør-Tverrfjord
1204
Langfjordbotn
80
Årviksand
Arnøy
Skardet
Altafjord
ALF
Alta
Struve
Geodetic Arc
04
Mikkelvik
Vannareid
Vanna
Helgøy
Skåningen
Storstein
Skjervøy
Halddetoppen
1149
Rebbenesøy
Hansnes
Russelv
Kågen
Hamneidet
Burfjord
Hjemmeluft
93
Måsvik
Stakkvik
Reinøya
Uløya
146
Sautso-
canyon
Ringvassøy
Skulgam
Sørkjosen
Røykfossen
Sørstraumen
Jesjavri
Tromvik
Oldervik
1596
SØJ
Storslett
Rieppe
Kvænangsbotn
Kaldfjord
Breidvikeidet
Djupvik
1337
TOS
Tromsø
Svensby
Olderdalen
N O R G E
Vasstrand
Kvaløya
Forneset
Beahcegealháldi
Nabar
F i n n m a r k s -
Hillesøy
Larseng
Fagernes
Lyngseidet
Bilto
1326
Masi
Laukvik
Vikran
1833
E06
Køfjordbotn
126
128
82
Lysnes
Furuflaten
Isfjellet
Mollisfossen
Biedjovaggigruver
71 Stordalselv
Skibotn
1375
Gibostad
Straumen
Balsfjord
Halti
Reisa
nasjonalpark
Mierojokki
Lappoluobbal
v i d d a
Finnsnes
Eidet
1365
Sørreisa
Storsteinnes
Struve
Geodetic Arc
52
Nordkjosbotn
Kilpisjärvi
Kautokeino
Moen
Skjold
1029
Lavvooáivve
622
Brøstadbotn
Andselv
BDU
Øvergård
1444
93
Siebe
Sjøvegan
Setermoen
Kummavuopio
E08
Reife
Nunjis
Frihetsli
21
Ropi
945
106
82
Innset
Coagda
1102
Palojärvi
1713
Øvre Divdal
nasjonalpark
Markkina
Kaaresuvanto
Karasavvon
Enontekiö

Gc   Gd   Ha

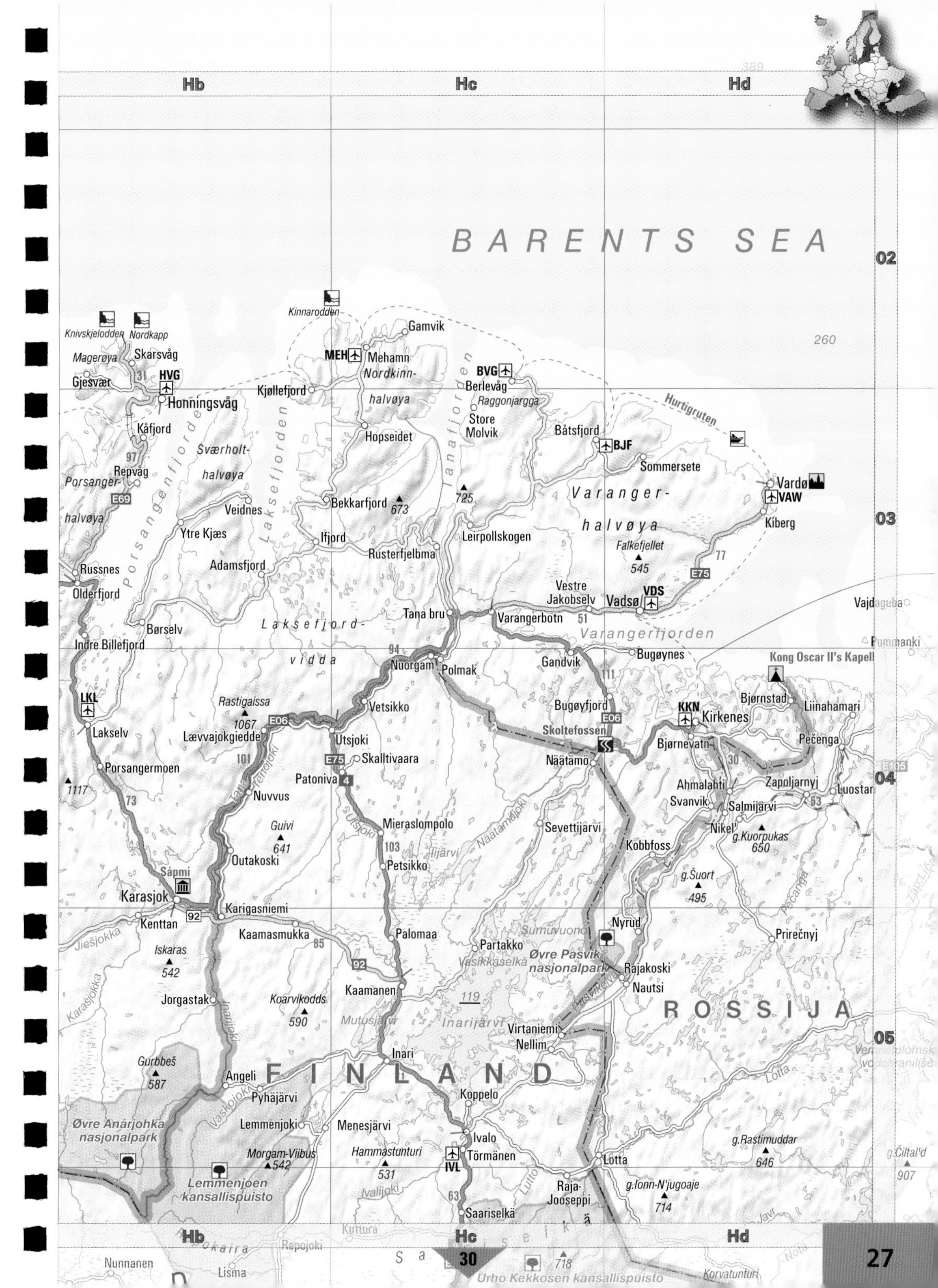

Hb
Hc
Hd
BARENTS SEA
02
03
04
05
Knivskjelodden
Nordkapp
Kinnarodden
Magerøya
Skarsvåg
Gjesvær
HVG
Honningsvåg
Kåfjord
Repvåg
Porsanger-halvøya
Sværholt-halvøya
Porsangenfjorden
Laksefjorden
Veidnes
Ytre Kjæs
Russnes
Olderfjord
Adamsfjord
Børselv
Indre Billefjord
Lakselv
Porsangermoen
Gamvik
MEH
Mehamn
Nordkinn-halvøya
Kjøllefjord
Hopseidet
Bekkarfjord
Ifjord
Rusterfjelbma
Tanafjorden
BVG
Berlevåg
Raggonjargga
Store Molvik
Leirpollskogen
Båtsfjord
BJF
Sommersete
Hurtigruten
Vardø
VAW
Kiberg
Varanger-halvøya
Falkefjellet
545
Vestre Jakobselv
Vadsø
VDS
Tana bru
Varangerbotn
Varangerfjorden
Laksefjord-vidda
Nuorgam
Polmak
Gandvik
Bugøynes
Bugøyfjord
Skoltefossen
Kirkenes
KKN
Bjørnstad
Kong Oscar II's Kapell
Liinahamari
Pečenga
Bjørnevatn
Näätämö
Rastigaissa
1067
Lævvajokgiedde
Vetsikko
Utsjoki
Skalltivaara
Patoniva
Nuvvus
Guivi
641
Mieraslompolo
Petsikko
Outakoski
Sápmi
Karasjok
Kenttan
Karigasniemi
Kaamasmukka
Palomaa
Iskaras
542
Jorgastak
Koarvikodds
590
Kaamanen
Partakko
Øvre Pasvik nasjonalpark
Nyrud
Rajakoski
Nautsi
Sevettijärvi
Kobbfoss
Ahmalahti
Svanvik
Salmijärvi
Nikel'
Zapoljarnyj
Luostari
Vajdaguba
Pummanki
g.Kuorpukas
650
g.Šuort
495
Prirečnyj
ROSSIJA
Inarijärvi
Virtaniemi
Nellim
Inari
FINLAND
Gurbbeš
587
Angeli
Pyhäjärvi
Koppelo
Øvre Anárjohka nasjonalpark
Lemmenjoki
Menesjärvi
Ivalo
Törmänen
IVL
Morgam-Viibus
542
Hammastunturi
531
Lemmenjoen kansallispuisto
Lotta
Raja-Jooseppi
g.Rastimuddar
646
g.Ionn-N'jugoaje
714
g.Čiltal'd
907
Saariselkä
1117
725
673
Kuttura
Repojoki
Nunnanen
Lisma
30
718
Urho Kekkosen kansallispuisto
Korvatunturi
E06
E69
E75
E105

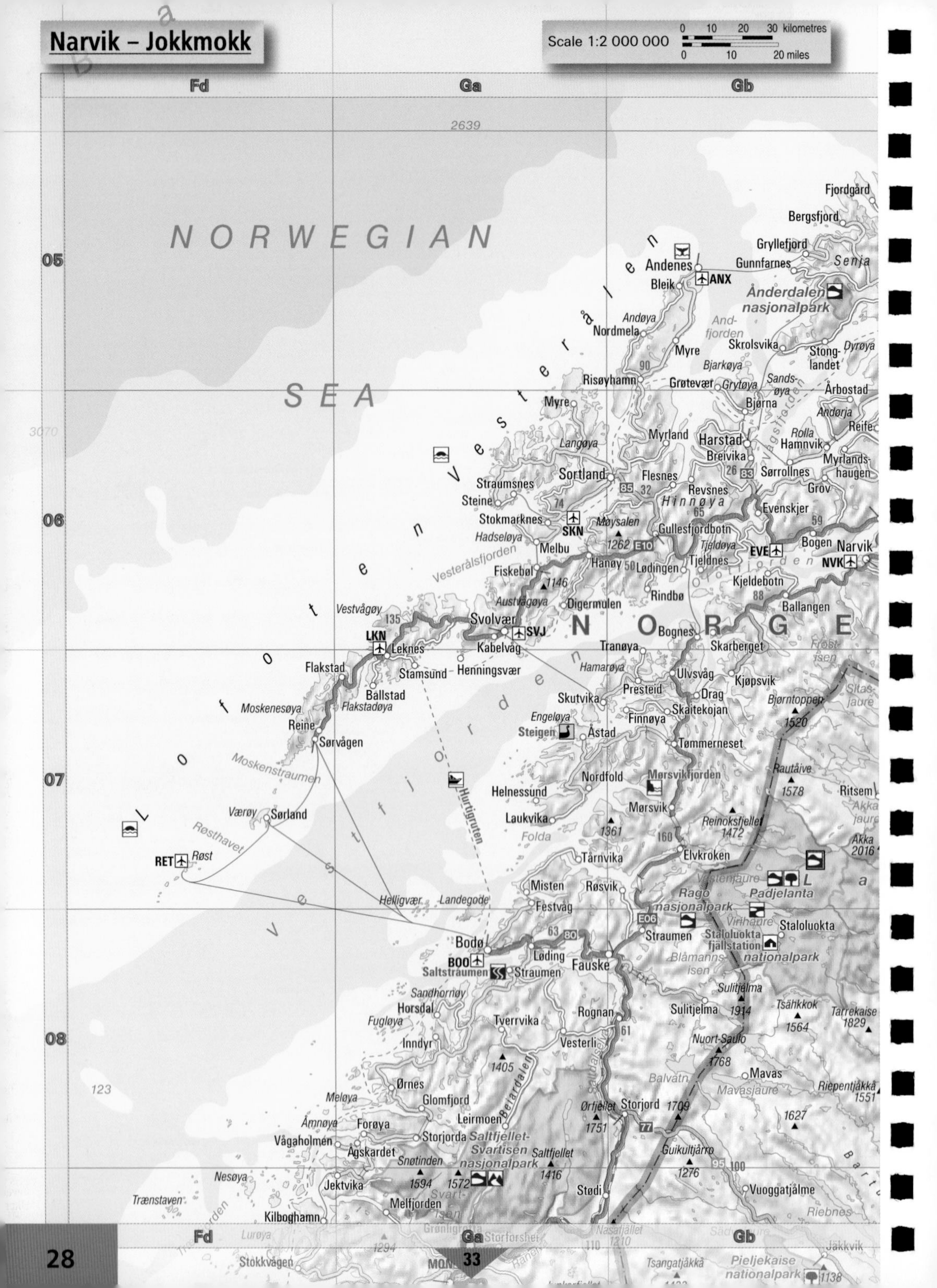
Scale 1:2 000 000
0 10 20 30 kilometres
0 10 20 miles
Fd
Ga
Gb
05
06
07
08
NORWEGIAN SEA
Vesterålen
Lofoten
Vestfjorden
NORGE
Andenes
Bleik
ANX
Andøya
Nordmela
Andfjorden
Gunnfarnes
Gryllefjord
Bergsfjord
Fjordgård
Senja
Ånderdalen nasjonalpark
Skrolsvika
Stonglandet
Dyrøya
Myre
Bjarkøya
Risøyhamn
Grøtevær
Grytøya
Sandsøya
Årbostad
Bjørna
Andørja
Reife
Myre
Langøya
Myrland
Harstad
Breivika
Rolla
Hamnvik
Myrlandshaugen
Sørrollnes
Grov
Sortland
Flesnes
Revsnes
Hinnøya
Straumsnes
Steine
Stokmarknes
SKN
Møysalen
1262
Gullesfjordbotn
Evenskjer
Hadseløya
Melbu
Tjeldøya
EVE
Bogen
Narvik
NVK
Vesterålsfjorden
Fiskebøl
Hanøy
Lødingen
Tjeldnes
Kjeldebotn
1146
Rindbø
Austvågøya
Digermulen
Ballangen
Vestvågøy
Svolvær
SVJ
LKN
Leknes
Kabelvåg
Bognes
Tranøya
Skarberget
Flakstad
Stamsund
Henningsvær
Hamarøya
Ulvsvåg
Kjøpsvik
Ballstad
Flakstadøya
Presteid
Drag
Bjørntoppen
1520
Moskenesøya
Skutvika
Skaitekojan
Reine
Engeløya
Finnøya
Sørvågen
Steigen
Åstad
Tømmerneset
Moskenstraumen
Nordfold
Mørsvikfjorden
Rautåive
1578
Ritsem
Helnessund
Hurtigruten
Mørsvik
Værøy
Sørland
Laukvika
Reinoksfjellet
1472
1361
Røsthavet
Folda
Akka
2016
RET
Røst
Tårnvika
Elvkroken
Misten
Røsvik
Rago nasjonalpark
Padjelanta
Festvåg
Helligvær
Landegode
Virihaure
Staloluokta
Staloluokta fjällstation
Bodø
Straumen
Løding
BOO
Fauske
Saltstraumen
Straumen
Blåmannsisen
nationalpark
Sandhornøy
Sulitjelma
Sulitjelma
1914
Tsåhkkok
1564
Tarrekaise
1829
Horsdal
Fugløya
Tverrvika
Rognan
Inndyr
Vesterli
Nuort-Saulo
1768
1405
Beiarndalen
Saltdalselv
Balvatn
Mavas
Mavasjaure
Riepentjåkkå
1551
123
Ørnes
Meløya
Glomfjord
Ørfjellet
1751
Storjord
1709
1627
Åmnøya
Forøya
Leirmoen
Vågaholmen
Storjorda
Saltfjellet-Svartisen nasjonalpark
Saltfjellet
1416
Guikultjårro
1276
Agskardet
Snøtinden
1594
1572
Nesøya
Jektvika
Stødi
Vuoggatjålme
Trænstaven
Melfjorden
Svartisen
Kilboghamn
Riebnes
Lurøya
Grønligrotta
Storforshei
Nasatjållet
1210
1294
Jäkkvik
Stokkvågen
Tsangatjåkkå
Pieljekaise nationalpark
1138
2639
3070
E10
E06
33

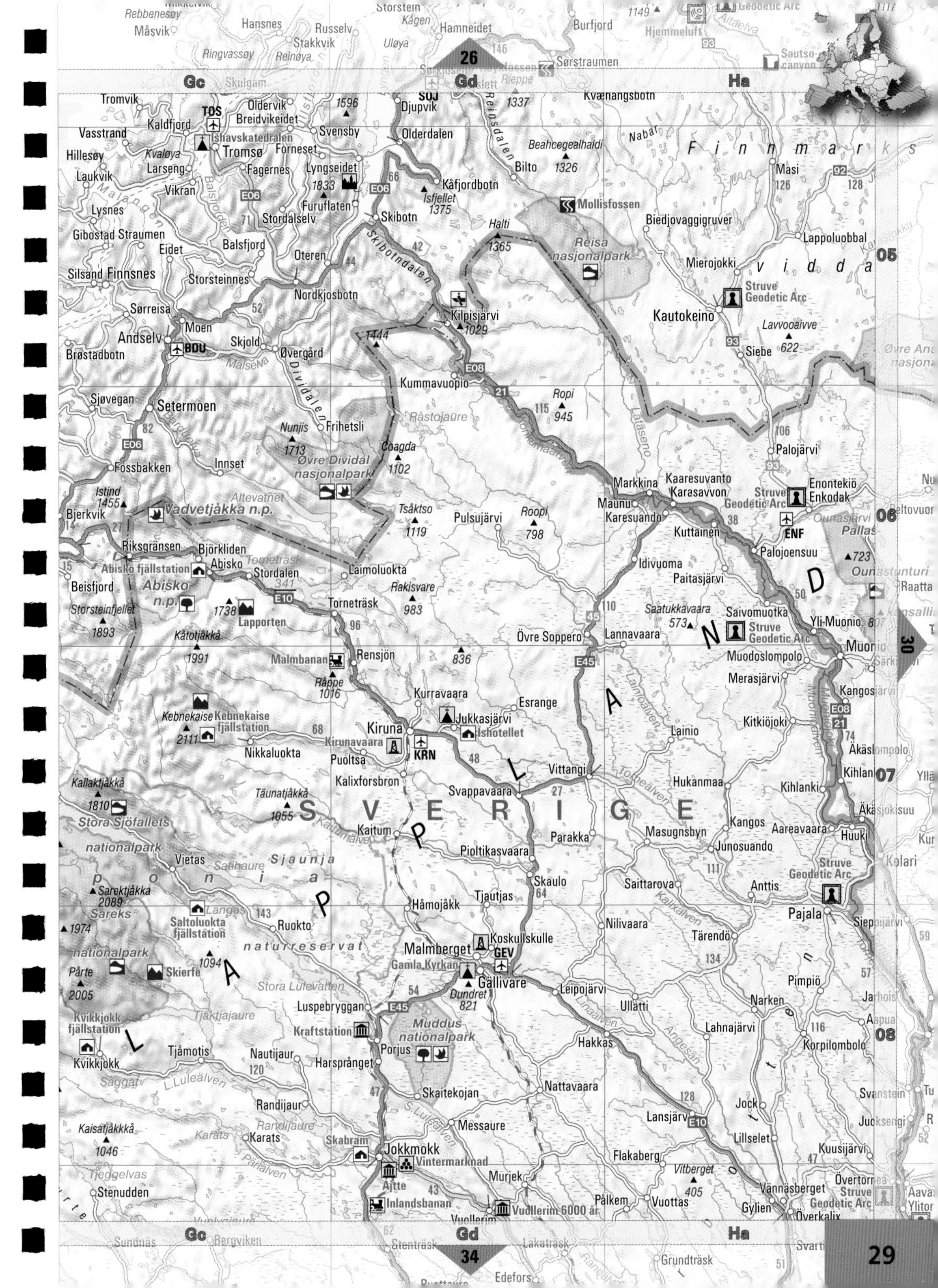

26
Gc
Gd
Ha
Rebbenesøy
Måsvik
Hansnes
Russelv
Stakkvik
Kågen
Hamneidet
Uløya
Burfjord
Hjemmeluft
Altaelva
Sautso-canyon
Ringvassøy
Reinøya
Sørstraumen
Rieppe
1337
1149
Tromvik
TOS
Oldervik
1596
SOJ
Djupvik
Kvænangsbotn
Breidvikeidet
Vasstrand
Kaldfjord
Ishavskatedralen
Svensby
Olderdalen
Reinsdalen
Nabar
Finnmarks
Hillesøy
Kvaløya
Tromsø
Forneset
Beahcegealhaldi
1326
Laukvik
Larseng
Fagernes
Lyngseidet
Bilto
Masi
126
128
1833
Kåfjordbotn
Vikran
Balsfjorden
E06
Isfjellet
1375
Lysnes
Furuflaten
Mollisfossen
Gibostad
Straumen
71
Stordalselv
Skibotn
Biedjovaggigruver
Halti
Lappoluobbal
Eidet
Balsfjord
1365
Reisa nasjonalpark
Silsand
Finnsnes
Oteren
44
Skibotndalen
Mierojokki
vidda
05
Storsteinnes
Struve Geodetic Arc
Nordkjosbotn
Kautokeino
Sørreisa
52
Kilpisjärvi
Lavvoaivve
Moen
1029
622
Andselv
BDU
Skjold
1444
Siebe
Brøstadbotn
Målselva
Øvergård
Dividalen
Øvre Anarjohka nasjonalpark
E08
Kummavuopio
21
Ropi
Sjøvegan
Setermoen
115
945
82
Rastojaure
Nunjis
Frihetsli
1713
Coagda
Palojärvi
E06
Øvre Dividal nasjonalpark
1102
Lätäseno
93
Fossbakken
Innset
Markkina
Kaaresuvanto
Karasavvon
Enontekiö
Enkodak
Istind
1455
Altevatnet
Maunu
Karesuando
Vadvetjåkka n.p.
Tsåktso
Pulsujärvi
Roopi
798
Bjerkvik
1119
38
06
Kuttainen
ENF
Ounasjärvi
Pallas
Riksgränsen
Björkliden
Torneträsk
Palojoensuu
Abisko fjällstation
Abisko
Stordalen
Idivuoma
723
Ounastunturi
Beisfjord
341
Laimoluokta
Paitasjärvi
Raattama
Abisko n.p.
E10
Rakisvare
50
Torneträsk
983
110
Saatukkavaara
Saivomuotka
Storsteinfjellet
1738
Lapporten
45
573
Yli-Muonio
1893
96
Övre Soppero
Lannavaara
Muonio
30
Kåtotjåkkå
1991
Malmbanan
Rensjön
836
E45
Muodoslompolo
Merasjärvi
Råppe
1016
Kurravaara
Esrange
Kangosjärvi
E08
Kebnekaise
Kebnekaise fjällstation
Jukkasjärvi
Kiruna
Ishotellet
Lainio
Kitkiöjoki
2111
68
Kirunavaara
KRN
Muonioälven
Äkäslompolo
Nikkaluokta
Puoltsa
48
Vittangi
Kihlanki
07
Kallaktjåkkå
Kalixforsbron
Torneälven
Hukanmaa
1810
Täunatjåkkå
Svappavaara
27
Kangos
Aareavaara
Stora Sjöfallets nationalpark
1055
SVERIGE
Äkäsjokisuu
Kaitum
Kaitumälven
Parakka
Masugnsbyn
Junosuando
Huuki
Vietas
Satihaure
Sjaunja
Pioltikasvaara
Kolari
111
Sarektjåkka
2089
Skaulo
Saittarova
Anttis
Sareks
64
Tjautjas
Kalixälven
Pajala
1974
Saltoluokta fjällstation
Langas
143
Ruokto
Håmojåkk
Nilivaara
Sieppijärvi
naturreservat
Koskullskulle
Tärendö
59
nationalpark
Malmberget
GEV
134
Pårte
2005
Skierfe
1094
Gamla Kyrkan
Gällivare
Pimpiö
Stora Lulevatten
Leipojärvi
Dundret
821
57
54
Jarhois
Kvikkjokk fjällstation
Tjåktjajaure
Luspebryggan
E45
Ullatti
Narken
Muddus nationalpark
Linaälven
Kraftstation
Lahnajärvi
116
08
Tjåmotis
Porjus
Hakkas
Ängesån
Korpilombolo
Kvikkjokk
Nautijaur
Harsprånget
120
Saggat
L.Luleälven
47
Skaitekojan
Nattavaara
Svanstein
Randijaur
128
Jock
Lansjärv
E10
S.Luleälven
Messaure
Juoksengi
Kaisatjåkkkå
1046
Karats
Randijaure
Skabram
Lillselet
Jokkmokk
Vintermarknad
Flakaberg
Kuusijärvi
Tjeggelvas
Parlalven
Vitberget
405
Övertorneå
Stenudden
Ajtte
43
Murjek
Vännäsberget
Struve Geodetic Arc
Inlandsbanan
Vuollerim 6000 år
Pålkem
Vuottas
Gylien
Överkalix
Vuollerim
Sundnäs
Bergviken
Stenträsk
Lakaträsk
Grundträsk
34
Edefors

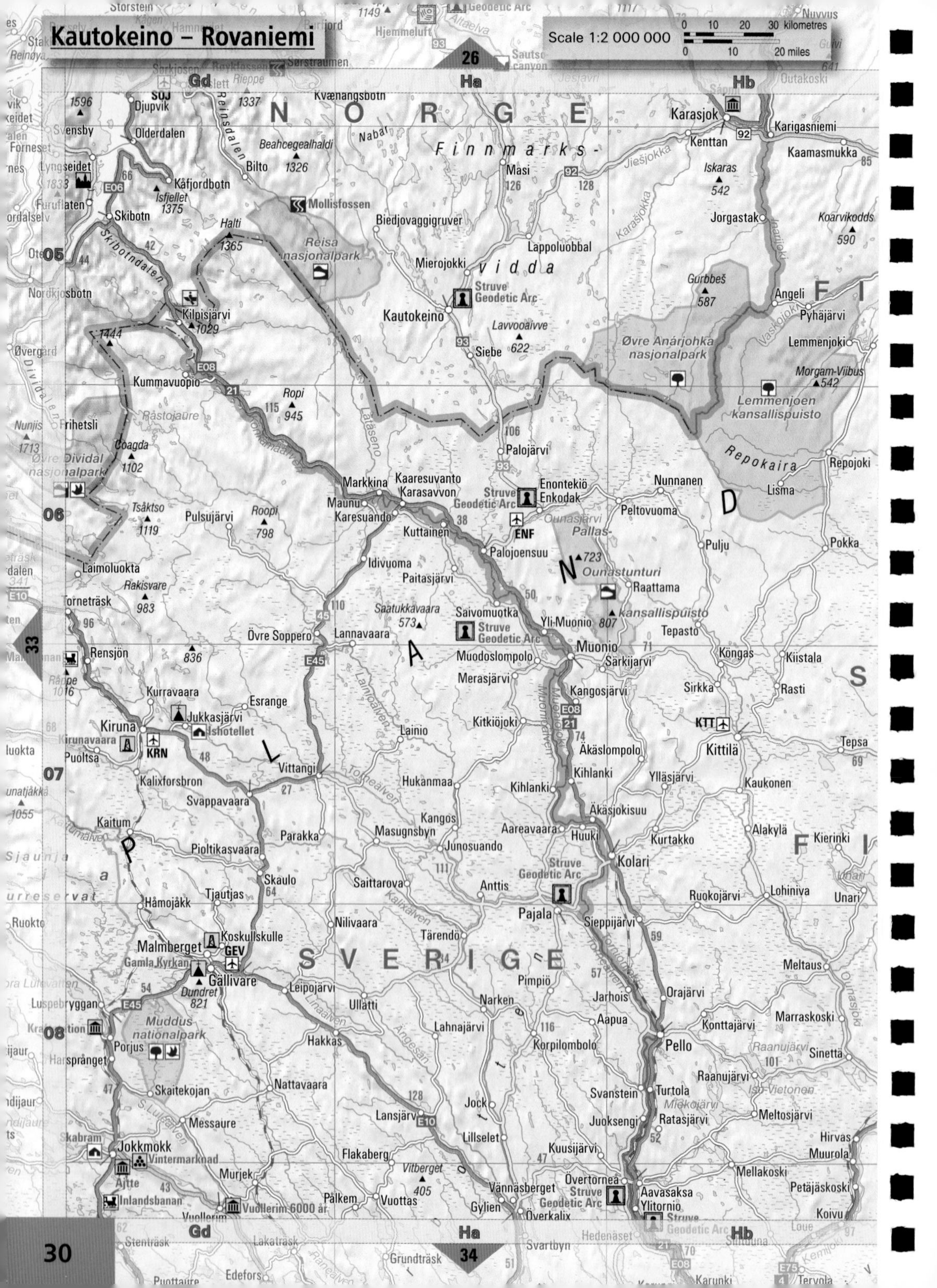
Kautokeino – Rovaniemi
Scale 1:2 000 000
0 10 20 30 kilometres
0 10 20 miles
26
Gd
Ha
Hb
N O R G E
Finnmarks-
vidda
Kautokeino
Struve Geodetic Arc
Karasjok
Karigasniemi
Kenttan
Kaamasmukka
Iskaras 542
Jorgastak
Koarvikodds 590
Masi
Biedjovaggigruver
Lappoluobbal
Mierojokki
Mollisfossen
Reisa nasjonalpark
Halti 1365
Kvænangsbotn
Djupvik
Olderdalen
Lyngseidet
Kåfjordbotn
Isfjellet 1375
Skibotn
Bilto
Beahcegealhaldi 1326
Skibotndalen
Nordkjosbotn
Kilpisjärvi
1029
1444
Øvergård
Kummavuopio
E08
21
Ropi 945
Lavvooaivve 622
Siebe
Gurbbeš 587
Angeli
Pyhäjärvi
Lemmenjoki
Øvre Anárjohka nasjonalpark
Morgam-Viibus 542
Lemmenjoen kansallispuisto
Repokaira
Repojoki
Lisma
Nunnanen
Palojärvi
Markkina
Kaaresuvanto
Karasavvon
Maunu
Karesuando
Enontekiö
Enkodak
ENF
Kuttainen
Palojoensuu
Peltovuoma
Pallas-Ounastunturi kansallispuisto
Raattama
Pulju
Pokka
Rihetsli
Øvre Dividal nasjonalpark
Coagda 1102
Nunjis 1713
Tsåktso 1119
Pulsujärvi
Roopi 798
Laimoluokta
Rakisvare 983
Torneträsk
Idivuoma
Paitasjärvi
Saatukkavaara 573
Saivomuotka
Yli-Muonio
Tepasto
Övre Soppero
Lannavaara
Muonio
Särkijarvi
Köngas
Kiistala
Muodoslompolo
Merasjärvi
Kangosjärvi
Sirkka
Rasti
Rensjön
836
33
Kurravaara
Jukkasjärvi
Ishotellet
Esrange
Kiruna
Kirunavaara
KRN
Puoltsa
Lainio
Kitkiöjoki
KTT
Kittilä
Tepsa
Äkäslompolo
Vittangi
Kalixforsbron
Svappavaara
Hukanmaa
Kihlanki
Ylläsjärvi
Kaukonen
Äkäsjokisuu
Kaitum
Parakka
Masugnsbyn
Kangos
Junosuando
Aareavaara
Huuki
Kurtakko
Alakylä
Kierinki
Pioltikasvaara
Skaulo
Kolari
Saittarova
Anttis
Pajala
Sieppijärvi
Ruokojärvi
Lohiniva
Unari
Tjautjas
Håmojåkk
Nilivaara
Tärendö
Koskullskulle
Malmberget
GEV
Gamla Kyrkan
Gällivare
Dundret 821
S V E R I G E
Pimpiö
Meltaus
Leipojärvi
Ullatti
Narken
Jarhois
Orajärvi
Luspebryggan
Marraskoski
Aapua
Konttajärvi
Lahnajärvi
Muddus nationalpark
Porjus
Harsprånget
Hakkas
Korpilombolo
Pello
Sinettä
Raanujärvi
Nattavaara
Skaitekojan
Svanstein
Turtola
Jock
Lansjärv
E10
Juoksengi
Ratasjärvi
Meltosjärvi
Messaure
Lillselet
Hirvas
Kuusijärvi
Murjek
Jokkmokk
Vintermarknad
Ajtte
Flakaberg
Vitberget 405
Mellakoski
Muurola
Övertorneå
Vännäsberget
Pålkem
Vuottas
Aavasaksa
Ylitornio
Petäjäskoski
Inlandsbanan
Vuollerim 6000 år
Gylien
Överkalix
Koivu
Svartbyn
Hedenäset
34
Grundträsk
Stenträsk
Lakaträsk
Edefors

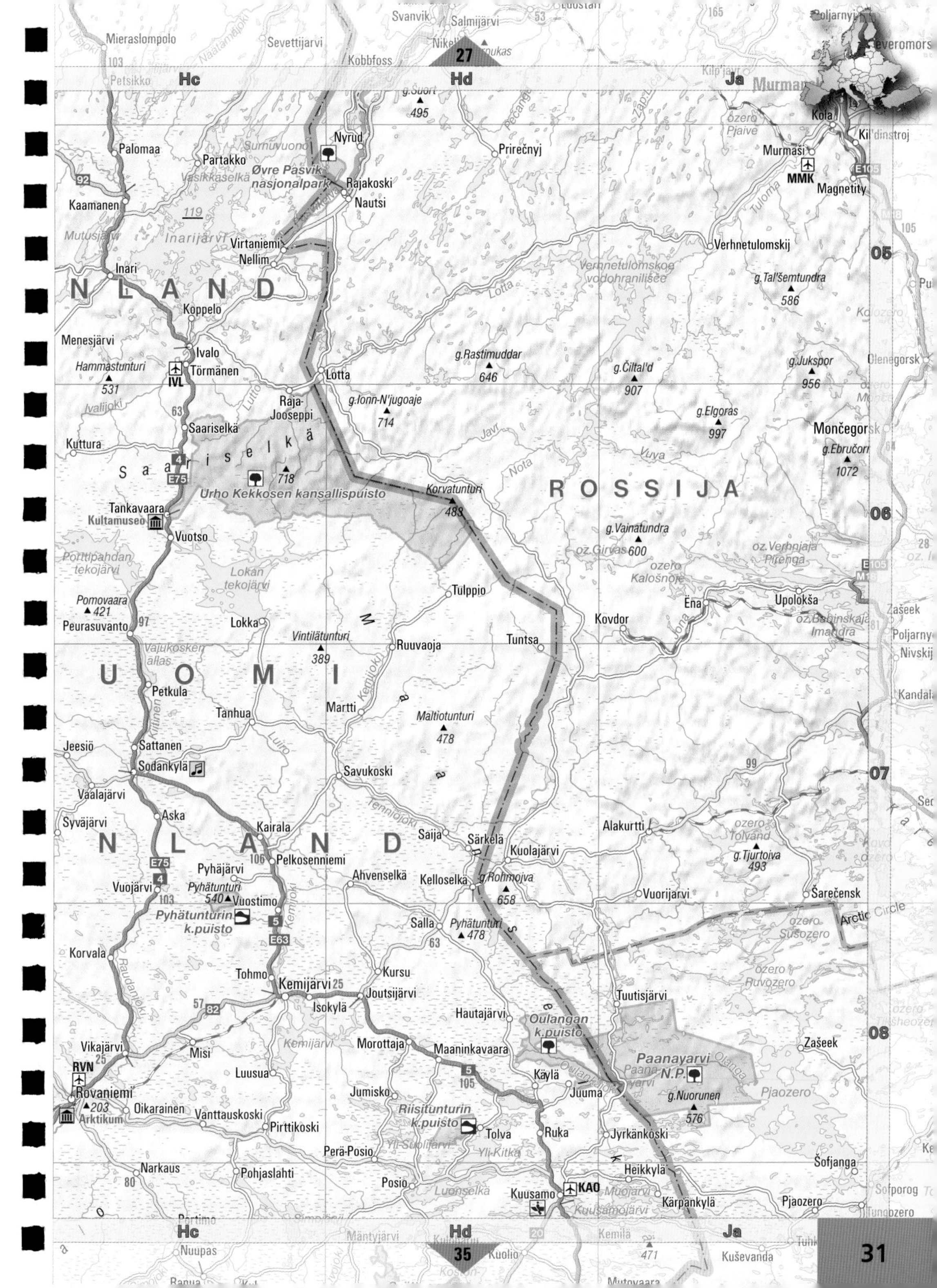

27
Hc
Hd
Ja
Svanvik
Salmijärvi
Mieraslompolo
Sevettijärvi
Kobbfoss
Petsikko
Nyrud
Øvre Pasvik nasjonalpark
Rajakoski
Nautsi
Palomaa
Partakko
Kaamanen
Prirečnyj
Kola
Kil'dinstroj
Murmaši
MMK
Magnetity
Verhnetulomskij
Verhnetulomskoe vodohranilišče
g.Tal'šemtundra 586
Virtaniemi
Nellim
Inarijärvi
Inari
N L A N D
Koppelo
Menesjärvi
Ivalo
IVL
Törmänen
Hammastunturi 531
Lotta
Raja-Jooseppi
g.Rastimuddar 646
g.Čiltal'd 907
g.Jukspor 956
g.Ionn-N'jugoaje 714
g.Elgoras 997
Mončegorsk
g.Ebručorr 1072
Saariselkä
Kuttura
S a a r i s e l k ä
718
Urho Kekkosen kansallispuisto
Korvatunturi 483
R O S S I J A
Tankavaara
Kultamuseo
Vuotso
Porttipahdan tekojärvi
Lokan tekojärvi
g.Vainatundra 600
oz.Girvas
oz.Verhnjaja Pirenga
ozero Kalošnoje
05
06
07
08
E105
Tulppio
Pomovaara 421
Peurasuvanto
Lokka
Kovdor
Ëna
Upolokša
Zašeek
Vintilätunturi 389
Ruuvaoja
Tuntsa
Poljarnyj
Nivskij
U O M I
Petkula
Tanhua
Martti
Maltiotunturi 478
Kandalakša
Jeesiö
Sattanen
Sodankylä
Savukoski
Vaalajärvi
Aska
Syväjärvi
Kairala
Saija
Särkelä
Alakurtti
ozero Tolvand
g.Tjurtoiva 493
N L A N D
Pelkosenniemi
Kuolajärvi
Pyhäjärvi
Pyhätunturi 540
Ahvenselkä
Kelloselkä
g.Rohmojva 658
Vuorijärvi
Šarečensk
Vuojärvi
Vuostimo
Pyhätunturin k.puisto
Salla
Pyhätunturi 478
Arctic Circle
ozero Susozero
Korvala
Tohmo
Kursu
ozero Ruvozero
Kemijärvi
Joutsijärvi
Isokylä
Tuutisjärvi
Hautajärvi
Oulangan k.puisto
Vikajärvi
Misi
Morottaja
Maaninkavaara
Zašeek
RVN
Luusua
Käylä
Paanayarvi N.P.
Juuma
Rovaniemi
203
Arktikum
Oikarainen
Vanttauskoski
Jumisko
Riisitunturin k.puisto
Pirttikoski
Tolva
Ruka
g.Nuorunen 576
Pjaozero
Jyrkänkoski
Perä-Posio
Šofjanga
Narkaus
Pohjaslahti
Heikkylä
Posio
Kuusamo
KAO
Kärpänkylä
Pjaozero
Kuusamojärvi
Hc
Hd
Ja
Nuupas
35
Kuolio
Kemilä
471
Kuševanda

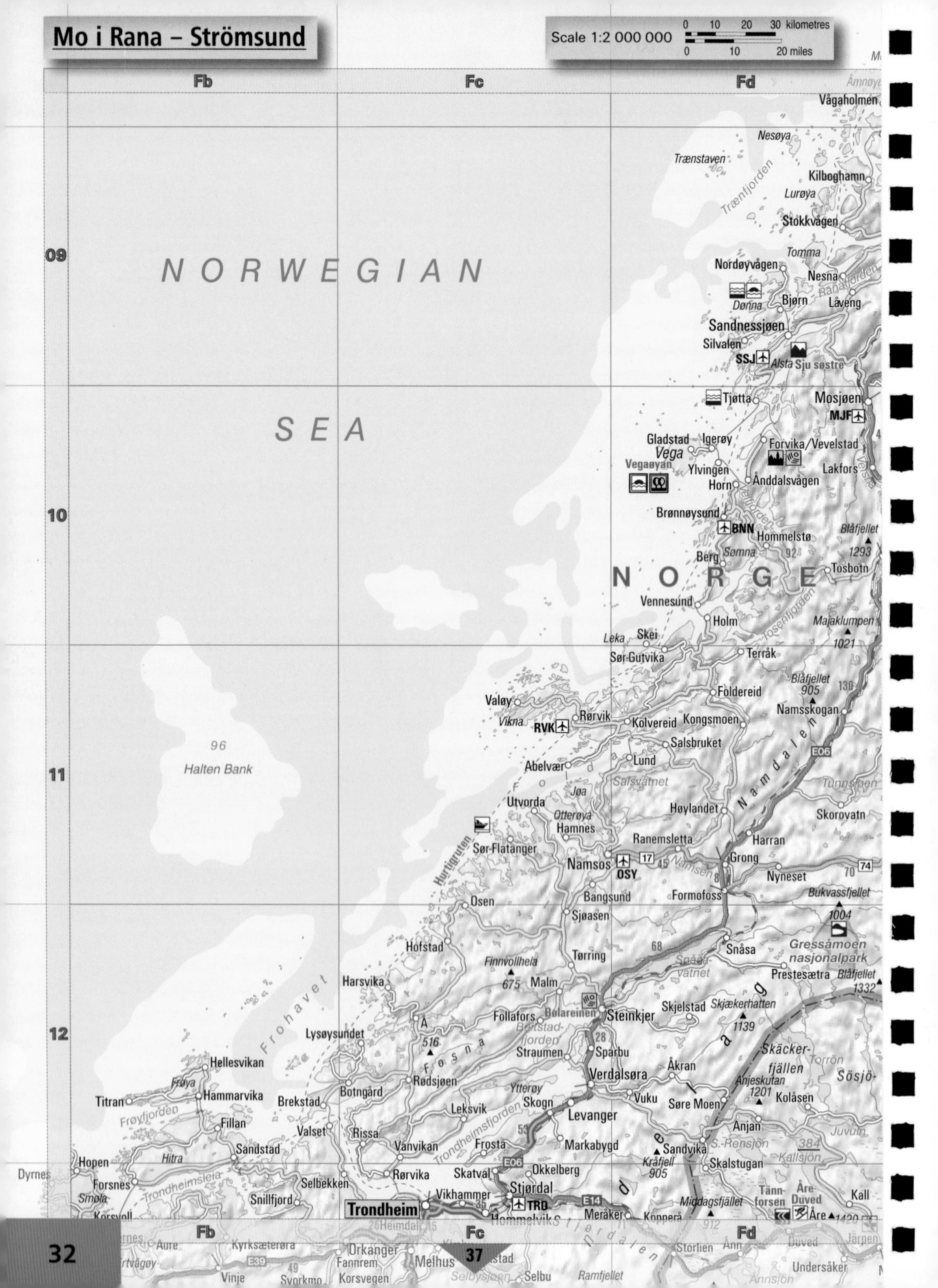
Scale 1:2 000 000
0 10 20 30 kilometres
0 10 20 miles
Fb
Fc
Fd
09
10
11
12
NORWEGIAN
SEA
NORGE
Vågaholmen
Nesøya
Trænstaven
Trænfjorden
Kilboghamn
Lurøya
Stokkvågen
Tomma
Nordøyvågen
Nesna
Ranafjorden
Dønna
Bjørn
Låveng
Sandnessjøen
Silvalen
SSJ
Alsta
Sju søstre
Tjøtta
Mosjøen
MJF
Gladstad
Igerøy
Vega
Vegaøyan
Forvika/Vevelstad
Ylvingen
Lakfors
Horn
Åanddalsvågen
Brønnøysund
BNN
Hommelstø
Blåfjellet
1293
Berg
Sømna
92
Tosbotn
Vennesund
Holm
Majaklumpen
1021
Leka
Skei
Sør-Gutvika
Terråk
Blåfjellet
905
Foldereid
Valøy
Vikna
RVK
Rørvik
Kolvereid
Kongsmoen
Namsskogan
Salsbruket
E06
96
Halten Bank
Abelvær
Lund
Salsvatnet
Jøa
Namdalen
Utvorda
Otterøya
Hamnes
Høylandet
Skorovatn
Hurtigruten
Sør-Flatanger
Ranemsletta
Harran
Namsos
OSY
17
Grong
Nyneset
Formofoss
Bukvassfjellet
1004
Osen
Bangsund
Sjøasen
Hofstad
Snåsa
Gressåmoen nasjonalpark
Finnvollheia
675
Tørring
Snåsavatnet
Harsvika
Malm
Prestesætra
Blåfjellet
1332
Frohavet
Follafors
Bolareinen
Steinkjer
Skjelstad
Skjækerhatten
1139
Lysøysundet
Å
516
Beitstadfjorden
Straumen
Sparbu
Hellesvikan
Fosna
Skäckerfjällen
Torrön
Frøya
Rødsjøen
Verdalsøra
Åkran
Anjeskutan
1201
Sösjö
Titran
Hammarvika
Brekstad
Botngård
Ytterøy
Vuku
Søre Moen
Kolåsen
Frøyfjorden
Leksvik
Skogn
Levanger
Fillan
Valset
Rissa
Trondheimsfjorden
Anjan
Juvuln
Sandstad
Vanvikan
Frosta
Markabygd
Sandvika
S. Rensjön
384
Kallsjön
Hopen
Hitra
E06
Kråfjell
905
Skalstugan
Dyrnes
Forsnes
Trondheimsleia
Selbekken
Rørvika
Skatval
Okkelberg
Smøla
Stjørdal
Tännforsen
Åre
Duved
Kall
Snillfjord
Vikhammer
TRD
E14
Middagsfjället
Korsvoll
Trondheim
Hommelvik
Meråker
Kopperå
Aure
Kyrksæterøra
Heimdal
Orkanger
Stjørdalen
Storlien
Duved
Järpen
Fannrem
Melhus
37
Vinje
Svorkmo
Korsvegen
Selbusjøen
Selbu
Ramfjellet
Undersåker

37

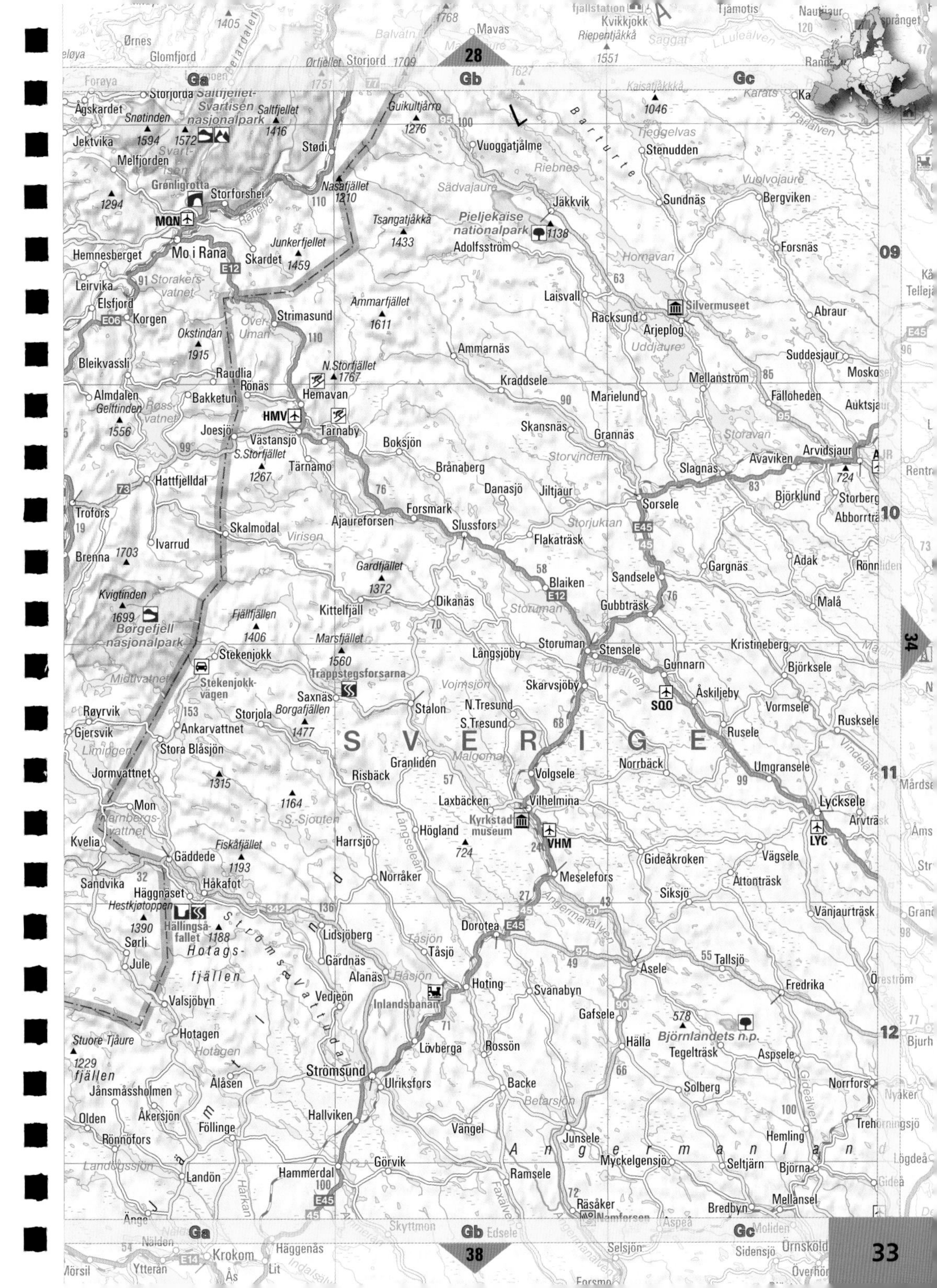

1405
Ørnes
Glomfjord
1768
Mavas
Balvatn
Ørfjellet
Storjord
1709
28
fjällstation
Kvikkjokk
Riepentjåkkå
Saggat
1551
Tjåmotis
Nautijaur
Ga
Gb
Gc
Forøya
1751
1627
Storjorda
Saltfjellet-
Svartisen
nasjonalpark
Saltfjellet
1416
Ågskardet
Snøtinden
1594
1572
Jektvika
Melfjorden
Stødi
Guikultjårro
1276
Vuoggatjålme
Kaisatjåkkå
1046
Barturte
Tjeggelvas
Stenudden
Riebnes
Grønligrotta
Storforshei
Nasafjället
1210
Sädvajaure
Vuolvojaure
1294
MQN
Ranelva
Tsangatjåkkå
1433
Pieljekaise
nationalpark
1138
Jäkkvik
Sundnäs
Bergviken
Hemnesberget
Mo i Rana
Skardet
Junkerfjellet
1459
Adolfsström
Hornavan
Forsnäs
09
E12
Leirvika
Storakers-
vatnet
Elsfjord
Korgen
E06
Laisvall
63
Ammarfjället
1611
Strimasund
Över-
Uman
Silvermuseet
Racksund
Arjeplog
Uddjaure
Abraur
E45
Suddesjaur
Okstindan
1915
Bleikvassli
Raudlia
Rönäs
N.Storfjället
1767
Ammarnäs
Kraddsele
Mellanström
85
Almdalen
Geltinden
Røss-
vatnet
Bakketun
Hemavan
HMV
Tärnaby
90
Marielund
Fälloheden
Auktsjaur
95
1556
Joesjö
Västansjö
S.Storfjället
1267
Boksjön
Skansnäs
Grannäs
Storavan
Storvindeln
Arvidsjaur
99
Tärnamo
Brånaberg
Slagnäs
Avaviken
724
83
Hattfjelldal
73
76
Danasjö
Jiltjaur
Björklund
Storberg
Trofors
19
Forsmark
Ajaureforsen
Slussfors
Sorsele
Abborrträsk
10
Skalmodal
Virisen
Flakaträsk
Storjuktan
E45
Ivarrud
Brenna
1703
Gardfjället
1372
58
Blaiken
Sandsele
Gargnäs
Adak
Kvigtinden
1699
Børgefjell
nasjonalpark
Fjällfjällen
1406
Kittelfjäll
Dikanäs
Storuman
E12
Gubbträsk
76
Malå
70
Marsfjället
1560
Stekenjokk
Storuman
Stensele
Kristineberg
34
Långsjöby
Midtvatnet
Trappstegsforsarna
Stekenjokk-
vägen
Vojmsjön
Skarvsjöby
Umeälven
Gunnarn
Björksele
Saxnäs
Røyrvik
153
Storjola
Borgafjällen
1477
Stalon
N.Tresund
S.Tresund
SQO
Åskiljeby
Vormsele
Gjersvik
Ankarvattnet
68
Rusele
Ruskele
Limingen
Stora Blåsjön
S V E R I G E
Malgomaj
Granliden
Norrbäck
Umgransele
Vindelälven
Jormvattnet
1315
Risbäck
57
Volgsele
99
11
Mon
1164
Laxbäcken
Vilhelmina
Lycksele
Tunnsjøen
Kvarnbergs-
vattnet
S.-Sjouten
Långseleån
Högland
Kyrkstad
museum
VHM
LYC
Arvträsk
Kvelia
Fiskåfjället
Harrsjö
724
24
1193
Gäddede
Gideåkroken
Vägsele
Sandvika
32
Håkafot
Häggnäset
Norråker
Meselefors
Altonträsk
Siksjö
Hestkjøtoppen
342
136
27
43
45
90
Vänjaurträsk
1390
Hällingsåfallet
1188
Ström
Lidsjöberg
Dorotea
E45
Ångermanälven
Sørli
Hotags-
Tåsjön
Tåsjö
92
55
Tallsjö
Jule
fjällen
Gärdnäs
49
Åsele
Alanäs
Flåsjön
Hoting
Svanabyn
Fredrika
Valsjöbyn
Vedjeön
Inlandsbanan
Gafsele
90
578
71
Hotagen
Stuore Tjåure
Hotagen
Lövberga
Rossön
Hälla
Björnlandets n.p.
Tegelträsk
Aspsele
12
1229
fjällen
Strömsund
Ulriksfors
66
Jånsmåssholmen
Ålåsen
Backe
Solberg
Norrfors
Betarsjön
Olden
Åkersjön
Föllinge
Hallviken
100
Vängel
Junsele
Hemling
Rönnöfors
Å n g e r m a n l a n d
Landögssjön
Görvik
Myckelgensjö
Seltjärn
Björna
Landön
Hammerdal
Ramsele
100
E45
Faxälven
Hårkan
72
Räsåker
Mellansel
Bredbyn
Änge
45
Nämforsen
Skyttmon
Edsele
Aspeå
Moliden
Nälden
54
Krokom
Häggenås
38
Selsjön
Sidensjö
Örnsköld
Mörsil
Ytterån
E14
Ås
Lit
Indalsälven
Forsmo
Överhö

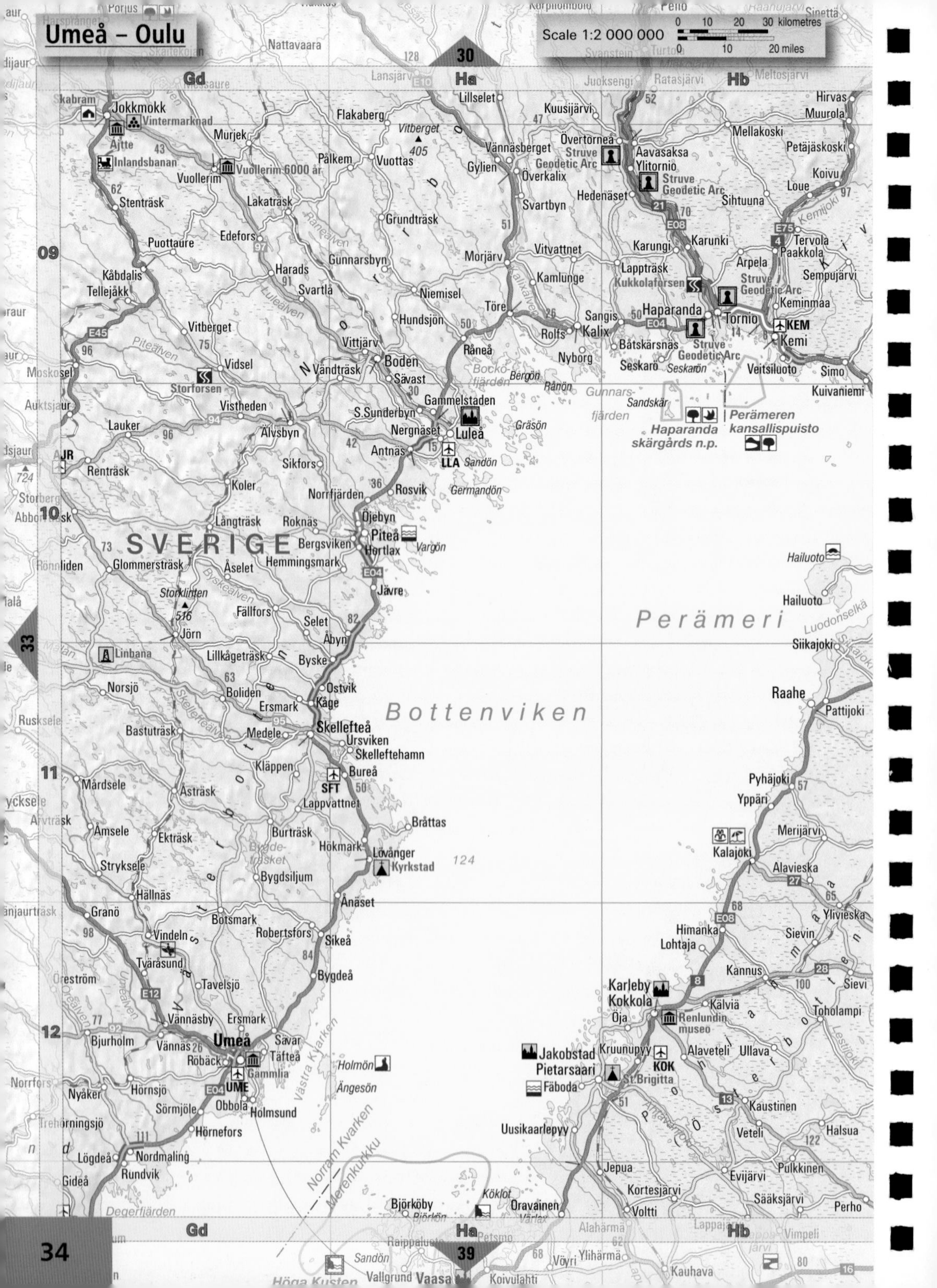

Gd   **30** **Ha**   **Hb**

128   Lansjärvi   E10

Porjus   Nattavaara   Kuusijärvi   Pello   Sinetta

Korpihombolo   52   Hirvas   Muurola

Jokkmokk   Vintermarknad   Flakaberg   Lillselet   Övertorneå   Struve Geodetic Arc   Aavasaksa   Mellakoski   Petäjäskoski

Ajtte   Murjek   Vitberget   405   Vännäsberget   Ytitornio   Struve Geodetic Arc   Koivu

Inlandsbanan   Pålkem   Vuottas   Gylien   Överkalix   Hedenäset   21   E08   Sihtuuna   Loue   97

Vuollerim   Vuollerim 6000 år   Karungi   Karunki   E75   Tervola   Paakkola

62   Stenträsk   Lakaträsk   Grundträsk   51   Vitvattnet   Lappträsk   Arpela

Puottaure   Edefors   97   Gunnarsbyn   Morjärv   Kukkolaforsen   Struve Geodetic Arc   Keminmaa

Kåbdalis   Harads   91   Svartlå   Niemisel   Kamlunge   Töre   Sangis   Haparanda   Tornio   14   KEM   Sempujärvi

Telejäkk   Vitberget   75   Hundsjön   50   Töre   Rolfs   Kalix   Haparanda   Tornio   Kemi

E45   Piteälven   Vittjärv   Råneå   Nyborg   Båtskärsnäs   Struve Geodetic Arc   Veitsiluoto   Simo

96   Vidsel   Vändträsk   Boden   Bergön   Seskarö   Seskarön   Kuivaniemi

Moskosel   Storforsen   Sävast   Bocka fjärden   Rånön   Gunnars-fjärden   Sandskär

Auktsjaur   Vistheden   Gammelstaden   Gräsön   Perämeren kansallispuisto   Haparanda skärgårds n.p.

Lauker   Älvsbyn   S.Sunderbyn   Nergnäset   Luleå   Germandön   Hailuoto

JR   Renträsk   Sikfors   42   Antnäs   15   LLA   Sandön

94   Koler   Norrfjärden   Rosvik   Storberg   Abborr   Långträsk   Roknäs   Öjebyn   Piteå   Vargön

SVERIGE   Bergsviken   Hemmingsmark   Hortlax   E04   Hailuoto

Rönnliden   73   Glommersträsk   Åselet   Järve   Hailuoto

Storklinten   516   Fällfors   Selet   82   Åbyn   **Perämeri**   Luodonselkä

Jörn   Byske   Siikajoki

33   Linbana   Lillkågeträsk   63   Ostvik   Käge   **Bottenviken**   Raahe   Pattijoki

Norsjö   Boliden   Ersmark   Skelleftea   Pyhäjoki   Yppäri   57

Bastuträsk   Medele   Ursviken   Skelleftehamn   Merijärvi

Mårdsele   Kläppen   Bureå   Kalajoki   Alavieska

Åträsk   SFT   50   Lappvattnet   Bråttas   27

Ämsele   Ekträsk   Burträsk   Hökmark   124   Ylivieska

Strycksele   Hällnäs   Bygdsiljum   Lövånger   Kyrkstad   68   E08   Himanka   Sievin   65

Granö   Botsmark   Robertsfors   Ånäset   Lohtaja   Kannus   Sievi   100

98   Vindeln   Sikeå   84   Karleby   Kokkola   Kälviä   Toholampi

Oresträm   Tväråsund   Tavelsjö   Bygdeå   Oja   28

E12   Vännäsby   Ersmark   Renlundin museo   Alaveteli   Ullava

77   Bjurholm   Vännäs   26   **Umeå**   Savar   Jakobstad   Kruunupyy   KOK   Kaustinen

Nyåker   Röbäck   Gammlia   Täfteå   Pietarsaari   St.Brigitta   13

Hörnsjö   E04   UME   Holmön   Fäboda   51

Sörmsjöle   Obbola   Holmsund   Ängesön   Uusikaarlepyy   Veteli   Halsua

Trehörningsjö   Hörnefors   Jepua   Evijärvi   Pulkkinen   122

Lögdeå   Nordmaling   Kortesjärvi   Sääksjärvi   Perho

Gideå   Rundvik   Björköby   Voltti   Alahärmä   Lappajärvi   Vimpeli

Degerfjärden   Oravainen   16

Gd   **Ha**   **Hb**

Sandön   Petsmo   Alahärmä   80

34   Höga Kusten   Vallgrund   **Vaasa**   Koivulahti   Vöyri   Ylihärmä   68   Kauhava

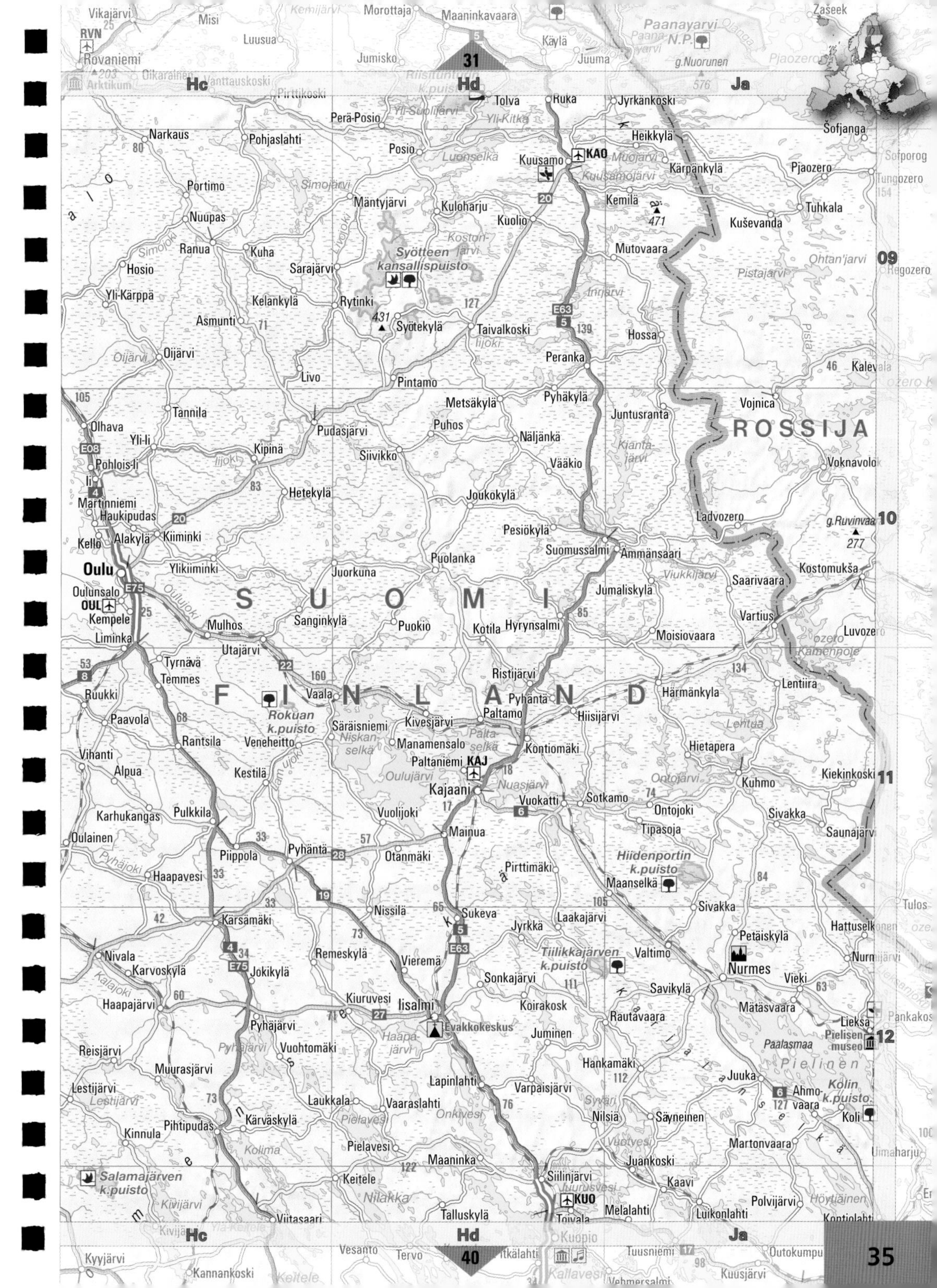

Vikajärvi
Misi
Kemijärvi
Morottaja
Maaninkavaara
Zašeek
RVN
Rovaniemi
Luusua
Paanayarvi N.P.
Käylä
Jumisko
31
Juuma
g.Nuorunen
Pjaozero
Oikarainen
Arktikum
Vanttauskoski
Riisitunturin k.puisto
576
Hc
Hd
Ja
Pirttikoski
Tolva
Ruka
Jyrkänkoski
Perä-Posio
Yli-Suolijärvi
Yli-Kitka
Šofjanga
Narkaus
Pohjaslahti
Heikkylä
Posio
Luonselkä
Kuusamo
KAO
Muojärvi
Sofporog
Kärpänkylä
Pjaozero
Tungozero
Portimo
Simojärvi
Kuusamojärvi
Mäntyjärvi
Kuloharju
Kemilä
471
Tuhkala
Nuupas
Kuolio
Kuševanda
Simojoki
Livojoki
Kostonjärvi
Ranua
Kuha
Syötteen kansallispuisto
Mutovaara
Hosio
Sarajärvi
Ohtan'jarvi
09
Regozero
Pistajarvi
Yli-Kärppä
Kelankylä
Rytinki
Irnijärvi
127
Asmunti
431
Syötekylä
Taivalkoski
E63
139
Hossa
Iijoki
Oijärvi
Oijärvi
Peranka
46
Kalevala
Livo
Pintamo
105
Metsäkylä
Pyhäkylä
Vojnica
Tannila
Juntusranta
Olhava
Pudasjärvi
Puhos
ROSSIJA
Yli-Ii
Näljänkä
E08
Kipinä
Kiantajärvi
Pohlois-Ii
Iijoki
Siivikko
Vääkio
Voknavolok
Ii
83
Hetekylä
Martinniemi
Joukokylä
Haukipudas
Ladvozero
g.Ruvinvaa
10
Kiiminki
Pesiökylä
277
Kello
Alakylä
Suomussalmi
Ämmänsaari
Oulu
Ylikiiminki
Puolanka
Kostomukša
Juorkuna
Viukkijärvi
Saarivaara
Oulunsalo
E75
Oulujoki
SUOMI
Jumaliskylä
OUL
Kempele
Sanginkylä
Puokio
85
Vartius
Luvozero
Mulhos
Kotila
Hyrynsalmi
Moisiovaara
Liminka
Utajärvi
ozero Kamennoje
Tyrnävä
134
53
Temmes
Ristijärvi
Lentiira
Ruukki
160
Vaala
FINLAND
Pyhäntä
Härmänkylä
Rokuan k.puisto
Paltamo
Paavola
Säräisniemi
Kivesjärvi
Hiisijärvi
Lentua
Niskanselkä
Paltaselkä
Rantsila
Veneheitto
Manamensalo
Kontiomäki
Hietapera
Vihanti
Paltaniemi
KAJ
Alpua
Kestilä
Oulujärvi
Ontojärvi
Kiekinkoski
11
Kajaani
Nuasjärvi
Kuhmo
Vuokatti
Sotkamo
Ontojoki
Karhukangas
Pulkkila
Vuolijoki
Sivakka
Tipasoja
Saunajärvi
Oulainen
Mainua
33
57
Piippola
Pyhäntä
Otanmäki
Hiidenportin k.puisto
Pyhäjoki
Haapavesi
Pirttimäki
Maanselkä
84
105
Tulos
Sivakka
Nissilä
Sukeva
Laakajärvi
Hattuselkonen
42
Kärsämäki
Jyrkkä
Petäiskylä
73
Nivala
Remeskylä
Tiilikkajärven k.puisto
Valtimo
Nurmijärvi
Karvoskylä
Jokikylä
Vieremä
Nurmes
Vieki
Kalajoki
Sonkajärvi
111
63
Haapajärvi
Kiuruvesi
Iisalmi
Savikylä
Koirakosk
Mätäsvaara
Rautavaara
Pankakoski
Pyhäjärvi
Evakkokeskus
Lieksa
Haapajärvi
Juminen
Pielisen museo
12
Reisjärvi
Pyhäjärvi
Vuohtomäki
Paalasmaa
Pielinen
Hankamäki
Muurasjärvi
112
Lapinlahti
Juuka
Kolin k.puisto
Lestijärvi
Varpaisjärvi
Ahmovaara
Lestijärvi
73
Laukkala
Vaaraslahti
76
Syväri
Onkivesi
Nilsiä
Säyneinen
Koli
Kinnula
Pihtipudas
Kärväskylä
Pielavesi
Kolima
Pielavesi
Martonvaara
Uimaharju
Maaninka
122
Vuotjärvi
Juankoski
Salamajärven k.puisto
Keitele
Siilinjärvi
Juurusvesi
Kaavi
Nilakka
KUO
Kivijärvi
Polvijärvi
Höytiäinen
Melalahti
Viitasaari
Talluskylä
Toivala
Luikonlahti
Kontiolahti
Kivijärvi
Kuopio
Vesanto
Tervo
40
Itkälahti
Tuusniemi
Outokumpu
Kyyjärvi
Kallavesi
98
Kannankoski
Keitele
Vehmersalmi
Kuusjärvi

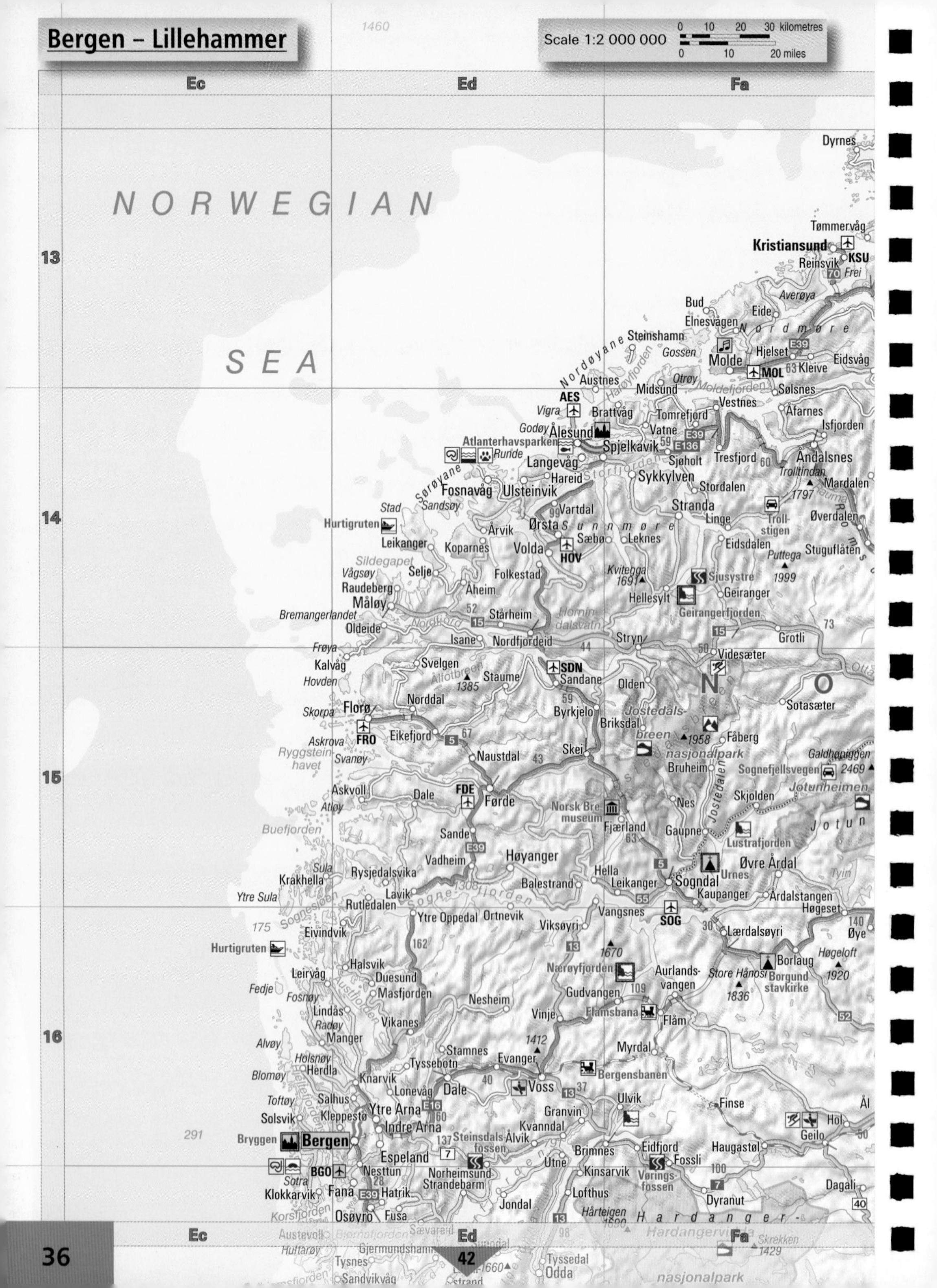

Bergen – Lillehammer
Scale 1:2 000 000
0 10 20 30 kilometres
0 10 20 miles
Ec
Ed
Fa
13
14
15
16
NORWEGIAN
SEA
1460
Dyrnes
Tømmervåg
Kristiansund
KSU
Reinsvik
Frei
Averøya
Bud
Eide
Elnesvågen
Nordmøre
Steinshamn
Gossen
Molde
Hjelset
Eidsvåg
MOL
Kleive
Nordøyane
Harøyfjorden
Otrøy
Austnes
Midsund
Moldefjorden
Sølsnes
AES
Vigra
Brattvåg
Tomrefjord
Vestnes
Åfarnes
Isfjorden
Godøy
Ålesund
Vatne
Atlanterhavsparken
Spjelkavik
Runde
Sjøholt
Tresfjord
Åndalsnes
Langevåg
Storfjorden
Sykkylven
Trolltindan
Mardalen
Sørøyane
Hareid
1797
Fosnavåg
Ulsteinvik
Stordalen
Stad
Sandsøy
Vartdal
Stranda
Trollstigen
Øverdalen
Hurtigruten
Linge
Årvik
Ørsta
Sunnmøre
Leikanger
Koparnes
Sæbø
Leknes
Eidsdalen
Puttega
Stuguflåten
Volda
HOV
Sildegapet
1999
Vågsøy
Selje
Folkestad
Kvitegga
Sjusystre
Raudeberg
1691
Måløy
Åheim
Hellesylt
Geiranger
Bremangerlandet
Stårheim
Hornindalsvatn
Geirangerfjorden
Oldeide
Nordfjord
Stryn
Grotli
Isane
Nordfjordeid
Frøya
Videsæter
Kalvåg
Svelgen
SDN
Hovden
Ålfotbreen
Staume
1385
Sandane
Olden
Sotasæter
Norddal
Skorpa
Florø
Byrkjelo
Jostedalsbreen
FRO
Eikefjord
Briksdal
1958
Fåberg
Askrova
Skei
Ryggsteinhavet
Svanøy
Naustdal
nasjonalpark
Galdhøpiggen
Bruheim
Sognefjellsvegen
2469
Askvoll
Dale
FDE
Jotunheimen
Førde
Norsk Bremuseum
Nes
Skjolden
Atløy
Jostedalen
Buefjorden
Fjærland
Gaupne
Jotun
Sande
Lustrafjorden
Vadheim
Høyanger
Sula
Hella
Øvre Årdal
Krakhella
Rysjedalsvika
Urnes
Tyin
Leikanger
Sogndal
Ytre Sula
Lavik
Balestrand
Kaupanger
Årdalstangen
Rutledalen
Sognefjorden
Høgeset
Ytre Oppedal
Ortnevik
Vangsnes
SOG
Viksøyri
Lærdalsøyri
Øye
175
Eivindvik
1670
Høgeloft
Hurtigruten
Borlaug
Halsvik
Nærøyfjorden
Aurlandsvangen
Store Hånosi
Leirvåg
Borgund stavkirke
1920
Duesund
Fedje
Fosnøy
Masfjorden
Gudvangen
1836
Lindås
Nesheim
Vinje
Flåmsbana
Flåm
Radøy
Austfjorden
Vikanes
Manger
1412
Myrdal
Alvøy
Stamnes
Holsnøy
Evanger
Herdla
Tyssebotn
Bergensbanen
Blomøy
Knarvik
Voss
Lonevåg
Dale
Ulvik
Toftøy
Salhus
Finse
Ytre Arna
Granvin
Solsvik
Kleppestø
Hol
Indre Arna
Kvanndal
291
Bryggen
Bergen
Geilo
Steinsdalsfossen
Ålvik
Espeland
Brimnes
Eidfjord
Haugastøl
Fossli
Nesttun
Utne
BGO
Norheimsund
Kinsarvik
Vøringsfossen
Sotra
Strandebarm
Dagali
Klokkarvik
Fana
Hatrik
Lofthus
Dyranut
Jondal
Hårteigen
1690
Hardanger-
Korsfjorden
Osøyro
Fusa
Austevoll
Bjørnafjorden
Sævareid
Hardangervidda
Huftarøy
Gjermundshamn
Skrekken
1429
Tysnes
Tyssedal
Odda
Sandvikvåg
nasjonalpark
42

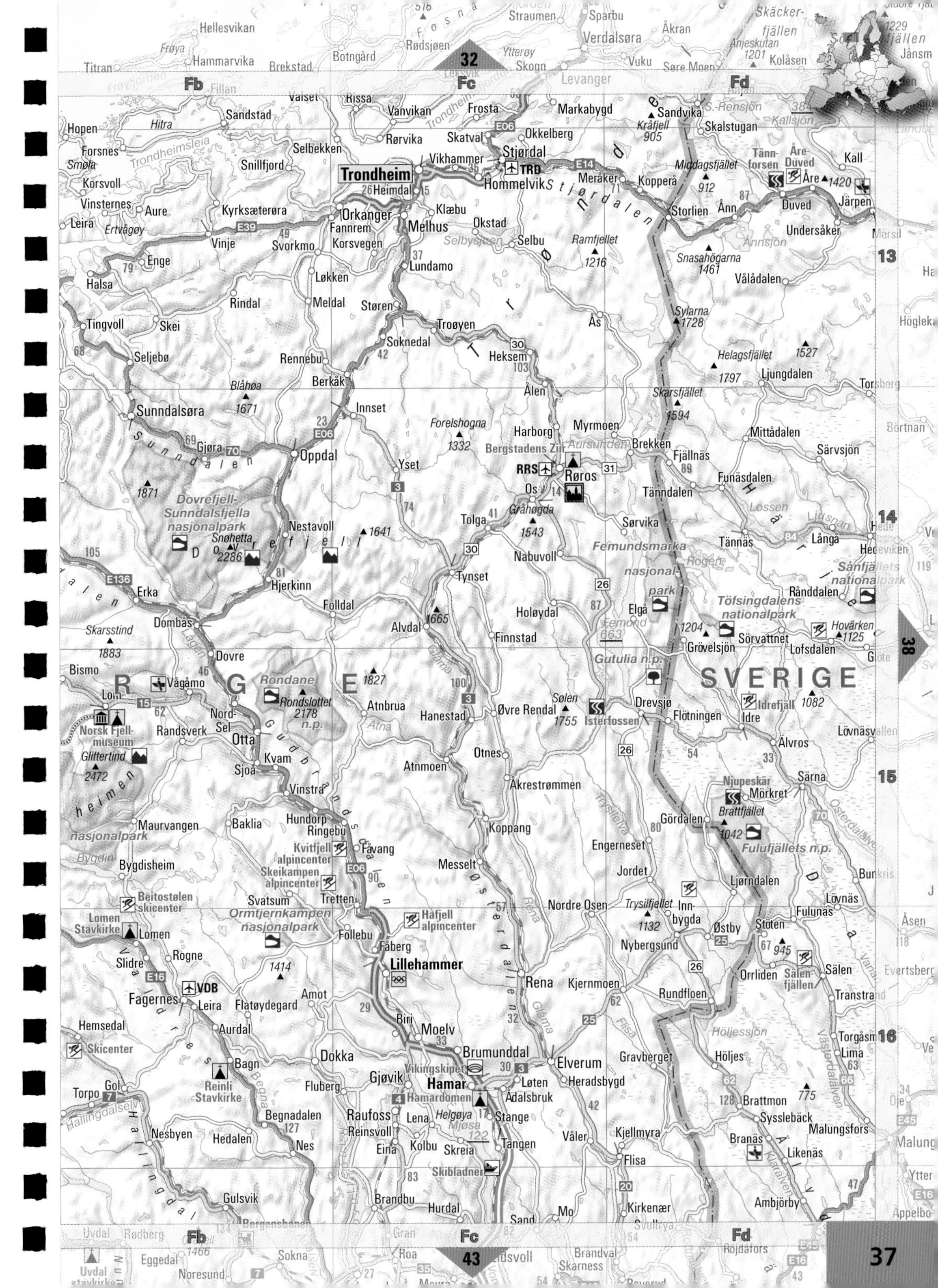

32
Hellesvikan
Frøya
Hammarvika
Titran
Brekstad
Botngård
Rødsjøen
Straumen
Sparbu
Verdalsøra
Åkran
Skäcker-fjällen
Anjeskutan 1201
Kolåsen
Ytterøy
Skogn
Levanger
Vuku
Søre Moen
Fb
Fc
Fd
Fillan
Valset
Rissa
Vanvikan
Frosta
Markabygd
Sandvika
Kråfjell 905
Skalstugan
Kallsjön
Hopen
Hitra
Sandstad
Rørvika
Skatval
E06
Okkelberg
Forsnes
Smøla
Trondheimsleia
Selbekken
Snillfjord
Trondheim
Vikhammer
Stjørdal
TRD
E14
Meråker
Kopperå
Middagsfjället 912
Tännforsen
Åre-Duved
Åre
1420
Kall
Korsvoll
Heimdal
Hommelvik
Stjørdalen
Duved
Järpen
Vinsternes
Aure
Kyrksæterøra
Orkanger
Klæbu
Storlien
Ånn
Leira
Ertvågøy
E39
Fannrem
Melhus
Okstad
Undersåker
Vinje
Svorkmo
Korsvegen
Selbysjøen
Selbu
Ramfjellet 1216
Snasahögarna 1461
Mörsil
Enge
Lundamo
Annsjön
13
Halsa
Løkken
Vålådalen
Rindal
Meldal
Støren
Trollheimen
Tingvoll
Skei
Troøyen
Ås
Sylarna 1728
Höglekardalen
Seljebø
Soknedal
Heksem
Helagsfjället 1797
1527
Rennebu
Berkåk
Ljungdalen
Torsborg
Blåhøa 1671
Ålen
Skarsfjället 1594
Sunndalsøra
Innset
Forelshogna 1332
Harborg
Myrmoen
Brekken
Mittådalen
Börtnan
Sunndalen
Gjøra
Oppdal
Bergstadens Ziir
Aursunden
Fjällnäs
Särvsjön
Yset
RRS
Røros
Funäsdalen
1871
Os
Tänndalen
Dovrefjell-Sunndalsfjella nasjonalpark
Nestavoll
Tolga
Gråhøgda 1543
Sørvika
Lossen
Ljusnan
14
Hede
Snøhetta 2286
Dovrefjell
1641
Nabuvoll
Tännäs
Långå
Hedeviken
Femundsmarka nasjonalpark
Rogen
Sånfjällets nationalpark
105
E136
Tynset
Erka
Hjerkinn
Rånddalen
Folldal
Holøydal
Elgå
Töfsingdalens nationalpark
Dombås
Alvdal
1665
Femund
Skarsstind 1883
Finnstad
1204
Grövelsjön
Sörvattnet
Hovärken 1125
Lofsdalen
38
Dovre
Gutulia n.p.
Bismo
Vågåmo
Rondane
1827
SVERIGE
Lom
Rondslottet 2178 n.p.
Atnbrua
Sølen 1755
Drevsjø
Idrefjäll
1082
Norsk Fjellmuseum
Nord-Sel
Hanestad
Øvre Rendal
Isterfossen
Flötningen
Idre
Randsverk
Otta
Gudbrandsdalen
Atna
Lövnäsvallen
Glittertind 2472
Kvam
Otnes
Älvros
Sjoa
Atnmoen
Åkrestrømmen
Jotunheimen
Vinstra
Njupeskär
Mörkret
Särna
15
Brattfjället
Maurvangen
Baklia
Hundorp
Ringebu
Koppang
Gördalen
1042
nasjonalpark
Fåvang
Engerneset
Fulufjällets n.p.
Österdalälven
Bygdin
Kvitfjell alpincenter
Messelt
Jordet
Bygdisheim
Skeikampen alpincenter
Ljørndalen
Bunkris
Beitostølen skicenter
Svatsum
Tretten
Østerdalen
Nordre Osen
Trysilfjellet 1132
Innbygda
Lövnäs
Lomen Stavkirke
Lomen
Ormtjernkampen nasjonalpark
Hafjell alpincenter
Follebu
Østby
Stöten
Fulunäs
Åsen
Nybergsund
Fåberg
945
Rogne
Slidre
1414
Lillehammer
Sälen
Evertsberg
Orrliden
Sälenfjällen
E16
Valdres
Fagernes
VDB
Amot
Rena
Kjernmoen
Rundfloen
Transtrand
Leira
Flatøydegard
Hemsedal
Aurdal
Biri
Moelv
Höljessjön
Torgåsmon
16
Skicenter
Brumunddal
Lima
Bagn
Dokka
Vikingskipet
Elverum
Gravberget
Höljes
Begna
Gjøvik
Hamar
Løten
Heradsbygd
Reinli Stavkirke
Gol
Fluberg
Hamardomen
Ådalsbruk
Torpo
Hallingdalselv
Raufoss
Lena
Helgøya
Stange
Brattmon
775
Begnadalen
Reinsvoll
Mjøsa
Sysslebäck
Malungsfors
Nesbyen
Hedalen
Nes
Eina
Kolbu
Skreia
Tangen
Våler
Kjellmyra
Branäs
Malung
Flisa
Likenäs
Hallingdal
Skibladner
Klarälven
Gulsvik
Brandbu
Hurdal
Kirkenær
Ambjörby
Bergensbanen
Sand
Mo
Svullrya
Uvdal
Rødberg
Gran
Fb
Fc
Fd
Eggedal
Sokna
Roa
Brandval
Röjdåfors
1466
Uvdal stavkirke
Noresund
43
Eidsvoll
Skarness

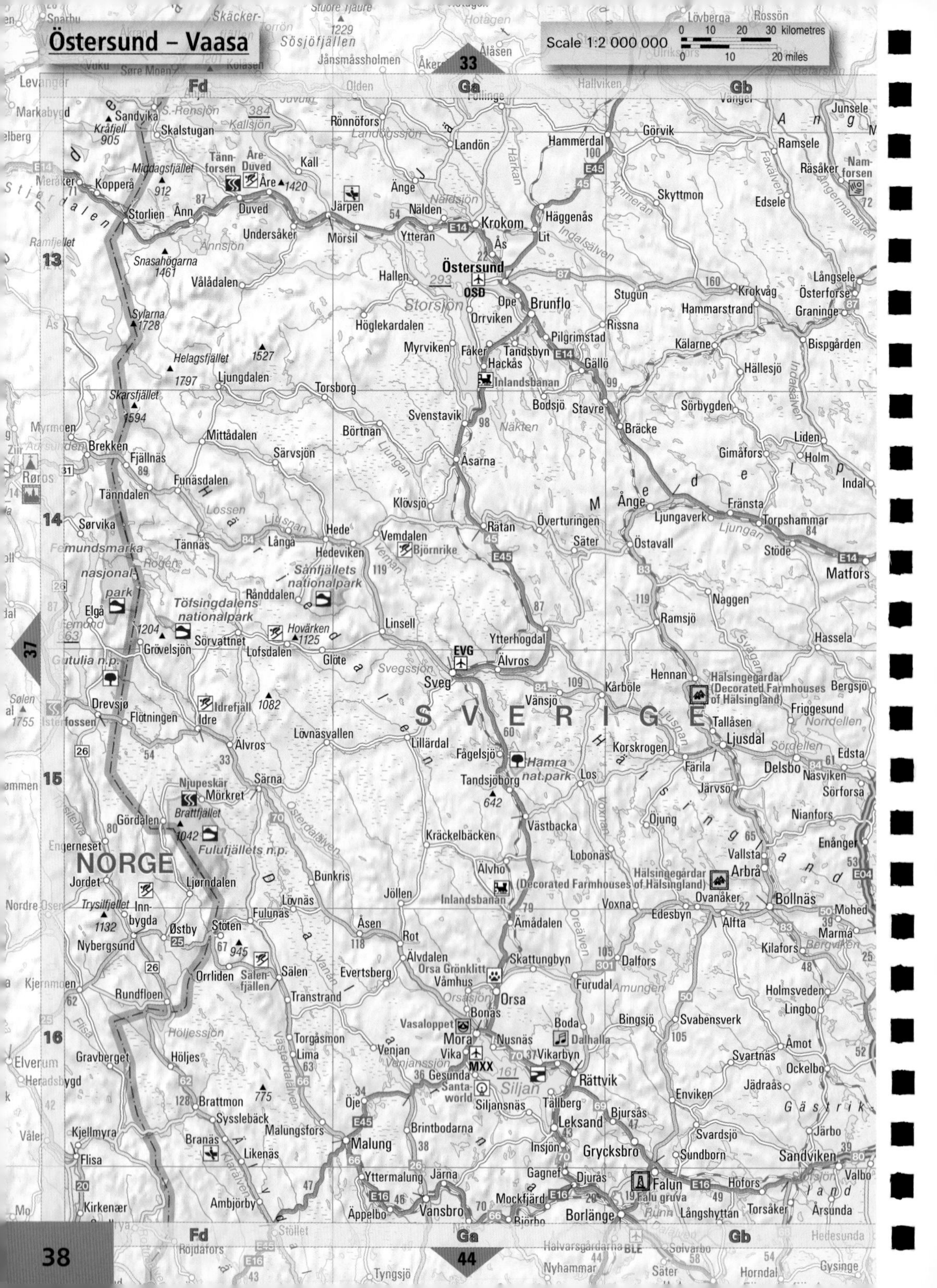

Östersund – Vaasa
Scale 1:2 000 000
0 10 20 30 kilometres
0 10 20 miles
33
Fd
Ga
Gb
Sandvika
Kråfjell
905
Skalstugan
Kallsjön
Rönnöfors
Landön
Hammerdal
Görvik
Ramsele
Junsele
Tänn-forsen
Åre-Duved
Kall
Middagsfjället
912
Meråker
Kopperå
Åre
1420
Änge
Järpen
Nälden
Krokom
Häggenås
Skyttmon
Edsele
Råsåker
Nam-forsen
Storlien
Ånn
Duved
Undersåker
Mörsil
Ytterån
E14
Ås
Lit
Indalsälven
Annsjön
Snasahögarna
1461
Vålådalen
Östersund
OSD
Hallen
Storsjön
Brunflo
Ope
Orrviken
Stugun
Krokvåg
Långsele
Österforse
Hammarstrand
Graninge
Sylarna
1728
Höglekardalen
Myrviken
Fåker
Tandsbyn
Hackås
Pilgrimstad
Rissna
Gällö
Kälarne
Bispgården
Hällesjö
Helagsfjället
1797
1527
Ljungdalen
Torsborg
Inlandsbanan
Bodsjö
Stavre
Sörbygden
Skarsfjället
1594
Svenstavik
Nälden
Näkten
Bräcke
Liden
Gimåfors
Holm
Brekken
Fjällnäs
Mittådalen
Börtnan
Särvsjön
Åsarna
Ljungan
Røros
Funäsdalen
Tänndalen
Klövsjö
Ånge
Fränsta
Indal
Ljungaverk
Torpshammar
Sørvika
Lossen
Hede
Vemdalen
Rätan
Överturingen
Säter
Östavall
Stöde
Matfors
Femundsmarka nasjonalpark
Tännäs
Långå
Hedeviken
Björnrike
Rogen
Sånfjällets nationalpark
Rånddalen
Töfsingdalens nationalpark
Naggen
Ramsjö
Elgå
Femund
1204
Grövelsjön
Sörvattnet
Hovärken
1125
Lofsdalen
Linsell
Ytterhogdal
Hassela
Gutulia n.p.
Glöte
Svegssjön
EVG
Älvros
Sveg
Hennan
Kårböle
Vänsjö
Hälsingegårdar (Decorated Farmhouses of Hälsingland)
Bergsjö
Friggesund
Sølen
1755
Drevsjø
Flötningen
Idrefjäll
1082
Idre
S V E R I G E
Tallåsen
Ljusdal
Isterfossen
Lövnäsvallen
Lillärdal
Älvros
Fågelsjö
Korskrogen
Färila
Delsbo
Edsta
Näsviken
Hamra nat.park
Tandsjöborg
Los
Järvsö
Sörforsa
Njupeskär
Mörkret
Särna
642
Nianfors
Brattfjället
Gördalen
1042
Västbacka
Öjung
Kräckelbäcken
Enånger
Engerneset
NORGE
Fulufjällets n.p.
Lobonäs
Vallsta
Arbrå
Jordet
Ljørndalen
Bunkris
Älvho
Hälsingegårdar (Decorated Farmhouses of Hälsingland)
Trysilfjellet
1132
Inn-bygda
Östby
Jöllen
Lövnäs
Fulunäs
Inlandsbanan
Voxna
Ovanåker
Edesbyn
Alfta
Bollnäs
Mohed
Marma
Nybergsund
Stöten
945
Åsen
Rot
Åmådalen
Kilafors
Bergviken
Orrliden
Sälen
Sälen-fjällen
Evertsberg
Älvdalen
Orsa Grönklitt
Vämhus
Skattungbyn
Dalfors
Furudal
Amungen
Holmsveden
Rundfloen
Transtrand
Orsasjön
Orsa
Bonäs
Lingbo
Bingsjö
Svabensverk
Höljessjön
Torgåsmon
Lima
Vasaloppet
Mora
Nusnäs
Boda
Dalhalla
Åmot
Elverum
Heradsbygd
Gravberget
Höljes
Venjan
Venjanssjön
Vika
MXX
Vikarbyn
Svartnäs
Ockelbo
Gesunda
Rättvik
Jädraås
Santa-world
Siljan
Siljansnäs
Tällberg
Enviken
775
Brattmon
Öje
Bjursås
Gästrikland
Sysslebäck
Malungsfors
Brintbodarna
Leksand
Järbo
Våler
Kjellmyra
Branäs
Malung
Svardsjö
Flisa
Likenäs
Insjön
Grycksbro
Sundborn
Sandviken
Yttermalung
Järna
Gagnef
Djurås
Falun
Hofors
Valbo
Ambjörby
Mockfjärd
Falu gruva
Torsåker
Årsunda
Kirkenær
Äppelbo
Vansbro
Björbo
Borlänge
Långshyttan
Stöllet
Hedesunda
44
Halvarsgårdarna
BLE
Solvarbo
Nyhammar
Säter
Horndal
Gysinge
Tyngsjö
Röjdåfors
Klarälven
Västerdalälven
Österdalälven
Dalarna
Härjedalen
Hälsingland
Medelpad
Ångermanland
Jämtland
Stjørdalen
Ammerån
Faxälven
Ångermanälven
Voxnan
Oreälven
Ljusnan
Svågan
13
14
15
16
37

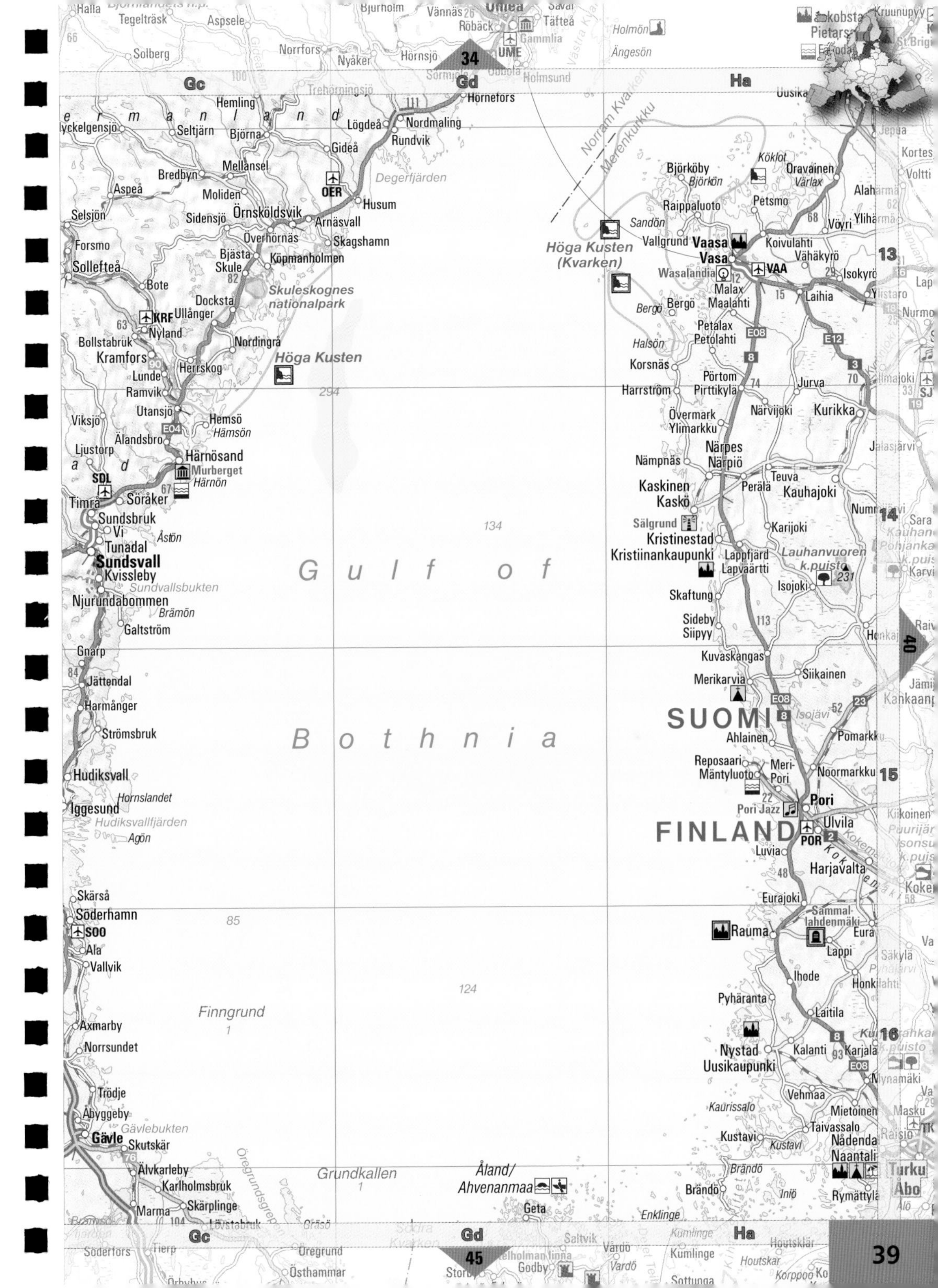

Halla
Tegelträsk
Aspsele
Björmanträsk n.p.
Bjurholm
Vännäs 26
Umeå
Täfteå
Kruunupyy
Jakobsta
Pietars
St. Brig
66
Solberg
Norrfors
Nyåker
Hörnsjö
Röbäck
Gammlia
UME
Holmön
Ångesön
Holmsund
E-koda

100
Trehörningsjö
Hornefors
Uusika
Jeppo
Kortes

ermanland
Hemling
Lögdeå
Nordmaling
Norram Kvarku
Merenkurkku
Björköby
Björkön
Oravainen
Värlax
Alahärmä
Voltti

lyckelgensjö
Seltjärn
Björna
Gideå
Rundvik
Köklot
Raippaluoto
Petsmo
68
Vöyri
Ylihä

Bredbyn
Mellansel
Degerfjärden
Sandön
Vallgrund
Vaasa
Koivulahti
Ylistaro
13

Aspeå
Moliden
Husum
Sandön
Vasa
Vähäkyrö
Isokyrö
Lap

Selsjön
Sidensjö
Örnsköldsvik
Arnäsvall
Skagshamn
Höga Kusten
(Kvarken)
Wasalandia
VAA
Laihia
Nurmo

Forsmo
Överhörnäs
Köpmanholmen
Bergö
Bergö
Maalahti
Malax
15

Sollefteå
Bjästa
Skule
Dockstä
Halsön
Petalax
Petolahti
E08
E12

Bote
Ullånger
KRF
Nyland
Nordingrå
Korsnäs
Pörtom
Pirttikylä
8
3

Bollstabruk
Herrskog
Höga Kusten
Harrström
74
Jurva
70
Ilmajoki

Kramfors
Lunde
Ramvik
294
Övermark
Ylimarkku
Närvijoki
Kurikka
33
SJ

Viksjö
Utansjö
Hemsö
Hämsön
Nämpnäs
Närpes
Närpiö
Teuva
Kauhajoki
Jalasjärvi

Ljustorp
Älandsbro
Härnösand
Murberget
Härnön
Kaskinen
Kaskö
Perälä
Numm
14
Sara

Timrå
Söråker
SDL
Sundsbruk
Åstön
Sälgrund
Kristinestad
Kristiinankaupunki
Lappfjärd
Lapväärtti
Karijoki
Lauhanvuoren
k.puisto
231
Pohjanka
k. puis
Karvi

Vi
Tunadal
Sundsvall
Kvissleby
134
Skaftung
Isojoki

Njurundabommen
Brämön
Sundvallsbukten
Sideby
Siipyy
113

Gnarp
Galtström
Kuvaskangas
Merikarvia
Siikainen
Raiv
Jämi

Jättendal
84
Bothnia
SUOMI
E08
8
Isojävi
52
23
Kankaanp

Harmånger
Ahlainen
Pomarkku

Strömsbruk
Reposaari
Mäntyluoto
Meri-
Pori
Noormarkku
15

Hudiksvall
Hornslandet
Pori
Pori Jazz
Kiikoinen
Peurijär

Iggesund
Hudiksvallfjärden
Agön
FINLAND
Ulvila
POR
Luvia
Harjavalta
Isonsu
k.puis
Koke

Skärså
Eurajoki
Sämmal-
lahdenmäki
Eura
58

Söderhamn
SOO
85
Rauma
Lappi
Säkylä
Va

Ala
Vallvik
Ihode
Honklahti

Finngrund
1
124
Pyhäranta
Laitila
Kul
16

Axmarby
Norrsundet
Nystad
Uusikaupunki
Kalanti
Karjala
E08
TK

Trödje
Åbyggeby
Vehmaa
Mietoinen
Masku

Gävle
Skutskär
Gävlebukten
Öregrundsgrepe
Kaurissalo
Kustavi
Kustavi
Taivassalo
Nådendal
Naantali
Raisio
TK

Älvkarleby
Karlholmsbruk
Grundkallen
1
Åland/
Ahvenanmaa
Brändö
Iniö
Rymättylä
Turku
Åbo
Ålö

Marma
Skärplinge
Lövstabruk
Örsö
Geta
Brändö
Enklinge

Gulf of

Bothnia

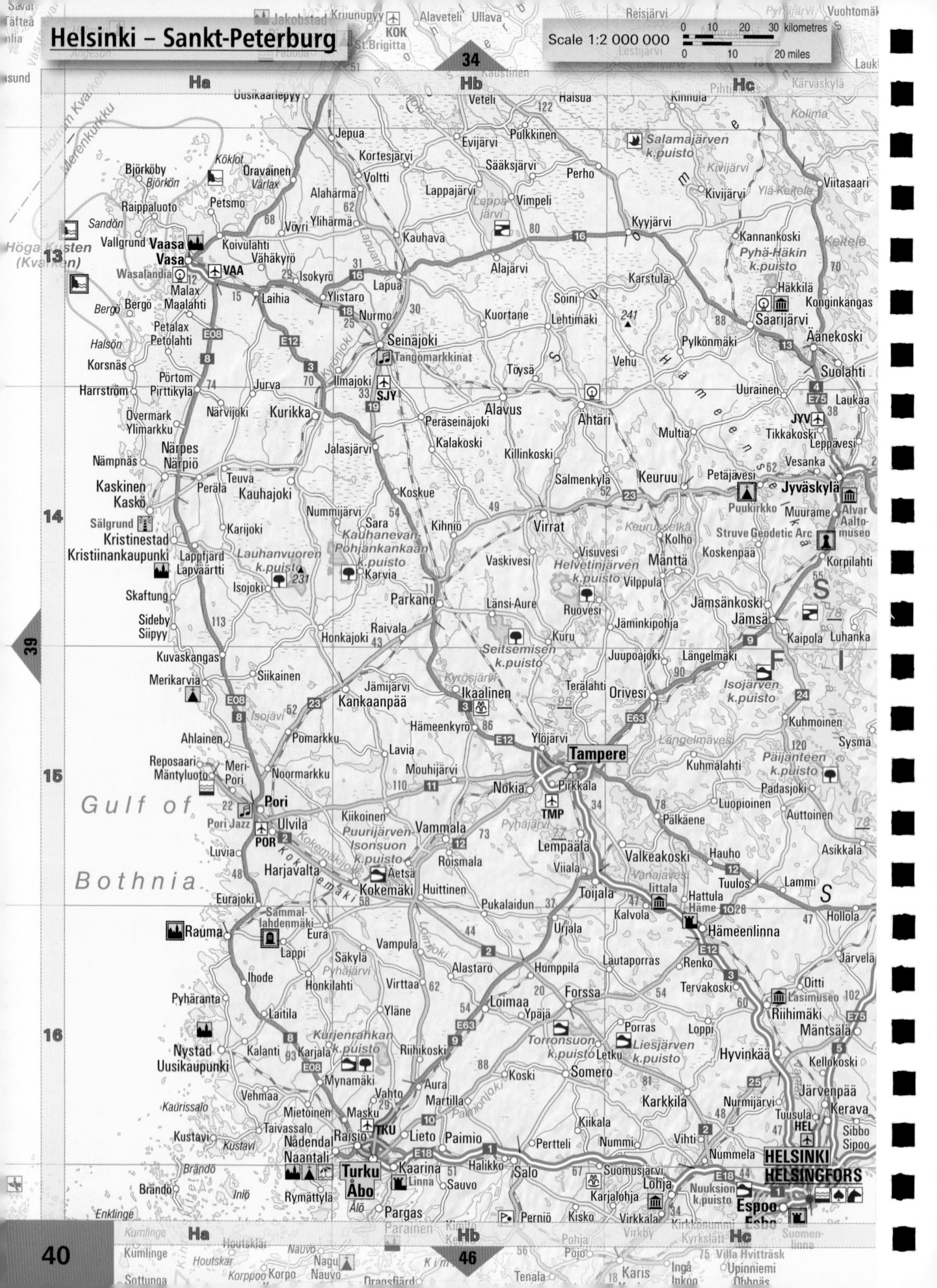
Helsinki – Sankt-Peterburg
Scale 1:2 000 000
0 10 20 30 kilometres
0 10 20 miles
34
Ha
Hb
Hc
13
14
15
16
39
Gulf of
Bothnia
Jakobstad
Kruunupyy
KOK
Alaveteli
Ullava
Reisjärvi
Vuohtomäki
Kaustinen
Veteli
Halsua
Kinnula
Kärväskylä
Uusikaarlepyy
Jepua
Evijärvi
Pulkkinen
Salamajärven k.puisto
Kortesjärvi
Sääksjärvi
Perho
Kivijärvi
Björköby
Köklot
Oravainen
Voltti
Viitasaari
Raippaluoto
Petsmo
Alahärmä
Lappajärvi
Vimpeli
Sandön
Ylihärmä
Vöyri
Kyyjärvi
Kannankoski
Höga Kusten (Kvarken)
Vallgrund
Vaasa
Vasa
Koivulahti
Vähäkyrö
Kauhava
Pyhä-Häkin k.puisto
VAA
Wasalandia
Isokyrö
Alajärvi
Karstula
Malax
Laihia
Lapua
Häkkilä
Bergö
Maalahti
Ylistaro
Nurmo
Soini
Konginkangas
Kuortane
Lehtimäki
Saarijärvi
Petalax
Petolahti
Halsön
Seinäjoki
Pylkönmäki
Äänekoski
Korsnäs
Tangomarkkinat
Töysä
Vehu
Suolahti
Pörtom
Pirttikylä
Harrström
Jurva
Ilmajoki
SJY
Uurainen
Laukaa
Övermark
Ylimarkku
Närvijoki
Kurikka
Alavus
Peräseinäjoki
Ähtäri
JYV
Multia
Tikkakoski
Leppävesi
Närpes
Närpiö
Nämpnäs
Jalasjärvi
Kalakoski
Killinkoski
Vesanka
Kaskinen
Kaskö
Teuva
Perälä
Kauhajoki
Salmenkylä
Keuruu
Petäjävesi
Jyväskylä
Koskue
Puukirkko
Muurame
Alvar Aalto-museo
Sälgrund
Nummijärvi
Sara
Kihniö
Virrat
Kolho
Struve Geodetic Arc
Kristinestad
Kristiinankaupunki
Karijoki
Kauhanevan-Pohjankankaan k.puisto
Visuvesi
Koskenpää
Lappfjärd
Lapväärtti
Lauhanvuoren k.puisto
Karvia
Vaskivesi
Helvetinjärven k.puisto
Mänttä
Korpilahti
Skaftung
Isojoki
Vilppula
Parkano
Länsi-Aure
Ruovesi
Jämsänkoski
Jämsä
Sideby
Siipyy
Honkajoki
Raivala
Jäminkipohja
Kuru
Kaipola
Luhanka
Kuvaskangas
Seitsemisen k.puisto
Juupajoki
Längelmäki
Merikarvia
Siikainen
Jämijärvi
Kyrösjärvi
Ikaalinen
Terälahti
Orivesi
Isojärven k.puisto
Kankaanpää
Isojävi
Hämeenkyrö
Kuhmoinen
Ahlainen
Pomarkku
Ylöjärvi
Tampere
Sysmä
Lavia
Reposaari
Mäntyluoto
Meri-Pori
Noormarkku
Mouhijärvi
Kuhmalahti
Päijänteen k.puisto
Nokia
Pirkkala
Padasjoki
Pori
Kiikoinen
TMP
Luopioinen
Pori Jazz
POR
Ulvila
Vammala
Pyhäjärvi
Pälkäene
Auttoinen
Puurijärven-Isonsuon k.puisto
Lempäälä
Luvia
Kokemäenjoki
Roismala
Valkeakoski
Hauho
Asikkala
Harjavalta
Äetsä
Viiala
Kokemäki
Huittinen
Toijala
Vanajavesi
Iittala
Tuulos
Lammi
Eurajoki
Sammallahdenmäki
Pukalaidun
Hattula
Häme
Kalvola
Hollola
Rauma
Eura
Urjala
Hämeenlinna
Lappi
Vampula
Säkylä
Lautaporras
Renko
Järvelä
Ihode
Alastaro
Humppila
Honkilahti
Virttaa
Tervakoski
Oitti
Pyhäranta
Forssa
Loimaa
Ypäjä
Lasimuseo
Riihimäki
Laitila
Yläne
Mäntsälä
Porras
Loppi
Torronsuon k.puisto
Liesjärven k.puisto
Kurjenrahkan k.puisto
Nystad
Uusikaupunki
Kalanti
Karjala
Riihikoski
Letku
Hyvinkää
Kellokoski
Koski
Somero
Mynämäki
Aura
Vehmaa
Vahto
Martilla
Järvenpää
Kaurissalo
Mietoinen
Masku
Karkkila
Nurmijärvi
Kerava
Tuusula
Kiikala
Taivassalo
TKU
HEL
Sibbo
Sipoo
Kustavi
Nådendal
Raisio
Lieto
Paimio
Pertteli
Nummi
Vihti
Naantali
Nummela
Brändö
Turku
Åbo
Kaarina
Halikko
Salo
Suomusjärvi
HELSINKI
HELSINGFORS
Linna
Sauvo
Lohja
Nuuksion k.puisto
Iniö
Rymättylä
Karjalohja
Espoo
Esbo
Enklinge
Pargas
Perniö
Kisko
Virkkala
Kumlinge
Parainen
Kirkkonummi
Kyrkslätt
Suomenlinna
Houtsklär
Nauvo
Pohja
Pojo
Villa Hvitträsk
Houtskar
Nagu
Karis
Ingå
Inkoo
Upinniemi
Obbnäs
Sottunga
Korppoo
Korpo
Dragsfjärd
Tenala
46
Kimito

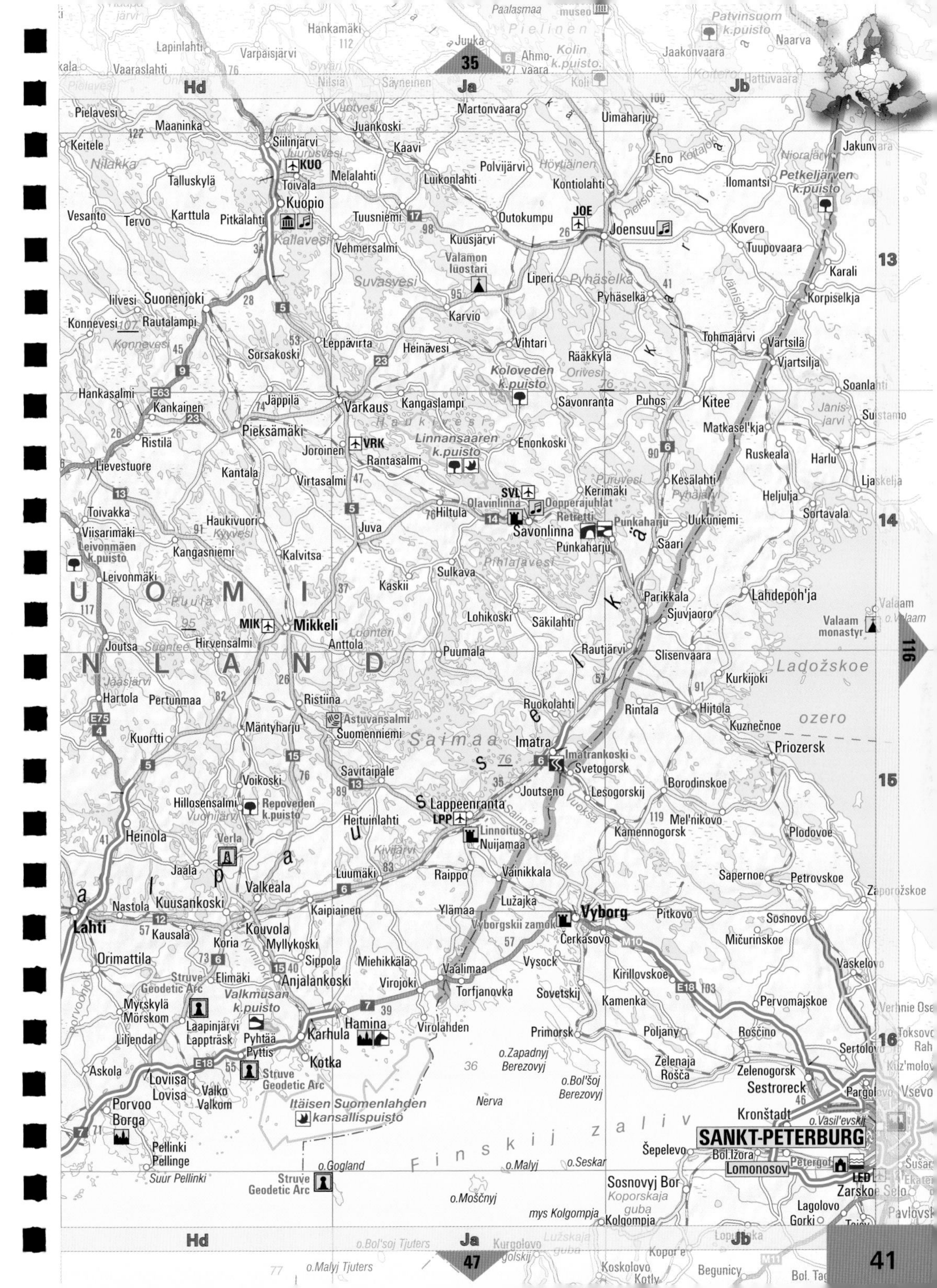

Paalasmaa
museo
Pielinen
Patvinsuom k.puisto
Hankamäki
Juuka
Naarva
Lapinlahti
Varpaisjärvi
35
Ahmovaara
Kolin k.puisto
Jaakonvaara
Vaaraslahti
Syväri
Koli
Hattuvaara
Hd
Nilsiä
Säyneinen
Ja
Jb
Pielavesi
Vuotvesi
Martonvaara
Uimaharju
Maaninka
Juankoski
Keitele
Siilinjärvi
Kaavi
Jakunvaara
Juurusvesi
Eno
Nilakka
KUO
Melalahti
Polvijärvi
Höytiäinen
Koitajoki
Niorajärvi
Talluskylä
Toivala
Luikonlahti
Kontiolahti
Ilomantsi
Petkeljärven k.puisto
Kuopio
Pielisjoki
Vesanto
Tervo
Karttula
Pitkälahti
Tuusniemi
Outokumpu
JOE
Joensuu
Kovero
Kallavesi
Vehmersalmi
Kuusjärvi
Tuupovaara
Valamon luostari
13
Suvasvesi
Liperi
Pyhäselkä
Karali
Jänisjoki
Iilvesi
Suonenjoki
Pyhäselkä
Korpiselkja
Konnevesi
Rautalampi
Karvio
Konnevesi
Leppävirta
Heinävesi
Vihtari
Tohmajärvi
Värtsilä
Sorsakoski
Rääkkylä
Vjartsilja
Koloveden k.puisto
Orivesi
Soanlahti
Hankasalmi
E63
Jäppilä
Varkaus
Kangaslampi
Savonranta
Puhos
Kitee
Kankainen
Jänisjärvi
Suistamo
Haukivesi
Pieksämäki
Matkasel'kja
Ristilä
Linnansaaren k.puisto
Joroinen
VRK
Enonkoski
Ruskeala
Harlu
Lievestuore
Rantasalmi
Kantala
Virtasalmi
Puruvesi
Kesälahti
Ljaskelja
Kerimäki
SVL
Pyhäjärvi
Heljulja
Toivakka
Olavinlinna
Oopperajuhlat
Hiltula
Retretti
Punkaharju
Uukuniemi
Sortavala
Haukivuori
14
Viisarimäki
Kyyvesi
Savonlinna
Juva
Leivonmäen k.puisto
Kangasniemi
Punkaharju
Saari
Kalvitsa
Pihlajavesi
Leivonmäki
Sulkava
Kaskii
Parikkala
Lahdepoh'ja
UOMI
Puula
Valaam
Sjuvjaoro
o.Valaam
Lohikoski
Säkilahti
Valaam monastyr
MIK
Mikkeli
Luonteri
Joutsa
Suontee
Hirvensalmi
Anttola
Rautjärvi
116
Puumala
Slisenvaara
NLAND
Ladožskoe
Jääsjärvi
Kurkijoki
Hartola
Pertunmaa
Ristiina
Ruokolahti
Rintala
Hijtola
Astuvansalmi
E75
Kuznečnoe
ozero
Mäntyharju
Suomenniemi
Imatra
Kuortti
Saimaa
Priozersk
Imatrankoski
Svetogorsk
Savitaipale
Voikoski
Joutseno
Borodinskoe
15
Lesogorskij
Hillosensalmi
Repoveden k.puisto
Lappeenranta
Vuohijärvi
Heituinlahti
LPP
Vuoksa
Mel'nikovo
Kamennogorsk
Plodovoe
Heinola
Verla
Linnoitus
Nuijamaa
Saimaan kanal
Kivijärvi
Jaala
Luumäki
Raippo
Vainikkala
Sapernoe
Petrovskoe
Valkeala
Zaporožskoe
Lahti
Nastola
Kuusankoski
Kaipiainen
Lužajka
Ylämaa
Vyborg
Pitkovo
Sosnovo
Kausala
Kouvola
Vyborgskii zamok
Čerkasovo
M10
Mičurinskoe
Koria
Myllykoski
Orimattila
Sippola
Miehikkälä
Vaalimaa
Vysock
Vaskelovo
Kymijoki
Struve Geodetic Arc
Elimäki
Anjalankoski
Virojoki
Kirillovskoe
E18
Torfjanovka
Sovetskij
Porvoonjoki
Valkmusan k.puisto
Kamenka
Pervomajskoe
Myrskylä
Mörskom
Hamina
Verhnie Oserki
Virolahden
Primorsk
Poljany
Roščino
Toksovo
Laapinjärvi
Lappträsk
Karhula
Pyhtää
Pyttis
Liljendal
o.Zapadnyj Berezovyj
Sertolovo
16
Kotka
Askola
Zelenaja Rošča
Zelenogorsk
Kuz'molovo
Loviisa
Lovisa
Struve Geodetic Arc
Valko
Valkom
o.Bol'šoj Berezovyj
Sestroreck
Pargolovo
Vsevolo
Porvoo
Borga
Itäisen Suomenlahden kansallispuisto
Nerva
Kronštadt
o.Vasil'evskij
Finskij zaliv
SANKT-PETERBURG
Pellinki
Pellinge
Šepelevo
Bol.Ižora
Petergof
o.Gogland
o.Malyj
o.Seskar
Lomonosov
LED
Šušary
Suur Pellinki
Struve Geodetic Arc
Sosnovyj Bor
Zarskoe Selo
Koporskaja guba
o.Moščnyj
Lagolovo
mys Kolgompja
Kolgompja
Gorki
Pavlovsk
Hd
Ja
o.Bol'šoj Tjuters
Kurgolovo
Lužskaja guba
Lopuhinka
Jb
47
golskij
Kopor'e
o.Malyj Tjuters
Koskolovo
Begunicy
Kotly
Bol. Tag

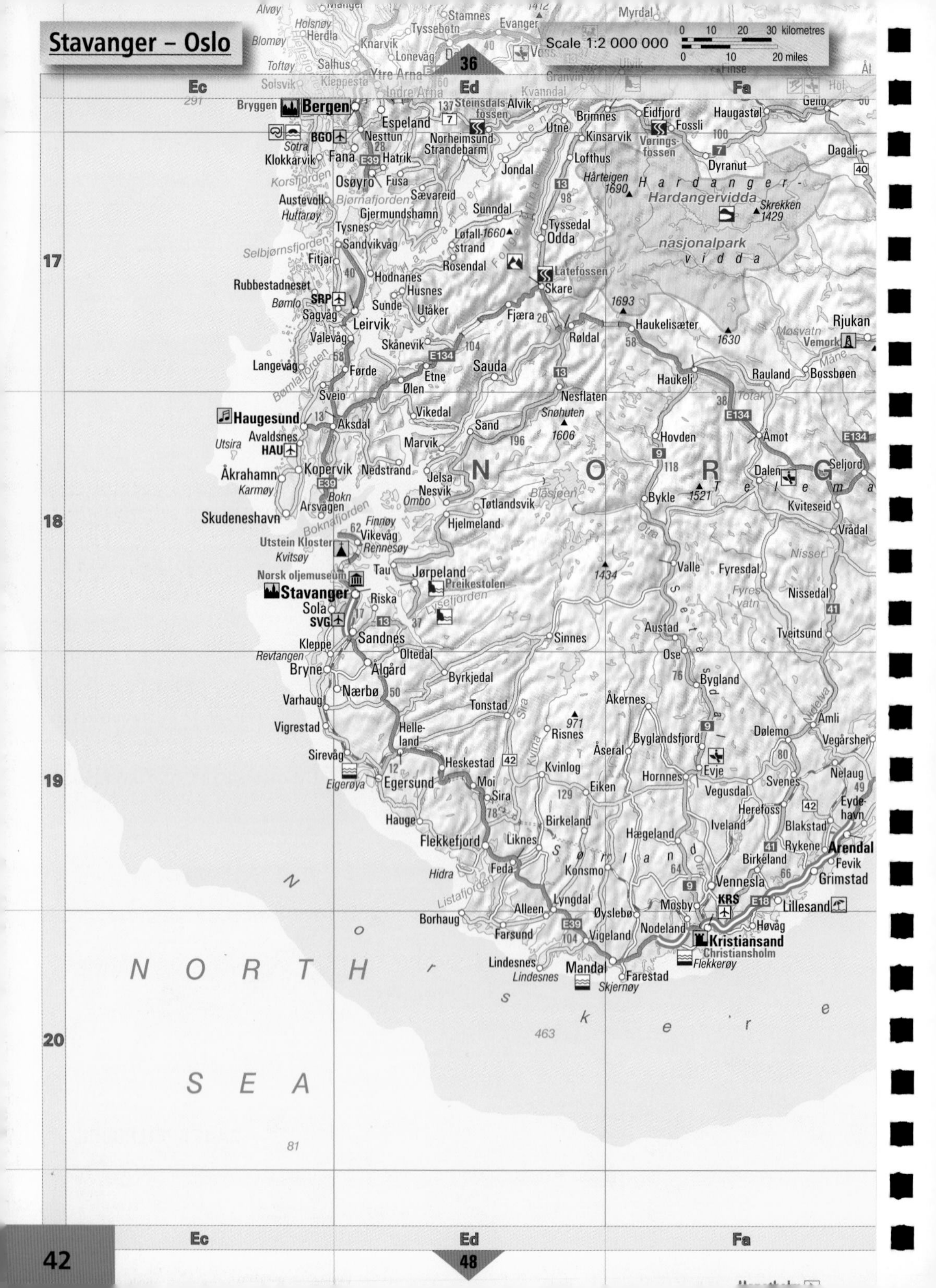

Ec   Ed   Fa

17

18

19

20

NORTH

SEA

Bryggen **Bergen**
BGO
Sotra
Klokkarvik Fana
Korsfjorden Osøyro Fusa
Austevoll Bjørnafjorden Sævareid
Huftarøy Gjermundshamn
Tysnes Sandvikvåg
Selbjørnsfjorden Fitjar
Rubbestadneset Hodnanes
Bømlo SRP Sunde Husnes
Sagvåg Utåker
Leirvik
Valevåg Skånevik
Langevåg Førde
Sveio Ølen Etne
Haugesund Aksdal
Avaldsnes Vikedal
HAU Marvik
Åkrahamn Kopervik Nedstrand
Karmøy Bokn Jelsa
Arsvågen Nesvik Ombo
Skudeneshavn Finnøy
Utstein Kloster Vikevåg
Kvitsøy Rennesøy
Norsk oljemuseum
Stavanger Tau Jørpeland
Sola Riska Preikestolen
SVG Lysefjorden
Kleppe Sandnes
Revtangen Oltedal
Bryne Ålgård
Varhaug Nærbø
Vigrestad Helle-
Sirevåg land Heskestad
Eigerøya Egersund Moi
Hauge Sira
Flekkefjord Liknes
Hidra Feda
Listafjorden Alleen
Borhaug Farsund Lyngdal Øyslebø
Lindesnes Vigeland
Lindesnes Mandal Farestad
Skjernøy

Espeland
Nesttun Steinsdals- Alvik
Hatrik fossen Utne Brimnes Eidfjord
Norheimsund Kinsarvik Fossli
Strandebarm Lofthus Vørings-
Jondal fossen
Sunndal Hårteigen
Løfall- Tyssedal Hardanger-
strand Odda Hardangervidda
Rosendal nasjonalpark
Latefossen vidda
Skare
Fjæra Røldal Haukelisæter
Sauda Haukeli
Sand Nesflaten Snøhetten Hovden
Snøhuten Amot
Tøtlandsvik Bykle Dalen
Hjelmeland Blåsjøen Seljord
Valle Vråligrend
Sinnes Austad Tveitsund
Ose Nissedal
Bygland
Åkernes Amli
Byrkjedal Byglandsfjord Dølemo
Tonstad Åseral Vegårshei
Risnes Evje
Kvinlog Eiken Hornnes Vegusdal Svenes
Birkeland Iveland Herefoss Blakstad
Hægeland Rykene Eyde-
Konsmo Vennesla havn
Mosby **Arendal**
KRS Birkeland Fevik
Nodeland Lillesand Grimstad
Kristiansand Høvåg
Christiansholm
Flekkerøy

Haugastøl
Dyranut
Dagali
Skrekken
Rjukan
Vemork
Rauland Bossbøen
Åmot
Seljord
Kviteseid
Vrådal
Nisser
Fyresdal
Fyres-
vatn
Nelaug
Eyde-
havn

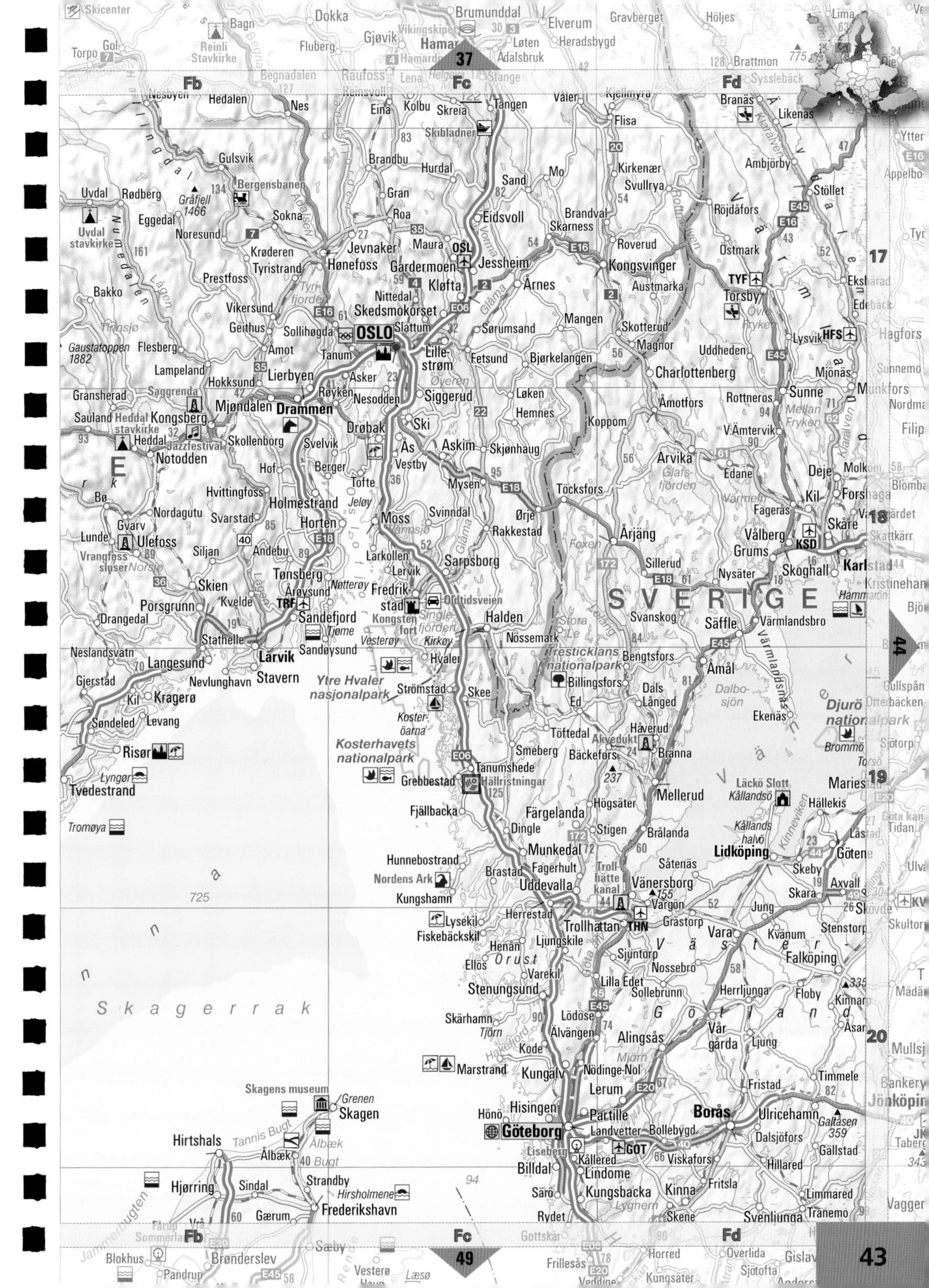

Skicenter
Bagn
Dokka
Brumunddal
Elverum
Gravberget
Höljes
Lima
Torpo
Gol
Reinli Stavkirke
Fluberg
Gjøvik
Vikingskipet
Hamar
Løten
Heradsbygd
Hamardo
Ådalsbruk
Brattmon
37
Begnadalen
Raufoss
Lena
Stange
Sysslebäck
Fb
Fc
Fd
Nesbyen
Hedalen
Reinsvoll
Våler
Kjellmyra
Branäs
Nes
Eina
Kolbu
Skreia
Tangen
Flisa
Likenäs
Skibladner
Gulsvik
Brandbu
Hurdal
Kirkenær
Ambjörby
Bergensbanen
Mo
Sand
Svullrya
Stöllet
Uvdal
Rødberg
Gråfjell 1466
Gran
Rottnaelven
Röjdåfors
Uvdal stavkirke
Eggedal
Sokna
Roa
Eidsvoll
Brandval
Skarness
Noresund
Krøderen
Jevnaker
Maura
OSL
Roverud
Östmark
Tyristrand
Hønefoss
Gardermoen
Jessheim
Kongsvinger
17
Prestfoss
Kløfta
Årnes
Austmarka
TYF
Bakko
Nittedal
Torsby
Vikersund
Skedsmokorset
Mangen
Geithus
Sollihøgda
OSLO
Slattum
Sørumsand
Skotterud
Gaustatoppen 1882
Flesberg
Åmot
Tanum
Lillestrøm
Fetsund
Bjørkelangen
Magnor
Uddheden
Lysvik
HFS
Hagfors
Lampeland
Charlottenberg
Mjönäs
Hokksund
Lierbyen
Asker
Øyeren
Gransherad
Saggrenda
Røyken
Siggerud
Løken
Sunne
Munkfors
Mjøndalen
Drammen
Nesodden
Hemnes
Åmotfors
Rottneros
Sauland
Heddal stavkirke
Kongsberg
Drøbak
Ski
Koppom
Mellan Fryken
Heddal
Jazzfestival
Skollenborg
Svelvik
Ås
Askim
Skjønhaug
V.Åmtervik
Notodden
Vestby
Arvika
Glafsfjorden
Deje
Molkom
Hof
Berger
Mysen
Edane
Blomba
Bø
Tofte
Töcksfors
Värmeln
Kil
Forshaga
Hvittingfoss
Holmestrand
Jeløy
Fagerås
Nordagutu
Svarstad
Moss
Svinndal
Ørje
18
Gvarv
Horten
Rakkestad
Skåre
Lunde
Ulefoss
Siljan
Andebu
Årjäng
Vålberg
Vrangfoss sluser
Norsjø
Larkollen
Foxen
Grums
KSD
Lervik
Sarpsborg
Skien
Tønsberg
Nøtterøy
Sillerud
Nysäter
Skoghall
Karlstad
Årøysund
Fredrikstad
Kristinehamn
Porsgrunn
Kvelde
TRF
Oldtidsveien
SVERIGE
Hammarön
Drangedal
Sandefjord
Kongsten fort
Singlefjorden
Halden
Svanskog
Säffle
Värmlandsbro
Tjøme
Stora Le
Stathelle
Vesterøy
Kirkøy
Nössemark
Neslandsvatn
Sandøysund
Tresticklans nationalpark
Bengtsfors
Langesund
Larvik
Hvaler
Åmål
44
Gjerstad
Nevlunghavn
Stavern
Ytre Hvaler nasjonalpark
Billingsfors
Värmlandsnäs
Kil
Kragerø
Strömstad
Skee
Dals Långed
Dalbosjön
Ed
Ekenäs
Djurö nationalpark
Søndeled
Levang
Kosteröarna
Töftedal
Håverud
Akvedukt
Risør
Kosterhavets nationalpark
Smeberg
Bäckefors
Brånna
Brommö
Sjötorp
Lyngør
E06
Tanumshede
237
Tvedestrand
Grebbestad
Hällristningar
Läckö Slott
Kållandsö
Mariestad
19
Mellerud
Fjällbacka
Färgelanda
Högsäter
Hällekis
Tromøya
Dingle
Stigen
Brålanda
Kållands halvö
Kinneviken
Tidan
Munkedal
Lidköping
Götene
Hunnebostrand
Brastad
Fagerhult
Trollhätte kanal
Såtenäs
Skeby
Ulva
Nordens Ark
Uddevalla
Vänersborg
Axvall
Kungshamn
Vargön
Skara
Skövde
725
Lysekil
Herrestad
Trollhättan
THN
Grästorp
Jung
Skultorp
Fiskebäckskil
Ljungskile
Vara
Kvänum
Stenstorp
Henån
Sjuntorp
Orust
Ellös
Nossebro
Västergötland
Falköping
Varekil
Lilla Edet
Stenungsund
Sollebrunn
Herrljunga
Floby
Kinnarp
Skagerrak
Skärhamn
Lödöse
Åsarp
Tjörn
Älvängen
Vårgårda
Alingsås
Ljung
Kode
Hakefjord
Mjörn
20
Marstrand
Kungälv
Nödinge-Nol
Timmele
Mullsjö
Skagens museum
Lerum
Fristad
Bankeryd
Grenen
Skagen
Hisingen
Hönö
Partille
Borås
Ulricehamn
Jönköping
Göteborg
Landvetter
Bollebygd
Galtåsen 359
Hirtshals
Tannis Bugt
Ålbæk
Dalsjöfors
Taberg
Ålbæk Bugt
Liseberg
GOT
Gällstad
Kållered
Viskafors
Billdal
Lindome
Hillared
Hjørring
Sindal
Strandby
Hirsholmene
94
Särö
Kungsbacka
Kinna
Fritsla
Limmared
Vaggeryd
Frederikshavn
Lygnern
Tranemo
Jammerbugten
Gærum
Rydet
Skene
Svenljunga
Sæby
Gottskär
Blokhus
Brønderslev
Horred
Överlida
Gislaved
Pandrup
Vesterø Havn
Læsø
Frillesås
Sjötofta
49

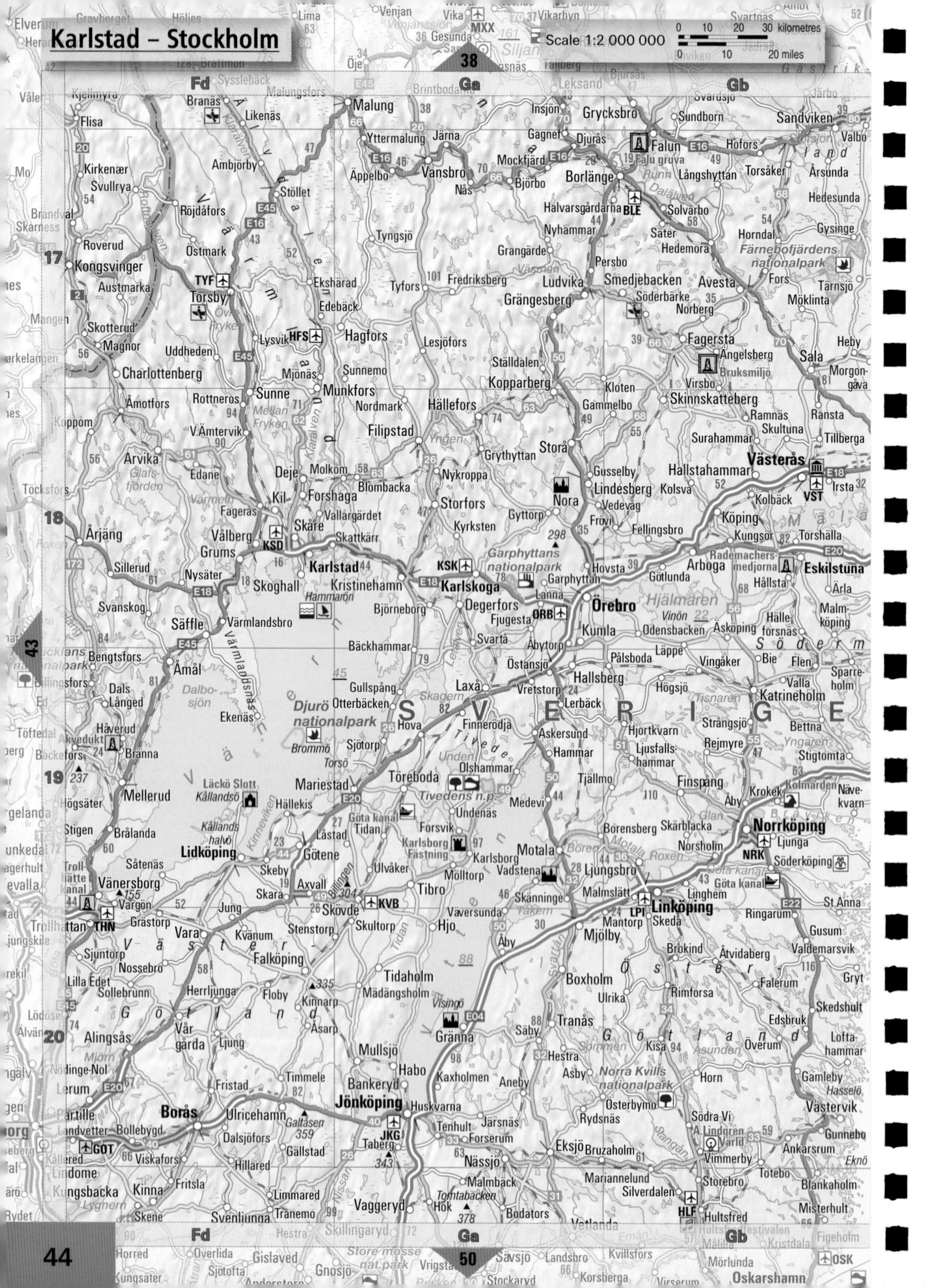

Karlstad – Stockholm
Scale 1:2 000 000
0 10 20 30 kilometres
0 10 20 miles
38
Fd
Ga
Gb
17
18
19
20
43
50
Malung
Branäs
Likenäs
Flisa
Kirkenær
Svullrya
Ambjörby
Stöllet
Röjdåfors
Yttermalung
Järna
Äppelbo
Vansbro
Nås
Insjön
Gagnef
Djurås
Mockfjärd
Björbo
Grycksbro
Falun
Falu gruva
Sundborn
Hofors
Borlänge
Långshyttan
Torsåker
Sandviken
Valbo
Årsunda
Hedesunda
Halvarsgårdarna
BLE
Solvarbo
Säter
Hedemora
Nyhammar
Horndal
Gysinge
Färnebofjärdens nationalpark
Grangärde
Persbo
Ludvika
Smedjebacken
Avesta
Fors
Tärnsjö
Möklinta
Gränngesberg
Söderbärke
Norberg
Fagersta
Ängelsberg
Bruksmiljö
Heby
Sala
Morgongåva
Roverud
Kongsvinger
Austmarka
Östmark
TYF
Torsby
Tyngsjö
Ekshärad
Tyfors
Fredriksberg
Edebäck
Hagfors
Lesjöfors
Lysvik
HFS
Skotterud
Magnor
Uddheden
Charlottenberg
Mjönäs
Sunnemo
Ställdalen
Kopparberg
Kloten
Virsbo
Skinnskatteberg
Ramnäs
Ransta
Åmotfors
Rottneros
Sunne
Munkfors
Nordmark
Hällefors
Gammelbo
Skultuna
Surahammar
Tillberga
Koppom
V.Ämtervik
Mellan Fryken
Filipstad
Storå
Grythyttan
Västerås
Hallstahammar
Irsta
VST
Arvika
Glafsfjorden
Edane
Deje
Molkom
Nykroppa
Gusselby
Lindesberg
Kolsva
Kolbäck
Töcksfors
Kil
Forshaga
Blombacka
Storfors
Nora
Vedevåg
Köping
Fageräs
Vallargärdet
Gyttorp
Frövi
Fellingsbro
Kungsör
Torshälla
Årjäng
Vålberg
Grums
KSD
Skåre
Skattkärr
Kyrksten
Rademachersmedjorna
Eskilstuna
Sillerud
Nysäter
Karlstad
Skoghall
Kristinehamn
KSK
Karlskoga
Garphyttans nationalpark
Garphyttan
Hovsta
Götlunda
Arboga
Hällsta
Ärla
Svanskog
Säffle
Värmlandsbro
Hammarön
Björneborg
Degerfors
Fjugesta
ÖRB
Lanna
Örebro
Hjälmaren
Vinön
Malmköping
Hälleforsnäs
Kumla
Odensbacken
Äsköping
Bengtsfors
Åmål
Bäckhammar
Svartå
Åbytorp
Östansjö
Pålsboda
Läppe
Vingåker
Bie
Flen
Sparreholm
Dals Långed
Dalbosjön
Gullspång
Otterbäcken
Laxå
Hallsberg
Vretstorp
Högsjö
Katrineholm
Valla
Ekenäs
Djurö nationalpark
Hova
Finnerödja
Lerbäck
Askersund
Hjortkvarn
Strångsjö
Bettna
Håverud
Brännа
Sjötorp
Brommö
Torsö
Tiveden
Hammar
Ljusfallshammar
Rejmyre
Stigtomta
Olshammar
Mellerud
Läckö Slott
Kållandsö
Mariestad
Töreboda
Tjällmo
Finspång
Krokek
Kolmården
Nävekvarn
Högsäter
Hällekis
Tivedens n.p.
Medevi
Åby
Stigen
Brålanda
Kållandshalvö
Lästad
Götа kanal
Tidan
Forsvik
Undenäs
Borensberg
Skärblacka
Norrköping
Ljunga
Lidköping
Götene
Karlsborg Fästning
Karlsborg
Motala
Norsholm
NRK
Söderköping
Sâtenäs
Skeby
Ulvåker
Mölltorp
Vadstena
Ljungsbro
Vänersborg
Vargön
Axvall
Skara
Tibro
Skänninge
Malmslätt
Linköping
Linghem
St.Anna
THN
Grästorp
Jung
Skövde
KVB
Väversunda
LPI
Skeda
Ringarum
Vara
Kvänum
Stenstorp
Skultorp
Hjo
Mantorp
Mjölby
Gusum
Sjuntorp
Nossebro
Falköping
Åby
Brokind
Åtvidaberg
Valdemarsvik
Lilla Edet
Tidaholm
Boxholm
Falerum
Gryt
Sollebrunn
Herrljunga
Floby
Kinnarp
Mädängsholm
Visingsö
Ulrika
Rimforsa
Skedshult
Alingsås
Vårgårda
Ljung
Åsarp
Gränna
Säby
Tranås
Edsbruk
Loftahammar
Mullsjö
Habo
Hestra
Asby
Norra Kvills nationalpark
Kisa
Överum
Horn
Gamleby
Hasselö
Nödinge-Nol
Fristad
Timmele
Bankeryd
Kaxholmen
Aneby
Lerum
Partille
Borås
Ulricehamn
Jönköping
Huskvarna
Österbymo
Södra Vi
Västervik
Landvetter
Bollebygd
Galtåsen
JKG
Tenhult
Järsnäs
Rydsnäs
A. Lindgren Värld
Gunnebo
GOT
Dalsjöfors
Gällstad
Taberg
Forserum
Eksjö
Bruzaholm
Vimmerby
Ankarsrum
Källered
Viskafors
Hillared
Nässjö
Eknö
Lindome
Fritsla
Malmbäck
Mariannelund
Totebo
Kungsbacka
Kinna
Limmared
Vaggeryd
Hok
Tomtabacken
Silverdalen
Storebro
Blankaholm
Lygnern
Skene
Svenljunga
Tranemo
Bodafors
Vetlanda
HLF
Hultsfred
Misterhult
Skillingaryd
Figeholm
Horred
Överlida
Gislaved
Store mosse nat.park
Vrigstad
Sävsjö
Landsbro
Kvillsfors
Mörlunda
Oskarshamn
OSK
Sjötofta
Gnosjö
Stockaryd
Korsberga
Kungsäter
Leksand
Venjan
Vika
MXX
Gesunda
Siljan
Vikarbyn
Öje
Sysslebäck
Malungsfors
Brintbodarna
Kjellmyra
Våler
Elverum
Mangen
Järbo
Svärdsjö
Bjursås

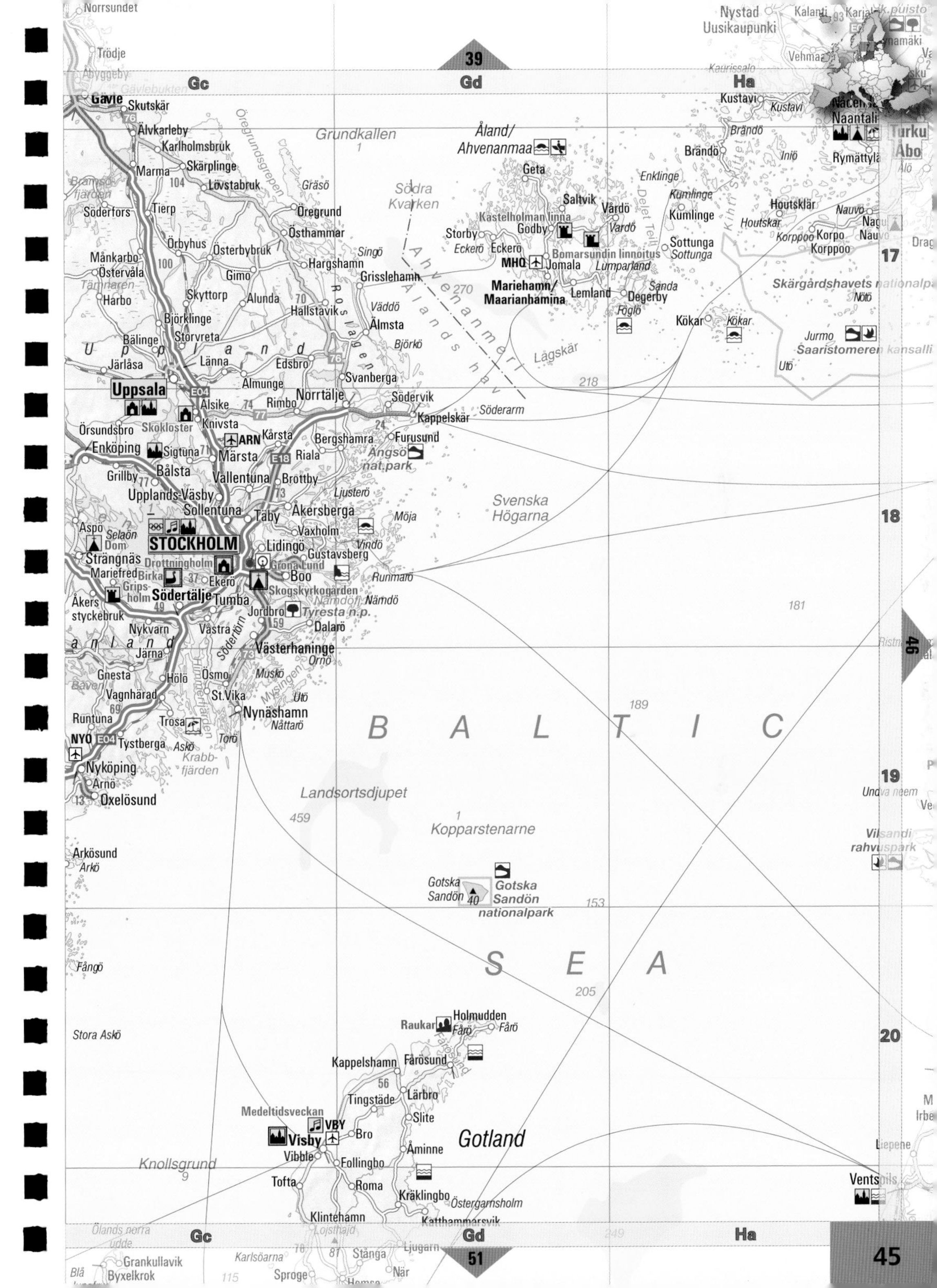

39
Gc
Gd
Ha
Norrsundet
Trödje
Åbyggeby
Gävle
Gävlebukten
Skutskär
Älvkarleby
Karlholmsbruk
Marma
Skärplinge
Lövstabruk
Söderfors
Tierp
Örbyhus
Österbybruk
Månkarbo
Östervåla
Tämnaren
Harbo
Gimo
Skyttorp
Alunda
Björklinge
Storvreta
Bälinge
Järlåsa
Länna
Almunge
Uppsala
Alsike
Knivsta
Örsundsbro
Skokloster
Enköping
Sigtuna
Märsta
ARN
Grillby
Bålsta
Upplands-Väsby
Sollentuna
Vallentuna
Brottby
Täby
Åkersberga
Aspö
Selaön
Dom
Strängnäs
STOCKHOLM
Drottningholm
Birka
Mariefred
Grips-holm
Åkers styckebruk
Södertälje
Ekerö
Tumba
Lidingö
Vaxholm
Gustavsberg
Gröna Lund
Boo
Skogskyrkogården
Nämdö
Jordbro
Tyresta n.p.
Dalarö
Nykvarn
Västra
Järna
Västerhaninge
Ornö
Gnesta
Hölö
Ösmo
Muskö
Vagnhärad
St.Vika
Utö
Nynäshamn
Nåttarö
Runtuna
Trosa
Askö
Torö
NYO
Tystberga
Krabb-fjärden
Nyköping
Arnö
Oxelösund
Arkösund
Arkö
Fångö
Stora Askö
Knollsgrund
Öregrundsgrepen
Grundkallen
Gräsö
Öregrund
Östhammar
Singö
Hargshamn
Grisslehamn
Hallstavik
Väddö
Älmsta
Björkö
Edsbro
Svanberga
Rimbo
Norrtälje
Södervik
Kappelskär
Söderarm
Kårsta
Bergshamra
Furusund
Riala
Angsö nat.park
Ljusterö
Möja
Vindö
Runmarö
Roslagen
Uppland
Södra Kvarken
Ålands hav
Ahvenanmeri
Åland/ Ahvenanmaa
Geta
Saltvik
Vårdö
Kastelholman linna
Godby
Storby
Eckerö
MHQ
Jomala
Bomarsundin linnoitus
Lumparland
Mariehamn/ Maarianhamina
Lemland
Degerby
Sanda
Föglö
Kökar
Lågskär
Enklinge
Kumlinge
Sottunga
Delet
Kihti
Skiftet
Brändö
Kustavi
Nystad
Uusikaupunki
Kalanti
Vehmaa
Naantali
Turku
Åbo
Iniö
Rymättylä
Houtskär
Korppoo
Korpo
Nauvo
Nagu
Skärgårdshavets nationalpark
Nötö
Jurmo
Saaristomeren kansallispuisto
Utö
Svenska Högarna
BALTIC
SEA
Landsortsdjupet
Kopparstenarne
Gotska Sandön
Gotska Sandön nationalpark
Raukar
Holmudden
Fårö
Fårösund
Kappelshamn
Lärbro
Tingstäde
Slite
Medeltidsveckan
VBY
Visby
Bro
Gotland
Vibble
Åminne
Follingbo
Tofta
Roma
Kräklingbo
Östergarnsholm
Klintehamn
Katthammarsvik
Ölands norra udde
Grankullavik
Byxelkrok
Karlsöarna
Stånga
Ljugarn
Sproge
När
Vilsandi rahvuspark
Ventspils
Liepene
46
51
17
18
19
20

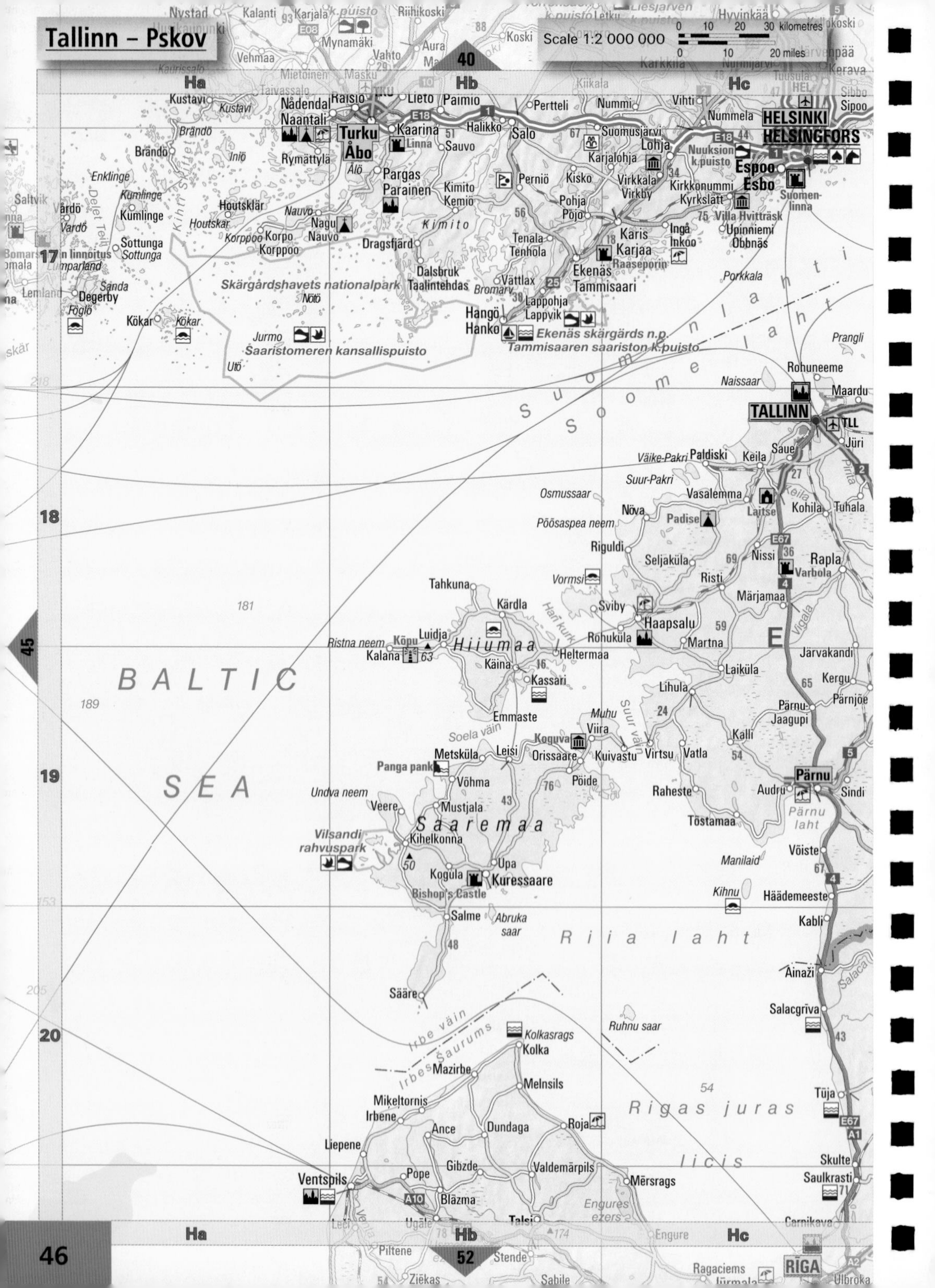
Scale 1:2 000 000
0 10 20 30 kilometres
0 10 20 miles
40
Ha
Hb
Hc
17
18
19
20
45
52
Kustavi
Nådendal
Naantali
Raisio
Lieto
Paimio
Turku
Åbo
Kaarina
Halikko
Salo
Pertteli
Nummi
Vihti
Nummela
HELSINKI
HELSINGFORS
Sipoo
Suomusjärvi
Lohja
Karjalohja
Nuuksion k.puisto
Espoo
Esbo
Brändö
Iniö
Rymättylä
Sauvo
Linna
Pargas
Parainen
Ålö
Kimito
Kemiö
Perniö
Kisko
Virkkala
Virkby
Kirkkonummi
Kyrkslätt
Suomenlinna
Enklinge
Kumlinge
Vårdö
Saltvik
Houtskär
Nauvo
Nagu
Korpo
Korppoo
Kimito
Pohja
Pojo
Villa Hvitträsk
Inkoo
Ingå
Upinniemi
Obbnäs
Sottunga
Dragsfjärd
Tenala
Tenhola
Karis
Karjaa
Raaseporin
Lemland
Degerby
Föglö
Sanda
Skärgårdshavets nationalpark
Nötö
Dalsbruk
Taalintehdas
Bromarv
Vättlax
Ekenäs
Tammisaari
Porkkala
Kökar
Jurmo
Saaristomeren kansallispuisto
Utö
Hangö
Hanko
Lappohja
Lappvik
Ekenäs skärgårds n.p.
Tammisaaren saariston K.puisto
Suomenlahti
Soome laht
Prangli
Rohuneeme
Naissaar
Maardu
TALLINN
TLL
Jüri
Väike-Pakri
Paldiski
Keila
Saue
Suur-Pakri
Osmussaar
Vasalemma
Nõva
Padise
Laitse
Kohila
Tuhala
Põõsaspea neem
Riguldi
Seljaküla
Nissi
Rapla
Varbola
Vormsi
Risti
Tahkuna
Kärdla
Märjamaa
Sviby
Haapsalu
Rohuküla
Martna
Ristna neem
Kõpu
Luidja
Hiiumaa
Kalana
Heltermaa
Käina
Kassari
Laiküla
Järvakandi
BALTIC
SEA
Lihula
Kergu
Pärnjõe
Pärnu-Jaagupi
Emmaste
Muhu
Viira
Soela väin
Koguva
Suur väin
Kalli
Metsküla
Leisi
Orissaare
Kuivastu
Virtsu
Vatla
Panga pank
Võhma
Põide
Pärnu
Raheste
Audru
Sindi
Undva neem
Veere
Mustjala
Saaremaa
Tõstamaa
Pärnu laht
Vilsandi rahvuspark
Kihelkonna
Võiste
Manilaid
Kogula
Upa
Kuressaare
Bishop's Castle
Kihnu
Häädemeeste
Salme
Abruka saar
Kabli
Riia laht
Ainaži
Sääre
Salacgrīva
Ruhnu saar
Irbe väin
Irbes Šaurums
Kolkasrags
Kolka
Mazirbe
Melnsils
Tūja
Mikeltornis
Irbene
Rigas juras licis
Roja
Ance
Dundaga
Liepene
Skulte
Ventspils
Pope
Gibzde
Valdemārpils
Mērsrags
Saulkrasti
Blāzma
Engures ezers
Ugāle
Talsi
Carnikava
Engure
Piltene
Stende
Ragaciems
RĪGA
Ziēkas
Sabile
Ulbroka
181
189
153
205
218

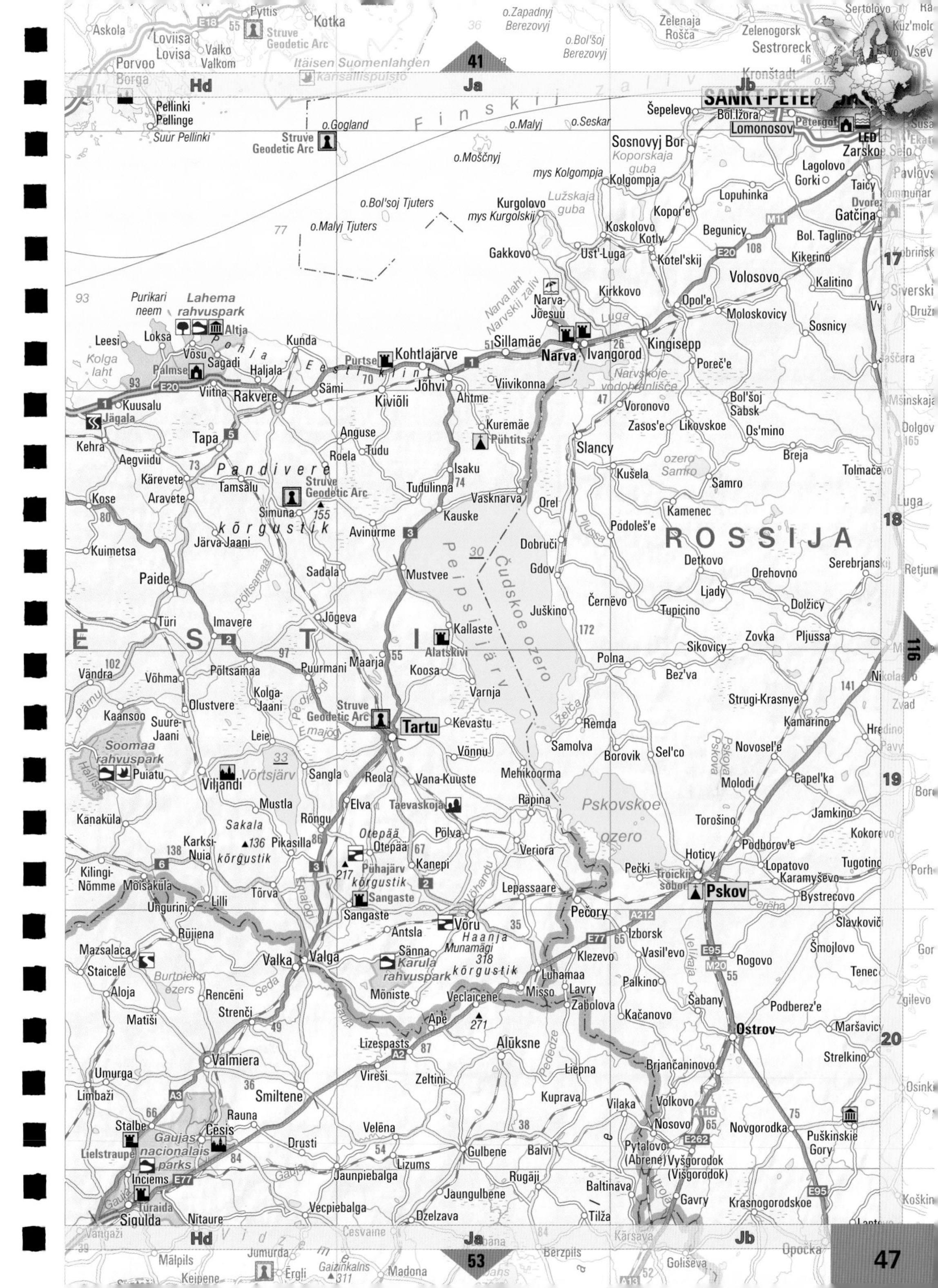

Askola
Pyttis
Kotka
Loviisa
Lovisa
Valko
Valkom
Porvoo
Borga
Struve Geodetic Arc
Itäisen Suomenlahden kansallispuisto
o.Zapadnyj Berezovyj
o.Bol'šoj Berezovyj
Zelenaja Rošča
Zelenogorsk
Sestroreck
Sertolovo
Kuz'molo
Vsev
41
Hd
Ja
Jb
Kronštadt
SANKT-PETER
Pellinki
Pellinge
Suur Pellinki
o.Gogland
Finskij zaliv
o.Malyj
o.Seskar
Šepelevo
Bol.Ižora
Lomonosov
Petergof
LED
Zarskoe Selo
Pavlovs
Struve Geodetic Arc
o.Moščnyj
Sosnovyj Bor
Koporskaja guba
mys Kolgompja
Kolgompja
Lagolovo
Gorki
Taicy
Kommunar
Lopuhinka
Kurgolovo
mys Kurgolskij
Lužskaja guba
Kopor'e
Dvorez
Gatčina
o.Bol'soj Tjuters
o.Malyj Tjuters
77
Koskolovo
Kotly
Begunicy
Bol. Taglino
108
Kobrinsk
Gakkovo
Ust'-Luga
Kotel'skij
Kikerino
17
Volosovo
Kalitino
Siverski
93
Purikari neem
Lahema rahvuspark
Narva laht
Narvskij zaliv
Narva-Jõesuu
Kirkkovo
Opol'e
Moloskovicy
Vyra
Druž
Leesi
Loksa
Altja
Pohja
Kunda
Sillamäe
Narva
Ivangorod
Luga
Kingisepp
Sosnicy
Kolga laht
Võsu
Palmse
Sagadi
Haljala
Purtse
Kohtlajärve
Eesti klint
Poreč'e
Jašcera
Viitna
Rakvere
Sämi
Kiviõli
Jõhvi
Ahtme
Viivikonna
Narvskoe vodohranilišče
Bol'šoj Sabsk
Kuusalu
Jägala
Voronovo
Zasos'e
Likovskoe
Os'mino
Mšinskaja
Dolgov
Kehra
Tapa
Anguse
Tudu
Kuremäe
Pühtitsa
Slancy
Breja
Aegviidu
Roela
Isaku
Kušela
ozero Samro
Samro
Tolmačevo
Kärevete
Pandivere
Tamsalu
Tudulinna
Kose
Aravete
Simuna
155
Vasknarva
Orel
Kauske
Kamenec
Luga
18
kõrgustik
Avinurme
Podoleš'e
Kuimetsa
Järva-Jaani
Dobruči
ROSSIJA
Detkovo
Serebrjanskij
Retjun
Paide
Põltsamaa
Sadala
Mustvee
Peipsi järv
Čudskoe ozero
Gdov
Orehovno
Ljady
Dolžicy
Türi
Jõgeva
Juškino
Černëvo
Tupicino
Imavere
EESTI
Kallaste
Alatskivi
172
Zovka
Pljussa
116
Vändra
Võhma
Põltsamaa
Puurmani
Maarja
Koosa
Sikovicy
Polna
Bez'va
Nikolaevo
Kolga-Jaani
Varnja
Strugi-Krasnye
141
Zvad
Olustvere
Pärnu
Pedja jõgi
Kaansoo
Suure-Jaani
Tartu
Kevastu
Emajõgi
Želča
Remda
Kamarino
Hredino
Soomaa rahvuspark
Leie
Samolva
Borovik
Sel'co
Pskova
Novosel'e
Pavy
Võrtsjärv
Puiatu
Viljandi
Sangla
Reola
Võnnu
Vana-Kuuste
Mehikoorma
Capel'ka
19
Molodi
Halliste
Mustla
Elva
Taevaskoja
Räpina
Pskovskoe ozero
Jamkino
Kanaküla
Sakala
Rõngu
Torošino
Otepää
Põlva
Kokorevo
Karksi-Nuia
136
Pikasilla
Veriora
Podborov'e
kõrgustik
Kanepi
Hoticy
Tugotino
Kilingi-Nõmme
Mõisaküla
217
Pühajärv kõrgustik
Pečki
Troickij sobor
Lopatovo
Karamyševo
Pskov
Porh
Ungurini
Lilli
Tõrva
Sangaste
Lepassaare
Bystrecovo
Cerëha
Rūjiena
Antsla
Võru
Haanja
Pečory
Izborsk
Slavkoviči
Mazsalaca
Sänna
Munamägi 318 kõrgustik
Klezevo
Vasil'evo
Šmojlovo
Staicele
Valka
Valga
Karula rahvuspark
Rogovo
Burtnieku ezers
Lavry
Luhamaa
Palkino
Tenec
Aloja
Rencēni
Seda
Mõniste
Veclaicene
Misso
Zabolova
Šabany
Podberez'e
Žgilevo
Matiši
Strenči
Ape
271
Gauja
Kačanovo
Ostrov
Maršavicy
Lizespasts
Alūksne
Pededze
20
Valmiera
Strelkino
Umurga
Vireši
Zeltini
Liepna
Brjančaninovo
Limbaži
Smiltene
Kuprava
Vilaka
Volkovo
Osink
Stalbe
Rauna
Cēsis
Nosovo
Novgorodka
Puškinskie Gory
Lielstraupe
Gaujas nacionalais parks
Drusti
Velēna
Gulbene
Balvi
Pytalovo (Abrene)
Vyšgorodok (Višgorodok)
Inciems
Turaida
Jaunpiebalga
Lizums
Rugāji
Baltinava
Sigulda
Vecpiebalga
Jaungulbene
Gavry
Krasnogorodskoe
Koškin
Nītaure
Dzelzava
Tilža
Vangaži
Cesvaine
Kārsava
Mālpils
Jumurda
Ērgli
Gaizinkalns 311
Madona
Berzpils
Goliševa
Opočka
53
E18
E20
E77
E95
E262
M11
M20
A2
A3
A116
A212

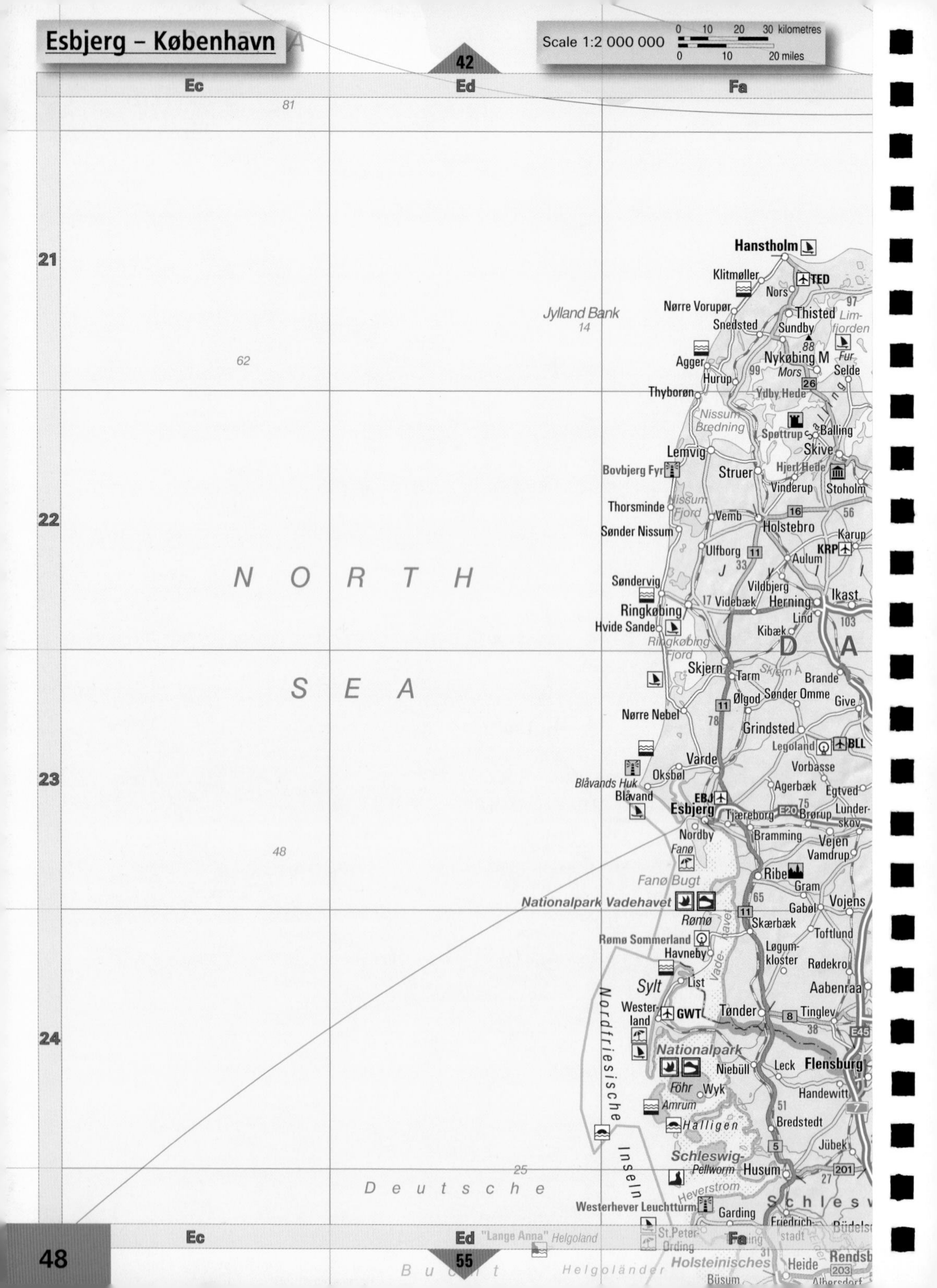

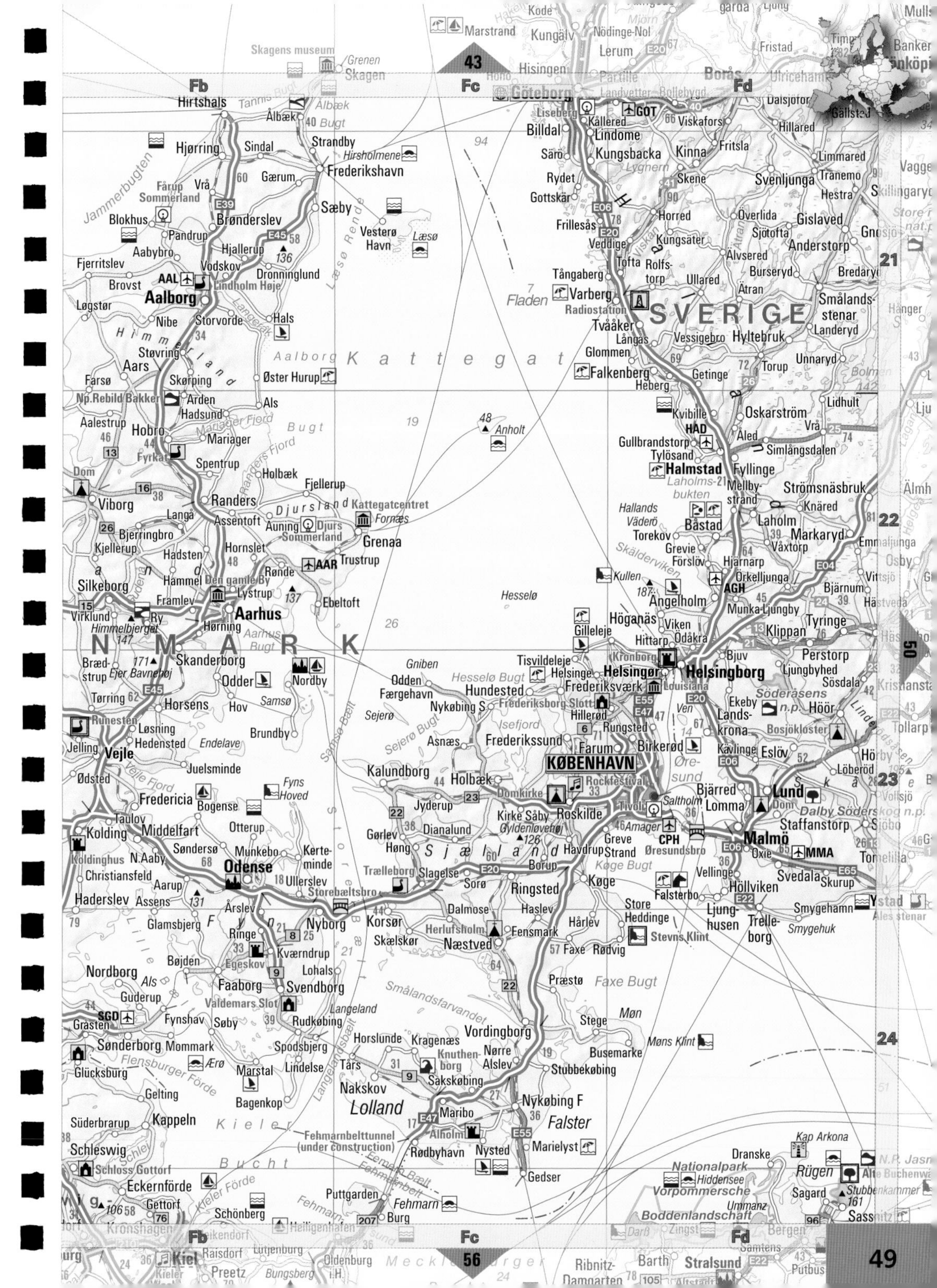
43
Fb
Fc
Fd
Marstrand
Kungälv
Nödinge-Nol
Lerum
Fristad
Skagens museum
Grenen
Skagen
Hisingen
Göteborg
Partille
Borås
Landvetter
Bollebygd
Hirtshals
Tannis Bugt
Ålbæk
Ålbæk Bugt
Liseberg
Kållered
GOT
Viskafors
Dalsjöfors
Hillared
Billdal
Lindome
Kungsbacka
Kinna
Fritsla
Limmared
Hjørring
Sindal
Strandby
Hirsholmene
Särö
Frederikshavn
Rydet
Lygnern
Skene
Svenljunga
Tranemo
Vagge
Jammerbugten
Fårup Sommerland
Vrå
Gærum
Gottskär
Hestra
Sæby
Horred
Överlida
Gislaved
Blokhus
Brønderslev
Frillesås
Sjötofta
Gnosjö
Pandrup
Vesterø Havn
Læsø
Veddige
Kungsäter
Anderstorp
Aabybro
Hjallerup
Viskan
Älvsered
Fjerritslev
Vodskov
Tofta
Rolfstorp
Burseryd
Bredaryd
Dronninglund
Brovst
AAL
Lindholm Høje
Tångaberg
Ullared
Ätran
Aalborg
Varberg
Smålandsstenar
Løgstør
Nibe
Storvorde
Hals
Fladen
Radiostation
SVERIGE
Hånger
Himmerland
Tvååker
Långås
Vessigebro
Hyltebruk
Landeryd
Støvring
Aars
Aalborg Bugt
Kattegat
Glommen
Unnaryd
Torup
Farsø
Skørping
Øster Hurup
Falkenberg
Heberg
Getinge
Bolmen
Np.Rebild Bakker
Arden
Hadsund
Als
Lidhult
Kvibille
Oskarström
HAD
Vrå
Aalestrup
Mariager Fjord
Bugt
Anholt
Åled
Hobro
Mariager
Gullbrandstorp
Simlångsdalen
Tylösand
Fyrkat
Randers Fjord
Spentrup
Halmstad
Fyllinge
Laholmsbukten
Dom
Holbæk
Fjellerup
Mellbystrand
Strömsnäsbruk
Viborg
Randers
Djursland
Kattegatcentret
Fornæs
Hallands Väderö
Båstad
Knäred
Langå
Assentoft
Auning
Djurs Sommerland
Laholm
Bjerringbro
Grenaa
Torekov
Markaryd
Emmaljunga
Kjellerup
Hornslet
Grevie
Våxtorp
Hadsten
Trustrup
Skälderviken
Förslöv
Hjärnarp
Osby
AAR
Örkelljunga
Silkeborg
Hammel
Den gamle By
Rønde
Kullen
Bjärnum
Lystrup
Hesselø
AGH
Framlev
Ebeltoft
Ängelholm
Hästveda
Virklund
Ry
Aarhus
Munka-Ljungby
Himmelbjerget
Höganäs
Viken
Tyringe
Hørning
Gilleleje
Klippan
Aarhus Bugt
Hittarp
Ödåkra
DANMARK
Kronborg
Bjuv
Perstorp
Brædstrup
Skanderborg
Gniben
Tisvildeleje
Helsinge
Helsingør
Helsingborg
Ljungbyhed
Ejer Bavnehøj
Odder
Nordby
Odden
Hesselø Bugt
Frederiksværk
Louisiana
Sösdala
Færgehavn
Hundested
Frederiksborg Slott
Kristianstad
Tørring
Horsens
Hov
Samsø
Nykøbing S
Hillerød
Ekeby
Söderåsens n.p.
Höör
Runestene
Sejerø
Isefjord
Ven
Landskrona
Løsning
Brundby
Rungsted
Bosjökloster
Tollarp
Hedensted
Endelave
Sejerø Bugt
Asnæs
Frederikssund
Farum
Birkerød
Jelling
Vejle
Samsø Bælt
Kävlinge
Eslöv
Hörby
KØBENHAVN
Øresund
Juelsminde
Kalundborg
Rockfestival
Ødsted
Vejle Fjord
Fyns Hoved
Holbæk
Bjärred
Lund
Löberöd
Fredericia
Bogense
Domkirke
Saltholm
Lomma
Vollsjö
Jyderup
Tivoli
Dom
Dalby Söderskog n.p.
Taulov
Otterup
Kirke Såby
Roskilde
Staffanstorp
Sjöbo
Kolding
Middelfart
Gyldenløvehøj
Amager
CPH
Malmö
Kerteminde
Gørlev
Dianalund
Greve
Koldinghus
N.Aaby
Søndersø
Munkebo
Høng
Sjælland
Havdrup
Strand
Øresundsbro
Oxie
MMA
Tomelilla
Odense
Borup
Køge Bugt
Christiansfeld
Trælleborg
Slagelse
Sorø
Ringsted
Køge
Vellinge
Svedala
Skurup
Aarup
Ullerslev
Storebæltsbro
Falsterbo
Höllviken
Haderslev
Assens
Årslev
Dalmose
Haslev
Store Heddinge
Ljunghusen
Trelleborg
Smygehamn
Ystad
Ales stenar
Glamsbjerg
Nyborg
Korsør
Hårlev
Stevns Klint
Smygehuk
Ringe
Herlufsholm
Fensmark
Skælskør
Næstved
Faxe
Rødvig
Kværndrup
Egeskov
Bøjden
Lohals
Nordborg
Als
Faaborg
Svendborg
Præstø
Faxe Bugt
Guderup
Smålandsfarvandet
Valdemars Slot
Langeland
SGD
Gråsten
Fynshav
Søby
Rudkøbing
Stege
Møn
Vordingborg
Sønderborg
Mommark
Spodsbjerg
Horslunde
Kragenæs
Mons Klint
Flensburger Förde
Ærø
Knuthenborg
Nørre Alslev
Busemarke
Glücksburg
Marstal
Lindelse
Tårs
Langelandsbælt
Stubbekøbing
Gelting
Sakskøbing
Nakskov
Bagenkop
Nykøbing F
Lolland
Maribo
Falster
Süderbrarup
Kappeln
Kieler Bucht
Fehmarnbelttunnel (under construction)
Alholm
Schleswig
Schlei
Rødbyhavn
Nysted
Marielyst
Kap Arkona
Dranske
N.P. Jasmund
Schloss Gottorf
Fehmarnbelt
Gedser
Nationalpark Vorpommersche Boddenlandschaft
Hiddensee
Rügen
Altes Buchenwald
Eckernförde
Kieler Förde
Puttgarden
Sagard
Stubbenkammer
Gettorf
Schönberg
Fehmarn
Ummanz
Burg
Sassnitz
Kronshagen
Heikendorf
Heiligenhafen
Darß
Zingst
Bergen
Kiel
Raisdorf
Lütjenburg
Oldenburg i.H.
Mecklenburger Bucht
Ribnitz-Damgarten
Barth
Stralsund
Samtens
Putbus
Preetz
Bungsberg
56
50
21
22
23
24

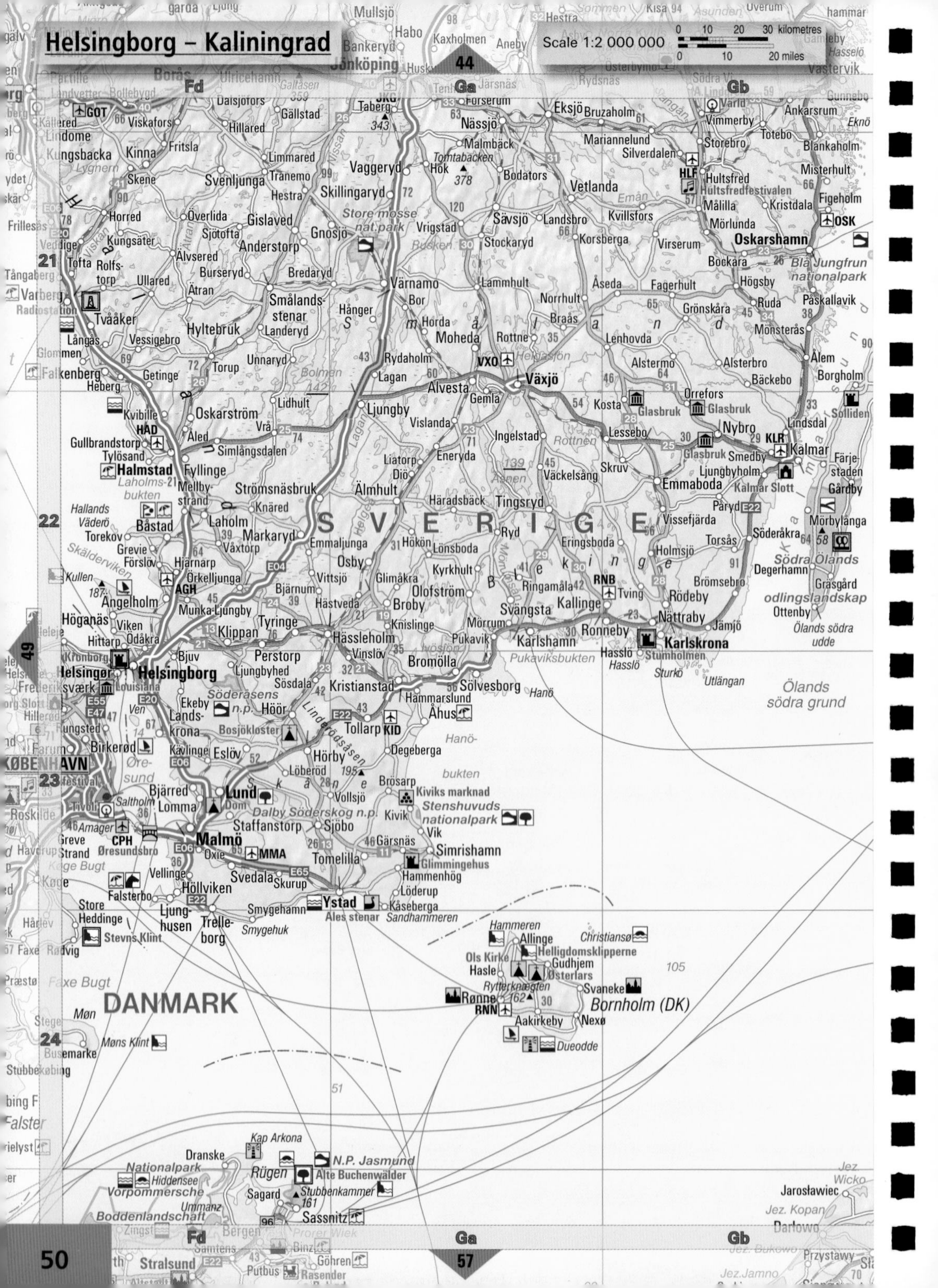
Scale 1:2 000 000
0 10 20 30 kilometres
0 10 20 miles
44
Fd
Ga
Gb
21
22
23
24
49
57
Jönköping
Habo
Bankeryd
Mullsjö
Kaxholmen
Aneby
Hestra
Kisa
Västervik
Gunnebo
Borås
Ulricehamn
Taberg
Forserum
Eksjö
Bruzaholm
Vimmerby
Ankarsrum
Kållered
Lindome
Viskafors
Hillared
Gällstad
Nässjö
Malmbäck
Mariannelund
Silverdalen
Storebro
Totebo
Blankaholm
Kungsbacka
Kinna
Fritsla
Limmared
Vaggeryd
Tomtabacken
Hok
Bodafors
Hultsfred
Hultsfredfestivalen
Misterhult
Skene
Svenljunga
Tranemo
Skillingaryd
Vetlanda
Målilla
Kristdala
Figeholm
Hestra
Horred
Överlida
Gislaved
Store mosse nat.park
Sävsjö
Landsbro
Kvillsfors
Mörlunda
OSK
Sjötofta
Gnosjö
Vrigstad
Stockaryd
Korsberga
Virserum
Oskarshamn
Kungsäter
Anderstorp
Älvsered
Bockara
Blå Jungfrun nationalpark
Tofta
Rolfstorp
Burseryd
Bredaryd
Värnamo
Lammhult
Åseda
Fagerhult
Högsby
Varberg
Ullared
Ätran
Smålandsstenar
Bor
Norrhult
Ruda
Påskallavik
Tvååker
Hånger
Horda
Braås
Grönskåra
Mönsterås
Hyltebruk
Landeryd
Moheda
Rottne
Lenhovda
Vessigebro
Alstermo
Alsterbro
Ålem
Falkenberg
Getinge
Torup
Unnaryd
Rydaholm
VXO
Växjö
Lagan
Bäckebo
Borgholm
Heberg
Alvesta
Gemla
Orrefors
Lidhult
Kosta
Glasbruk
Solliden
Kvibille
Oskarström
Ljungby
Vislanda
Lindsdal
HAD
Vrå
Nybro
KLR
Kalmar
Gullbrandstorp
Åled
Ingelstad
Lessebo
Tylösand
Simlångsdalen
Liatorp
Eneryda
Smedby
Färjestaden
Halmstad
Fyllinge
Diö
Väckelsång
Skruv
Ljungbyholm
Laholmsbukten
Mellbystrand
Strömsnäsbruk
Älmhult
Emmaboda
Kalmar Slott
Gårdby
Hallands Väderö
Knäred
Häradsbäck
Tingsryd
Påryd
Båstad
Laholm
SVERIGE
Vissefjärda
Mörbylånga
Torekov
Markaryd
Ryd
Grevie
Våxtorp
Emmaljunga
Hökön
Lönsboda
Eringsboda
Torsås
Söderåkra
Förslöv
Hjärnarp
Holmsjö
Skälderviken
Osby
Kyrkhult
Blekinge
Södra Ölands odlingslandskap
Kullen
Örkelljunga
Vittsjö
Glimåkra
Degerhamn
Grässgård
AGH
Bjärnum
Olofström
RNB
Tving
Brömsebro
Ängelholm
Hästveda
Broby
Ringamåla
Rödeby
Ottenby
Höganäs
Munka-Ljungby
Tyringe
Svängsta
Kallinge
Viken
Knislinge
Mörrum
Nättraby
Jämjö
Ölands södra udde
Hittarp
Ödåkra
Klippan
Hässleholm
Pukavik
Ronneby
Karlskrona
Kronborg
Bjuv
Perstorp
Vinslöv
Karlshamn
Hasslö
Sturkö
Helsingør
Helsingborg
Ljungbyhed
Bromölla
Pukaviksbukten
Stumholmen
Utlängan
Sösdala
Kristianstad
Sölvesborg
Hanö
Ölands södra grund
Louisiana
Söderåsens n.p.
Ekeby
Hammarslund
Höör
Linderödsåsen
Landskrona
Åhus
Tollarp
KID
Rungsted
Bosjökloster
Birkerød
Hanöbukten
Kävlinge
Eslöv
Hörby
Degeberga
KØBENHAVN
Öresund
Löberöd
Brösarp
Bjärred
Lund
Vollsjö
Kiviks marknad
Lomma
Saltholm
Dom
Dalby Söderskog n.p.
Kivik
Stenshuvuds nationalpark
Tivoli
Amager
Staffanstorp
Sjöbo
Roskilde
CPH
Malmö
Vik
Greve
Strand
Øresundsbro
Oxie
MMA
Gärsnäs
Simrishamn
Køge Bugt
Tomelilla
Glimmingehus
Vellinge
Hammenhög
Køge
Svedala
Skurup
Höllviken
Löderup
Falsterbo
Ystad
Kåseberga
Store Heddinge
Ljunghusen
Trelleborg
Smygehamn
Ales stenar
Sandhammeren
Smygehuk
Hammeren
Christiansø
Stevns Klint
Allinge
Helligdomsklipperne
Faxe
Rødvig
Ols Kirke
Gudhjem
Hasle
Østerlars
Præstø
Faxe Bugt
Rytterknægten
Svaneke
Rønne
RNN
Bornholm (DK)
Møn
DANMARK
Aakirkeby
Nexø
Stege
Møns Klint
Dueodde
Busemarke
Stubbekøbing
Falster
Kap Arkona
Dranske
N.P. Jasmund
Nationalpark Vorpommersche Boddenlandschaft
Hiddensee
Rügen
Alte Buchenwälder
Sagard
Stubbenkammer
Jarosławiec
Ummanz
Sassnitz
Jez. Kopań
Darłowo
Zingst
Bergen
Prorer Wiek
Binz
Samtens
Jez. Bukowo
Przystawy
Stralsund
Putbus
Göhren
Rasender
Jez. Jamno

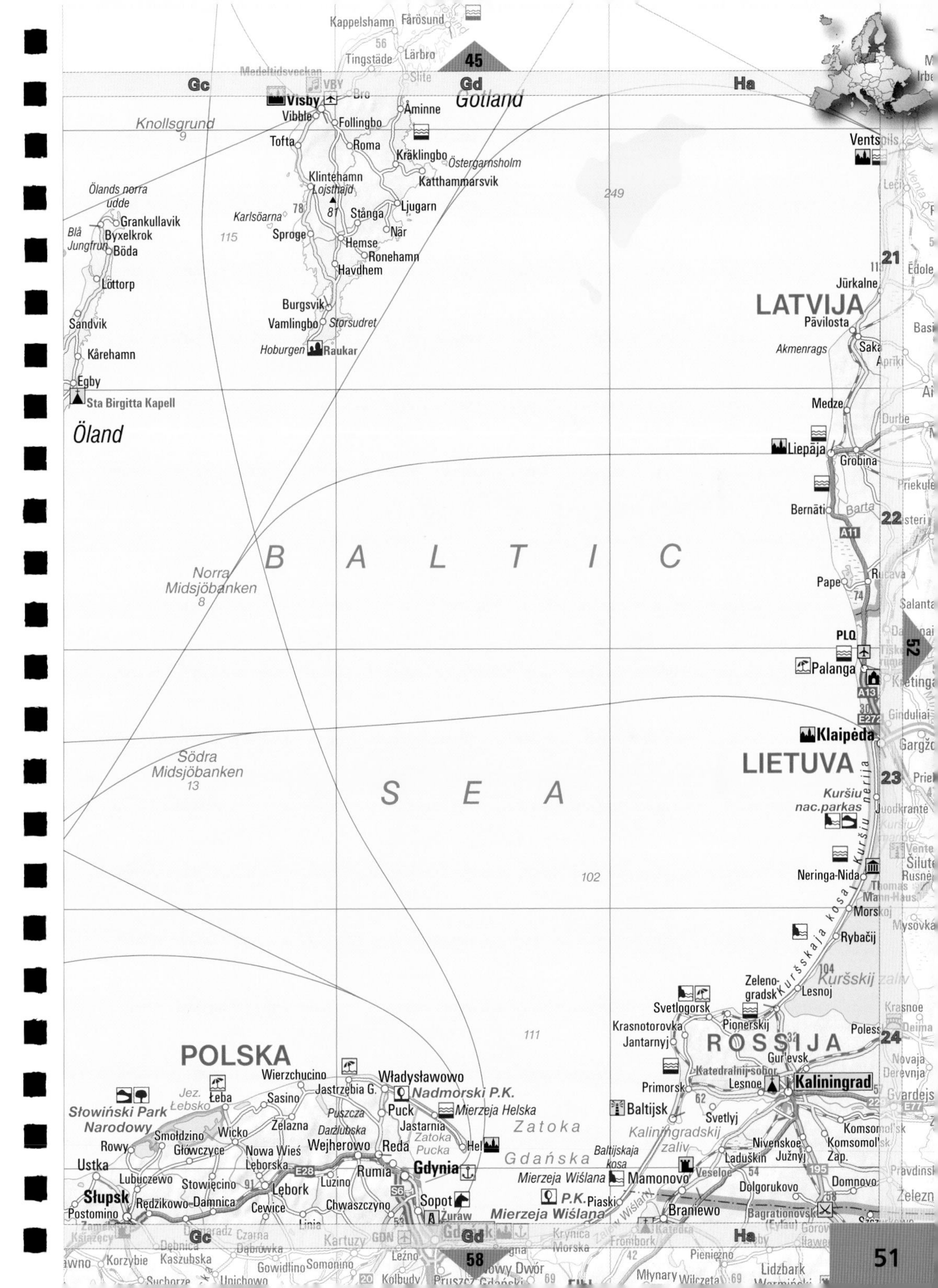
Kappelshamn
Fårösund
Tingstäde
Lärbro
45
Gc
Gd
Ha
Visby
Slite
Bro
Gotland
Åminne
Vibble
Follingbo
Knollsgrund
9
Tofta
Roma
Kräklingbo
Östergarnsholm
Klintehamn
Lojsthajd
Katthammarsvik
Ölands norra udde
249
Ljugarn
Grankullavik
Karlsöarna
Stånga
Blå Jungfrun
Byxelkrok
115
Sproge
När
Böda
Hemse
Ronehamn
Havdhem
Löttorp
Burgsvik
Sandvik
Vamlingbo
Storsudret
Hoburgen
Raukar
Kårehamn
Egby
Sta Birgitta Kapell
Öland
Ventspils
21
Jūrkalne
LATVIJA
Pāvilosta
Akmenrags
Medze
Liepāja
Grobiņa
Bernāti
22
A11
Pape
Rucava
BALTIC
Norra Midsjöbanken
8
PLQ
Palanga
52
Kretinga
A13
E272
Klaipėda
LIETUVA
Södra Midsjöbanken
13
SEA
23
Kuršių nac.parkas
Juodkrantė
Kuršių nerija
102
Neringa-Nida
Šilutė
Rusnė
Thomas Mann-Haus
Morskoj
Rybačij
Kuršskaja kosa
Kuršskij zaliv
Zelenogradsk
Lesnoj
Svetlogorsk
Pionerskij
Krasnotorovka
Jantarnyj
ROSSIJA
24
Gur'evsk
111
POLSKA
Wierzchucino
Władysławowo
Katedralnij sobor
Kaliningrad
Primorsk
Lesnoe
Jez. Łebsko
Łeba
Jastrzębia G.
Nadmorski P.K.
Sasino
Puck
Mierzeja Helska
Baltijsk
Słowiński Park Narodowy
Puszcza Darżlubska
Żelazna
Jastarnia
Zatoka
Svetlyj
Kaliningradskij zaliv
Smołdzino
Wicko
Zatoka Pucka
Hel
Komsomol'sk
Rowy
Główczyce
Nowa Wieś
Wejherowo
Reda
Gdańska
Baltijskaja kosa
Nivenskoe
Ustka
Lęborska
Rumia
Gdynia
Mierzeja Wiślana
Mamonovo
Veseloe
Laduškin
Južnyj
Lubuczewo
Stowięcino
E28
Luzino
Dolgorukovo
Domnovo
Słupsk
Rędzikowo
Damnica
Lębork
Cewice
Chwaszczyno
Sopot
P.K. Mierzeja Wiślana
Piaski
Braniewo
Postomino
Linia
Żuraw
Bagrationovsk
Kartuzy
GDN
Gdańsk
Krynica Morska
Frombork
Katedra
Dębnica Kaszubska
Korzybie
Leźno
58
Gowidlino
Somonino
Pieniężno
Lidzbark
Młynary
Wilczęta

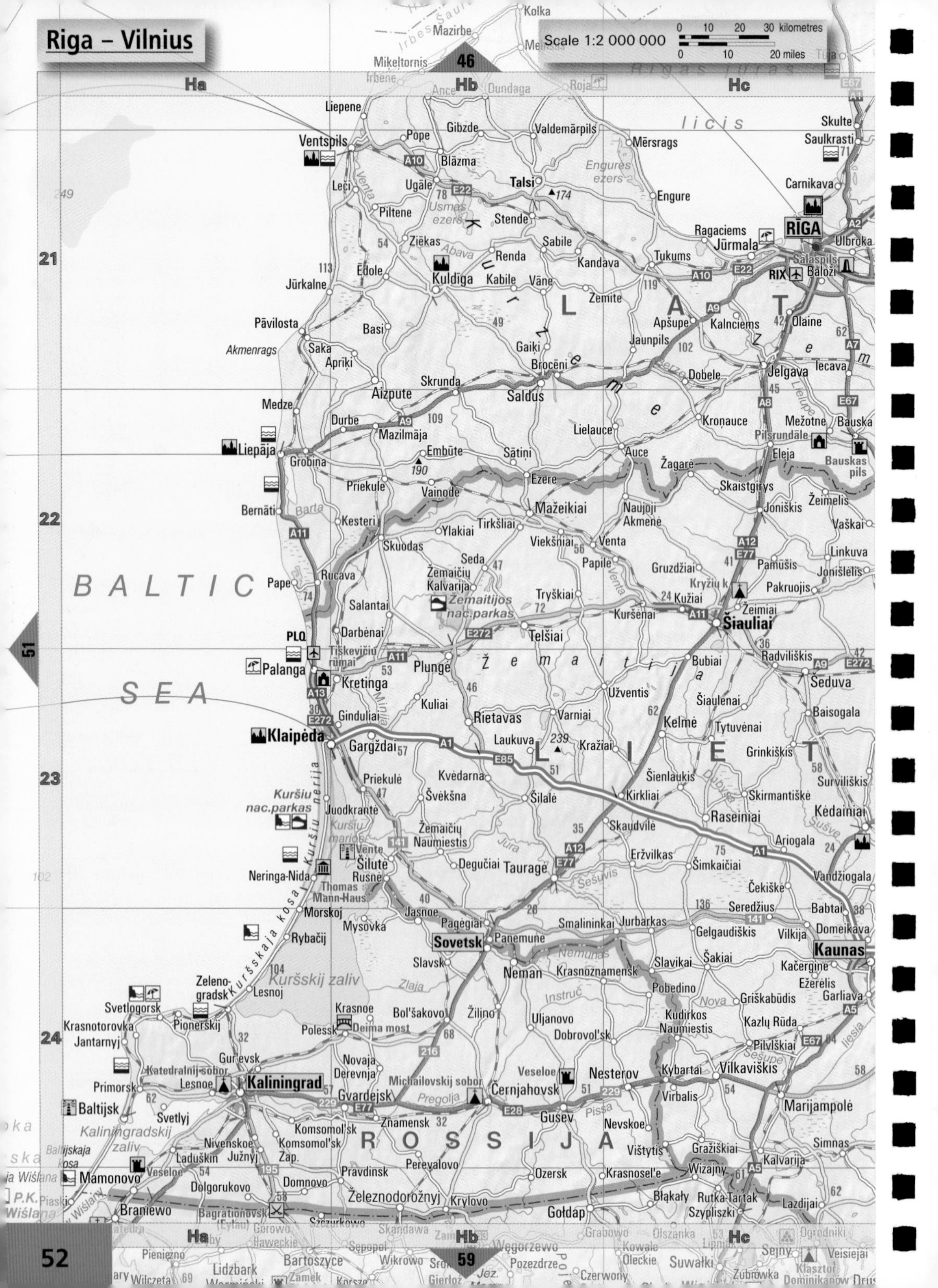
Riga – Vilnius
Scale 1:2 000 000
0 10 20 30 kilometres
0 10 20 miles
46
51
59
52
Ha
Hb
Hc
21
22
23
24
BALTIC
SEA
LATVIJA
LIETUVA
ROSSIJA
Kurzeme
Zemgale
Žemaitija
Rīgas līcis
Kolka
Mazirbe
Mikeltornis
Irbene
Ance
Dundaga
Roja
Liepene
Ventspils
Pope
Gibzde
Valdemārpils
Mērsrags
Skulte
Saulkrasti
Blāzma
Ugāle
Talsi
Engures ezers
Engure
Carnikava
Leči
Piltene
Usmas ezers
Stende
Ragaciems
RĪGA
Jūrmala
Ulbroka
Ziēkas
Abava
Renda
Sabile
Kandava
Tukums
Salaspils
Baloži
RIX
Edole
Kuldīga
Kabile
Vāne
Jūrkalne
Zemīte
Apšupe
Kalnciems
Olaine
Pāvilosta
Basi
Jaunpils
Akmenrags
Saka
Apriķi
Gaiķi
Brocēni
Dobele
Jelgava
Iecava
Aizpute
Skrunda
Saldus
Medze
Durbe
Mazilmāja
Lielauce
Kroņauce
Mežotne
Bauska
Pilsrundāle
Liepāja
Grobiņa
Embūte
Sātiņi
Auce
Žagarė
Eleja
Bauskas pils
Priekule
Vainode
Ezere
Skaistgirys
Žeimelis
Bernāti
Barta
Kesteri
Mažeikiai
Naujoji Akmenė
Joniškis
Vaškai
Ylakiai
Tirkšliai
Viekšniai
Venta
Skuodas
Papilė
Gruzdžiai
Pamūšis
Linkuva
Joniškėlis
Seda
Žemaičių Kalvarija
Pape
Rucava
Žemaitijos nac.parkas
Tryškiai
Kryžių k.
Kužiai
Pakruojis
Salantai
Kuršėnai
Žeimiai
Šiauliai
Darbėnai
Telšiai
PLQ
Tiškevičių rūmai
Palanga
Plungė
Bubiai
Radviliškis
Šeduva
Kretinga
Minija
Užventis
Šiaulėnai
Kuliai
Baisogala
Ginduliai
Rietavas
Varniai
Kelmė
Tytuvėnai
Klaipėda
Gargždai
Laukuva
Kražiai
Grinkiškis
Priekulė
Kvėdarna
Šienlaukis
Surviliškis
Kuršių nac.parkas
Švėkšna
Šilalė
Kirkliai
Skirmantiškė
Juodkrantė
Kuršių nerija
Kuršių marios
Raseiniai
Kėdainiai
Šušvė
Žemaičių Naumiestis
Skaudvilė
Ariogala
Ventė
Jūra
Eržvilkas
Šimkaičiai
Neringa-Nida
Šilutė
Rusnė
Degučiai
Tauragė
Šešuvis
Vandžiogala
Thomas Mann-Haus
Čekiškė
Morskoj
Jasnoe
Pagėgiai
Smalininkai
Jurbarkas
Seredžius
Babtai
Mysovka
Sovetsk
Panemune
Gelgaudiškis
Vilkija
Domeikava
Rybačij
Nemunas
Kaunas
Slavsk
Neman
Krasnoznamensk
Slavikai
Šakiai
Kačerginė
Kurššskij zaliv
Kurššskaja kosa
Zlaja
Pobedino
Ežerėlis
Zelenogradsk
Lesnoj
Instruč
Nova
Griškabūdis
Garliava
Svetlogorsk
Krasnoe
Bol'šakovo
Žilino
Uljanovo
Kudirkos Naumiestis
Kazlų Rūda
Krasnotorovka
Pionerskij
Polessk
Deima most
Dobrovol'sk
Pilvliškiai
Jantarnyj
Šešupė
Gur'evsk
Novaja Derevnja
Katedralnij sobor
Veseloe
Nesterov
Kybartai
Vilkaviškis
Primorsk
Lesnoe
Kaliningrad
Michailovskij sobor
Gvardejsk
Černjahovsk
Virbalis
Baltijsk
Pregolja
Gusev
Pissa
Marijampolė
Svetlyj
Znamensk
Kaliningradskij zaliv
Komsomol'sk
Nevskoe
Nivenskoe
Komsomol'sk Zap.
Simnas
Baltijskaja kosa
Laduškin
Južnyj
Vištytis
Gražiškiai
Kalvarija
Mamonovo
Pravdinsk
Perevalovo
Ozersk
Krasnosel'e
Wiżajny
Dolgorukovo
Domnovo
Železnodorožnyj
Krylovo
Błąkały
Rutka-Tartak
Lazdijai
Braniewo
Bagrationovsk
Gołdap
Szypliszki
Gerowo
Skandawa
Grabowo
Olszanka
Ogrodniki
Pieniężno
Sępopol
Węgorzewo
Kowale Oleckie
Suwałki
Sejny
Veisiejai
Bartoszyce
Wikrowo
Pozezdrze
Czerwony
Żubrówka
Klasztor Dominikanów
Lidzbark
Zamek
Jez.

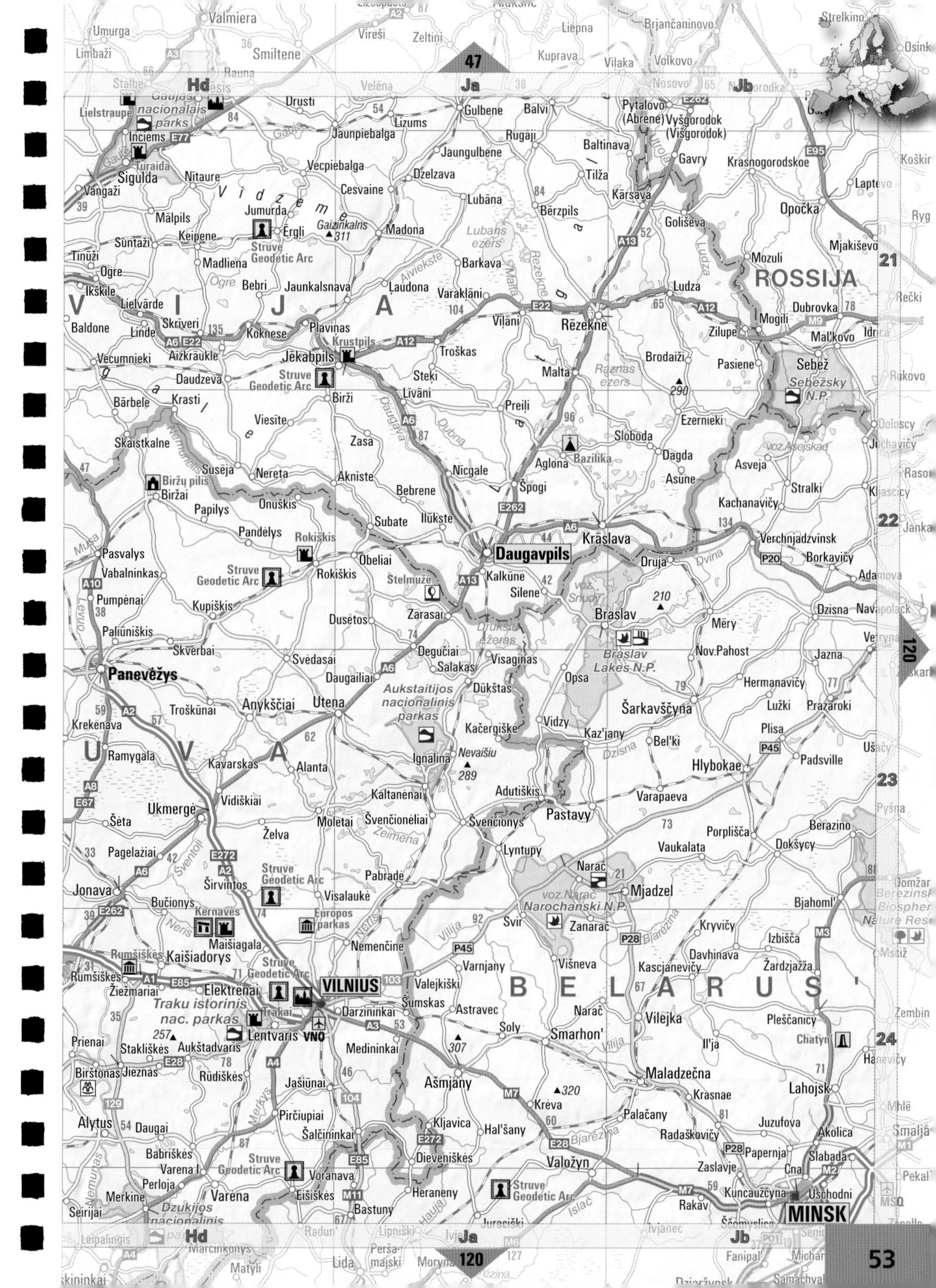
Valmiera
Umurga
Limbaži
Smiltene
Vireši
Zeltiņi
Liepna
Brjančaninovo
Strelkino
47
Kuprava
Viļaka
Volkovo
Hd
Ja
Jb
Stalbe
Rauna
Velēna
Nosovo
Gaujas nacionālais parks
Lielstraupe
Drusti
Gulbene
Balvi
Pytalovo (Abrene)
Vyšgorodok (Višgorodok)
Inciems
Lizums
Jaunpiebalga
Rugāji
Baltinava
Turaida
Sigulda
Jaungulbene
Gavry
Krasnogorodskoe
Koškin
Vangaži
Nītaure
Vecpiebalga
Dzelzava
Tilža
Laptevo
Cesvaine
Kārsava
Opočka
Vidzeme
Jumurda
Lubāna
Mālpils
Bērzpils
Goliševa
Ryg
Keipene
Ērgli
Gaiziņkalns 311
Madona
Lubāns ezers
Suntaži
Struve Geodetic Arc
Mjakiševo
Tinūži
Madliena
Mozuli
Ogre
Barkava
Aiviekste
ROSSIJA
Ikšķile
Bebri
Jaunkalsnava
Ļaudona
Varakļāni
Ludza
Lielvārde
Dubrovka
Rečki
V
I
J
A
Rēzekne
Viļāni
Skrīveri
Mogili
Baldone
Linde
Koknese
Pļaviņas
Zilupe
Mal'kovo
Idrica
Krustpils
Aizkraukle
Vecumnieki
Jēkabpils
Troškas
Brodaiži
Pasiene
Sebež
Daudzeva
Struve Geodetic Arc
Steķi
Malta
Rāznas ezers
Sebežsky N.P.
Rukovo
Bārbele
Krasti
Birži
Līvāni
Preiļi
290
Viesīte
Daugava
Dubna
Ezernieki
Doloscy
Skaistkalne
Zasa
Sloboda
Bazilika
voz. Asejskae
Juchavičy
Dagda
Aglona
Asveja
Suseja
Nereta
Nīcgale
Rasony
Biržų pilis
Biržai
Aknīste
Bebrene
Asūne
Stralki
Špogi
Kljasicy
Papilys
Onuškis
Kachanavičy
Ilūkste
Subate
Janka
Pandėlys
Rokiškis
Krāslava
Verchnjadzvinsk
Pasvalys
Daugavpils
Druja
Dvina
Borkavičy
Obeliai
Vabalninkas
Rokiškis
Adamova
Struve Geodetic Arc
Kalkūne
Stelmužė
voz. Snudy
Silene
Pumpėnai
Braslav
Dzisna
Navapolack
Kupiškis
Zarasai
Dusetos
Mëry
Paliūniškis
Drūkšių ežeras
Skverbai
Degučiai
Nov. Pahost
Jazna
Vetryna
Salakas
Visaginas
Braslav Lakes N.P.
Svėdasai
Panevėžys
Daugailiai
Hermanavičy
Opsa
Dūkštas
Aukštaitijos nacionalinis parkas
Troškūnai
Anykščiai
Utena
Šarkavščyna
Lužki
Prazaroki
Krekenava
Kačergiškė
Vidzy
Plisa
Kaz'jany
Bel'ki
Ramygala
Kavarskas
Alanta
Ignalina
Nevaišiu 289
Dzisna
Hlybokae
Padsville
Ušačy
Kaltanėnai
Adutiškis
Vidiškiai
Varapaeva
Ukmergė
Pastavy
Šeta
Molėtai
Švenčionėliai
Švenčionys
Želva
Zeimena
Porplišča
Berazino
Vaukalata
Dokšycy
Lyntupy
Pagelažiai
Šventoji
Narač
Pabradė
Struve Geodetic Arc
Širvintos
voz. Narač
Mjadzel
Domžar
Jonava
Bučionys
Visalaukė
Narochanski N.P.
Bjahoml'
Berezinsk Biosphere Nature Rese
Kernavės
Neris
Europos parkas
Svir
Zanarač
Kryvičy
Maišiagala
Vilija
Izbišča
Rumšiškės
Kaišiadorys
Nemenčinė
Davhinava
Mscíž
Varnjany
Višneva
Ždardzjažža
Kascjanevičy
Struve Geodetic Arc
Rumšiškės
Elektrėnai
VILNIUS
Valejkiški
B E L A R U S'
Žiežmariai
Trakų istorinis nac. parkas
Šumskas
Trakai
Darzininkai
Astravec
Narač
Zembin
Vilejka
Pleščanicy
Soly
Lentvaris
VNO
257
Smarhon'
Chatyń
Prienai
Stakliškės
Aukštadvaris
Medininkai
307
Il'ja
Hanevičy
Birštonas
Jieznas
Rūdiškės
Maladzečna
Jašiūnai
Ašmjany
320
Krasnae
Lahojsk
Merkys
Pirčiupiai
Krėva
Mhlë
Alytus
Daugai
Kljavica
Palačany
Juzufova
Hal'šany
Šalčininkai
Radaškovičy
Akolica
Smalja
Babriškės
Bjarezina
Papernja
Slabada
Dieveniškės
Varena I
Struve Geodetic Arc
Valožyn
Voranava
Zaslavje
Cna
Perloja
Pekal
Merkinė
Varėna
Eišiškės
Heraneny
Struve Geodetic Arc
Kuncaučyna
Uschodni
Dzūkijos nacionalinis
Rakaŭ
Seirijai
Bastuny
Islač
MSQ
MINSK
Hauja
Juraciški
Ščomyslica
Leipalingis
Radun'
Lipniški
Ivje
Ivjanec
Senica
Marcinkonys
Perša-majski
Fanipal'
Michan
Matyli
Lida
Moryna
120
Samachval

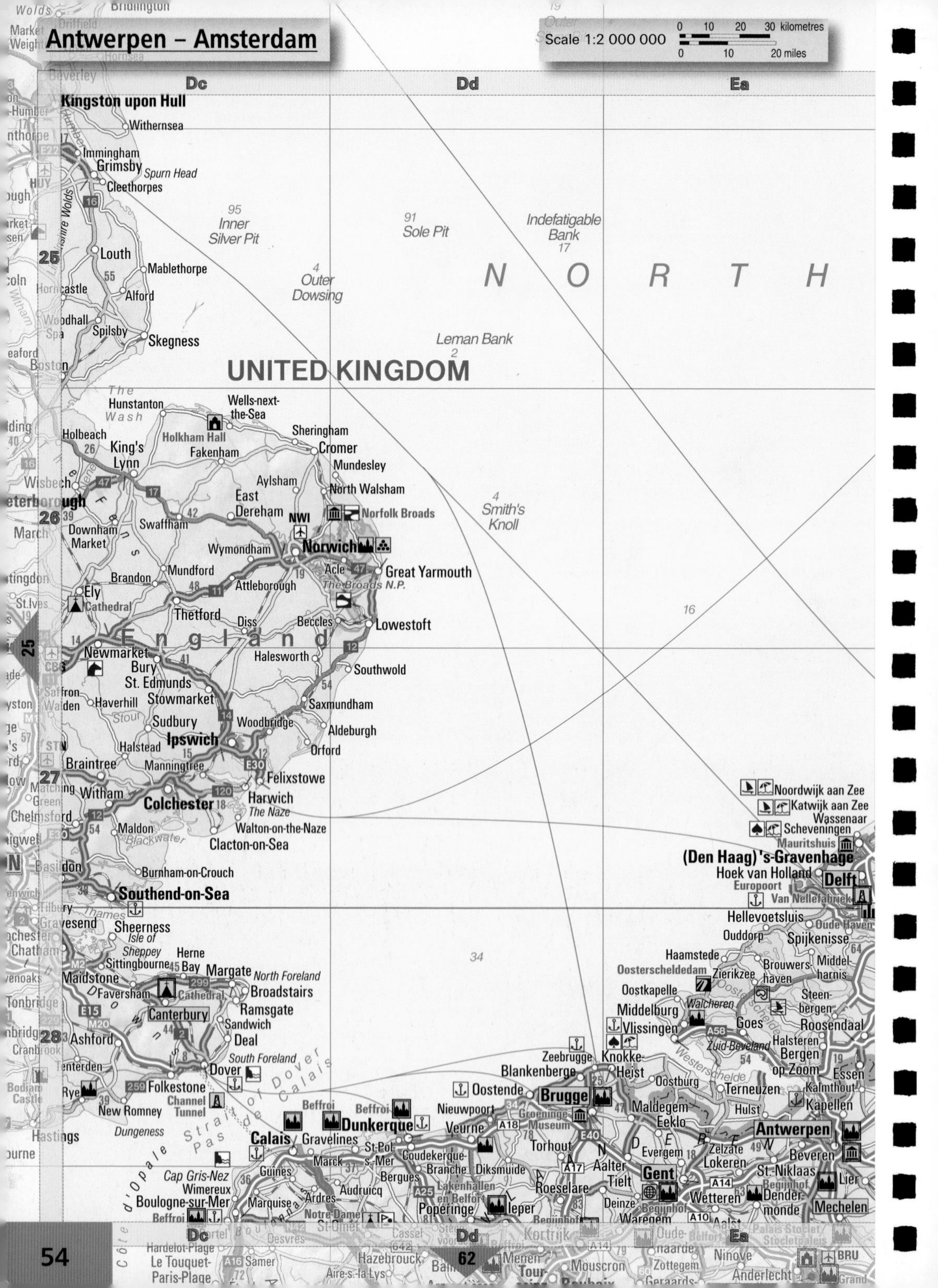
Scale 1:2 000 000
0 10 20 30 kilometres
0 10 20 miles
Dc
Dd
Ea
Kingston upon Hull
Withernsea
Immingham
Grimsby
Spurn Head
Cleethorpes
Inner Silver Pit
Sole Pit
Indefatigable Bank
Outer Dowsing
NORTH
Louth
Mablethorpe
Alford
Spilsby
Skegness
Leman Bank
UNITED KINGDOM
Hunstanton
The Wash
Wells-next-the-Sea
Holkham Hall
Sheringham
Cromer
Mundesley
Holbeach
King's Lynn
Fakenham
Aylsham
North Walsham
East Dereham
Norfolk Broads
Smith's Knoll
Swaffham
Downham Market
Wymondham
Norwich
Great Yarmouth
Mundford
Brandon
Attleborough
The Broads N.P.
Ely
Cathedral
Thetford
Diss
Beccles
Lowestoft
England
Newmarket
Bury St. Edmunds
Halesworth
Southwold
Haverhill
Stowmarket
Saxmundham
Sudbury
Woodbridge
Aldeburgh
Ipswich
Halstead
Orford
Braintree
Manningtree
Felixstowe
Witham
Colchester
Harwich
The Naze
Maldon
Walton-on-the-Naze
Clacton-on-Sea
Burnham-on-Crouch
Southend-on-Sea
Sheerness
Isle of Sheppey
Herne Bay
Margate
North Foreland
Sittingbourne
Maidstone
Faversham
Cathedral
Broadstairs
Canterbury
Ramsgate
Sandwich
Deal
Ashford
South Foreland
Dover
Strait of Dover
Pas de Calais
Rye
Folkestone
Channel Tunnel
New Romney
Dungeness
Hastings
Noordwijk aan Zee
Katwijk aan Zee
Wassenaar
Scheveningen
Mauritshuis
(Den Haag) 's-Gravenhage
Hoek van Holland
Delft
Europoort
Hellevoetsluis
Ouddorp
Spijkenisse
Haamstede
Oosterscheldedam
Zierikzee
Brouwershaven
Middelharnis
Oostkapelle
Middelburg
Walcheren
Steenbergen
Vlissingen
Goes
Roosendaal
Zuid-Beveland
Halsteren
Bergen op Zoom
Zeebrugge
Knokke-Heist
Blankenberge
Westerschelde
Oostburg
Essen
Kalmthout
Oostende
Brugge
Terneuzen
Kapellen
Maldegem
Hulst
Nieuwpoort
Eeklo
Antwerpen
Dunkerque
Veurne
Calais
Gravelines
Torhout
Evergem
Zelzate
Beveren
Lokeren
Gent
St. Niklaas
Lier
Cap Gris-Nez
Wimereux
Guînes
Bergues
Diksmuide
Aalter
Tielt
Roeselare
Boulogne-sur-Mer
Marquise
Ardres
Poperinge
Ieper
Wetteren
Dendermonde
Mechelen
Le Touquet-Paris-Plage
Hazebrouck
Kortrijk
Mouscron
Ninove
Anderlecht

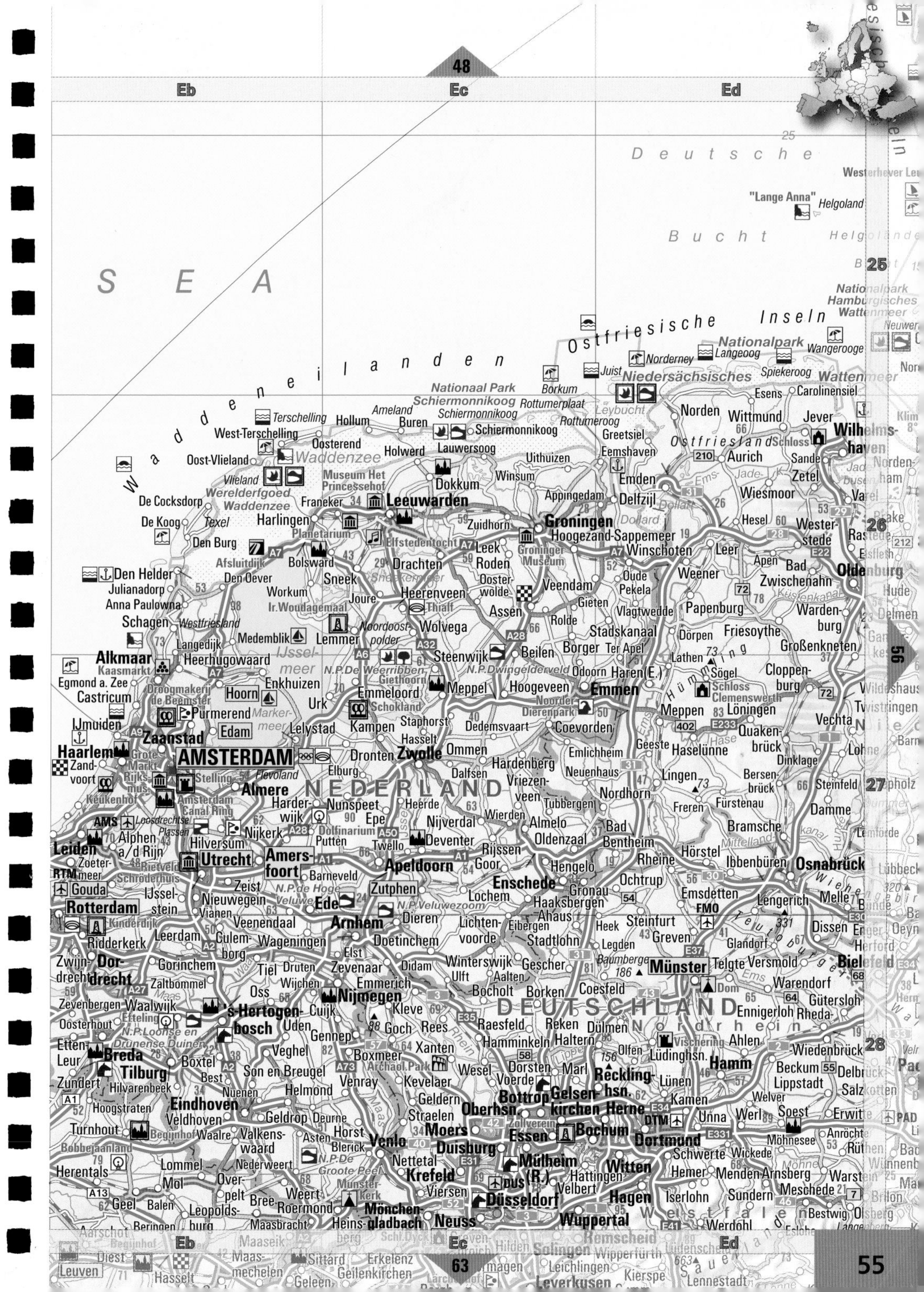

S E A

Deutsche

Bucht

"Lange Anna" Helgoland

Helgolände

Westerhever Leu

Nationalpark
Hamburgisches
Wattenmeer
Neuwer

Ostfriesische   Inseln

Nationalpark Spiekeroog Wangerooge
Langeoog
Norderney

Niedersächsisches Wattenmeer

Wadden eilanden

Nationaal Park
Schiermonnikoog
Rottumerplaat
Rottumeroog

Juist Börkum

Terschelling
West-Terschelling
Hollum Buren Ameland
Schiermonnikoog
Schiermonnikoog

Greetsiel
Eemshaven Leybucht

Norden Wittmund Jever Wilhelms-
haven

Esens Carolinensiel

Oost-Vlieland Oosterend
Waddenzee

Holwerd Lauwersoog

Uithuizen Emden Ostfriesland Schloss Aurich Sande Zetel Norden-
ham

Vlieland Museum Het
Princessehof

Dokkum Winsum Appingedam Delfzijl Wiesmoor Varel

De Cocksdorp Waddenzee Werelderfgoed Franeker Leeuwarden Zuidhorn Hoogezand-Sappemeer Hesel Wester-
stede

De Koog Texel Harlingen Planetarium Groningen Dollard Leer Apen Bad Olden-
burg

Elfstedentocht Winschoten A7 Weener Zwischenahn

Den Burg Afsluitdijk Bolsward Drachten Leek Groninger Museum Oude Papenburg Zwischenahn Hude

Den Helder Den Oever Sneek Joure Heerenveen Roden Ooster-
wolde Veendam Pekela Vlagtwedde Friesoythe Warden-
burg

Julianadorp Workum Ir.Woudagemaal Thialf Assen Gieten Rolde Stadskanaal Dörpen Großenkneten

Anna Paulowna Lemmer Noordoost-
polder Wolvega Beilen Borger Ter Apel Lathen Sögel Cloppen-
burg

Schagen Westfriesland Medemblik N.P.De Weerribben Steenwijk N.P.Dwingelderveld Odoorn Haren (E.) Meppen Vechta

Alkmaar Langedijk Heerhugowaard IJssel-
meer Giethoorn Hoogeveen Noorder Emmen Schloss Quaken-
brück Dinklage Lohne

Egmond a. Zee Droogmakerij de Beemster Hoorn Enkhuizen Urk Emmeloord Schokland Dieren-
park Coevorden Geeste Haselünne Bersen-
brück Steinfeld

Castricum Purmerend Edam Lelystad Kampen Staphorst Dedemsvaart Emlichheim Neuenhaus Lingen Freren Fürstenau Damme

IJmuiden Zaanstad Dronten Zwolle Ommen Hardenberg Nordhorn Bramsche

Haarlem AMSTERDAM Flevoland Elburg Dalfsen Vriezen-
veen Bad
Bentheim Emsdetten Osnabrück

Zand-
voort Keukenhof Almere Harder-
wijk Nunspeet Epe Nijverdal Almelo Oldenzaal Rheine Steinfurt Lengerich Melle

Leiden Hilversum Nijkerk Dolfinarium Putten Twello Deventer Rijssen Goor Hengelo Gronau Ochtrup FMO

Utrecht Amers-
foort Barneveld Apeldoorn Enschede Haaksbergen Ahaus Heek Greven Ibbenbüren Dissen

Rotterdam Zeist Ede N.P.De Hoge
Veluwe Zutphen Dieren Lichten-
voorde Eibergen Stadtlohn Legden Glandorf Herford

Gouda Nieuwegein Veenendaal N.P.Veluwezoom Lochem Winterswijk Ulft Aalten Gescher Coesfeld Warendorf Versmold Bielefeld

IJssel-
stein Vianen Wageningen Arnhem Doetinchem Didam Bocholt Reken Münster Telgte Gütersloh

Dor-
drecht Leerdam Gulem-
borg Elst Zevenaar Emmerich Raesfeld Dülmen Haltern Olfen Ahlen Rheda

Kinderdijk Gorinchem Tiel Druten Wijchen Oss Goch Rees DEUTSCHLAND Nordrhein Wiedenbrück

Zwijn-
drecht Zaltbommel Nijmegen Cuijk Kevelaer Hamminkeln Dorsten Lüdingshsn. Beckum Delbr

Zevenbergen Waalwijk 's-Hertogen-
bosch Uden Gennep Xanten Wesel Marl Kamen Lippstadt Salz

Oosterhout Efteling N.P.Loonse en
Drunense Duinen Boxmeer Geldern Straelen Oberhsn. Recklinghsn. Herne Unna Soest Erwit

Etten-
Leur Breda Tilburg Boxtel Best Son en Breugel Venray Moers Duisburg Bottrop Gelsen-
kirchen Bochum Dortmund Werl Mohnesee

Zundert Hilvarenbeek Veghel Nuenen Helmond Horst Venlo Mülheim Essen Witten Hagen Iserlohn

A1 Hoogstraten Eindhoven Geldrop Deurne Asten Valkens-
waard Nettetal Krefeld Viersen Düsseldorf Velbert Hattingen Menden Arnsberg

Turnhout Veldhoven Waalre Nederweert N.P.De
Groote Peel Mönchen-
gladbach Neuss Wuppertal Remscheid Werdohl

Bobbejaanland Lommel Mol Over-
pelt Weert Roermond Maasbracht Heins Solingen Wipperfürth Kierspe Lennestadt

Herentals Geel Balen Leopolds-
burg Bree Maaseik Sittard Erkelenz Geilenkirchen Leverkusen Olsberg

Aarschot Diest Hasselt Maas-
mechelen St. Dyck. Hilden Remscheid Olpe Bestwig

Leuven

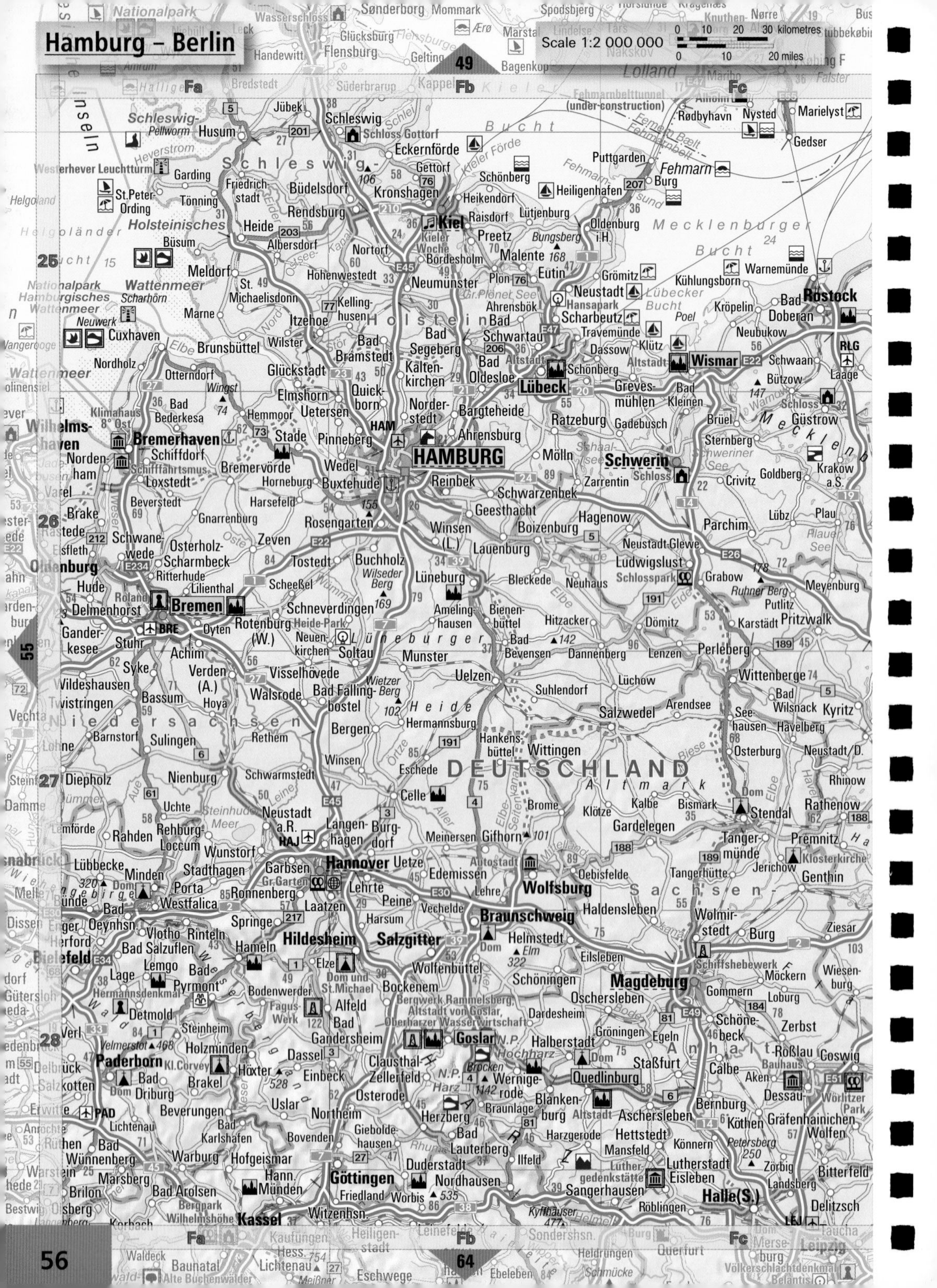

Scale 1:2 000 000
0 10 20 30 kilometres
0 10 20 miles
49
Fa
Fb
Fc
Sønderborg
Mommark
Spodsbjerg
Nationalpark
Wasserschloss
Glücksburg
Flensburg
Handewitt
Gelting
Ærø
Marstal
Nakskov
Lolland
Bagenkop
Bredstedt
Süderbrarup
Kappeln
Kieler Bucht
Fehmarnbelttunnel (under construction)
Rødbyhavn
Nysted
Marielyst
Gedser
Schleswig-Pellworm
Husum
Jübek
Schleswig
Schloss Gottorf
Eckernförde
Heverstrom
Schleswig-Holstein
Westerhever Leuchtturm
Garding
St.Peter-Ording
Tönning
Friedrichstadt
Büdelsdorf
Gettorf
Kronshagen
Schönberg
Heiligenhafen
Puttgarden
Fehmarn
Burg
Fehmarnsund
Helgoland
Heide
Rendsburg
Kiel
Heikendorf
Raisdorf
Lütjenburg
Oldenburg i.H.
Mecklenburger Bucht
Helgoländer Bucht
Holsteinisches
Büsum
Albersdorf
Nortorf
Kieler Woche
Bordesholm
Preetz
Bungsberg 168
Malente
Eutin
Grömitz
Kühlungsborn
Warnemünde
Nationalpark Hamburgisches Wattenmeer
Wattenmeer
Scharhörn
Meldorf
St. Michaelisdonn
Hohenwestedt
Neumünster
Plön
Großer Plöner See
Neustadt
Lübecker Bucht
Hansapark
Rostock
Bad Doberan
Kröpelin
Poel
Neuwerk
Marne
Kellinghusen
Itzehoe
Holstein
Ahrensbök
Bad Schwartau
Scharbeutz
Travemünde
Neubukow
Cuxhaven
Brunsbüttel
Wilster
Bad Bramstedt
Bad Segeberg
Dassow
Klütz
Wangerooge
Nordholz
Glückstadt
Kaltenkirchen
Bad Oldesloe
Altstadt
Schönberg
Wismar
Schwaan
RLG
Laage
Otterndorf
Wingst 74
Elmshorn
Quickborn
Lübeck
Grevesmühlen
Bad Kleinen
Bützow
Bad Bederkesa
Klimahaus 8° Ost
Hemmoor
Uetersen
Norderstedt
Bargteheide
Ratzeburg
Gadebusch
Brüel
Schloss
Güstrow
Wilhelmshaven
Bremerhaven
Stade
HAM
Pinneberg
Ahrensburg
Mecklenburg
Norden-ham
Schiffdorf
Schifffahrtsmus.
Bremervörde
Wedel
HAMBURG
Mölln
Schaalsee
Schwerin
Schweriner See
Sternberg
Goldberg
Krakow a.S.
Loxstedt
Horneburg
Buxtehude
Reinbek
Schwarzenbek
Zarrentin
Crivitz
Varel
Beverstedt
Harsefeld
Geesthacht
Parchim
Lübz
Plau
Plauer See
Brake
Rastede
Gnarrenburg
Rosengarten
Winsen (L.)
Boizenburg
Hagenow
Schwanewede
Osterholz-Scharmbeck
Zeven
Lauenburg
Neustadt-Glewe
Elsfleth
Oldenburg
Tostedt
Buchholz
Ludwigslust
Schlosspark
Grabow
Ritterhude
Lilienthal
Scheeßel
Wilseder Berg 169
Lüneburg
Bleckede
Neuhaus
Meyenburg
Hude
Bremen
Schneverdingen
Ruhner Berg 178
Putlitz
Delmenhorst
Roland
Rotenburg (W.)
Heide-Park
Amelinghausen
Bienenbüttel
Hitzacker
Dömitz
Karstädt
Pritzwalk
Ganderkesee
Stuhr
BRE
Oyten
Neuenkirchen
Lüneburger Heide
Soltau
Munster
Bad Bevensen
Dannenberg
Lenzen
Perleberg
Achim
Verden (A.)
Syke
Visselhövede
Uelzen
Lüchow
Wittenberge
Wildeshausen
Twistringen
Bassum
Walsrode
Bad Fallingbostel
Wietzer Berg 102
Suhlendorf
Arendsee
Bad Wilsnack
Kyritz
Vechta
Niedersachsen
Hoya
Bergen
Hermannsburg
Salzwedel
Seehausen
Havelberg
Barnstorf
Sulingen
Rethem
Hankensbüttel
Wittingen
Osterburg
Neustadt/D.
Lohne
Winsen
Eschede
DEUTSCHLAND
Altmark
Diepholz
Nienburg
Schwarmstedt
Celle
Rhinow
Steinhuder Meer
Uchte
Neustadt a.R.
Brome
Klötze
Kalbe
Bismark
Stendal
Rathenow
Dümmer
Damme
Lemförde
Rahden
Rehburg-Loccum
HAJ
Langenhagen
Burgdorf
Meinersen
Gifhorn 101
Gardelegen
Tangermünde
Premnitz
Wunstorf
Lübbecke
Minden
Stadthagen
Garbsen
Hannover
Uetze
Edemissen
Autostadt
Oebisfelde
Tangerhütte
Jerichow
Klosterkirche
Genthin
Osnabrück
Wiehengebirge
Porta Westfalica
Gr. Garten
Lehrte
Lehre
Wolfsburg
Sachsen-Anhalt
Melle
Bünde
Ronnenberg
Peine
Vechelde
Braunschweig
Haldensleben
Wolmirstedt
Burg
Ziesar
Dissen
Bad Oeynhausen
Enger
Vlotho
Rinteln
Springe
Laatzen
Harsum
Herford
Bad Salzuflen
Hameln
Hildesheim
Salzgitter
Helmstedt
Elm 322
Bielefeld
Lemgo
Bad Pyrmont
Elze
Wolfenbüttel
Eilsleben
Schiffshebewerk
Wiesenburg
Lage
Dom und St.Michael
Bockenem
Schöningen
Magdeburg
Möckern
Gütersloh
Hermannsdenkmal
Bodenwerder
Alfeld
Bergwerk Rammelsberg, Altstadt von Goslar, Oberharzer Wasserwirtschaft
Oschersleben
Gommern
Loburg
Detmold
Fagus-Werk
Bad Gandersheim
Dardesheim
Schönebeck
Zerbst
Verl
Steinheim
Goslar
N.P. Hochharz
Gröningen
Egeln
Velmerstot 468
Holzminden
Halberstadt
Anhalt
Roßlau
Coswig
Paderborn
Kl. Corvey
Dassel
Clausthal-Zellerfeld
Staßfurt
Calbe
Bauhaus
Delbrück
Bad Driburg
Höxter
Einbeck
Brocken 1142
Wernigerode
Quedlinburg
Aken
Salzkotten
Brakel
Köterberg 528
N.P. Harz
Blankenburg
Dessau
Wörlitzer Park
Erwitte
PAD
Beverungen
Uslar
Osterode
Northeim
Braunlage
Aschersleben
Bernburg
Köthen
Gräfenhainichen
Lichtenau
Bad Karlshafen
Gieboldehausen
Herzberg
Harzgerode
Hettstedt
Könnern
Wolfen
Rüthen
Bad Wünnenberg
Bovenden
Bad Lauterberg
Mansfeld
Petersberg 250
Warstein
Marsberg
Warburg
Hofgeismar
Duderstadt
Ilfeld
Lutherstadt Eisleben
Luthergedenkstätte
Zörbig
Bitterfeld
Brilon
Bad Arolsen
Hann. Münden
Göttingen
Nordhausen
Sangerhausen
Landsberg
Bestwig
Olsberg
Bergpark Wilhelmshöhe
Kassel
Friedland
Worbis
Kyffhäuser 477
Röblingen
Halle (S.)
Delitzsch
LEJ
Korbach
Witzenhausen
Heiligenstadt
Leinefelde
Sondershausen
Querfurt
Merseburg
Leipzig
Taucha
Waldeck
Kaufungen
Hess. Lichtenau 754
Heldrungen
Schmücke
Baunatal
Eschwege
Ebeleben
Völkerschlachtdenkmal
Meißner
Alte Buchenwälder
55
64

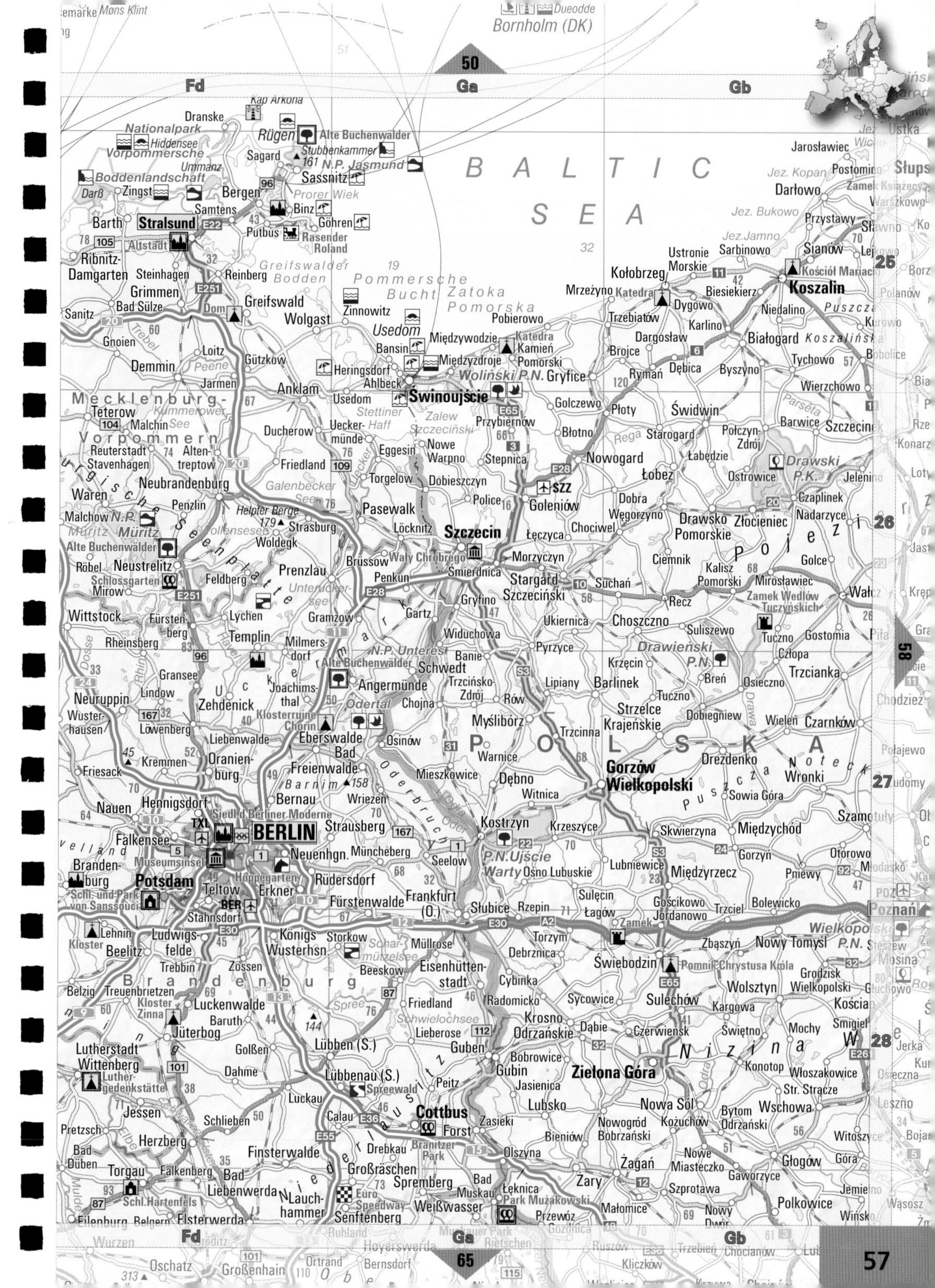

Bornholm (DK)
Dueodde
Møns Klint
50
Fd
Ga
Gb
Kap Arkona
Dranske
Nationalpark
Hiddensee
Vorpommersche
Boddenlandschaft
Rügen
Alte Buchenwälder
Stubbenkammer
161
N.P. Jasmund
Sagard
Ummanz
Darß
Zingst
Bergen
Sassnitz
Prorer Wiek
Samtens
Binz
Barth
Stralsund
Göhren
Putbus
Rasender Roland
Altstadt
Ribnitz-Damgarten
Steinhagen
Reinberg
Greifswalder Bodden
Grimmen
Greifswald
Bad Sülze
Dom
Wolgast
Zinnowitz
Pommersche Bucht
Zatoka Pomorska
Usedom
Sanitz
Gnoien
Loitz
Demmin
Gützkow
Jarmen
Peene
Anklam
Bansin
Heringsdorf
Ahlbeck
Świnoujście
Międzywodzie
Międzyzdroje
Kamień Pomorski
Katedra
Woliński P.N.
Gryfice
Pobierowo
BALTIC SEA
Mecklenburg-Vorpommern
Teterow
Kummerower See
Malchin
Reuterstadt Stavenhagen
Altentreptow
Ducherow
Ueckermünde
Stettiner Haff
Zalew Szczeciński
Przybiernów
Eggesin
Nowe Warpno
Friedland
Stepnica
Neubrandenburg
Torgelow
Dobieszczyn
Galenbecker See
Waren
Penzlin
Pasewalk
Police
Goleniów
SZZ
Malchow
N.P. Müritz
Helpter Berge
179
Strasburg
Löcknitz
Szczecin
Woldegk
Alte Buchenwälder
Röbel
Neustrelitz
Prenzlau
Brüssow
Wały Chrobrego
Morzyczyn
Śmierdnica
Stargard Szczeciński
Schlossgarten
Mirow
Feldberg
Penkun
Gryfino
Wittstock
Lychen
Gramzow
Gartz
Fürstenberg
Templin
Widuchowa
Pyrzyce
Rheinsberg
Milmersdorf
N.P. Unteres Odertal
Schwedt
Banie
Gransee
Joachimsthal
Angermünde
Trzcińsko-Zdrój
Lipiany
Neuruppin
Lindow
Zehdenick
Chojna
Rów
Wusterhausen
Löwenberg
Klosterruine Chorin
Eberswalde
Myślibórz
Trzcinna
Liebenwalde
Osinów
Bad Freienwalde
Warnice
Friesack
Kremmen
Oranienburg
Barnim
158
Mieszkowice
Dębno
Oderbruch
Witnica
Nauen
Hennigsdorf
Bernau
Wriezen
TXL
BERLIN
Siedl. d. Berliner Moderne
Strausberg
Kostrzyn
Falkensee
Neuenhgn.
Müncheberg
Seelow
P.N. Ujście Warty
Brandenburg
Museumsinsel
Potsdam
Schl. und Park von Sanssouci
Teltow
Hoppegarten
Erkner
Rüdersdorf
BER
Fürstenwalde
Frankfurt (O.)
Słubice
Stahnsdorf
Lehnin
Kloster
Beelitz
Ludwigsfelde
Königs Wusterhsn.
Storkow
Scharmützelsee
Müllrose
Trebbin
Zossen
Beeskow
Eisenhüttenstadt
Cybinka
Brandenburg
Belzig
Treuenbrietzen
Luckenwalde
Friedland
Radomicko
Kloster Zinna
Jüterbog
Baruth
Spree
Schwielochsee
Lieberose
Guben
144
Lutherstadt Wittenberg
Golßen
Lübben (S.)
Lutherigedenkstätte
Dahme
Lübbenau (S.)
Spreewald
Peitz
Gubin
Jessen
Luckau
Calau
Cottbus
Forst
Schlieben
Pretzsch
Herzberg
Drebkau
Branitzer Park
Bad Düben
Finsterwalde
Großräschen
Torgau
Falkenberg
Bad Liebenwerda
Spremberg
Bad Muskau
Euro Speedway
Lauchhammer
Weißwasser
Schl. Hartenfels
Eilenburg
Belgern
Elsterwerda
Senftenberg
Niederlausitz
Park Mużakowski
Łęknica
Przewóz
Zasieki
Olszyna
Bieniów
Żagań
Żary
Nowogród Bobrzański
Krosno Odrzańskie
Dąbie
Sycowice
Czerwieńsk
Zielona Góra
Bobrowice
Jasienica
Lubsko
Nowa Sól
Kożuchów
Bytom Odrzański
Nowe Miasteczko
Szprotawa
Małomice
Nowy Dwór
Gaworzyce
Głogów
Polkowice
Ruhland
Hoyerswerda
Muskauer Park
Rietschen
Wurzen
Oschatz
Großenhain
Ortrand
Bernsdorf
Ruszów
Kliczków
Trzebień
Chocianów
313
65
Ustka
Jarosławiec
Postomino
Słupsk
Jez. Kopan
Darłowo
Zamek Książąt
Jez. Bukowo
Przystawy
Sławno
Jez. Jamno
Ustronie Morskie
Sarbinowo
Sianów
Kołobrzeg
Mrzeżyno
Katedra
Kościół Mariacki
Koszalin
Biesiekierz
Dygowo
Trzebiatów
Karlino
Niedalino
Dargosław
Białogard
Brojce
Rymań
Dębica
Byszyno
Tychowo
Golczewo
Płoty
Świdwin
Wierzchowo
Barwice
Szczecinek
Błotno
Starogard
Połczyn-Zdrój
Nowogard
Łabędzie
Drawski P.K.
Łobez
Ostrowice
Dobra
Węgorzyno
Drawsko Pomorskie
Złocieniec
Czaplinek
Nadarzyce
Chociwel
Łęczyca
Ciemnik
Kalisz Pomorski
Golce
Suchań
Mirosławiec
Recz
Zamek Wedlów Tuczyńskich
Wałcz
Choszczno
Ukiernica
Suliszewo
Tuczno
Gostomia
Drawieński P.N.
Krzęcin
Człopa
Barlinek
Breń
Osieczno
Trzcianka
Tuczno
Strzelce Krajeńskie
Dobiegniew
Wieleń
Czarnków
POLSKA
Drezdenko
Gorzów Wielkopolski
Puszcza Notecka
Wronki
Sowia Góra
Krzeszyce
Skwierzyna
Międzychód
Lubniewice
Międzyrzecz
Gorzyń
Pniewy
Ośno Lubuskie
Sulęcin
Gościkowo Jordanowo
Trzciel
Bolewicko
Rzepin
Łagów
Zamek
Poznań
Torzym
Debrznica
Świebodzin
Pomnik Chrystusa Króla
Zbąszyń
Nowy Tomyśl
Wielkopolski P.N.
Grodzisk Wielkopolski
Wolsztyn
Sulechów
Kargowa
Kościan
Świętno
Mochy
Smigiel
Nizina
Konotop
Włoszakowice
Str. Stracze
Wschowa
Leszno
Pojezierze
25
26
27
28
58
57

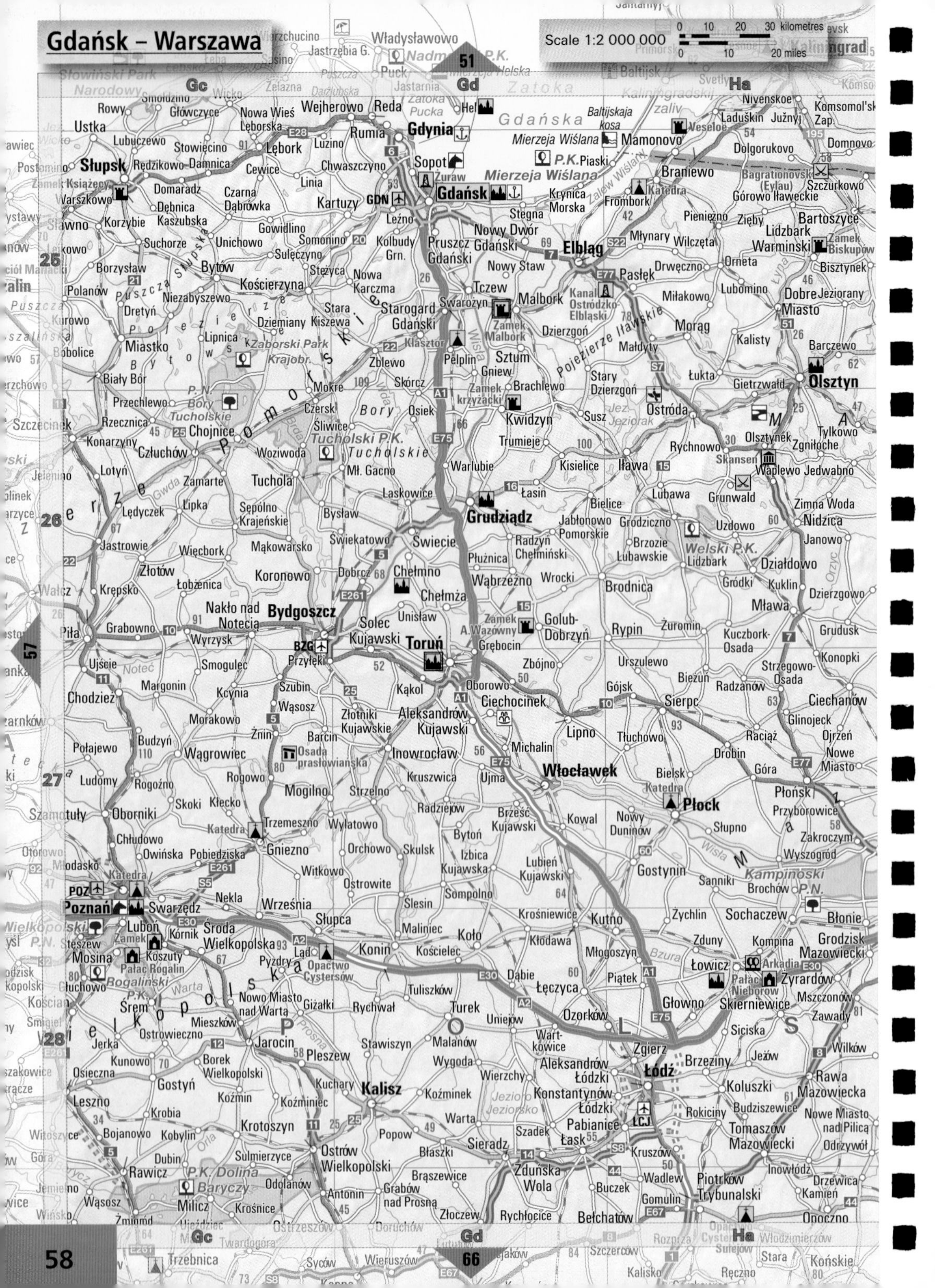

Gdańsk – Warszawa
Scale 1:2 000 000
0 10 20 30 kilometres
0 10 20 miles
51
Gc
Gd
Ha
Władysławowo
Jastrzębia G.
Puck
Jastarnia
Hel
Kaliningrad
Baltijsk
Svetlyj
Zatoka
Zatoka Pucka
Gdańska
Baltijskaja kosa
Kaliningradskij zaliv
Nivenskoe
Komsomol'sk
Laduškin
Južnyj
Zap.
Domnovo
Dolgorukovo
Veseloe
Bagrationovsk (Eylau)
Szczurkowo
Górowo Iławeckie
Słowiński Park Narodowy
Smołdzino
Wicko
Żelazna
Rowy
Główczyce
Nowa Wieś Lęborska
Wejherowo
Reda
Rumia
Gdynia
Ustka
Lubuczewo
Stowięcino
Lębork
Łużino
Słupsk
Redzikowo
Damnica
Cewice
Chwaszczyno
Sopot
Żuraw
Mierzeja Wiślana
P.K. Piaski
Mamonovo
Braniewo
Zamek Książęcy
Warszkowo
Domaradz
Czarna Dąbrówka
Linia
Kartuzy
GDN
Gdańsk
Krynica Morska
Frombork
Katedra
Zalew Wiślany
Dębnica Kaszubska
Korzybie
Sławno
Gowidlino
Leźno
Stegna
Pieniężno
Zięby
Bartoszyce
Suchorze
Unichowo
Somonino
Kolbudy Grn.
Pruszcz Gdański
Nowy Dwór Gdański
Elbląg
Młynary
Wilczęta
Lidzbark Warmiński
Zamek Biskupów
Sulęczyno
Borzysław
Bytów
Stężyca
Nowa Karczma
Nowy Staw
Pasłęk
Drwęczno
Orneta
Bisztynek
Polanów
Kościerzyna
Tczew
Kanał Ostródzko-Elbląski
Miłakowo
Lubomino
Dobre Miasto
Jeziorany
Puszcza Słupska
Niezabyszewo
Stara Kiszewa
Starogard Gdański
Swarożyn
Malbork
Zamek Malbork
Dzierzgoń
Morąg
Kurowo
Dretyń
Dziemiany
Klasztor
Pojezierze Iławskie
Małdyty
Kalisty
Barczewo
Miastko
Lipnica
Zaborski Park Krajobr.
Zblewo
Pelplin
Sztum
Gniew
Bobolice
Pojezierze Bytowskie
Wisła
Stary Dzierzgoń
Łukta
Gietrzwałd
Olsztyn
Biały Bór
Skórcz
Mokre
Brachlewo
Zamek krzyżacki
P.N. Bory Tucholskie
Przechlewo
Czersk
Ostróda
Rzecznica
Chojnice
Śliwice
Osiek
Bory Tucholskie
Kwidzyn
Susz
Jez. Jeziorak
Olsztynek
Tylkowo
Zgniłocha
Szczecinek
Tucholski P.K.
Trumieje
Rychnowo
Skansen
Konarzyny
Człuchów
Woziwoda
Pomorskie
Warlubie
Kisielice
Iława
Waplewo
Jedwabno
Lotyń
Mł. Gacno
Tuchola
Łasin
Grunwald
Jeleniño
Zamarte
Laskowice
Lubawa
Bielice
Zimna Woda
Lędyczek
Lipka
Sępólno Krajeńskie
Bysław
Grudziądz
Jabłonowo Pomorskie
Grodziczno
Uzdowo
Nidzica
Jastrowie
Więcbork
Mąkowarsko
Świekatowo
Świecie
Radzyń Chełmiński
Brzozie Lubawskie
Welski P.K.
Lidzbark
Janowo
Złotów
Płużnica
Działdowo
Koronowo
Dobrcz
Chełmno
Wąbrzeźno
Wrocki
Brodnica
Gródki
Kuklin
Krępsko
Łobżenica
Chełmża
Dzierzgowo
Wałcz
Nakło nad Notecią
Bydgoszcz
Solec Kujawski
Unisław
Zamek A.Wazówny
Golub-Dobrzyń
Rypin
Żuromin
Mława
Piła
Grabowno
Wyrzysk
BZG
Przyłęki
Toruń
Grębocin
Kuczbork-Osada
Grudusk
57
Ujście
Noteć
Smogulec
Zbójno
Urszulewo
Konopki
Chodzież
Margonin
Kcynia
Szubin
Kąkol
Oborowo
Gójsk
Bieżuń
Radzanów
Strzegowo-Osada
Wąsosz
Złotniki Kujawskie
Aleksandrów Kujawski
Ciechocinek
Lipno
Sierpc
Ciechanów
Morakowo
Żnin
Barcin
Michalin
Tłuchowo
Raciąż
Glinojeck
Ojrzeń
Połajewo
Budzyń
Wągrowiec
Osada prasłowiańska
Inowrocław
Drobin
Nowe Miasto
Ludomy
Rogowo
Kruszwica
Ujma
Włocławek
Bielsk
Góra
Rogoźno
Mogilno
Strzelno
Płońsk
Szamotuły
Skoki
Kłecko
Katedra
Trzemeszno
Wylatowo
Radziejów
Brześć Kujawski
Kowal
Nowy Duninów
Płock
Przyborowice
Oborniki
Bytoń
Słupno
Zakroczym
Chludowo
Owińska
Pobiedziska
Gniezno
Orchowo
Skulsk
Izbica Kujawska
Lubień Kujawski
Wyszogród
Wisła
Modasko
Witkowo
Gostynin
Sanniki
Kampinoski P.N.
Brochów
POZ
Poznań
Ostrowite
Swarzędz
Nekla
Września
Ślesin
Sompolno
Krośniewice
Kutno
Żychlin
Sochaczew
Błonie
Wielkopolski P.N.
Luboń
Kórnik
Środa Wielkopolska
Słupca
Maliniec
Koło
Kłodawa
Zduny
Kompina
Grodzisk Mazowiecki
Stęszew
Mosina
Zamek Koszuty
Pałac Rogalin
Ląd
Opactwo Cystersów
Konin
Kościelec
Młogoszyn
Bzura
Łowicz
Arkadia
Pałac Nieborów
Żyrardów
Puszczykowo
Łuchowo
Rogaliński P.K.
Pyzdry
Dąbie
Łęczyca
Piątek
Kościan
Śrem
Nowe Miasto nad Wartą
Giżałki
Tuliszków
Turek
Głowno
Skierniewice
Mszczonów
Rychwał
Uniejów
Ozorków
Zawady
Mieszków
Wielkopolska
Ostrowieczno
Jerka
Jarocin
Stawiszyn
Malanów
Wart-kowice
Zgierz
Brzeziny
Jeżów
Siciska
Wilków
Kunowo
Borek Wielkopolski
Pleszew
Wygoda
Aleksandrów Łódzki
Łódź
Rawa Mazowiecka
Osieczna
Gostyń
Koźmin
Kuchary
Kalisz
Koźminek
Wierzchy
Konstantynów Łódzki
Koluszki
Leszno
Koźminiec
Jezioro Jeziorsko
LCJ
Rokiciny
Budziszewice
Nowe Miasto nad Pilicą
Krobia
Krotoszyn
Warta
Tomaszów Mazowiecki
Bojanowo
Kobylin
Popów
Szadek
Pabianice
Łask
Odrzywół
Dubin
Sulmierzyce
Ostrów Wielkopolski
Błaszki
Sieradz
Kruszów
Inowłódz
Rawicz
P.K. Dolina Baryczy
Odolanów
Brąszewice
Zduńska Wola
Wadlew
Piotrków Trybunalski
Drzewica
Jemielno
Antonin
Grabów nad Prosną
Buczek
Kamień
Wąsosz
Milicz
Krośnice
Gomulin
Złoczew
Rychłocice
Bełchatów
Opoczno
Żmigród
Ostrzeszów
Doruchów
Opactwo Cystersów
Włodzimierzów
Trzebnica
Sycow
Wieruszów
Szczercow
Sulejów
Stara
Końskie
Kalisko
Ręczno
66
58

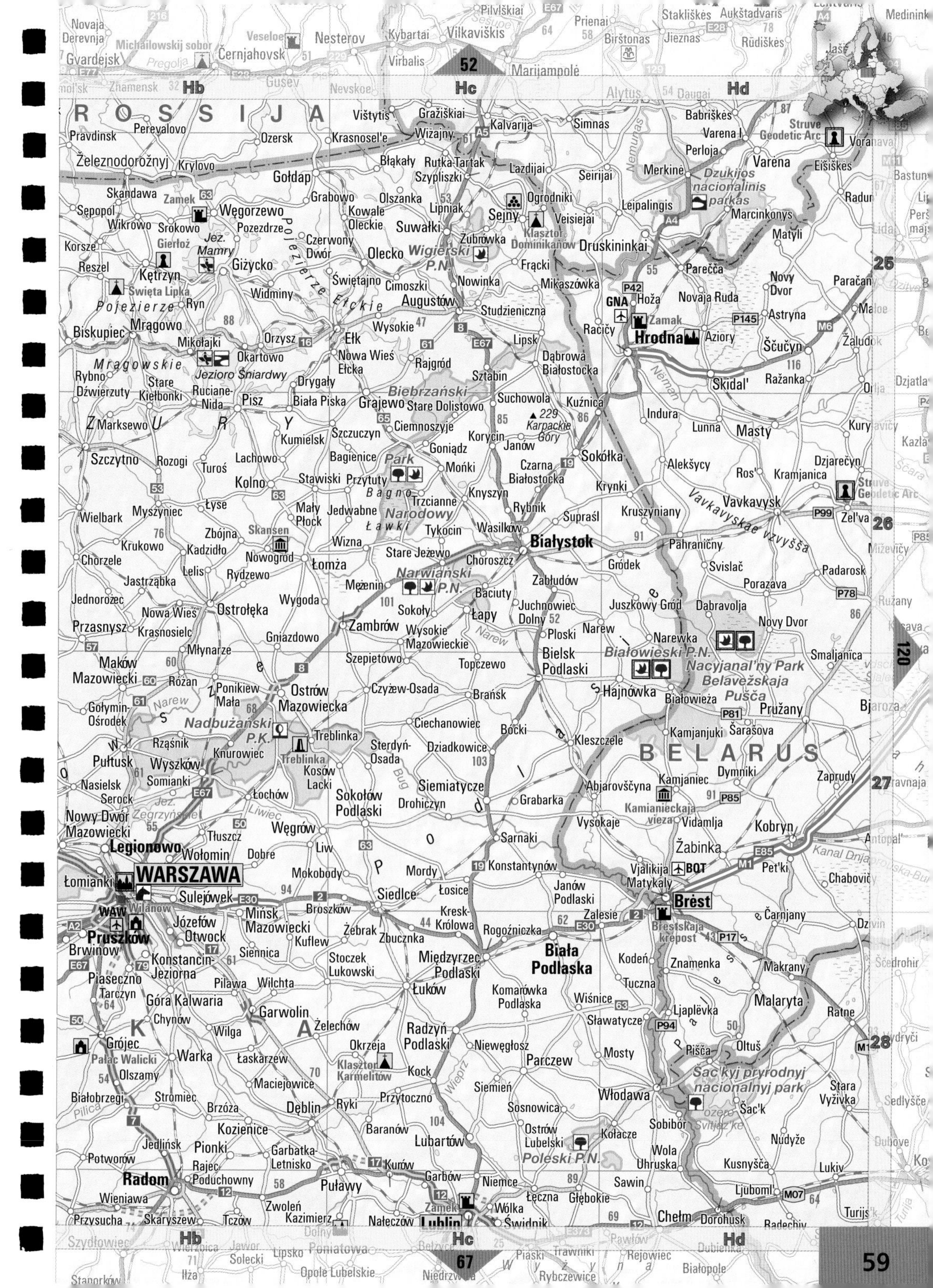

Novaja Derevnja
Michailowskij sobor
Gvardejsk
Veseloe
Nesterov
Černjahovsk
Kybartai
Vilkaviškis
Virbalis
Pilvīškiai
Prienai
Birštonas
Stakliškės
Aukštadvaris
Jieznas
Rūdiškės
Medinink
Jašė
52
Marijampolė
Znamensk
Gusev
Nevskoe
Alytus
Daugai
Hb
Hc
Hd
ROSSIJA
Pravdinsk
Perevalovo
Ozersk
Krasnosel'e
Vištytis
Gražiškiai
Wiżajny
Kalvarija
Simnas
Babriškės
Varena I
Struve Geodetic Arc
Voranava
Železnodorožnyj
Krylovo
Gołdap
Błąkały
Rutka-Tartak
Szypliszki
Lazdijai
Seirijai
Merkinė
Perloja
Varėna
Eišiškės
Bastuny
Dzukijos nacionalinis parkas
Skandawa
Zamek
Węgorzewo
Grabowo
Olszanka
Kowale Oleckie
Lipniak
Ogrodniki
Sejny
Veisiejai
Leipalingis
Marcinkonys
Radun
Sępopol
Wikrowo
Srokowo
Pozezdrze
Suwałki
Klasztor Dominikanów
Matyli
Lida
Korsze
Gierłoż
Jez. Mamry
Czerwony Dwór
Olecko
Wigierski P.N.
Żubrówka
Druskininkai
Reszel
Kętrzyn
Święta Lipka
Giżycko
Pojezierze Ełckie
Świętajno
Cimoszki
Nowinka
Frącki
Mikaszówka
Parečča
Novy Dvor
Paračany
Pojezierze
Ryn
Widminy
Augustów
Studzieniczna
GNA
Hoža
Novaja Ruda
Zamak
Astryna
Maloe
Biskupiec
Mrągowo
Orzysz
Ełk
Wysokie
Lipsk
Racičy
Hrodna
Aziory
Ščučyn
Žaludok
Mikołajki
Okartowo
Nowa Wieś Ełcka
Rajgród
Dąbrowa Białostocka
Mrągowskie
Jezioro Śniardwy
Sztabin
Skidal'
Ražanka
Rybno
Stare Kiełbonki
Drygały
Dźwierzuty
Ruciane-Nida
Pisz
Biała Piska
Grajewo
Stare Dolistowo
Biebrzański
Suchowola
Kuźnica
Nëman
Indura
Lunna
Masty
Kurylavičy
Marksewo
Szczuczyn
Ciemnoszyje
Karpackie Góry
Kumielsk
Korycin
Janów
Goniądz
Szczytno
Rozogi
Turoś
Lachowo
Bagienice
Park
Mońki
Czarna Białostocka
Sokółka
Aleksyčy
Ros'
Kramjanica
Dzjarečyn
Kolno
Stawiski
Przytuty
Bagno Ławki
Narodowy
Krynki
Knyszyn
Trzcianne
Vavkavysk
Vavkavyskae vzvyšša
Wielbark
Myszyniec
Łyse
Mały Płock
Jedwabne
Rybnik
Supraśl
Kruszyniany
Zel'va
Zbójna
Skansen
Tykocin
Wasilków
Białystok
Pahraničny
Miževiču
Krukowo
Kadzidło
Nowogród
Wizna
Stare Jeżewo
Chorzele
Łomża
Choroszcz
Gródek
Svislač
Padarosk
Jastrząbka
Lelis
Rydzewo
Narwiański P.N.
Zabłudów
Porazava
Jednorożec
Wygoda
Meżenin
Baciuty
Juszkowy Gród
Dabravolja
Ružany
Nowa Wieś
Ostrołęka
Sokoły
Łapy
Juchnowiec Dolny
Novy Dvor
Przasnysz
Krasnosielc
Zambrów
Wysokie Mazowieckie
Narew
Ploski
Narewka
Gniazdowo
Białowieski P.N.
Smaljanica
Młynarze
Bielsk Podlaski
Maków Mazowiecki
Szepietowo
Topczewo
Nacyjanal'ny Park Belavežskaja Pušča
Różan
Ponikiew Mała
Ostrów Mazowiecka
Czyżew-Osada
Brańsk
Hajnówka
Białowieża
Pružany
Gołymin-Ośrodek
Nadbużański P.K.
Ciechanowiec
Bócki
Kamjanjuki
Šarašova
Rząśnik
Treblinka
Sterdyń-Osada
Dziadkowice
Kleszczele
Pułtusk
Wyszków
Knurowiec
BELARUS
Somianki
Kosów Lacki
Dymniki
Zaprudy
Nasielsk
Sokołów Podlaski
Siemiatycze
Abjarovščyna
Kamjaniec
Serock
Łochów
Drohiczyn
Grabarka
Kamianieckaja vieza
Nowy Dwór Mazowiecki
Jez. Zegrzyńskie
Liwiec
Węgrów
Vysokaje
Vidamlja
Kobryn
Antopal'
Tłuszcz
Sarnaki
Žabinka
Legionowo
Wołomin
Dobre
Liw
Kanal Dnjaprouska-Buhski
WARSZAWA
Łomianki
Mokobody
Mordy
Konstantynów
Vjalikija
BQT
Matykaly
Pet'ki
Chabovičy
Sulejówek
Siedlce
Łosice
Janów Podlaski
Brest
Wilanów
WAW
Józefów
Mińsk Mazowiecki
Broszków
Kresk-Królowa
Zalesie
Carnjany
Dzivin
Pruszków
Otwock
Żebrak
Zbucznka
Rogoźniczka
Brestskaja krepost
Brwinów
Konstancin-Jeziorna
Siennica
Kuflew
Stoczek Łukowski
Międzyrzec Podlaski
Biała Podlaska
Koden
Znamenka
Makrany
Ščedrohir
Piaseczno
Pilawa
Wilchta
Łuków
Tuczna
Tarczyn
Góra Kalwaria
Komarówka Podlaska
Wiśnice
Malaryta
Ljaplëvka
Garwolin
Sławatycze
Ratne
Chynów
Wilga
Żelechów
Radzyń Podlaski
Grójec
Pałac Walicki
Okrzeja
Niewęgłosz
Parczew
Mosty
Pišča
Oltuš
Warka
Łaskarzew
Klasztor Karmelitów
Kock
Olszamy
Maciejowice
Wieprz
Sac'kyj pryrodnyj nacionalnyj park
Stara Vyživka
Białobrzegi
Stromiec
Pilica
Siemień
Włodawa
Sedlyšče
Brzóza
Dęblin
Ryki
Przytoczno
Sosnowica
Šac'k
ozero Svitjaz'ke
Kozienice
Baranów
Ostrów Lubelski
Sobibór
Kołacze
Nudyže
Dubove
Jedlińsk
Pionki
Lubartów
Garbatka-Letnisko
Poleski P.N.
Wola Uhruska
Potworów
Kurów
Kusnyšča
Lukiv
Radom
Rajec Poduchowny
Puławy
Garbów
Niemce
Sawin
Ljuboml'
Wieniawa
Zwoleń
Zamek
Łęczna
Głębokie
Przysucha
Skaryszew
Tczów
Kazimierz Dolny
Nałęczów
Lublin
Wólka
Świdnik
Chełm
Dorohusk
Radechiv
Turijsk
Szydłowiec
Wierzbica
Jawor Solecki
Lipsko
Poniatowa
Bełżyce
Piaski
Trawniki
Pawłów
Rejowiec
Dubienka
Opole Lubelskie
Niedrzwica
Wyżyna
Rybczewice
Białopole
Iłża
Staporków
67
120
25
26
27
28

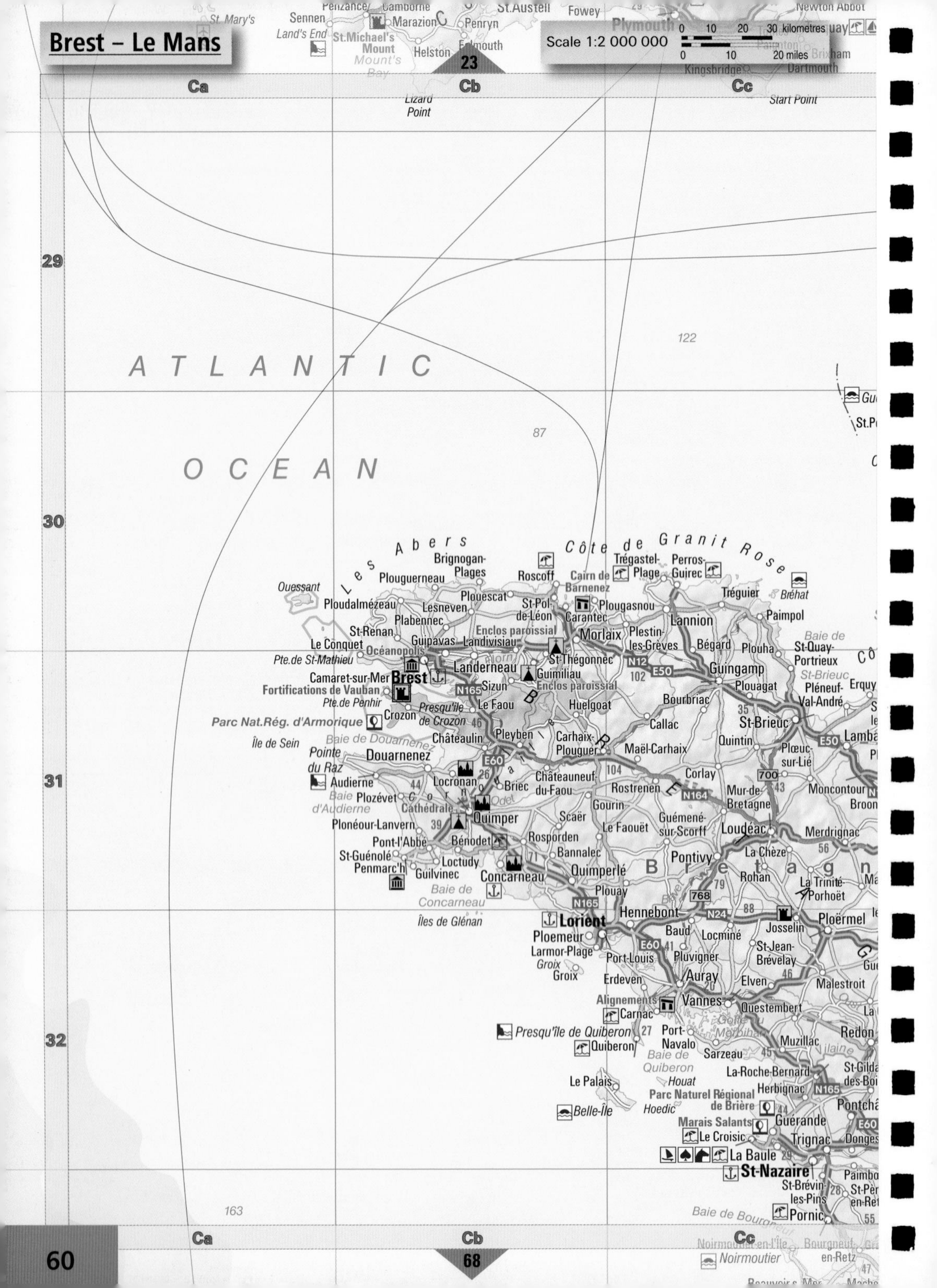

Scale 1:2 000 000
0 10 20 30 kilometres
0 10 20 miles
23
Ca
Cb
Cc
29
30
31
32
St Mary's
Sennen
Land's End
Penzance
Camborne
Marazion
St.Michael's Mount
Mount's Bay
Helston
Penryn
Falmouth
St.Austell
Fowey
Plymouth
Newton Abbot
Brixham
Kingsbridge
Dartmouth
Lizard Point
Start Point
ATLANTIC
OCEAN
122
87
Les Abers
Côte de Granit Rose
Brignogan-Plages
Plouguerneau
Ouessant
Ploudalmézeau
Lesneven
Plouescat
Roscoff
Cairn de Barnenez
Trégastel-Plage
Perros-Guirec
Tréguier
Bréhat
Paimpol
Plabennec
St-Pol-de-Léon
Carantec
Plougasnou
Lannion
St-Renan
Enclos paroissial
Morlaix
Plestin-les-Grèves
Bégard
Plouha
Baie de St-Quay-Portrieux
Le Conquet
Guipavas
Landivisiau
Océanopolis
Pte.de St-Mathieu
Landerneau
St-Thégonnec
Guimiliau
Guingamp
Plouagat
St-Brieuc
Erquy
Pléneuf-Val-André
Camaret-sur-Mer
Brest
Fortifications de Vauban
Pte.de Penhir
Sizun
Enclos paroissial
Bourbriac
Crozon
Presqu'île de Crozon
Le Faou
Huelgoat
Callac
Parc Nat.Rég. d'Armorique
Île de Sein
Baie de Douarnenez
Châteaulin
Pleyben
Carhaix-Plouguer
Maël-Carhaix
Quintin
Plœuc-sur-Lié
Lamballe
Pointe du Raz
Douarnenez
Audierne
Baie d'Audierne
Plozévet
Locronan
Briec
Châteauneuf-du-Faou
Rostrenen
Corlay
Mur-de-Bretagne
Moncontour
Broons
Cathédrale
Quimper
Odet
Gourin
Plonéour-Lanvern
Scaër
Le Faouët
Guémené-sur-Scorff
Loudéac
Merdrignac
Pont-l'Abbé
Bénodet
Rosporden
Bannalec
Pontivy
La Chèze
St-Guénolé
Penmarc'h
Loctudy
Guilvinec
Concarneau
Quimperlé
Rohan
La Trinité-Porhoët
Baie de Concarneau
Îles de Glénan
Plouay
Lorient
Hennebont
Baud
Locminé
Josselin
Ploërmel
Ploemeur
Larmor-Plage
Port-Louis
Pluvigner
St-Jean-Brévelay
Groix
Erdeven
Auray
Elven
Malestroit
Alignements
Carnac
Vannes
Questembert
Presqu'île de Quiberon
Quiberon
Port-Navalo
Golfe du Morbihan
Sarzeau
Muzillac
Redon
Baie de Quiberon
Houat
Le Palais
Belle-Île
Hoedic
Parc Naturel Régional de Brière
La-Roche-Bernard
Herbignac
Marais Salants
Guérande
Le Croisic
Trignac
La Baule
St-Nazaire
St-Brévin-les-Pins
Pornic
Baie de Bourgneuf
Noirmoutier-en-l'Île
Noirmoutier
Bourgneuf-en-Retz
Bretagne
N12
E50
N165
E60
N164
N24
163
68

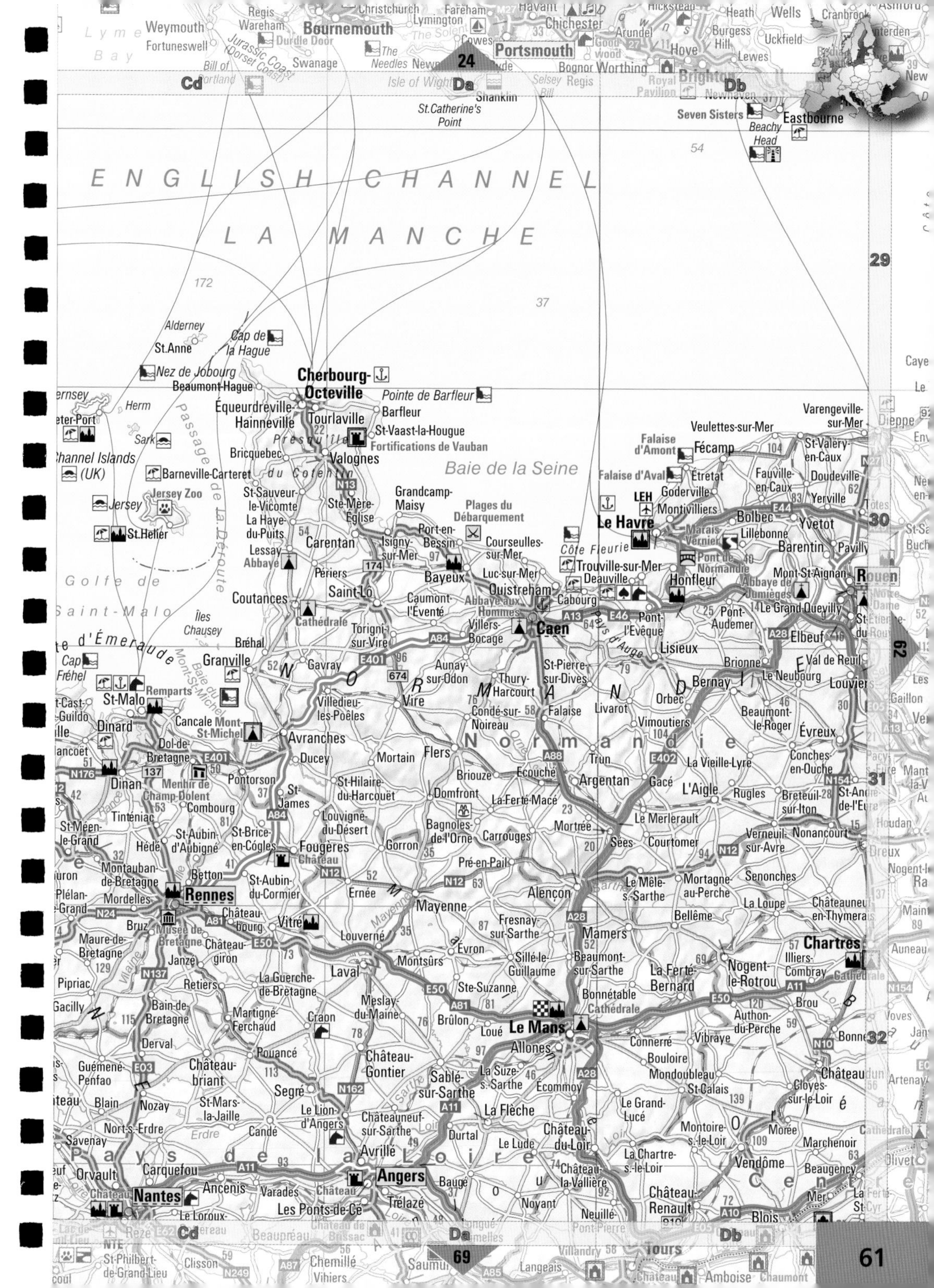
Weymouth
Fortuneswell
Lyme Bay
Regis
Wareham
Jurassic Coast (Dorset Coast)
Durdle Door
Bill of Portland
Bournemouth
Swanage
Christchurch
Lymington
The Needles
The Solent
Cowes
Isle of Wight
Shanklin
St.Catherine's Point
Fareham
Havant
Portsmouth
24
Chichester
Selsey Bill
Bognor Regis
Arundel
Worthing
Good wood
Hove
Burgess Hill
Brighton
Royal Pavilion
Newhaven
Lewes
Heath
Wells
Uckfield
Cranbrook
Tenterden
Seven Sisters
Beachy Head
Eastbourne
Cd
Da
Db
54
ENGLISH CHANNEL
LA MANCHE
172
37
29
Alderney
St.Anne
Cap de la Hague
Nez de Jobourg
Cherbourg-Octeville
Beaumont-Hague
Pointe de Barfleur
Barfleur
Équeurdreville-Hainneville
Tourlaville
St-Vaast-la-Hougue
Fortifications de Vauban
Presqu'île du Cotentin
Valognes
Bricquebec
Herm
St Peter Port
Sark
Channel Islands (UK)
Barneville-Carteret
Passage de la Déroute
Jersey
Jersey Zoo
St.Helier
St-Sauveur-le-Vicomte
Ste-Mère-Église
La Haye-du-Puits
Carentan
Lessay
Abbaye
Grandcamp-Maisy
Plages du Débarquement
Port-en-Bessin
Isigny-sur-Mer
Courseulles-sur-Mer
Bayeux
Baie de la Seine
Golfe de Saint-Malo
Périers
Saint-Lô
Coutances
Cathédrale
Îles Chausey
Caumont-l'Éventé
Luc-sur-Mer
Ouistreham
Abbaye aux Hommes
Caen
Villers-Bocage
Torigni-sur-Vire
Bréhal
Côte d'Émeraude
Cap Fréhel
Granville
Gavray
Aunay-sur-Odon
Thury-Harcourt
St-Pierre-sur-Dives
Baie du Mont-St-Michel
St-Malo
Remparts
St-Cast-le-Guildo
Dinard
Cancale
Mont-St-Michel
Villedieu-les-Poêles
Vire
Condé-sur-Noireau
Falaise
Livarot
Avranches
Dol-de-Bretagne
Menhir de Champ-Dolent
Dinan
Pontorson
Ducey
Mortain
Flers
Normandie
St-Hilaire-du-Harcouët
St-James
Combourg
Tinténiac
Domfront
Briouze
Écouché
La Ferté-Macé
Argentan
Trun
St-Méen-le-Grand
Hédé
St-Aubin-d'Aubigné
St-Brice-en-Coglès
Louvigné-du-Désert
Fougères
Château
Gorron
Bagnoles-de-l'Orne
Carrouges
Mortrée
Sées
Montauban-de-Bretagne
Betton
St-Aubin-du-Cormier
Ernée
Pré-en-Pail
Alençon
Rennes
Mordelles
Plélan-le-Grand
Bruz
Musée de Bretagne
Châteaubourg
Vitré
Mayenne
Fresnay-sur-Sarthe
Mamers
Maure-de-Bretagne
Janzé
Châteaugiron
Louverné
Évron
Sillé-le-Guillaume
Beaumont-sur-Sarthe
Retiers
La Guerche-de-Bretagne
Laval
Montsûrs
Ste-Suzanne
Bonnétable
Pipriac
Bain-de-Bretagne
Martigné-Ferchaud
Craon
Meslay-du-Maine
Brûlon
Loué
Le Mans
Cathédrale
Derval
Pouancé
Allonnes
Guémené-Penfao
Château-briant
Château-Gontier
Sablé-sur-Sarthe
La Suze-s.-Sarthe
Écommoy
Blain
Nozay
St-Mars-la-Jaille
Segré
Le Lion-d'Angers
Châteauneuf-sur-Sarthe
La Flèche
Nort-s.-Erdre
Candé
Durtal
Le Lude
Château-du-Loir
Savenay
Pays de la Loire
Orvault
Carquefou
Ancenis
Varades
Avrillé
Angers
Baugé
Noyant
Château-la-Vallière
Nantes
Château
Trélazé
Les Ponts-de-Cé
Le Loroux-Bottereau
Le Havre
LEH
Montivilliers
Goderville
Étretat
Falaise d'Aval
Falaise d'Amont
Fécamp
Veulettes-sur-Mer
Varengeville-sur-Mer
Dieppe
St-Valery-en-Caux
Fauville-en-Caux
Doudeville
Yerville
Bolbec
Yvetot
Lillebonne
Marais Vernier
Barentin
Pavilly
Côte Fleurie
Trouville-sur-Mer
Deauville
Pont de Normandie
Honfleur
Abbaye de Jumièges
Mont-St-Aignan
Rouen
Cabourg
Pont-l'Évêque
Pont-Audemer
Le Grand-Quevilly
Pays d'Auge
Lisieux
Elbeuf
Brionne
Val de Reuil
Le Neubourg
Louviers
Bernay
Orbec
Beaumont-le-Roger
Vimoutiers
Évreux
Gaillon
La Vieille-Lyre
Conches-en-Ouche
Gacé
L'Aigle
Rugles
Breteuil-sur-Iton
St-André-de-l'Eure
Le Merlerault
Courtomer
Verneuil-sur-Avre
Nonancourt
Dreux
Le Mêle-s.-Sarthe
Mortagne-au-Perche
Senonches
La Loupe
Bellême
Châteauneuf-en-Thymerais
Chartres
Illiers-Combray
Cathédrale
Nogent-le-Rotrou
La Ferté-Bernard
Brou
Authon-du-Perche
Vibraye
Connerré
Bouloire
Mondoubleau
St-Calais
Cloyes-sur-le-Loir
Le Grand-Lucé
Montoire-s.-le-Loir
Morée
La Chartre-s.-le-Loir
Vendôme
Marchenoir
Beaugency
Château-Renault
Neuillé-Pont-Pierre
Blois
30
31
32
62
Cd
Da
Db
69
Rezé
Beaupréau
Brissac
Gennes
Tours
Villandry
Langeais
Amboise
Chaumont
St-Philbert-de-Grand-Lieu
Clisson
Chemillé
Vihiers
Saumur
NTE

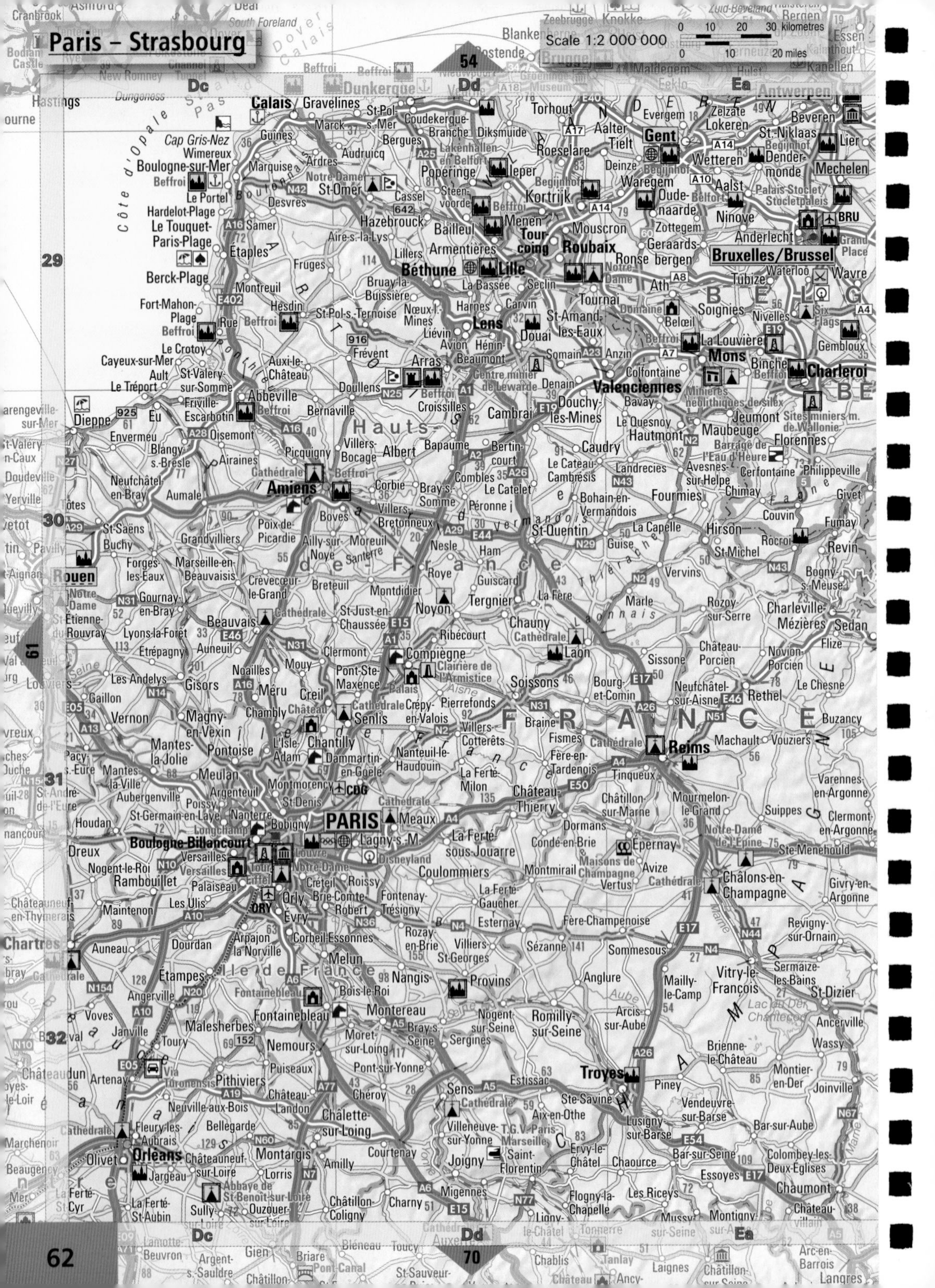
Paris – Strasbourg
Scale 1:2 000 000
0 10 20 30 kilometres
0 10 20 miles
54
Dc
Dd
Ea
29
30
31
32
61
70
Calais
Gravelines
Dunkerque
Boulogne-sur-Mer
Cap Gris-Nez
Wimereux
Guînes
Ardres
Audruicq
Marquise
St-Omer
Desvres
Le Portel
Hardelot-Plage
Le Touquet-Paris-Plage
Samer
Étaples
Berck-Plage
Montreuil
Fort-Mahon-Plage
Hesdin
Rue
Le Crotoy
Cayeux-sur-Mer
Ault
St-Valery-sur-Somme
Le Tréport
Abbeville
Friville-Escarbotin
Dieppe
Eu
Envermeu
Blangy-s.-Bresle
Oisemont
Airaines
Neufchâtel-en-Bray
Aumale
Tôtes
St-Saëns
Buchy
Forges-les-Eaux
Grandvilliers
Rouen
Gournay-en-Bray
Lyons-la-Forêt
Beauvais
Les Andelys
Gisors
Vernon
Gaillon
Mantes-la-Jolie
Pontoise
Meulan
Poissy
Argenteuil
St-Germain-en-Laye
Nanterre
Boulogne-Billancourt
Versailles
Rambouillet
Dreux
Nogent-le-Roi
Houdan
Chartres
Maintenon
Auneau
Dourdan
Étampes
Angerville
Voves
Janville
Toury
Malesherbes
Pithiviers
Artenay
Châteaudun
Orléans
Olivet
Fleury-les-Aubrais
Jargeau
Châteauneuf-sur-Loire
Sully-sur-Loire
La Ferté-St-Aubin
Montargis
Nemours
Fontainebleau
Melun
Évry
Orly
Créteil
PARIS
Meaux
Lagny-s.-M.
Disneyland
St-Denis
Bobigny
Montmorency
CDG
Chantilly
Senlis
Creil
Méru
Chambly
Compiègne
Noyon
Clermont
Amiens
Albert
Corbie
Péronne
Bapaume
Arras
Doullens
Béthune
Lens
Liévin
Douai
Lille
Roubaix
Tourcoing
Armentières
Hazebrouck
Bailleul
Cassel
Bergues
St-Pol-s.-Ternoise
Frévent
Cambrai
Valenciennes
Denain
Maubeuge
Caudry
Le Cateau-Cambrésis
St-Quentin
Guise
Hirson
Vervins
La Capelle
Laon
Soissons
Chauny
Tergnier
La Fère
Ham
Nesle
Roye
Montdidier
Breteuil
Reims
Fismes
Épernay
Château-Thierry
Coulommiers
Provins
Nangis
Montereau
Sens
Joigny
Auxerre
Troyes
Romilly-sur-Seine
Nogent-sur-Seine
Sézanne
Châlons-en-Champagne
Vitry-le-François
St-Dizier
Bar-sur-Aube
Bar-sur-Seine
Chaumont
Joinville
Rethel
Charleville-Mézières
Sedan
Givet
Fumay
Revin
Rocroi
Philippeville
Charleroi
Mons
Binche
La Louvière
Tournai
Ath
Soignies
Nivelles
Wavre
Waterloo
Bruxelles/Brussel
Anderlecht
Ninove
Aalst
Mechelen
Lier
Dendermonde
Gent
Lokeren
St.-Niklaas
Beveren
Antwerpen
Kortrijk
Ieper
Roeselare
Poperinge
Torhout
Diksmuide
Oostende
Brugge
Knokke
Zeebrugge
Blankenberge
Mouscron
Menen
Waregem
Oudenaarde
Zottegem
Tielt
Aalter
Evergem
Eeklo
Maldegem
Hastings
Dungeness
New Romney
Cranbrook
Ashford
Deal
South Foreland
Dover
Hauts-de-France
Île-de-France
FRANCE
BELGIË
Côte d'Opale
Pas de Calais
Champagne
Vermandois
Thiérache
Laonnais
Brie
Gâtinais
Beauce
Seine
Marne
Aisne
Oise
Somme
Aube
Yonne
Loire
Lac du Der-Chantecoq
A1
A2
A4
A5
A6
A10
A13
A16
A19
A25
A26
A28
A29
A77
E15
E17
E19
E40
E44
E46
E50
E54
N2
N4
N31
N43
N44
N67
N77

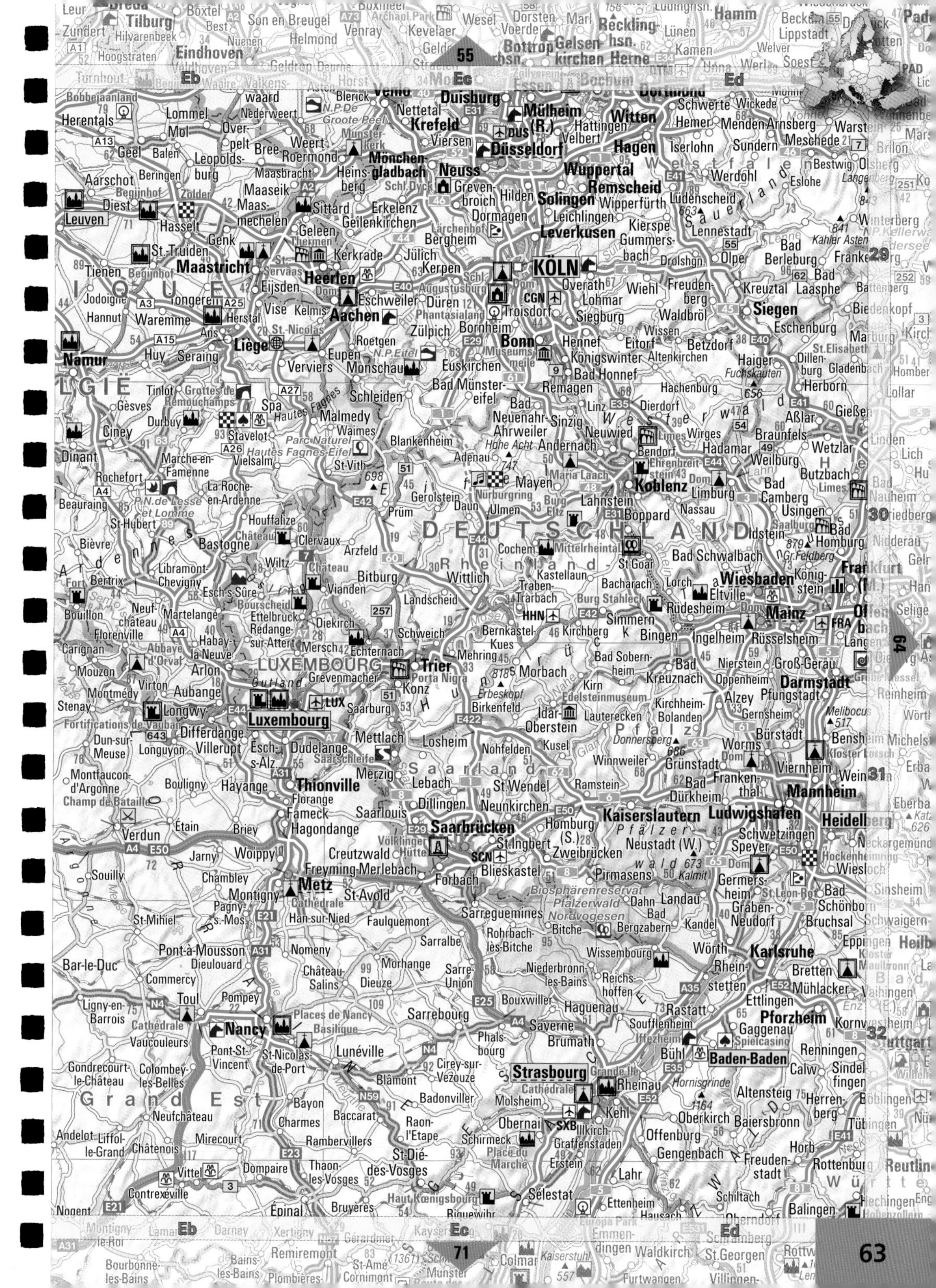

Tilburg
Zundert
Boxtel
Son en Breugel
Eindhoven
Helmond
Venray
Kevelaer
Wesel
Dorsten
Marl
Recklinghsn.
Hamm
Lippstadt
Bottrop
Gelsenkirchen
Herne
Lünen
Kamen
Soest
55
Eb
Ec
Ed
Essen
Bochum
Dortmund
Turnhout
Hoogstraten
Herentals
Lommel
Mol
Geel
Venlo
Duisburg
Mülheim (R.)
Witten
Schwerte
Krefeld
Hattingen
Hagen
Iserlohn
Hemer
Menden
Arnsberg
Meschede
Sundern
Viersen
DUS
Düsseldorf
Velbert
Wuppertal
Remscheid
Werdohl
Weert
Roermond
Mönchengladbach
Neuss
Aarschot
Diest
Leuven
Hasselt
Genk
Maaseik
Sittard
Erkelenz
Grevenbroich
Hilden
Solingen
Wipperfürth
Lüdenscheid
Geilenkirchen
Dormagen
Leichlingen
Leverkusen
Kierspe
Lennestadt
Sauerland
Winterberg
Tienen
St-Truiden
Maastricht
Geleen
Kerkrade
Jülich
Bergheim
Gummersbach
Olpe
Bad Berleburg
Heerlen
Kerpen
KÖLN
Overath
Wiehl
Freudenberg
Kreuztal
Laasphe
29
Jodoigne
Hannut
Waremme
Tongeren
Herstal
Visé
Eijsden
Aachen
Eschweiler
Düren
CGN
Lohmar
Siegburg
Troisdorf
Waldbröl
Siegen
Eschenburg
Liège
Huy
Seraing
Namur
Verviers
Eupen
Roetgen
Zülpich
Bornheim
Bonn
Hennef
Eitorf
Wissen
Betzdorf
Haiger
Dillenburg
Monschau
Euskirchen
Königswinter
Altenkirchen
Bad Honnef
Remagen
Hachenburg
Herborn
Spa
Schleiden
Bad Münstereifel
Bad Neuenahr-Ahrweiler
Sinzig
Linz
Dierdorf
Neuwied
Gießen
Aßlar
Stavelot
Malmedy
Waimes
Blankenheim
Andernach
Wetzlar
Ciney
Dinant
Durbuy
Marche-en-Famenne
Vielsalm
St-Vith
Adenau
Bendorf
Hadamar
Weilburg
Rochefort
La Roche-en-Ardenne
Mayen
Koblenz
Limburg
Butzbach
Bad Camberg
Beauraing
St-Hubert
Houffalize
Prüm
Gerolstein
Daun
Ulmen
Lahnstein
Nassau
Usingen
Boppard
Bad Homburg
30
Bièvre
Bastogne
Clervaux
Arzfeld
DEUTSCHLAND
Cochem
Idstein
Bad Schwalbach
Libramont-Chevigny
Wiltz
Vianden
Bitburg
Wittlich
Kastellaun
St.Goar
Wiesbaden
Frankfurt (M.)
Königstein
Eltville
Bacharach
Lorch
Traben-Trarbach
Landscheid
Bouillon
Neufchâteau
Martelange
Ettelbrück
Diekirch
Rüdesheim
Mainz
Simmern
Florenville
Redange-sur-Attert
Mersch
Echternach
Schweich
Bernkastel-Kues
Kirchberg
Bingen
Ingelheim
Rüsselsheim
Habay-la-Neuve
HHN
FRA
Carignan
Mouzon
LUXEMBOURG
Trier
Mehring
Morbach
Bad Sobernheim
Bad Kreuznach
Nierstein
Groß-Gerau
Oppenheim
Darmstadt
Arlon
Virton
Montmédy
Aubange
Grevenmacher
Konz
Kirn
Pfungstadt
Stenay
Longwy
LUX
Luxembourg
Saarburg
Birkenfeld
Idar-Oberstein
Lauterecken
Kirchheim-Bolanden
Alzey
Gernsheim
Reinheim
Differdange
Villerupt
Esch-s-Alz.
Dudelange
Mettlach
Losheim
Nohfelden
Kusel
Pfalz
Bürstadt
Bensheim
Dun-sur-Meuse
Longuyon
Merzig
Winnweiler
Grünstadt
Worms
Viernheim
Montfaucon-d'Argonne
Bouligny
Hayange
Thionville
Lebach
St.Wendel
Ramstein
Bad Dürkheim
Frankenthal
Mannheim
31
Florange
Fameck
Hagondange
Saarlouis
Dillingen
Neunkirchen
Kaiserslautern
Ludwigshafen
Heidelberg
Verdun
Étain
Briey
Saarbrücken
Homburg (S.)
St.Ingbert
Neustadt (W.)
Schwetzingen
Speyer
Jarny
Woippy
Creutzwald
SCN
Zweibrücken
Souilly
Chambley
Freyming-Merlebach
Forbach
Blieskastel
Pirmasens
Germersheim
Wiesloch
Metz
St-Avold
Montigny
Pagny-s.-Mos.
Dahn
Landau
Graben-Neudorf
Bad Schönborn
Sinsheim
St-Mihiel
Han-sur-Nied
Faulquemont
Sarreguemines
Bad Bergzabern
Kandel
Bruchsal
Bitche
Rohrbach-lès-Bitche
Sarralbe
Pont-à-Mousson
Dieulouard
Nomeny
Wissembourg
Wörth
Karlsruhe
Eppingen
Bar-le-Duc
Commercy
Château-Salins
Morhange
Dieuze
Sarre-Union
Niederbronn-les-Bains
Reichshoffen
Rheinstetten
Bretten
Mühlacker
Toul
Pompey
Ligny-en-Barrois
Nancy
Sarrebourg
Bouxwiller
Haguenau
Rastatt
Ettlingen
Pforzheim
Vaucouleurs
Pont-St-Vincent
St-Nicolas-de-Port
Lunéville
Phalsbourg
Saverne
Brumath
Soufflenheim
Gaggenau
32
Gondrecourt-le-Château
Colombey-les-Belles
Blâmont
Cirey-sur-Vezouze
Strasbourg
Bühl
Baden-Baden
Renningen
Calw
Grand Est
Bayon
Badonviller
Molsheim
Rheinau
Kehl
Altensteig
Neufchâteau
Charmes
Baccarat
Raon-l'Etape
Obernai
SXB
Illkirch-Graffenstaden
Oberkirch
Baiersbronn
Andelot
Liffol-le-Grand
Châtenois
Mirecourt
Rambervillers
Schirmeck
Offenburg
Gengenbach
Horb
Vittel
Dompaire
Thaon-les-Vosges
St-Dié-des-Vosges
Erstein
Lahr
Freudenstadt
Rottenburg
Contrexéville
Épinal
Bruyères
Sélestat
Ettenheim
Schiltach
Balingen
Remiremont
Colmar
Emmendingen
Waldkirch
St.Georgen
71
Bourbonne-les-Bains

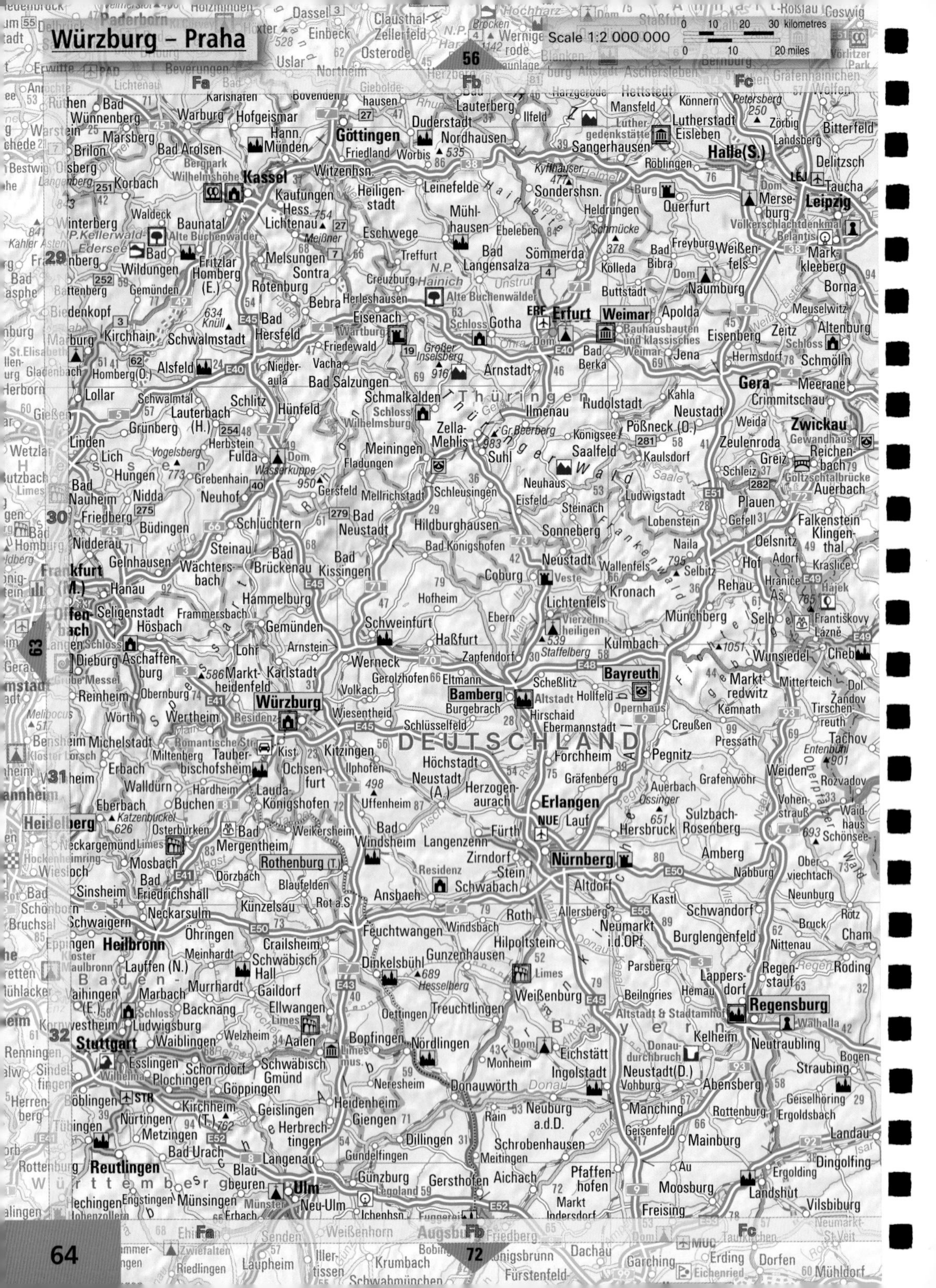
Scale 1:2 000 000
0 10 20 30 kilometres
0 10 20 miles
56
Fa
Fb
Fc
Paderborn
Holzminden
Dassel
Clausthal-Zellerfeld
Einbeck
Uslar
Osterode
Northeim
Brocken
Wernigerode
Hochharz
Staßfurt
Roßlau
Coswig
Beverungen
Hettstedt
Könnern
Petersberg
Aschersleben
Gräfenhainichen
Karlshafen
Bovenden
Gieboldehausen
Lauterberg
Harzgerode
Ilfeld
Mansfeld
Wolfen
Rüthen
Bad Wünnenberg
Warburg
Hofgeismar
Hann. Münden
Göttingen
Duderstadt
Nordhausen
Lutherstadt Eisleben
Luthergedenkstätte
Zörbig
Bitterfeld
Marsberg
Brilon
Bad Arolsen
Friedland
Worbis
Sangerhausen
Landsberg
Halle(S.)
Delitzsch
Olsberg
Bergpark Wilhelmshöhe
Kassel
Witzenhsn.
Kyffhäuser
Röblingen
Korbach
Kaufungen
Heiligenstadt
Leinefelde
Sondershsn.
Burg
Querfurt
Merseburg
Taucha
Leipzig
Winterberg
Waldeck
Baunatal
Hess. Lichtenau
Meißner
Mühlhausen
Heldrungen
Völkerschlachtdenkmal
N.P. Kellerwald-Edersee
Alte Buchenwälder
Eschwege
Ebeleben
Schmücke
Belantis
Markkleeberg
Frankenberg
Bad Wildungen
Fritzlar
Homberg (E.)
Melsungen
Sontra
Treffurt
Bad Langensalza
Sömmerda
Kölleda
Bad Bibra
Freyburg
Weißenfels
Bad Laasphe
Battenberg
Gemünden
Rotenburg
Creuzburg
N.P. Hainich
Unstrut
Dom
Naumburg
Borna
Biedenkopf
Knüll
Bad Hersfeld
Bebra
Herleshausen
Eisenach
Wartburg
Gotha
Schloss
Erfurt
ERF
Weimar
Bauhausbauten und klassisches Weimar
Apolda
Buttstädt
Meuselwitz
Marburg
Kirchhain
Schwalmstadt
Friedewald
Großer Inselsberg
Bad Berka
Eisenberg
Zeitz
Altenburg
Schloss
St.Elisabeth
Homberg(O.)
Alsfeld
Niederaula
Vacha
Arnstadt
Jena
Hermsdorf
Schmölln
Gladenbach
Bad Salzungen
Gera
Meerane
Herborn
Lollar
Schwalmtal
Schlitz
Hünfeld
Schmalkalden
Schloss Wilhelmsburg
Thüringer Wald
Ilmenau
Rudolstadt
Kahla
Neustadt
Crimmitschau
Gießen
Lauterbach (H.)
Zella-Mehlis
Gr.Beerberg
Pößneck (O.)
Weida
Zwickau
Grünberg
Herbstein
Suhl
Königsee
Zeulenroda
Gewandhaus
Linden
Wetzlar
Lich
Vogelsberg
Fulda
Meiningen
Saalfeld
Kaulsdorf
Greiz
Reichenbach
Hungen
Wasserkuppe
Fladungen
Schleiz
Göltzschtalbrücke
Butzbach
Grebenhain
Gersfeld
Neuhaus
Auerbach
Bad Nauheim
Nidda
Neuhof
Mellrichstadt
Schleusingen
Eisfeld
Ludwigstadt
Plauen
Friedberg
Büdingen
Schlüchtern
Bad Neustadt
Hildburghausen
Steinach
Lobenstein
Gefell
Falkenstein
Bad Homburg
Nidderau
Steinau
Bad Brückenau
Bad Kissingen
Bad Königshofen
Sonneberg
Naila
Oelsnitz
Klingenthal
Frankfurt (M.)
Gelnhausen
Wächtersbach
Neustadt
Coburg
Veste
Wallenfels
Selbitz
Hof
Adorf
Kraslice
Hanau
Hammelburg
Hofheim
Lichtenfels
Kronach
Rehau
Hranice
Hájek
Aš
Offenbach
Seligenstadt
Frammersbach
Schweinfurt
Ebern
Vierzehnheiligen
Münchberg
Selb
Františkovy Lázně
Hösbach
Gemünden
Haßfurt
Staffelberg
Kulmbach
Langen
Schloss
Lohr
Arnstein
Werneck
Zapfendorf
Wunsiedel
Cheb
Dieburg
Aschaffenburg
Markt-heidenfeld
Karlstadt
Gerolzhofen
Eltmann
Scheßlitz
Bayreuth
Marktredwitz
Mitterteich
Dol. Žandov
Darmstadt
Grube Messel
Reinheim
Obernburg
Würzburg
Volkach
Bamberg
Altstadt
Hollfeld
Opernhaus
Kemnath
Tirschenreuth
Melibocus
Wörth
Wertheim
Residenz
Wiesentheid
Burgebrach
Hirschaid
Ebermannstadt
Schlüsselfeld
Creußen
Bensheim
Michelstadt
Romantische Straße
Kist
Kitzingen
DEUTSCHLAND
Pressath
Tachov
Kloster Lorsch
Miltenberg
Tauberbischofsheim
Ochsenfurt
Iphofen
Höchstadt
Forchheim
Pegnitz
Entenbühl
Weinheim
Erbach
Neustadt (A.)
Gräfenberg
Grafenwöhr
Weiden
Rozvadov
Mannheim
Walldürn
Hardheim
Lauda-Königshofen
Uffenheim
Herzogenaurach
Erlangen
Auerbach
Ossinger
Oberpfälzer Wald
Eberbach
Buchen
Katzenbuckel
Osterburken
Sulzbach-Rosenberg
Vohenstrauß
Waidhaus
Heidelberg
Limes
Bad Mergentheim
Weikersheim
Bad Windsheim
Langenzenn
Fürth
NUE
Lauf
Hersbruck
Schönsee
Neckargemünd
Mosbach
Rothenburg (T.)
Zirndorf
Stein
Nürnberg
Amberg
Oberviechtach
Wiesloch
Dörzbach
Residenz
Schwabach
Nabburg
Sinsheim
Bad Friedrichshall
Blaufelden
Ansbach
Altdorf
Neunburg
Bad Schönborn
Künzelsau
Rot a.S.
Kastl
Schwandorf
Bruchsal
Schwaigern
Neckarsulm
Windsbach
Roth
Allersberg
Neumarkt i.d.OPf.
Burglengenfeld
Rötz
Öhringen
Feuchtwangen
Bruck
Cham
Eppingen
Heilbronn
Meinhardt
Crailsheim
Hilpoltstein
Nittenau
Kloster Maulbronn
Lauffen (N.)
Schwäbisch Hall
Gunzenhausen
Parsberg
Regenstauf
Roding
Bretten
Baden-Württemberg
Murrhardt
Dinkelsbühl
Hesselberg
Limes
Laaber
Lappersdorf
Mühlacker
Vaihingen (E.)
Marbach
Gaildorf
Weißenburg
Beilngries
Hemau
Regensburg
Schloss
Backnang
Ellwangen
Oettingen
Treuchtlingen
Altstadt & Stadtamhof
Walhalla
Leonberg
Kornwestheim
Ludwigsburg
Welzheim
Limes
Bayern
Renningen
Stuttgart
Waiblingen
Aalen
Limesmus.
Bopfingen
Nördlingen
Dom
Eichstätt
Donaudurchbruch
Kelheim
Neutraubling
Sindelfingen
Wilhelma
Esslingen
Plochingen
Schorndorf
Schwäbisch Gmünd
Monheim
Ingolstadt
Neustadt(D.)
Bogen
Straubing
Herrenberg
Böblingen
STR
Göppingen
Neresheim
Donauwörth
Donau
Vohburg
Abensberg
Geiselhöring
Kirchheim (T.)
Geislingen
Heidenheim
Rain
Neuburg a.d.D.
Manching
Rottenburg
Ergoldsbach
Tübingen
Nürtingen
Herbrechtingen
Giengen
Geisenfeld
Metzingen
Dillingen
Schrobenhausen
Mainburg
Landau
Rottenburg
Bad Urach
Langenau
Gundelfingen
Meitingen
Dingolfing
Reutlingen
Blaubeuren
Günzburg
Gersthofen
Aichach
Pfaffenhofen
Au
Ergolding
Württemberg
Ulm
Legoland
Markt Indersdorf
Moosburg
Landshut
Hechingen
Engstingen
Münsingen
Münster
Neu-Ulm
Ichenhausen
Fuggerei
Freising
Vilsbiburg
Hohenzollern
Erbach
Augsburg
Friedberg
Dom
MUC
Taufkirchen
Neumarkt-St.Veit
Ehingen
Senden
Weißenhorn
Dachau
Zwiefalten
Laupheim
Illertissen
Krumbach
Bobingen
Königsbrunn
Garching
Erding
Dorfen
Riedlingen
Schwabmünchen
Fürstenfeldbruck
Eichenried
Mühldorf
72
63

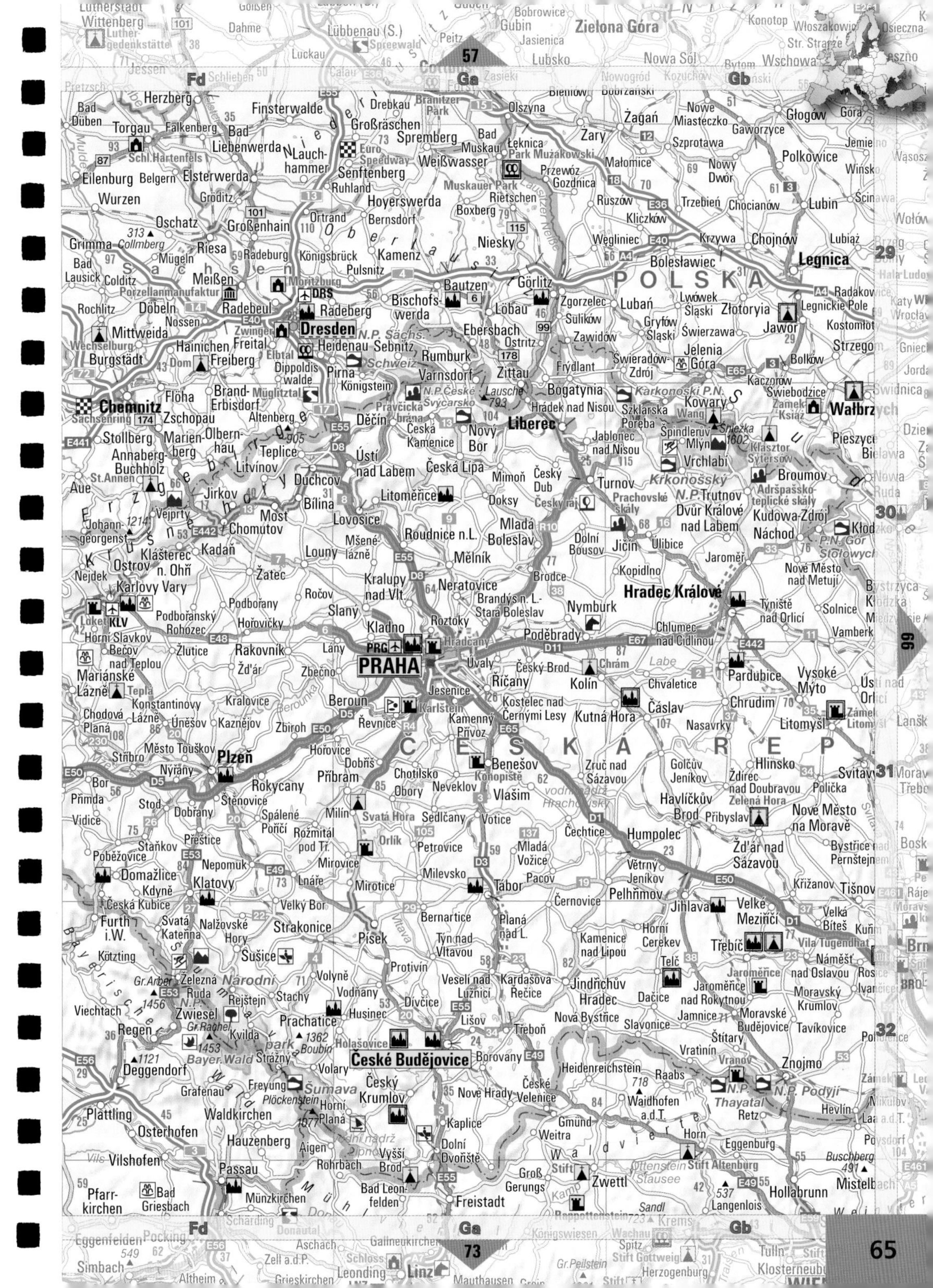
57
Fd
Ga
Gb
Zielona Góra
Lübbenau (S.)
Luckau
Gubin
Lubsko
Nowa Sól
Wschowa
Herzberg
Finsterwalde
Drebkau
Großräschen
Spremberg
Żagań
Żary
Głogów
Torgau
Bad Liebenwerda
Lauchhammer
Senftenberg
Weißwasser
Bad Muskau
Łęknica
Park Mużakowski
Szprotawa
Polkowice
Eilenburg
Elsterwerda
Ruhland
Hoyerswerda
Przewóz
Gozdnica
Nowy Dwór
Lubin
Wurzen
Gröditz
Ortrand
Bernsdorf
Rietschen
Boxberg
Ruszów
Trzebień
Chocianów
Oschatz
Großenhain
Kliczków
Grimma
Riesa
Radeburg
Königsbrück
Kamenz
Niesky
Węgliniec
Krzywa
Chojnów
Lubiąż
Mügeln
Pulsnitz
Bolesławiec
Legnica
Colditz
Meißen
Moritzburg
Bautzen
Görlitz
POLSKA
Rochlitz
Döbeln
Radebeul
Radeberg
Bischofswerda
Löbau
Zgorzelec
Lubań
Lwówek Śląski
Złotoryja
Jawor
Mittweida
Nossen
Dresden
Ebersbach
Sulików
Zawidów
Gryfów Śląski
Świerzawa
Hainichen
Freital
Heidenau
Sebnitz
Ostritz
Jelenia Góra
Strzegom
Burgstädt
Freiberg
Dippoldiswalde
Pirna
Rumburk
Varnsdorf
Zittau
Frýdlant
Świeradów-Zdrój
Bolków
Chemnitz
Flöha
Brand-Erbisdorf
Königstein
Bogatynia
Karkonoski P.N.
Świebodzice
Wałbrzych
Zschopau
Altenberg
Děčín
Česká Kamenice
Nový Bor
Liberec
Hrádek nad Nisou
Szklarska Poręba
Kowary
Stollberg
Marienberg
Olbernhau
Teplice
Ústí nad Labem
Česká Lípa
Mimoň
Jablonec nad Nisou
Špindlerův Mlýn
Vrchlabí
Pieszyce
Bielawa
Annaberg-Buchholz
Litvínov
Duchcov
Český Dub
Turnov
Krkonošský N.P.
Broumov
Aue
Jirkov
Bílina
Litoměřice
Doksy
Trutnov
Dvůr Králové nad Labem
Most
Chomutov
Lovosice
Roudnice n.L.
Mladá Boleslav
Dolní Bousov
Jičín
Úlibice
Kudowa-Zdrój
Náchod
Kadaň
Klášterec n. Ohří
Louny
Mělník
Jaroměř
Nové Město nad Metují
Ostrov
Žatec
Kralupy nad Vlt.
Neratovice
Kopidlno
Hradec Králové
Nejdek
Karlovy Vary
Podbořany
Ročov
Slaný
Brandýs n. L.-Stará Boleslav
Nymburk
Týniště nad Orlicí
Solnice
Vamberk
Kladno
Roztoky
Poděbrady
Chlumec nad Cidlinou
Bečov nad Teplou
Žlutice
Rakovník
Lány
PRAHA
Úvaly
Český Brod
Kolín
Pardubice
Vysoké Mýto
Mariánské Lázně
Žďár
Zbečno
Říčany
Chvaletice
Konstantinovy Lázně
Kralovice
Beroun
Jesenice
Kostelec nad Černými Lesy
Kutná Hora
Čáslav
Chrudim
Litomyšl
Chodová Planá
Úněšov
Kaznějov
Zbiroh
Řevnice
Karlštejn
Kamenný Přívoz
Nasavrky
Město Touškov
Plzeň
Hořovice
Dobříš
ČESKÁ REP
Benešov
Konopiště
Zruč nad Sázavou
Golčův Jeníkov
Hlinsko
Svitavy
Stříbro
Nýřany
Příbram
Chotilsko
Obory
Neveklov
Vlašim
Ždírec nad Doubravou
Polička
Bor
Rokycany
Štěnovice
Havlíčkův Brod
Přibyslav
Nové Město na Moravě
Stod
Dobřany
Spálené Poříčí
Milín
Sedlčany
Votice
Čechtice
Humpolec
Přeštice
Rožmitál pod Tř.
Orlík
Petrovice
Mladá Vožice
Žďár nad Sázavou
Poběžovice
Staňkov
Domažlice
Nepomuk
Mirovice
Milevsko
Větrný Jeníkov
Kdyně
Klatovy
Lnáře
Mirotice
Tábor
Pacov
Pelhřimov
Jihlava
Křižanov
Tišnov
Česká Kubice
Velký Bor
Černovice
Velké Meziříčí
Furth i.W.
Nalžovské Hory
Strakonice
Bernartice
Planá nad L.
Horní Cerekev
Velká Bíteš
Písek
Týn nad Vltavou
Kamenice nad Lipou
Třebíč
Kötzting
Sušice
Protivín
Telč
Náměšť nad Oslavou
Železná Ruda
Volyně
Veselí nad Lužnicí
Kardašova Řečice
Jindřichův Hradec
Jaroměřice nad Rokytnou
Moravský Krumlov
Viechtach
Rejštejn
Stachy
Vodňany
Dívčice
Dačice
Zwiesel
Kvilda
Prachatice
Husinec
Lišov
Třeboň
Nová Bystřice
Slavonice
Jamnice
Moravské Budějovice
Tavíkovice
Regen
Holašovice
Štítary
Vratěnín
České Budějovice
Borovany
Heidenreichstein
Vranov
Znojmo
Deggendorf
Bayer. Wald
Strážný
Volary
Český Krumlov
Nové Hrady
České Velenice
Raabs
Grafenau
Freyung
Šumava
Horní Planá
Kaplice
Waidhofen a.d.T.
Thayatal
Retz
Hevlín
Plattling
Waldkirchen
Gmünd
Weitra
Horn
Eggenburg
Osterhofen
Hauzenberg
Aigen
Dolní Dvořiště
Vilshofen
Passau
Rohrbach
Vyšší Brod
Groß Gerungs
Zwettl
Stift Altenburg
Mistelbach
Pfarrkirchen
Bad Griesbach
Münzkirchen
Bad Leonfelden
Freistadt
Langenlois
Hollabrunn
Fd
Ga
Gb
73
Linz

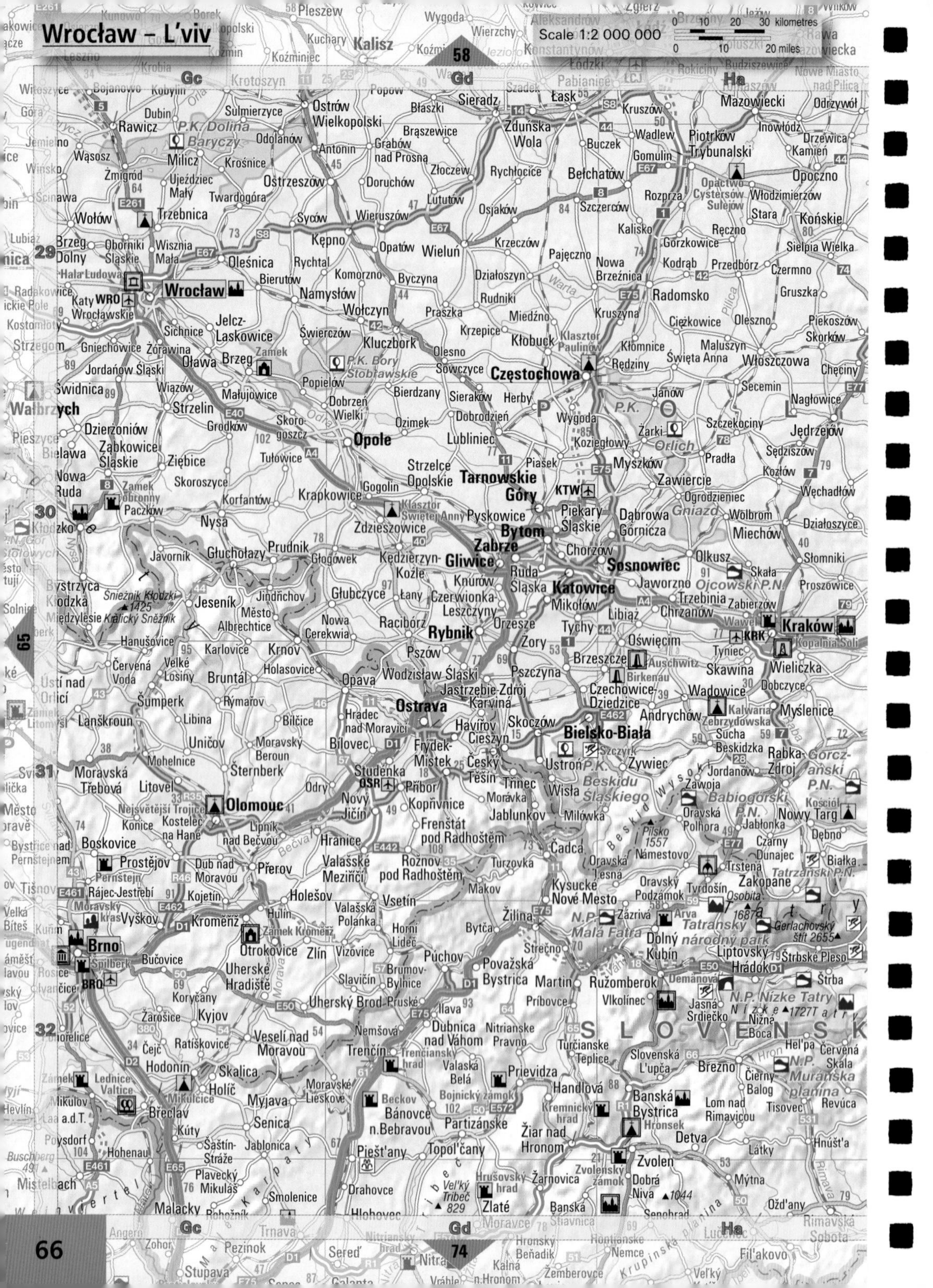

Wrocław – L'viv
Scale 1:2 000 000
kilometres
miles
58
74
65
66
Gc
Gd
Ha
29
30
31
32
Pleszew
Kalisz
Sieradz
Łask
Pabianice
Łódzki
Krotoszyn
Rawicz
P.K. Dolina Baryczy
Milicz
Ostrów Wielkopolski
Zduńska Wola
Piotrków Trybunalski
Mazowiecki
Opoczno
Bełchatów
Ostrzeszów
Trzebnica
Wołów
Kępno
Wieluń
Oleśnica
Wrocław
Radomsko
Końskie
Namysłów
Kluczbork
Kłobuck
Częstochowa
Włoszczowa
Oława
Brzeg
Świdnica
Wałbrzych
Strzelin
Opole
Lubliniec
Tarnowskie Góry
Zawiercie
Jędrzejów
Dzierżoniów
Ząbkowice Śląskie
Nysa
Krapkowice
Kędzierzyn-Koźle
Gliwice
Zabrze
Bytom
Chorzów
Sosnowiec
Katowice
Olkusz
Miechów
Głuchołazy
Prudnik
Jeseník
Rybnik
Racibórz
Tychy
Oświęcim
Kraków
Wieliczka
Opava
Ostrava
Karviná
Wodzisław Śląski
Jastrzębie-Zdrój
Pszczyna
Bielsko-Biała
Wadowice
Myślenice
Šumperk
Bruntál
Frýdek-Místek
Český Těšín
Cieszyn
Żywiec
Rabka-Zdrój
Olomouc
Přerov
Prostějov
Nový Jičín
Kopřivnice
Frenštát pod Radhoštěm
Čadca
Nowy Targ
Zakopane
Kroměříž
Zlín
Vsetín
Žilina
Dolný Kubín
Brno
Uherské Hradiště
Púchov
Považská Bystrica
Martin
Ružomberok
Liptovský Hrádok
Kyjov
Hodonín
Břeclav
Trenčín
Prievidza
Banská Bystrica
Brezno
Senica
Piešťany
Topoľčany
Partizánske
Žiar nad Hronom
Zvolen
Malacky
Trnava
Nitra
SLOVENSKO

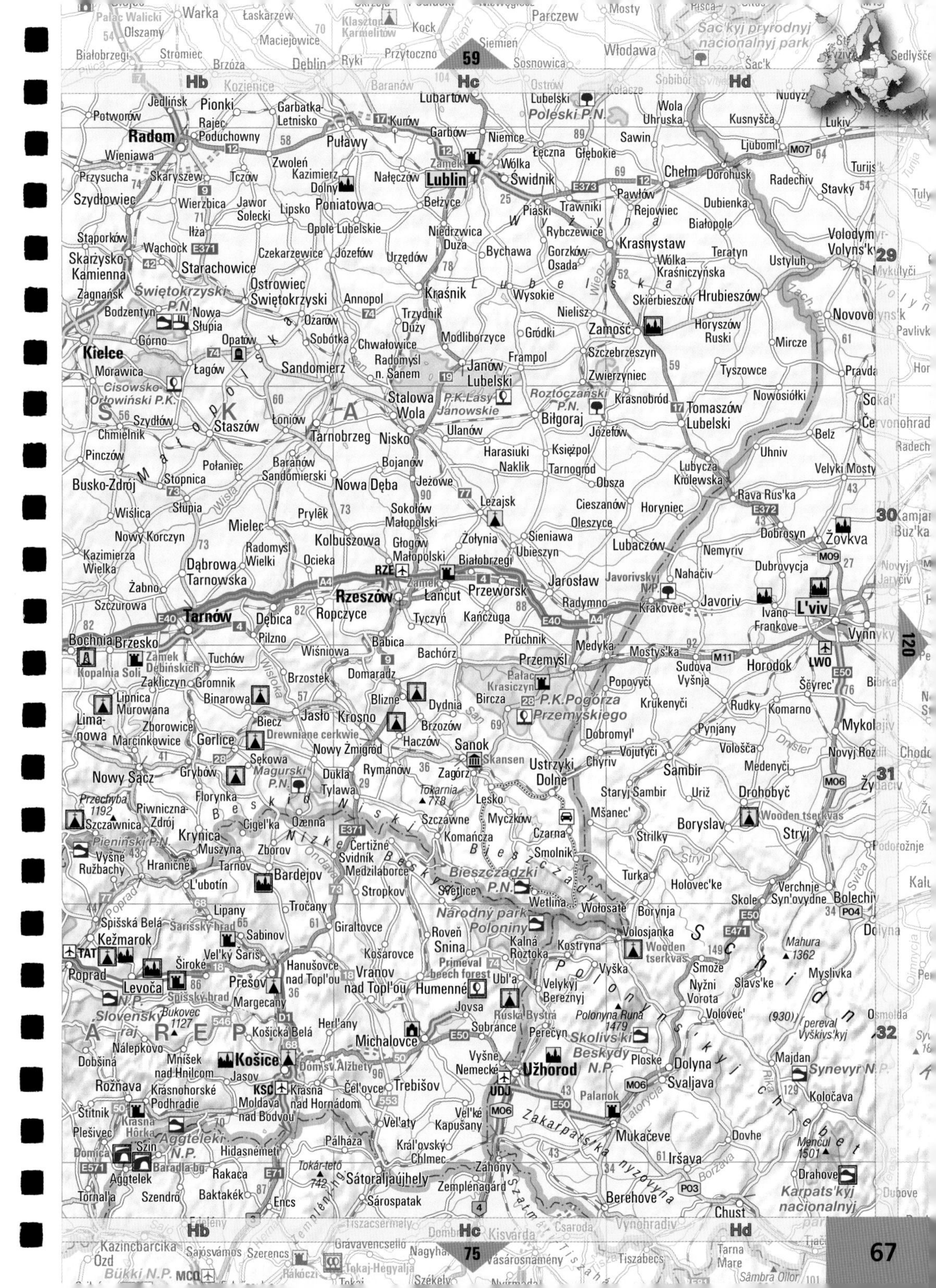

Warka
Łaskarzew
Parczew
Mosty
Pałac Walicki
Olszamy
Klasztor Karmelitów
Kock
Sac'kyj pryrodnyj nacionalnyj park
Maciejowice
Siemień
Białobrzegi
Stromiec
Brzóza
Dęblin
Ryki
Przytoczno
59
Sosnowica
Włodawa
Šac'k
Sedlyšče
Hb
Kozienice
Baranów
Hc
Ostrów Lubelski
Sobibór
Hd
Lubartów
Kołacze
Nudyž
Jedlińsk
Pionki
Garbatka-Letnisko
Poleski P.N.
Wola Uhruska
Kusnyšča
Lukiv
Potworów
Radom
Rajec Poduchowny
Kurów
Garbów
Niemce
Sawin
Ljuboml'
M07
Wieniawa
Puławy
Zamek
Wólka
Łęczna
Głębokie
Turijs'k
Przysucha
Skaryszew
Tczów
Zwoleń
Kazimierz Dolny
Nałęczów
Lublin
Świdnik
Chełm
Dorohusk
Radechiv
Stavky
Szydłowiec
Wierzbica
Jawor Solecki
Lipsko
Poniatowa
Bełżyce
Piaski
Trawniki
Pawłów
Rejowiec
Dubienka
Iłża
Opole Lubelskie
Niedrzwica Duża
Rybczewice
Białopole
Stąporków
Wąchock
E371
Czekarzewice
Józefów
Urzędów
Bychawa
Gorzków-Osada
Krasnystaw
Teratyn
Volodymyr-Volyns'kyj
Skarżysko-Kamienna
Starachowice
Wólka Kraśniczyńska
Ustyluh
29
Mykulyči
Ostrowiec Świętokrzyski
Lubelska
Wyżyna
Zagnańsk
Świętokrzyski P.N.
Annopol
Kraśnik
Wysokie
Skierbieszów
Hrubieszów
Zach. Buh
Volyn'
Bodzentyn
Nowa Słupia
Ożarów
Trzydnik Duży
Nielisz
Zamość
Novovolyns'k
Górno
Opatów
Sobótka
Chwałowice
Modliborzyce
Gródki
Horyszów Ruski
Pavlivk
Kielce
Radomyśl n. Sanem
Frampol
Szczebrzeszyn
Mircze
Morawica
Łagów
Sandomierz
Janów Lubelski
Zwierzyniec
Tyszowce
Pravda
Cisowsko-Orłowiński P.K.
Stalowa Wola
P.K. Lasy Janowskie
Roztoczański P.N.
Krasnobród
Nowosiółki
Sokal'
Tomaszów Lubelski
Szydłów
Staszów
Łoniów
Biłgoraj
Červonohrad
Chmielnik
Tarnobrzeg
Nisko
Ulanów
Józefów
Belz
Pinczów
Baranów Sandomierski
Bojanów
Harasiuki
Księżpol
Uhniv
Radech
Połaniec
Naklik
Tarnogród
Lubycza Królewska
Velyki Mosty
Busko-Zdrój
Stopnica
Nowa Dęba
Jeżowe
Obsza
Małopolska
Słupia
Wiślica
Prylêk
Sokołów Małopolski
Leżajsk
Cieszanów
Horyniec
Rava Rus'ka
E372
Mielec
Oleszyce
30
Kamjan
Nowy Korczyn
Kolbuszowa
Żołynia
Sieniawa
Dobrosyn
Žovkva
Buz'ka
Kazimierza Wielka
Radomyśl Wielki
Ocieka
Głogów Małopolski
Ubieszyn
Lubaczów
Nemyriv
Białobrzegi
Dubrovycja
M09
Dąbrowa Tarnowska
RZE
Jarosław
Javorivskyj N.P.
Nahačiv
Novyj Jaryčiv
Żabno
A4
Zamek
Szczurowa
Rzeszów
Łańcut
Przeworsk
Radymno
Krakovec'
Javoriv
L'viv
Tarnów
Dębica
Ropczyce
Tyczyn
Kańczuga
E40
Ivano-Frankove
Bochnia
Brzesko
Pilzno
Wiśniowa
Babica
Pruchnik
Medyka
Mostys'ka
Vynnyky
Kopalnia Soli
Zamek Dębińskich
Tuchów
Bachórz
Przemyśl
M11
Sudova Vyšnja
Horodok
LWO
120
Zakliczyn
Gromnik
Brzostek
Domaradz
Pałac Krasiczyn
Popovyči
Ščyrec'
Lipnica Murowana
Binarowa
Blizne
Dydnia
Bircza
P.K. Pogórza Przemyskiego
Krukenyči
Rudky
Komarno
Limanowa
Zborowice
Biecz
Jasło
Krosno
Brzozów
Pynjany
Mykolajiv
Marcinkowice
Gorlice
Drewniane cerkwie
Haczów
Sanok
Dobromyl'
Nowy Żmigród
Skansen
Ustrzyki Dolne
Chyriv
Vojutyči
Vološča
Novyj Rozdil
Nowy Sącz
Sękowa
Grybów
Magurski P.N.
Dukla
Rymanów
Zagórz
Sambir
Medenyči
Chodo
Tylawa
Tokarnia 778
31
Žydačiv
Przechyba 1192
Florynka
Lesko
Staryj Sambir
Uriž
Drohobyč
M06
Szczawnica
Piwniczna-Zdrój
Beskid Niski
Cigel'ka
Ożenna
Szczawne
Myczków
Mšanec'
Boryslav
Wooden tserkvas
Stryj
Krynica
E371
Komańcza
Czarna
Strilky
Pieniński P.N.
Muszyna
Zborov
Čertižné
Bieszczady
Smolnik
Podorožnje
Vyšné Ružbachy
Hraničné
Tarnov
Svidník
Medzilaborce
Bieszczadzki P.N.
Turka
Holovec'ke
Kalu
Bardejov
L'ubotín
Nízke Beskydy
Stropkov
Svetlice
Wetlina
Verchnje Syn'ovydne
Bolechiv
Skole
Lipany
Trocany
Wołosate
Borynja
E50
P04
Spišská Belá
Šarišský hrad
Giraltovce
Národný park Poloniny
Volosjanka
Dolyna
Kežmarok
Sabinov
Roveň
Snina
Kalná Roztoka
Kostryna
Wooden tserkvas
Mahura 1362
TAT
Veľký Šariš
Košarovce
Primeval beech forest
Vyška
Smože
Poprad
Levoča
Široké
Hanušovce nad Topľou
Vranov nad Topľou
Humenné
Ubľa
Velykyj Bereznyj
Nyžni Vorota
Slavs'ke
Myslivka
Spišský hrad
Prešov
Margecany
Ruská Bystrá
Polonyna Runa 1479
Volovec'
Osmolda
Slovenský raj
Bukovec 1127
Jovsa
Sobrance
(930)
pereval Vyškivs'kyj
Košická Belá
Herľany
Michalovce
Perečyn
Skolivs'ki Beskydy N.P.
32
Nálepkovo
Dobšiná
Mníšek nad Hnilcom
Košice
Dóm sv. Alžbety
Vyšné Nemecké
Užhorod
Ploske
Dolyna
Majdan
Synevyr N.P.
Rožňava
Jasov
Trebišov
Čeľovce
Svaljava
Krásnohorské Podhradie
KSC
Krásna nad Hornádom
UDJ
Palanok
Koločava
Štítnik
Moldava nad Bodvou
Veľké Kapušany
M06
Zakarpats'ka nyzovyna
Plešivec
Krásna Hôrka
Aggteleki N.P.
Veľaty
Mukačeve
Dovhe
Pálháza
Kráľovský Chlmec
Menčul 1501
Domica
Szin
Hidasnémeti
Iršava
Baradla-bg.
Rakaca
Tokár-tető 742
Záhony
Drahove
Aggtelek
Sátoraljaújhely
Zemplénagárd
Karpats'kyj nacionalnyj
Tornaľa
Szendrő
Baktakék
Encs
Sárospatak
Berehove
P03
Dubove
Chust
Hb
Hc
Hd
Vynohradiv
Csaroda
Kisvárda
Kazincbarcika
Sajósvámos
Szerencs
Tokaj-Hegyalja
Nagyhalász
75
Vásárosnamény
Tiszabecs
Tarna Mare
Ózd
Bükki N.P.
MCQ
Rákóczi
Tokaj
Székely
Sâmbra Oilor

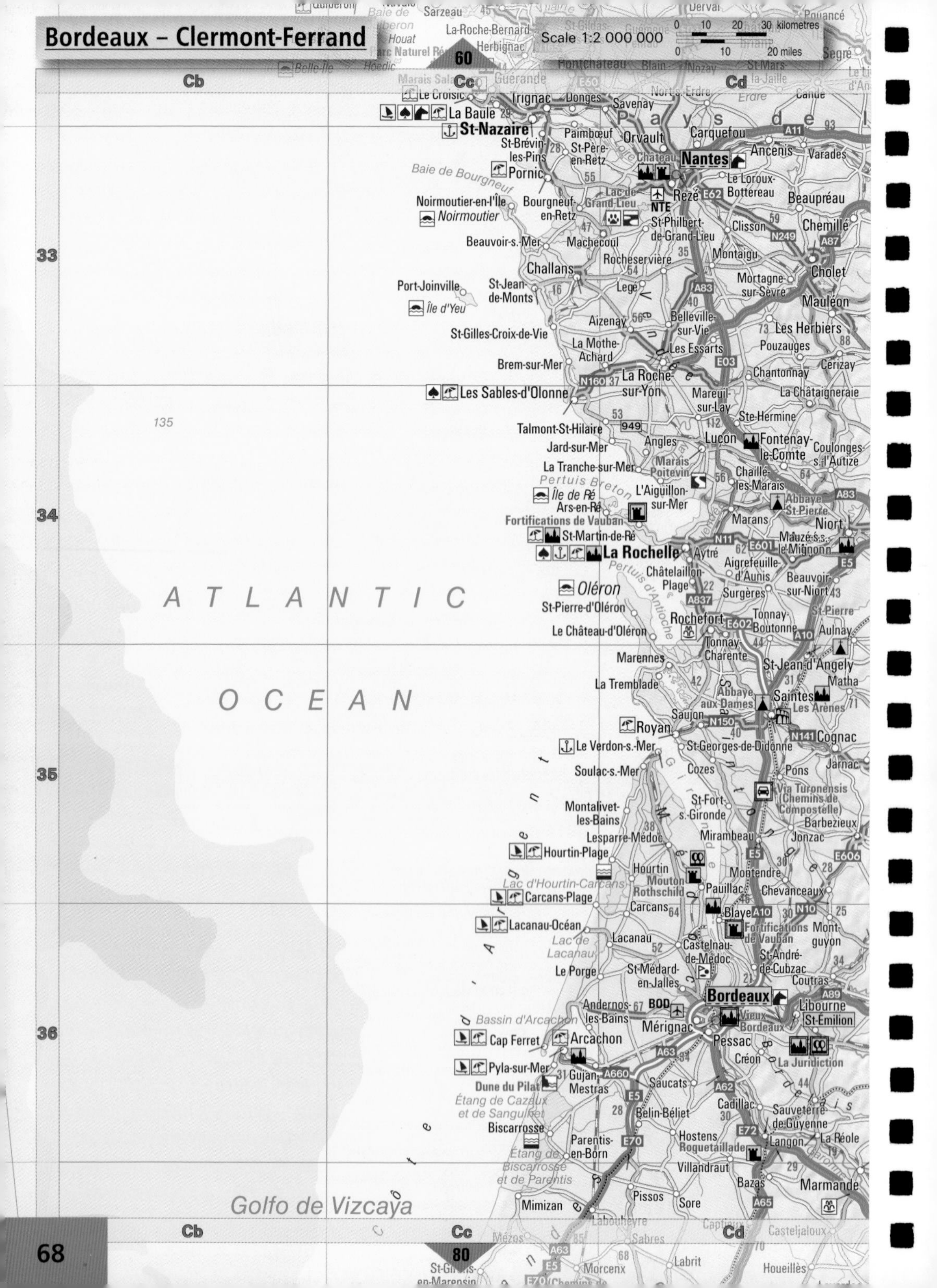

Cb Cc Cd

Derval
Pouancé
Baie de
Sarzeau 45
Houat La-Roche-Bernard
Herbignac
Ségré
Parc Naturel Ré Pontchâteau Blain Nozay Erdre
Belle-Île Marais Sala Guérande L50 Nort-s-Erdre Cande
Le Croisic Trignac Donges Savenay Pays de d'An
La Baule 29 Paimbœuf St-Père- Orvault Carquefou A11 93
St-Nazaire St-Brévin- en-Retz Château Nantes Ancenis Varades
les-Pins 28 Pornic 55 Rezé Le Loroux- Beaupréau
NTE Bottereau
Noirmoutier-en-l'Île Lac de St-Philbert- Clisson 59 Chemillé
Noirmoutier Bourgneuf- Grand-Lieu de-Grand-Lieu N249 A87
en-Retz 47 Montaigu Cholet
Beauvoir-s.-Mer Machecoul Rocheservière 35 Mortagne- Mauléon
33 Challans 54 Lege sur-Sèvre
Port-Joinville St-Jean- 16 40 Belleville- 73 Les Herbiers 88
Île d'Yeu de-Monts Aizenay 56 sur-Vie Pouzauges
St-Gilles-Croix-de-Vie La Mothe- E03 Cerizay
Achard Les Essarts Chantonnay
Brem-sur-Mer N160 37 La Roche- Mareuil- La Châtaigneraie
Les Sables-d'Olonne sur-Yon sur-Lay Ste-Hermine
53 949 112 Fontenay- Coulonges-
Talmont-St-Hilaire Angles Luçon le-Comte s.-l'Autize
Jard-sur-Mer Marais Chaillé 64
La Tranche-sur-Mer Poitevin les-Marais A83
34 Île de Ré L'Aiguillon- 56 Abbaye
Ars-en-Ré sur-Mer Marans St-Pierre
Fortifications de Vauban N11 E601 Niort
St-Martin-de-Ré 62 Mauzé-s.s.-
La Rochelle Aytré le-Mignon E5
Aigrefeuille- Beauvoir-
Oléron Châtelaillon- d'Aunis sur-Niort 43
St-Pierre-d'Oléron Plage 22 Surgères St-Pierre
Rochefort E602 Tonnay- A10
Le Château-d'Oléron Boutonne Aulnay
Marennes Tonnay- 44
Charente St-Jean-d'Angely Matha
La Tremblade 42 31 Les Arènes 71
Abbaye Saintes
aux-Dames Saujon N150 Saintes
35 Royan St-Georges-de-Didonne N141 Cognac
Le Verdon-s.-Mer 40 Jarnac
Soulac-s.-Mer Cozes Pons
Via Turonensis
Montalivet- St-Fort- (Chemins de
les-Bains s.-Gironde Compostelle)
Lesparre-Médoc Mirambeau Barbezieux
Hourtin-Plage Hourtin E5 Jonzac E606
Lac d'Hourtin-Carcans Mouton 30 28
Rothschild Pauillac Chevanceaux
Carcans-Plage Carcans 64 Blaye A10 30 N10 25
36 Lacanau-Océan Lacanau Fortifications Mont-
Lac de 52 Castelnau- de Vauban guyon
Lacanau de-Médoc St-André- 34
Le Porge St-Médard- 21 de-Cubzac
en-Jalles Coutras
Andernos- 67 BOD Bordeaux Libourne A89
Bassin d'Arcachon les-Bains Vieux St-Emilion
Cap Ferret Mérignac Bordeaux
Arcachon Pessac La Juridiction
Pyla-sur-Mer Gujan- A63 Créon
Dune du Pilat 31 Mestras A660 Saucats A62 44
Étang de Cazaux Cadillac Sauveterre-
et de Sanguinet 28 Belin-Béliet 30 de-Guyenne
Biscarrosse E5 Hostens E72 La Réole
Parentis- Roquetaillade Langon 29
en-Born Villandraut Bazas Marmande
Étang de A65
Biscarrosse Mimizan Pissos Sore
et de Parentis
Golfo de Vizcaya Labouheyre Captieux Castelajaloux

A T L A N T I C

O C E A N

135

NTE

BOD

Cb Cc Cd

St-Gi Mézos A63 68 70
en-Marensin St-Gir Morcenx Labrit Houeillès
E70 Sabres Chemins de

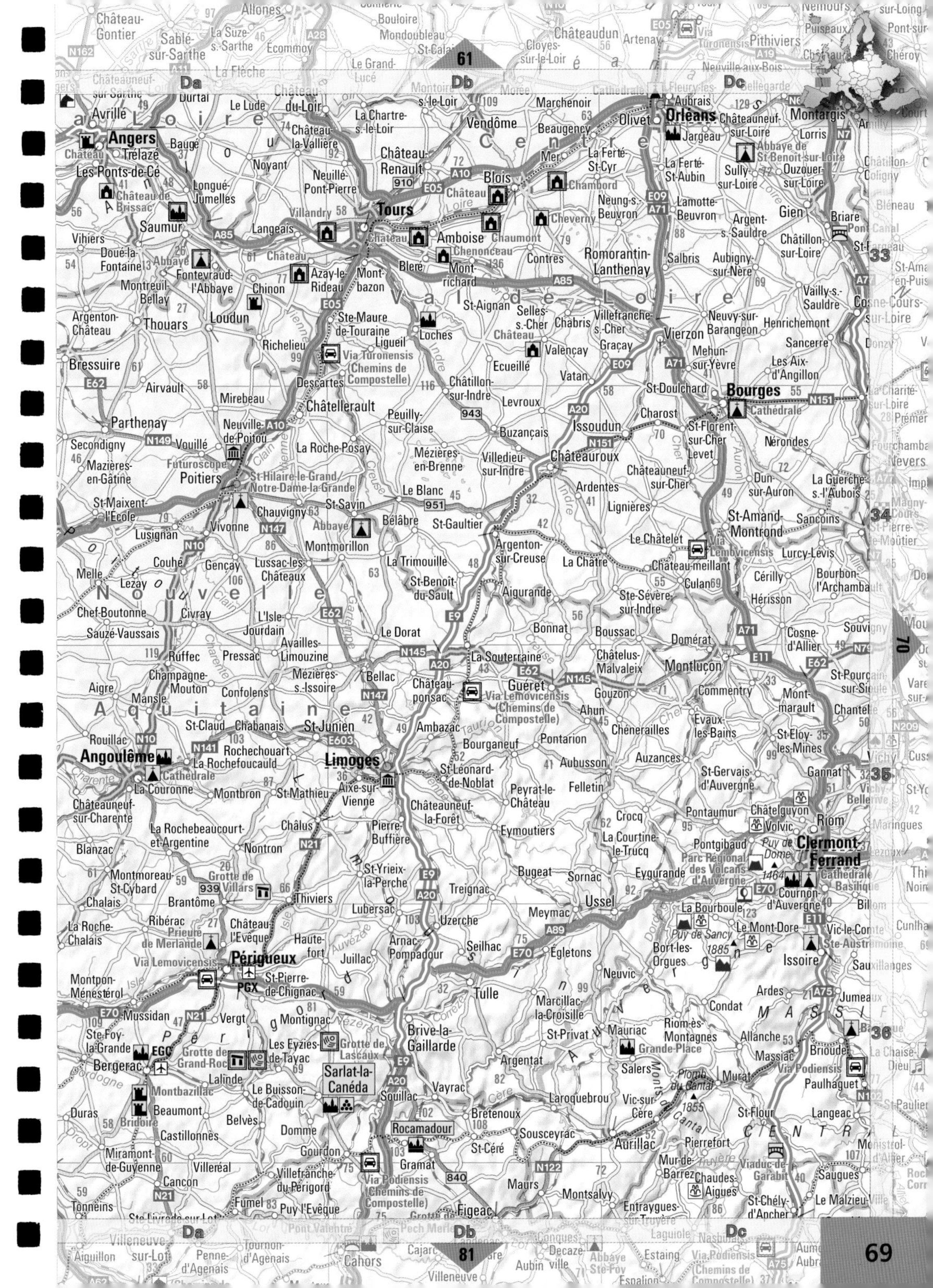
61
Da
Db
Dc
Angers
Trélazé
Les Ponts-de-Cé
Château de Brissac
Saumur
Vihiers
Doué-la-Fontaine
Fontevraud-l'Abbaye
Montreuil-Bellay
Chinon
Loudun
Thouars
Argenton-Château
Bressuire
Airvault
Parthenay
Secondigny
Mazières-en-Gâtine
Vouillé
Futuroscope
Poitiers
St-Hilaire-le-Grand/Notre-Dame-la-Grande
Neuville-de-Poitou
Mirebeau
Châtellerault
Richelieu
Descartes
Via Turonensis (Chemins de Compostelle)
Ste-Maure-de-Touraine
Ligueil
Loches
Azay-le-Rideau
Montbazon
Tours
Langeais
Villandry
Amboise
Chenonceau
Montrichard
Blois
Chambord
Cheverny
Chaumont
Vendôme
Château-du-Loir
Château-la-Vallière
Château-Renault
Neuillé-Pont-Pierre
Baugé
Noyant
Longué-Jumelles
Durtal
Le Lude
La Chartre-s.-le-Loir
Montoire-s.-le-Loir
Marchenoir
Beaugency
Mer
Orléans
Olivet
Aubrais
Fleury-les-Aubrais
Jargeau
La Ferté-St-Cyr
La Ferté-St-Aubin
Neung-s.-Beuvron
Lamotte-Beuvron
Romorantin-Lanthenay
Contres
Selles-s.-Cher
Valençay
St-Aignan
Chabris
Villefranche-s.-Cher
Vierzon
Graçay
Salbris
Aubigny-sur-Nère
Argent-s.-Sauldre
Gien
Briare
Sully-sur-Loire
Ouzouer-sur-Loire
Abbaye de St-Benoît-sur-Loire
Châteauneuf-sur-Loire
Montargis
Lorris
Châtillon-sur-Loire
Vailly-s.-Sauldre
Cosne-Cours-sur-Loire
Neuvy-sur-Barangeon
Henrichemont
Sancerre
Les Aix-d'Angillon
Mehun-sur-Yèvre
Bourges
Cathédrale
St-Doulchard
Charost
Issoudun
Vatan
Levroux
Buzançais
Châteauroux
Ecueillé
Châtillon-sur-Indre
Val de Loire
Centre
Pithiviers
Artenay
Châteaudun
Cloyes-sur-le-Loir
Bonneval
La Flèche
Sablé-sur-Sarthe
La Suze-s.-Sarthe
Château-Gontier
Châteauneuf-sur-Sarthe
Avrillé
Bouloire
Mondoubleau
St-Calais
Le Grand-Lucé
Ecommoy
Allonnes
Nemours
Puiseaux
Neuville-aux-Bois
Bellegarde
St-Florent-sur-Cher
Levet
Châteauneuf-sur-Cher
Dun-sur-Auron
Nérondes
La Guerche-s.-l'Aubois
Sancoins
St-Amand-Montrond
Le Châtelet
Via Lemovicensis
Lignières
Ardentes
La Châtre
Château-meillant
Culan
Lurcy-Lévis
Cérilly
Bourbon-l'Archambault
Hérisson
Cosne-d'Allier
Montluçon
Domérat
Commentry
Montmarault
Néris-les-Bains
Saint-Pourçain-sur-Sioule
Gannat
Vichy
Riom
Châtelguyon
Volvic
Clermont-Ferrand
Cathédrale
Puy de Dôme
1464
Pontgibaud
Parc Régional des Volcans d'Auvergne
Cournon-d'Auvergne
La Bourboule
Le Mont-Dore
Puy de Sancy
1885
Issoire
Vic-le-Comte
Ste-Austremoine
Ardes
Jumeaux
Brioude
Massiac
Allanche
Murat
Plomb du Cantal
1855
St-Flour
Langeac
Saugues
Viaduc de Garabit
Chaudes-Aigues
St-Chély-d'Apcher
Le Malzieu-Ville
Pierrefort
Mur-de-Barrez
Aurillac
Vic-sur-Cère
Salers
Mauriac
Grande-Place
Riom-ès-Montagnes
Condat
Bort-les-Orgues
Neuvic
Ussel
Meymac
Égletons
Eygurande
Bourg-Lastic
La Courtine-le-Trucq
Crocq
Pontaumur
St-Gervais-d'Auvergne
Auzances
Évaux-les-Bains
St-Eloy-les-Mines
Chénérailles
Aubusson
Felletin
Ahun
Gouzon
Guéret
Boussac
Châtelus-Malvaleix
Bonnat
Ste-Sévère-sur-Indre
Aigurande
Argenton-sur-Creuse
St-Gaultier
Le Blanc
Bélâbre
Abbaye
St-Savin
Chauvigny
La Roche-Posay
Mézières-en-Brenne
Villedieu-sur-Indre
Peuilly-sur-Claise
Montmorillon
La Trimouille
Lussac-les-Châteaux
St-Benoît-du-Sault
Le Dorat
La Souterraine
Château-ponsac
Bellac
Mézières-s.-Issoire
Availles-Limouzine
L'Isle-Jourdain
Confolens
St-Junien
Chabanais
St-Claud
Ambazac
Bourganeuf
Pontarion
Limoges
St-Léonard-de-Noblat
Aixe-sur-Vienne
Rochechouart
La Rochefoucauld
Angoulême
Cathédrale
La Couronne
Montbron
St-Mathieu
Châlus
Pierre-Buffière
Châteauneuf-la-Forêt
Peyrat-le-Château
Eymoutiers
Bugeat
Sornac
Treignac
Uzerche
Lubersac
St-Yrieix-la-Perche
Thiviers
Nontron
La Rochebeaucourt-et-Argentine
Brantôme
Grotte de Villars
Ribérac
Château-l'Évêque
Prieuré de Merlande
Périgueux
PGX
St-Pierre-de-Chignac
Hautefort
Juillac
Arnac-Pompadour
Seilhac
Tulle
Brive-la-Gaillarde
Argentat
Marcillac-la-Croisille
St-Privat
Laroquebrou
Sousceyrac
St-Céré
Bretenoux
Vayrac
Souillac
Sarlat-la-Canéda
Rocamadour
Gramat
Gourdon
Domme
Belvès
Le Buisson-de-Cadouin
Les Eyzies-de-Tayac
Grotte de Lascaux
Montignac
Grotte de Grand-Roc
Lalinde
Bergerac
EGC
Ste-Foy-la-Grande
Montbazillac
Beaumont
Bridoire
Castillonnès
Duras
Miramont-de-Guyenne
Villeréal
Cancon
Tonneins
Fumel
Puy l'Evêque
Villefranche-du-Périgord
Via Podiensis (Chemins de Compostelle)
Figeac
Maurs
Montsalvy
Entraygues-sur-Truyère
Mussidan
Vergt
Montpon-Ménestérol
Chalais
La Roche-Chalais
Montmoreau-St-Cybard
Blanzac
Châteauneuf-sur-Charente
Rouillac
Aigre
Mansle
Ruffec
Champagne-Mouton
Pressac
Civray
Sauzé-Vaussais
Chef-Boutonne
Melle
Lezay
Couhé
Gençay
Vivonne
Lusignan
St-Maixent-l'École
Nouvelle Aquitaine
Poitou
Massif Central
Monts du Cantal
Villeneuve-sur-Lot
Aiguillon
Penne-d'Agenais
Tournon-d'Agenais
Cahors
Conques
Decazeville
Aubin
Abbaye Ste-Foy
Estaing
Laguiole
81
70
33
34
35
36

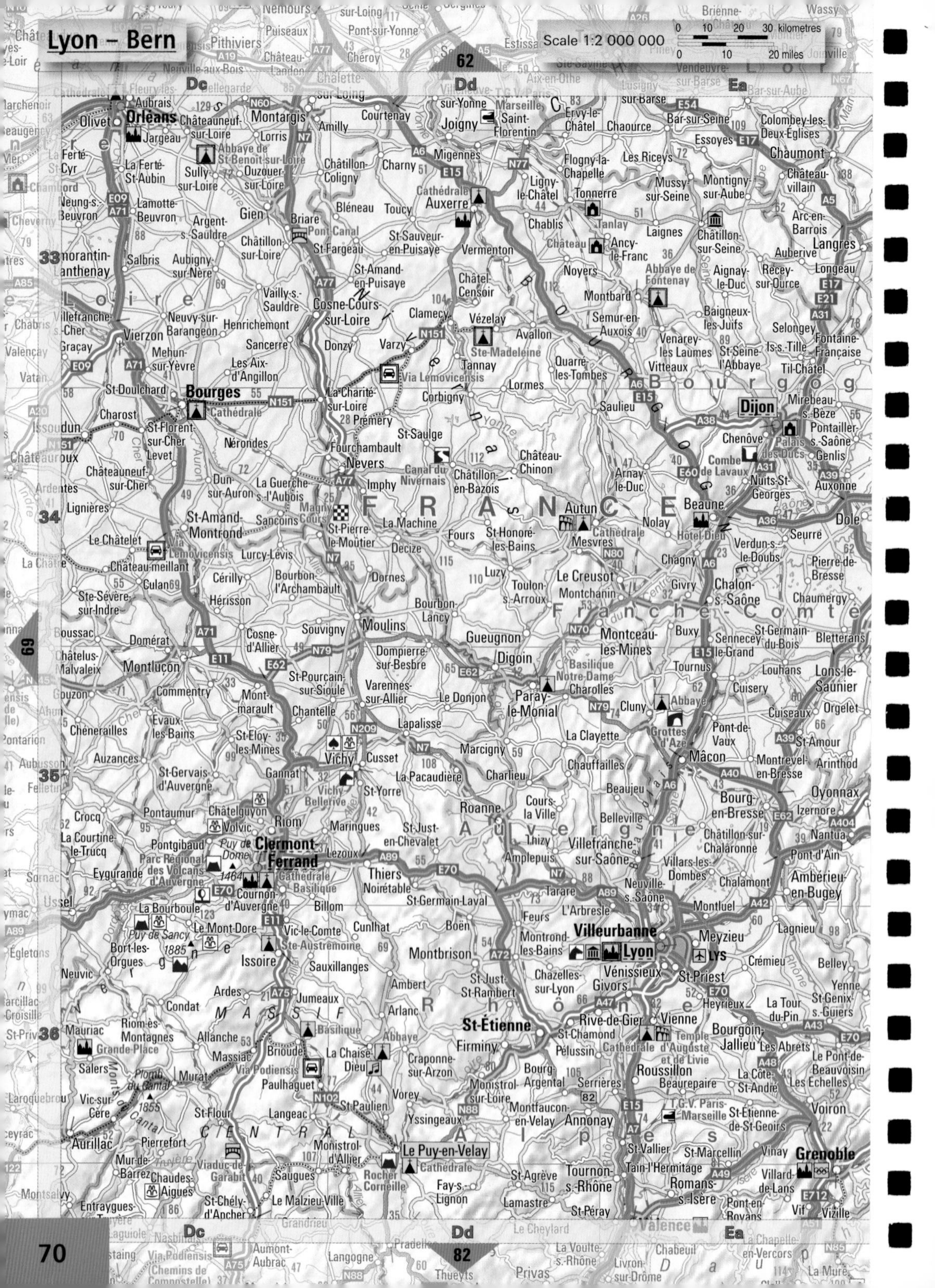
Scale 1:2 000 000
0 10 20 30 kilometres
0 10 20 miles
62
Dc
Dd
Ea
33
34
35
36
69
82
Orléans
Olivet
Jargeau
Châteauneuf-sur-Loire
Montargis
Amilly
Courtenay
Joigny
Saint-Florentin
Ervy-le-Châtel
Chaource
Bar-sur-Seine
Colombey-les-Deux-Églises
Chaumont
Essoyes
Les Riceys
Mussy-sur-Seine
Montigny-sur-Aube
Château-villain
Flogny-la-Chapelle
Tonnerre
Ligny-le-Châtel
Migennes
Charny
Châtillon-Coligny
Lorris
Abbaye de St-Benoit-sur-Loire
Sully-sur-Loire
Ouzouer-sur-Loire
La Ferté-St-Aubin
Lamotte-Beuvron
Neung-s.-Beuvron
Gien
Argent-s.-Sauldre
Briare
Pont Canal
Bléneau
Toucy
Cathédrale
Auxerre
Chablis
Tanlay
Laignes
Châtillon-sur-Seine
Arc-en-Barrois
Langres
Auberive
Recey-sur-Ource
Aignay-le-Duc
Longeau
Châtillon-sur-Loire
St-Fargeau
St-Sauveur-en-Puisaye
Vermenton
Château
Ancy-le-Franc
Noyers
Abbaye de Fontenay
Montbard
Salbris
Aubigny-sur-Nère
St-Amand-en-Puisaye
Châtel-Censoir
Vailly-s.-Sauldre
Cosne-Cours-sur-Loire
Clamecy
Vézelay
Avallon
Semur-en-Auxois
Baigneux-les-Juifs
Selongey
Fontaine-Française
Is-s.-Tille
Til-Châtel
Vierzon
Neuvy-sur-Barangeon
Henrichemont
Sancerre
Donzy
Varzy
Ste-Madeleine
Tannay
Quarré-les-Tombes
Venarey-les Laumes
St-Seine-l'Abbaye
Vitteaux
Mehun-sur-Yèvre
Les Aix-d'Angillon
Via Lemovicensis
Lormes
Corbigny
Bourges
St-Doulchard
La Charité-sur-Loire
Prémery
Saulieu
Dijon
Mirebeau-s.-Bèze
Pontailler-s.-Saône
Chenôve
Palais des Ducs
Genlis
Combe de Lavaux
Issoudun
Charost
St-Florent-sur-Cher
Levet
Nérondes
St-Saulge
Fourchambault
Nevers
Canal du Nivernais
Châtillon-en-Bazois
Château-Chinon
Arnay-le-Duc
Nuits-St-Georges
Auxonne
Châteauroux
Châteauneuf-sur-Cher
Dun-sur-Auron
La Guerche-s.-l'Aubois
Imphy
Magny-Cours
Lignières
St-Amand-Montrond
Sancoins
St-Pierre-le-Moûtier
La Machine
F R A N C E
Autun
Nolay
Beaune
Hôtel-Dieu
Dole
Le Châtelet
Lurcy-Lévis
Decize
Fours
St-Honoré-les-Bains
Mesvres
Seurre
Verdun-s.-le-Doubs
Pierre-de-Bresse
Château-meillant
Culan
Cérilly
Bourbon-l'Archambault
Dornes
Luzy
Toulon-s.-Arroux
Le Creusot
Montchanin
Chagny
Givry
Chalon-s.-Saône
Chaumergy
Ste-Sévère-sur-Indre
Hérisson
Bourbon-Lancy
Franche-Comté
Boussac
Domérat
Cosne-d'Allier
Souvigny
Moulins
Gueugnon
Montceau-les-Mines
Buxy
Sennecey-le-Grand
St-Germain-du-Bois
Bletterans
Châtelus-Malvaleix
Montluçon
Dompierre-sur-Besbre
Digoin
Basilique Notre-Dame
Charolles
Tournus
Louhans
Lons-le-Saunier
St-Pourçain-sur-Sioule
Varennes-sur-Allier
Le Donjon
Paray-le-Monial
Cluny
Abbaye
Cuisery
Commentry
Mont-marault
Chantelle
Lapalisse
La Clayette
Grottes d'Azé
Pont-de-Vaux
Cuiseaux
Orgelet
St-Amour
Chénerailles
Évaux-les-Bains
St-Eloy-les-Mines
Marcigny
Mâcon
Montrevel-en-Bresse
Arinthod
Auzances
St-Gervais-d'Auvergne
Gannat
Vichy
Cusset
La Pacaudière
Charlieu
Chauffailles
Beaujeu
Bourg-en-Bresse
Oyonnax
Izernore
Vichy Bellerive
St-Yorre
Roanne
Cours-la Ville
Belleville
Crocq
Pontaumur
Châtelguyon
Volvic
Riom
Maringues
St-Just-en-Chevalet
Thizy
Villefranche-sur-Saône
Châtillon-sur-Chalaronne
Nantua
La Courtine-le-Trucq
Pontgibaud
Puy de Dôme
1464
Parc Régional des Volcans d'Auvergne
Clermont-Ferrand
Cathédrale
Basilique
Lezoux
Thiers
Noirétable
Amplepuis
Villars-les-Dombes
Pont-d'Ain
Ambérieu-en-Bugey
Eygurande
Cournon-d'Auvergne
Billom
St-Germain-Laval
Tarare
Neuville-s.-Saône
Chalamont
Ussel
La Bourboule
Puy de Sancy
1885
Le Mont-Dore
Vic-le-Comte
Cunlhat
Boën
Feurs
L'Arbresle
Montluel
Lagnieu
Bort-les-Orgues
Issoire
Ste-Austremoine
Sauxillanges
Montbrison
Montrond-les-Bains
Villeurbanne
Lyon
Meyzieu
LYS
Crémieu
Belley
Neuvic
Ambert
St-Just-St-Rambert
Chazelles-sur-Lyon
Vénissieux
Givors
St-Priest
Yenne
St-Genix-s.-Guiers
Condat
Ardes
Jumeaux
Arlanc
M A S S I F
St-Étienne
Rive-de-Gier
Vienne
Heyrieux
La Tour du-Pin
Mauriac
Grande-Place
Riom-ès-Montagnes
Allanche
Basilique
Abbaye
St-Chamond
Temple d'Auguste et de Livie
Cathédrale
Bourgoin-Jallieu
Les Abrets
Salers
Massiac
Brioude
La Chaise-Dieu
Firminy
Pélussin
Le Pont-de-Beauvoisin
Plomb du Cantal
1855
Murat
Via Podiensis
Craponne-sur-Arzon
Bourg-Argental
Serrières
Roussillon
Beaurepaire
La Côte-St-André
Les Échelles
Vic-sur-Cère
Paulhaguet
Monistrol-sur-Loire
Vorey
St-Flour
Langeac
St-Paulien
Yssingeaux
Montfaucon-en-Velay
Annonay
T.G.V. Paris-Marseille
St-Étienne-de-St-Geoirs
Voiron
Aurillac
Pierrefort
C E N T R A L
Monistrol-d'Allier
Le Puy-en-Velay
Cathédrale
St-Vallier
St-Marcellin
Vinay
Grenoble
Mur-de-Barrez
Chaudes-Aigues
Viaduc de Garabit
Saugues
Rocher Corneille
St-Agrève
Tournon-s.-Rhône
Tain-l'Hermitage
Romans-s.-Isère
Villard-de-Lans
Montsalvy
Entraygues-
St-Chély-d'Apcher
Le Malzieu-Ville
Fay-s.-Lignon
Lamastre
St-Péray
Pont-en-Royans
Vif
Vizille
Valence
Le Cheylard
Aumont-Aubrac
Langogne
Pradelles
La Voulte-s.-Rhône
Chabeuil
La Chapelle-en-Vercors
Privas
Thueyts
Livron-sur-Drôme
La Mure
Nemours
Pithiviers
Puiseaux
Château-Landon
sur-Loing
Pont-sur-Yonne
Chéroy
Sens
Brienne-le-Château
Wassy
Joinville
Lusigny-sur-Barse
Vendeuvre-sur-Barse
Bar-sur-Aube
Aix-en-Othe
Villeneuve-sur-Yonne
Châlette-sur-Loing
Bellegarde
Neuville-aux-Bois
Fleury-les-Aubrais
Chambord
Cheverny
Romorantin-Lanthenay
Villefranche-sur-Cher
Graçay
Valençay
Vatan
La Châtre
Aubusson
Felletin
Gouzon
Égletons
Sornac
Meymac
St-Privat
Laroquebrou
Laguiole
Nasbinals
Grandrieu
Via Podiensis (Chemins de Compostelle)
Loire
Bourgogne
Auvergne
Rhône
Alpes
Yonne
Allier
Saône
Cher
Dordogne
Isère
Rhône
A5
A6
A19
A26
A31
A36
A38
A39
A40
A42
A43
A47
A48
A49
A71
A72
A75
A77
A85
A89
A404
E09
E11
E15
E17
E21
E54
E60
E62
E70
E712
N7
N60
N77
N79
N80
N88
N102
N151
N209

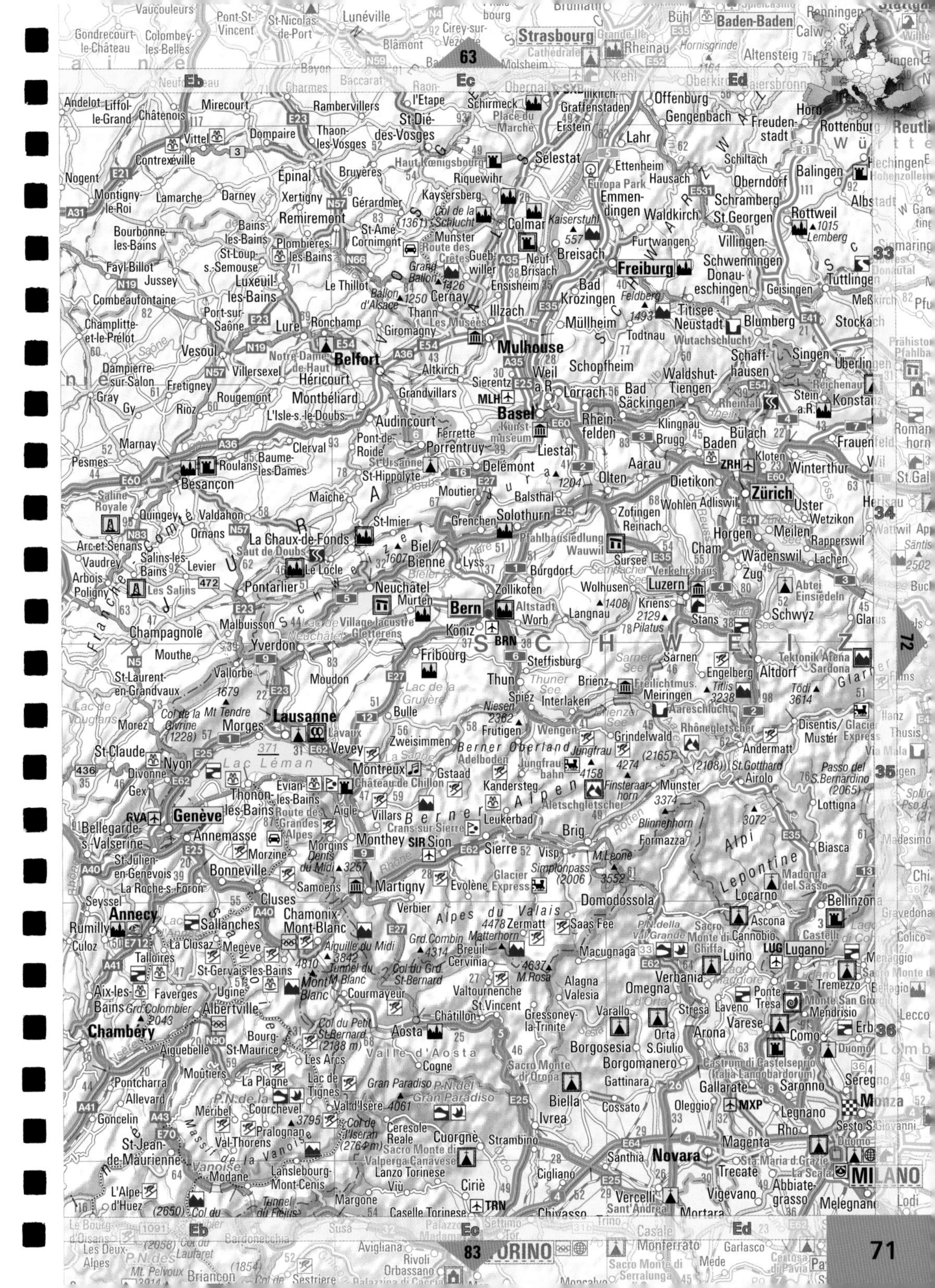

63
Strasbourg
Baden-Baden
Lunéville
Vaucouleurs
Gondrecourt-le-Château
Colombey-les-Belles
Pont-St-Vincent
St-Nicolas-de-Port
Cirey-sur-Vezouze
Blâmont
Molsheim
Rheinau
Bühl
Hornisgrinde
Altensteig
Kehl
Oberkirch
Eb
Ec
Ed
Neufchâteau
Charmes
Baccarat
Raon-l'Etape
Obernai
Schirmeck
Illkirch-Graffenstaden
Erstein
Offenburg
Gengenbach
Freudenstadt
Horb
Rottenburg
Andelot
Liffol-le-Grand
Châtenois
Mirecourt
Rambervillers
St-Dié-des-Vosges
Place du Marché
Lahr
Vittel
Dompaire
Thaon-les-Vosges
Contrexéville
Haut-Kœnigsbourg
Sélestat
Ettenheim
Schiltach
Balingen
Nogent
Épinal
Bruyères
Riquewihr
Europa Park
Hausach
Oberndorf
Montigny-le-Roi
Lamarche
Darney
Xertigny
Gérardmer
Kaysersberg
Emmendingen
Schramberg
Albstadt
Remiremont
Col de la Schlucht
Colmar
Kaiserstuhl
Waldkirch
St.Georgen
Rottweil
Lemberg
Bourbonne-les-Bains
Bains-les-Bains
St-Amé
Munster
Breisach
Furtwangen
Villingen-Schwenningen
Plombières-les-Bains
Cornimont
Route des Crêtes
St-Loup-s.-Semouse
Guebwiller
Neuf-Brisach
Freiburg
Fayl-Billot
Jussey
Luxeuil-les-Bains
Grand Ballon
Donaueschingen
Tuttlingen
Le Thillot
Ensisheim
Bad Krozingen
Feldberg
Geisingen
Combeaufontaine
Ballon d'Alsace
Cernay
Titisee-Neustadt
Port-sur-Saône
Thann
Illzach
Müllheim
Blumberg
Stockach
Champlitte-et-le-Prélot
Lure
Ronchamp
Giromagny
Les Musées
Todtnau
Wutachschlucht
Vesoul
Belfort
Mulhouse
Schaffhausen
Singen
Überlingen
Dampierre-sur-Salon
Notre-Dame-de-Haut
Villersexel
Héricourt
Altkirch
Schopfheim
Waldshut-Tiengen
Gray
Fretigney
Rougemont
Montbéliard
Sierentz
Weil a.R.
Lörrach
Bad Säckingen
Stein a.R.
Konstanz
Gy
Rioz
L'Isle-s.-le-Doubs
Grandvillars
MLH
Basel
Rheinfall
Audincourt
Kunstmuseum
Rheinfelden
Klingnau
Bülach
Marnay
Clerval
Pont-de-Roide
Ferrette
Porrentruy
Liestal
Brugg
Baden
Kloten
Pesmes
Baume-les-Dames
Roulans
St-Ursanne
St-Hippolyte
Delémont
Aarau
ZRH
Winterthur
Besançon
Olten
Dietikon
Zürich
Saline Royale
Maîche
Moutier
Balsthal
Wohlen
Adliswil
Uster
Quingey
Valdahon
Zofingen
Reinach
Wetzikon
Ornans
St-Imier
Grenchen
Solothurn
Horgen
Meilen
Rapperswil
Arc-et-Senans
La Chaux-de-Fonds
Pfahlbausiedlung Wauwil
Wädenswil
Lachen
Saut de Doubs
Biel/Bienne
Sursee
Cham
Vaudrey
Salins-les-Bains
Levier
Le Locle
Lyss
Burgdorf
Verkehrshaus
Zug
Arbois
Pontarlier
Neuchâtel
Zollikofen
Wolhusen
Luzern
Abtei Einsiedeln
Poligny
Les Salins
Murten
Bern
Altstadt
Worb
Langnau
Kriens
Stans
Schwyz
Champagnole
Malbuisson
Village lacustre Gletterens
Köniz
Pilatus
BRN
Yverdon
Fribourg
Mouthe
Steffisburg
Sarnen
Engelberg
Altdorf
Tektonik Arena Sardona
St-Laurent-en-Grandvaux
Vallorbe
Moudon
Thun
Brienz
Freilichtmus.
Meiringen
Titlis
Tödi
Lac de la Gruyère
Spiez
Interlaken
Aareschlucht
Col de la Givrine
Mt Tendre
Lausanne
Bulle
Niesen
Morez
Morges
Lavaux
Frutigen
Wengen
Grindelwald
Rhônegletscher
Disentis/Mustér
Glacier Express
St-Claude
Vevey
Zweisimmen
Berner Oberland
Jungfrau
Andermatt
Nyon
Lac Léman
Adelboden
Jungfraubahn
St.Gotthard
Airolo
Passo del S.Bernardino
Divonne
Montreux
Gstaad
Gex
Thonon-les-Bains
Evian-les-Bains
Château de Chillon
Kandersteg
Finsteraarhorn
Münster
Lottigna
GVA
Genève
Route des Grandes Alpes
Aigle
Villars
Berner Alpen
Leukerbad
Aletschgletscher
Bellegarde-s.-Valserine
Annemasse
Crans-sur-Sierre
Blinnenhorn
St-Julien-en-Genevois
Morzine
Monthey
SIR
Sion
Brig
Formazza
Alpi
Biasca
Bonneville
Morgins
Dents du Midi
Sierre
Visp
M.Leone
Simplonpass
La Roche-s.-Foron
Samoëns
Martigny
Evolène
Glacier Express
Lepontine
Madonna del Sasso
Seyssel
Cluses
Verbier
Domodossola
Locarno
Bellinzona
Annecy
Rumilly
Sallanches
Chamonix-Mont-Blanc
Alpes du Valais
Zermatt
Saas Fee
P.N.della Val Grande
Sacro Monte di Ghiffa
Ascona
Cannobio
Culoz
La Clusaz
Megève
Aiguille du Midi
Grd.Combin
Matterhorn
Breuil-Cervinia
Macugnaga
Luino
LUG
Lugano
Talloires
St-Gervais-les-Bains
Tunnel du M Blanc
Col du Grd.St-Bernard
M.Rosa
Verbania
Aix-les-Bains
Faverges
Ugine
Mont Blanc
Courmayeur
Valtournenche
Alagna Valesia
Omegna
Tremezzo
Grd.Colombier
Albertville
St.Vincent
Gressoney-la-Trinite
Varallo
Stresa
Laveno
Ponte Tresa
Monte San Giorgio
Mendrisio
Chambéry
Col du Petit St-Bernard
Aosta
Châtillon
Orta
Arona
Varese
Como
Bourg-St-Maurice
Valle d'Aosta
Borgosesia
S.Giulio
Aiguebelle
Les Arcs
Cogne
Borgomanero
Castrum di Castelseprio (Italia Langobardorum)
Pontcharra
Moûtiers
La Plagne
Lac de Tignes
Gran Paradiso
P.N.del Gran Paradiso
Sacro Monte di Oropa
Gattinara
Gallarate
Saronno
Seregno
Allevard
P.N.de la Vanoise
Méribel
Courchevel
Val d'Isère
Biella
Cossato
Oleggio
MXP
Monza
Legnano
Goncelin
Pralognan
Col de l'Iseran
Ceresole Reale
Ivrea
Rho
Sesto S.Giovanni
Val-Thorens
Cuorgnè
Strambino
Magenta
Duomo
St-Jean-de-Maurienne
Massif de la Vanoise
Sacro Monte di Valperga Canavese
Santhià
Novara
Sta.Maria d.Grazie
La Scala
Modane
Lanslebourg-Mont-Cenis
Lanzo Torinese
Cigliano
Trecate
MILANO
L'Alpe-d'Huez
Viù
Ciriè
Vercelli
Sant'Andrea
Abbiategrasso
Vigevano
Col du Galibier
Tunnel du Fréjus
Margone
Caselle Torinese
TRN
Chivasso
Mortara
Melegnano
Lodi
Le Bourg-d'Oisans
Susa
Settimo Tor.
Trino
Casale Monferrato
Les Deux-Alpes
P.N.des
Col du Lautaret
Bardonecchia
Avigliana
Rivoli
Orbassano
83
TORINO
Sacro Monte di Serralunga
Garlasco
Certosa di Pavia
Mede
Mt. Pelvoux
Briançon
Sestriere
Col de
Palazzo Madama
Reutlingen
Hechingen
Hohenzollern
Sigmaringen
Donautal
Meßkirch
Pfullendorf
Prähistor. Pfahlbau
Reichenau
Frauenfeld
Romanshorn
Wil
St.Gallen
Herisau
Wattwil
Säntis
Glarus
Flims
Ilanz
Thusis
Via Mala
Splügen
Mesocco
Chiavenna
Gravedona
Colico
Menaggio
Lecco
Erba
Bellagio
Sacro Monte
Bergamo
33
34
35
36
72
Frankreich
Schweiz
Schwarzwald
Vogesen
Jura
Lothringen
Franche-Comté
Württemberg

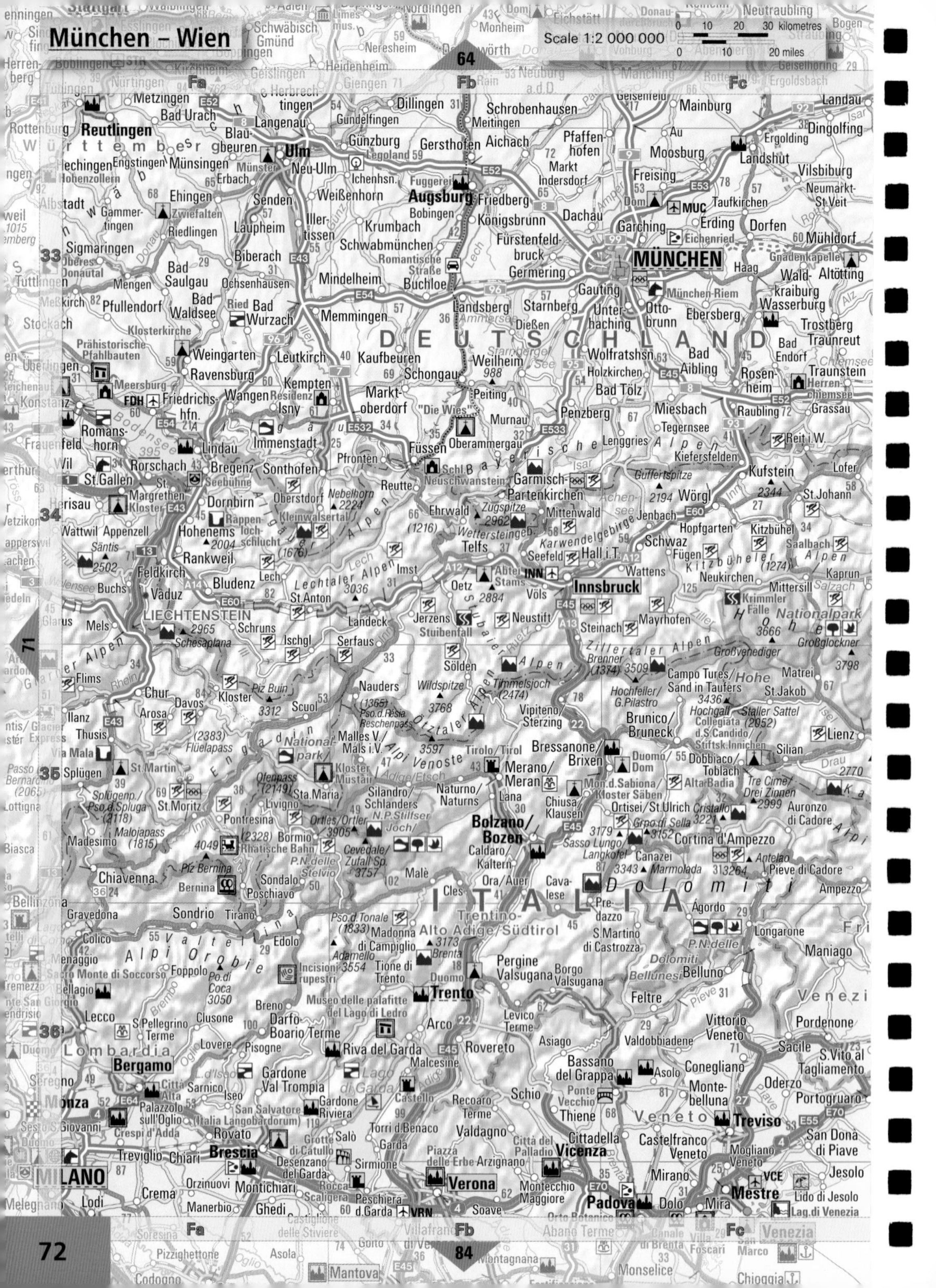

München – Wien
Scale 1:2 000 000
0 10 20 30 kilometres
0 10 20 miles
64
84
71
Fa
Fb
Fc
33
34
35
36
72
Reutlingen
Metzingen
Bad Urach
Ulm
Neu-Ulm
Münsingen
Ehingen
Laupheim
Biberach
Sigmaringen
Bad Saulgau
Pfullendorf
Bad Waldsee
Bad Wurzach
Ochsenhausen
Memmingen
Mindelheim
Leutkirch
Weingarten
Ravensburg
Friedrichshafen
Wangen
Isny
Kempten
Lindau
Immenstadt
Sonthofen
Oberstdorf
Bregenz
Dornbirn
Hohenems
Rankweil
Feldkirch
Bludenz
Vaduz
LIECHTENSTEIN
St.Gallen
Rorschach
Appenzell
Buchs
Chur
Davos
Klosters
Arosa
Thusis
Splügen
St.Moritz
Pontresina
Chiavenna
Sondrio
Tirano
Poschiavo
Bormio
Livigno
Landeck
Imst
Telfs
Innsbruck
Hall i.T.
Schwaz
Wörgl
Kufstein
Kitzbühel
St.Johann
Mittersill
Mayrhofen
Neustift
Sölden
Nauders
Scuol
Malles V./Mals i.V.
Merano/Meran
Bressanone/Brixen
Vipiteno/Sterzing
Brunico/Bruneck
Bolzano/Bozen
Chiusa/Klausen
Ortisei/St.Ulrich
Cortina d'Ampezzo
Canazei
Dobbiaco/Toblach
Lienz
Trento
Rovereto
Riva del Garda
Arco
Belluno
Feltre
Bassano del Grappa
Vicenza
Verona
Padova
Treviso
Mestre
Venezia
Brescia
Bergamo
Monza
MILANO
Lecco
Gardone Val Trompia
Desenzano del Garda
Peschiera d.Garda
Sirmione
Mantova
Dillingen
Günzburg
Gersthofen
Augsburg
Friedberg
Königsbrunn
Krumbach
Schwabmünchen
Buchloe
Landsberg
Kaufbeuren
Schongau
Marktoberdorf
Füssen
Oberammergau
Garmisch-Partenkirchen
Mittenwald
Weilheim
Starnberg
Fürstenfeldbruck
Germering
Dachau
Schrobenhausen
Aichach
Pfaffenhofen
Freising
Moosburg
Landshut
Mainburg
Dingolfing
Vilsbiburg
Erding
Dorfen
Mühldorf
Altötting
MÜNCHEN
Gauting
Unterhaching
Ottobrunn
Ebersberg
Wasserburg
Trostberg
Traunreut
Traunstein
Rosenheim
Bad Aibling
Miesbach
Holzkirchen
Bad Tölz
Wolfratshausen
Penzberg
Tegernsee
DEUTSCHLAND
ITALIA
Bayerische Alpen
Dolomiti
Zugspitze 2962
Zillertaler Alpen
Ötztaler Alpen
Kitzbüheler Alpen
Lechtaler Alpen
Großglockner 3798
Großvenediger
Wildspitze 3768
Brenner (1374)
Bodensee

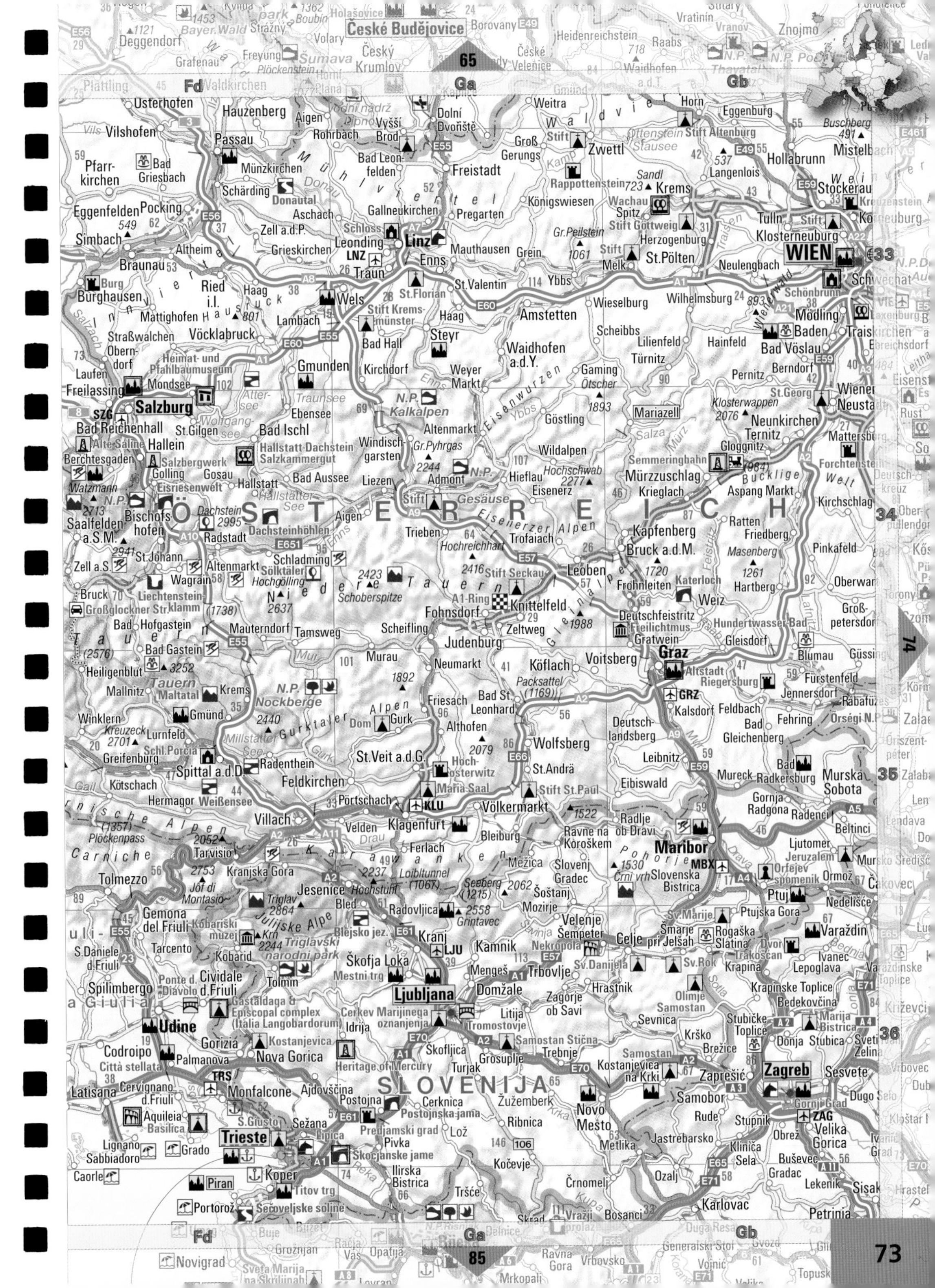

České Budějovice
65
Ga
Fd
Gb
Deggendorf
Grafenau
Plattling
Český Krumlov
Znojmo
Osterhofen
Hauzenberg
Vilshofen
Passau
Weitra
Horn
Eggenburg
Zwettl
Stift Altenburg
Pfarrkirchen
Bad Griesbach
Münzkirchen
Bad Leonfelden
Freistadt
Hollabrunn
Mistelbach
Schärding
Rappottenstein
Krems
Langenlois
Stockerau
Eggenfelden
Pocking
Gallneukirchen
Pregarten
Königswiesen
Wachau
Spitz
Donautal
Aschach
Tulln
Klosterneuburg
Korneuburg
Simbach
Zell a.d.P.
Linz
Leonding
Mauthausen
Grein
Stift Göttweig
Herzogenburg
WIEN
Braunau
Altheim
Grieskirchen
Enns
Traun
Melk
St.Pölten
Neulengbach
Schwechat
Burghausen
Ried i.l.
Haag
Wels
St.Florian
St.Valentin
Ybbs
Wieselburg
Wilhelmsburg
Schönbrunn
Mattighofen
Lambach
Stift Kremsmünster
Amstetten
Mödling
Straßwalchen
Vöcklabruck
Steyr
Scheibbs
Lilienfeld
Hainfeld
Baden
Traiskirchen
Oberndorf
Heimat- und Pfahlbaumuseum
Gmunden
Bad Hall
Waidhofen a.d.Y.
Türnitz
Bad Vöslau
Laufen
Kirchdorf
Weyer Markt
Gaming
Ötscher
Pernitz
Berndorf
Freilassing
Mondsee
Traunsee
N.P. Kalkalpen
St.Georg
Wiener Neustadt
Salzburg
Ebensee
Mariazell
Klosterwappen
Bad Reichenhall
St.Gilgen
Bad Ischl
Altenmarkt
Göstling
Neunkirchen
Ternitz
Alte Saline
Hallein
Hallstatt-Dachstein Salzkammergut
Windischgarsten
Gr.Pyhrgas
Wildalpen
Gloggnitz
Mattersburg
Berchtesgaden
Salzbergwerk
Golling
Gosau
Hallstatt
Bad Aussee
Liezen
Admont
Hieflau
Hochschwab
Eisenerz
Semmeringbahn
Mürzzuschlag
Krieglach
Aspang Markt
Forchtenstein
Watzmann
Eisriesenwelt
Gesäuse
Bucklige Welt
Saalfelden a.S.M.
Bischofshofen
Dachstein
ÖSTERREICH
Aigen
Kirchschlag
Dachsteinhöhlen
Radstadt
Trieben
Trofaiach
Eisenerzer Alpen
Kapfenberg
Ratten
Friedberg
St.Johann
Schladming
Hochreichhart
Bruck a.d.M.
Masenberg
Pinkafeld
Zell a.S.
Altenmarkt
Sölktäler
Stift Seckau
Leoben
Wagrain
Hochgölling
Niedere Tauern
Frohnleiten
Katerloch
Hartberg
Oberwart
Bruck
Liechtensteinklamm
Schoberspitze
A1-Ring
Knittelfeld
Weiz
Großglockner Str.
Fohnsdorf
Deutschfeistritz
Freilichtmus.
Hundertwasser-Bad
Bad Hofgastein
Mauterndorf
Tamsweg
Scheifling
Zeltweg
Gleinalpe
Gratwein
Gleisdorf
Bad Gastein
Judenburg
Graz
Murau
Neumarkt
Köflach
Voitsberg
Altstadt
Riegersburg
Heiligenblut
Fürstenfeld
Mallnitz
Tauern Maltatal
Krems
N.P. Nockberge
Packsattel
Jennersdorf
GRZ
Gmünd
Friesach
Bad St.Leonhard
Kalsdorf
Feldbach
Winklern
Kreuzeck
Lurnfeld
Gurktaler Alpen
Dom Gurk
Althofen
Deutschlandsberg
Fehring
Bad Gleichenberg
Wolfsberg
Millstätter See
Schl.Porcia
Greifenburg
Radenthein
St.Veit a.d.G.
Hochosterwitz
Leibnitz
Spittal a.d.D.
St.Andrä
Bad Radkersburg
Mureck
Murska Sobota
Kötschach
Feldkirchen
Maria Saal
Stift St.Paul
Eibiswald
Gornja Radgona
Hermagor
Weißensee
Pörtschach
KLU
Völkermarkt
Radenci
Plöckenpass
Villach
Velden
Klagenfurt
Radlje ob Dravi
Beltinci
Tarvisio
Karawanken
Bleiburg
Ravne na Koroškem
Maribor
Ljutomer
Jeruzalem
Kranjska Gora
Ferlach
Mežica
Pohorje
MBX
Tolmezzo
Jesenice
Hochstuhl
Loibltunnel
Slovenj Gradec
Slovenska Bistrica
Orfejev spomenik
Ormož
Jôf di Montasio
Triglav
Bled
Seeberg
Šoštanj
Črni vrh
Ptuj
Čakovec
Radovljica
Grintavec
Mozirje
Nedelišće
Gemona del Friuli
Julijske Alpe
Kobariški muzej
Blejsko jez.
Velenje
Šempeter
Sv.Marije
Ptujska Gora
Krn
Triglavski narodni park
Kranj
LJU
Kamnik
Nekropola
Celje
Šmarje pri Jelšah
Rogaška Slatina
Varaždin
S.Daniele d.Friuli
Tarcento
Kobarid
Škofja Loka
Mestni trg
Menges
Trbovlje
Sv.Danijela
Sv.Rok
Trakošćan
Krapina
Lepoglava
Ivanec
Varaždinske Toplice
Spilimbergo
Ponte d. Diavolo
Cividale d.Friuli
Tolmin
Ljubljana
Domžale
Hrastnik
Olimje
Krapinske Toplice
Bedekovčina
Zagorje ob Savi
Samostan
Križevci
Udine
Gastaldaga & Episcopal complex (Itália Langobardorum)
Cerkev Marijinega oznanjenja
Idrija
Litija
Tromostovje
Sevnica
Stubičke Toplice
Marija Bistrica
Codroipo
Gorizia
Kostanjevica
Škofljica
Samostan Stična
Krško
Brežice
Donja Stubica
Città stellata
Palmanova
Nova Gorica
Heritage of Mercury
Turjak
Grosuplje
Trebnje
Kostanjevica na Krki
Zaprešić
Zagreb
Sesvete
TRS
SLOVENIJA
Latisana
Cervignano d.Friuli
Monfalcone
Ajdovščina
Postojna
Cerknica
Postojnska jama
Žužemberk
Novo Mesto
Samobor
Dugo Selo
Aquileia Basilica
S.Giusto
Sežana
Predjamski grad
Lož
Ribnica
Rude
Stupnik
Gornji Grad
ZAG
Velika Gorica
Lignano Sabbiadoro
Grado
Trieste
Lipica
Pivka
Škocjanske jame
Metlika
Jastrebarsko
Klinča Sela
Obrež
Kočevje
Bušević
Caorle
Koper
Ilirska Bistrica
Ozalj
Gradac
Lekenik
Piran
Titov trg
Tršće
Črnomelj
Sisak
Portorož
Sečoveljske soline
Karlovac
Skrad
Vražji prolaz
Bosanci
Petrinja
Buje
Buzet
Delnice
Duga Resa
Grožnjan
Raša
Opatija
Generalski Stol
Novigrad
Vas
Ravna Gora
Vrbovsko
Vojnić
Topusko
Sveta Marija na Škriljinah
Mrkopalj
85
74
33
34
35
36

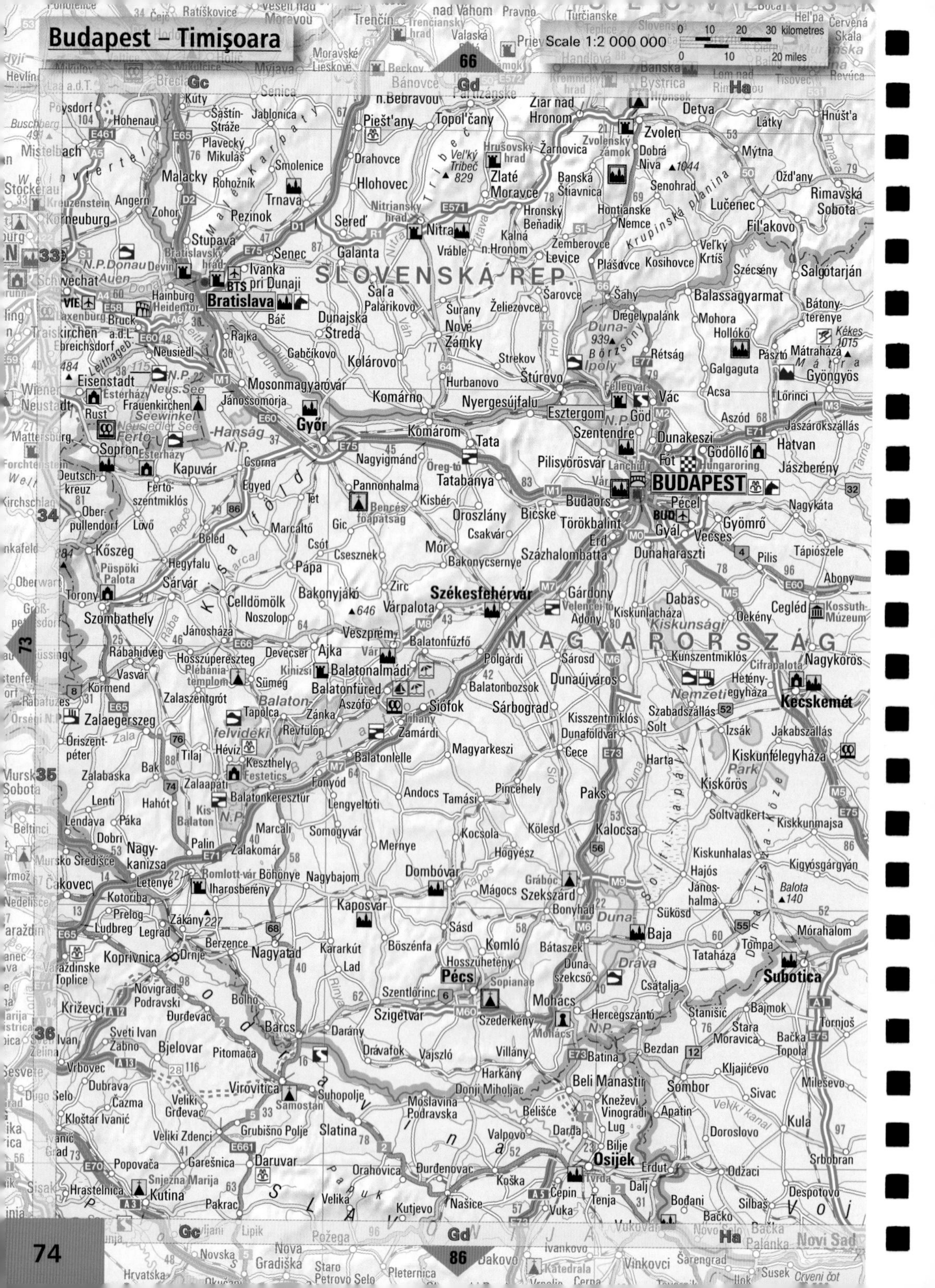

Budapest – Timişoara
Scale 1:2 000 000
0 10 20 30 kilometres
0 10 20 miles
66
Gc
Gd
Ha
Trenčín
Trenčianský hrad
nad Váhom
Pravno
Turčianske Teplice
Moravou
Ratiškovice
Čejč
Holíč
Myjava
Mikulov
Hevlín
Laa a.d.T.
Brecl
Senica
Moravské Lieskové
Beckov
Valaská Belá
Priev
Bánovce n.Bebravou
Partizánske
Handlová
Kremnický hrad
Banská Bystrica
Lom nad Rimavicou
Tisovec
Revúca
Hel'pa
Červená Skala
Muránska planina
Poysdorf
Buschberg 491
Hohenau
Kúty
Šaštín-Stráže
Jablonica
Piešťany
Topoľčany
Žiar nad Hronom
Detva
Látky
Hnúšťa
Mistelbach
Plavecký Mikuláš
Drahovce
Veľký Tribeč 829
Hrušovský hrad
Žarnovica
Zvolenský zámok
Zvolen
Dobrá Niva
1044
Mýtna
Ožďany
Rimavská Sobota
Weinviertel
Malé Karpaty
Malacky
Rohožník
Smolenice
Hlohovec
Tribeč
Zlaté Moravce
Banská Štiavnica
Senohrad
Hontianske Nemce
Krupinská planina
Lučenec
Fiľakovo
Stockerau
Kreuzenstein
Angern
Zohor
Trnava
Nitriansky hrad
Sereď
Nitra
Hronský Beňadik
Kalná n.Hronom
Žemberovce
Korneuburg
Pezinok
Stupava
Bratislavský hrad
Senec
Galanta
Vráble
Levice
Plášťovce
Kosihovce
Veľký Krtíš
Szécsény
Salgótarján
N.P.Donau Auen
Devín
Ivanka pri Dunaji
BTS
SLOVENSKÁ REP.
Schwechat
VIE
Hainburg
Heidentor
Bratislava
Šaľa
Palárikovo
Šurany
Želiezovce
Šarovce
Šahy
Balassagyarmat
Bátonyterenye
Laxenburg
Bruck a.d.L.
Traiskirchen
Ebreichsdorf
Leithageb.
Neusiedl
Rajka
Báč
Dunajská Streda
Nové Zámky
Dregélypalánk
Duna-Ipoly
Börzsöny 939
Mohora
Hollókő
Kékes 1015
Mátraháza
Mátra
Pásztó
Rétság
Galgaguta
Gyöngyös
484
Eisenstadt
Gabčíkovo
Kolárovo
Strekov
Štúrovo
N.P. Neus.See
Mosonmagyaróvár
Hurbanovo
Fellegvár
Vác
Acsa
Lőrinci
Wiener Neustadt
Esterházy
Frauenkirchen
Seewinkel
Jánossomorja
Komárno
Nyergesújfalu
Esztergom
Göd
Aszód
Jászárokszállás
Rust
Neusiedler See
Mattersburg
Fertő
Hanság N.P.
Győr
Komárom
Tata
Szentendre
Dunakeszi
Hatvan
Sopron
Esterházy
Kapuvár
Csorna
Nagyigmánd
Öreg-tó
Pilisvörösvár
Lánchíd
Fót
Hungaroring
Gödöllő
Jászberény
Forchtenstein
Deutschkreuz
Fertőszentmiklós
Egyed
Pannonhalma
Tatabánya
Vár
BUDAPEST
Kirchschlag
Oberpullendorf
Lövő
Tét
Bencés főapátság
Kisbér
Oroszlány
Bicske
Budaörs
Törökbálint
Pécel
BUD
Gyál
Vecsés
Gyömrő
Nagykáta
Repce
Kisalföld
Beled
Marcaltő
Gic
Csákvár
Csót
Cesznek
Mór
Érd
Dunaharaszti
Százhalombatta
Bakonycsernye
Pilis
Tápiószele
Kőszeg
Hegyfalu
Pápa
Marcal
Zirc
Abony
Oberwart
Püspöki Palota
Sárvár
Bakonyjákó
Székesfehérvár
Gárdony
Velencei-tó
Dabas
Cegléd
Kossuth Múzeum
Torony
Celldömölk
Noszlop
646
Várpalota
Adony
Kiskunlacháza
Kiskunsági
Ökény
Güssing
Szombathely
Jánosháza
Veszprém
Balatonfűzfő
MAGYARORSZÁG
Rábahidvég
Devecser
Ajka
Polgárdi
Sárosd
Kunszentmiklós
Cifrapalota
Nagykőrös
Hosszúpereszteg
Vasvár
Plébánia-templom
Sümeg
Kinizsi
Balatonalmádi
Balatonfüred
Balatonbozsok
Dunaújváros
Hetényegyháza
Körmend
Zalaszentgrót
Balaton
Aszófő
Tihany
Siófok
Sárbogárd
Nemzeti
Szabadszállás
Kecskemét
Rábafüzes
Zalaegerszeg
Tapolca
Zánka
Révfülöp
Zamárdi
Kisszentmiklós
Solt
Izsák
Jakabszállás
Őrségi N.P.
Őriszentpéter
Zala
felvidéki
Hévíz
Keszthely
Festetics
Magyarkeszi
Dunaföldvár
Cece
Harta
Kiskunfélegyháza
Tilaj
Balatonlelle
Park
Murska Sobota
Zalabaska
Bak
Zalaapáti
Balatonkeresztúr
Fonyód
Pincehely
Paks
Kiskőrös
Lenti
Hahót
Kis-Balaton
Lengyeltóti
Andocs
Tamási
Soltvadkert
Kiskunmajsa
Beltinci
Lendava
Páka
Dobri
Marcali
Somogyvár
Kocsola
Kölesd
Kalocsa
Mursko Središće
Nagykanizsa
Palin
Zalakomár
Mernye
Högyész
Kiskunhalas
Čakovec
Letenye
Romlott-vár
Iharosberény
Böhönye
Nagybajom
Dombóvár
Kapos
Gréboc
Mágocs
Szekszárd
Hajós
Kigyósgárgyán
Kotoriba
Prelog
Zákány 227
Kaposvár
Bonyhád
Jánoshalma
Balota 140
Varaždin
Ludbreg
Legrad
Sásd
Duna
Sükösd
Mórahalom
Koprivnica
Drnje
Berzence
Nagyatád
Kárarkút
Böszénfa
Komló
Bátaszék
Baja
Tataháza
Tompa
Varaždinske Toplice
Lad
Hosszúhetény
Dráva
Dunaszekcső
Subotica
Novigrad Podravski
Pécs
Sopianae
Csátalja
Križevci
Bolhó
Đurđevac
Szentlőrinc
Szigetvár
Mohács
Hercegszántó
Bajmok
Stanišić
Sveti Ivan Žabno
Barcs
Darány
Szederkény
Stara Moravica
Tornjoš
Bjelovar
Pitomača
Drávafok
Vajszló
Villány
Bezdan
Bačka Topola
Vrbovec
Batina
Harkány
Kljajićevo
Dubrava
Virovitica
Samostan
Suhopolje
Donji Miholjac
Beli Manastir
Sombor
Mileševo
Čazma
Veliki Grđevac
Moslavina Podravska
Belišće
Kneževi Vinogradi
Apatin
Sivac
Kloštar Ivanić
Grubišno Polje
Slatina
Lug
Veliki Kanal
Veliki Zdenci
Valpovo
Darda
Bilje
Kula
Doroslovo
Popovača
Garešnica
Daruvar
Orahovica
Đurđenovac
Koška
Osijek
Erdut
Odžaci
Srbobran
Hrastelnica
Snježna Marija
Kutina
Papuk
Čepin
Tvrđa
Dalj
Despotovo
Sisak
Pakrac
Velika
Našice
Kutjevo
Vuka
Tenja
Bođani
Silbaš
Bačko Novo Selo
Bačka Palanka
Novi Sad
Lipik
Požega
Vukovar
Novska
Nova Gradiška
Staro Petrovo Selo
Pleternica
Đakovo
Katedrala
Ivankovo
Vinkovci
Šarengrad
Susek
Hrvatska
Slavonija
Vojvodina
73
86
74

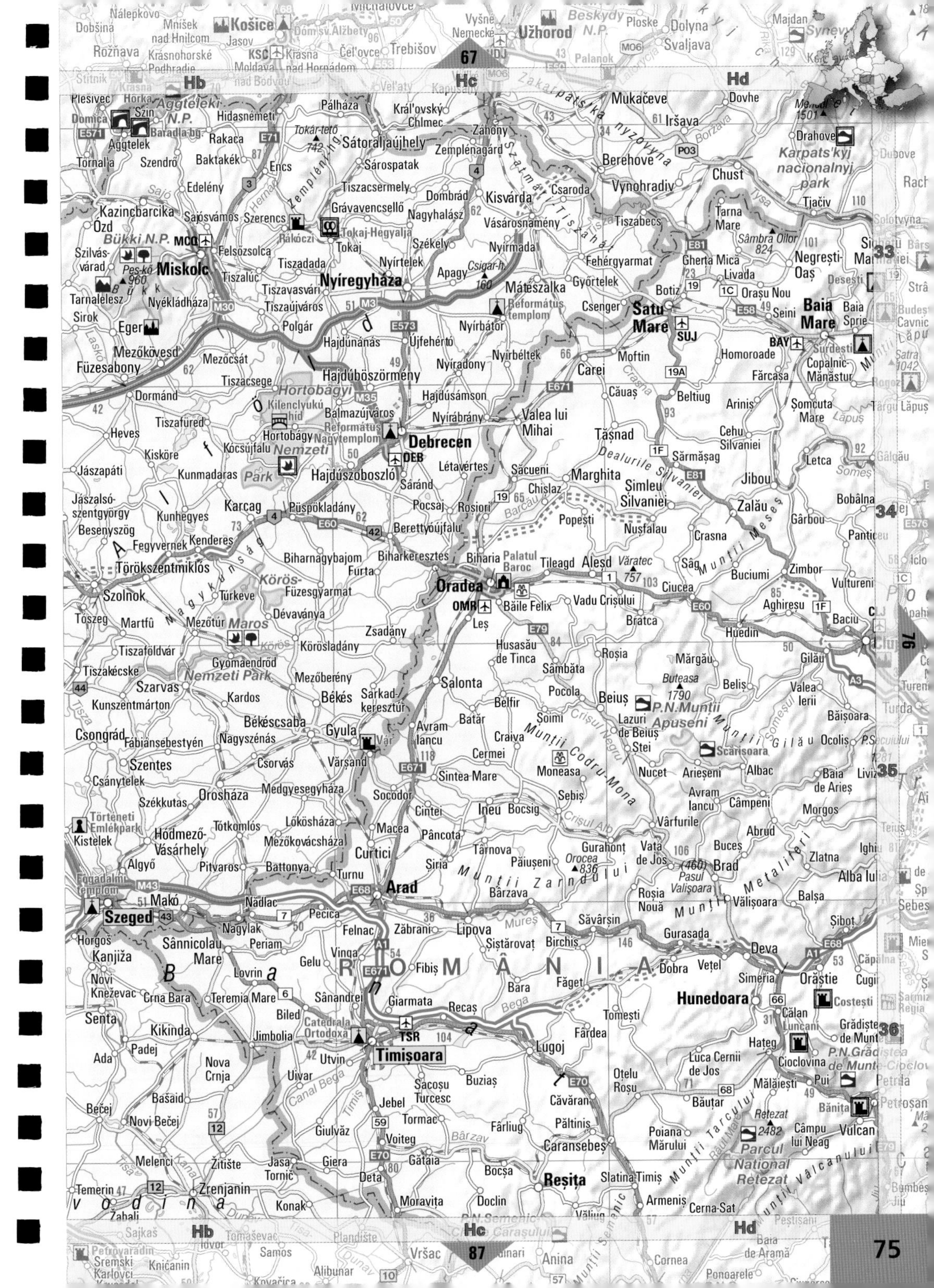

Dobšiná
Nálepkovo
Mníšek nad Hnilcom
Košice
Dóm sv. Alžbety
Vyšné Nemecké
Užhorod
Beskydy N.P.
Ploske
Dolyna
Svaljava
Majdan
Synevyr
Rožňava
Krásnohorské Podhradie
Jasov
KSC
Krásna nad Hornádom
Moldava nad Bodvou
Čeľovce
Trebišov
67
Palanok
Hb
Hc
Hd
Veľaty
Kapušany
Zakarpats'ka nyzovyna
Mukačeve
Dovhe
Iršava
Drahove
Plešivec
Hôrka
Krásna
Szin
Aggteleki N.P.
Domica
Baradla-bg.
Aggtelek
Rakaca
Hidasnémeti
Pálháza
Kráľovský Chlmec
Tokár-tető 742
Sátoraljaújhely
Záhony
Zempléngárd
Berehove
Chust
Karpats'kyj nacionalnyj park
Dubove
Tornalja
Szendrő
Baktakék
Encs
Sárospatak
Edelény
Tiszacsermely
Dombrád
Kisvárda
Csaroda
Vynohradiv
Tarna Mare
Tjačiv
Solotvyna
Kazincbarcika
Ózd
Sajósvámos
Szerencs
Grávavencsellő
Nagyhalász
Vásárosnamény
Tiszabecs
Sâmbra Oilor 824
Bükki N.P.
MCQ
Felsőzsolca
Rákóczi
Tokaj-Hegyalja
Tokaj
Székely
Nyírmada
Negrești-Oaș
Szilvásvárad
Pes-kő 960
Miskolc
Tiszadada
Nyírtelek
Apagy
Csigar-h. 160
Fehérgyarmat
Gherta Mică
Livada
Tarnaléllesz
Nyékládháza
Tiszaluc
Tiszavasvári
Nyíregyháza
Mátészalka
Győrtelek
Botiz
Orașu Nou
Baia Mare
Sirok
Eger
Tiszaújváros
Polgár
Református templom
Csenger
Satu Mare
SUJ
Seini
Mezőkövesd
Hajdúnánás
Újfehértó
Nyírbátor
BAY
Surdești
Füzesabony
Mezőcsát
Nyíradony
Nyírbéltek
Moftin
Homoroade
Copalnic-Mănăștur
Tiszacsege
Hajdúböszörmény
Carei
Fărcașa
Hortobágyi
Dormánd
Kilenclyukú híd
Hajdúsámson
Căuaș
Beltiug
Arinis
Șomcuta Mare
Tiszafüred
Balmazújváros
Református Nagytemplom
Nyírábrány
Valea lui Mihai
Heves
Hortobágy
Debrecen
Tășnad
Cehu Silvaniei
Kisköre
Kócsújfalu
Nemzeti Park
DEB
Sărmășag
Letca
Jászapáti
Kunmadaras
Hajdúszoboszló
Létavértes
Săcueni
Marghita
Jibou
Dealurile Silvaniei
Sáránd
Chislaz
Șimleu Silvaniei
Zalău
Bobâlna
Jászalsószentgyörgy
Karcag
Kunhegyes
Püspökladány
Pocsaj
Rosiori
Popești
Gârbou
Besenyszög
Berettyóújfalu
Nușfalau
Crasna
Fegyvernek
Kenderes
Biharnagybajom
Biharkeresztes
Biharia
Palatul Baroc
Tileagd
Aleșd
Vărtatec 757
Săg
Zimbor
Törökszentmiklós
Furta
Oradea
Buciumi
Munții Meseș
Szolnok
Túrkeve
Körös-Füzesgyarmat
OMR
Băile Felix
Vadu Crișului
Ciucea
Vultureni
Agirișu
Tószeg
Martfű
Mezőtúr
Maros
Dévaványa
Leș
Bratca
Huedin
Baciu
Cluj
Tiszaföldvár
Zsadány
Körösladány
Husasău de Tinca
Roșia
Mărgău
Gilău
Tiszakécske
Gyomaendrőd
Nemzeti Park
Sâmbăta
Szarvas
Mezőberény
Salonta
Butеasa 1790
Beliș
Valea Ierii
Kunszentmárton
Kardos
Békés
Sarkad-keresztúr
Belfir
Pocola
Beiuș
P.N. Munții Apuseni
Băișoara
Turda
Békéscsaba
Gyula
Vár
Avram Iancu
Batăr
Șoimi
Lazuri de Beiuș
Csongrád
Fábiánsebestyén
Nagyszénás
Craiva
Munții Codru-Moma
Ștei
Munții Gilău
Ocoliș
Szentes
Csorvás
Vărșand
Cermei
Scărișoara
Csanytelek
E671
Sintea Mare
Moneasa
Nucet
Arieșeni
Albac
Baia de Arieș
Orosháza
Medgyesegyháza
Socodor
Avram Iancu
Câmpeni
Székkutas
Cintei
Ineu
Bocsig
Sebiș
Morgos
Történeti Emlékpark
Kistelek
Tótkomlós
Lőkösháza
Macea
Crișul Alb
Vârfurile
Hódmező-vásárhely
Mezőkovácsháza
Pâncota
Abrud
Algyő
Curtici
Târnova
Păiușeni
Orocea 836
Gurahonț
Vața de Jos
Buceș
Zlatna
Pitvaros
Battonya
Turnu
Șiria
Munții Zarandului
Pasul Valișoara
Brad
Alba Iulia
Fogadalmi templom
Makó
Arad
Bârzava
Roșia Nouă
Vălișoara
Balșa
Szeged
Nădlac
Pecica
Munții Metaliferi
Sebeș
Nagylak
Felnac
Zăbrani
Lipova
Săvârșin
Șibot
Horgoš
Sânnicolau Mare
Periam
Vinga
Șiștarovăț
Birchiș
Gurasada
Deva
Kanjiža
Gelu
Fibiș
ROMÂNIA
Dobra
Vețel
Novi Kneževac
Lovrin
Bara
Făget
Simeria
Orăștie
Cugir
Crna Bara
Teremia Mare
Sânandrei
Giarmata
Recaș
Hunedoara
Costești
Senta
Biled
Catedrala Ortodoxă
Tomești
Călan
Kikinda
Jimbolia
TSR
Fârdea
Lunca
Grădiștea de Munte
Ada
Padej
Nova Crnja
Utvin
Timișoara
Lugoj
Hațeg
Luca Cernii de Jos
P.N. Grădiștea de Munte-Cioclovina
Cioclovina
Uivar
Sacoșu Turcesc
Buziaș
Oțelu Roșu
Mălăiești
Pui
Petrila
Bečej
Bašaid
Jebel
Căvăran
Băuțar
Bănița
Petroșani
Novi Bečej
Tormac
Păltiniș
Retezat 2482
Giulvăz
Voiteg
Fârliug
Caransebeș
Poiana Mărului
Câmpu lui Neag
Vulcan
Melenci
Žitište
Jaša Tomić
Giera
Gătaia
Parcul Național Retezat
Munții Țarcului
Deta
Bocșa
Reșița
Slatina-Timiș
Munții Vâlcanului
Temerin
Zrenjanin
Konak
Moravița
Doclin
Armeniș
Cerna-Sat
Vojvodina
Žabalj
Văliug
P.N. Semenic-Cheile Carașului
Pestișani
Sajkaš
Tomaševac
Plandište
Baia de Aramă
Petrovaradin
Sremski Karlovci
Knićanin
Samos
Vršac
87
Anina
Cornea
Ponoarele
Alibunar
Kovačica

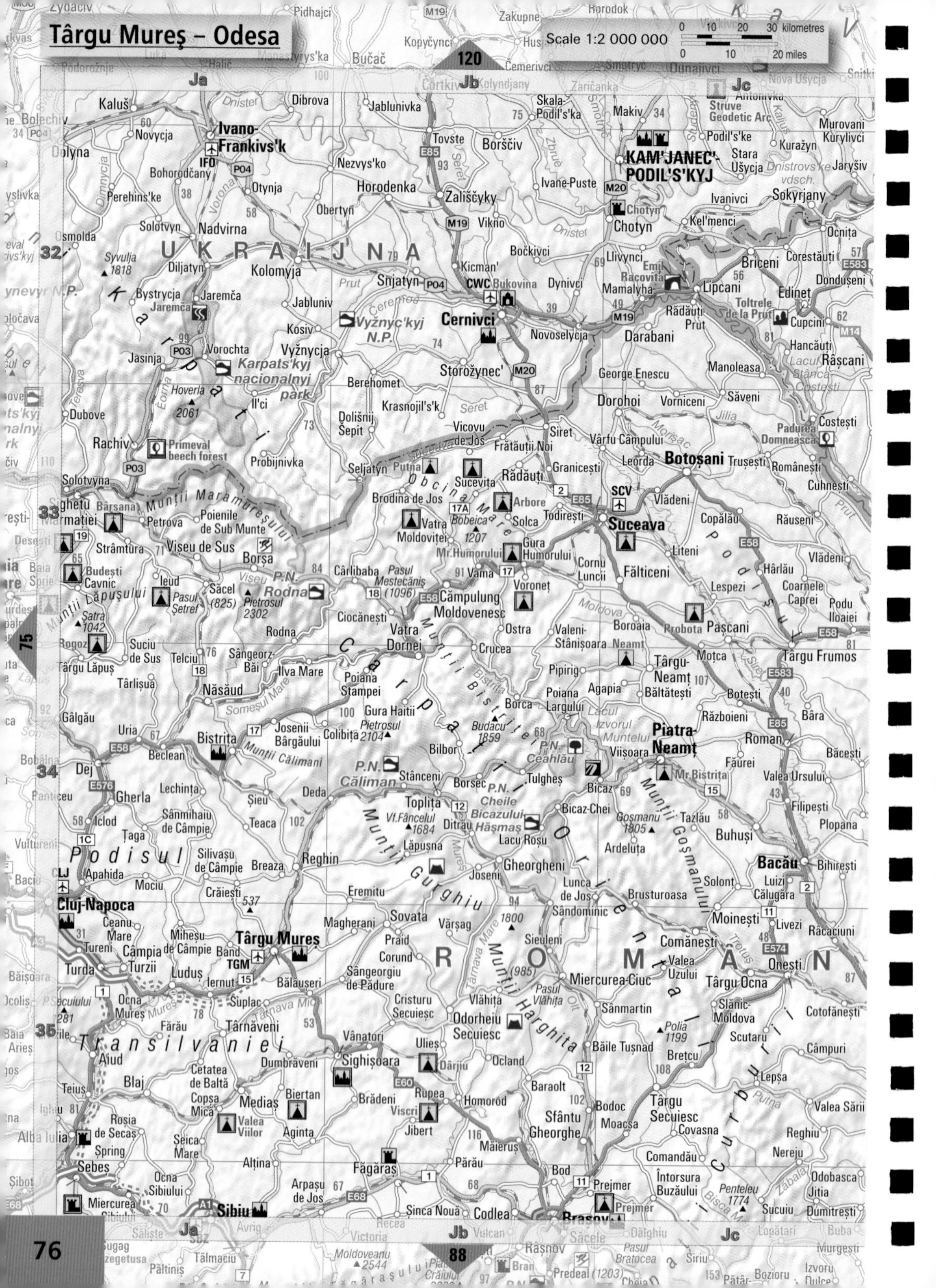
Târgu Mureş – Odesa
Scale 1:2 000 000
0 10 20 30 kilometres
0 10 20 miles
120
Ja
Jb
Jc
UKRAIJNA
Karpaty
Kaluš
Dibrova
Jablunivka
Ivano-Frankivs'k
IFO
Dolyna
Novycja
Bohorodčany
Perehins'ke
Otynja
Nezvys'ko
Horodenka
Tovste
Borščiv
Skala-Podil's'ka
Makiv
Struve Geodetic Arc
Murovani Kurylivci
Podil's'ke
Kuražyn
Stara Ušycja
Jaryšiv
KAM'JANEC'-PODIL'S'KYJ
Dnistrovs'ke vdsch.
Ivane-Puste
Zališčyky
Obertyn
Solotvyn
Nadvirna
Osmolda
Vikno
Chotyn
Kel'menci
Ivanivci
Sokyrjany
Ocniţa
Syvulja 1818
Diljatyn
Kolomyja
Kicman'
Bočkivci
Llivynci
Emil Racoviţă
Briceni
Corestăuţi
Dondușeni
Edineţ
Lipcani
Mamalyha
Snjatyn
Prut
CWC Bukovina
Dynivci
Bystrycja
Jaremča
Jabluniv
Cernivci
Novoselycja
Rădăuţi-Prut
Darabani
Toltrele de la Prut
Cupcini
Hancăuţi
Râşcani
Kosiv
Vyžnyc'kyj N.P.
Vyžnycja
Jasinja
Vorochta
Karpats'kyj nacionalnyj park
Storožynec'
George Enescu
Manoleasa
Lacul Stânca-Costeşti
Hoverla 2061
Berehomet
Il'ci
Krasnojil's'k
Dorohoi
Vorniceni
Săveni
Dubove
Dolišnij Šepit
Vicovu de Jos
Siret
Vârfu Câmpului
Padurea Domnească
Costeşti
Rachiv
Primeval beech forest
Probijnivka
Seljatyn
Putna
Frătăuţii Noi
Granicești
Leorda
Botoşani
Truşeşti
Româneşti
Cuhneşti
Solotvyna
Sucevița
Rădăuți
SCV
Vlădeni
Munţii Maramureşului
Obcina Mare
Brodina de Jos
Arbore
Suceava
Todireşti
Copălău
Răuseni
Bârsana
Petrova
Poienile de Sub Munte
Vatra Moldoviţei
Bobeica 1207
Solca
Gura Humorului
Mr.Humorului
Liteni
Podişul
Vlădeni
Strâmtura
Vişeu de Sus
Borşa
Cârlibaba
Pasul Mestecăniş (1096)
Vama
Cornu Luncii
Fălticeni
Hârlău
Budeşti
Cavnic
Ieud
Săcel (825)
Pietrosul 2302
P.N. Rodna
Voroneţ
Câmpulung Moldovenesc
Lespezi
Coarnele Caprei
Podu Iloaiei
Munţii Lăpuşului
Pasul Şetref
Şatra 1042
Ciocăneşti
Ostra
Valeni-Stânişoara
Boroaia
Probota
Paşcani
Rodna
Vatra Dornei
Crucea
Neamţ
Mocţa
Târgu Frumos
Rogoz
Suciu de Sus
Telciu
Sângeorz-Băi
Ilva Mare
Pipirig
Târgu-Neamţ
Târgu Lăpuş
Târlişua
Năsăud
Poiana Stampei
Carpaţii Orientali
Munţii Bistriţei
Poiana Largului
Agapia
Bălţăteşti
Boteşti
Someşul Mare
Gura Haitii
Borca
Lacul Izvorul Muntelui
Războieni
Bâra
Gâlgău
Uria
Josenii Bârgăului
Colibiţa
Pietrosul 2104
Budacu 1859
Piatra-Neamţ
Roman
Bistriţa
Beclean
Munţii Călimani
Bilbor
P.N. Ceahlău
Viişoara
Făurei
Băceşti
Dej
P.N. Călimani
Stânceni
Borsec
Tulgheş
Mr.Bistriţa
Valea Ursului
Gherla
Lechinţa
Deda
P.N. Cheile Bicazului-Hăşmaş
Bicaz
Munţii Goşmanului
Filipeşti
Iclod
Şieu
Topliţa
Bicaz-Chei
Plopana
Sânmihaiu de Câmpie
Teaca
Vf.Fâncelul 1684
Ditrău
Lacu Roşu
Goşmanu 1805
Tazlău
Buhuşi
Ţaga
Ardeluţa
Podişul
Silivaşu de Câmpie
Breaza
Reghin
Lăpuşna
Munţii Gurghiu
Gheorgheni
Bacău
Bihireşti
Apahida
Joseni
CLJ
Mociu
Crăieşti
Eremitu
Lunca de Jos
Brusturoasa
Solonţ
Luizi-Călugăra
Cluj-Napoca
537
Sândominic
Moineşti
Ceanu Mare
Magherani
Sovata
Vărşag
1800
Livezi
Răcăciuni
Tureni
Mihesu de Câmpie
Târgu Mureş
Praid
Sieuleni
Comăneşti
Câmpia Turzii
Band
TGM
Corund
Valea Uzului
Oneşti
Turda
Luduş
Iernut
Bălăuşeri
Sângeorgiu de Pădure
(985)
Pasul Vlăhiţa
Miercurea-Ciuc
Târgu Ocna
ROMÂNIA
Ocna Mureş
Şuplac
Târnava Mică
Cristuru Secuiesc
Vlăhiţa
Munţii Harghita
Sânmartin
Slănic-Moldova
Cotofăneşti
Făraău
Târnăveni
Odorheiu Secuiesc
Polia 1199
Scutaru
Transilvaniei
Aiud
Vânatori
Ulieş
Dârjiu
Băile Tuşnad
Câmpuri
Dumbrăveni
Sighişoara
Ocland
Bretcu
Blaj
Cetatea de Baltă
Lepşa
Teiuş
Copşa Mică
Mediaş
Biertan
Brădeni
Rupea
Viscri
Homorod
Baraolt
Bodoc
Târgu Secuiesc
Valea Sării
Roşia de Secaş
Valea Viilor
Aginta
Jibert
Sfântu Gheorghe
Moacşa
Covasna
Alba Iulia
Seica Mare
Maieruş
Reghiu
Spring
Comandău
Nereju
Sebeş
Alţina
Făgăraş
Părău
Bod
Întorsura Buzăului
Odobasca
Jitia
Ocna Sibiului
Arpaşu de Jos
Prejmer
Penteleu 1774
Sucuiu
Dumitreşti
Miercurea Sibiului
Sibiu
Şinca Nouă
Codlea
Braşov
Curbura Carpaţilor
88
75
76

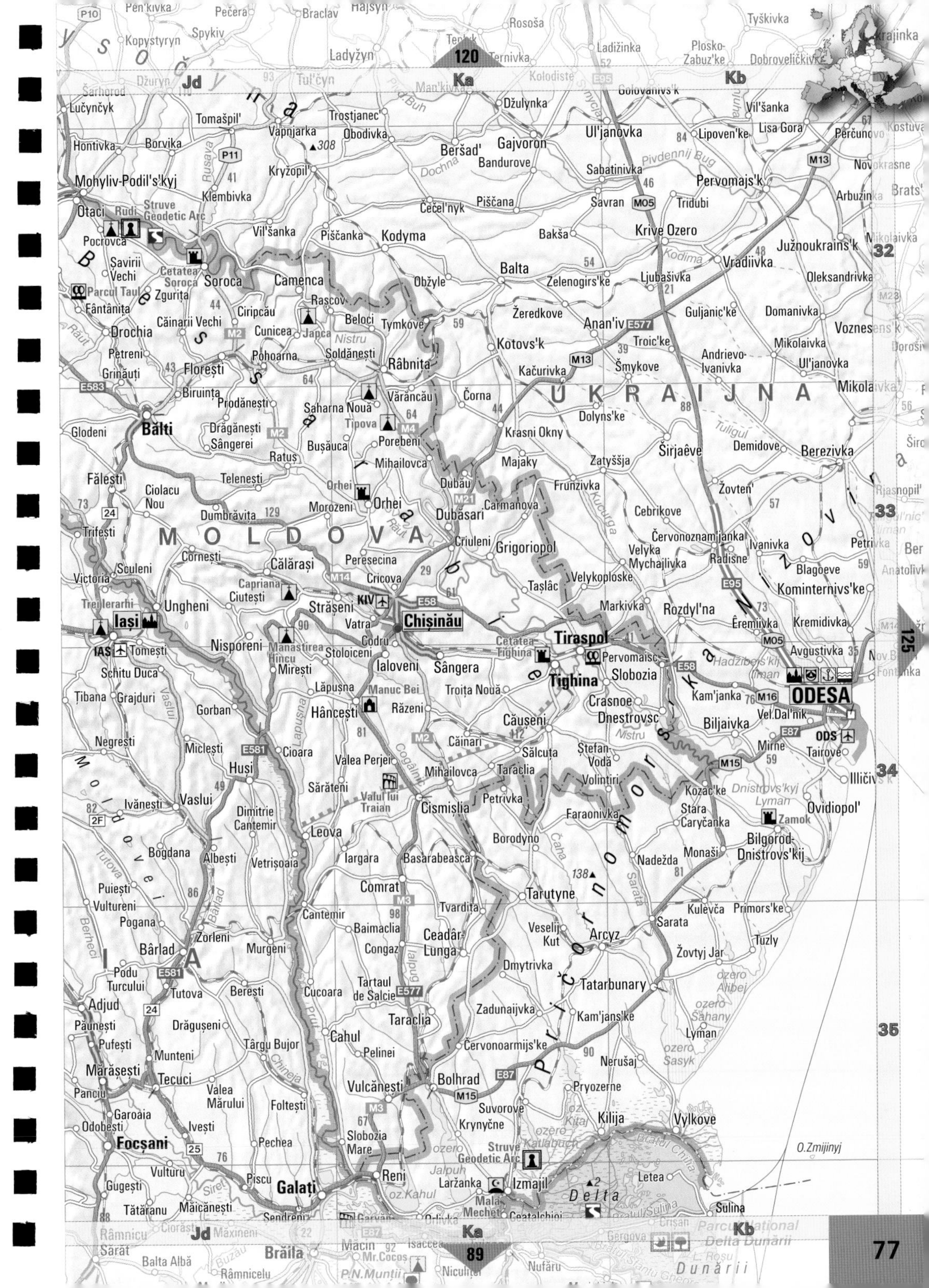

Pečera
Braclav
Rosoša
Tyškivka
Kopystyryn
Spykiv
Ladyžyn
120
Ternivka
Ladižinka
Plosko-Zabuz'ke
Dobroveličkivka
Jd
Ka
Kb
Tul'čyn
Man'kivka
Kolodiste
E95
Golovanivs'k
Šarhorod
Lučynčyk
Tomašpil'
Trostjanec'
Džulynka
Vil'šanka
Vapnjarka
Obodivka
Ul'janovka
Lipoven'ke
Lisa Gora
Perčunovo
Hontivka
Borvika
P11
308
Beršad'
Gajvoron
Bandurove
M13
Kryžopil'
Dochna
Sabatinivka
Pivdennij Bug
Pervomajs'k
Novokrasne
Mohyliv-Podil's'kyj
Klembivka
Savran
M05
Tridubi
Arbuzinka
Otaci
Rudi
Struve Geodetic Arc
Čečel'nyk
Piščana
Vil'šanka
Piščanka
Kodyma
Bakša
Krive Ozero
Pocrovca
Južnoukrains'k
32
Şavirii Vechi
Cetatea Soroca
Soroca
Camenca
Balta
Zelenogirs'ke
Ljubašivka
Vradiivka
Oleksandrivka
Parcul Taul
Zgurița
Rascov
Obžyle
Fântânița
Ciripcău
Beloci
Žeredkove
Anan'iv
E577
Guljanic'ke
Domanivka
Căinarii Vechi
Cunicea
Tymkove
Voznesens'k
Drochia
M2
Japca
Nistru
Troic'ke
Mikolaivka
Petreni
Pohoarna
Soldănești
Kotovs'k
Andrievo-Ivanivka
Ul'janovka
Grinăuți
Florești
Râbnița
M13
Kačurivka
Šmykove
E583
Biruința
Vărăncău
Čorna
U K R A I J N A
Mikolaivka
Prodănești
Saharna Nouă
Bălți
Drăgănești
Tipova
M4
Dolyns'ke
Glodeni
Sângerei
Porebeni
Krasni Okny
Tuligul
Demidove
Berezivka
Ratuș
Bușăuca
Mihailovca
Majaky
Zatyššja
Širjaêve
Fălești
Telenești
Orhei
Dubău
Frunzivka
Žovten'
Ciolacu Nou
Morozeni
Orhei
M21
Carmanova
Dumbrăvița
129
Dubăsari
Cebrikove
33
24
M O L D O V A
Trifești
Criuleni
Grigoriopol
Červonoznam'janka
Ivanivka
Velyka Mychajlivka
Radisne
Petrivka
Cornești
Călărași
Peresecina
Blagoeve
Sculeni
M14
Cricova
Taşlâc
Velykoploske
Victoria
Capriana
Ciutești
E95
Kominternivs'ke
Trei Ierarhi
Ungheni
Strășeni
KIV
E58
Markivka
Rozdyl'na
Iași
Vatra
Chișinău
Êremiivka
Kremidivka
125
Codru
Cetatea Tighina
Tiraspol
IAS
Tomești
Nisporeni
Mânăstirea Hîncu
Stoloiceni
Ialoveni
Sângera
Pervomaisc
E58
Hadžibejs'kyj liman
M05
Avgustivka
Schitu Duca
Mirești
Tighina
Slobozia
Lăpușna
Manuc Bei
Troița Nouă
Ţibana
Grajduri
Crasnoe
Kam'janka
M16
ODESA
Gorban
Hâncești
Răzeni
Dnestrovsc
Vel.Dal'nik
Biljaivka
E87
Căușeni
Negrești
Miclești
M2
Căinari
Sălcuța
Ştefan-Vodă
Mirne
ODS
E581
Cioara
Nistru
Tairove
Huși
Valea Perjei
Cogâlnic
M15
Mihailovca
Taraclia
Volintiri
34
Vaslui
Sărăteni
Kozac'ke
Dnistrovs'kyj Lyman
Illičivs'k
Ivănești
Valul lui Traian
Petrivka
Stara Caryčanka
Ovidiopol'
Dimitrie Cantemir
Cismișlia
Faraonivka
2F
Leova
Zamok
Borodyno
Bilgorod-Dnistrovs'kij
Bogdana
Albești
Iargara
Basarabeasca
Nadežda
Monaši
Vetrișoaia
Puiești
Comrat
Tarutyne
Vultureni
M3
Kulevča
Primors'ke
Pogana
Cantemir
Tvardița
Sarata
Baimaclia
Veselij Kut
Arcyz
Zorleni
Ceadâr-Lunga
Congaz
Tuzly
Bârlad
Murgeni
Žovtyj Jar
Dmytrivka
Podu Turcului
E581
Tartaul de Salcie
Tatarbunary
ozero Alibej
Tutova
Berești
Cucoara
E577
Adjud
24
Zadunaijvka
Kam'jans'ke
Pâunești
Drăgușeni
Taraclia
ozero Šahany
Lyman
Pufești
Târgu Bujor
Cahul
35
Munteni
Pelinei
Červonoarmijs'ke
Mărășești
Tecuci
Nerušaj
Bolhrad
E87
ozero Sasyk
Panciu
Valea Mărului
Vulcănești
M15
Pryozerne
Foltești
Garoaia
M3
Suvorove
Odobești
Ivești
Slobozia Mare
Krynyčne
Kilija
Vylkove
Focșani
Pechea
25
Struve Geodetic Arc
O.Zmijinyj
Vulturu
Reni
Jalpuh
Piscu
Galați
Laržanka
Izmajil
Letea
Gugești
oz.Kahul
Delta
Tătăranu
Măicănești
Sulina
Sendreni
Mala Mechet
Ceatalchioi
Orlivka
Garvan
Crișan
Râmnicu Sărat
Ciorăști
Jd
Măxineni
E87
Ka
Kb
Parcul National Delta Dunării
Gergova
Brăila
Măcin
Mr.Cocos
Isaccea
89
L. Roșu
Balta Albă
Râmnicelu
P.N.Munții
Niculițel
Nufăru
Dunării
77

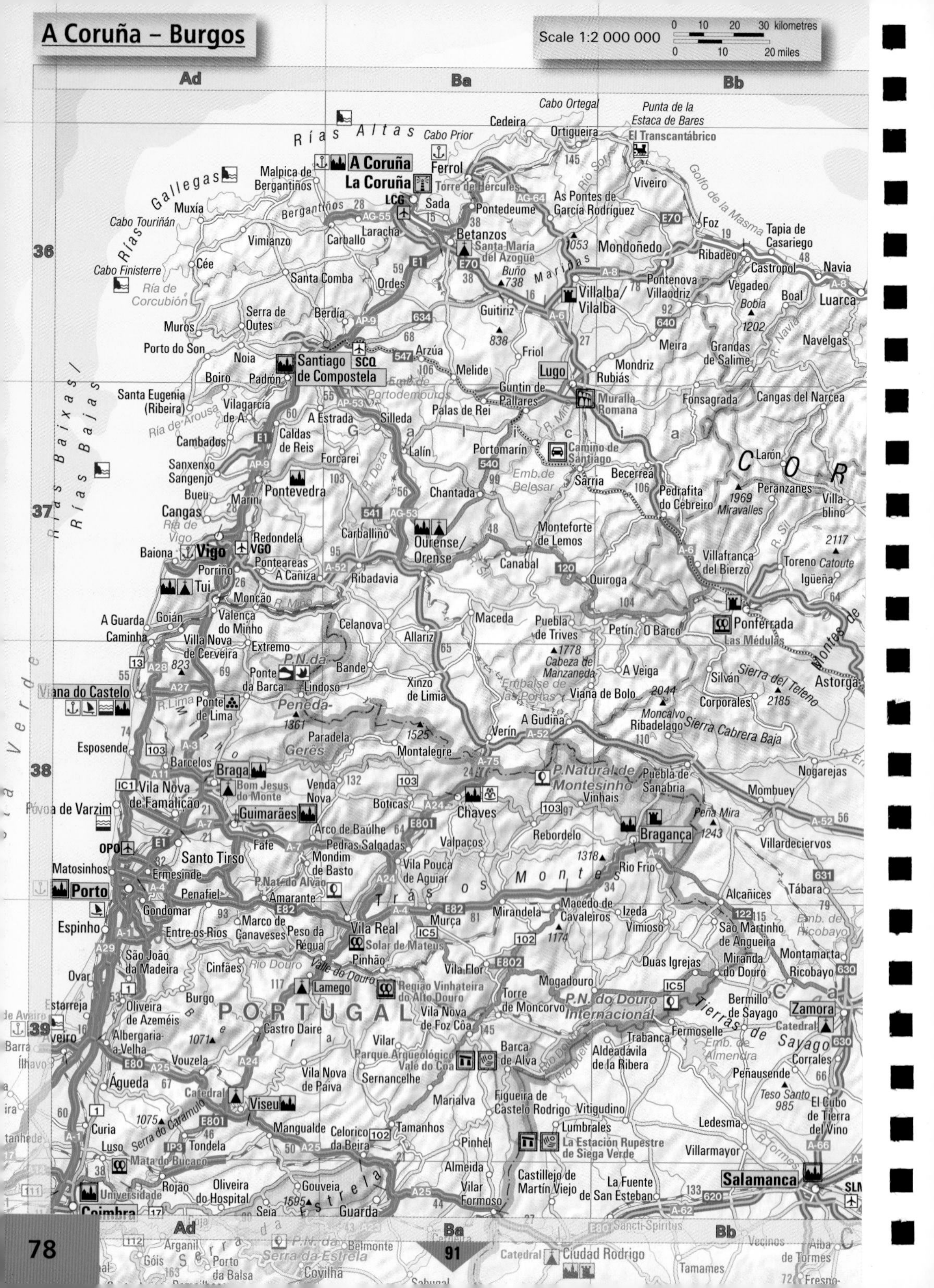
Scale 1:2 000 000
0 10 20 30 kilometres
0 10 20 miles
Ad
Ba
Bb
36
37
38
39
Cabo Ortegal
Punta de la Estaca de Bares
El Transcantábrico
Cedeira
Ortigueira
Rías Altas
Cabo Prior
A Coruña
La Coruña
Ferrol
Torre de Hércules
Malpica de Bergantiños
Rías Gallegas
Muxía
Cabo Touriñán
Bergantiños
LCG
Sada
Pontedeume
As Pontes de García Rodríguez
Viveiro
Golfo de la Masma
Foz
Tapia de Casariego
Carballo
Laracha
Betanzos
Santa María del Azogue
Mondoñedo
Ribadeo
Castropol
Navia
Vimianzo
Cabo Finisterre
Cée
Ría de Corcubión
Santa Comba
Ordes
Buño
738
1053
Mariñas
Villalba/ Vilalba
Pontenova
Villaodriz
Vegadeo
Boal
Luarca
Bobia
1202
Muros
Serra de Outes
Berdía
Guitiriz
838
Porto do Son
Noia
Santiago de Compostela
SCQ
Arzúa
Friol
Meira
Grandas de Salime
Navelgas
R. Navia
Melide
Lugo
Mondriz
Rubiás
Boiro
Padrón
Emb. de Portodemouros
Guntín de Pallares
Muralla Romana
Fonsagrada
Cangas del Narcea
Santa Eugenia (Ribeira)
Vilagarcía de A.
Ría de Arousa
A Estrada
Silleda
Palas de Rei
Caldas de Reis
Cambados
Galicia
Lalín
Portomarín
Camino de Santiago
Sanxenxo
Sangenjo
Forcarei
R. Deza
Emb. de Belesar
Sarria
Becerreá
Larón
Bueu
Marín
Pontevedra
Chantada
Pedrafita do Cebreiro
1969 Miravalles
Peranzanes
Villablino
Cangas
Ría de Vigo
Rías Baixas
Rías Bajas
Carballiño
Ourense/ Orense
Monforte de Lemos
Redondela
Vigo
VGO
Baiona
2117
Villafranca del Bierzo
R. Sil
Toreno
Catoute
Igüeña
Porriño
Ponteareas
A Cañiza
Ribadavia
Canabal
Quiroga
Tui
Monção
R. Miño
A Guarda
Goián
Caminha
Valença do Minho
Celanova
Maceda
Puebla de Trives
Petín
O Barco
Ponferrada
Las Médulas
Montes de León
Villa Nova de Cerveira
Extremo
Allariz
1778 Cabeza de Manzaneda
A Veiga
823
P.N. da Peneda-Gerês
Ponte da Barca
Lindoso
Bande
Xinzo de Limia
Embalse de las Portas
Silván
Sierra del Teleno
Astorga
Viana do Castelo
R. Lima
Ponte de Lima
Viana de Bolo
2044
Corporales
2185
1361
Minho
A Gudiña
Moncalvo
Ribadelago
Sierra Cabrera Baja
Esposende
1525
Paradela
Montalegre
Verín
Barcelos
Braga
Bom Jesus do Monte
P. Natural de Montesinho
Puebla de Sanabria
Nogarejas
Vila Nova de Famalicão
Venda Nova
Boticas
Chaves
Vinhais
Mombuey
Póvoa de Varzim
Guimarães
Arco de Baúlhe
Rebordelo
Bragança
Peña Mira
1243
Villardeciervos
OPO
Fafe
Pedras Salgadas
Valpaços
Santo Tirso
Mondim de Basto
1318
Rio Frío
Matosinhos
Ermesinde
Vila Pouca de Aguiar
Porto
P. Nat. do Alvão
Montes
Trás os Montes
Alcañices
Tábara
Penafiel
Amarante
Macedo de Cavaleiros
Izeda
Gondomar
Marco de Canaveses
Mirandela
Murça
Vimioso
São Martinho de Angueira
Emb. de Ricobayo
Espinho
Entre-os-Rios
Peso da Régua
Vila Real
Solar de Mateus
1174
São João da Madeira
Cinfães
Rio Douro
Pinhão
Vale do Douro
Vila Flor
Duas Igrejas
Miranda do Douro
Montamarta
Ricobayo
Ovar
Lamego
Região Vinhateira do Alto Douro
Mogadouro
Estarreja
Oliveira de Azeméis
Burgo
PORTUGAL
Torre de Moncorvo
P.N. do Douro Internacional
Bermillo de Sayago
Zamora
Aveiro
Albergaria-a-Velha
Castro Daire
Vila Nova de Foz Côa
Fermoselle
Tierras de Sayago
Catedral
Barra
Ílhavo
1071
Vilar
Parque Arqueológico Vale do Coa
Barca de Alva
Trabanca
Aldeadávila de la Ribera
Emb. de Almendra
Corrales
Vouzela
Peñausende
Águeda
Vila Nova de Paiva
Sernancelhe
Teso Santo 985
Catedral
Viseu
Marialva
Figueira de Castelo Rodrigo
Vitigudino
El Cubo de Tierra del Vino
Curia
1075
Serra do Caramulo
Mangualde
Celorico da Beira
Tamanhos
Lumbrales
Ledesma
Luso
Tondela
Mata do Buçaco
Pinhel
La Estación Rupestre de Siega Verde
Villarmayor
R. Tormes
Almeida
Castillejo de Martín Viejo
Salamanca
Universidade
Coimbra
Rojão
Oliveira do Hospital
Gouveia
1595
Serra da Estrela
Guarda
Vilar Formoso
La Fuente de San Esteban
Arganil
P.N. da Serra da Estrela
Belmonte
Góis
Porto da Balsa
Covilhã
Sabugal
Catedral
Ciudad Rodrigo
Sancti-Spíritus
Vecinos
Alba de Tormes
Tamames
Fresno
91

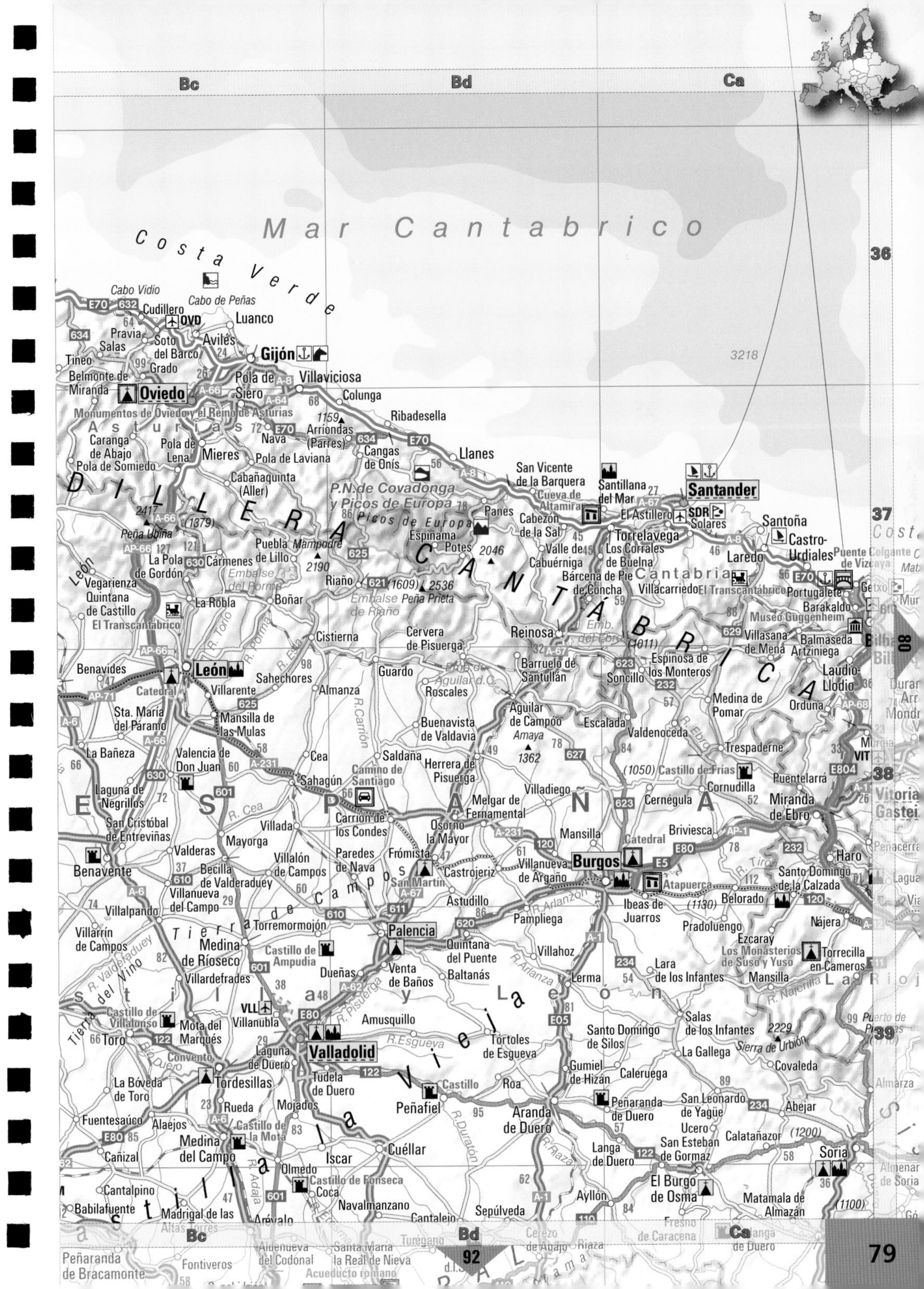

Mar Cantabrico

Costa Verde

36

3218

Cabo Vidio
Cabo de Peñas
E70 632 Cudillero
OVD
64 Luanco
634 Pravia
Salas Soto
Tineo del Barco Avilés
Belmonte de Grado 24 Gijón
Miranda 26 Villaviciosa
Oviedo Pola de Colunga
Siero A-64 68 Ribadesella
Monumentos de Oviedo y el Reino de Asturias A-66 72
Caranga 1159 E70 Llanes
de Abajo Pola de Mieres Nava (Parres) 634 San Vicente
Pola de Somiedo Lena Pola de Laviana Cangas 56 A-8 de la Barquera Santillana 27 Santander
2417 Cabañaquinta de Onís Cueva de del Mar A-67
Peña Ubiña (Aller) P.N. de Covadonga Panes 19 Altamira SDR Santoña
(1379) y Picos de Europa 86 Cabezón Los Corrales Solares Castro-
Puebla Mámpodre Picos de Europa Espinama de la Sal de Buelna Santander Urdiales
AP-66 127 121 de Lillo 2190 Potes 2046 Valle de Torrelavega A-8 Laredo Puente Colgante
León La Pola 630 Cármenes de Lillo 625 Cabuérniga Bárcena de Pie Villacarriedo Laredo de Vizcaya
Vegarienza de Gordón Riaño 621 (1609) 2536 de Concha Cantabria El Transcantábrico Portugalete
Quintana Embalse Boñar Embalse Peña Prieta Reinosa Emb. Museo Guggenheim Barakaldo
de Castilla del Porma de Riaño 88 Villasana Balmaseda 80
El Transcantábrico La Robla Cistierna (1011) 629 de Mená Artziniega Bilbao
Benavides AP-66 Cervera 32 A-67 Espinosa de Laudio Bilbao
León de Pisuerga Barruelo de los Monteros Llodio
Sta. María León 98 Guardo Santullán 623 Soncillo 232 Medina de Orduña AP-68 Durango
del Páramo Villarente 625 Almanza Aguilar d.C. Pomar 57 Arrigorriaga
A-6 Mansilla Roscales Escalada Valdenoceda Trespaderne Mungia VIT
La Bañeza AP-66 de las Mulas Cea Buenavista Aguilar 78 627 Castillo de Frias Puentelarrá E804 38
A-66 58 de Valdavia de Campóo Amaya 1362 584 (1050) Cornudilla Miranda Vitoria
Valencia de 60 A-231 Saldaña 49 Briviesca de Ebro Gasteiz
630 Don Juan Sahagún Herrera de Villadiego Cernégula AP-1 Haro
Laguna de 72 601 Pisuerga Ñ Briviesca 232 La Rioja
Negrillos Villada Melgar de 61 Catedral Santo Domingo Penacerra
San Cristóbal Mayorga Fernamental Osorno Mansilla A-231 Burgos E5 78 de la Calzada
de Entreviñas Valderas Carrión de la Mayor 120 E80 112 Nájera
Benavente A-6 Becilla Villalón los Condes Villanueva Atapuerca Santo Domingo
610 de Valderaduey de Campos Paredes de Nava Castrojeriz de Argaño Belorado 120
Villalpando Villanueva San Martín A-67 Ibeas de (1130)
74 del Campo 29 Astudillo Juarros Pradoluengo Ezcaray
Villarrín 610 Torremormojón 620 Pampliega Villahoz Lara Los Monasterios Torrecilla
de Campos Tierra de Campos Quintana A-1 de los Infantes de Suso y Yuso en Cameros
S del Puente Lerma 54 Mansilla La Rioja
Medina Palencia Venta de Baltanás Salas
Castillo de de Ríoseco Dueñas Baños de los Infantes 2229 99 Puerto de
Villardefrades Ampudia 81 Santo Domingo La Gallega Sierra de Urbión Pineda
Castillo de VLL E80 Amusquillo de Silos 39
Villalonso Mota del Villanubla Tórtoles Gumiel Caleruega Covaleda
66 Toro 122 Marqués 29 Laguna Valladolid R. Esgueva de Esgueva de Hizán San Leonardo Almarza
Convento de de Duero Roa de Yagüe 234 Abejar
La Bóveda Tordesillas Tudela Peñafiel 95 Aranda Peñaranda San Esteban Calatañazor (1200) Soria
de Toro 23 Rueda de Duero de Duero de Duero de Gormaz 36
Fuentesaúco Mojados Langa 122 58 Almenar
Alaejos Castillo de Iscar Cuéllar de Duero El Burgo Matamala de de Soria
Medina la Mota Olmedo de Osma Almazán (1100)
del Campo Castillo de Fonseca Ayllón 84 Fresno
Cantalpino Coca Navalmanzano 62 de Caracena
Babilafuente Madrigal de las Cantalejo Sepúlveda 110
Altas Torres Arévalo

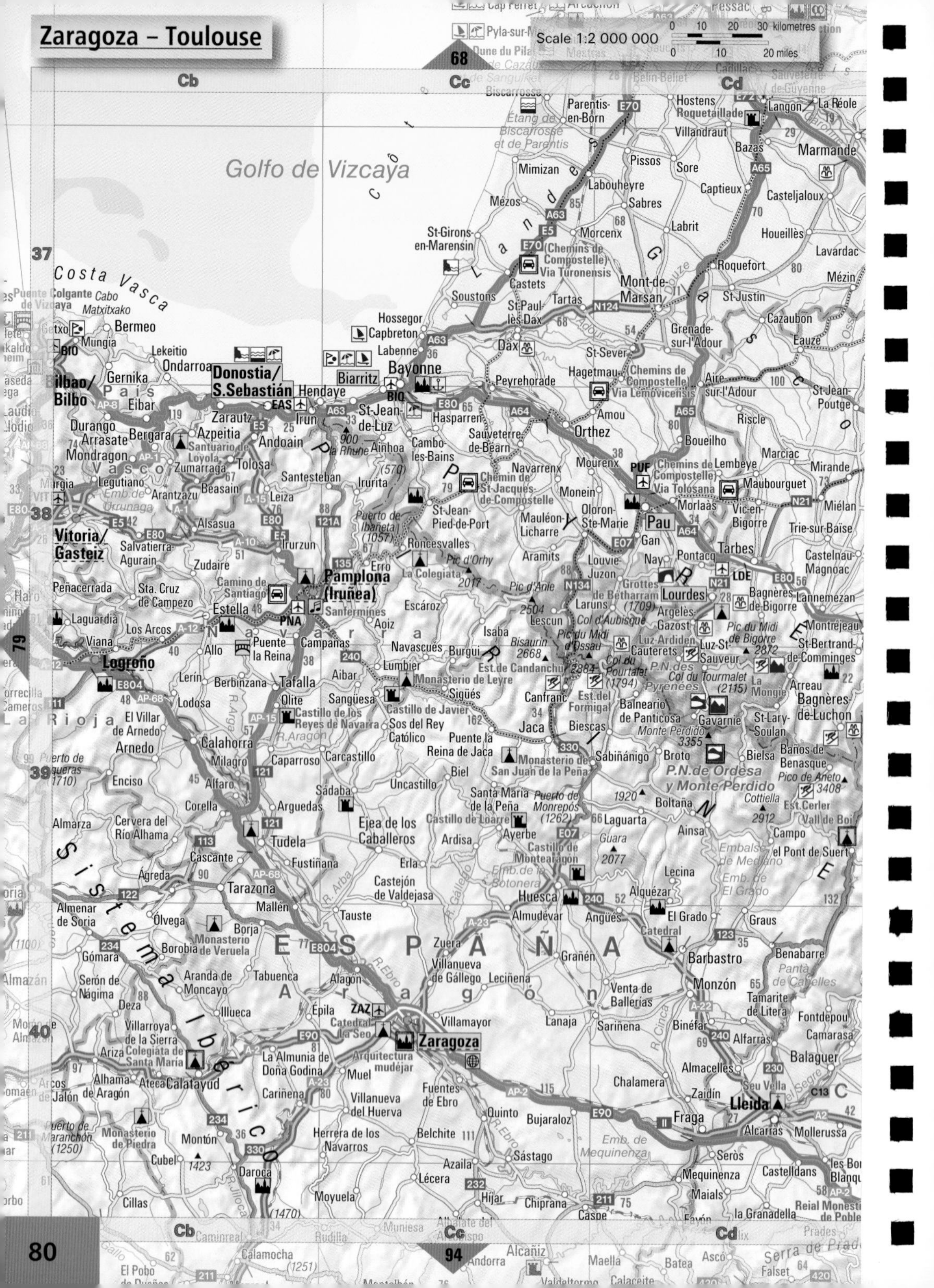
Scale 1:2 000 000
0 10 20 30 kilometres
0 10 20 miles
68
Cb
Cc
Cd
Golfo de Vizcaya
Costa Vasca
37
38
39
40
79
94
Parentis-en-Born
Hostens
Roquetaillade
Langon
La Réole
Villandraut
Bazas
Marmande
Mimizan
Pissos
Sore
Labouheyre
Captieux
Casteljaloux
Mézos
Sabres
Labrit
Houeillès
St-Girons-en-Marensin
Morcenx
Lavardac
Roquefort
Mézin
Castets
Mont-de-Marsan
Soustons
St-Paul-lès-Dax
Tartas
St-Justin
Cazaubon
Hossegor
Capbreton
Dax
Grenade-sur-l'Adour
Eauze
Labenne
St-Sever
Bayonne
Biarritz
Hagetmau
Aire-sur-l'Adour
St-Jean-Poutge
Peyrehorade
Hendaye
St-Jean-de-Luz
Hasparren
Amou
Riscle
Orthez
Sauveterre-de-Béarn
Boueilho
Irun
Ainhoa
Cambo-les-Bains
Marciac
Navarrenx
Mourenx
Lembeye
Mirande
Monein
Maubourguet
Morlaàs
Vic-en-Bigorre
Miélan
St-Jean-Pied-de-Port
Mauléon-Licharre
Oloron-Ste-Marie
Pau
Bigorre
Trie-sur-Baïse
Gan
Nay
Pontacq
Tarbes
Castelnau-Magnoac
Roncesvalles
Aramits
Lourdes
Bagnères-de-Bigorre
Lannemezan
Argelès-Gazost
Montréjeau
St-Bertrand-de-Comminges
Luz-St-Sauveur
Cauterets
Arreau
Bagnères-de-Luchon
Gavarnie
St-Lary-Soulan
Bermeo
Mungia
Lekeitio
Ondarroa
Gernika
Donostia/S.Sebastián
Bilbao/Bilbo
Eibar
Zarautz
Durango
Arrasate
Mondragon
Bergara
Azpeitia
Andoain
Tolosa
Zumarraga
Legutiano
Arantzazu
Beasain
Leiza
Santesteban
Irurita
Alsasua
Vitoria/Gasteiz
Salvatierra-Agurain
Irurzun
Zudaire
Pamplona (Iruñea)
Peñacerrada
Sta. Cruz de Campezo
Estella
Escároz
Laguardia
Los Arcos
Aoiz
Isaba
Viana
Logroño
Allo
Puente la Reina
Campanas
Navascués
Burgui
Lumbier
Aibar
Lerín
Berbinzana
Tafalla
Sigüés
Canfranc
Olite
Sangüesa
Lodosa
El Villar de Arnedo
Arnedo
Sos del Rey Católico
Jaca
Biescas
Calahorra
Puente la Reina de Jaca
Sabiñánigo
Broto
Bielsa
Milagro
Caparroso
Carcastillo
Enciso
Alfaro
Biel
Sádaba
Uncastillo
Corella
Arguedas
Ayerbe
Laguarta
Boltaña
Ainsa
Campo
Almarza
Cervera del Río Alhama
Tudela
Ejea de los Caballeros
Ardisa
Cascante
Fustiñana
Erla
Ágreda
Tarazona
Castejón de Valdejasa
Huesca
Lecina
Alquézar
Mallén
Almudévar
Angüés
El Grado
Graus
Almenar de Soria
Ólvega
Tauste
Borja
Borobia
Gómara
Zuera
Grañén
Barbastro
Benabarre
Villanueva de Gállego
Leciñena
Tabuenca
Alagón
Serón de Nágima
Aranda de Moncayo
Monzón
Tamarite de Litera
Deza
Illueca
Épila
Venta de Ballerías
Villamayor
Lanaja
Sariñena
Binéfar
Fontdepou
Camarasa
Villarroya de la Sierra
Zaragoza
Alfarràs
Balaguer
Ariza
La Almunia de Doña Godina
Almacelles
Alhama de Aragón
Ateca
Calatayud
Muel
Chalamera
Cariñena
Villanueva del Huerva
Fuentes de Ebro
Zaidín
Lleida
Quinto
Bujaraloz
Fraga
Alcarràs
Mollerussa
Montón
Herrera de los Navarros
Belchite
Cubel
Sástago
Seròs
Castelldans
Daroca
Azaila
Mequinenza
Lécera
Maials
Cillas
Moyuela
Híjar
Chiprana
Caspe
la Granadella
Camino de Santiago
Sanfermines
Monasterio de Leyre
Castillo de Javier
Castillo de los Reyes de Navarra
Monasterio de San Juan de la Peña
Castillo de Loarre
Castillo de Montearagón
Monasterio de Veruela
Colegiata de Santa María
Monasterio de Piedra
Catedral la Seo
Arquitectura mudéjar
Catedral
Seu Vella
Chemins de Compostelle
Via Turonensis
Via Lemovicensis
Via Tolosana
Chemin de St-Jacques-de-Compostelle
Santuario de Loyola
La Colegiata
Grottes de Bétharram
P.N.de Ordesa y Monte Perdido
Pyrénées
Est.de Candanchú
Est.del Formigal
Balneario de Panticosa
Monte Perdido 3355
Pic du Midi de Bigorre 2872
Pic du Midi d'Ossau 2884
Pic d'Anie 2504
Pic d'Orhy 2017
Col du Tourmalet (2115)
Col d'Aubisque (1709)
Col du Pourtalet (1794)
Puerto de Ibañeta (1057)
Puerto de Monrepós (1262)
Pico de Aneto 3408
Bisaurin 2668
Guara 2077
La Rhune 900
Emb.de Urrunaga
Emb.de la Sotonera
Embalse de Mediano
Emb. de El Grado
Emb. de Mequinenza
Sistema Ibérico
E S P A Ñ A
A r a g ó n
N a v a r r a
P a í s V a s c o
La Rioja
P Y R É N É E S
L a n d e s
G a s c o g n e
Côte
R. Ebro
R. Aragón
R. Arga
R. Cinca
R. Gállego
R. Arba
R. Jiloca
Adour
E70
E80
E5
E07
E804
E90
A63
A64
A65
AP-8
AP-1
AP-68
AP-15
AP-2
A-15
A-1
A-10
A-12
A-23
A-22
A-2
N124
N134
N21
BIO
EAS
BIQ
PUF
LDE
PNA
ZAZ
80
Caminreal
Rudilla
Muniesa
Albalate del Arzobispo
Calamocha
Alcañiz
Andorra
Maella
Batea
Ascó
Falset
El Pobo

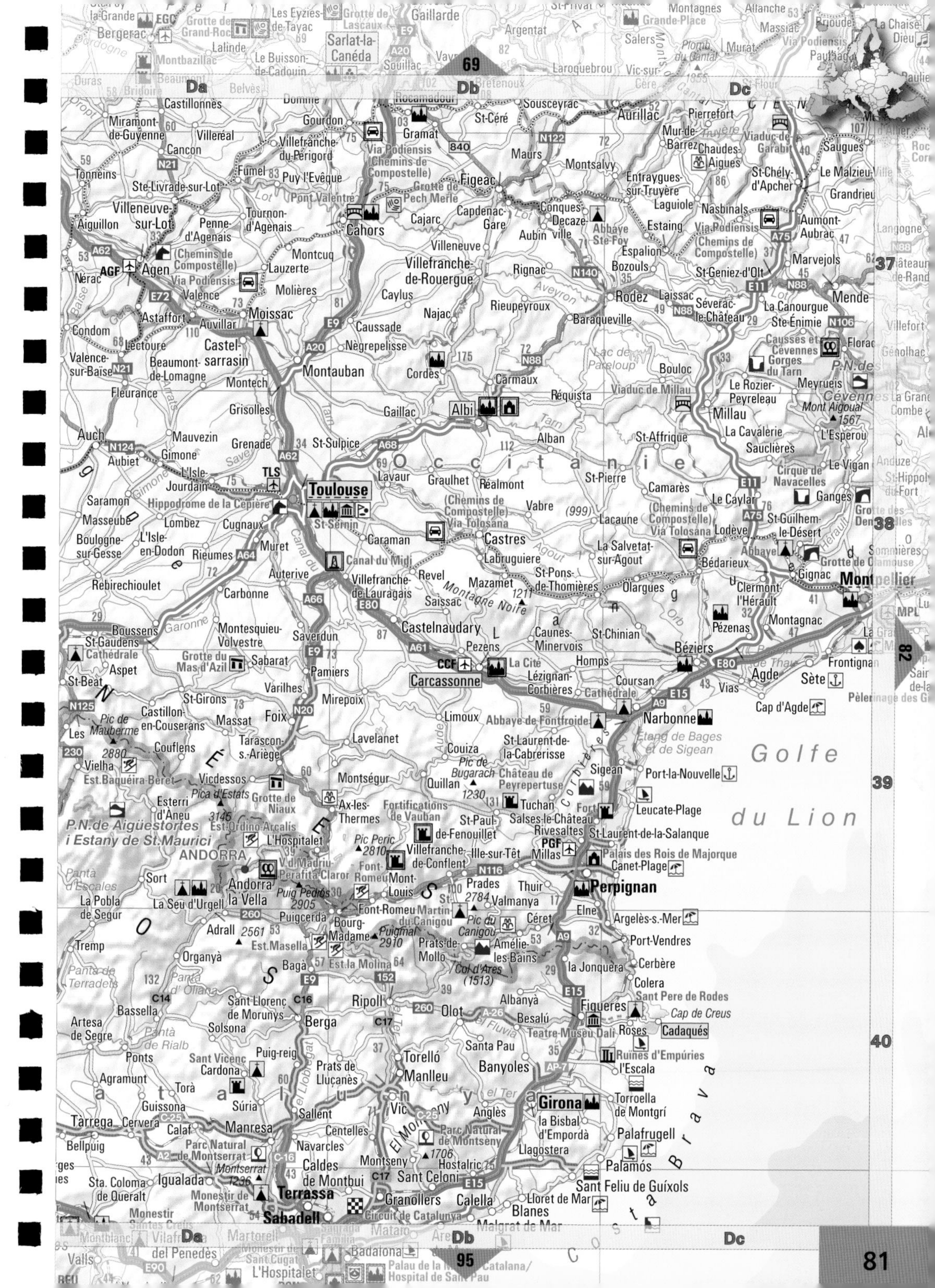

la Grande
Bergerac
EGC
Grotte de Grand-Roc
Lalinde
Les Eyzies-de-Tayac
Grotte de Lascaux
Sarlat-la-Canéda
Gaillarde
Souillac
Argentat
Grande-Place
Salers
Montagnes
Allanche
Massiac
Brioude
La Chaise-Dieu
Murat
Via Podiensis
Paulhaguet
Montbazillac
Le Buisson-de-Cadouin
69
Laroquebrou
Vic-sur-Cère
Plomb du Cantal
1855
Duras
Bridoire
Beaumont
Da
Belvès
Db
Bretenoux
Dc
St-Flour
Rocamadour
Domme
Castillonnès
Miramont-de-Guyenne
Villeréal
Gourdon
Gramat
St-Céré
Sousceyrac
Aurillac
Pierrefort
Mur-de-Barrez
Viaduc de Garabit
Chaudes-Aigues
Saugues
Cancon
Villefranche-du-Périgord
Via Podiensis (Chemins de Compostelle)
Maurs
Montsalvy
Tonneins
Fumel
Puy l'Evêque
Figeac
Entraygues-sur-Truyère
St-Chély-d'Apcher
Le Malzieu-Ville
Ste-Livrade-sur-Lot
Grotte de Pech Merle
Pont Valentré
Laguiole
Nasbinals
Grandrieu
Villeneuve-sur-Lot
Penne-d'Agenais
Tournon-d'Agenais
Cahors
Cajarc
Capdenac-Gare
Conques
Decazeville
Aubin
Abbaye Ste-Foy
Estaing
Via Podiensis (Chemins de Compostelle)
Aumont-Aubrac
Langogne
Aiguillon
Villeneuve
Espalion
Marvejols
Agen
AGF
Nérac
(Chemins de Compostelle)
Montcuq
Lauzerte
Villefranche-de-Rouergue
Rignac
Bozouls
St-Geniez-d'Olt
Via Podiensis
Valence
Molières
Caylus
Rodez
Laissac
Séverac-le-Château
Mende
Astaffort
Moissac
Najac
Rieupeyroux
Baraqueville
La Canourgue
Ste-Enimie
Condom
Auvillar
Caussade
Villefort
Lectoure
Castelsarrasin
Nègrepelisse
Causses et Cévennes
Florac
Valence-sur-Baïse
Beaumont-de-Lomagne
Montauban
Cordes
Carmaux
Lac de Pareloup
Bouloc
Gorges du Tarn
P.N. des Cévennes
Génolhac
Montech
Le Rozier-Peyreleau
Meyrueis
Fleurance
Réquista
Viaduc de Millau
Grisolles
Gaillac
Albi
Millau
Mont Aigoual
1567
La Grand-Combe
Auch
Mauvezin
Grenade
St-Sulpice
Alban
St-Affrique
La Cavalerie
L'Esperou
Aubiet
Gimone
Sauclières
Anduze
L'Isle-Jourdain
TLS
Toulouse
Lavaur
Graulhet
Réalmont
St-Pierre
Camarès
Cirque de Navacelles
Le Vigan
St-Hippolyte-du-Fort
Occitanie
Saramon
Hippodrome de la Cépière
(Chemins de Compostelle) Via Tolosana
Vabre
Le Caylar
Ganges
Masseube
Lombez
Cugnaux
St-Sernin
Lacaune
(Chemins de Compostelle) Via Tolosana
St-Guilhem-le-Désert
Boulogne-sur-Gesse
L'Isle-en-Dodon
Rieumes
Muret
Caraman
Castres
Lodève
Sommières
Labruguière
La Salvetat-sur-Agout
Bédarieux
Abbaye
Grotte de Clamouse
Canal du Midi
Auterive
Villefranche-de-Lauragais
Revel
Mazamet
St-Pons-de-Thomières
Gignac
Montpellier
Rebirechioulet
Carbonne
Montagne Noire
1211
Saissac
Olargues
Clermont-l'Hérault
Castelnaudary
Pézenas
Montagnac
MPL
Boussens
St-Gaudens
Cathédrale
Montesquieu-Volvestre
Saverdun
Caunes-Minervois
St-Chinian
Béziers
Pezens
82
Aspet
Grotte du Mas-d'Azil
Sabarat
CCF
La Cité
Homps
Frontignan
Pamiers
Carcassonne
Lézignan-Corbières
Agde
Sète
St-Beat
Varilhes
Mirepoix
Coursan
Cathédrale
Vias
St-Girons
Cap d'Agde
Castillon-en-Couserans
Massat
Foix
Limoux
Abbaye de Fontfroide
Narbonne
Pic de Mauberme
Les
Lavelanet
Tarascon-s.-Ariège
Étang de Bages et de Sigean
Golfe du Lion
Couflens
Couiza
St-Laurent-de-la-Cabrerisse
Vielha
2880
Pic de Bugarach
Est. Baquéira-Beret
Vicdessos
Montségur
Sigean
Port-la-Nouvelle
Quillan
Château de Peyrepertuse
1230
39
Esterri d'Àneu
Pica d'Estats
3145
Grotte de Niaux
Ax-les-Thermes
Fortifications de Vauban
Tuchan
Leucate-Plage
P.N. de Aigüestortes i Estany de St. Maurici
Est. Ordino Arcalís
St-Paul-de-Fenouillet
Salses-le-Château
Fort
L'Hospitalet
Pic Péric
2810
Rivesaltes
St-Laurent-de-la-Salanque
ANDORRA
V.d'Madriu-Perafita-Claror
Villefranche-de-Conflent
Ille-sur-Têt
PGF
Millas
Palais des Rois de Majorque
Pantà d'Escales
Font-Romeu
Canet-Plage
Sort
Andorra la Vella
Puig Pedrós
2905
Mont-Louis
Prades
2784
Thuir
Perpignan
La Pobla de Segur
La Seu d'Urgell
Puigcerdà
Font-Romeu
St-Martin-du-Canigou
Valmanya
Elne
Argelès-s.-Mer
Adrall
2561
Bourg-Madame
Puigmal
2910
Pic du Canigou
Céret
Port-Vendres
Tremp
Organyà
Est. Masella
Prats-de-Mollo
Amélie-les-Bains
Cerbère
Pantà de Terradets
Pantà d'Oliana
Bagà
Est. la Molina
Col d'Ares
(1513)
la Jonquera
Colera
Sant Llorenç de Morunys
Ripoll
Albanyà
Sant Pere de Rodes
Bassella
Olot
Besalú
Figueres
Cap de Creus
Artesa de Segre
Solsona
Berga
Teatre-Museu Dalí
Roses
Cadaqués
Pantà de Rialb
El Fluvià
Santa Pau
40
Ponts
Sant Vicenç Cardona
Puig-reig
Prats de Lluçanès
Torelló
Banyoles
Ruïnes d'Empúries
Agramunt
Manlleu
l'Escala
Torà
Súria
Torroella de Montgrí
Guissona
Sallent
Vic
Anglès
Girona
Costa Brava
Tàrrega
Cervera
Calaf
Manresa
Centelles
El Montseny
la Bisbal d'Empordà
Palafrugell
Parc Natural de Montserrat
Navarcles
Parc Natural de Montseny
Bellpuig
Montseny
1706
Llagostera
Caldes de Montbui
Hostalric
Palamós
Sta. Coloma de Queralt
Igualada
Montserrat
1236
Sant Celoni
Sant Feliu de Guíxols
Monestir de Montserrat
Terrassa
Granollers
Calella
Lloret de Mar
Blanes
Sabadell
Circuit de Catalunya
Malgrat de Mar
Monestir Santes Creus
Montblanc
Vilafranca del Penedès
Martorell
Sagrada Família
Mataró
Da
Db
Dc
Monestir de Sant Cugat
Badalona
Valls
95
L'Hospitalet
Palau de la Música Catalana/ Hospital de Sant Pau
37
38

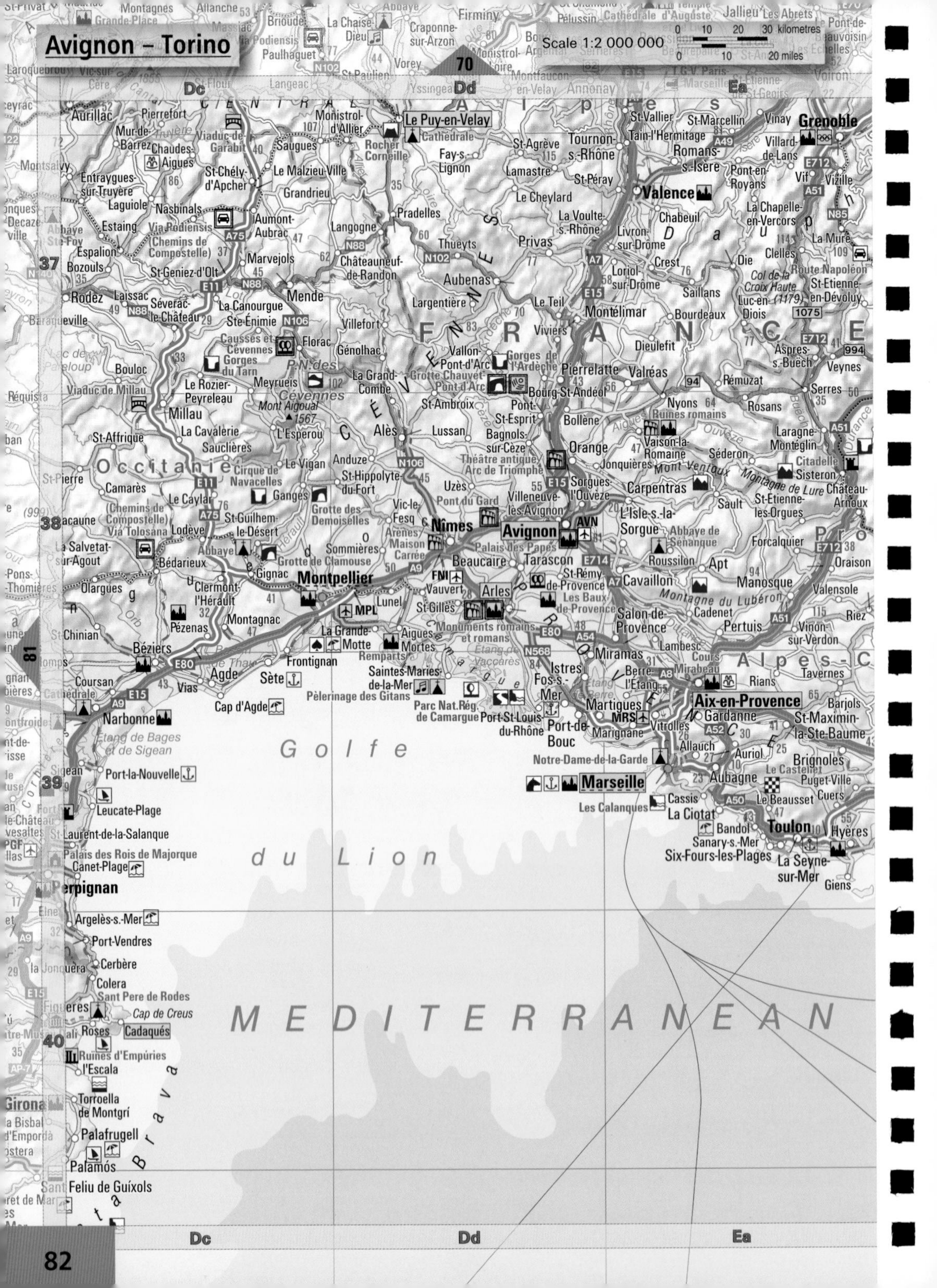

Avignon – Torino
Scale 1:2 000 000
0 10 20 30 kilometres
0 10 20 miles
70
Dc
Dd
Ea
37
38
39
40
81
C E N T R A L
A l p e s
F R A N C E
Occitanie
C É V E N N E S
P R O V E N C E
D a u p h
Alpes-C
Aurillac
Pierrefort
Mur-de-Barrez
Chaudes-Aigues
Viaduc de Garabit
St-Chély-d'Apcher
Le Malzieu-Ville
Saugues
Monistrol-d'Allier
Le Puy-en-Velay
Cathédrale
Rocher Corneille
Fay-s.-Lignon
St-Agrève
Tournon-s.-Rhône
St-Vallier
Tain-l'Hermitage
St-Marcellin
Vinay
Grenoble
Villard-de-Lans
Romans-s.-Isère
Pont-en-Royans
Vif
Vizille
Valence
Chabeuil
La Chapelle-en-Vercors
La Mure
Lamastre
St-Péray
Le Cheylard
La Voulte-s.-Rhône
Livron-sur-Drôme
Loriol-sur-Drôme
Crest
Die
Clelles
Col de la Croix Haute (1179)
Route Napoléon
St-Etienne-en-Dévoluy
Luc-en-Diois
Saillans
Bourdeaux
Montélimar
Le Teil
Privas
Aubenas
Thueyts
Largentière
Viviers
Dieulefit
Aspres-s.-Buëch
Veynes
Vallon-Pont-d'Arc
Gorges de l'Ardèche
Grotte Chauvet-Pont d'Arc
Bourg-St-Andéol
Pierrelatte
Valréas
Rémuzat
Serres
Nyons
Ruines romains
Rosans
Pont-St-Esprit
Bollène
St-Ambroix
Lussan
Bagnols-sur-Cèze
Orange
Vaison-la-Romaine
Laragne-Montéglin
Séderon
Mont Ventoux
Montagne de Lure
Citadelle
Sisteron
Château-Arnoux
Jonquières
Carpentras
Sault
St-Etienne-les-Orgues
Théâtre antique
Arc de Triomphe
Sorgues
l'Ouvèze
Uzès
Pont du Gard
Villeneuve-lès-Avignon
Avignon
AVN
L'Isle-s.-la-Sorgue
Abbaye de Sénanque
Forcalquier
Palais des Papes
Roussillon
Apt
Oraison
Manosque
Valensole
Beaucaire
Tarascon
St-Rémy-de-Provence
Cavaillon
Montagne du Lubéron
Les Baux-de-Provence
Cadenet
Pertuis
Riez
Vinon-sur-Verdon
Arles
Vauvert
FNI
Salon-de-Provence
Lambesc
Monuments romains et romans
Étang de Vaccarès
Camargue
Miramas
Istres
Berre-l'Étang
Mirabeau
Rians
Tavernes
Fos-s.-Mer
Martigues
MRS
Vitrolles
Aix-en-Provence
Gardanne
Barjols
St-Maximin-la-Ste-Baume
Port-de-Bouc
Marignane
Allauch
Auriol
Brignoles
Notre-Dame-de-la-Garde
Marseille
Aubagne
Le Castellet
Puget-Ville
Cuers
Les Calanques
Cassis
La Ciotat
Le Beausset
Bandol
Sanary-s.-Mer
Six-Fours-les-Plages
Toulon
Hyères
La Seyne-sur-Mer
Giens
Parc Nat. Rég. de Camargue
Port-St-Louis-du-Rhône
Saintes-Maries-de-la-Mer
Pèlerinage des Gitans
St-Gilles
Aigues-Mortes
Remparts
La Grande-Motte
Lunel
MPL
Montpellier
Nîmes
Arènes/Maison Carrée
Sommières
Grotte de Clamouse
Vic-le-Fesq
St-Hippolyte-du-Fort
Anduze
Alès
Grotte des Demoiselles
Ganges
Le Vigan
L'Espérou
Mont Aigoual 1567
P.N. des Cévennes
Meyrueis
La Grand-Combe
Génolhac
Florac
Villefort
Causses et Cévennes
Gorges du Tarn
Le Rozier-Peyreleau
Millau
Viaduc de Millau
La Cavalerie
Sauclières
St-Affrique
Cirque de Navacelles
Le Caylar
St-Guilhem-le-Désert
Lodève
Abbaye
Gignac
Clermont-l'Hérault
Bédarieux
Montagnac
Pézenas
Olargues
La Salvetat-sur-Agout
St-Chinian
Béziers
Agde
Vias
Sète
Frontignan
Cap d'Agde
Coursan
Narbonne
Cathédrale
Étang de Bages et de Sigean
Sigean
Port-la-Nouvelle
Leucate-Plage
St-Laurent-de-la-Salanque
Palais des Rois de Majorque
Canet-Plage
Perpignan
Argelès-s.-Mer
Port-Vendres
Cerbère
la Jonquera
Colera
Sant Pere de Rodes
Cap de Creus
Figueres
Roses
Cadaqués
Ruïnes d'Empúries
l'Escala
Torroella de Montgrí
Girona
la Bisbal d'Empordà
Palafrugell
Palamós
Sant Feliu de Guíxols
Costa Brava
Golfe du Lion
MEDITERRANEAN
Mende
Marvejols
Châteauneuf-de-Randon
Langogne
Pradelles
Grandrieu
Aumont-Aubrac
Nasbinals
Laguiole
Entraygues-sur-Truyère
Estaing
Espalion
Bozouls
St-Geniez-d'Olt
Rodez
Laissac
Sévérac-le-Château
La Canourgue
Ste-Énimie
Baraqueville
Bouloc
Camarès
Via Podiensis (Chemins de Compostelle)
Via Tolosana (Chemins de Compostelle)
Firminy
Brioude
La Chaise-Dieu
Craponne-sur-Arzon
Paulhaguet
Vorey
Monistrol-s.-Loire
Montfaucon-en-Velay
Annonay
Langeac
Yssingeaux
Pélussin
Jallieu
Les Abrets
Voiron
St-Flour
Massiac
Allanche
Montagnes
A7
A9
A54
A75
A8
A50
A51
A52
A49
E11
E15
E80
E712
E714
N88
N102
N106
N568
N85
1075
994

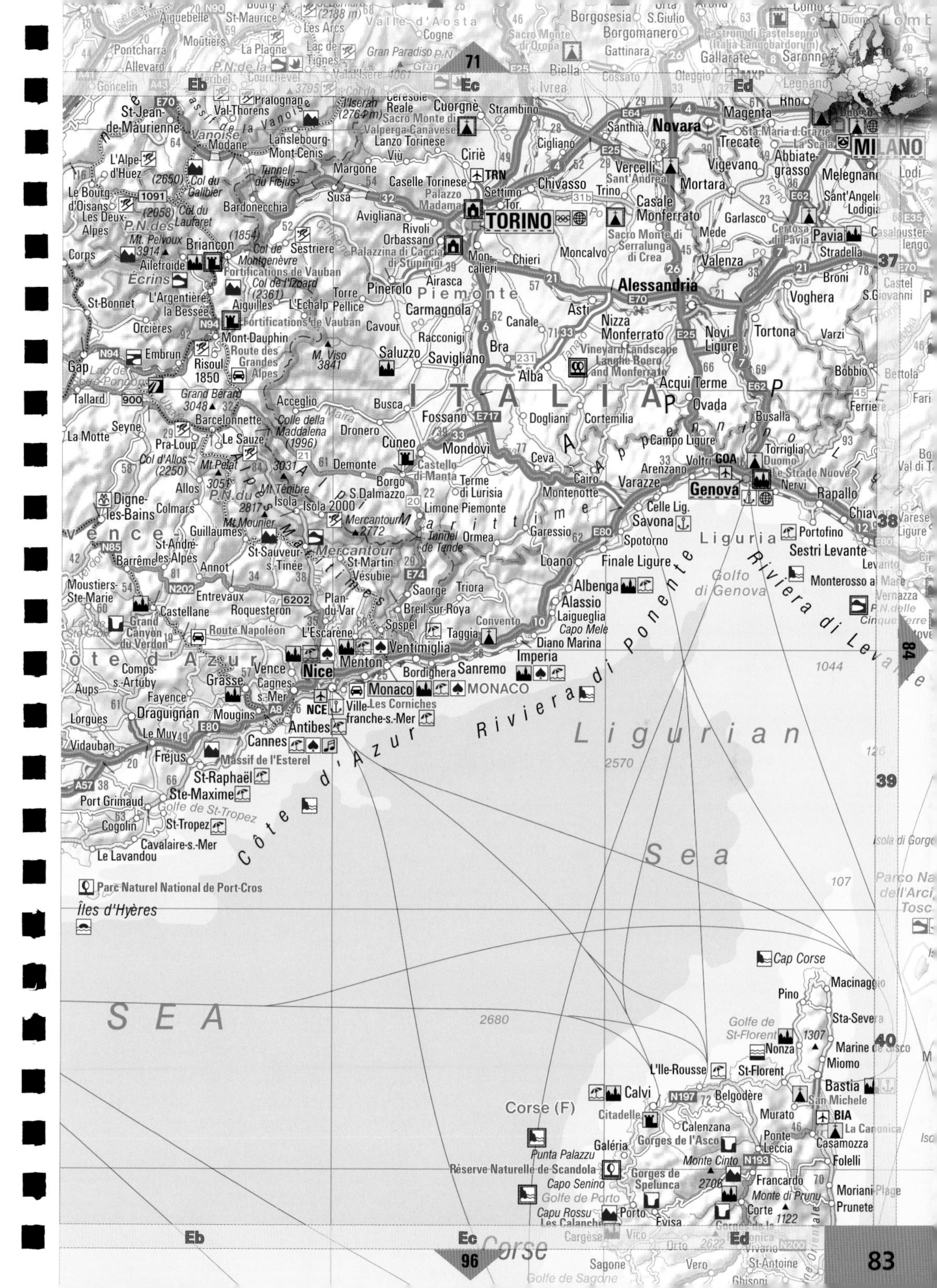

71
Eb
Ec
Ed
Aiguebelle
St-Maurice
Les Arcs
Valle d'Aosta
Cogne
Pontcharra
Moûtiers
La Plagne
Lac de Tignes
Gran Paradiso
Allevard
Courchevel
Val d'Isère
Goncelin
Borgosesia
S.Giulio
Borgomanero
Gattinara
Biella
Cossato
Ivrea
Oleggio
MXP
Gallarate
Saronno
Legnano
Rho
Sacro Monte di Oropa
Castrum di Castelseprio (Italia Langobardorum)
St-Jean-de-Maurienne
Val-Thorens
Pralognan
Vanoise
Modane
Lanslebourg-Mont-Cenis
L'Iseran (2764 m)
Ceresole Reale
Sacro Monte di Valperga Canavese
Lanzo Torinese
Cuorgnè
Strambino
Viù
Ciriè
L'Alpe-d'Huez
Col du Galibier
Tunnel du Fréjus
Margone
Caselle Torinese
TRN
Le Bourg-d'Oisans
Les Deux-Alpes
Col du Lautaret
Bardonecchia
Susa
Avigliana
Rivoli
Orbassano
Palazzo Madama
Settimo Tor.
TORINO
Chivasso
Cigliano
Santhià
Novara
Magenta
Sta Maria d.Grazie
La Scala
MILANO
Trecate
Abbiate-grasso
Vigevano
Vercelli
Sant'Andrea
Trino
Mortara
Casale Monferrato
Garlasco
Melegnano
Lodi
Sant'Angelo Lodigiano
P.N. des Écrins
Mt. Pelvoux 3914
Briançon
Corps
Ailefroide
Col de Montgenèvre
Sestriere
Palazzina di Caccia di Stupinigi
Moncalieri
Chieri
Moncalvo
Sacro Monte di Serralunga di Crea
Mede
Certosa di Pavia
Pavia
Casalpusterlengo
Stradella
Fortifications de Vauban
Col de l'Izoard (2361)
Valenza
Broni
St-Bonnet
L'Argentière-la-Bessée
Aiguilles
L'Echalp
Torre Pellice
Pinerolo
Airasca
Piemonte
Alessandria
Voghera
Castel S.Giovanni
Orcières
Carmagnola
Asti
Canale
Nizza Monferrato
Novi Ligure
Tortona
Varzi
Mont-Dauphin
Cavour
Racconigi
Bra
Gap
Embrun
Route des Grandes Alpes
Risoul 1850
M. Viso 3841
Saluzzo
Savigliano
Alba
Vineyard Landscape Langhe-Roero and Monferrato
Acqui Terme
Bobbio
Bettola
Tallard
Grand Bérard 3048
Acceglio
Busca
ITALIA
Ovada
Ferriere
Seyne
Barcelonnette
Colle della Maddalena (1996)
Dronero
Fossano
Dogliani
Cortemilia
Busalla
La Motte
Pra-Loup
Le Sauze
Cuneo
Mondovì
Campo Ligure
Torriglia
Col d'Allos (2250)
Mt.Pelat 3051
Demonte
Castello di Manta
Ceva
Voltri
GOA
Duomo
Le Strade Nuove
Nervi
Borgo S.Dalmazzo
Terme di Lurisia
Arenzano
Varazze
Cairo Montenotte
Genova
Rapallo
Digne-les-Bains
Allos
P.N. du Mercantour
Mt.Ténibre 2817
Isola
Isola 2000
Limone Piemonte
Celle Lig.
Savona
Chiavari
Colmars
Mt.Mounier
Mercantour 2772
Alpes Maritimes
Tunnel de Tende
Ormea
Garessio
Spotorno
Liguria
Portofino
Guillaumes
St-André-les-Alpes
St-Sauveur-s.-Tinée
St-Martin-Vésubie
Loano
Finale Ligure
Sestri Levante
Barrême
Annot
Albenga
Golfo di Genova
Monterosso al Mare
Moustiers-Ste-Marie
Entrevaux
Roquesteron
Plan-du-Var
Saorge
Triora
Alassio
Laigueglia
Capo Mele
Vernazza
P.N. delle Cinque Terre
Castellane
Grand Canyon du Verdon
Route Napoléon
L'Escarène
Breil-sur-Roya
Sospel
Convento
Taggia
Diano Marina
Riviera di Ponente
Riviera di Levante
Côte d'Azur
Comps-s.-Artuby
Vence
Grasse
Cagnes-s.-Mer
Nice
Menton
Ventimiglia
Bordighera
Sanremo
Imperia
1044
Aups
Fayence
NCE
Villefranche-s.-Mer
Les Corniches
Monaco
MONACO
Lorgues
Draguignan
Mougins
Antibes
Le Muy
Cannes
Vidauban
Fréjus
Massif de l'Esterel
Ligurian Sea
2570
St-Raphaël
Ste-Maxime
Port Grimaud
Golfe de St-Tropez
Cogolin
St-Tropez
Cavalaire-s.-Mer
Le Lavandou
Côte d'Azur
Riviera
Parc Naturel National de Port-Cros
Îles d'Hyères
107
Parco Nazionale dell'Arcipelago Toscano
Cap Corse
Macinaggio
Pino
SEA
2680
Golfe de St-Florent
Nonza
1307
Sta-Severa
Marine de Sisco
Miomo
L'Ile-Rousse
St-Florent
Bastia
Calvi
Belgodère
San Michele
Corse (F)
Citadelle
Murato
BIA
La Canonica
Calenzana
Galéria
Gorges de l'Asco
Ponte Leccia
Casamozza
Punta Palazzu
Monte Cinto
Folelli
Réserve Naturelle de Scandola
Gorges de Spelunca
Francardo
2706
Capo Senino
Golfe de Porto
Monte di Prunu
Moriani-Plage
Prunete
Capu Rossu
Les Calanches
Porto
Evisa
Corte
1122
Cargèse
Vico
Orto
2622
Vivario
Corse
Sagone
Vero
St-Antoine
Golfe de Sagone
Ghisoni
96
84
37
38
39
40

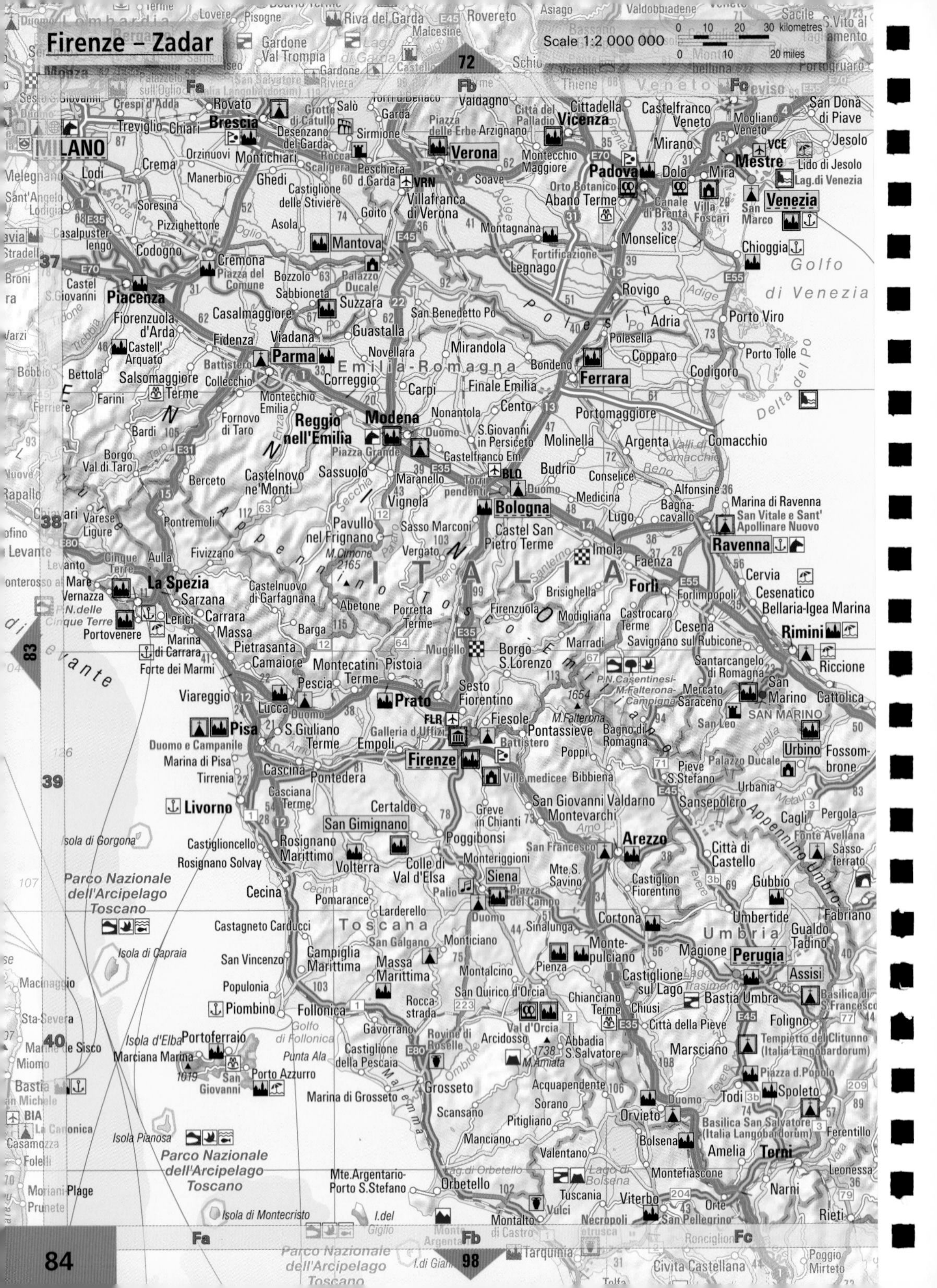
Scale 1:2 000 000
0 10 20 30 kilometres
0 10 20 miles
72
Fa
Fb
Fc
MILANO
Brescia
Verona
Vicenza
Padova
Mestre
Venezia
Mantova
Cremona
Piacenza
Parma
Reggio nell'Emilia
Modena
Ferrara
Bologna
Ravenna
Rimini
San Marino
Urbino
La Spezia
Lucca
Pisa
Livorno
Prato
Firenze
San Gimignano
Siena
Arezzo
Perugia
Assisi
Terni
Grosseto
Viterbo
Orvieto
Spoleto
Toscana
Umbria
Emilia-Romagna
ITALIA
Golfo di Venezia
Parco Nazionale dell'Arcipelago Toscano
Isola d'Elba
Isola di Capraia
Isola Pianosa
Isola di Montecristo
Isola di Gorgona
37
38
39
40
83
98

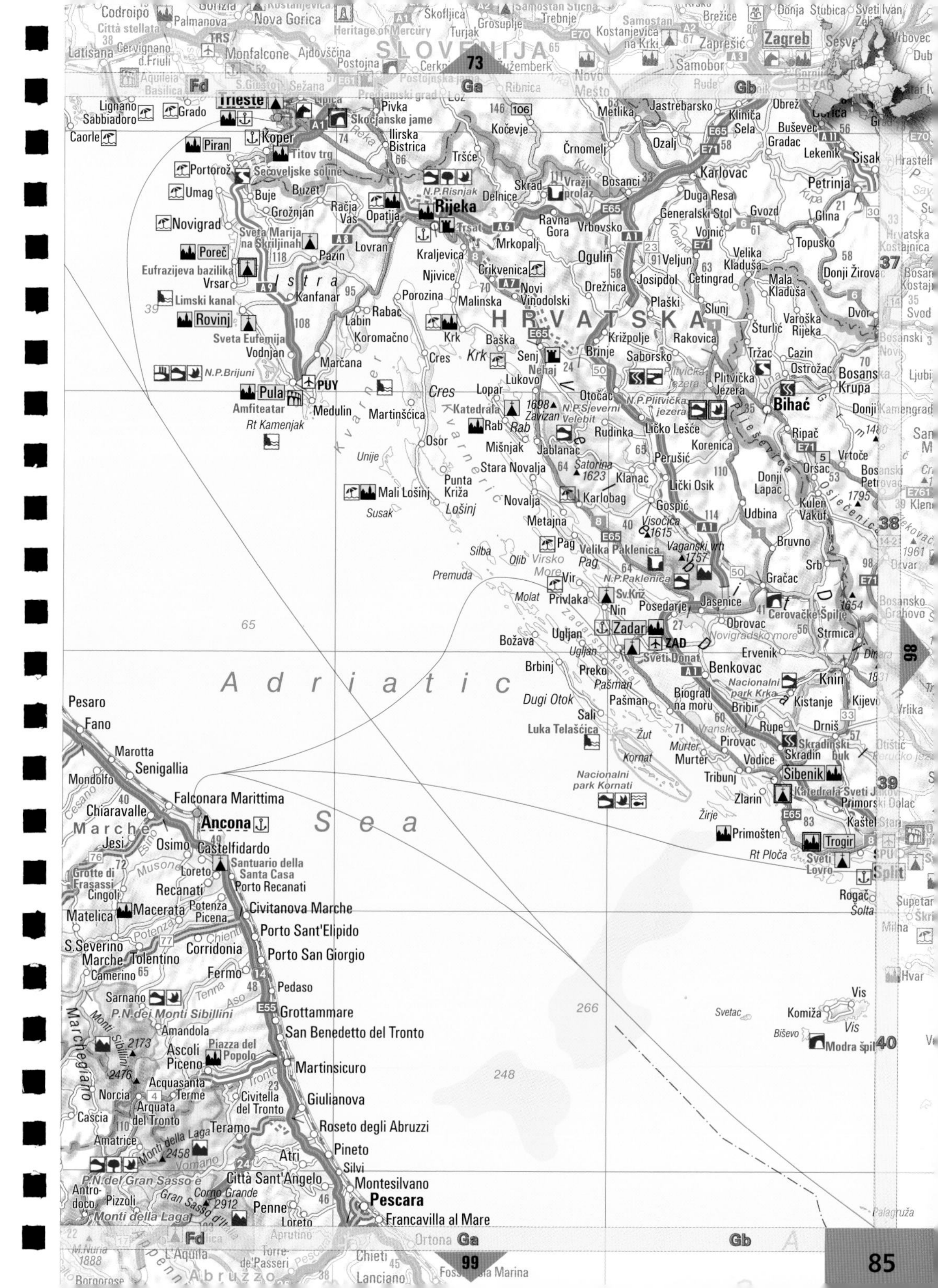

SLOVENIJA
HRVATSKA
Adriatic Sea
Istra
Kvarner
Kvarnerić
Velebit
Dinara
Zagreb
Trieste
Koper
Piran
Portorož
Umag
Novigrad
Poreč
Rovinj
Pula
Rijeka
Opatija
Crikvenica
Senj
Karlovac
Sisak
Bihać
Zadar
Šibenik
Trogir
Split
Knin
Gospić
Ogulin
Delnice
Krk
Cres
Rab
Pag
Mali Lošinj
Novalja
Vis
Komiža
Hvar
Ancona
Pesaro
Fano
Senigallia
Falconara Marittima
Jesi
Osimo
Castelfidardo
Loreto
Recanati
Macerata
Civitanova Marche
Porto Sant'Elpidio
Porto San Giorgio
Fermo
Grottammare
San Benedetto del Tronto
Ascoli Piceno
Martinsicuro
Giulianova
Teramo
Roseto degli Abruzzi
Pineto
Silvi
Montesilvano
Pescara
Francavilla al Mare
Chieti
Lanciano
Ortona
Città Sant'Angelo
Penne
Atri
L'Aquila
Marche
Abruzzo
P.N. dei Monti Sibillini
P.N. del Gran Sasso e Monti della Laga
N.P. Brijuni
N.P. Risnjak
N.P. Plitvička jezera
N.P. Paklenica
N.P. Sjeverni Velebit
Nacionalni park Krka
Nacionalni park Kornati
Škocjanske jame
Postojnska jama
Predjamski grad
Sečoveljske soline
Limski kanal
Eufrazijeva bazilika
Amfiteatar
Sveti Donat
Katedrala Sveti Jakov
Santuario della Santa Casa
Piazza del Popolo
Modra špilja
Cerovačke špilje
Fd
Ga
Gb
73
99
37
38
39
40
98

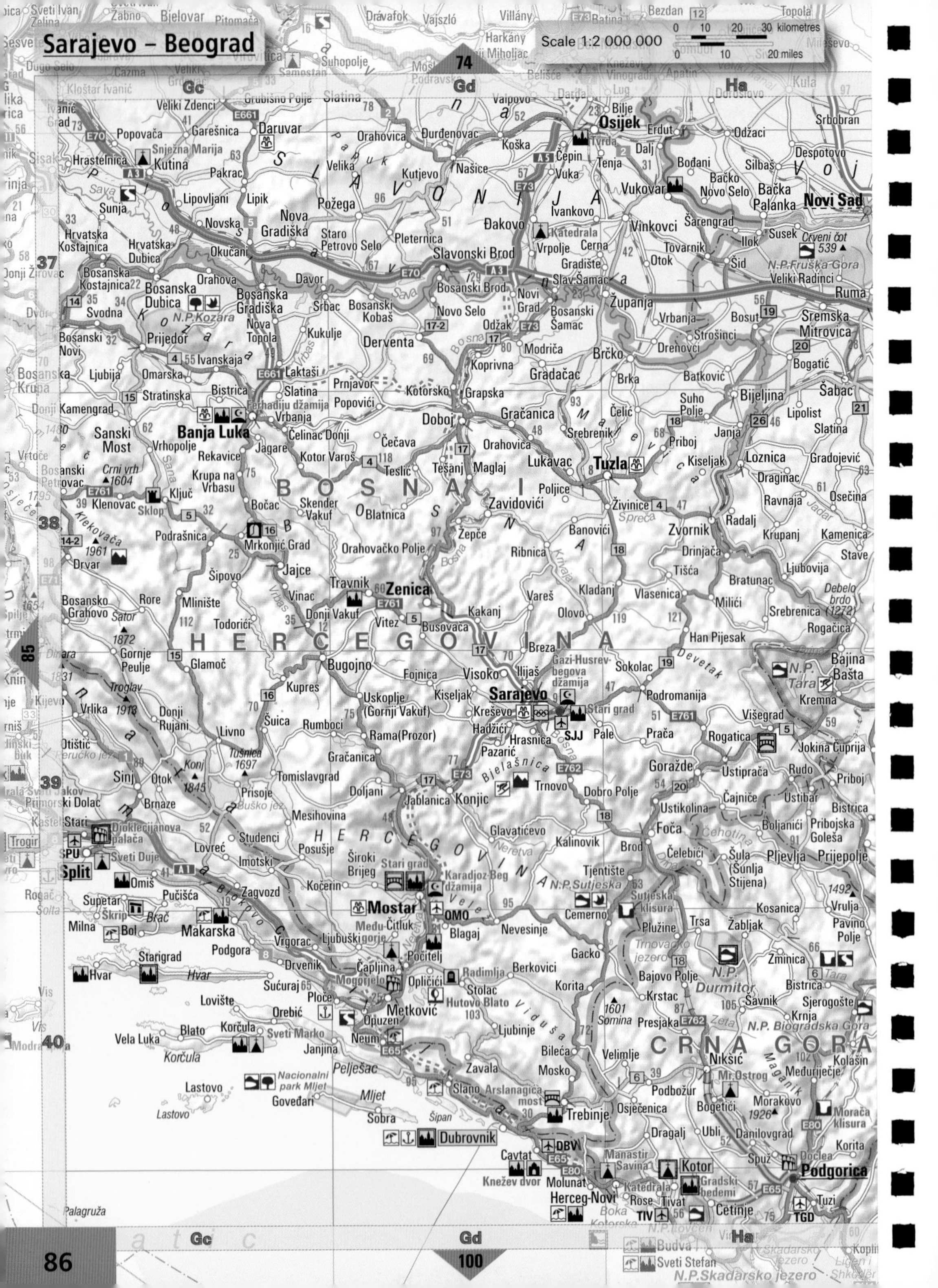

Sarajevo – Beograd
Scale 1:2 000 000
0 10 20 30 kilometres
0 10 20 miles
74
100
85
Gc
Gd
Ha
37
38
39
40
S L A V O N I J A
B O S N A I
H E R C E G O V I N A
C R N A G O R A
Bjelovar
Daruvar
Garešnica
Popovača
Kutina
Snježna Marija
Hrastelnica
Pakrac
Lipik
Lipovljani
Sunja
Novska
Nova Gradiška
Okučani
Hrvatska Kostajnica
Hrvatska Dubica
Bosanska Kostajnica
Bosanska Dubica
N.P.Kozara
Bosanska Gradiška
Staro Petrovo Selo
Požega
Velika
Kutjevo
Pleternica
Orahovica
Đurđenovac
Našice
Koška
Valpovo
Osijek
Bilje
Erdut
Dalj
Tenja
Čepin
Vuka
Đakovo
Katedrala
Ivankovo
Vukovar
Vinkovci
Bođani
Bačko Novo Selo
Bačka Palanka
Novi Sad
Odžaci
Srbobran
Despotovo
Silbaš
Šarengrad
Ilok
Susek
Crveni čot
539
N.P.Fruška Gora
Tovarnik
Šid
Veliki Radinci
Ruma
Slavonski Brod
Vrpolje
Cerna
Gradište
Otok
Slav.Šamac
Županja
Davor
Srbac
Bosanski Kobaš
Bosanski Brod
Novi Grad
Bosanski Šamac
Novo Selo
Odžak
Vrbanja
Bosut
Sremska Mitrovica
Štrošinci
Drenovci
Derventa
Modriča
Brčko
Bogatić
Svodna
Prijedor
Bosanski Novi
Nova Topola
Kukulje
Ivanskaja
Laktaši
Ljubija
Omarska
Stratinska
Bistrica
Slatina
Prnjavor
Kotorsko
Grapska
Koprivna
Gradačac
Brka
Batković
Bijeljina
Šabac
Suho Polje
Lipolist
Kamengrad
Sanski Most
Banja Luka
Ferhadiju džamija
Vrbanja
Popovići
Doboj
Gračanica
Čelić
Srebrenik
Priboj
Janja
Slatina
Vrhopolje
Čelinac Donji
Čečava
Orahovica
Lukavac
Tuzla
Kiseljak
Loznica
Gradojević
Rekavice
Jagare
Kotor Varoš
Teslić
Tešanj
Maglaj
Krupa na Vrbasu
Crni vrh
1604
Ključ
Klenovac
Sklop
Bočac
Skender Vakuf
Blatnica
Poljice
Zavidovići
Živinice
Spreča
Draginac
Ravnaja
Osečina
Radalj
Zvornik
Krupanj
Kamenica
Podrašnica
Mrkonjić Grad
Žepče
Banovići
Klekovača
1961
Drvar
Šipovo
Jajce
Orahovačko Polje
Ribnica
Krivaja
Drinjača
Tišća
Stave
Ljubovija
Travnik
Zenica
Vinac
Donji Vakuf
Vitez
Busovača
Kakanj
Vareš
Kladanj
Vlasenica
Bratunac
Milići
Debelo brdo
(1272)
Srebrenica
Rogačica
Bosansko Grahovo
Šator
1872
Rore
Mliništa
Todorići
Olovo
Han Pijesak
Breza
Gornje Peulje
Glamoč
Bugojno
Kupres
Fojnica
Visoko
Ilijaš
Gazi-Husrev-begova džamija
Sokolac
Devetak
N.P. Tara
Bajina Bašta
Kremna
Troglav
1913
Vrlika
Donji Rujani
Livno
Šuica
Uskoplje (Gornji Vakuf)
Kiseljak
Sarajevo
Stari grad
Podromanija
Višegrad
Kreševo
Hadžići
Hrasnica
SJJ
Pale
Prača
Rogatica
Jokina Ćuprija
Otišić
Rumboci
Rama(Prozor)
Pazarić
Bjelašnica
Goražde
Ustiprača
Rudo
Priboj
Tušnica
1697
Konj
1845
Sinj
Otok
Prisoje
Buško jez.
Tomislavgrad
Gračanica
Doljani
Jablanica
Konjic
Trnovo
Dobro Polje
Čajniče
Ustibar
Primorski Dolac
Brnaze
Mesihovina
Ustikolina
Boljanići
Pribojska Goleša
Bistrica
Kaštel Stari
Dioklecijanova palača
Trogir
SPU
Split
Sveti Duje
Studenci
Lovreć
Posušje
Imotski
Glavatićevo
Kalinovik
Foča
Brod
Čelebići
Šula (Šunlja Stijena)
Pljevlja
Prijepolje
Ćehotina
Neretva
Široki Brijeg
Stari grad
Karadjoz Beg džamija
Tjentište
N.P.Sutjeska
Omiš
Zagvozd
Kočerin
Mostar
OMO
Blagaj
Nevesinje
Cemerno
Sutjeska klisura
1492
Vrulja
Supetar
Škrip
Pučišća
Brač
Solta
Milna
Bol
Makarska
Biokovo
Vrgorac
Ljubuški
Čitluk
Počitelj
Pluzine
Trsa
Žabljak
Kosanica
Pavino Polje
Podgora
Starigrad
Hvar
Drvenik
Čapljina
Mogorjelo
Opličići
Radimlja
Berkovici
Stolac
Gacko
Trnovačko jezero
N.P. Durmitor
Zminica
Tara
Bajovo Polje
Bistrica
Sućuraj
Ploče
Hutovo Blato
Korita
Krstac
Šavnik
Sjerogošte
Krnja
Vis
Lovište
Orebić
Opuzen
Metković
Ljubinje
1601 Somina
Presjaka
N.P. Biogradska Gora
Vela Luka
Blato
Korčula
Sveti Marko
Neum
Janjina
Bileća
Velimlje
Nikšić
Kolašin
Maganik
Pelješac
Zavala
Mosko
Mr.Ostrog
Međurječje
Nacionalni park Mljet
Lastovo
Mljet
Goveđari
Slano
Arslanagića most
Trebinje
Osječenica
Podbožur
Bogetići
Morakovo
1926
Morača klisura
Sobra
Šipan
Dubrovnik
DBV
Dragalj
Ubli
Danilovgrad
Korita
Cavtat
Knežev dvor
Molunat
Manastir Savina
Kotor
Gradski bedemi
Spuž
Doclea
Podgorica
Herceg-Novi
Katedrala
Rose
Tivat
TIV
Cetinje
Tuzi
TGD
Palagruža
Budva
Sveti Stefan
N.P.Skadarsko jezero
Skadarsko jezero
N.P.Lovćen

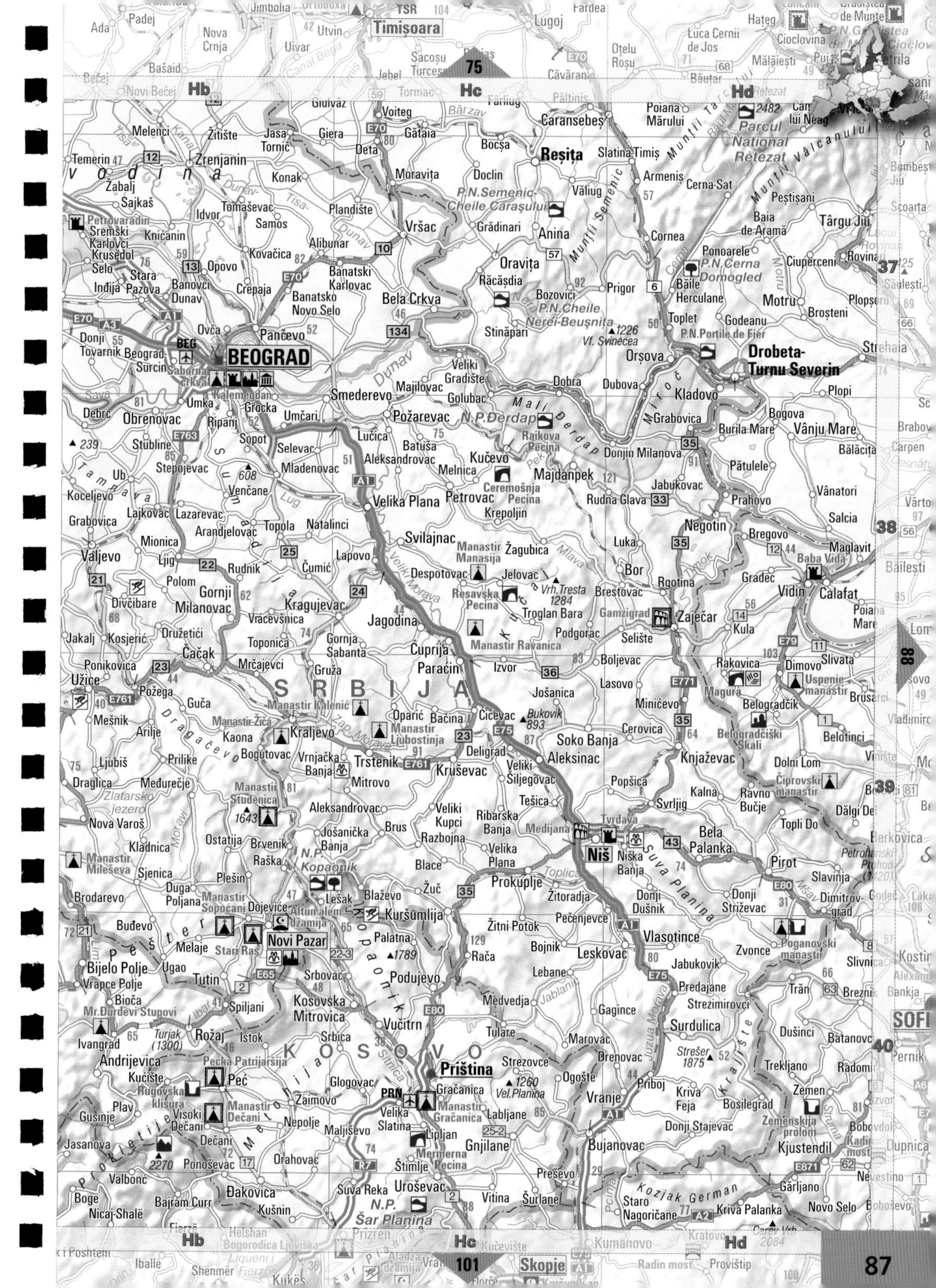

Timişoara
Lugoj
Ada
Padej
Nova Crnja
Utvin
Uivar
Sacoşu Turcesc
Jebel
Făget
Oţelu Roşu
Luca Cernii de Jos
Haţeg
Cioclovina
Mălăieşti
Băutar
Petrila
75
Novi Bečej
Bašaid
Bečej
Hb
Hc
Hd
Tormac
Pâltiniş
Giulvăz
Voiteg
Bârzav
Fârliug
Caransebeş
Poiana Mărului
2482
Parcul Naţional Retezat
Munţii Ţarcului
Munţii Vâlcanului
Melenci
Žitište
Jaša Tomić
Giera
Gătaia
Deta
Bocşa
Reşiţa
Slatina-Timiş
Temerin
Zrenjanin
Vojvodina
Konak
Moraviţa
Doclin
Armeniş
Cerna-Sat
Žabalj
Šajkaš
Tomaševac
Idvor
Samoš
Plandište
P.N.Semenic-Cheile Caraşului
Văliug
Munţii Semenic
Peştişani
Baia de Aramă
Târgu Jiu
Petrovaradin
Sremski Karlovci
Kničanin
Krušedol Selo
Kovačica
Alibunar
Vršac
Grădinari
Anina
Cornea
Ponoarele
Ciuperceni
Rovinari
Stara Pazova
Inđija
Banovci Dunav
Opovo
Crepaja
Banatski Karlovac
Banatsko Novo Selo
Bela Crkva
Oraviţa
Răcăşdia
Bozovici
P.N.Cheile Nerei-Beuşniţa
Prigor
P.N.Cerna Domogled
Băile Herculane
Motru
Plopşoru
Broşteni
Săuleşti
Donji Tovarnik
Beograd-Surčin
BEG
BEOGRAD
Saborna crkva
Kalemegdan
Ovča
Pančevo
Dunav
Stinăpari
1226 Vf. Svinecea
Toplet
Godeanu
P.N.Porţile de Fier
Oršova
Drobeta-Turnu Severin
Strehaia
Veliki Gradište
Sava
Umka
Debrc
Obrenovac
Ripanj
Grocka
Umčari
Smederevo
Majilovac
Golubac
Dobra
Dubova
Kladovo
Plopi
Mali Đerdap
N.P.Đerdap
Grabovica
Mirač
Bogova
Burila Mare
Vânju Mare
Băcăita
239
Stubline
Sopot
Selevac
Lučica
Požarevac
Batuša
Aleksandrovac
Rajkova Pećina
Pek
Donjin Milanova
Pătulele
Tamnava
Ub
Stepojevac
608
Mladenovac
Melnica
Kučevo
Majdanpek
Jabukovac
Vânatori
Koceljevo
Venčane
Ceremošnja Pećina
Krepoljin
Rudna Glava
Prahovo
Grabovica
Lajkovac
Lazarevac
Velika Plana
Petrovac
Negotin
Salcia
Arandjelovac
Topola
Natalinci
Bregovo
Mionica
Svilajnac
Manastir Manasija
Žagubica
Mlava
Luka
Maglavit
Valjevo
Ljig
Rudnik
Čumić
Lapovo
Despotovac
Jelovac
Vrh.Tresta 1284
Bor
Rgotina
Gradec
Baba Vida
Băileşti
Polom
Gornji Milanovac
Divčibare
Kragujevac
Resavska Pećina
Brestovac
Timok
Vidin
Calafat
Jagodina
Troglan Bara
Gamzigrad
Zaječar
Kula
Poiana Mare
Jakalj
Kosjerić
Družetići
Vračevšnica
Toponica
Gornja Sabanta
Ćuprija
Manastir Ravanica
Podgorac
Selište
Čačak
Paraćin
Izvor
Boljevac
Rakovica
Dimovo
Slivata
Ponikovica
Mrčajevci
Gruža
Užice
Požega
SRBIJA
Lasovo
Uspenie manastir
Magura
Brusarci
Guča
Manastir Kalenić
Oparić
Bačina
Ćićevac
Bukovik 893
Minićevo
Belogradčik
Mešnik
Dragačevo
Arilje
Manastir Žiča
Kraljevo
Manastir Ljubostinja
Zap. Morava
Cerovica
Belogradčiški Skali
Kaona
Bogutovac
Vrnjačka Banja
Trstenik
Deligrad
Soko Banja
Belotinci
Ljubiš
Prilike
Mitrovo
Kruševac
Veliki Šiljegovac
Aleksinac
Knjaževac
Dolni Lom
Draglica
Međurečje
Zlatarsko jezero
Manastir Studenica
1643
Aleksandrovac
Veliki Kupci
Ribarska Banja
Tešica
Popšica
Kalna
Ravno Bučje
Čiprovski manastir
Nova Varoš
Ostatija
Brvenik
Jošanička Banja
Brus
Razbojna
Medijana
Tvrdava
Svrljig
Bela Palanka
Topli Do
Dălgi Del
Kladnica
Raška
N.P. Kopaonik
Velika Plana
Niš
Niška Banja
Suva Planina
Pirot
Berkovica
Manastir Mileševa
Sjenica
Plešin
Blace
Toplica
Prokuplje
Slavinja
Brodarevo
Duga Poljana
Manastir Sopoćani
Lešak
Blaževo
Žuč
Žitoradja
Donji Dušnik
Donji Striževac
Dimitrovgrad
Buđevo
Pešter
Dojeviće
Altun-alem džamija
Kuršumlija
Kopaonik
Pečenjevce
Vlasotince
Melaje
Stari Ras
Novi Pazar
Palatna
1789
Žitni Potok
Bojnik
Leskovac
Zvonce
Poganovski manastir
Bijelo Polje
Ugao
Tutin
Srbovac
Podujevo
Rača
Lebane
Jabukovik
Slivnica
Vrapce Polje
Bioča
Mr.Đurđevi Stupovi
Spiljani
Kosovska Mitrovica
Medvedja
Jablanica
Predajane
Strezimirovci
Trăn
Breznik
Ivangrad
Turjak (1300)
Rožaj
Istok
Srbica
Vučitrn
Tulare
Gagince
Surdulica
Dušinci
Batanovci
Andrijevica
Pećka Patrijaršija
KOSOVO
Marovac
Drenovac
Strešer 1875
Kraište
Trekljano
Kučište
Peć
Priština
Strezovce
1260 Vel.Planina
Ogošte
Radomir
Rugovska klisura
Glogovac
PRN
Gračanica
Priboj
Kriva Feja
Zemen
Plav
Gusinje
Visoki Dečani
Manastir Dečani
Zaimovo
Velika Slatina
Manastir Gračanica
Labljane
Vranje
Bosilegrad
Dečani
Nepolje
Maljiševo
Lipljan
Donji Stajevac
Zemenskija prolom
Jasanova
Prokletije
2270
Metohija
Gnjilane
Bujanovac
Kjustendil
Dupnica
Ponoševac
Orahovac
Mermerna Pećina
Štimlje
Preševo
Nevestino
Valbonë
Đakovica
Suva Reka
Uroševac
Vitina
Šurlane
Kozjak
German
Staro Nagoričane
Kriva Palanka
Gărljano
Novo Selo
Bogë
Nicaj-Shalë
Bajram Curr
Kušnin
N.P. Šar Planina
Pčinja
Fierzë
Helshan
Bogorodica Ljeviška
Prizren
Kučevište
Kumanovo
Kratovo
Carev Vrh 2084
Iballë
Shënmër
Liqeni i Fierzës
Kukës
Šar Planina
Aladža džamija
101
Skopje
Radin most
Proviştip
Struma
Kostin
Bankja
SOFI
Pernik
88
37
38
39
40

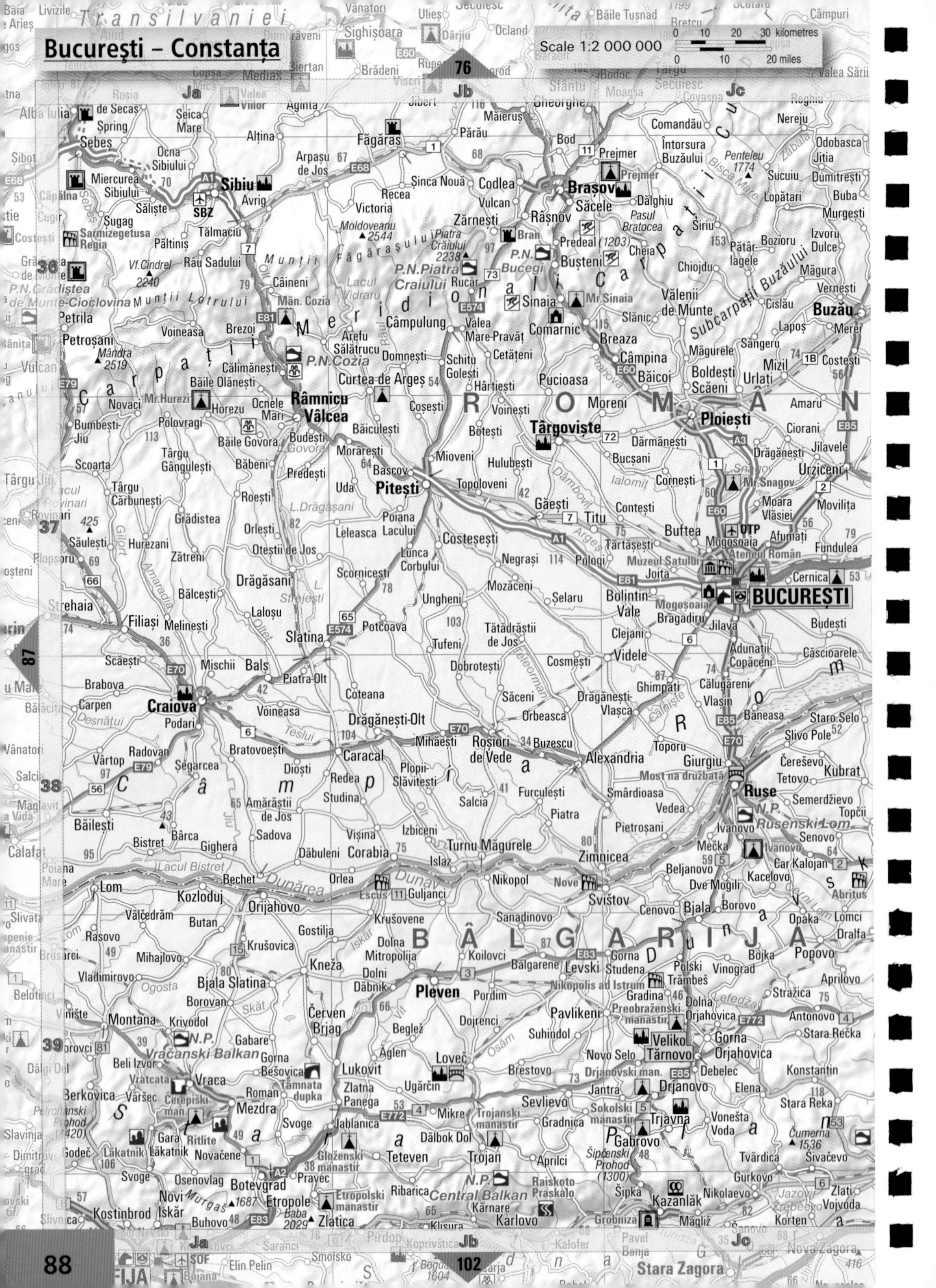
Scale 1:2 000 000
0 10 20 30 kilometres
0 10 20 miles
76
87
102
Ja
Jb
Jc
36
37
38
39
Sighișoara
Mediaș
Făgăraș
Sibiu
Sebeș
Alba Iulia
Miercurea Sibiului
Săliște
Avrig
Ocna Sibiului
Tălmaciu
Păltiniș
Sarmizegetusa Regia
Râu Sadului
Câineni
Brezoi
Voineasa
Petrila
Petroșani
Mândra 2519
Vf.Cindrel 2240
Moldoveanu 2544
Munții Lotrului
Munții Făgărașului
Carpații Meridionali
Carpații
P.N.Piatra Craiului
P.N.Cozia
P.N.Bucegi
Piatra Craiului 2238
Codlea
Brașov
Săcele
Râșnov
Zărnești
Bran
Predeal
Bușteni
Sinaia
Comarnic
Breaza
Câmpina
Băicoi
Pucioasa
Moreni
Prejmer
Întorsura Buzăului
Penteleu 1774
Vălenii de Munte
Slănic
Subcarpații Buzăului
Buzău
Mizil
Urlați
Boldești Scăeni
Ploiești
Câmpulung
Curtea de Argeș
Râmnicu Vâlcea
Horezu
Călimănești
Băile Olănești
Băile Govora
Ocnele Mari
Novaci
Bumbești-Jiu
Târgu Jiu
Pitești
Mioveni
Topoloveni
Găești
Titu
Târgoviște
Buftea
Otopeni
Mogoșoaia
Ateneul Român
Muzeul Satului
BUCUREȘTI
Bolintin-Vale
Bragadiru
Jilava
Urziceni
Afumați
Fundulea
Cernica
Budești
Oltenița
Drăgășani
Slatina
Balș
Craiova
Filiași
Caracal
Drăgănești-Olt
Roșiori de Vede
Alexandria
Videle
Giurgiu
Turnu Măgurele
Zimnicea
Corabia
Calafat
Băilești
Bechet
Dunărea
Dunav
ROMÂNIA
Câmpia Română
Ruse
Most na družbata
N.P. Rusenski Lom
Svištov
Nikopol
Orjahovo
Kozloduj
Lom
Montana
Vraca
Mezdra
Roman
Lukovit
Loveč
Pleven
Levski
Gorna Orjahovica
Veliko Tărnovo
Drjanovo
Gabrovo
Sevlievo
Trojan
Teteven
Botevgrad
Etropole
Zlatica
Karlovo
Kazanlăk
Šipka
Stara Zagora
Nova Zagora
Popovo
Kubrat
BĂLGARIJA
Stara Planina
Central Balkan
Vračanski Balkan
Nikopolis ad Istrum
Glavinica

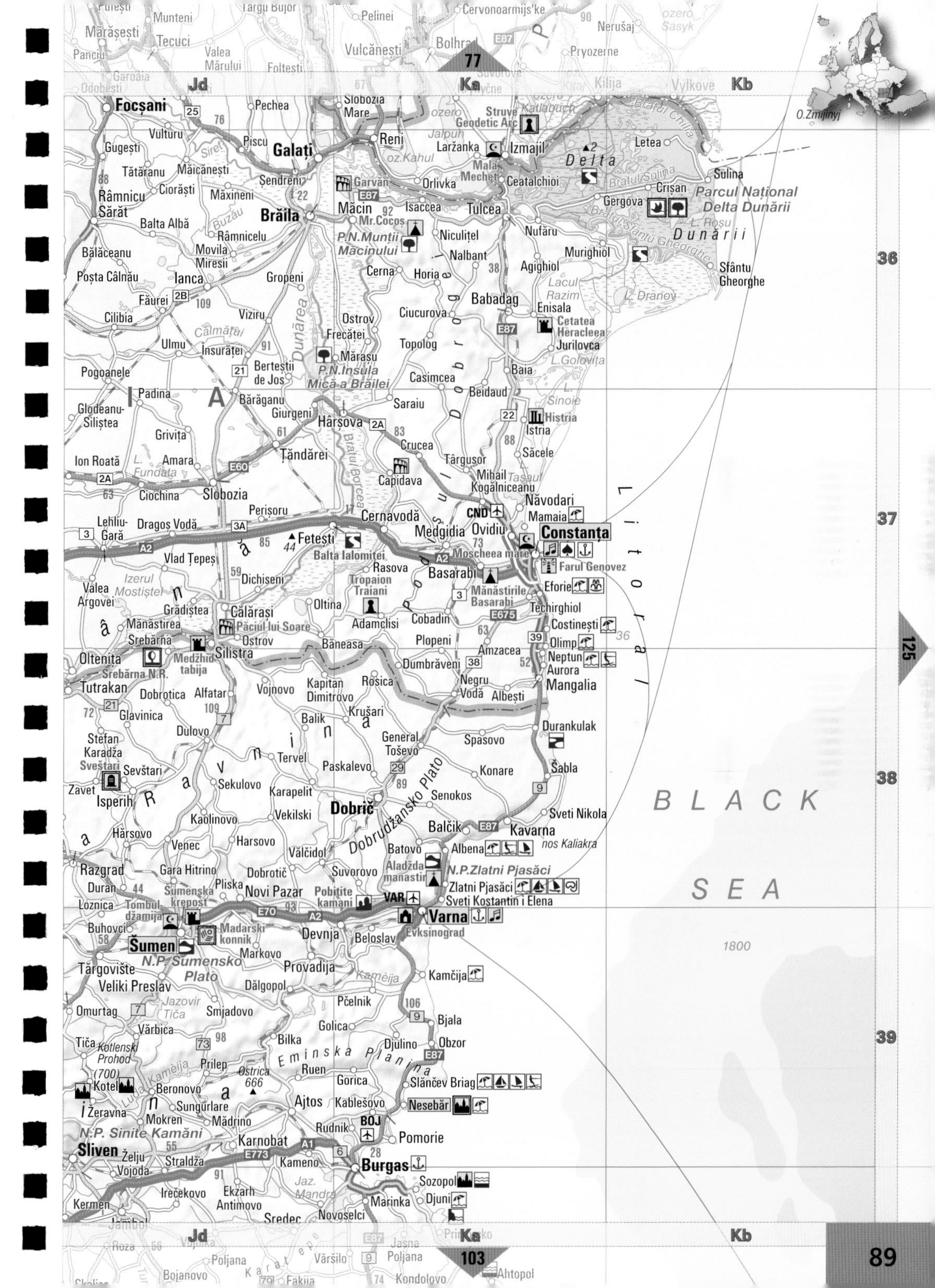

Mărășești
Munteni
Tecuci
Panciu
Valea Mărului
Foltești
Pelinei
Vulcănești
Bolhrad
Červonoarmijs'ke
Nerušaj
Pryozerne
77
Jd
Ka
Kb
Odobești
Focșani
Pechea
Slobozia Mare
Struve Geodetic Arc
Kilija
Vylkove
O.Zmijinyj
Vulturu
Piscu
Galați
Reni
Jalpuh
Laržanka
Izmajil
Delta
Letea
Gugești
Tătăranu
Măicănești
Siret
Șendreni
oz.Kahul
Mala Mechet
Garvăn
Orlivka
Ceatalchioi
Brațul Chilia
Brațul Sulina
Sulina
Crișan
Gergova
Parcul Național Delta Dunării
Râmnicu Sărat
Ciorăști
Măxineni
Brăila
Măcin
Isaccea
Tulcea
Nufăru
L. Roșu
Dunării
Brațul Sfântu Gheorghe
Balta Albă
Buzău
Râmnicelu
Mr.Cocoș
P.N.Munții Măcinului
Niculițel
Nalbant
Murighiol
Bălăceanu
Movila Miresii
Cerna
Horia
Agighiol
Sfântu Gheorghe
Poșta Câlnău
Ianca
Gropeni
Lacul Razim
L. Dranov
Făurei
Babadag
Enisala
Cilibia
Viziru
Dunărea
Ostrov
Ciucurova
Cetatea Heracleea
Ulmu
Călmățui
Însurăței
Frecăței
Topolog
Jurilovca
L.Golovița
Berteștii de Jos
Mărașu
P.N.Insula Mică a Brăilei
Casimcea
Baia
Pogoanele
Padina
Bărăganu
Beidaud
Sinoie
Glodeanu-Siliștea
Giurgeni
Hârșova
Saraiu
Podișul Dobrogei
Histria
Istria
Grivița
Brațul Borcea
Crucea
Ion Roată
L. Fundata
Amara
Țăndărei
Târgușor
Săcele
Capidava
Mihail Kogălniceanu
Tașaul
Ciochina
Slobozia
Năvodari
Perișoru
Cernavodă
CND
Mamaia
Lehliu-Gară
Dragoș Vodă
Fetești
Medgidia
Ovidiu
Constanța
Litoral
Balta Ialomiței
Moscheea mare
Vlad Țepeș
Rasova
Basarabi
Farul Genovez
Dichiseni
Tropaion Traiani
Eforie
Valea Argovei
Izerul Mostiștei
Mănăstirile Basarabi
Grădiștea
Călărași
Oltina
Adamclisi
Cobadin
Techirghiol
Mănăstirea
Păcuiul lui Soare
Costinești
Srebărna
Ostrov
Băneasa
Plopeni
Olimp
Amzacea
Oltenița
Silistra
Medžhid tabija
Dumbrăveni
Neptun
Srebărna N.R.
Aurora
Tutrakan
Dobrotica
Alfatar
Vojnovo
Kapitan Dimitrovo
Rosica
Negru Vodă
Albești
Mangalia
Glavinica
Dulovo
Balik
Krušari
Durankulak
Ștefan Karadža
General Toševo
Spasovo
Sveštari
Sevštari
Tervel
Paskalevo
Konare
Zavet
Sekulovo
Karapelit
Šabla
Isperih
Dobrič
Senokos
Dobrudžansko Plato
BLACK SEA
Kaolinovo
Vekilski
Sveti Nikola
Balčik
Kavarna
Hărsovo
Venec
Harsovo
nos Kaliakra
Vălčidol
Batovo
Albena
Razgrad
Gara Hitrino
Dobrotič
Suvorovo
Aladžda manastir
N.P.Zlatni Pjasăci
Duran
Pliska
Novi Pazar
Zlatni Pjasăci
Sumenska krepost
Pobitite kamani
VAR
Sveti Kostantin i Elena
Loznica
Tombul džamija
Varna
Buhovci
Madarski konnik
Devnja
Beloslav
Evksinograd
Šumen
Markovo
1800
Tărgovište
N.P. Šumensko Plato
Provadija
Veliki Preslav
Dălgopol
Kamčija
Jazovir Tiča
Pčelnik
Omurtag
Smjadovo
Bjala
Vărbica
Golica
Tiča
Kotlenski Prohod
Bilka
Djulino
Obzor
Eminska Planina
Prilep
Ostrica
Ruen
Gorica
Kotel
Beronovo
Slănčev Briag
Sungurlare
Ajtos
Kablešovo
Nesebăr
Žeravna
Mokren
Mădrino
Rudnik
BOJ
N.P. Sinite Kamăni
Karnobat
Pomorie
Sliven
Želju
Straldža
Kameno
Vojoda
Burgas
Jaz. Mandra
Sozopol
Irečekovo
Ekzarh Antimovo
Kermen
Marinka
Djuni
Jambol
Sredec
Novoselci
Roza
Poljana
Văršilo
Jasna Poljana
Primorsko
103
Bojanovo
Fakija
Kondolovo
Ahtopol
36
37
38
39
125

Scale 1:2 000 000

0 10 20 30 kilometres
0 10 20 miles

ATLANTIC OCEAN

PORTUGAL

Matosinhos · Ermesinde · de Basto · Guimarães
Porto · Penafiel · Amarante · Gondomar · 93 · Marco de Canaveses · A-4 · E82
Espinho · Entre-os-Rios
São João da Madeira · Cinfães · Rio Douro · Burgo
Ovar · Oliveira de Azeméis · **Lamego**
Estarreja · Albergaria-a-Velha · Castro Daire
Ria de Aveiro · Vouzela · Vila Nova de Paiva
Aveiro · 1071 · A24 · 117
Praia da Barra · Águeda · 67 · Catedral · **Viseu**
Ílhavo · E80 · A25
Praia de Mira · 1075 · Mangualde
Mira · 60 · Curia · Serra do Caramulo · IP3 · Tondela · A25
Cantanhede · Luso · 46 · Gouveia
Figueira da Foz · A17 · Mata do Buçaco · Oliveira do Hospital · 1595
111 · Rojão · Seia
Universidade · 17 · Coja · 90 · Serra da Estrela
Coimbra · 112 · Arganil · P.N. da Serra da Estrela
Praia da Vieira · Conimbriga · Espinhal · Góis · 163 · Porto da Balsa · Covilhã
Pombal · Castanheira de Pêra · Pampilhosa da Serra · E802
Marinha Grande · IC8 · Pontão · Figueiró dos Vinhos · R. Zêzere · Fundão · 1227
Leiria · Oleiros · A23
Mosteiro da Batalha · Serta · 1084 · Sarzedas · 112
Nazaré · Fátima · 113 · Escalos de Cima
Mosteiro de Alcobaça · Convento de Cristo · Vila de Rei · 241 · Castelo Branco
Caldas da Reinha · **Tomar** · Perdigão · Vila Velha de Ródão · P.N. do Tejo Internacional
Óbidos · Torres Novas · Barragem de Castelo do Bode · Gardete · Cedillo
Peniche · Rio Maior · Alcanede · Barragem da Pracana · Nisa · Santiago de Alcántara
Lourinhã · Abrantes · Gavião · IP2 · Castelo de Vide
Bombarral · Santarém · Alpiarça · Almeirim · Ponte de Sôr · Alpalhão · Valencia de Alcántara
Torres Vedras · Alcoentre · Crato · **Marvão** · 863
Ericeira · Alenquer · Cartaxo · Barragem de Montargil · Portalegre · San Vicente de Alcántara
Mafra · Vila Franca de Xira · Coruche · Montargil · Alter do Chão · Albuquerque
Sintra · Loures · Porto Alto · Avis · P.N. da Serra de S.Mamede · IP2
Cabo da Roca · Amadora · Infantado · Mora · Monforte · Arronches
Cascais · **LISBOA** · Cruzamento de Pegões · Pavia · Santa Eulália
Estoril · Torre de Belém · Lavre · Sousel · Campo Maior
Mosteiro dos Jerónimos · Almada · Montijo · Vendas Novas · Vimieiro · Estremoz · Cidade-Quartel Fronteiriça de Elvas e as suas Fortificações · Elvas
P.N. da Arrábida · Barreiro · Arraiolos · Evoramonte · Borba · Badajoz
Palmela · Setúbal · Montemor-o-Novo · **Évora** · Vila Viçosa · Olivenza
Sesimbra · Costa Bela · Tróia · Comporta · Redondo · La Albuera
Baia de Setúbal · Alcácer do Sal · Viana do Alentejo · 256 · Valverde de Leganés · Almendral
Melides · Alcáçovas · Torrão · Reguengos de Monsaraz · Monsaraz · Cheles · Alconchel · 435
Grândola · Alvito · Portel · Mourão · Villanueva del Fresno
Sines · Santiago do Cacém · Ferreira do Alentejo · Póvoa de São Miguel · Amareleja · Jerez de los Caballeros
Cabo de Sines · Alvalade · Vidigueira · Barragem do Alqueva · Oliva de la Frontera
Vila Nova de Milfontes · Cercal · **Beja** · Moura · Safara · 435
P.N. do Sudoeste · Alentejano e Costa Vicentina · Garvão · Albernoa · Serpa · Barrancos de la Sierra
Odemira · Ourique · Castro Verde · Vila Verde de Ficalho · Rosal de la Frontera

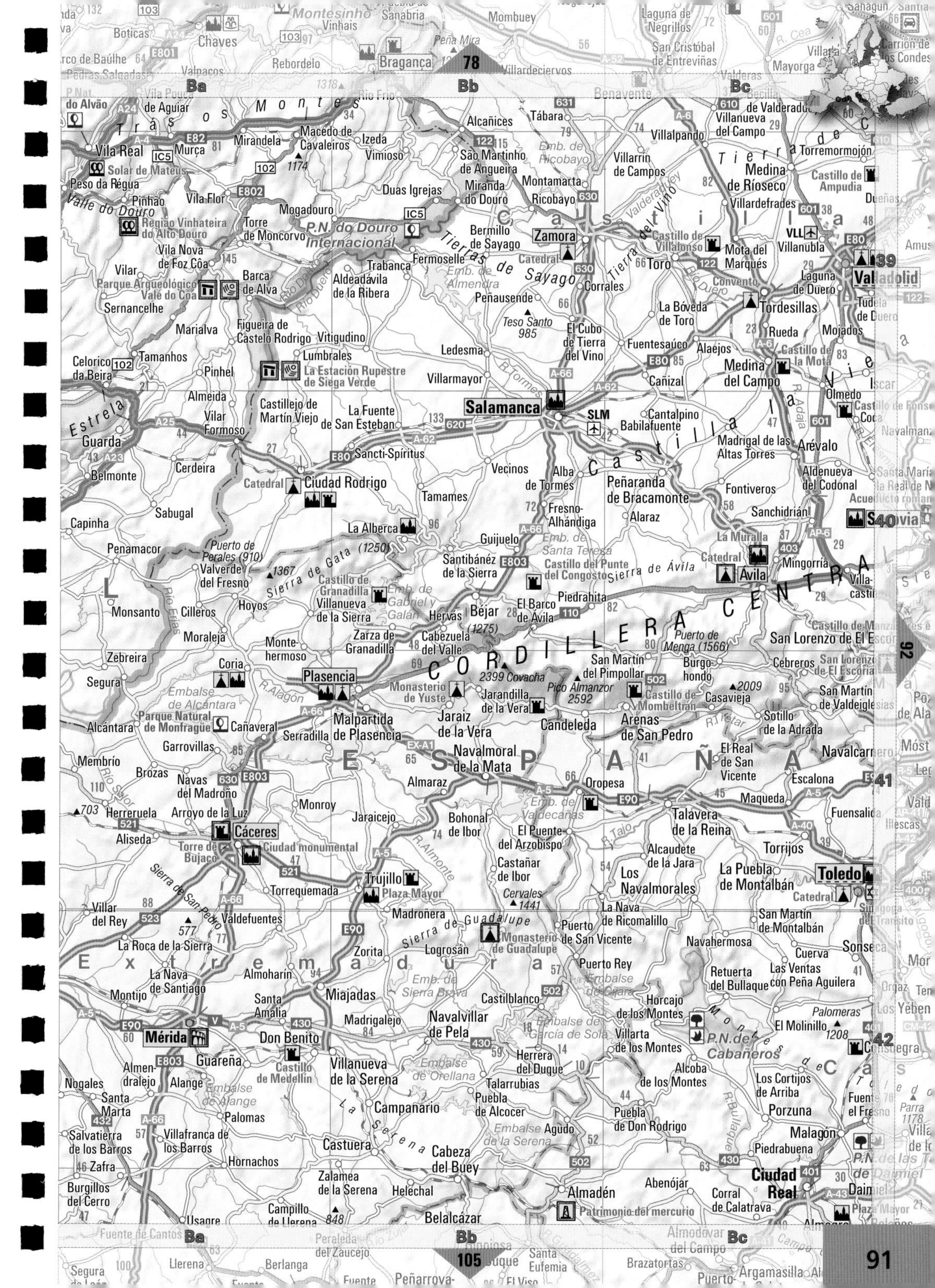

Montesinho
Vinhais
Sanabria
Mombuey
Laguna de Negrillos
Boticas
Chaves
Peña Mira
San Cristóbal de Entreviñas
Mayorga
Arco de Baúlhe
Rebordelo
Bragança
78
Villardeciervos
Valderas
Pedras Salgadas
Valpaços
Ba
Bb
Bc
Benavente
Vila Pouca de Aguiar
Rio Frio
de Valderaduey
Villanueva del Campo
P.Nat. do Alvão
Trás os Montes
Alcañices
Tábara
Villalpando
Tierra de Campos
Vila Real
Murça
Mirandela
Macedo de Cavaleiros
Izeda
Vimioso
São Martinho de Angueira
Emb. de Ricobayo
Villarrín de Campos
Torremormojón
Medina de Ríoseco
Castillo de Ampudia
Solar de Mateus
Peso da Régua
Duas Igrejas
Miranda do Douro
Montamarta
Ricobayo
Dueñas
Pinhão
Vale do Douro
Vila Flor
Mogadouro
Villardefrades
Região Vinhateira do Alto Douro
Torre de Moncorvo
P.N. do Douro Internacional
Bermillo de Sayago
Zamora
Castilla
Castillo de Villalonso
Mota del Marqués
Villanubla
Vila Nova de Foz Côa
Tierras de Sayago
Tierra del Vino
Toro
Valladolid
Vilar
Trabanca
Fermoselle
Catedral
Laguna de Duero
Parque Arqueológico Vale do Côa
Barca de Alva
Aldeadávila de la Ribera
Emb. de Almendra
Corrales
Convento
Sernancelhe
Peñausende
Tordesillas
La Bóveda de Toro
Marialva
Figueira de Castelo Rodrigo
Vitigudino
Teso Santo 985
El Cubo de Tierra del Vino
Rueda
Mojados
Fuentesaúco
Alaejos
Castillo de la Mota
Celorico da Beira
Tamanhos
Lumbrales
Ledesma
Medina del Campo
Pinhel
La Estación Rupestre de Siega Verde
Villarmayor
Cañizal
Íscar
Almeida
Olmedo
Salamanca
Estrela
Vilar Formoso
Castillejo de Martín Viejo
La Fuente de San Esteban
SLM
Cantalpino
Babilafuente
Coca
Guarda
Madrigal de las Altas Torres
Arévalo
Belmonte
Sancti-Spíritus
Castilla
Cerdeira
Vecinos
Alba de Tormes
Peñaranda de Bracamonte
Aldenueva del Codonal
Ciudad Rodrigo
Fontiveros
Tamames
Fresno-Alhándiga
Sabugal
Alaraz
Sanchidrián
Capinha
La Alberca
Segovia
Guijuelo
Emb. de Santa Teresa
La Muralla
Penamacor
Puerto de Perales (910)
Sierra de Gata (1250)
Santibáñez de la Sierra
Castillo del Punte del Congosto
Sierra de Ávila
Catedral
Ávila
Mingorría
Valverde del Fresno
Castillo de Granadilla
Emb. de Gabriel y Galán
Villanueva de la Sierra
Cordillera Central
Monsanto
Cilleros
Hoyos
Hervás
Béjar
El Barco de Ávila
Piedrahita
Zarza de Granadilla
Cabezuela del Valle
Puerto de Menga (1566)
Castillo de Manzanares el Real
San Lorenzo de El Escorial
Moraleja
Monte-hermoso
92
Zebreira
Coria
Plasencia
2399 Covacha
San Martín del Pimpollar
Burgo-hondo
Cebreros
Segura
Embalse de Alcántara
Monasterio de Yuste
Pico Almanzor 2592
Castillo de Mombeltrán
Casavieja
San Martín de Valdeiglesias
Jarandilla de la Vera
Alcántara
Parque Natural de Monfragüe
Cañaveral
Malpartida de Plasencia
Jaraiz de la Vera
Candeleda
Arenas de San Pedro
Sotillo de la Adrada
Garrovillas
Serradilla
Navalmoral de la Mata
El Real de San Vicente
Navalcarnero
Membrío
Brozas
Navas del Madroño
España
Escalona
Almaraz
Oropesa
Maqueda
41
Herreruela
Arroyo de la Luz
Monroy
Emb. de Valdecañas
Talavera de la Reina
Fuensalida
Aliseda
Cáceres
Jaraicejo
Bohonal de Ibor
El Puente del Arzobispo
Illescas
Torre de Bujaco
Ciudad monumental
Torrijos
Sierra de San Pedro
Alcaudete de la Jara
Castañar de Ibor
Trujillo
Los Navalmorales
La Puebla de Montalbán
Toledo
Torrequemada
Plaza Mayor
Cervales 1441
Catedral
Villar del Rey
Madroñera
La Nava de Ricomalillo
San Martín de Montalbán
Valdefuentes
Sierra de Guadalupe
Puerto de San Vicente
La Roca de la Sierra
Monasterio de Guadalupe
Navahermosa
Zorita
Logrosán
Sonseca
Cuerva
Extremadura
Puerto Rey
Retuerta del Bullaque
Las Ventas con Peña Aguilera
La Nava de Santiago
Almoharín
Emb. de Sierra Brava
Embalse de Cíjara
Montijo
Santa Amalia
Miajadas
Castilblanco
Horcajo de los Montes
Yébenes
Mérida
Madrigalejo
Navalvillar de Pela
Embalse de García de Sola
Villarta de los Montes
Montes de Toledo
Palomeras
El Molinillo 1208
Don Benito
42
Consuegra
Guareña
Castillo de Medellín
Villanueva de la Serena
Herrera del Duque
P.N. de Cabañeros
Almendralejo
Alange
Embalse de Orellana
Talarrubias
Alcoba de los Montes
Los Cortijos de Arriba
Nogales
Santa Marta
Embalse de Alange
Campanario
Puebla de Alcocer
Puebla de Don Rodrigo
Porzuna
Fuente el Fresno
Parra 1178
Palomas
Embalse de la Serena
Agudo
Salvatierra de los Barros
Villafranca de los Barros
La Serena
Castuera
Cabeza del Buey
Malagón
Piedrabuena
Zafra
Hornachos
P.N. de las Tablas de Daimiel
Burgillos del Cerro
Zalamea de la Serena
Helechal
Almadén
Abenójar
Ciudad Real
Corral de Calatrava
Daimiel
Campillo de Llerena
848
Belalcázar
Patrimonio del mercurio
Plaza Mayor
Usagre
Almagro
Fuente de Cantos
Peraleda del Zaucejo
Hinojosa del Duque
Almodóvar del Campo
Llerena
Berlanga
105
Santa Eufemia
Brazatortas
Argamasilla
Segura de León
Fuente
Peñarroya-
El Viso
Puerto

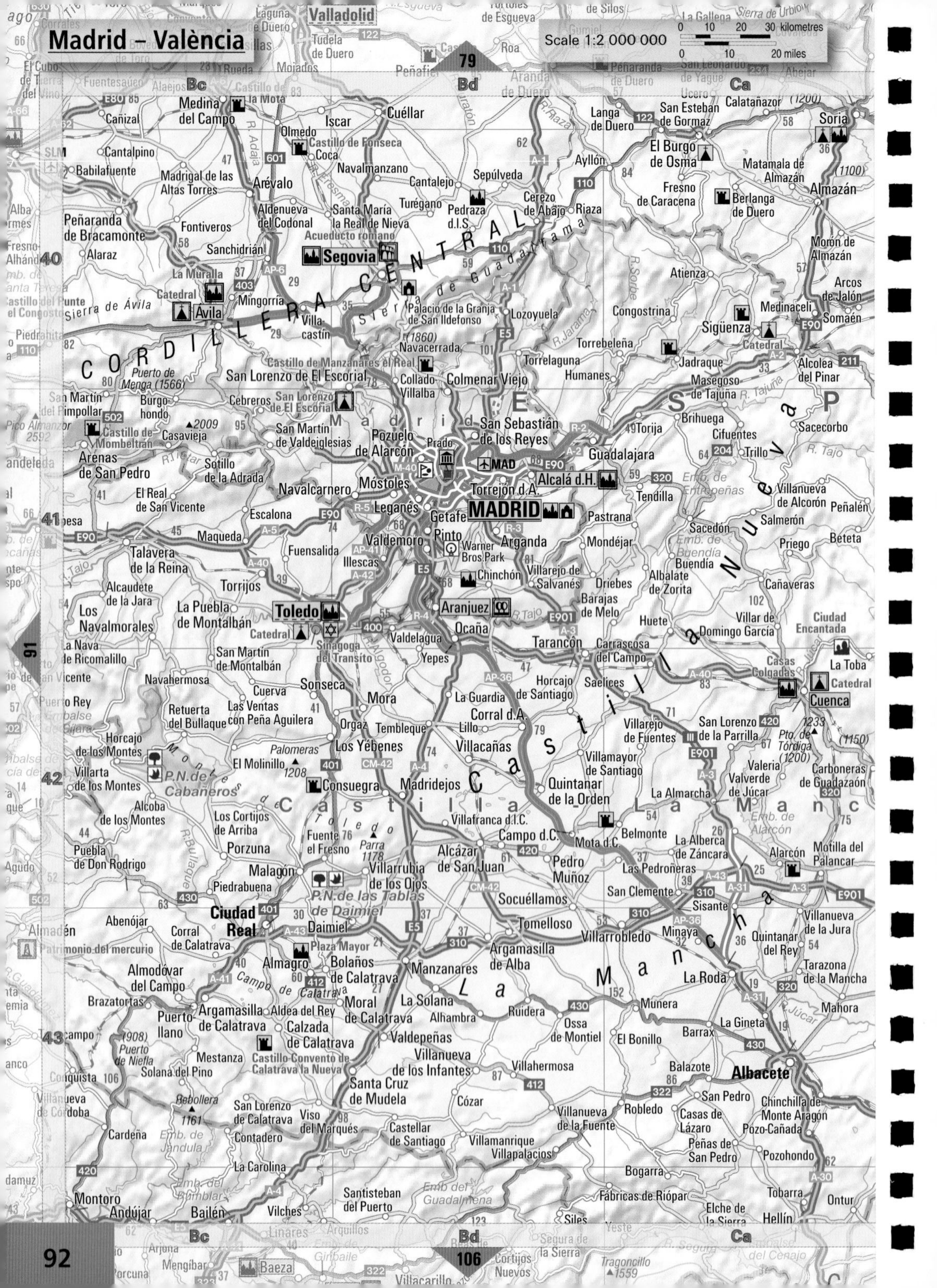

Madrid – València
Scale 1:2 000 000
0 10 20 30 kilometres
0 10 20 miles
79
Bc
Bd
Ca
Valladolid
Laguna de Duero
Tudela de Duero
Fuentesaúco
Medina del Campo
Castillo de la Mota
Rueda
Mojados
Peñafiel
Roa
Aranda de Duero
de Esgueva
de Silos
La Gallega
Peñaranda de Duero
San Leonardo de Yagüe
Abejar
Cañizal
Cantalpino
Babilafuente
Madrigal de las Altas Torres
Arévalo
Olmedo
Iscar
Cuéllar
Castillo de Fonseca
Coca
Navalmanzano
Cantalejo
Sepúlveda
Turégano
Pedraza d.l.S.
Cerezo de Abajo
Riaza
Ayllón
Langa de Duero
San Esteban de Gormaz
Calatañazor
(1200)
Soria
El Burgo de Osma
Matamala de Almazán
Fresno de Caracena
Berlanga de Duero
Almazán
Peñaranda de Bracamonte
Fontiveros
Aldenueva del Codonal
Santa María la Real de Nieva
Acueducto romano
Segovia
Alaraz
Sanchidrián
La Muralla
Catedral
Ávila
Mingorría
Villacastín
Sierra de Ávila
Palacio de la Granja de San Ildefonso
(1860)
Lozoyuela
Sierra de Guadarrama
CORDILLERA CENTRAL
Atienza
Congostrina
Sigüenza
Medinaceli
Somaén
Arcos de Jalón
Morón de Almazán
Navacerrada
Torrebeleña
Castillo de Manzanares el Real
Torrelaguna
Humanes
Jadraque
Alcolea del Pinar
San Lorenzo de El Escorial
Puerto de Menga (1566)
Collado Villalba
Colmenar Viejo
Masegoso de Tajuña
San Martín del Pimpollar
Burgohondo
Cebreros
Castillo de Mombeltrán
Casavieja
2009
San Martín de Valdeiglesias
Pozuelo de Alarcón
Prado
San Sebastián de los Reyes
Torija
Brihuega
Cifuentes
Sacecorbo
Trillo
Arenas de San Pedro
Sotillo de la Adrada
MAD
Alcalá d.H.
Guadalajara
Emb. de Entrepeñas
Villanueva de Alcorón
Peñalén
El Real de San Vicente
Navalcarnero
Móstoles
Leganés
Torrejón d.A.
Tendilla
MADRID
Getafe
Pastrana
Salmerón
Escalona
Maqueda
Valdemoro
Pinto
Arganda
Mondéjar
Sacedón
Beteta
Talavera de la Reina
Fuensalida
Illescas
Warner Bros. Park
Emb. de Buendía
Buendía
Priego
Chinchón
Villarejo de Salvanés
Albalate de Zorita
Alcaudete de la Jara
Torrijos
Driebes
Cañaveras
Los Navalmorales
La Puebla de Montalbán
Toledo
Aranjuez
Barajas de Melo
Huete
Villar de Domingo García
Ciudad Encantada
Catedral
Sinagoga del Tránsito
Valdelagua
Ocaña
Tarancón
Carrascosa del Campo
La Nava de Ricomalillo
San Martín de Montalbán
Yepes
La Toba
San Vicente
Navahermosa
Sonseca
Horcajo de Santiago
Saelices
Casas Colgadas
Cuenca
Puerto Rey
Cuerva
Mora
La Guardia
Retuerta del Bullaque
Las Ventas con Peña Aguilera
Orgaz
Tembleque
Corral d.A.
Lillo
Villarejo de Fuentes
San Lorenzo de la Parrilla
1233
Pto. de Tórdiga (1200)
(1150)
Horcajo de los Montes
Palomeras
Los Yébenes
Villacañas
Valeria
Valverde de Júcar
Carboneras de Guadazaón
El Molinillo
1208
Villamayor de Santiago
Villarta de los Montes
P.N. de Cabañeros
Montes de Toledo
Consuegra
Madridejos
Quintanar de la Orden
La Almarcha
Castilla-La Mancha
Alcoba de los Montes
Los Cortijos de Arriba
Villafranca d.l.C.
Emb. de Alarcón
Fuente el Fresno
Parra 1178
Campo d.C.
Mota d.C.
Belmonte
La Alberca de Záncara
Puebla de Don Rodrigo
Porzuna
Malagón
Villarrubia de los Ojos
Alcázar de San Juan
Pedro Muñoz
Las Pedroñeras
Alarcón
Motilla del Palancar
Piedrabuena
P.N. de las Tablas de Daimiel
Socuéllamos
San Clemente
Sisante
Abenójar
Ciudad Real
Daimiel
Tomelloso
Villarrobledo
Minaya
Villanueva de la Jura
Almadén
Patrimonio del mercurio
Corral de Calatrava
Plaza Mayor
Argamasilla de Alba
Quintanar del Rey
Almodóvar del Campo
Almagro
Bolaños de Calatrava
Manzanares
La Roda
Tarazona de la Mancha
Campo de Calatrava
La Mancha
Brazatortas
Puertollano
Argamasilla de Calatrava
Aldea del Rey
Moral de Calatrava
La Solana
Alhambra
Ruidera
Munera
Mahora
Calzada de Calatrava
Valdepeñas
Ossa de Montiel
El Bonillo
Barrax
La Gineta
(908) Puerto de Niefla
Mestanza
Castillo-Convento de Calatrava la Nueva
Villanueva de los Infantes
Villahermosa
Balazote
Albacete
Conquista
Solana del Pino
Santa Cruz de Mudela
Cózar
Villanueva de Córdoba
Rebollera 1161
San Lorenzo de Calatrava
Viso del Marqués
Villanueva de la Fuente
Robledo
San Pedro
Casas de Lázaro
Chinchilla de Monte Aragón
Pozo-Cañada
Cardeña
Emb. de Jándula
Contadero
Castellar de Santiago
Villamanrique
Villapalacios
Peñas de San Pedro
Pozohondo
La Carolina
Bogarra
Montoro
Andújar
Bailén
Vilches
Santisteban del Puerto
Emb. del Guadalmena
Fábricas de Riópar
Elche de la Sierra
Tobarra
Hellín
Ontur
Linares
Arquillos
Siles
Yeste
Segura de la Sierra
Arjona
Mengíbar
Baeza
Villacarrillo
Cortijos Nuevos
Tragoncillo 1559
106
91
40
41
42
43

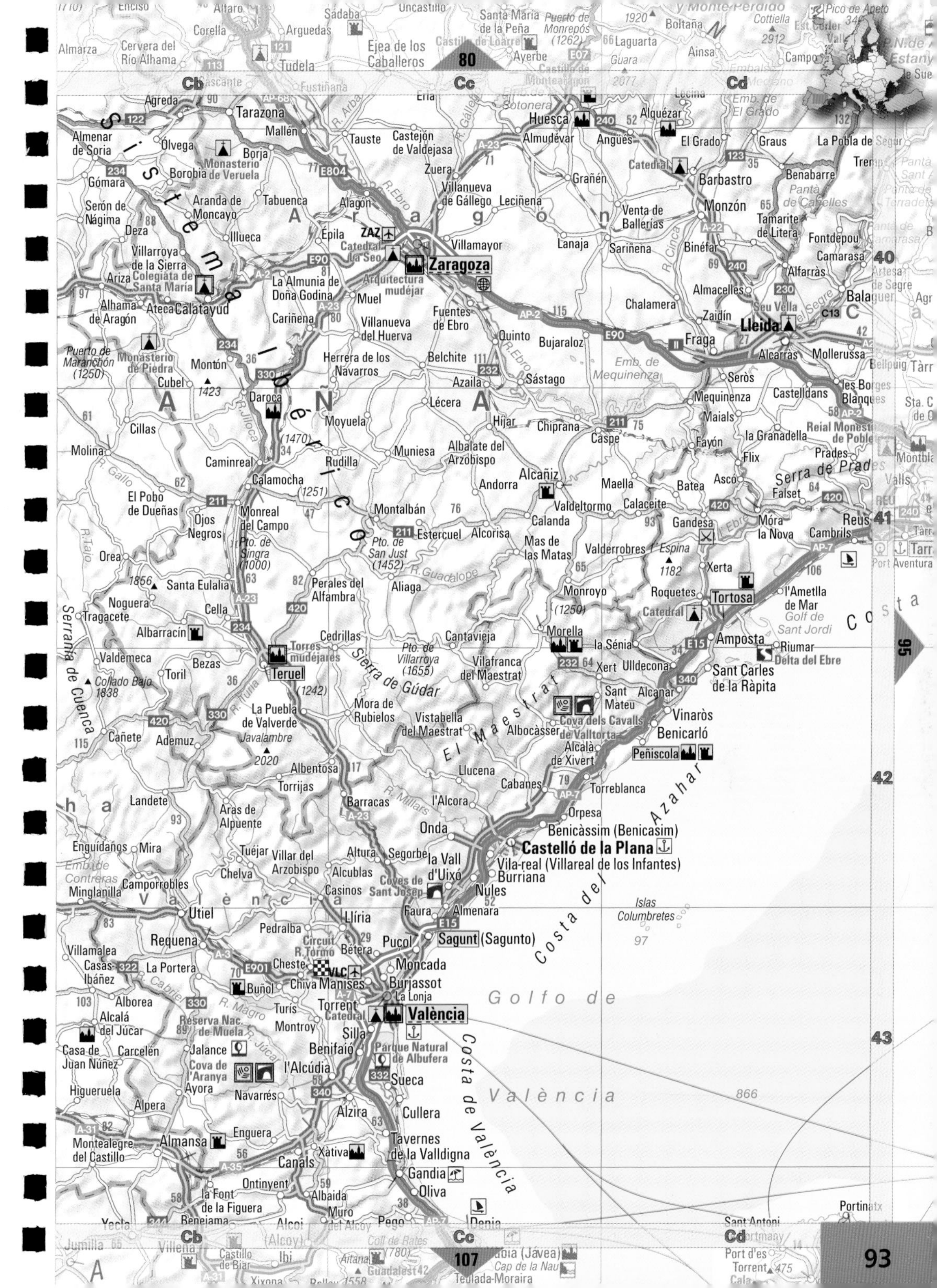
Enciso
Alfaro
Sádaba
Uncastillo
Santa María de la Peña
Puerto de Monrepós (1262)
1920
Boltaña
Pico de Aneto
Cottiella 2912
Almarza
Cervera del Río Alhama
Corella
Arguedas
Tudela
Ejea de los Caballeros
Castillo de Loarre
Ayerbe
Laguarta
Ainsa
Campo
Cascante
Fustiñana
80
Guara 2077
Castillo de Montearagón
Cb
Cc
Cd
Agreda
Tarazona
Erla
Emb. de Sotonera
Lecina
Emb. de El Grado
Huesca
Alquézar
Almenar de Soria
Ólvega
Mallén
Tauste
Castejón de Valdejasa
Almudévar
Angüés
El Grado
Graus
La Pobla de Segur
Borja
Monasterio de Veruela
Zuera
Gómara
Borobia
Villanueva de Gállego
Grañén
Catedral
Barbastro
Benabarre
Tremp
Serón de Nágima
Aranda de Moncayo
Tabuenca
Alagón
Leciñena
Venta de Ballerías
Monzón
Tamarite de Litera
Deza
Illueca
Épila
ZAZ
Villamayor
Lanaja
Sariñena
Binéfar
Fontdepou
Villarroya de la Sierra
Catedral La Seo
Zaragoza
Camarasa
Ariza
Colegiata de Santa María
La Almunia de Doña Godina
Muel
Arquitectura mudéjar
Alfarràs
Almacelles
Alhama de Aragón
Ateca
Calatayud
Cariñena
Villanueva del Huerva
Fuentes de Ebro
Chalamera
Zaidín
Seu Vella
Lleida
Balaguer
Puerto de Maranchón (1250)
Monasterio de Piedra
Montón
Herrera de los Navarros
Belchite
Quinto
Bujaraloz
Fraga
Alcarràs
Mollerussa
Cubel
1423
Daroca
Azaila
Sástago
Emb. de Mequinenza
Seròs
Castelldans
les Borges Blanques
Lécera
Mequinenza
Maials
Cillas
Moyuela
Híjar
Chiprana
Caspe
Fayón
la Granadella
Reial Monestir de Poblet
Molina
(1470)
Rudilla
Muniesa
Albalate del Arzobispo
Flix
Prades
Caminreal
Serra de Prades
Calamocha
(1251)
Andorra
Alcañiz
Maella
Batea
Ascó
Falset
El Pobo de Dueñas
Monreal del Campo
Montalbán
Valdeltormo
Calaceite
Gandesa
Ojos Negros
Pto. de Singra (1000)
Estercuel
Alcorisa
Calanda
Mas de las Matas
Móra la Nova
Reus
Cambrils
Orea
Pto. de San Just (1452)
R. Guadalope
Valderrobres
Espina 1182
Xerta
Port Aventura
1856
Santa Eulalia
Perales del Alfambra
Aliaga
Noguera
Monroyo
Roquetes
Tortosa
l'Ametlla de Mar
Golf de Sant Jordi
Tragacete
Cella
(1250)
Catedral
Albarracín
Cedrillas
Cantavieja
Morella
Serranía de Cuenca
Torres mudéjares
Pto. de Villarroya (1655)
la Sénia
Amposta
Riumar
Delta del Ebre
Valdemeca
Bezas
Teruel
Vilafranca del Maestrat
Xert
Ulldecona
Sant Carles de la Ràpita
Toril
Collado Bajo 1838
(1242)
Sierra de Gúdar
Sant Mateu
Alcanar
La Puebla de Valverde
Mora de Rubielos
Vistabella del Maestrat
Albocàsser
Cova dels Cavalls de Valltorta
Vinaròs
Benicarló
Cañete
Ademuz
Javalambre 2020
El Maestrat
Alcalà de Xivert
Peñíscola
Albentosa
Llucena
Torrijas
Cabanes
Torreblanca
Landete
Aras de Alpuente
Barracas
R. Millars
l'Alcora
Orpesa
Costa del Azahar
Onda
Benicàssim (Benicasim)
Enguídanos
Mira
Tuéjar
Villar del Arzobispo
Altura
Segorbe
la Vall d'Uixó
Castelló de la Plana
Emb. de Contreras
Chelva
Alcublas
Vila-real (Villareal de los Infantes)
Camporrobles
Coves de Sant Josep
Burriana
Minglanilla
Casinos
Nules
València
Utiel
Llíria
Faura
Almenara
Islas Columbretes
Requena
Pedralba
Circuit R. Tormo
Bétera
Puçol
Sagunt (Sagunto)
97
Villamalea
Cheste
VLC
Moncada
Casas-Ibáñez
La Portera
Buñol
Chiva
Manises
Burjassot
Golfo de
Alborea
R. Magro
Turís
Torrent
La Lonja
Catedral
València
Alcalá del Júcar
Reserva Nac. de Muela
Montroy
Silla
Casa de Juan Núñez
Carcelén
Jalance
Benifaió
Parque Natural de Albufera
Cova de l'Aranya
l'Alcúdia
Sueca
Higueruela
Ayora
Navarrés
Valencia
866
Alpera
Alzira
Cullera
Costa de València
Montealegre del Castillo
Almansa
Enguera
Tavernes de la Valldigna
Xàtiva
Canals
Gandia
Ontinyent
Oliva
La Font de la Figuera
Albaida
Muro del Alcoy
Portinatx
Yecla
Beneixama
Alcoi (Alcoy)
Pego
Denia
Sant Antoni de Portmany
Jumilla
Villena
Castillo de Biar
Ibi
Coll de Rates (780)
Xàbia (Jávea)
Port d'es Torrent 475
Aitana 1558
Guadalest
107
Cap de la Nau
Teulada-Moraira
Xixona
40
41
42
43
95
Sistema Ibérico
Aragón
Costa

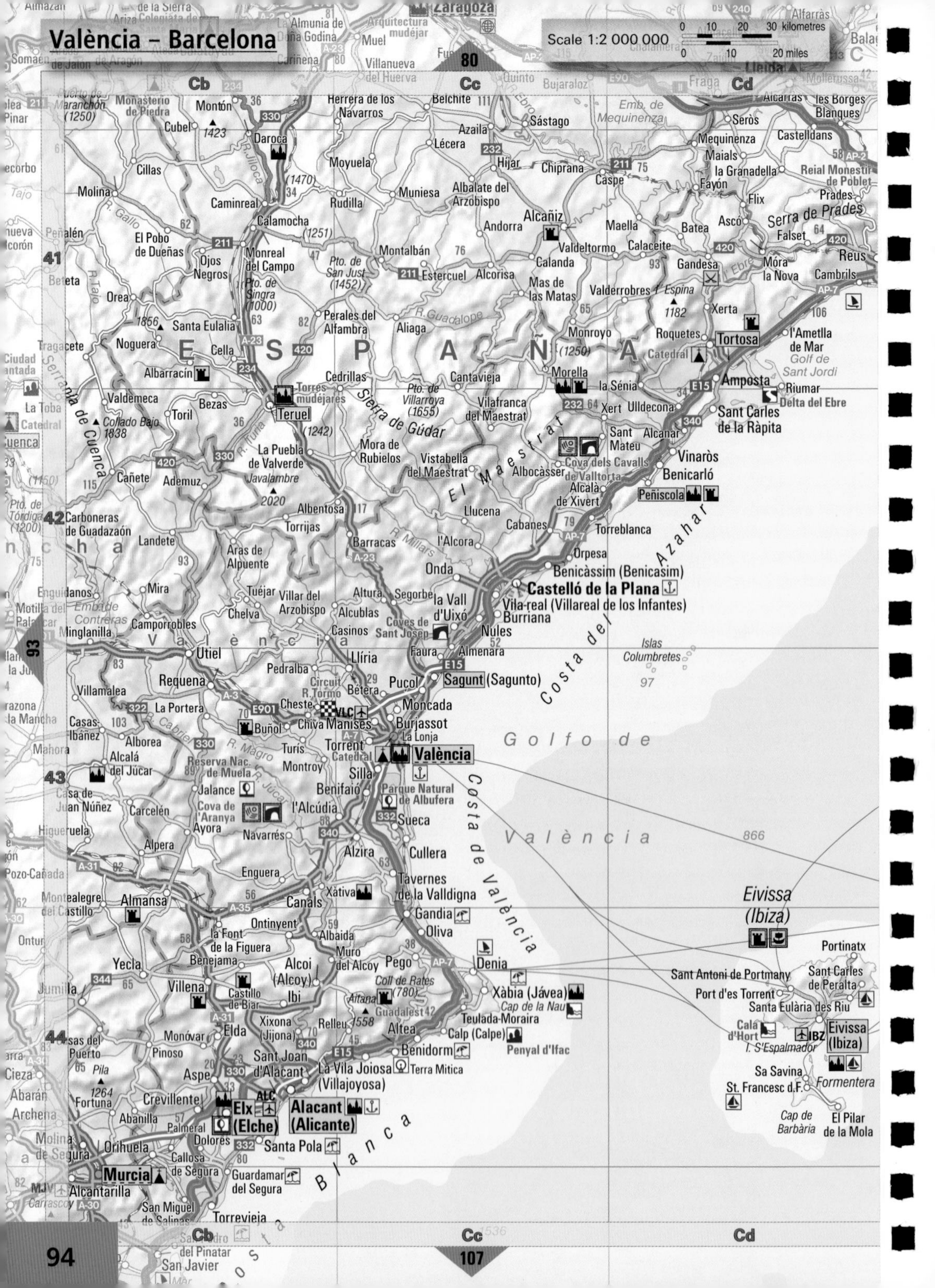
Scale 1:2 000 000
0 10 20 30 kilometres
0 10 20 miles
80
Cb
Cc
Cd
Zaragoza
La Almunia de Doña Godina
Muel
Arquitectura mudéjar
Cariñena
Villanueva del Huerva
Quinto
Bujaraloz
Fraga
Lleida
Mollerussa
Alfarràs
Balaguer
Monasterio de Piedra
Montón
Cubel
1423
Daroca
Herrera de los Navarros
Belchite
Azaila
Sástago
Emb. de Mequinenza
Alcarràs
les Borges Blanques
Seròs
Mequinenza
Castelldans
Maials
la Granadella
Reial Monestir de Poblet
Fayón
Lécera
Moyuela
Híjar
Chiprana
Caspe
Cillas
Molina
Caminreal
Rudilla
Muniesa
Albalate del Arzobispo
Flix
Prades
Serra de Prades
Calamocha
Andorra
Alcañiz
Maella
Batea
Ascó
Falset
Reus
Cambrils
Peñalén
El Pobo de Dueñas
Monreal del Campo
Ojos Negros
Montalbán
Pto. de San Just (1452)
Estercuel
Alcorisa
Calanda
Valdeltormo
Calaceite
Gandesa
Móra la Nova
Beteta
Orea
Pto. de Singra (1000)
Mas de las Matas
Valderrobres
l'Espina
1182
Xerta
l'Ametlla de Mar
Golf de Sant Jordi
1856
Santa Eulalia
Perales del Alfambra
Aliaga
R. Guadalope
Monroyo
Roquetes
Tortosa
Catedral
Tragacete
Noguera
Cella
E S P A Ñ A
(1250)
Albarracín
Cedrillas
Cantavieja
Morella
la Sénia
Amposta
Riumar
Delta del Ebre
Valdemeca
Torres mudéjares
Teruel
Pto. de Villarroya (1655)
Vilafranca del Maestrat
Xert
Ulldecona
Sant Carles de la Ràpita
La Toba
Collado Bajo 1838
Toril
Bezas
Sierra de Gúdar
(1242)
Sant Mateu
Alcanar
Cuenca
La Puebla de Valverde
Mora de Rubielos
Vistabella del Maestrat
El Maestrat
Albocàsser
Cova dels Cavalls de Valltorta
Vinaròs
Benicarló
Cañete
Ademuz
Javalambre
2020
Alcalà de Xivert
Peñíscola
Albentosa
Llucena
Cabanes
Torreblanca
Carboneras de Guadazaón
Torrijas
Landete
Aras de Alpuente
Barracas
R. Millars
l'Alcora
Orpesa
Benicàssim (Benicasim)
Onda
Castelló de la Plana
Costa del Azahar
Mira
Tuéjar
Villar del Arzobispo
Altura
Segorbe
la Vall d'Uixó
Vila-real (Villareal de los Infantes)
Burriana
Chelva
Alcublas
Coves de Sant Josep
Camporrobles
Minglanilla
Casinos
Nules
València
Utiel
Faura
Almenara
Llíria
Islas Columbretes
97
Requena
Pedralba
Circuit R.Tormo
Bétera
Puçol
Sagunt (Sagunto)
Villamalea
La Portera
Cheste
VLC
Moncada
Casas-Ibáñez
Buñol
Chiva
Manises
Burjassot
Alborea
Turís
Torrent
La Lonja
Golfo de
Alcalá del Júcar
Reserva Nac. de Muela
Montroy
Catedral
València
Silla
Jalance
Benifaió
Parque Natural de Albufera
Casa de Juan Núñez
Carcelén
Cova de l'Aranya
l'Alcúdia
Ayora
Sueca
Costa de València
Higueruela
Navarrés
València
866
Alpera
Alzira
Cullera
Pozo-Cañada
Enguera
Tavernes de la Valldigna
Montealegre del Castillo
Almansa
Xàtiva
Canals
Eivissa (Ibiza)
Ontinyent
Gandia
la Font de la Figuera
Albaida
Oliva
Portinatx
Yecla
Benejama
Alcoi (Alcoy)
Muro del Alcoy
Pego
Denia
Sant Antoni de Portmany
Sant Carles de Peralta
Villena
Castillo de Biar
Ibi
Coll de Rates (780)
Aitana
Guadalest
Xàbia (Jávea)
Cap de la Nau
Port d'es Torrent
Santa Eulària des Riu
Teulada-Moraira
Xixona (Jijona)
Relleu
1558
Altea
Calp (Calpe)
Penyal d'Ifac
Cala d'Hort
IBZ
Eivissa (Ibiza)
I. S'Espalmador
Elda
Monóvar
Pinoso
Benidorm
Puerto
Pila
1264
Fortuna
Aspe
Sant Joan d'Alacant
La Vila Joiosa (Villajoyosa)
Terra Mitica
Sa Savina
Formentera
St. Francesc d.F.
Cieza
Abarán
Archena
Crevillente
ALC
Elx (Elche)
Alacant (Alicante)
Abanilla
Palmeral
Dolores
Santa Pola
Cap de Barbària
El Pilar de la Mola
Molina de Segura
Orihuela
Callosa de Segura
Murcia
Alcantarilla
Guardamar del Segura
Costa Blanca
San Miguel de Salinas
Torrevieja
San Pedro del Pinatar
San Javier
1536
93
107
41
42
43
44

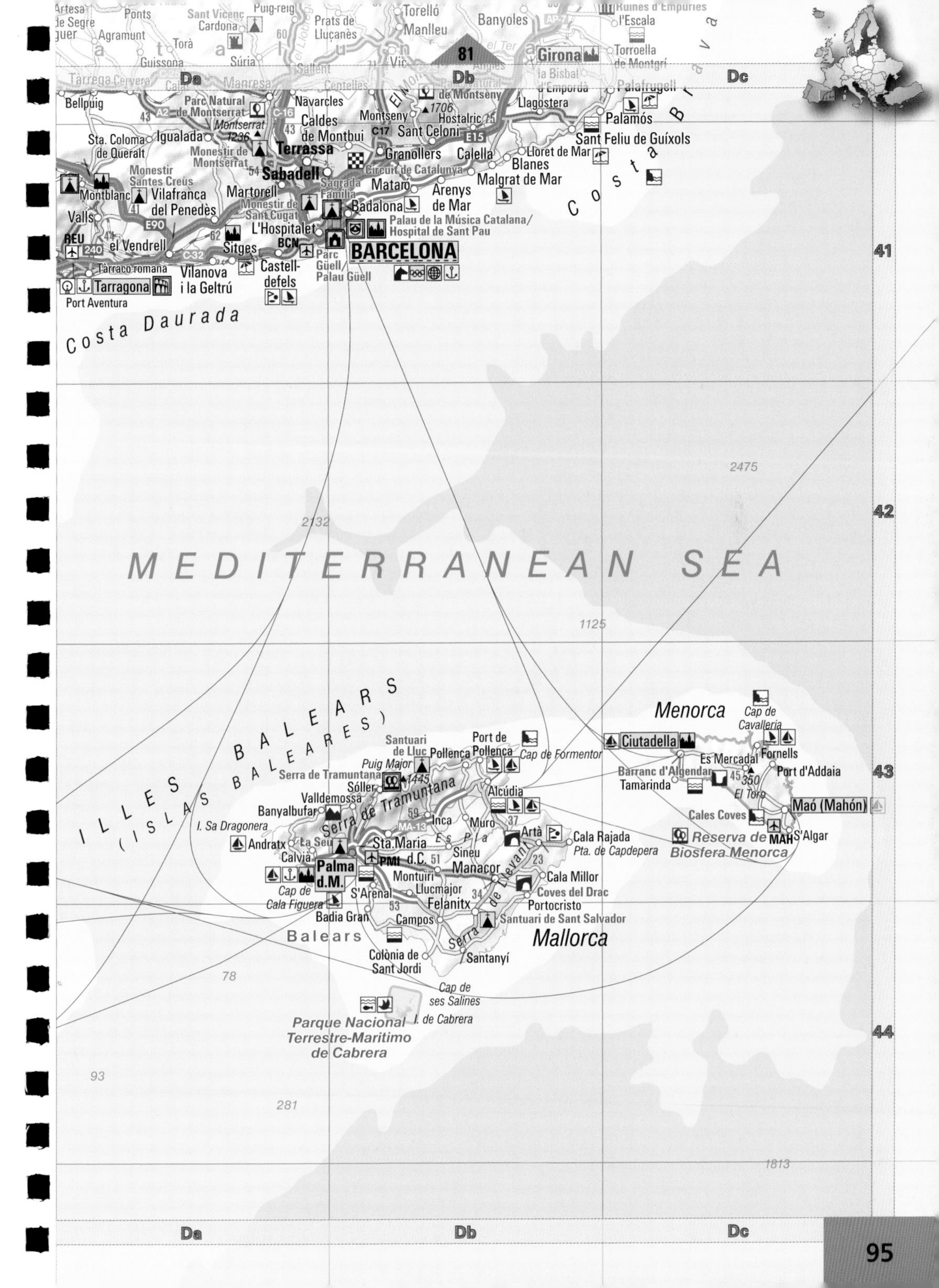

81
Da
Db
Dc
Artesa de Segre
Ponts
Sant Vicenç
Cardona
Puig-reig
Prats de Lluçanès
Torelló
Manlleu
Banyoles
AP-7
Ruïnes d'Empúries
l'Escala
Agramunt
Torà
Guissona
Súria
Vic
Girona
Torroella de Montgrí
Tàrrega
Cervera
Manresa
Sallent
Centelles
la Bisbal d'Empordà
Palafrugell
Bellpuig
Parc Natural de Montserrat
Navarcles
de Montseny
Llagostera
A2
C-16
Montseny
1706
Hostalric
Palamós
Montserrat 1236
Caldes de Montbui
C17
Sant Celoni
E15
Sant Feliu de Guíxols
Sta. Coloma de Queralt
Igualada
Monestir de Montserrat
Terrassa
Granollers
Calella
Lloret de Mar
Blanes
Monestir Santes Creus
Sabadell
Circuit de Catalunya
Sagrada Família
Mataró
Malgrat de Mar
Montblanc
Vilafranca del Penedès
Martorell
Monestir de Sant Cugat
Arenys de Mar
Badalona
C o s t a B r a v a
Valls
E90
L'Hospitalet
Palau de la Música Catalana/ Hospital de Sant Pau
REU
240
el Vendrell
Sitges
BCN
BARCELONA
C-32
Parc Güell/ Palau Güell
Tàrraco romana
Vilanova i la Geltrú
Castelldefels
Tarragona
Port Aventura
Costa Daurada
41
2475
42
2132
MEDITERRANEAN SEA
1125
ILLES BALEARS
(ISLAS BALEARES)
Menorca
Cap de Cavalleria
Santuari de Lluc
Pollença
Port de Pollença
Cap de Formentor
Ciutadella
Puig Major
1445
Serra de Tramuntana
Es Mercadal
Fornells
43
Barranc d'Algendar
Tamarinda
350
El Toro
Port d'Addaia
Sóller
Alcúdia
Valldemossa
Banyalbufar
Maó (Mahón)
MA-13
Inca
Muro
Cales Coves
I. Sa Dragonera
Artà
Cala Rajada
Pta. de Capdepera
Reserva de Biosfera Menorca
MAH
S'Algar
La Seu
Es Pla
Sta.Maria
Andratx
Calvià
PMI
Sineu
Palma d.M.
Montuïri
Manacor
Cala Millor
Cap de Cala Figuera
S'Arenal
Llucmajor
Felanitx
Serra de Llevant
Coves del Drac
Portocristo
Badia Gran
Campos
Santuari de Sant Salvador
Balears
Mallorca
Colònia de Sant Jordi
Santanyí
78
Cap de ses Salines
Parque Nacional Terrestre-Maritimo de Cabrera
I. de Cabrera
44
93
281
1813

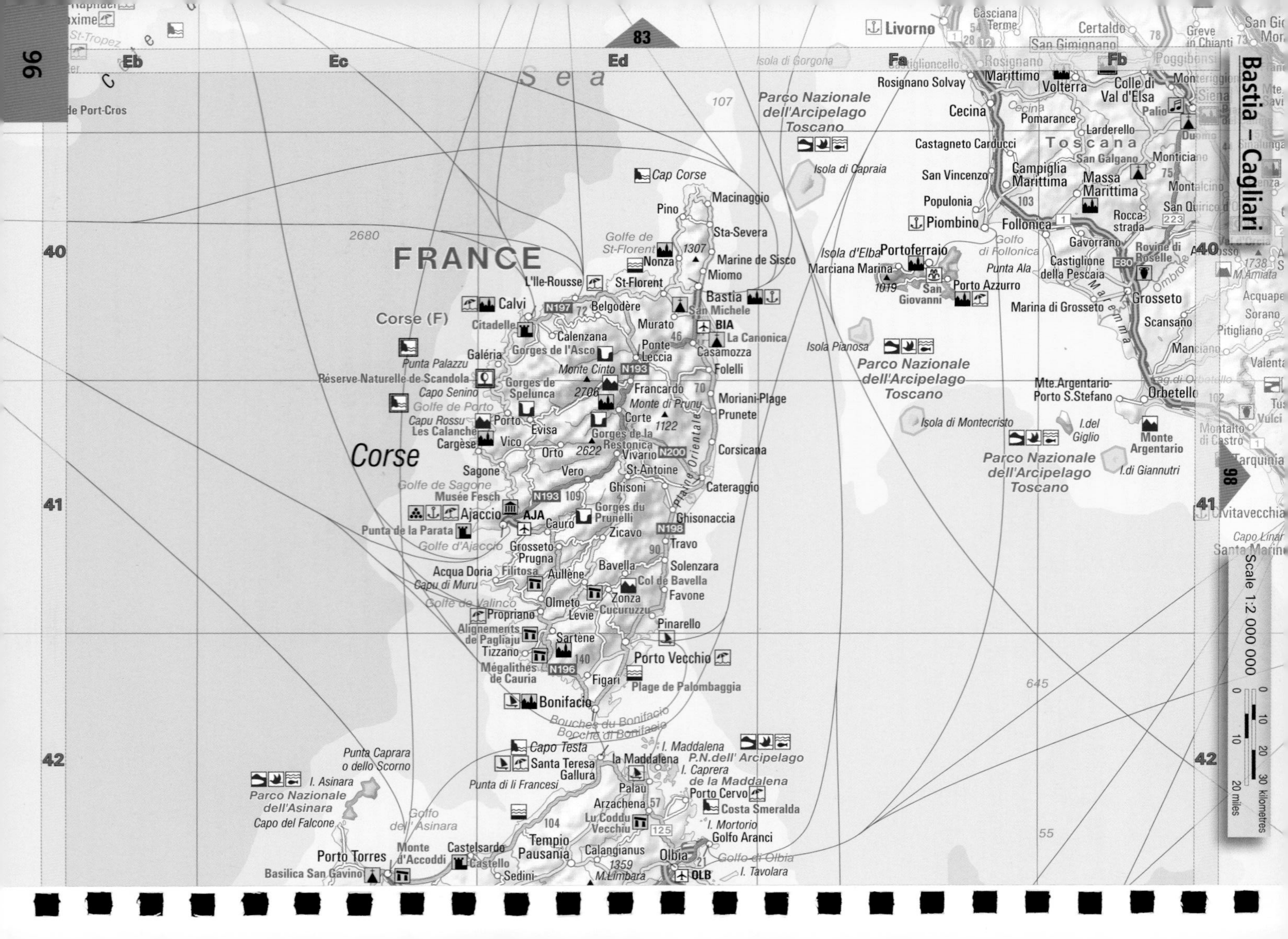
Scale 1:2 000 000
0 10 20 30 kilometres
0 10 20 miles
83
98
Eb
Ec
Ed
Fa
Fb
40
41
42
FRANCE
Corse (F)
Corse
Livorno
Rosignano Solvay
Cecina
Castagneto Carducci
San Vincenzo
Populonia
Piombino
Follonica
Volterra
Pomarance
Larderello
Colle di Val d'Elsa
Massa Marittima
Campiglia Marittima
Castiglione della Pescaia
Grosseto
Scansano
Orbetello
Monte Argentario
Mte.Argentario-Porto S.Stefano
Marina di Grosseto
Portoferraio
Porto Azzurro
Isola d'Elba
Marciana Marina
Isola di Capraia
Isola Pianosa
Isola di Montecristo
I.del Giglio
I.di Giannutri
Parco Nazionale dell'Arcipelago Toscano
Toscana
Cap Corse
Macinaggio
Sta-Severa
Marine de Sisco
Pino
Nonza
Miomo
Bastia
San Michele
BIA
La Canonica
Casamozza
Folelli
Moriani-Plage
Prunete
Corsicana
Cateraggio
Ghisonaccia
Travo
Solenzara
Favone
Pinarello
Porto Vecchio
Plage de Palombaggia
St-Florent
Golfe de St-Florent
Belgodère
Murato
Ponte Leccia
Francardo
Monte di Pruno
Corte
Gorges de la Restonica
Vivario
St-Antoine
Ghisoni
Zicavo
Bavella
Col de Bavella
Zonza
Cucuruzzu
Levie
Sartène
Figari
Bonifacio
L'Ile-Rousse
Calvi
Citadelle
Calenzana
Gorges de l'Asco
Monte Cinto
Gorges de Spelunca
Evisa
Porto
Vico
Orto
Vero
Cargèse
Sagone
Golfe de Sagone
Musée Fesch
Ajaccio
AJA
Cauro
Gorges du Prunelli
Golfe d'Ajaccio
Punta de la Parata
Grosseto-Prugna
Acqua Doria
Capu di Muru
Filitosa
Aullène
Olmeto
Propriano
Golfe de Valinco
Alignements de Pagliaju
Tizzano
Mégalithes de Cauria
Réserve-Naturelle-de-Scandola
Punta Palazzu
Galéria
Capo Senino
Golfe de Porto
Capu Rossu
Les Calanches
Bouches du Bonifacio
Bocche di Bonifacio
Capo Testa
Santa Teresa Gallura
Punta di li Francesi
la Maddalena
I. Maddalena
P.N.dell' Arcipelago
I. Caprera
de la Maddalena
Palau
Arzachena
Porto Cervo
Costa Smeralda
I. Mortorio
Golfo Aranci
Olbia
OLB
Golfo di Olbia
I. Tavolara
Calangianus
M.Limbara
Tempio Pausania
Lu Coddu Vecchiu
Sedini
Castelsardo
Castello
Monte d'Accoddi
Porto Torres
Basilica San Gavino
Golfo dell'Asinara
Punta Caprara o dello Scorno
I. Asinara
Parco Nazionale dell'Asinara
Capo del Falcone
Isola di Gorgona
de Port-Cros
St-Tropez
Civitavecchia
Tarquinia

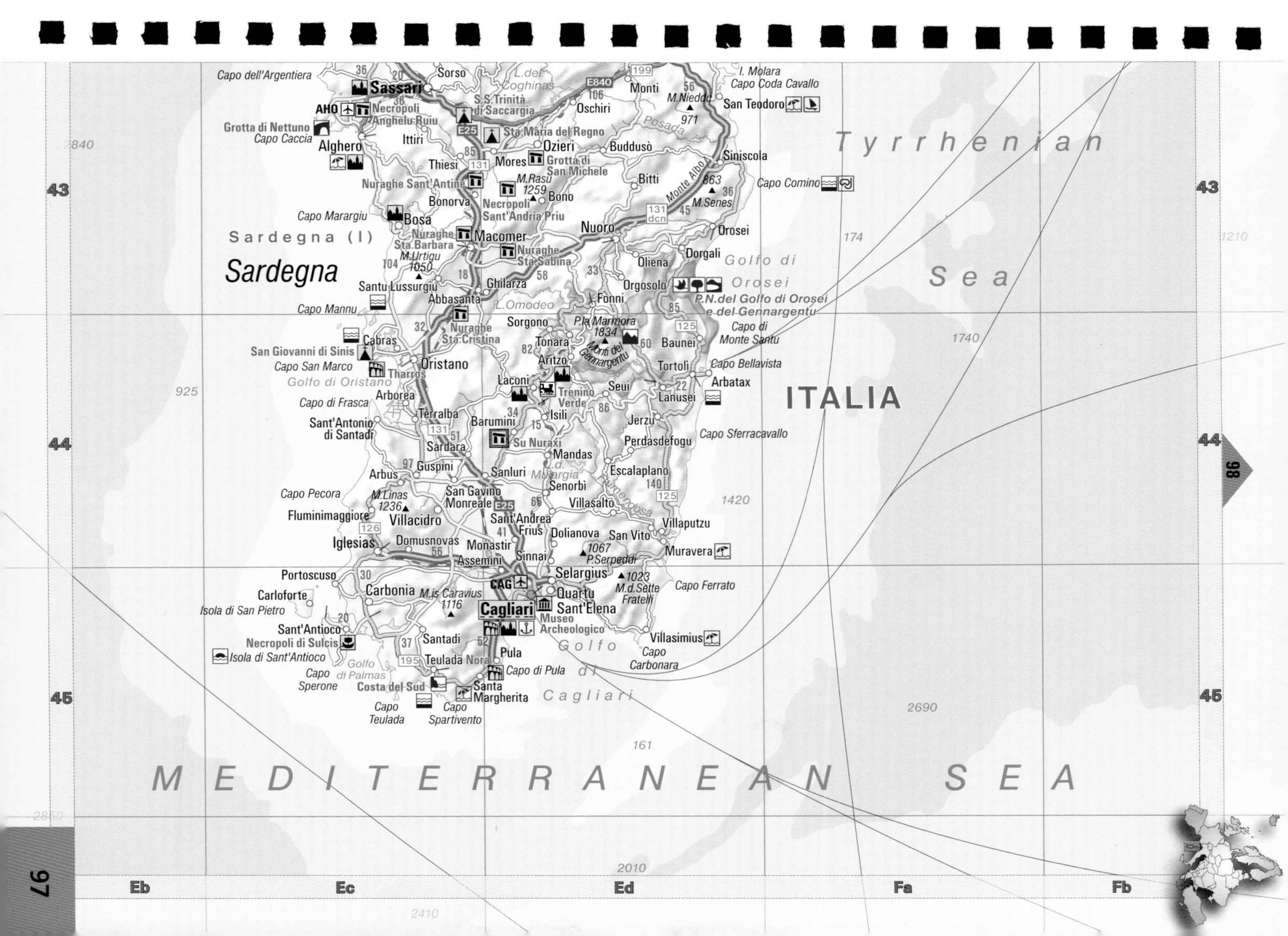

43 44 45

Fb

Fa

MEDITERRANEAN SEA

Tyrrhenian Sea

ITALIA

Ed

Ec

Eb

43 44 45

Sardegna

Sardegna (I)

Sassari
Sorso
Alghero
Ittiri
Thiesi
Bonorva
Bosa
Macomer
Oristano
Cabras
Arborea
Iglesias
Carbonia
Carloforte
Sant'Antioco
Portoscuso
Fluminimaggiore
Guspini
Villacidro
Sanluri
Domusnovas
Cagliari
Pula
Quartu
Villasimius
Muravera
Dolianova
Senorbi
Mandas
Isili
Nuoro
Bitti
Orosei
Dorgali
Oliena
Orgosolo
Fonni
Tortoli
Lanusei
Baunei
Siniscola
San Teodoro
Monti
Oschiri
Buddusò
Tonara
Aritzo
Seui
Jerzu
Perdasdefogu
San Vito
Muravera

Capo Caccia
Capo Marargiu
Capo Mannu
Capo San Marco
Capo di Frasca
Capo Pecora
Capo Sperone
Capo Teulada
Capo Spartivento
Capo di Pula
Capo Carbonara
Capo Ferrato
Capo Sferracavallo
Capo Bellavista
Capo di Monte Santu
Capo Comino
Capo Coda Cavallo
Capo dell'Argentiera

Golfo di Orosei
Golfo di Oristano
Golfo di Cagliari
Golfo di Palmas

Isola di San Pietro
Isola di Sant'Antioco
I. Molara

Grotta di Nettuno
Grotta di San Michele

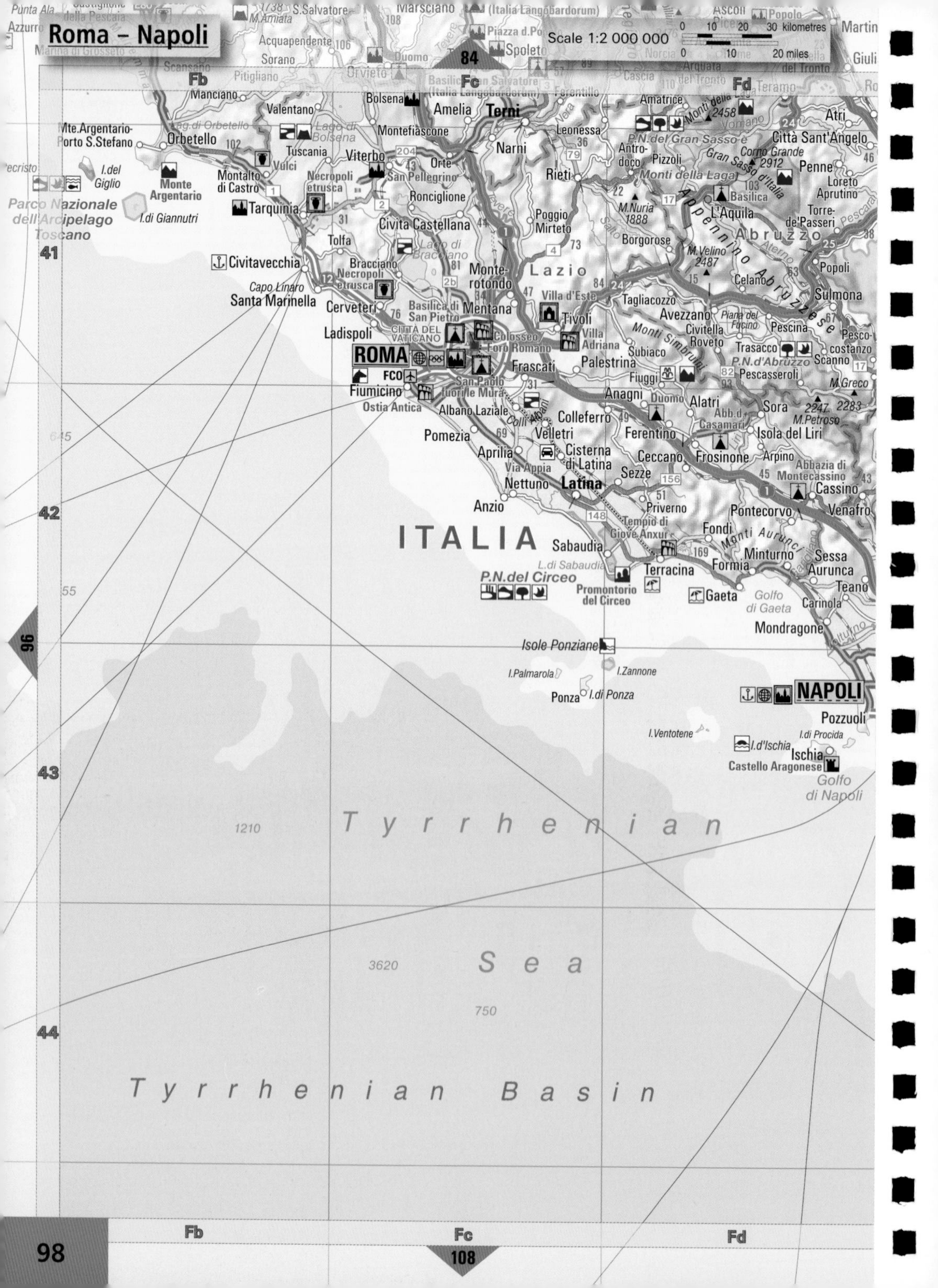
Roma – Napoli
Scale 1:2 000 000
0 10 20 30 kilometres
0 10 20 miles
84
Fb
Fc
Fd
Manciano
Valentano
Bolsena
Amelia
Terni
Amatrice
Atri
Mte.Argentario-
Porto S.Stefano
Orbetello
Montefiascone
Leonessa
P.N.del Gran Sasso e
Città Sant'Angelo
Tuscania
Viterbo
Orte
Narni
Corno Grande
2912
Penne
I.del
Giglio
Vulci
Monte
Argentario
Montalto
di Castro
Necropoli
etrusca
San Pellegrino
Rieti
Pizzoli
Monti della Laga
Loreto
Aprutino
Parco Nazionale
dell'Arcipelago
Toscano
I.di Giannutri
Tarquinia
Ronciglione
M.Nuria
1888
Basilica
L'Aquila
Torre-
de'Passeri
Civita Castellana
Poggio
Mirteto
Abruzzo
41
Tolfa
Lago di
Bracciano
Borgorose
M.Velino
2487
Civitavecchia
Bracciano
Necropoli
etrusca
Monte-
rotondo
Lazio
Popoli
Celano
Capo Linaro
Santa Marinella
Cerveteri
Villa d'Este
Tagliacozzo
Sulmona
Basilica di
San Pietro
Mentana
Tivoli
Avezzano
Ladispoli
CITTÀ DEL
VATICANO
Colosseo/
Foro Romano
Villa
Adriana
Civitella
Roveto
Pescina
Pesco-
costanzo
ROMA
Subiaco
Trasacco
P.N.d'Abruzzo
Scanno
FCO
Frascati
Palestrina
Fiuggi
Pescasseroli
Fiumicino
San Paolo
fuori le Mura
Anagni
Duomo
Alatri
M.Greco
Ostia Antica
Albano Laziale
Colleferro
Sora
2247
2283
Abb.d
Casamari
M.Petroso
645
Pomezia
Velletri
Ferentino
Isola del Liri
Aprilia
Cisterna
di Latina
Ceccano
Frosinone
Arpino
Via Appia
Abbazia di
Montecassino
Sezze
Nettuno
Latina
Cassino
Anzio
Priverno
Pontecorvo
Venafro
42
Tempio di
Giove Anxur
Fondi
ITALIA
Sabaudia
Minturno
Sessa
Aurunca
L.di Sabaudia
Terracina
Formia
P.N.del Circeo
Teano
Promontorio
del Circeo
Gaeta
Golfo
di Gaeta
Carinola
55
Mondragone
96
Isole Ponziane
I.Palmarola
I.Zannone
Ponza
I.di Ponza
NAPOLI
Pozzuoli
I.Ventotene
I.di Procida
I.d'Ischia
Ischia
Castello Aragonese
43
Golfo
di Napoli
1210
Tyrrhenian
Sea
3620
750
44
Tyrrhenian Basin
Fb
Fc
Fd
108

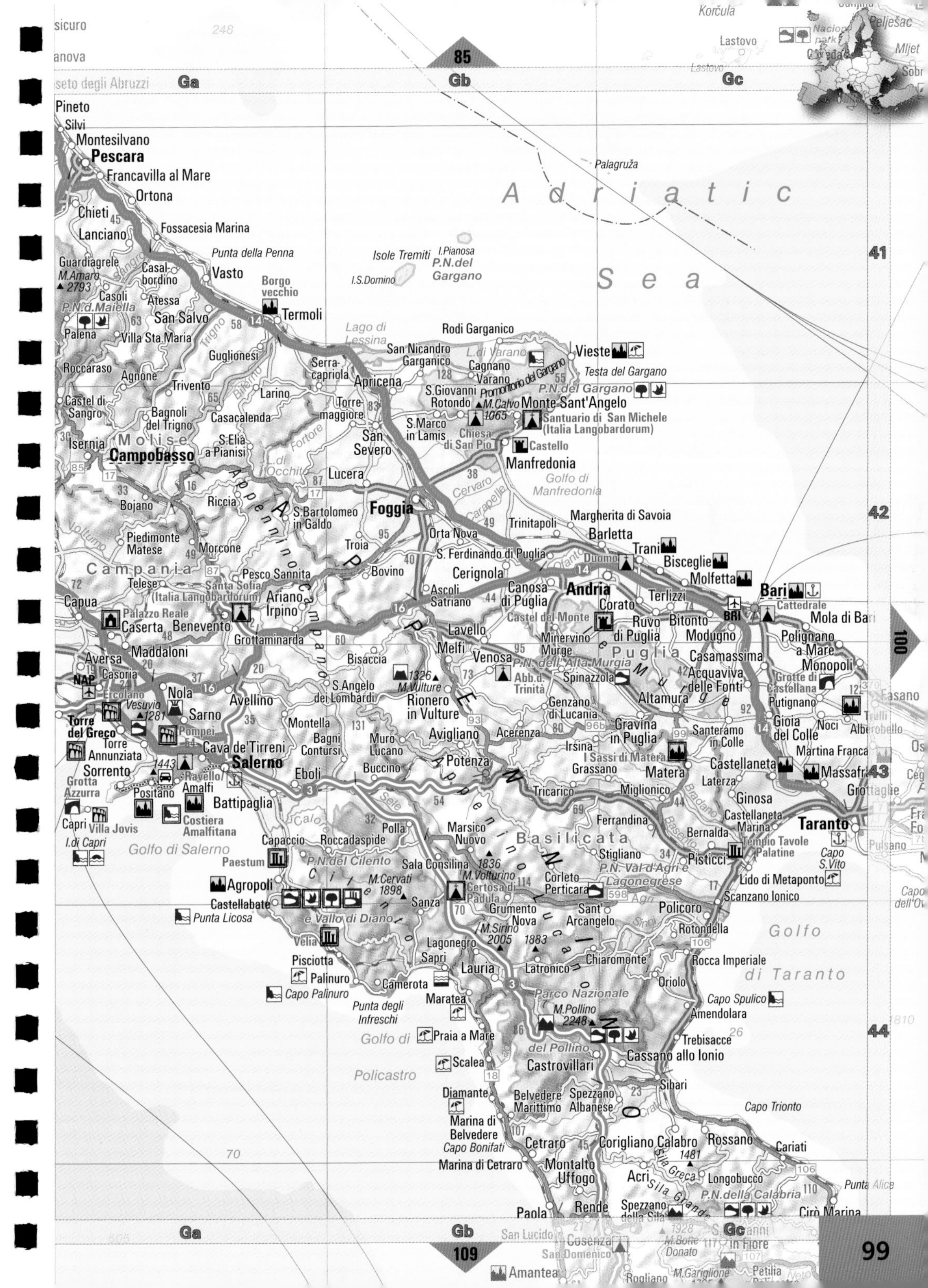

Korčula
Lastovo
Pelješac
Mljet
Nacion park
Ovetta
Sobr

sicuro
248
anova
seto degli Abruzzi

Pineto
Silvi
Montesilvano
Pescara
Francavilla al Mare
Ortona
Chieti   45
Lanciano
Fossacesia Marina
Punta della Penna
Guardiagrele
M.Amaro
▲ 2793
Casoli
Casal-
bordino
Vasto
Borgo
vecchio
P.N.d.Maiella
Palena
Villa Sta.Maria
San Salvo
Termoli
Lago di
Lessina
Atessa
Roccaraso
Agnone
Trivento
Larino
Guglionesi
Serra-
capriola
Apricena
Castel di
Sangro
Bagnoli
del Trigno
Casacalenda
Torre-
maggiore
Isernia
S.Elia
a Pianisi
San
Severo
Campobasso
M o l i s e
Lucera
85
17
16
Bojano
Riccia
S.Bartolomeo
in Galdo
87
Piedimonte
Matese
Morcone
Troia
Telese
Santa Sofia
Pesco Sannita
Bovino
Foggia
C a m p a n i a
Capua
Palazzo Reale
Caserta
Benevento
Grottaminarda
Ariano
Irpino
(Italia Langobardorum)
Bisaccia
Cerignola
Ascoli
Satriano
Canosa
di Puglia
Andria
Terlizzi
Bitonto
Maddaloni
S.Angelo
dei Lombardi
Melfi
Minervino
Murge
N.P.della Alta-Murgia
Ruvo
di Puglia
Modugno
Casamassima
P u g l i a
Aversa
Casoria
1326
M.Vulture
73
Venosa
Genzano
di Lucania
Altamura
Acquaviva
delle Fonti
Gioia
del Colle
NAP
Nola
Avellino
Montella
Bagni
Contursi
Muro
Lucano
Rionero
in Vulture
93
Avigliano
Acerenza
Irsina
Gravina
in Puglia
Santeramo
in Colle
Noci
Vesuvio
1287
Pompei
Sarno
131
99
14
Martina Franca
**Torre
del Greco**
Torre
Annunziata
Salerno
Eboli
Buccino
Potenza
I Sassi di Matera
Matera
Grassano
Castellaneta
Massafra
Sorrento
1443
Ravello
Amalfi
Tricarico
Miglionico
Laterza
Ginosa
Grotta
Azzurra
Positano
Battipaglia
Costiera
Amalfitana
54
Ferrandina
Castellaneta
Marina
Taranto
Capri
I.di Capri
Villa Jovis
Golfo di Salerno
Capaccio
Roccadaspide
32
Polla
Marsico
Nuovo
B a s i l i c a t a
Bernalda
Tempio Tavole
Palatine
Capo
S.Vito
Pulsano
Paestum
P.N.del Cilento
Sala Consilina
1836
M.Volturino
Stigliano
Pisticci
Agropoli
M.Cervati
1898
Sanza
Certosa di
Padula
114
Corleto
Perticara
598
P.N. Val d'Agri
Lagonegrese
Lido di Metaponto
Scanzano Ionico
Castellabate
Punta Licosa
Vallo di Diano
Grumento
Nova
Sant'
Arcangelo
Policoro
Pisciotta
Palinuro
Lagonegro
M.Sirino
2005   1983
Rotondella
106
Golfo
di Taranto
Camerota
Sapri
Lauria
Latronico
Chiaromonte
Oriolo
Rocca Imperiale
Capo Palinuro
Punta degli
Infreschi
Maratea
3
Parco Nazionale
M.Pollino
2248
Capo Spulico
Amendolara
Praia a Mare
del Pollino
Trebisacce
26
Golfo di
Policastro
Scalea
Castrovillari
Cassano allo Ionio
Sibari
18
Diamante
Belvedere
Marittimo
Spezzano
Albanese
23
Capo Trionto
Marina di
Belvedere
Capo Bonifati
Cetraro
Coriglianо Calabro
Rossano
Cariati
Marina di Cetraro
Montalto
Uffogo
1481
Acri
Longobucco
106
Punta Alice
Paola
Rende
Spezzano
P.N.della Calabria
Cirò Marina

A d r i a t i c
S e a
Palagruža
Isole Tremiti
I.Pianosa
P.N.del
Gargano
I.S.Domino
Rodi Garganico
L.di Varano
San Nicandro
Garganico
Cagnano
Varano
Vieste
Testa del Gargano
S.Giovanni
Rotondo
55
M.Calvo
1065
Monte Sant'Angelo
P.N.del Gargano
Santuario di
S.Marco
in Lamis
Chiesa
di San Pio
San Michele
(Italia Langobardorum)
Castello
Manfredonia
Golfo di
Manfredonia
Margherita di Savoia
Barletta
Trani
Duomo
Bisceglie
Molfetta
Bari
BRI
Cattedrale
Mola di Bari
Corato
Polignano
a Mare
Monopoli
Grotte di
Castellana
Putignano
Alberobello
Orta Nova
Trinitapoli
Lavello
14
Castel del Monte
92
Bovino
S.Ferdinando di Puglia
38
49
95
Trani

70
505
S. Domenico
San Lucido
Cosenza
1928
S.Bonte
Donato
Amantea
Rogliano
M.Garigione
Petilia
S.B011
1171
in Fiore
107
Acri
Sila Greca
Montalto
Uffogo

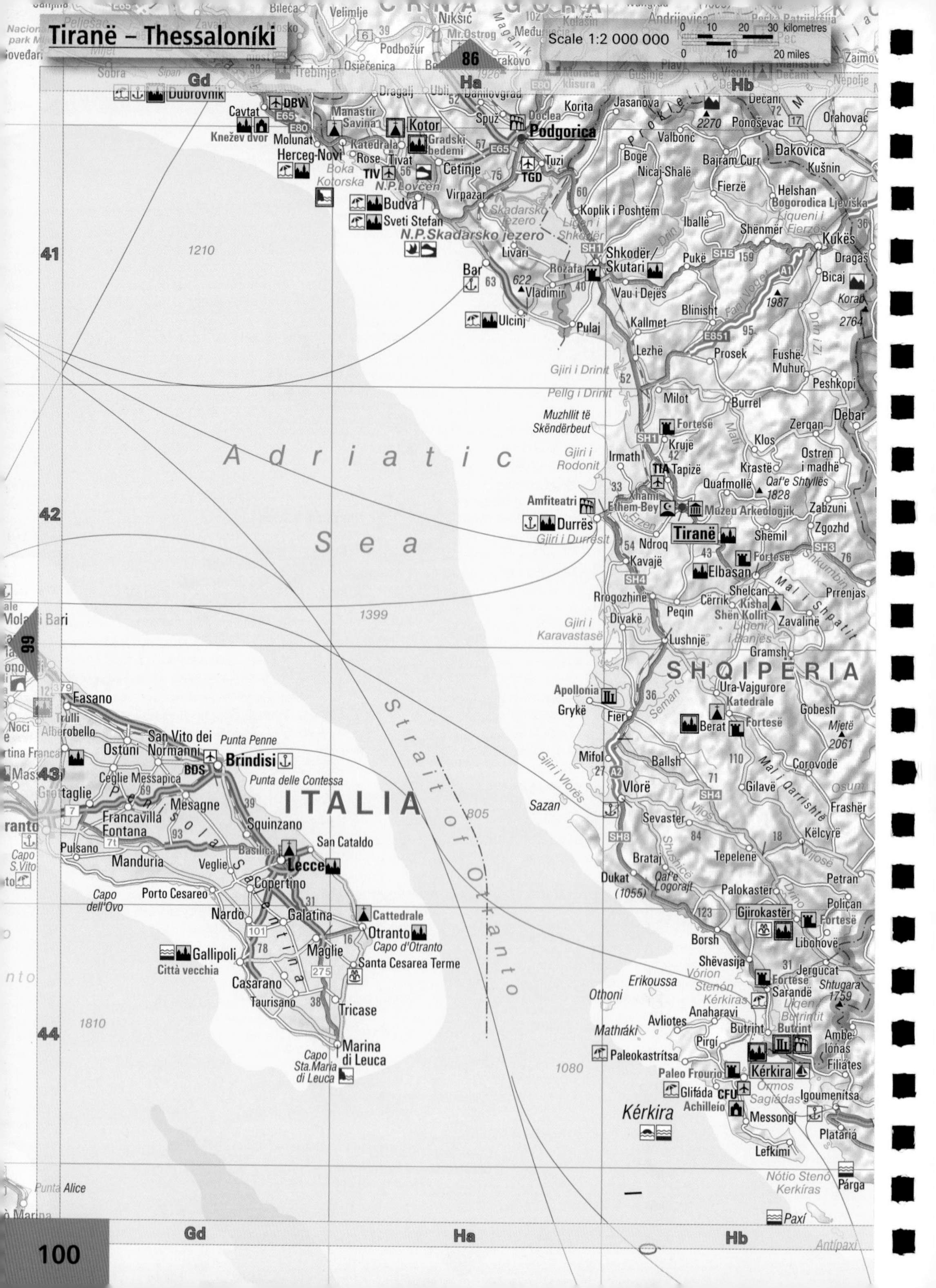

Scale 1:2 000 000

0   10   20   30 kilometres
0   10   20 miles

86

Gd   Ha   Hb

Dubrovnik
DBV
Cavtat
Kneževdvor
Molunat
Herceg-Novi
Manastir Savina
Katedrala
Kotor
Gradski bedemi
Podgorica
TIV
Tivat
Rose
N.P.Lovćen
Cetinje
TGD
Tuzi
Virpazar
Budva
Skadarsko Jezero
Sveti Stefan
N.P.Skadarsko jezero
Livari
Rozafat
Shkodër/Skutari
SH5
Puka
Dragaš
KÜKES
Bar
Vladimin
Vau i Dejes
Blinisht
Korab
Ulcinj
Pulaj
Kallmet
Lezhë
Prosek
Fushë-Muhur
Peshkopi
Gjiri i Drinit
Milot
Burrel
Debar
Zergan
Klos
Muzhllit të Skendërbeut
Fortesë
Kruje
Ostren i madhe
Qaf'e Shtyllës
Zabzuni
Gjiri i Rodonit
Irmath
Tapizë
Krastë
Zgozhd
TIA
Amfiteatri
Ethem-Bey
Xhafzol
Muzëu Arkeologjik
Shemil
SH3
Durrës
Tiranë
Ndroq
Fortesë
Kavajë
Elbasan
SH4
Cërrik
Prrenjas
Rrogozhine
Shen Kollit
Zavalinë
Peqin
Divakë
Lushnjë
Gramsh
SHQIPERIA
Gjiri i Karavastasë
Ura-Vajgurore
Gobesh
Apollonia
Katedrale
Mjetë
Grykë
Fier
Berat
Fortesë
Mifol
Ballsh
Corovodë
Vlorë
Gilavë
Sazan
SH4
Frasher
Sevaster
Këlcyrë
Brataj
Tepelene
SH8
Dukat
Qaf'e Logorajt
Palokaster
Petran
(1055)
Polican
Borsh
Gjirokastër
Libohovë
Shëvasija
Jergucat
Fortesë
Erikoussa
Sarandë
Shtugara
Vórion Stenón
Mathráki
Avliotes
Butrint
Othoni
Anaharavi
Ambe-lonas
Pirgí
Filiates
Kërkira
Paleokastritsa
Paleo Frourio
CFU
Glifáda
Achilleio
Igoumenitsa
Kérkira
Messongi
Plateriá
Lefkimi
Nótio Stenó Kerkíras
Párga
Paxí
Antipaxi

ITALIA

Bari
Molfetta
Fasano
Alberobello
Noci
Ostuni
San Vito dei Normanni
Brindisi
BDS
Ceglie Messapica
Mesagne
Squinzano
Manduria
Francavilla Fontana
San Cataldo
Pulsano
Lecce
Veglie
Copertino
Capo dell'Ovo
Nardò
Galatina
Otranto
Porto Cesareo
Maglie
Gallipoli
Città vecchia
Casarano
Taurisano
Tricase
Santa Cesarea Terme
Capo d'Otranto
Cattedrale
Marina di Leuca
Capo Sta.Maria di Leuca

Adriatic Sea

Strait of Otranto

1210
1399
1810
1080

Punta Alice

Gd   Ha   Hb

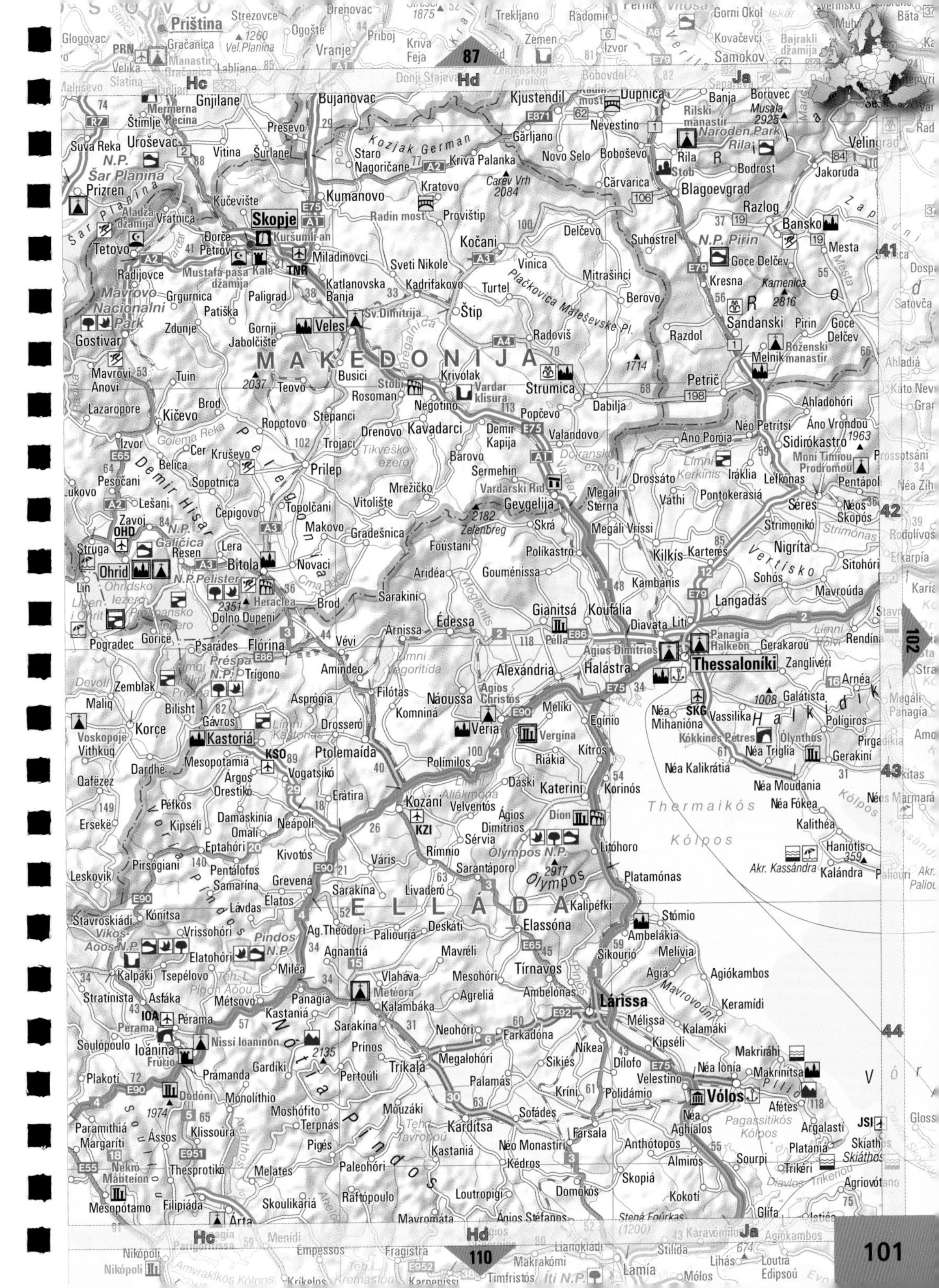

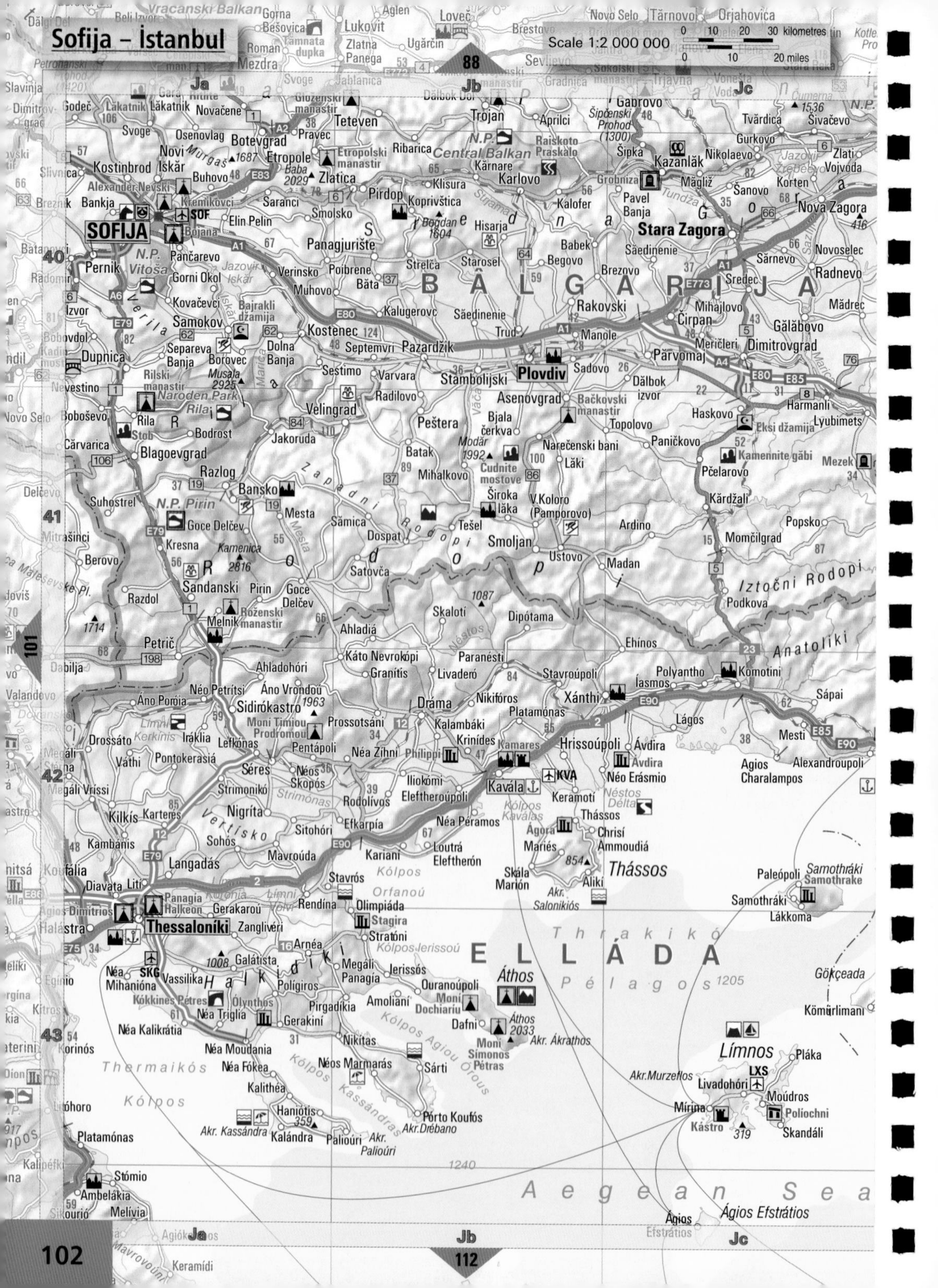
Sofija – İstanbul
Scale 1:2 000 000
0 10 20 30 kilometres
0 10 20 miles
88
Ja
Jb
Jc
40
41
42
43
101
112
102
Vracanski Balkan
Gorna Beševica
Lukovit
Aglen
Loveč
Novo Selo
Tărnovo
Orjahovica
Zlatna Panega
Ugărčin
Roman
Mezdra
Tamnata dupka
Petrohanski prohod
Brestovo
Sevlievo
Svoge
Jablanica
Dălbok Dol
Gradnica
Trjavna
Slavinja
Godeč
Lakatnik
Novačene
Glozenski manastir
Teteven
Trojan
Aprilci
Gabrovo
Šipčenski Prohod (1300)
Tvărdica
Šivačevo
Svoge
Osenovlag
Botevgrad
Pravec
Ribarica
N.P. Central Balkan
Raiskoto Praskalo
Šipka
Gurkovo
Novi Iskăr
Murgaš 1687
Etropole
Etropolski manastir
Kazanlăk
Nikolaevo
Zlati Vojvoda
Kostinbrod
Buhovo
Baba 2029
Zlatica
Kărnare
Karlovo
Grobnica
Măgliž
Šanovo
Korten
Slivnica
Aleksander Nevski
Kremikovci
Saranci
Pirdop
Klisura
Koprivštica
Kalofer
Pavel Banja
Nova Zagora
Bankja
SOF
Elin Pelin
Smolsko
Bogdan 1604
Hisarja
Stara Zagora
SOFIJA
Bojana
Panagjurište
Babek
Săedinenie
Novoselec
Pernik
N.P. Vitoša
Pančarevo
Jazovir Iskăr
Verinsko
Poibrene
Băta
Strelča
Starosel
Begovo
Brezovo
Sărnevo
Radnevo
Radomir
Gorni Okol
Muhovo
BĂLGARIJA
Sredec
Kovačevci
Bajrakli džamija
Kalugerovo
Săedinenie
Rakovski
Mihajlovo
Mădrec
Izvor
Samokov
Kostenec
Trud
Čirpan
Gălăbovo
Bobovdol
Separeva Banja
Borovec
Dolna Banja
Septemvri
Pazardžik
Manole
Meričleri
Dimitrovgrad
Dupnica
Musala 2925
Šestimo
Varvara
Stambolijski
Plovdiv
Sadovo
Părvomaj
Rilski manastir
Naroden Park Rila
Radilovo
Asenovgrad
Bačkovski manastir
Dălbok izvor
Nevestino
Velingrad
Bjala čerkva
Haskovo
Harmanli
Boboševo
Rila
Peštera
Topolovo
Eski džamija
Lyubimets
Stob
Bodrost
Jakoruda
Narečenski bani
Paničkovo
Čărvarica
Blagoevgrad
Batak
Modăr 1992
Kamennite găbi
Mezek
Razlog
Mihalkovo
Cudnite mostove
Lăki
Pčelarovo
Zapadni Rodopi
Bansko
Široka lăka
V.Koloro (Pamporovo)
Kărdžali
Delčevo
Suhostrel
N.P. Pirin
Mesta
Popsko
Goce Delčev
Šamica
Tešel
Ardino
Mitrašinci
Dospat
Smoljan
Momčilgrad
Kresna
Kamenica 2816
Ustovo
Madan
Berovo
Satovča
Iztočni Rodopi
Sandanski
Pirin
Goce Delčev
1087
Podkova
Razdol
Rožensk manastir
Skalotí
Melnik
Ahladiá
Dipótama
1714
Petrič
Néstos
Ehínos
Dabilja
Ahladohóri
Káto Nevrokópi
Paranésti
Anatolikí
Granítis
Livaderó
Polyantho
Komotini
Néo Petrítsi
Áno Vrondoú
Stavroúpoli
Íasmos
Valandovo
Áno Poróia
Sidirókastro
1963
Dráma
Nikifóros
Xánthi
Sápai
Platamónas
Moni Timiou Prodromou
Prossotsáni
Kalambáki
Lágos
Limni Kerkínis
Drossáto
Iráklia
Lefkónas
Pentápoli
Krinídes
Kamares
Hrissoúpoli
Ávdira
Mesti
Váthi
Pontokerasiá
Néa Zihni
Philippi
Avdira
Agios Charalampos
Alexandroupoli
Séres
Néos Skopós
KVA
Néo Erásmio
Mégali Vríssi
Strimonikó
Iliokómi
Eleftheroúpoli
Kavála
Keramotí
Néstos Délta
Nigríta
Strimónas
Rodolívos
Kólpos Kaválas
Thássos
Kilkís
Karteres
Vertískos
Sitohóri
Efkarpía
Néa Péramos
Agora
Chrisí Ammoudiá
Kambánis
Sohós
Loutrá Eleftherón
Mariés
Langadás
Mavroúda
Kariani
854
Thássos
Koufália
Stavrós
Kólpos Orfanoú
Skála Marión
Aliki
Paleópoli
Samothráki Samothrake
Diavata
Lití
Panagia Halkeon
Gerakaroú
Límni Vólvi
Rendína
Olimpiáda
Akr. Salonikiós
Samothráki
Lákkoma
Ágios Dimitrios
Stagira
Thessaloníki
Zanglivéri
Stratóni
Thrakikó
Kalohori
Arnéa
Kólpos Ierissoú
ELLÁDA
1008
Galátista
Megáli Panagía
Ierissós
Áthos
Pélagos
1205
Gökçeada
Néa Mihanióna
SKG
Vassilika
Halkidikí
Polígiros
Ouranoúpoli
Kókkines Pétres
Ólynthos
Moní Dochiariu
Amolianí
Pirgadíkia
Kömürlimanı
Néa Triglía
Gerakiní
Dafni
Áthos 2033
Néa Kalikrátia
Néa Moudania
Nikítas
Moni Simonos Pétras
Akr. Ákrathos
Korinós
Kólpos Agíou Órous
Límnos
Pláka
Thermaikós Kólpos
Néa Fókea
Néos Marmarás
Sárti
Akr. Murzeflos
LXS
Livadohóri
Kalithéa
Kólpos Kassándras
Moúdros
Mírina
Poliochni
Haniótis
359
Pórto Koufós
Kástro
319
Skandáli
Platamónas
Akr. Kassándra
Kalándra
Palioúri
Akr. Palioúri
Akr. Drébano
1240
Stómio
Aegean Sea
Ambelákia
Melívia
Ágios Efstrátios
Agiókambos
Mavrovoúni
Keramídi

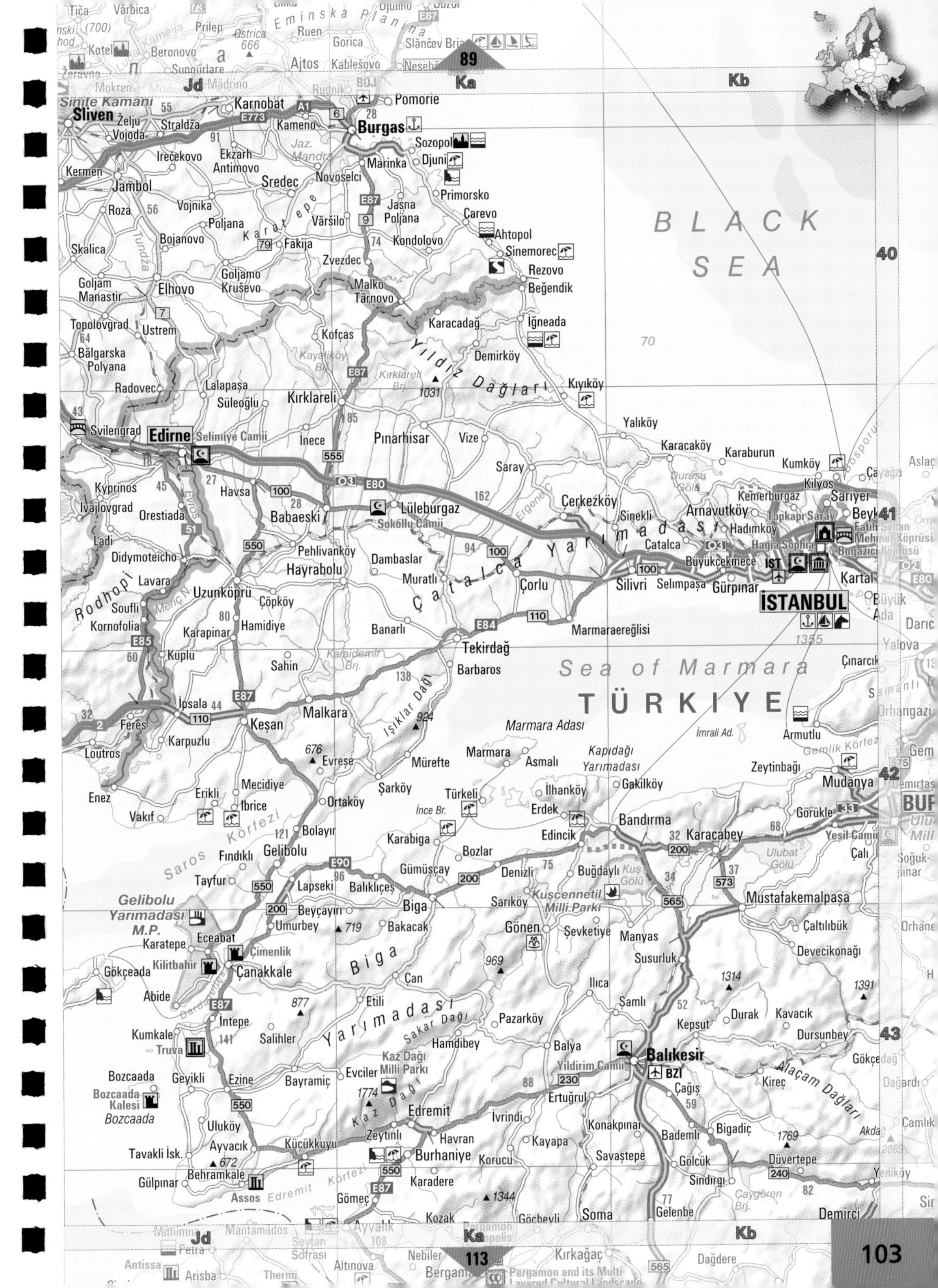

89
Jd
Ka
Kb
Karnobat
Pomorie
Sliven
Burgas
Straldža
Kameno
Vojoda
Sozopol
Irečekovo
Ekzarh Antimovo
Marinka
Djuni
Kermen
Jambol
Sredec
Novoselci
Primorsko
Roza
Vojnika
Jasna Poljana
Poljana
Văršilo
Carevo
Bojanovo
Fakija
Kondolovo
Ahtopol
Skalica
Zvezdec
Sinemorec
Rezovo
Goljam Manastir
Elhovo
Goljamo Kruševo
Malko Tărnovo
Beğendik
BLACK SEA
Topolovgrad
Ustrem
Karacadağ
İğneada
Kofçaş
Bălgarska Polyana
Yıldız Dağları
Demirköy
Radovec
Lalapaşa
Süleoğlu
Kırklareli
Kıyıköy
Svilengrad
Edirne
Selimiye Camii
İnece
Pınarhisar
Vize
Yalıköy
Karacaköy
Karaburun
Kumköy
Saray
Kyprinos
Havsa
Ivajlovgrad
Orestiada
Babaeski
Lüleburgaz
Sokollu Camii
Çerkezköy
Kilyos
Kemerburgaz
Sarıyer
Arnavutköy
Topkapı Sarayı
Sinekli
Hadımköy
Ladi
Didymoteicho
Pehlivanköy
Hayrabolu
Dambaslar
Çatalca
Hagia Sophia
Büyükçekmece
IST
Lavara
Muratlı
Uzunköprü
Çöpköy
Çatalca Yarımadası
Çorlu
Silivri
Selimpaşa
Gürpınar
Kartal
İSTANBUL
Soufli
Kornofolia
Rodhopi
Karapinar
Hamidiye
Banarlı
Marmaraereğlisi
Tekirdağ
Küplü
Barbaros
Sahin
Sea of Marmara
TÜRKIYE
Işıklar Dağı
İpsala
Malkara
Feres
Keşan
Marmara Adası
İmrali Ad.
Armutlu
Karpuzlu
Loutros
Evreşe
Mürefte
Marmara
Asmalı
Kapıdağı Yarımadası
Zeytinbağı
Mudanya
Enez
Erikli
Mecidiye
Şarköy
Türkeli
İlhanköy
Gakilköy
Vakıf
İbrice
Ortaköy
İnce Br.
Erdek
Bandırma
Görükle
Saros Körfezi
Bolayır
Karabiga
Edincik
Karacabey
Yeşil Camii
Fındıklı
Gelibolu
Bozlar
Ulubat Gölü
Çalı
Tayfur
Lapseki
Balıklıçeşme
Gümüşçay
Denizli
Buğdaylı
Kuş Gölü
Gelibolu Yarımadası M.P.
Beyçayırı
Biga
Sarıköy
Kuşcennetil Milli Parkı
Mustafakemalpaşa
Umurbey
Bakacak
Gönen
Şevketiye
Manyas
Çaltılıbük
Eceabat
Karatepe
Çimenlik
Kilitbahir
Çanakkale
Gökçeada
Susurluk
Devecikonağı
Çan
Ilıca
Abide
Etili
Şamlı
Biga Yarımadası
İntepe
Sakar Dağı
Pazarköy
Durak
Kavacık
Kepsut
Kumkale
Truva
Salihler
Hamdibey
Balya
Dursunbey
Balıkesir
BZI
Yildirim Camii
Bozcaada
Geyikli
Ezine
Bayramiç
Evciler
Kaz Dağı Milli Parkı
Kireç
Alaçam Dağları
Bozcaada Kalesi
Çağış
Ertuğrul
Kaz Dağı
Edremit
İvrindi
Uluköy
Konakpınar
Bigadiç
Bademli
Ayvacık
Küçükkuyu
Zeytinli
Havran
Kayapa
Tavakli İsk.
Burhaniye
Korucu
Savaştepe
Gölcük
Düvertepe
Behramkale
Gülpınar
Karadere
Sındırgı
Assos
Edremit Körfezi
Gömeç
Gelenbe
Caygören Brj.
Yeniköy
Kozak
Soma
Demirci
Ayvalık
Göçbeyli
Mithimna
Mantamados
Petra
Seytan Sofrası
Pergamon Akropolis
Antissa
Arisba
Thermi
Altınova
Nebiler
113
Bergama
Pergamon and its Multi-Layered Cultural Landscape
Kırkağaç
Dağdere
40
41
42
43

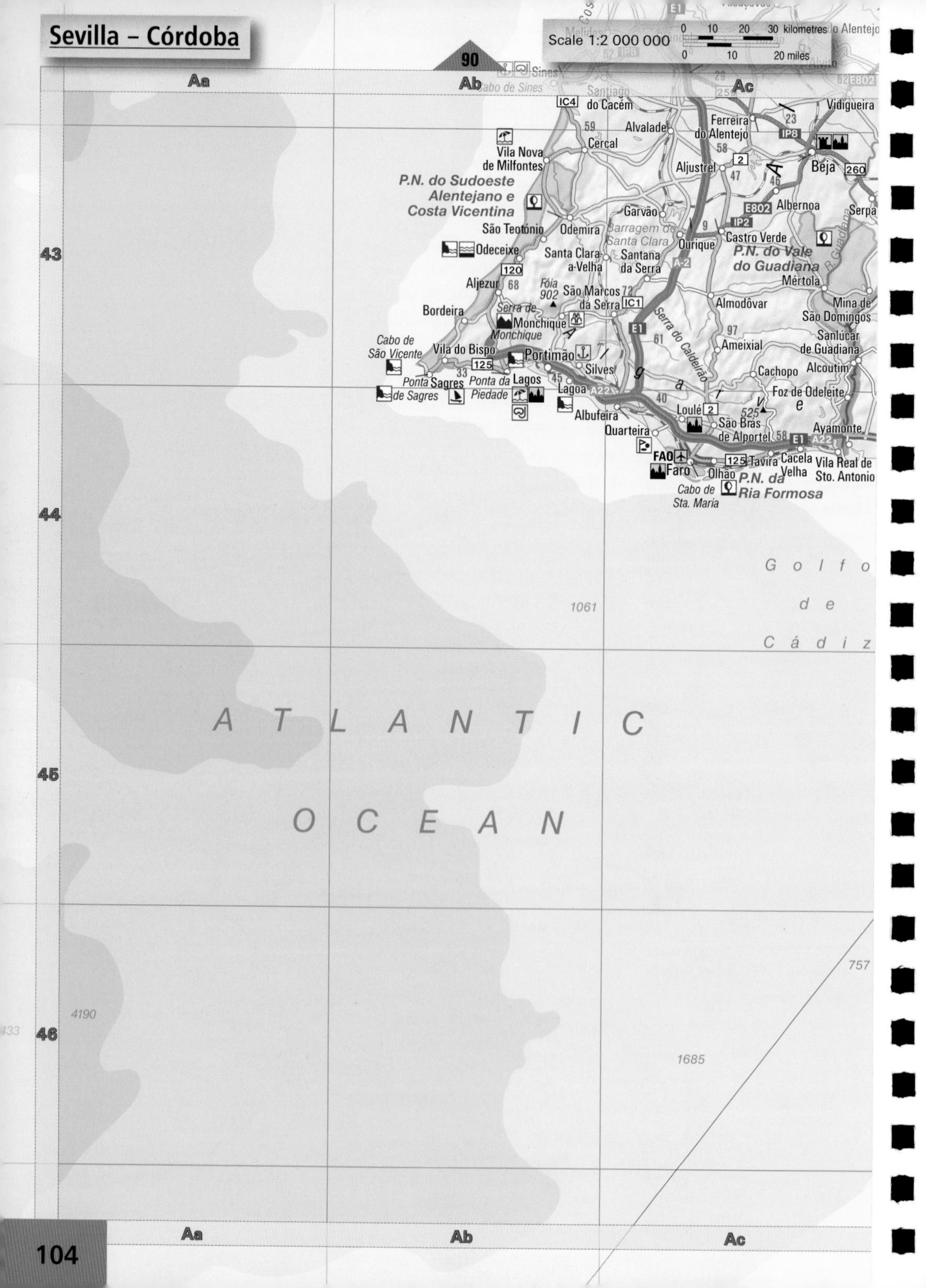

Scale 1:2 000 000

0 10 20 30 kilometres
0 10 20 miles

90

Cabo de Sines
Santiago do Cacém
IC4
Vila Nova de Milfontes
59 Alvalade
Cercal
Ferreira do Alentejo
58 23
IP8
Aljustrel
47 2
46 Beja
260
P.N. do Sudoeste Alentejano e Costa Vicentina
Garvão
E802 Albernoa
IP2
Odemira
Castro Verde
9 Ourique
Serpa
43
Odeceixe
Santa Clara-a-Velha
Santana da Serra
A2
P.N. do Vale do Guadiana
Mértola
Aljezur
120 68
Fóia 902
São Marcos da Serra 72
IC1
Almodôvar
97
Mina de São Domingos
Bordeira
Serra de Monchique
Monchique
E1 61
Serra do Caldeirão
Ameixial
Sanlúcar de Guadiana
Alcoutim
Cabo de São Vicente
Vila do Bispo
Portimão
Silves
Cachopo
Foz de Odeleite
Ponta Sagres de Sagres
33 125
Ponta da Piedade
Lagos 45
Lagoa A22
40
Loulé 2
525
Ayamonte
Albufeira
São Brás de Alportel
58 E1 A22
Quarteira
Tavira
125 Cacela Velha
Vila Real de Sto. Antonio
FAO
Faro
Olhão
P.N. da Ria Formosa
Cabo de Sta. María

1061

G o l f o

d e

C á d i z

A T L A N T I C

O C E A N

44

45

46

4190

757

1685

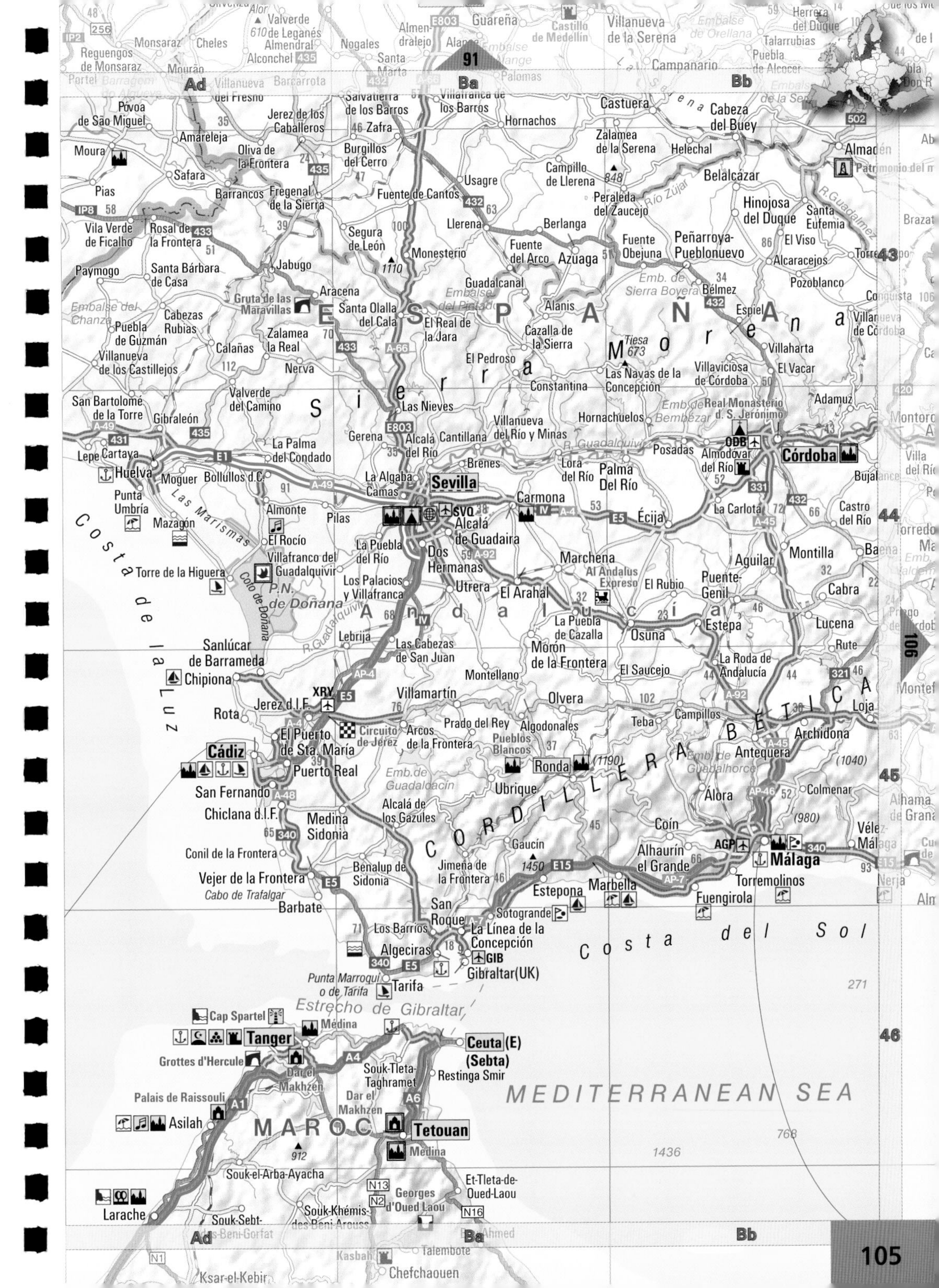
Valverde de Leganés
Almendral
Alconchel
Monsaraz
Cheles
Reguengos de Monsaraz
Mourão
Portel
Nogales
Almendralejo
Santa Marta
Guareña
Castillo de Medellín
Villanueva de la Serena
Embalse de Orellana
Herrera del Duque
Talarrubias
Puebla de Alcocer
Campanario
Palomas
Villanueva del Fresno
Barcarrota
Salvatierra de los Barros
Villafranca de los Barros
Castuera
Cabeza del Buey
Póvoa de São Miguel
Jerez de los Caballeros
Zafra
Hornachos
Amareleja
Zalamea de la Serena
Helechal
Almadén
Moura
Oliva de la Frontera
Burgillos del Cerro
Campillo de Llerena
Belalcázar
Safara
Usagre
Pias
Barrancos
Fregenal de la Sierra
Fuente de Cantos
Peraleda del Zaucejo
Hinojosa del Duque
Santa Eufemia
Vila Verde de Ficalho
Rosal de la Frontera
Segura de León
Llerena
Berlanga
Fuente Obejuna
Peñarroya-Pueblonuevo
El Viso
Monesterio
Fuente del Arco
Azuaga
Alcaracejos
Paymogo
Santa Bárbara de Casa
Jabugo
Emb. de Sierra Boyera
Bélmez
Pozoblanco
Guadalcanal
Aracena
Gruta de las Maravillas
Embalse del Chanza
Cabezas Rubias
Santa Olalla del Cala
El Real de la Jara
Alanís
Espiel
Villanueva de Córdoba
Puebla de Guzmán
Zalamea la Real
Cazalla de la Sierra
Tiesa 673
Villaharta
Villanueva de los Castillejos
Calañas
Nerva
El Pedroso
Las Navas de la Concepción
Villaviciosa de Córdoba
El Vacar
Constantina
Valverde del Camino
San Bartolomé de la Torre
Gibraleón
Las Nieves
Adamuz
Real Monasterio d. S. Jerónimo
Hornachuelos
Villanueva del Río y Minas
La Palma del Condado
Gerena
Alcalá del Río
Cantillana
Posadas
Almodóvar del Río
Córdoba
Lepe
Cartaya
Huelva
Moguer
Bollullos d.C.
La Algaba
Camas
Sevilla
Brenes
Lora del Río
Palma Del Río
Punta Umbría
Las Marismas
Almonte
Pilas
SVQ
Alcalá de Guadaira
Carmona
Écija
La Carlota
Castro del Río
Mazagón
El Rocío
La Puebla del Río
Dos Hermanas
Marchena
Aguilar
Montilla
Baena
Villafranco del Guadalquivir
Torre de la Higuera
Coto de Doñana
P.N. de Doñana
Los Palacios y Villafranca
Utrera
El Arahal
Al Andalus Expreso
El Rubio
Puente-Genil
Cabra
La Puebla de Cazalla
Osuna
Estepa
Lucena
Lebrija
Las Cabezas de San Juan
Morón de la Frontera
Rute
Sanlúcar de Barrameda
Montellano
El Saucejo
La Roda de Andalucía
Chipiona
Costa de la Luz
XRY
Villamartín
Olvera
Jerez d.l.F.
Rota
Campillos
Teba
Loja
El Puerto de Sta. María
Circuito de Jerez
Arcos de la Frontera
Prado del Rey
Algodonales
Pueblos Blancos
Archidona
Cádiz
Puerto Real
Ronda
Antequera
Emb. de Guadalhorce
Emb. de Guadalcacín
Ubrique
San Fernando
Álora
Colmenar
Chiclana d.l.F.
Medina Sidonia
Alcalá de los Gazules
Coín
Conil de la Frontera
Gaucín
Alhaurín el Grande
AGP
Málaga
Vejer de la Frontera
Benalup de Sidonia
Jimena de la Frontera
Estepona
Marbella
Torremolinos
Cabo de Trafalgar
Barbate
Fuengirola
San Roque
Sotogrande
Los Barrios
La Línea de la Concepción
Algeciras
GIB
Gibraltar(UK)
Costa del Sol
Cordillera Bética
Sierra Morena
España
Andalucía
Punta Marroquí o de Tarifa
Tarifa
Estrecho de Gibraltar
Cap Spartel
Tanger
Medina
Ceuta (E) (Sebta)
Grottes d'Hercule
Souk-Tleta-Taghramet
Restinga Smir
Dar el Makhzen
Palais de Raissouli
MEDITERRANEAN SEA
Asilah
MAROC
Tetouan
Souk-el-Arba-Ayacha
Et-Tleta-de-Oued-Laou
Georges d'Oued Laou
Larache
Souk-Khémis-des Beni Arouss
Souk-Sebt-des-Beni-Gorfat
Bab Ahmed
Kasbah
Talembote
Chefchaouen
Ksar-el-Kebir

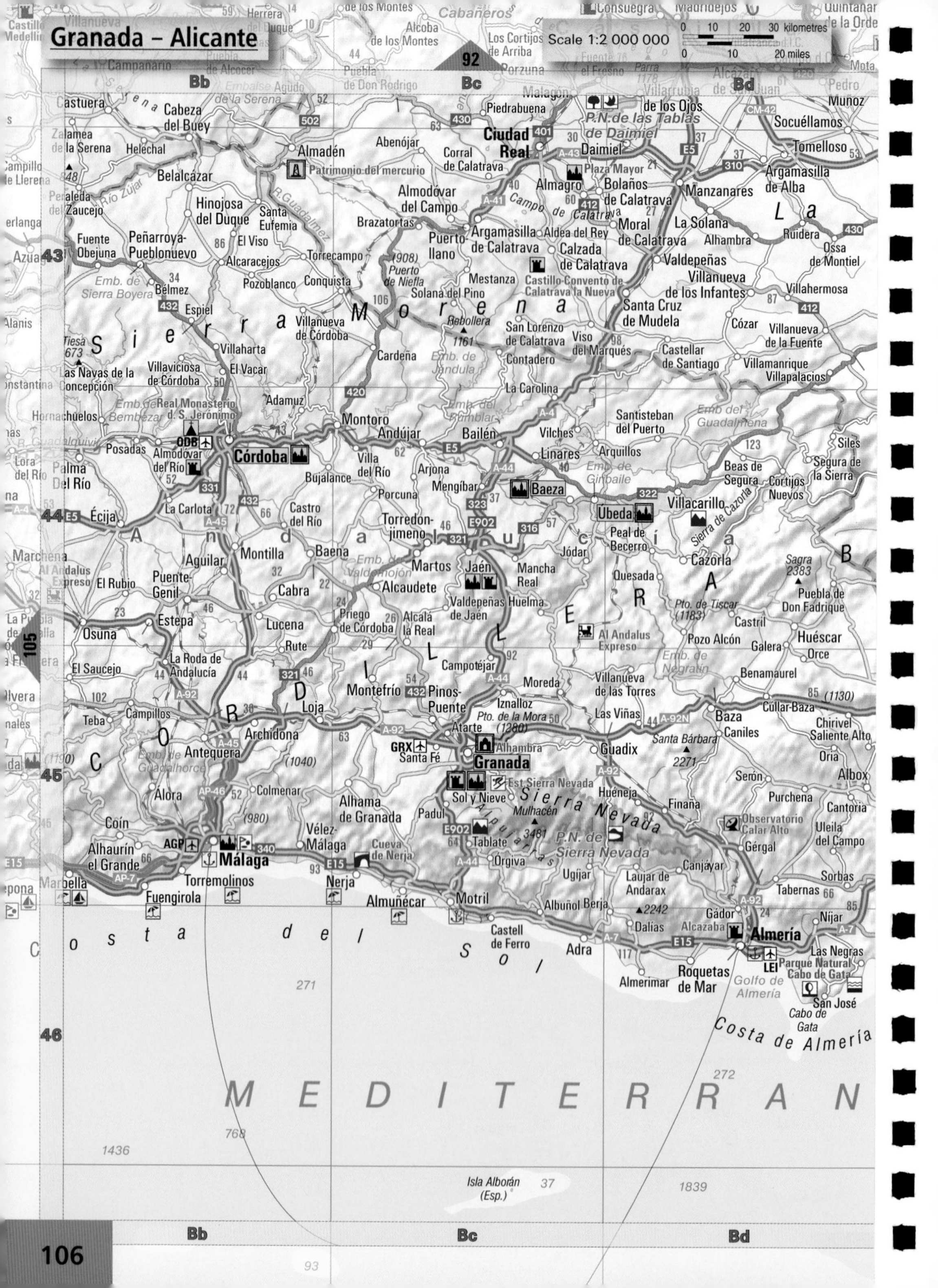

Granada – Alicante
Scale 1:2 000 000
0 10 20 30 kilometres
0 10 20 miles
92
Bb
Bc
Bd
Castuera
Cabeza del Buey
Zalamea de la Serena
Helechal
Almadén
Abenójar
Piedrabuena
Ciudad Real
Daimiel
P.N. de las Tablas de Daimiel
Villarrubia de los Ojos
Socuéllamos
Tomelloso
Argamasilla de Alba
Corral de Calatrava
Patrimonio del mercurio
Belalcázar
Almagro
Plaza Mayor
Bolaños de Calatrava
Manzanares
Almodóvar del Campo
Hinojosa del Duque
Santa Eufemia
Peraleda del Zaucejo
Brazatortas
Moral de Calatrava
La Solana
Argamasilla de Calatrava
Aldea del Rey
Puertollano
Calzada de Calatrava
Alhambra
Ruidera
Ossa de Montiel
Fuente Obejuna
Peñarroya-Pueblonuevo
El Viso
Alcaracejos
Torrecampo
Valdepeñas
Villanueva de los Infantes
Villahermosa
Pozoblanco
Conquista
Mestanza
Castillo-Convento de Calatrava la Nueva
Santa Cruz de Mudela
Bélmez
Solana del Pino
Emb. de Sierra Boyera
Espiel
Sierra Morena
Villanueva de Córdoba
Rebollera 1161
San Lorenzo de Calatrava
Viso del Marqués
Cózar
Villanueva de la Fuente
Castellar de Santiago
Villamanrique
Villapalacios
Villaharta
Cardeña
Emb. de Jándula
Contadero
Las Navas de la Concepción
Villaviciosa de Córdoba
El Vacar
La Carolina
Hornachuelos
Emb. de Bembézar
Real Monasterio d. S. Jerónimo
Adamuz
Montoro
Andújar
Bailén
Vilches
Santisteban del Puerto
Emb. del Guadalmena
Posadas
ODB
Córdoba
Almodóvar del Río
Villa del Río
Arjona
Linares
Arquillos
Emb. de Giribaile
Siles
Segura de la Sierra
Lora del Río
Palma del Río
Bujalance
Porcuna
Mengíbar
Baeza
Beas de Segura
Cortijos Nuevos
La Carlota
Écija
Castro del Río
Torredonjimeno
Úbeda
Villacarrillo
Sierra de Cazorla
Andalucía
Montilla
Baena
Jódar
Peal de Becerro
Cazorla
Marchena
Al Andalus Expreso
El Rubio
Aguilar
Puente-Genil
Martos
Jaén
Mancha Real
Quesada
Sagra 2383
Cabra
Alcaudete
Valdepeñas de Jaén
Huelma
Pto. de Tiscar (1183)
Puebla de Don Fadrique
Osuna
Estepa
Lucena
Priego de Córdoba
Alcalá la Real
Castril
Huéscar
Rute
Pozo Alcón
Galera
Orce
El Saucejo
La Roda de Andalucía
Campotéjar
Emb. de Negratín
Benamaurel
Montefrío
Pinos-Puente
Moreda
Villanueva de las Torres
Cúllar-Baza
Teba
Campillos
Loja
Iznalloz
Pto. de la Mora (1280)
Las Viñas
Baza
Caniles
Chirivel
Saliente Alto
Archidona
Atarte
Alhambra
Santa Bárbara 2271
Antequera
GRX
Santa Fé
Granada
Guadix
Oria
Emb. de Guadalhorce
Est. Sierra Nevada
Serón
Albox
Álora
Colmenar
Sol y Nieve
Sierra Nevada
Huéneja
Fiñana
Purchena
Cantoria
Alhama de Granada
Padul
Mulhacén 3481
Observatorio Calar Alto
Coín
Vélez-Málaga
Tablate
P.N. de Sierra Nevada
Uleila del Campo
Alhaurín el Grande
AGP
Málaga
Cueva de Nerja
Órgiva
Alpujarras
Gérgal
Marbella
Torremolinos
Nerja
Ugíjar
Laujar de Andarax
Canjáyar
Sorbas
Tabernas
Fuengirola
Almuñécar
Motril
Albuñol
Berja
2242
Gádor
Níjar
Castell de Ferro
Dalías
Alcazaba
Almería
Adra
LEI
Las Negras
Parque Natural Cabo de Gata
Almerimar
Roquetas de Mar
Golfo de Almería
San José
Cabo de Gata
Costa del Sol
Costa de Almería
MEDITERRAN
Isla Alborán (Esp.)
43
44
45
46
105

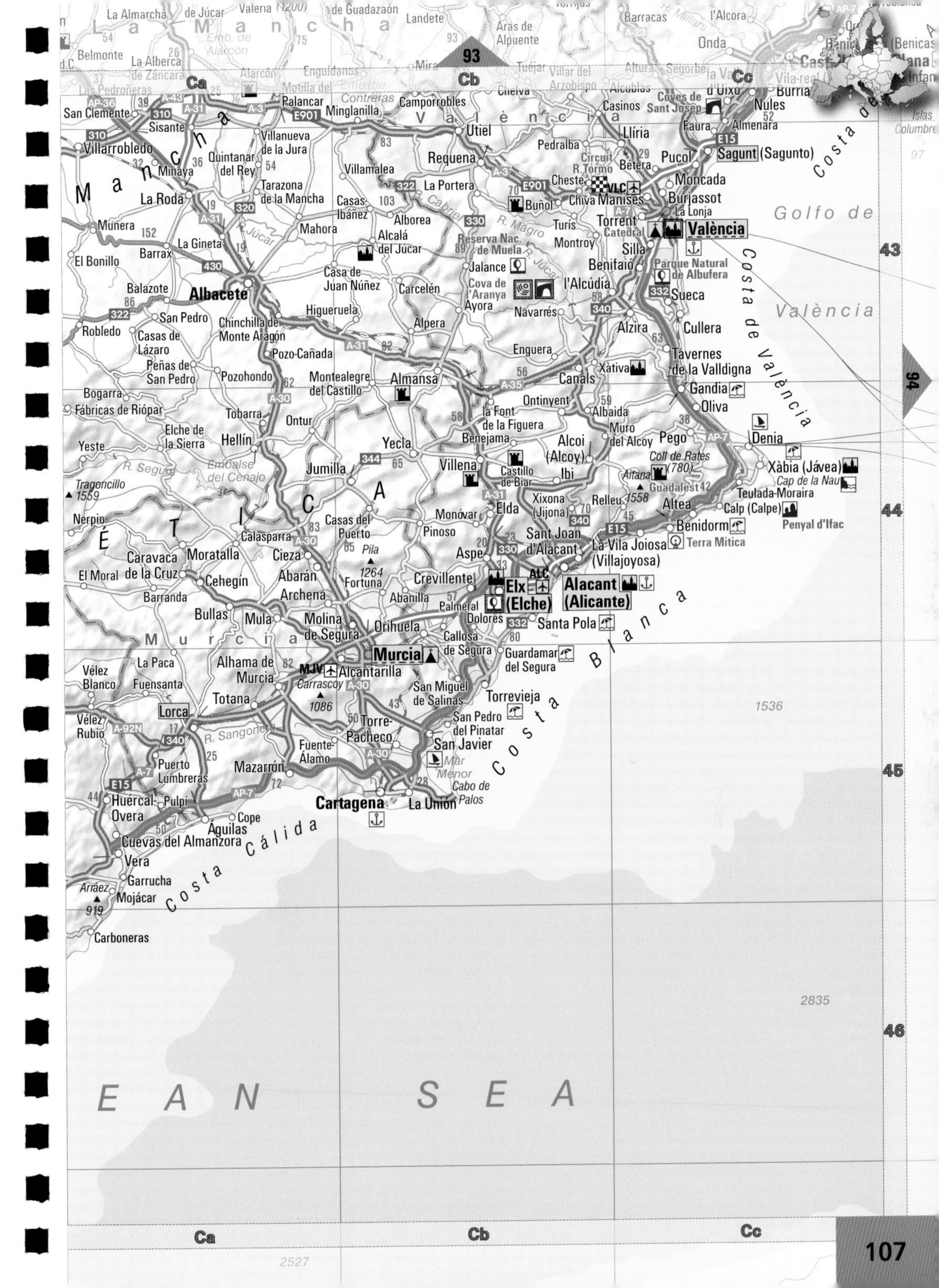

La Almarcha
de Júcar
Valeria (1200)
de Guadazaón
Landete
Aras de Alpuente
Barracas
l'Alcora
La Mancha
Emb. de Alarcón
Onda
Belmonte
La Alberca de Záncara
93
Alarcón
Enguídanos
Mira
Tuéjar
Villar del Arzobispo
Altura
Segorbe
la Vall d'Uixó
Burriana
Vila-real
Ca
Cb
Cc
Las Pedroñeras
Motilla del Palancar
Contreras
Minglanilla
Camporrobles
Chelva
Alcublas
Coves de Sant Josep
Casinos
Nules
San Clemente
Sisante
València
Utiel
Faura
Almenara
Llíria
Villarrobledo
Villanueva de la Jura
Pedralba
Circuit R.Tormo
Bétera
Puçol
Sagunt (Sagunto)
Minaya
Quintanar del Rey
Requena
Costa de
Islas Columbretes
Tarazona de la Mancha
Villamalea
Cheste
VLC
Moncada
La Portera
Manises
Burjassot
La Roda
Casas-Ibáñez
Buñol
Chiva
R. Cabriel
Torrent
La Lonja
Golfo de
Munera
Alborea
R. Magro
Turís
Catedral
València
Mahora
Reserva Nac. de Muela
Montroy
Silla
La Gineta
Alcalá del Júcar
43
El Bonillo
Barrax
Jalance
Benifaió
Parque Natural de Albufera
R. Júcar
Casa de Juan Núñez
Cova de l'Aranya
l'Alcúdia
Balazote
Albacete
Carcelén
Ayora
Sueca
València
Navarrés
San Pedro
Higueruela
Robledo
Casas de Lázaro
Chinchilla de Monte Aragón
Alpera
Alzira
Cullera
Pozo-Cañada
Enguera
Tavernes de la Valldigna
Peñas de San Pedro
Pozohondo
Montealegre del Castillo
Almansa
Xàtiva
Canals
Costa de València
94
Bogarra
Ontinyent
Gandia
Fábricas de Riópar
Tobarra
Ontur
la Font de la Figuera
Albaida
Oliva
Elche de la Sierra
Muro del Alcoy
Yeste
Hellín
Yecla
Benejama
Alcoi (Alcoy)
Pego
Denia
R. Segura
Embalse del Cenajo
Jumilla
Villena
Coll de Rates (780)
Xàbia (Jávea)
Ibi
Castillo de Biar
Aitana
Guadalest
Cap de la Nau
Tragoncillo 1559
1558
Teulada-Moraira
Xixona (Jijona)
Relleu
Altea
Calp (Calpe)
44
Nerpio
Monóvar
Elda
Penyal d'Ifac
Benidorm
Casas del Puerto
Pinoso
Sant Joan d'Alacant
Calasparra
Terra Mitica
La Vila Joiosa (Villajoyosa)
Cieza
Pila 1264
Aspe
Caravaca de la Cruz
Moratalla
BÉTICA
El Moral
Abarán
Fortuna
Crevillente
ALC
Alacant (Alicante)
Cehegín
Elx (Elche)
Barranda
Archena
Abanilla
Palmeral
Bullas
Mula
Molina de Segura
Dolores
Santa Pola
Orihuela
Costa Blanca
Murcia
Callosa de Segura
Murcia
Guardamar del Segura
Vélez Blanco
La Paca
Alhama de Murcia
MJV
Alcantarilla
Fuensanta
Carrascoy 1086
San Miguel de Salinas
Torrevieja
Totana
1536
Lorca
San Pedro del Pinatar
Vélez Rubio
Torre-Pacheco
R. Sangonera
San Javier
Puerto Lumbreras
Fuente-Álamo
Mar Menor
Costa
45
Mazarrón
Cabo de Palos
Huércal-Overa
Pulpí
Cartagena
La Unión
Cope
Águilas
Costa Cálida
Cuevas del Almanzora
Vera
Garrucha
Arráez 919
Mojácar
Carboneras
2835
46
EAN SEA
2527

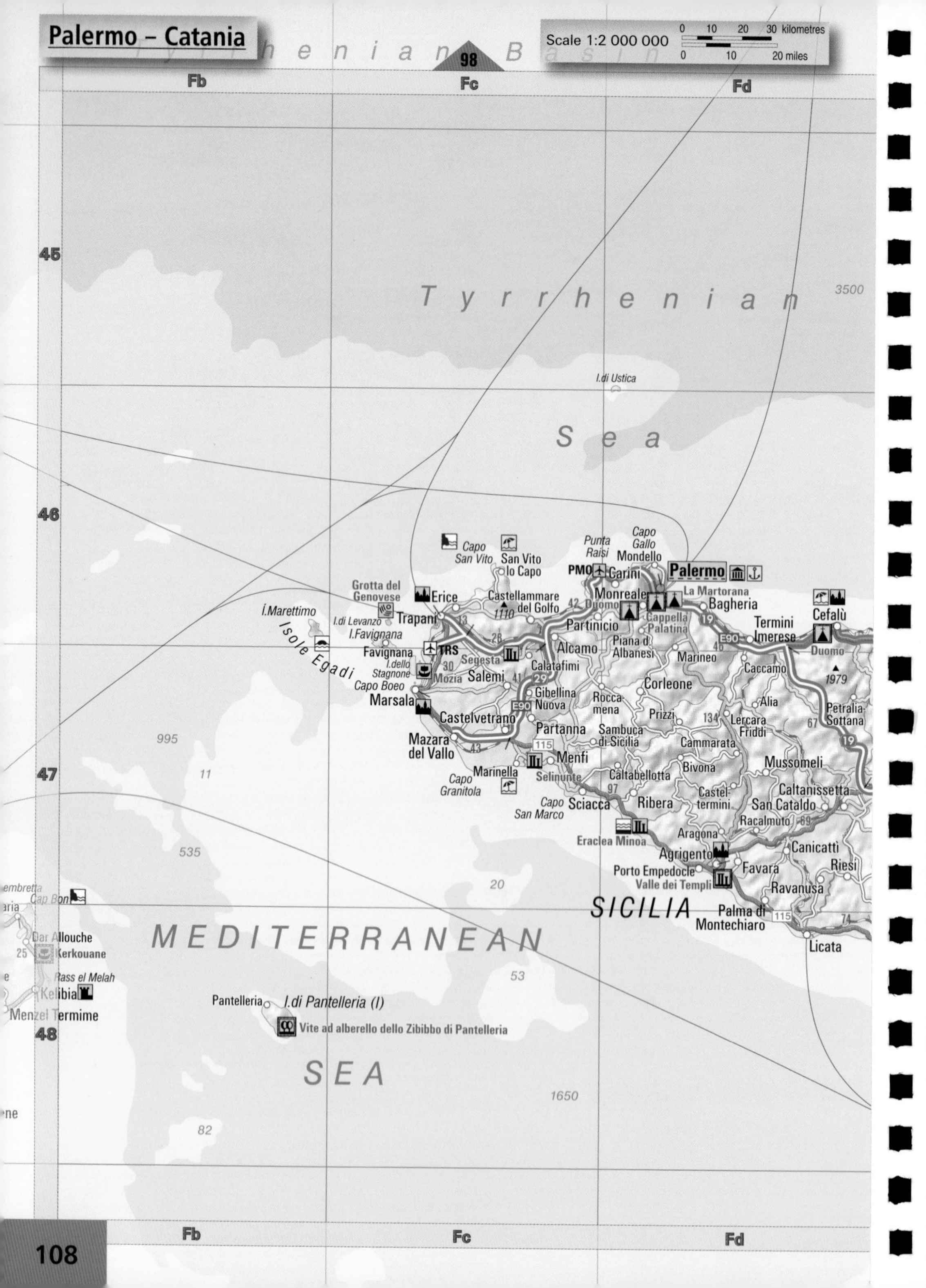

Scale 1:2 000 000

0 10 20 30 kilometres
0 10 20 miles

Fb   Fc   Fd

45

Tyrrhenian Basin

T y r r h e n i a n   3500

45

S e a

I. di Ustica

46

46

Capo San Vito   San Vito lo Capo   Punta Raisi   Capo Gallo   Mondello
PMO   Carini   Palermo
Grotta del Genovese   Erice   Castellammare del Golfo   42   Monreale   La Martorana   Bagheria   Cefalù
I. Marettimo   1110   Duomo   Cappella Palatina   19   Termini Imerese
I. di Levanzo   Trapani   13   Partinicio   Alcamo   Piana di Albanesi   Marineo   E90   Duomo
I. Favignana   26   Segesta   Albanesi   Caccamo   1979
Isole Egadi   Favignana   TRS   Segesta   Calatafimi   29   Corleone   Alia   Petralia Sottana
I. della Stagnone   30   Salemi   41   Rocca mena   Prizzi   134   Lercara Friddi   67   19
Mozia   Gibellina Nuova   E90   Sambuca di Sicilia   Cammarata
Capo Boeo   Castelvetrano   Partanna   Bivona   Mussomeli
Marsala   Mazara del Vallo   43   115   Menfi   Caltabellotta   Caltanissetta
Marinella   Selinunte   97   Ribera   Castel-termini   San Cataldo
Capo Granitola   Sciacca   Racalmuto   69   Canicattì   Riesi
Capo San Marco   Aragona   Favara   Ravanusa
Eraclea Minoa   Agrigento   Palma di   115   74
Porto Empedocle   SICILIA   Montechiaro   Licata
Valle dei Templi

995

11

47   47

M E D I T E R R A N E A N   535   20

Cap Bon   embretta   aria
Dar Allouche   Kerkouane   25
Rass el Melah   53
Kelibia   1650
Menzel Termime

48   Pantelleria   I. di Pantelleria (I)   48
Vite ad alberello dello Zibibbo di Pantelleria

S E A   1650

82

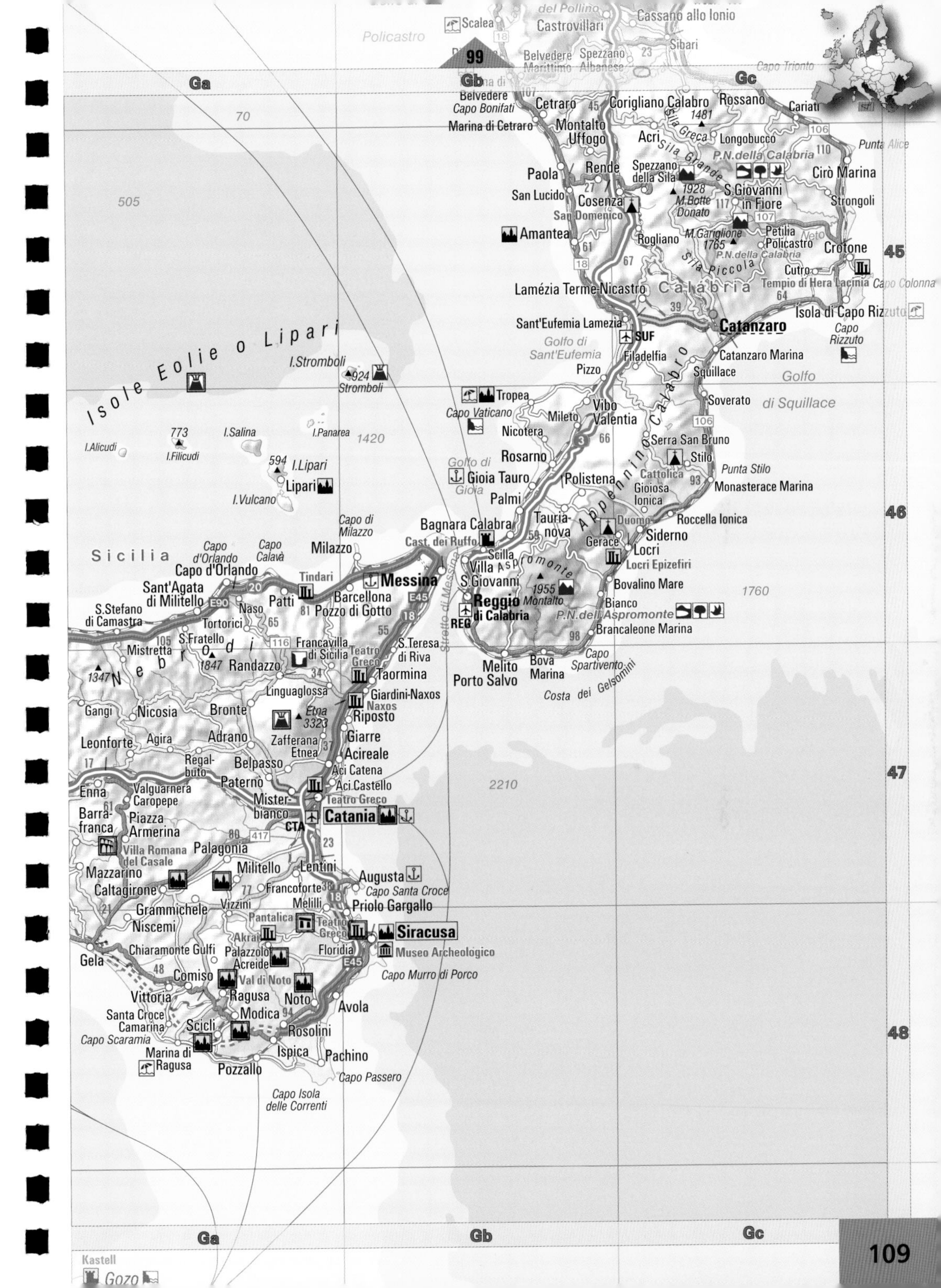

Scalea
del Pollino
Castrovillari
Cassano allo Ionio
Policastro
Sibari
99
Belvedere Marittimo
Spezzano Albanese
Capo Trionto
Ga
Gb
Gc
Belvedere
Capo Bonifati
Cetraro
Corigliano Calabro
Rossano
Cariati
70
1481
Marina di Cetraro
Montalto Uffogo
Sila Greca
Acri
Longobucco
Punta Alice
Sila Grande
P.N.della Calabria
Paola
Rende
Spezzano della Sila
Cirò Marina
1928
S.Giovanni in Fiore
505
San Lucido
Cosenza
M.Botte Donato
Strongoli
San Domenico
Amantea
Rogliano
M.Gariglione 1765
Petilia Policastro
Neto
Crotone
P.N.della Calabria
45
Sila Piccola
Cutro
Lamézia Terme-Nicastro
Calábria
Tempio di Hera Lacinia
Capo Colonna
Isola di Capo Rizzuto
Sant'Eufemia Lamezia
SUF
Catanzaro
Capo Rizzuto
Golfo di Sant'Eufemia
Isole Eolie o Lipari
I.Stromboli
Filadelfia
Catanzaro Marina
Pizzo
Squillace
Golfo
924
Stromboli
Tropea
Soverato
di Squillace
Capo Vaticano
Mileto
Vibo Valentia
Appennino Calabro
773
I.Salina
I.Panarea
1420
Nicotera
Serra San Bruno
I.Alicudi
I.Filicudi
Rosarno
Stilo
594
I.Lipari
Golfo di
Gioia Tauro
Polistena
Cattolica
Punta Stilo
Lipari
Gioia
Gioiosa Ionica
Monasterace Marina
I.Vulcano
Palmi
Capo di Milazzo
Bagnara Calabra
Tauria-nova
Duomo
Roccella Ionica
46
Cast. dei Ruffo
Gerace
Siderno
Sicilia
Capo d'Orlando
Capo Calavà
Milazzo
Scilla
Locri
Aspromonte
Capo d'Orlando
Tindari
Villa S.Giovanni
Locri Epizefiri
Sant'Agata di Militello
Messina
1955
Bovalino Mare
Patti
Barcellona Pozzo di Gotto
Reggio di Calabria
Montalto
1760
S.Stefano di Camastra
Naso
Bianco
Tortorici
REG
P.N.dell'Aspromonte
Stretto di Messina
S.Fratello
Brancaleone Marina
Mistretta
Nebrodi
Francavilla di Sicilia
Teatro Greco
S.Teresa di Riva
Capo Spartivento
1847
Randazzo
Melito Porto Salvo
Bova Marina
1347
Taormina
Costa dei Gelsomini
Linguaglossa
Giardini-Naxos
Naxos
Gangi
Nicosia
Bronte
Etna 3323
Riposto
Leonforte
Agira
Adrano
Zafferana Etnea
Giarre
Regal-buto
Belpasso
Acireale
47
Aci Catena
Enna
Valguarnera Caropepe
Paternò
Aci Castello
2210
Barra-franca
Piazza Armerina
Mister-bianco
Teatro Greco
CTA
Catania
Villa Romana del Casale
Palagonia
Mazzarino
Militello
Lentini
Augusta
Caltagirone
Francoforte
Capo Santa Croce
Grammichele
Vizzini
Melilli
Priolo Gargallo
Niscemi
Pantalica
Teatro Greco
Siracusa
Akrai
Chiaramonte Gulfi
Palazzolo Acreide
Floridia
Museo Archeologico
Gela
Comiso
Val di Noto
Capo Murro di Porco
Vittoria
Ragusa
Noto
Avola
Santa Croce Camarina
Modica
Scicli
Rosolini
48
Capo Scaramia
Marina di Ragusa
Ispica
Pachino
Pozzallo
Capo Passero
Capo Isola delle Correnti
Kastell
Gozo

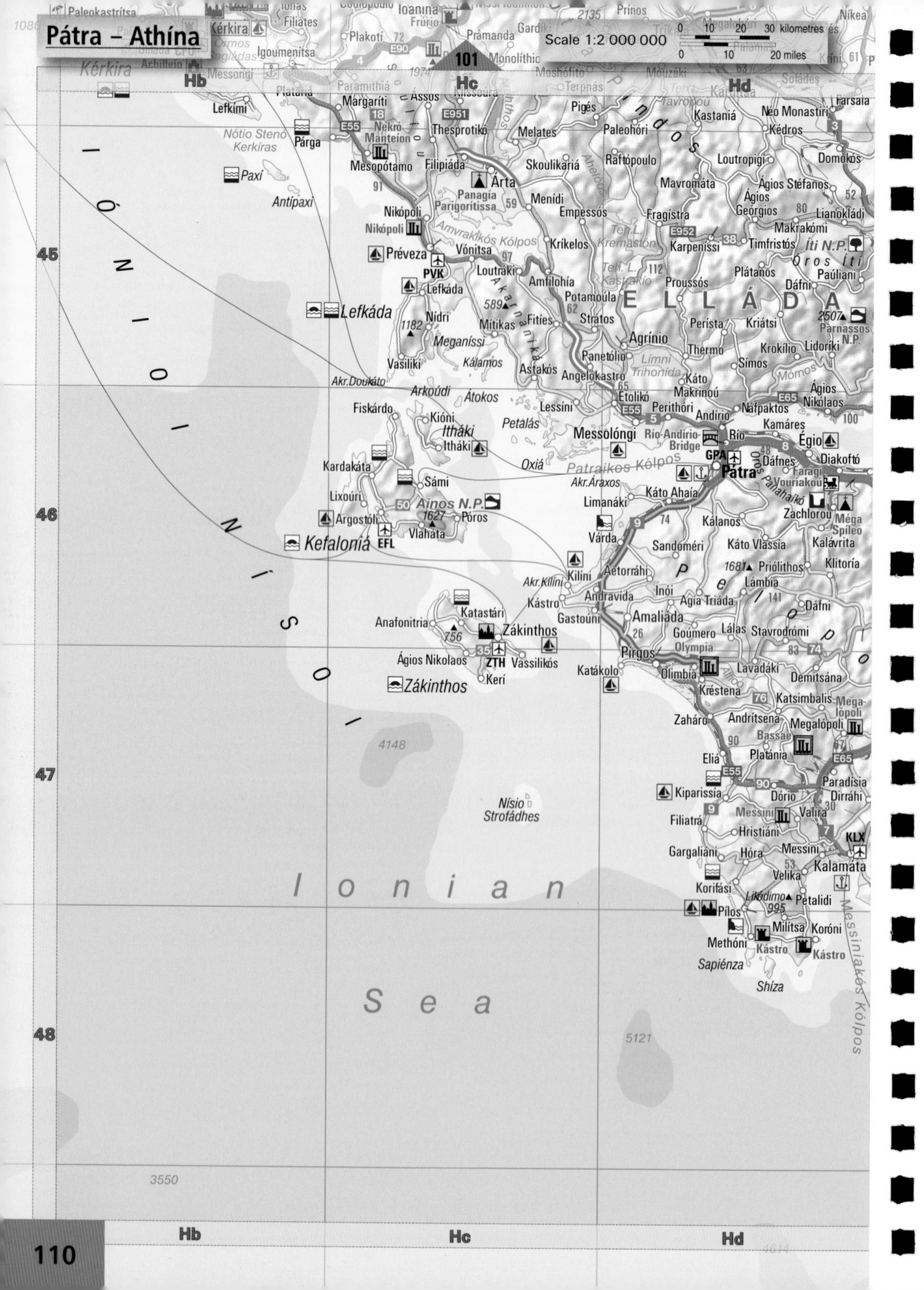

Scale 1:2 000 000

0   10   20   30 kilometres
0   10   20 miles

Paleokastrítsa
Kérkira
Kérkira
Ómos
Messongí
Plataná
Achílleío
CFU

Kérkira

Kassiópi
Filiátes
Plakotí 72
Igoumenítsa
E90
Paramithiá
Margaríti
Nekró   Manteíon
Thesprotikó
Mesopótamo
Filippiáda
Árta
Panagía   Parigorítissa
Nikópoli
Nikópoli
Préveza
Vónitsa
Loutraki
PVK
Lefkáda
Nidri
Mitikas
Fitíes
Potamoúla
Meganíssi
Kálamos
Panetólio
Angelókastro
Vasilikí
Akr.Doukáto
Arkoúdi
Átokos
Lessíni
Fiskárdo
Kióni
Ithaki
Petalás
Oxiá
Ithaki
Kardakáta
Sámi
Akr.Araxos
Lixoúri
Ainos N.P.
Póros
Argostóli
EFL
Vlahata
Kefaloniá
Anafonítria
Katastári
Zákinthos
Ágios Nikólaos
ZTH
Vassilikós
Zákinthos
Kerí

IÓNIOI

NISOI

Lefkími
Nótio Stenó Kerkíras
Párga
Paxí
Antípaxi

45

46

I o n i a n

S e a

Nísio   Strofádhes

4148

5121

3550

Assos
Pigés
Melátes
Paleohóri
Raftópoulo
Skoulikariá
Menídi
Empessós
Fragkísta
Kríkelos
Loutráki
Amfilohía
Stratos
Agrínio
Thermo
Limni   Trihonída
Káto
Makrinoú
Etolikó
Perithóri
Andírio
Messolóngi
Río-Andírio Bridge
Río
GPA
Pátra
Dáfnes
Kámares
Égio
Diakoftó
Káto Ahaía
Kálanos
Káto Vlássia
Limanáki
Várda
Sandoméri
Kilíni
Akr.Kilíni
Kástro
Andravída
Inói
Agía Triáda
Aetorráhi
Amaliáda
Goúmero
Olympía
Olimbía
Lavadáki
Pírgos
Katákolo
Krésterna
Zaháro
Andrítsena
Bassaé
Elía
Platána
Kiparissía
Dório
Messíni
Filiatrá
Messíni
Gargaliáni
Hóra
Hristiáni
Korifási
Velíka
Pílos
Militsa
Methóni
Kástro
Sapiénza
Shíza
Kalámata
Koróni
Kástro
Petalídi

Ioánina
Prámanda
Monolíthio
Kastaniá
Farsala
Néo Monastíri
Kédros
Loutropigi
Domokós
Ágios Stéfanos
Ágios   Geórgios
Lianokládi
Makrakómi
Timfristós
Íti N.P.
Oros Íti
Platános
Paúliani
Dáfni
Proússos
Perista
Kriátsi
Parnassós N.P.
Krokílio
Lidoríki
Simós
Ágios   Nikólaos
Náfpaktos
Priólithos
Lámbia
Klitoría
Megalópoli
Dáfni
Demitsána
Katsimbalis
Megalópoli
Paradisía
Dirráhi
Valíra
KLX
Koróni
Messiniakós Kólpos

E55
E951
E55
E90
E952
E65
E55
E65
E55

ELLÁDA

P e l o p o n n i s o s

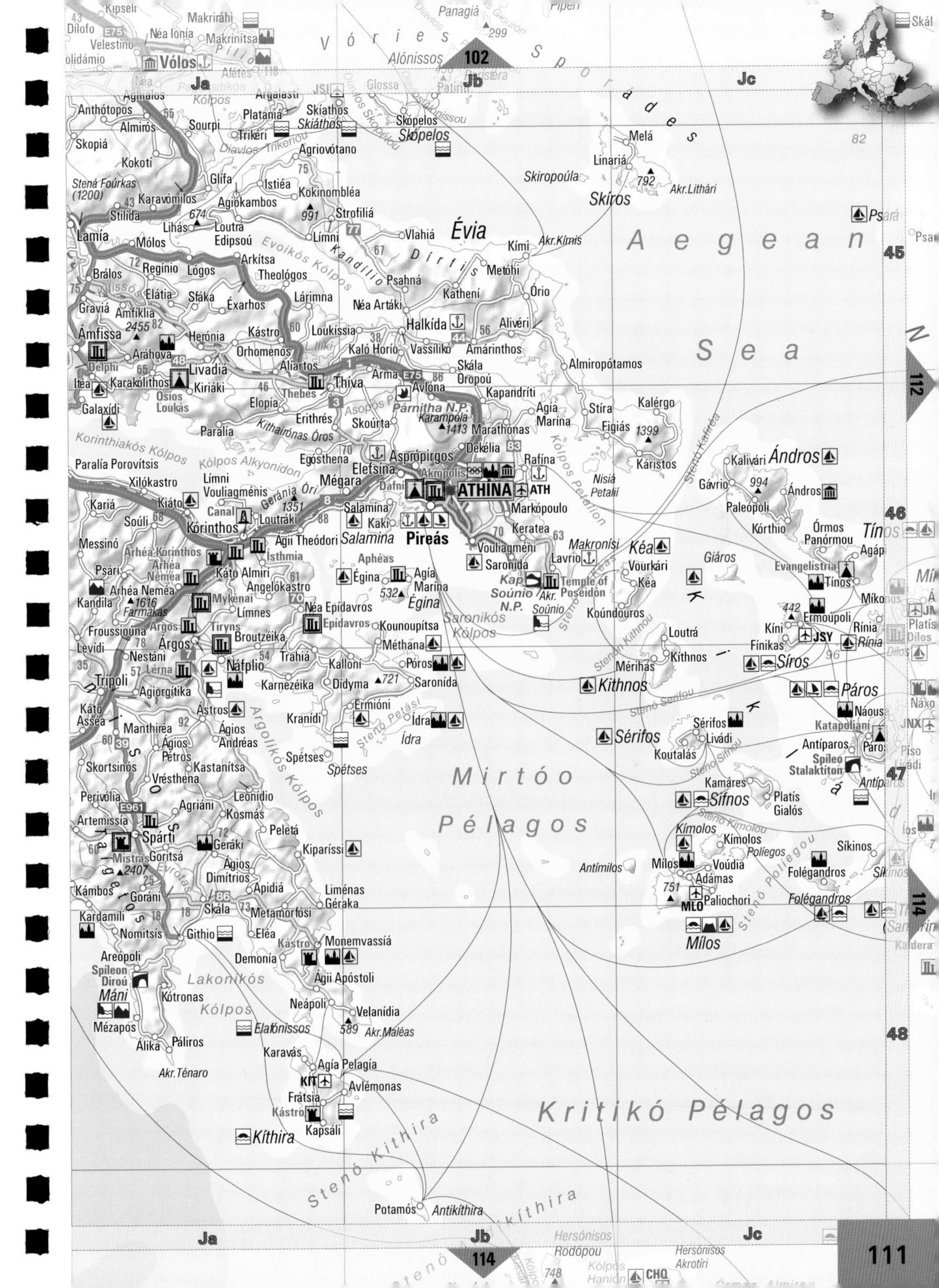

Vóries Sporádes
Aegean Sea
Mirtóo Pélagos
Kritikó Pélagos
Argolikós Kólpos
Lakonikós Kólpos
Saronikós Kólpos
Korinthiakós Kólpos
Kólpos Alkyonídon
Evoikós Kólpos
Kólpos Petalion
Stenó Kithira
Stenó Kéas
Stenó Kithnou
Stenó Sérifou
Stenó Sífnou
Stenó Kimolou
Stenó Poliegou
Stenó Petási
Stenó Kafiréa
Diavlos Trikeriou
Diavlos Skopélou
Ja
Jb
Jc
102
112
114
45
46
47
48
Vólos
Néa Ionía
Makrinítsa
Makriráhi
Velestino
Dílofo
Kípseli
Pílio
Alónissos
Panagiá
299
Aghialos
Anthótopos
Almirós
Sourpi
Platania
Skiáthos
Skópelos
Glossa
Patitiri
Argalastí
Trikéri
Agriovótano
Skopiá
Kokotí
Stená Foúrkas (1200)
Karavómilos
Stilída
Glifa
Istiéa
Kokinombléa
Agiókambos
Strofiliá
991
674
Lamía
Mólos
Lihás
Loutra Edipsoú
Límni
Vlahiá
Évia
Dírfis
Kímí
Akr.Kímis
Metóhi
Melá
Linariá
Skiropoúla
Skíros
792
Akr.Lithári
Psará
Brálos
Regínio
Lógos
Arkítsa
Theológos
Kandilio
Psahná
Katheni
Ório
Elátia
Sfáka
Éxarhos
Lárimna
Néa Artáki
Graviá
Amfíklia
2455
Ámfissa
Delphi
Aráhova
Herónia
Kástro
Orhomenós
Loukíssia
Halkída
Alivéri
Amárinthos
Vassilikó
Kaló Horió
Livadiá
Aliartos
Thíva
Thebes
Árma
Avlóna
Skála Oropoú
Almiropótamos
Itéa
Karakólithos
Kiriáki
Osios Loukás
Galaxídi
Elopía
Párnitha N.P.
Karampóla
1413
Marathónas
Kapandríti
Agía Marína
Stíra
Kalérgo
Figiás
1399
Káristos
Paralía
Erithrés
Skoúrta
Kithairónas Óros
Dekélia
Rafína
Nisiá Petalií
Paralía Porovítsis
Egósthena
Aspropirgos
Elefsína
Akropolis
Dafní
ATHÍNA
ATH
Markópoulo
Kalivári
Ándros
Gávrio
994
Paleópoli
Kórthio
Órmos Panórmou
Tínos
Xilókastro
Límni Vouliagménis
Mégara
Geránia Óri
1351
Kiáto
Kariá
Soúli
Kórinthos
Canal
Loutráki
Salamína
Kaki
Pireás
Keratea
Makronísi
Kéa
Vourkári
Giáros
Agáp
Messínó
Agii Theódori
Ísthmia
Vouliagméni
Saronída
Lavrio
Evangelístria
Arhéa Kórinthos
Arhéa Neméa
Psári
Káto Almiri
Aphéas
Égina
Agía Marína
Angelókastro
532
Kap Soúnio N.P.
Akr. Soúnio
Temple of Poseidon
Kandila
Farmakas
1616
Mykénai
Límnes
Néa Epídavros
Epídavros
Koúndouros
Míkonos
Ermoúpoli
442
JSY
Rínia
Kíni
Fínikas
Síros
Dílos
Platís
Foussioúna
Argos
Tiryns
Broutzéika
Kounoupítsa
Méthana
Loutrá
Kíthnos
Mérihas
Levídi
Árgos
Nestáni
Lérna
Náfplio
Trahiá
Kalloni
Póros
Tripoli
Agiorgítika
Karnezéika
Didyma
721
Saronída
Kithnos
Páros
Náousa
Káto Asséa
Ástros
Ermióni
Kranídi
Ídra
Sérifos
Livádi
Koutalás
Katapolíani
Antíparos
Spíleo Stalaktiton
Manthiréa
Ágios Andréas
Ágios Petros
Spétses
Skortsinós
Kastanítsa
Vrésthena
Kamáres
Sífnos
Platís Gialós
Perivólia
Leonídio
Agriáni
Kosmás
Artemissía
Spárti
Peletá
Mistrás
Goritsá
Geráki
2407
Taygetos
Kiparíssi
Kímolos
Polýegos
Síkinos
Ágios Dimítrios
Apidiá
Antímilos
Mílos
Voúdia
Adámas
751
MLO
Paliochori
Folégandros
Kámbos
Goráni
Skála
Liménas Géraka
Metamorfósi
Kardamíli
Nomitsís
Githio
Eléa
Kástro
Monemvassiá
Areópoli
Spíleon Diroú
Demonía
Agii Apóstoli
Máni
Kótronas
Neápoli
Velanídia
589
Akr.Maléas
Mézapos
Elafónissos
Álika
Páliros
Akr.Ténaro
Karavás
Agía Pelagía
KIT
Avlémonas
Frátsia
Kástro
Kapsáli
Kíthira
Potamós
Antikíthira
Hersónisos
Rodópou
Hersónisos Akrotíri
Kólpos Haniõn
748
CHQ
Santorini
Kaldera
E75
E961

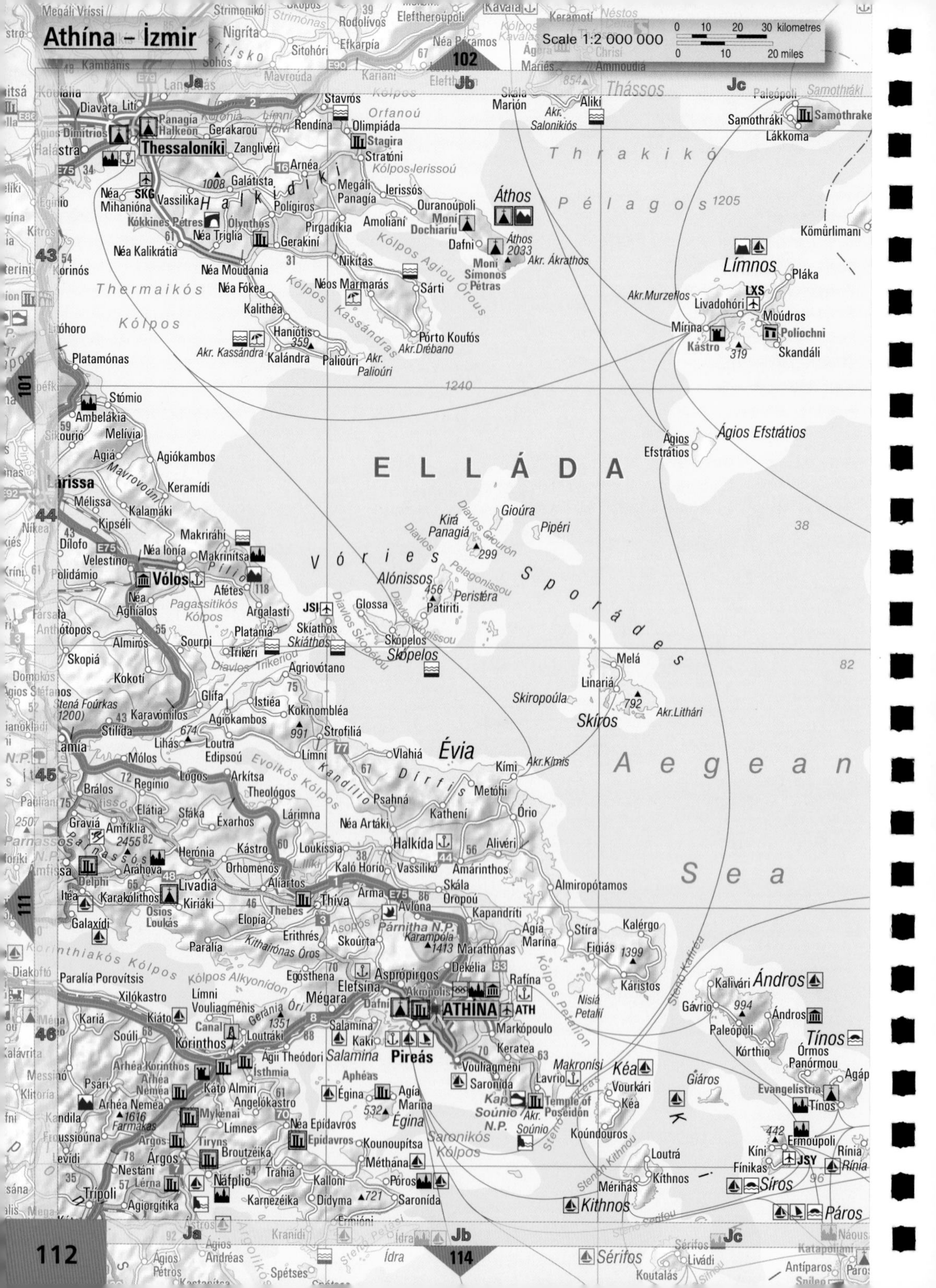
Scale 1:2 000 000
0 10 20 30 kilometres
0 10 20 miles
Ja
Jb
Jc
102
101
111
114
43
44
45
46
Thessaloníki
Diavata
Liti
Panagía Halkeón
Gerakaroú
Zanglivéri
Halkidikí
Galátista
Vassilika
Néa Mihanióna
SKG
Kókkines Pétres
Ólynthos
Néa Triglia
Néa Kalikrátia
Néa Moudania
Néa Fókea
Kalithéa
Haniótis
Akr. Kassándra
Kalándra
Palioúri
Akr. Palioúri
Thermaikós Kólpos
Stavrós
Orfanoú Kólpos
Rendína
Olimpiáda
Stagira
Stratóni
Arnéa
Kólpos Ierissoú
Megáli Panagía
Ierissós
Polígiros
Ouranoúpoli
Moní Dochiaríu
Amolianí
Pirgadíkia
Gerakiní
Nikitas
Néos Marmarás
Kólpos Kassándras
Kólpos Agiou Órous
Sárti
Pórto Koufós
Akr. Drépano
Áthos
Áthos 2033
Dafni
Moni Símonos Pétras
Akr. Ákrathos
Skála Marión
Akr. Salonikiós
Alikí
Thássos
Samothráki
Lákkoma
Thrakikó Pélagos
Kömürlimanı
Límnos
Pláka
Akr. Murzeflos
LXS
Livadohóri
Moúdros
Mírina
Kástro
Polióchni
Skandáli
Ágios Efstrátios
ELLÁDA
Gioúra
Pipéri
Kirá Panagiá
Diavlos Gioúron
Vóries Sporádes
Alónissos
Peristéra
Patiriti
Glossa
JSI
Skiáthos
Skópelos
Diavlos Skopélou
Diavlos Alonissou
Pelagonissou
Melá
Linariá
Skiropoúla
Akr. Lithári
Skíros
Platamónas
Stómio
Ambelákia
Sikourió
Melívia
Agiá
Agiókambos
Mavrovoúni
Lárissa
Keramídi
Mélissa
Kalamáki
Kipséli
Makriráhi
Dílofo
Néa Ionía
Makrinítsa
Velestíno
Pílio
Polidámio
Vólos
Afétes
Néa Aghíalos
Pagassitikós Kólpos
Argalastí
Anthótopos
Platania
Almirós
Sourpi
Trikéri
Diavlos Trikeriou
Skopiá
Agriovótano
Kokoti
Glífa
Istiéa
Kokinombléa
Stená Foúrkas (1200)
Karavómilos
Stilída
Lamía
Lihás
Loutra Edipsoú
Strofiliá
Mólos
Límni
Évia
Vlahiá
Kími
Akr. Kímis
Dírfis
Metóhi
Logos
Arkítsa
Evoikós Kólpos
Kandílio
Brálos
Regínio
Theológos
Psahná
Kathení
Ório
Gravia
Amfíklia
Eláteia
Sfáka
Éxarhos
Lárimna
Néa Artáki
Parnassós
Halkída
Aliveri
Herónia
Kástro
Loukíssia
Amfissa
Delphi
Arahova
Orhomenós
Kaló Horió
Vassilikó
Amárinthos
Almiropótamos
Livadiá
Aliártos
Skála Oropoú
Itéa
Karakólithos
Kiriáki
Thíva
Arma
Avlóna
Osios Loukás
Elopía
Kapandríti
Galaxídi
Erithrés
Párnitha N.P.
Karampóla
Skoúrta
Agía Marína
Stíra
Kalérgo
Figiás
Paralía
Kitharónas Óros
Marathónas
Korinthiakós Kólpos
Diakoftó
Paralía Porovítsis
Kólpos Alkyonídon
Egósthena
Aspróprigos
Dekélia
Rafína
Kárístos
Xilókastro
Límni Vouliagménis
Elefsína
Akropolis
Mégara
Geránia Óri
Dafní
ATHÍNA
ATH
Markópoulo
Nisiá Petalií
Kólpos Petalion
Steno Kafirea
Kalivári
Ándros
Gávrio
Paleópoli
Kórthio
Tínos
Órmos Panórmou
Kiáto
Canal
Loutráki
Salamína
Kakí
Kórinthos
Agii Theódori
Salamina
Pireás
Keratea
Makronisí
Kéa
Vourkári
Giáros
Arhéa Kórinthos
Arhéa Neméa
Ísthmia
Aphéas
Vouliagméni
Lavrio
Evangelístria
Agáp
Saronída
Kap Soúnio N.P.
Temple of Poseidon
Akr. Soúnio
Arhéa Neméa
Káto Almiri
Angelókastro
Égina
Agía Marína
Kalávrita
Mykénai
Límnes
Néa Epídavros
Koúndouros
Kandila
Farmakas
Argos
Tiryns
Epidavros
Kounoupítsa
Saronikós Kólpos
Ermoúpoli
Rínia
Kíni
JSY
Fínikas
Levídi
Árgos
Broutzéika
Méthana
Loutrá
Nestáni
Lérna
Náfplio
Trahiá
Kalloní
Póros
Mérihas
Kíthnos
Stenó Kithnou
Síros
Trípoli
Agiorgítika
Karnezéika
Didyma
Saronída
Páros
Ermióni
Kranídi
Ídra
Sérifos
Livádi
Náousa
Ágios Andréas
Ágios Pétros
Spétses
Koutalás
Antíparos
Aegean Sea

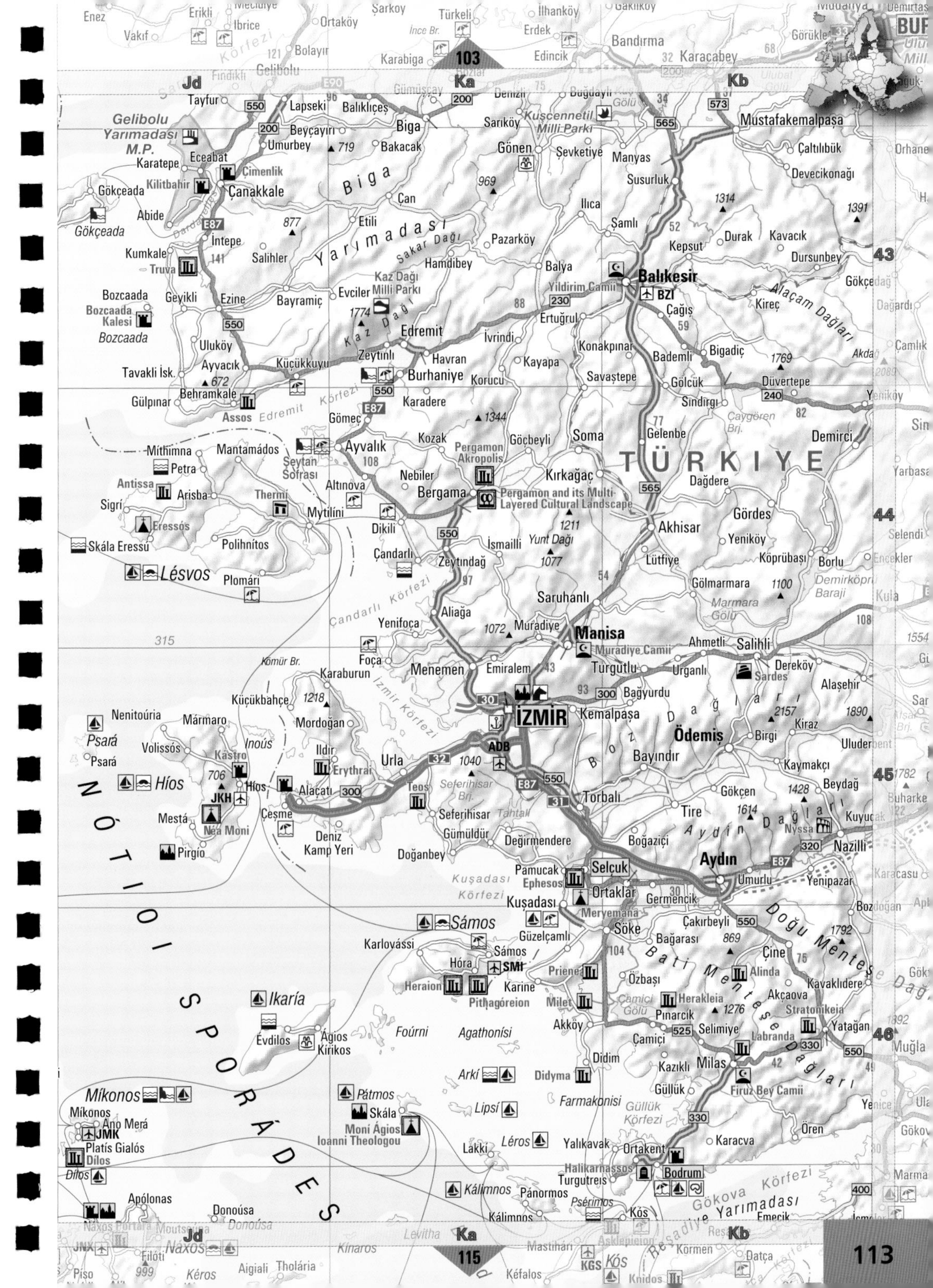

Enez
Erikli
Ibrice
Vakıf
Ortaköy
Şarkoy
Türkeli
İnce Br.
İlhanköy
Erdek
Bolayır
Gelibolu
Karabiga
103
Edincik
Bandırma
Karacabey
Görükle
BUR
Jd
Ka
Kb
Tayfur
550
Lapseki
Balıklıçeşme
Gümüşçay
200
Denizli
Bugdaylı
Kuscennetli
Milli Parkı
573
Mustafakemalpaşa
Gelibolu
Yarımadası
M.P.
200
Beyçayırı
Umurbey
719
Biga
Bakacak
Sarıköy
Gönen
Şevketiye
Manyas
565
Çaltılıbük
Orhaneli
Karatepe
Eceabat
Çimenlik
Kilitbahir
Çanakkale
Gökçeada
Biga
969
Susurluk
Devecikonağı
Abide
Gökçeada
E87
Çan
Etili
877
Yarımadası
Ilıca
Şamlı
1314
1391
Kumkale
Truva
İntepe
141
Salihler
Sakar Dağı
Pazarköy
52
Kepsut
Durak
Kavacık
Dursunbey
43
Hamdibey
Balya
Balıkesir
Yildirim Camii
BZI
Gökçedağ
Bozcaada
Bozcaada
Kalesi
Bozcaada
Geyikli
Ezine
550
Bayramiç
Evciler
Kaz Dağı
Milli Parkı
1774
Kaz Dağı
230
88
Ertuğrul
Çağış
59
Kireç
Alaçam Dağları
Dağardı
Uluköy
Ayvacık
672
Tavakli İsk.
Küçükkuyu
Zeytinli
Edremit
Havran
Burhaniye
İvrindi
Kayapa
Konakpınar
Bademli
Bigadiç
1769
Akdağ
Çamlık
Behramkale
Gülpınar
Assos
Edremit Körfezi
550
Korucu
Savaştepe
Gölcük
Düvertepe
240
Yeniköy
E87
Karadere
Sındırgı
82
Gömeç
1344
Çaygören Brj.
77
Gelenbe
Demirci
Míthimna
Mantamádos
Ayvalık
Kozak
Pergamon
Akropolis
Göçbeyli
Soma
TÜRKIYE
Petra
Şeytan Sofrası
108
Nebiler
Kırkağaç
Dağdere
Yarbasan
Antissa
Arisba
Thermi
Altınova
Bergama
Pergamon and its Multi-Layered Cultural Landscape
565
Sigri
Eressós
Mytilíni
Dikili
1211
Gördes
44
Akhisar
Yeniköy
Selendi
Skála Eressú
Polihnítos
550
İsmailli
Yunt Dağı
1077
Çandarlı
Zeytindağ
Lütfiye
Köprübaşı
Borlu
Encekler
Lésvos
Plomári
97
54
Gölmarmara
1100
Demirköprü Barajı
Çandarlı Körfezi
Saruhanlı
Marmara Gölü
Kula
Yenifoça
Aliağa
1072
Muradiye
Manisa
108
315
Foça
Kömür Br.
Karaburun
Menemen
Emiralem
43
Muradiye Camii
Turgutlu
Ahmetli
Salihli
Urganlı
Dereköy
Sardes
Alaşehir
Küçükbahçe
1218
İzmir Körfezi
30
93
300
Bağyurdu
Nenitoúria
Mármaro
Mordoğan
İZMİR
Kemalpaşa
Boz Dağları
2157
1890
Kiraz
Psará
Psará
Volissós
Inoús
Ildır
ADB
Ödemiş
Birgi
Uluderbent
Kástro
Erythrai
Urla
32
1040
Bayındır
Kaymakçı
Híos
706
Híos
JKH
Alaçatı
300
Teos
Seferihisar Brj.
E87
550
Gökçen
1428
Beydağ
45
1782
Buharkent
Mestá
Néa Moni
Çeşme
Seferihisar
Tahtalı
31
Torbalı
Tire
1614
Aydın Dağları
Nyssa
Kuyucak
Pirgío
Deniz
Kamp Yeri
Gümüldür
Değirmendere
Boğaziçi
320
Nazilli
Doğanbey
Pamucak
Ephesos
Selçuk
Aydın
E87
Karacasu
Kuşadası Körfezi
Ortaklar
30
Umurlu
Yenipazar
NÓTIOI SPORÁDES
Kuşadası
Germencik
Meryemana
Bozdoğan
Sámos
Çakırbeyli
550
Doğu Menteşe Dağları
Karlovássi
Güzelçamlı
Söke
Bağarası
869
1792
Çine
Sámos
Hóra
SMI
104
75
Priene
Batı Menteşe Dağları
Heraion
Pithagóreion
Karine
Özbaşı
Alinda
Kavaklıdere
Ikaría
Milet
Camici Gölü
Herakleia
1276
Akçaova
Stratonikeia
Pınarcık
Évdilos
Ágios Kírikos
Foúrni
Agathonísi
Akköy
525
Selimiye
Labranda
Yatağan
46
Çamiçi
330
550
Muğla
Didim
Kazıklı
Milas
42
Arkí
Didyma
Firuz Bey Camii
Míkonos
Pátmos
Güllük
Skála
Lipsí
Farmakonisi
Güllük Körfezi
Yenice
Míkonos
Ano Merá
Moní Ágios
Ioanni Theologou
330
Ören
JMK
Platis Gialós
Léros
Yalıkavak
Karacva
Dílos
Dílos
Lakkí
Ortakent
Halikarnassos
Bodrum
Turgutreis
Marmaris
Kálimnos
Pánormos
Gökova Körfezi
400
Apólonas
Psérimos
Donoúsa
Kálimnos
Kós
Reşadiye Yarımadası
Emecik
Náxos Portara
Moutsouna
Donoúsa
Jd
Ka
Kb
JNX
Náxos
Levitha
Mastihári
Asklepieion
Kormen
Filóti
999
Kínaros
115
KGS
Kós
Datça
Píso
Kéros
Aigiali
Tholária
Kéfalos
Knidos

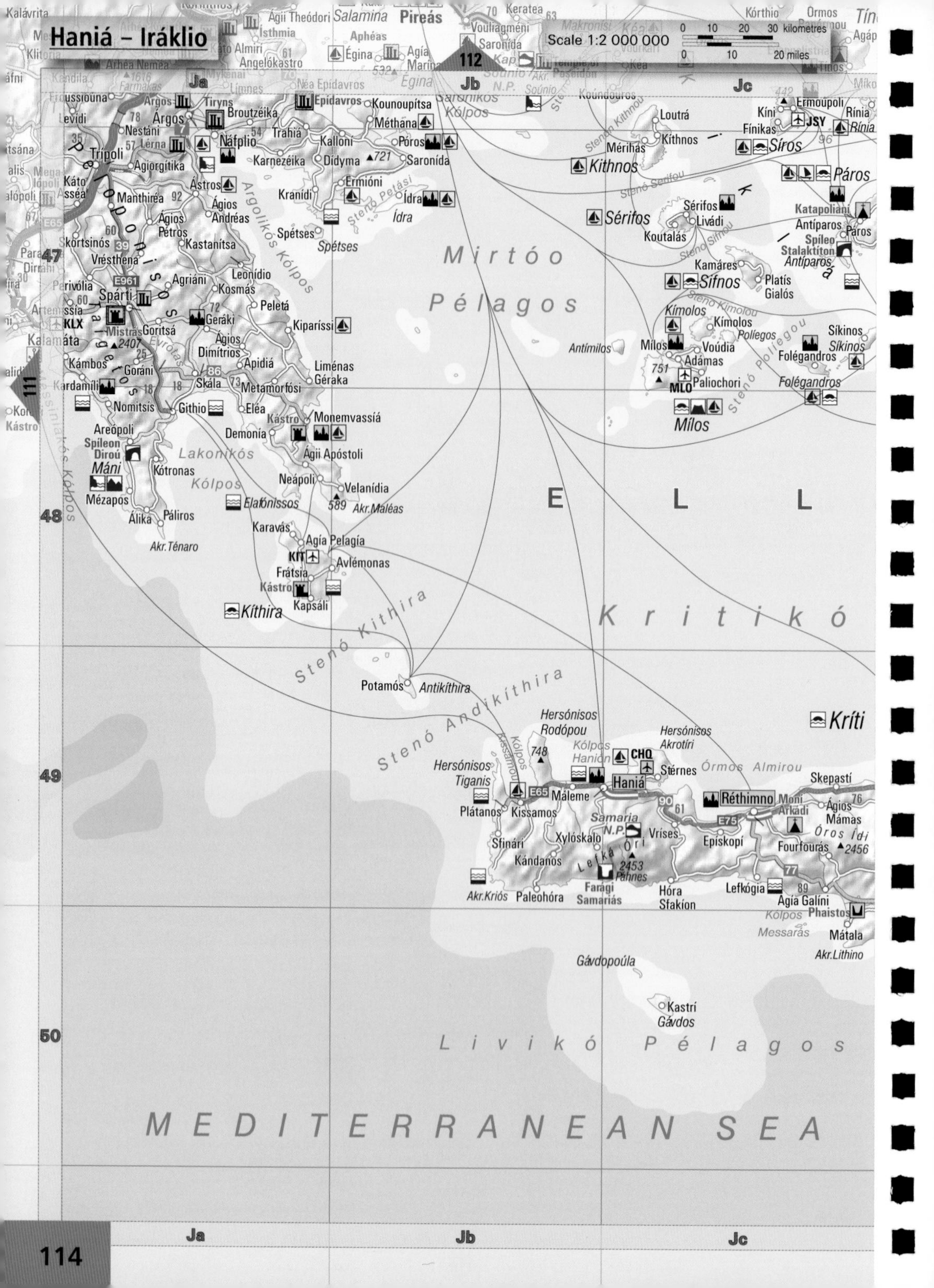

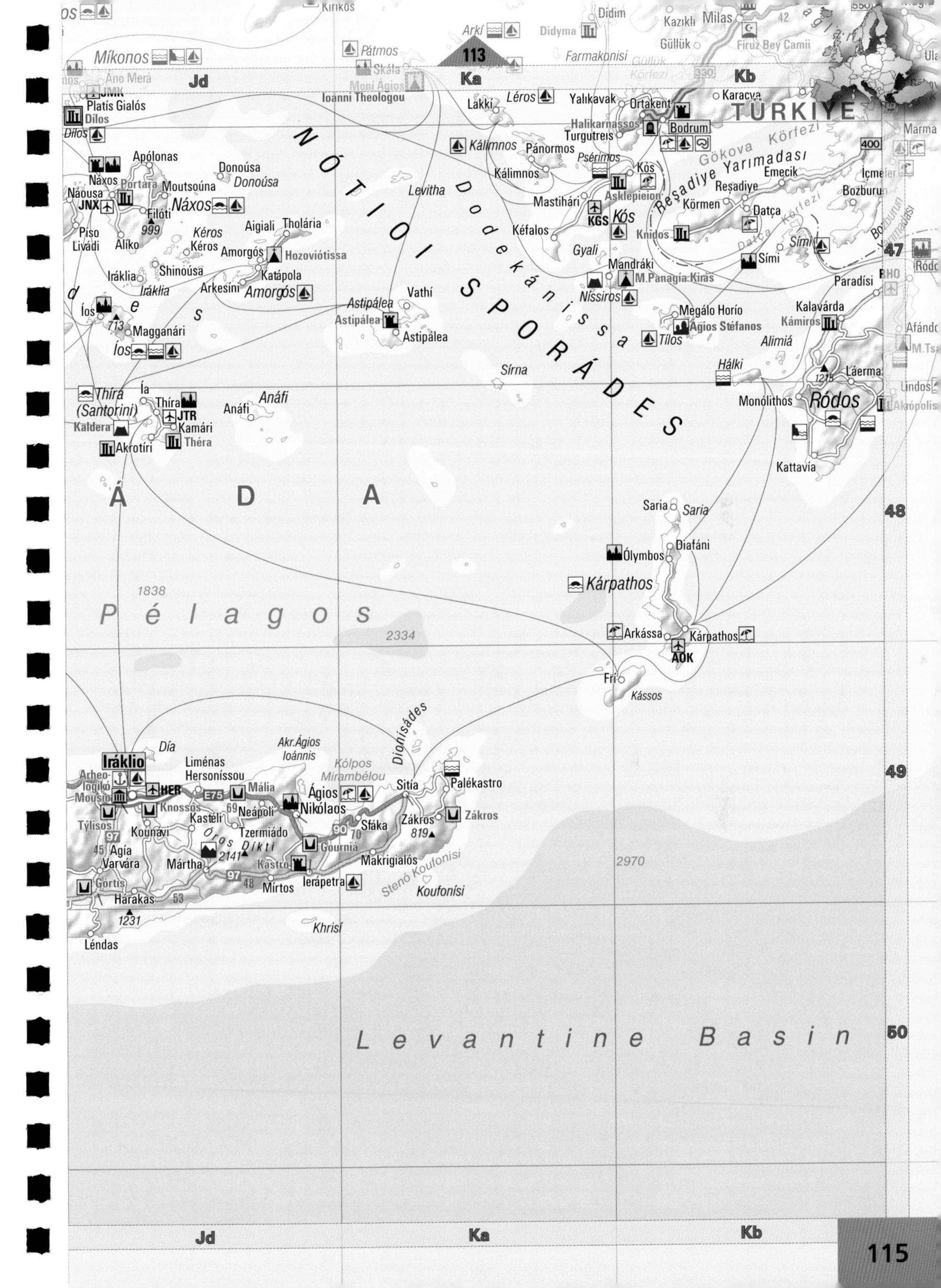
Míkonos
Ano Merá
Jd
Ka
Kb
113
Pátmos
Skála
Moní Ágios
Ioanni Theologou
Arkí
Didyma
Didim
Kazıklı
Milas
Güllük
Firuz Bey Camii
Farmakonisi
Güllük Körfezi
Platís Gialós
Dílos
Lakkí
Léros
Yalıkavak
Ortakent
Karacya
TÜRKIYE
Halikarnassos
Bodrum
Turgutreis
Kálimnos
Pánormos
Psérimos
Gökova Körfezi
Reşadiye Yarımadası
Emecik
Reşadiye
İçmeler
Bozburun
Apólonas
Donoúsa
Náxos
Portara
Moutsoúna
Náousa
JNX
Náxos
Filóti
999
Levitha
Dodekánissa
NÓTIOI SPORÁDES
Mastihári
Asklepieion
Kós
KGS
Körmen
Datça
Datça Körfezi
Písо Livádi
Alíko
Kéros
Aigiali
Tholária
Amorgós
Hozoviótissa
Kéfalos
Knidos
Sími
Iráklia
Shinoúsa
Katápola
Arkesíni
Amorgós
Gyali
Mandráki
M.Panagía Kíras
Nísiros
Paradísi
RHO
Íos
713
Magganári
Astipálea
Vathí
Megálo Horío
Ágios Stéfanos
Kalavárda
Kámiros
Tílos
Alimiá
Afándou
Hálki
Sírna
1215
Láerma
Thíra
(Santorini)
Ía
JTR
Kamári
Kaldera
Anáfi
Akrotíri
Théra
Monólithos
Ródos
Lindos
Akrópolis
Kattavía
Á D A
Saria
48
Diafáni
Ólymbos
1838
Kárpathos
Pélagos
2334
Arkássa
AOK
Frí
Kássos
Dionisádes
Día
Akr.Ágios Ioánnis
Iráklio
Arheologikó Mousío
Liménas Hersonissou
Kólpos Mirambélou
HER
E75
Mália
Ágios Nikólaos
Sitía
Palékastro
49
Knossós
Neápoli
Kastéli
Tzermiádo
Sfáka
Zákros
819
Týlisos
Kounávi
Óros Díkti
2141
Gourniá
Agía Varvára
Mártha
Kastro
Makrigialós
2970
Górtis
Mírtos
Ierápetra
Stenó Koufonísi
Koufonísi
Hárakas
1231
Khrisí
Léndas
Levantine Basin
50
Jd
Ka
Kb

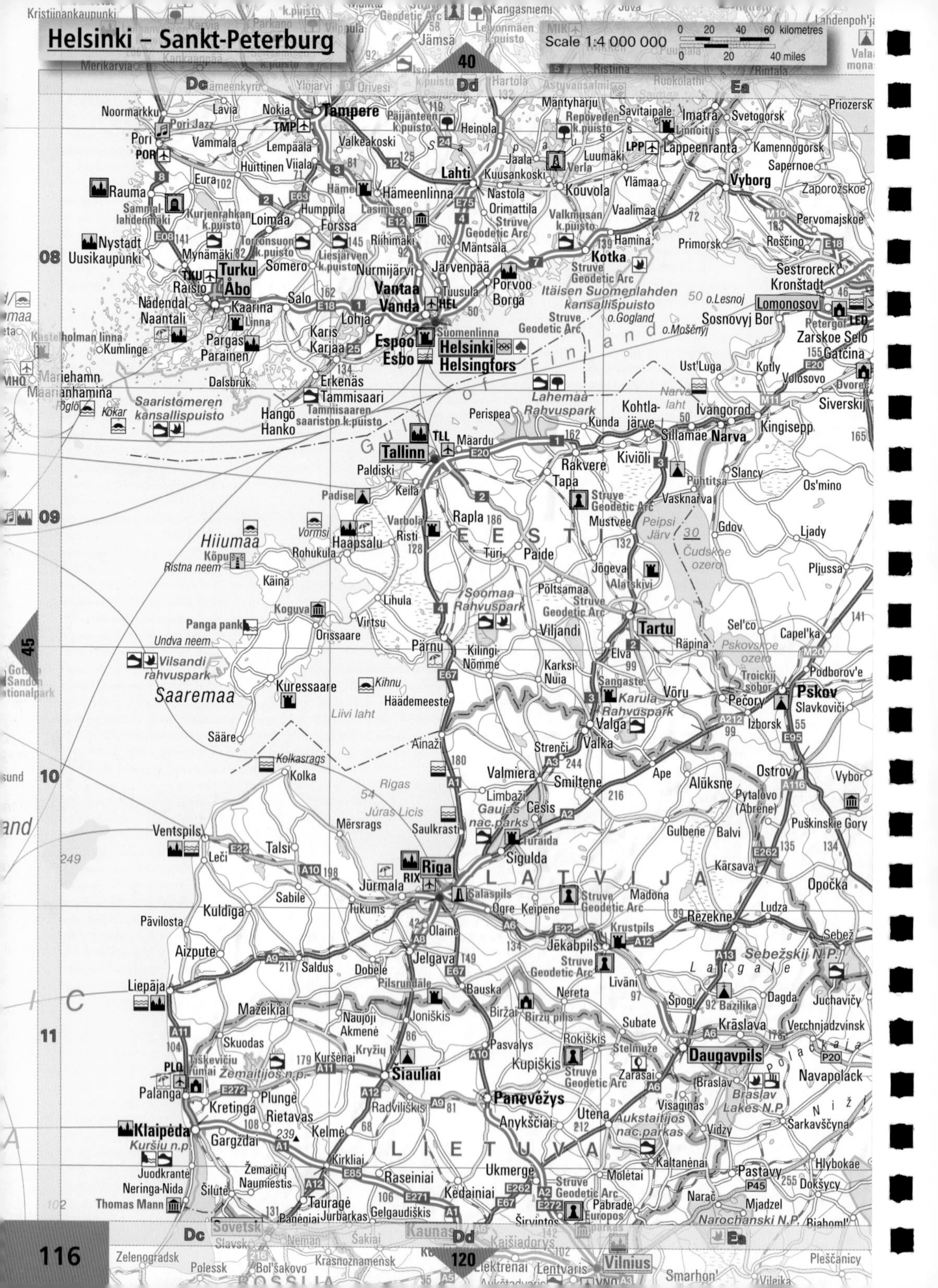

Scale 1:4 000 000
0 20 40 60 kilometres
0 20 40 miles
40
Dc
Dd
Ea
08
09
10
11
45
120
Tampere
TMP
Nokia
Lavia
Noormarkku
Pori Jazz
Pori
POR
Vammala
Lempäälä
Valkeakoski
Heinola
Mäntyharju
Savitaipale
Repoveden k.puisto
Imatra
Svetogorsk
Priozersk
Linnoitus
Lappeenranta
LPP
Kamennogorsk
Sapernoe
Vyborg
Zaporožskoe
Jaala
Luumäki
Verla
Huittinen
Viiala
Lahti
Kuusankoski
Kouvola
Ylämaa
Eura
Rauma
Sammallahdenmäki
Kurjenrahkan k.puisto
Loimaa
Humppila
Forssa
Hämeenlinna
Lasimuseo
Nastola
Orimattila
Struve Geodetic Arc
Valkmusan k.puisto
Vaalimaa
Pervomajskoe
Roščino
Nystadt
Uusikaupunki
Mynämäki
Torronsuon k.puisto
Liesjärven k.puisto
Riihimäki
Mäntsälä
Hamina
Primorsk
Kotka
Sestroreck
Kronštadt
TKU
Turku
Åbo
Raisio
Somero
Nurmijärvi
Järvenpää
Porvoo
Borgå
Tuusula
Vantaa
Vanda
HEL
Itäisen Suomenlahden kansallispuisto
o.Lesnoj
o.Gogland
o.Moščnyj
Lomonosov
LED
Sosnovyj Bor
Petergof
Zarskoe Selo
Gatčina
Nådendal
Naantali
Kaarina
Salo
Lohja
Linna
Karis
Karjaa
Espoo
Esbo
Suomenlinna
Helsinki
Helsingfors
Kastelholman linna
Kumlinge
Pargas
Parainen
Mariehamn
Maarianhamina
MHQ
Dalsbruk
Erkenäs
Tammisaari
Ust'Luga
Kotly
Volosovo
Dvorec
Saaristomeren kansallispuisto
Föglö
Kökar
Hangö
Hanko
Tammisaaren saariston k.puisto
Lahemaa Rahvuspark
Perispea
Kohtla-järve
Kunda
Narva laht
Ivangorod
Sillamäe
Narva
Kingisepp
Siverskij
Gulf of Finland
TLL
Maardu
Tallinn
Paldiski
Keila
Rakvere
Tapa
Kiviõli
Slancy
Os'mino
Padise
Rapla
Struve Geodetic Arc
Vasknarva
Mustvee
Peipsi Järv
Čudskoe ozero
Gdov
Ljady
Hiiumaa
Vormsi
Haapsalu
Varbola
Risti
EESTI
Türi
Paide
Kõpu
Ristna neem
Rohukula
Jõgeva
Alatskivi
Pljussa
Käina
Põltsamaa
Lihula
Soomaa Rahvuspark
Koguva
Panga pank
Virtsu
Orissaare
Viljandi
Tartu
Sel'co
Capel'ka
Undva neem
Pärnu
Räpina
Pskovskoe ozero
Vilsandi rahvuspark
Kilingi-Nõmme
Karksi-Nuia
Elva
Podborov'e
Saaremaa
Kuressaare
Kihnu
Häädemeeste
Sangaste
Karula Rahvuspark
Võru
Troickij sobor
Pečory
Pskov
Slavkoviči
Liivi laht
Valga
Valka
Izborsk
Sääre
Ainaži
Strenči
Kolkasrags
Kolka
Valmiera
Smiltene
Ape
Alūksne
Ostrov
Vybor
Rigas Jūras Līcis
Limbaži
Gaujas nac.parks
Cēsis
Pytalovo (Abrene)
Puškinskie Gory
Ventspils
Mērsrags
Saulkrasti
Turaida
Gulbene
Balvi
Sigulda
Talsi
Leči
Rīga
RIX
Jūrmala
LATVIJA
Kārsava
Opočka
Sabile
Salaspils
Madona
Kuldīga
Tukums
Ogre
Ķeipene
Rēzekne
Ludza
Pāvilosta
Olaine
Aizpute
Saldus
Dobele
Jelgava
Jēkabpils
Krustpils
Sebež
Sebežskij N.P.
Latgale
Līvāni
Liepāja
Pilsrundāle
Bauska
Nereta
Dagda
Juchavičy
Mažeikiai
Naujoji Akmenė
Joniškis
Biržai
Biržu pilis
Špogi
Bazilika
Subate
Krāslava
Verchnjadzvinsk
Skuodas
Pasvalys
Rokiškis
Stelmužė
Daugavpils
PLQ
Tiškevičiu rumai
Žemaitijos n.p.
Kuršėnai
Kryžių k.
Siauliai
Kupiškis
Zarasai
Polackaja
Navapolack
Palanga
Plungė
Panevėžys
Braslav
Braslav Lakes N.P.
Kretinga
Rietavas
Radviliškis
Visaginas
Klaipėda
Kuršiu n.p.
Gargždai
Kelmė
Anykščiai
Utena
Aukstaitijos nac.parkas
Vidžy
Šarkavščyna
LIETUVA
Kaltanėnai
Juodkrantė
Neringa-Nida
Šilutė
Žemaičių Naumiestis
Kirkliai
Raseiniai
Ukmergė
Molėtai
Pastavy
Hlybokae
Dokšycy
Kėdainiai
Thomas Mann
Tauragė
Jurbarkas
Gelgaudiškis
Pabradė
Europos parkas
Naroč
Mjadzel
Narochanski N.P.
Biahoml'
Sovetsk
Slavsk
Neman
Šakiai
Kaunas
Kaišiadorys
Elektrėnai
Lentvaris
Vilnius
Zelenogradsk
Polessk
Bol'šakovo
Krasnoznamensk
Smarhon'
Plešćanicy

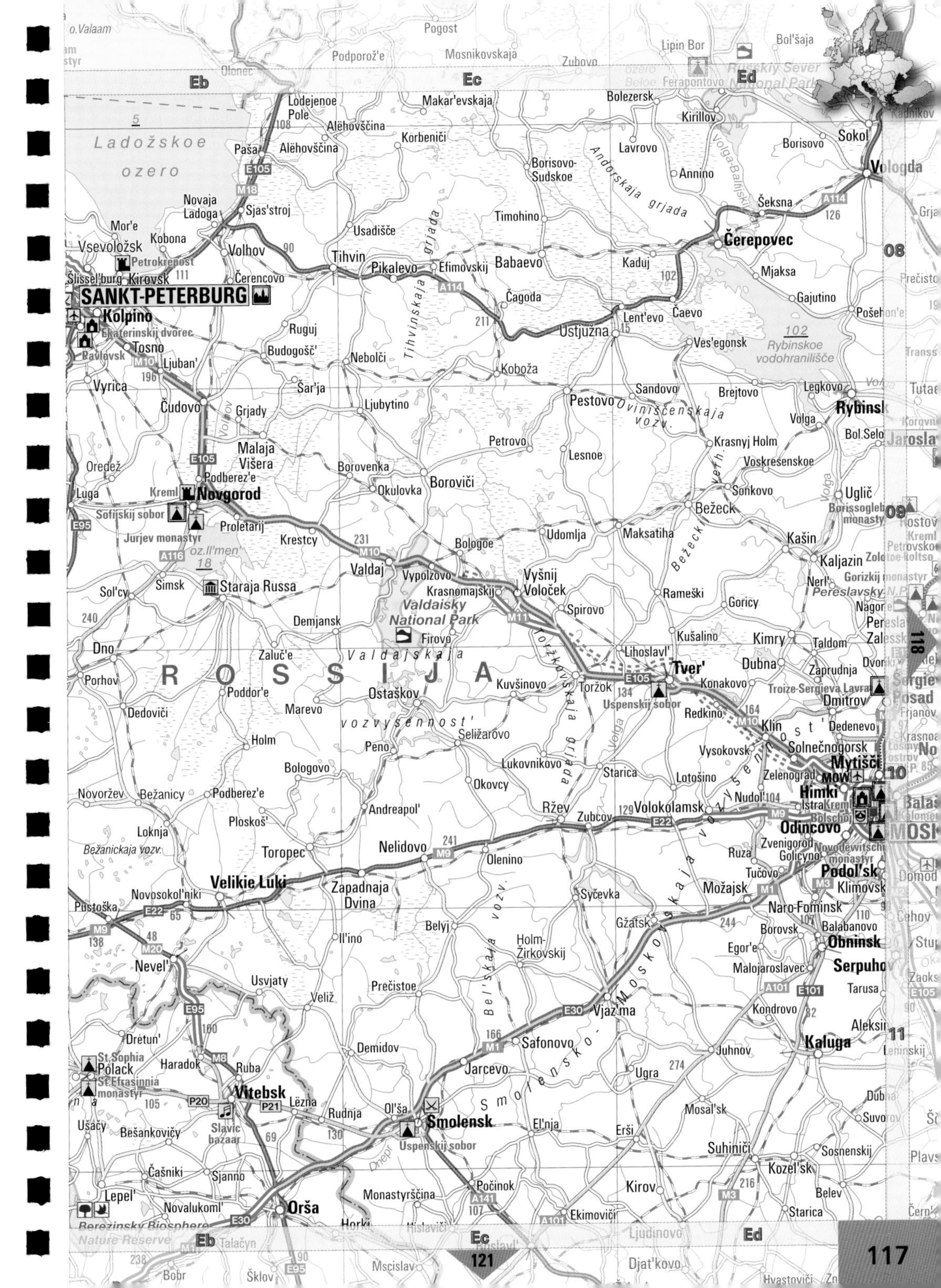
o.Valaam
Pogost
Lipin Bor
Bol'šaja
Podporož'e
Mosnikovskaja
Zubovo
Olonec
Eb
Ec
Ed
Ferapontovo
Russkij Sever National Park
Lodejenoe Pole
Makar'evskaja
Bolezersk
Kirillov
Kadnikov
Ladožskoe ozero
Alëhovščina
Korbeniči
Lavrovo
Borisovo
Sokol
Paša
Borisovo-Sudskoe
Annino
Vologda
Andorskaja grjada
Novaja Ladoga
Sjas'stroj
Šeksna
Mor'e
Usadišče
Timohino
Kobona
Čerepovec
Vsevoložsk
Volhov
Tihvin
Babaevo
Kaduj
Petrokrepost
Mjaksa
Šlissel'burg
Kirovsk
Čerencovo
Pikalevo
Efimovskij
Pečistoe
SANKT-PETERBURG
Čagoda
Gajutino
Kolpino
Ekaterinskij dvorec
Ruguj
Lent'evo
Čaevo
Ustjužna
Pošehon'e
Tosno
Pavlovsk
Ljuban'
Budogošč'
Nebolči
Tihvinskaja grjada
Ves'egonsk
Rybinskoe vodohranilišče
Koboža
Vyrica
Šar'ja
Sandovo
Brejtovo
Legkovo
Tutae
Čudovo
Grjady
Ljubytino
Pestovo
Ovinišćenskaja vozv.
Rybinsk
Volga
Malaja Višera
Petrovo
Krasnyj Holm
Bol.Selo
Jaroslavl
Lesnoe
Oredež
Borovenka
Voskresenskoe
Podberez'e
Boroviči
Sonkovo
Uglič
Luga
Kreml
Novgorod
Okulovka
Bežeck
Borissoglebskij monastyr
Sofijskij sobor
Proletarij
Rostov
Jurjev monastyr
Krestcy
Udomlja
Maksatiha
Kašin
oz.Il'men'
Bologoe
Kaljazin
Valdaj
Vyšnij Voloček
Vypolzovo
Sol'cy
Simsk
Staraja Russa
Krasnomajskij
Rameški
Nerl'
Gorizkij monastyr
Pereslavsky N.P.
Valdaisky National Park
Spirovo
Goricy
Demjansk
Firovo
Kušalino
Kimry
Taldom
Dno
Zaluč'e
Valdajskaja
Lihoslavl'
Tver'
Dubna
Zaprudnja
ROSSIJA
Porhov
Kuvšinovo
Toržok
Konakovo
Troize-Sergieva Lavra
Sergiev Posad
Poddor'e
Ostaškov
Uspenskij sobor
Dmitrov
Dedoviči
Marevo
Redkino
vozvyšennost'
Klin
Dedenevo
Seližarovo
Holm
Peno
Vysokovsk
Solnečnogorsk
Mytišči
Lukovnikovo
Starica
Bologovo
Lotošino
Zelenograd
Okovcy
Himki
Novoržev
Bežanicy
Podberez'e
Andreapol'
Ržev
Volokolamsk
Nudol'
Istra
Kreml
Bolschoj
Ploskoš'
Zubcov
Odincovo
Loknja
MOSKVA
Nelidovo
Zvenigorod
Toropec
Ruza
Goličyno
Novodewitschij monastyr
Bežanickaja vozv.
Olenino
Podol'sk
Velikie Luki
Tučovo
Možajsk
Zapadnaja Dvina
Klimovsk
Novosokol'niki
Syčevka
Domodedovo
Pustoška
Naro-Fominsk
Balabanovo
Čehov
Belyj
Gžatsk
Borovsk
Obninsk
Il'ino
Holm-Žirkovskij
Egor'e
Nevel'
Malojaroslavec
Serpuhov
Usvjaty
Tarusa
Prečistoe
Veliž
Kondrovo
Vjaz'ma
Moskovskaja vozvyšennost'
Drëtun'
Bel'skaja vozv.
Aleksin
Safonovo
Demidov
St.Sophia
Polack
Haradok
Ruba
Jarcevo
Juhnov
Kaluga
Leninskij
St.Efrasinnia monastyr
Ugra
Smolensko-Moskovskaja vozvyšennost'
Vitebsk
Lëzna
Dubna
Ol'ša
Slavic bazaar
Mosal'sk
Suvorov
Ušačy
Bešankovičy
Rudnja
Smolensk
El'nja
Erši
Uspenskij sobor
Suhiniči
Sosnenskij
Dnepr
Plavsk
Čašniki
Sjanno
Kozel'sk
Lepel'
Monastyrščina
Počinok
Kirov
Belev
Novalukoml'
Orša
Ekimoviči
Starica
Berezinsky Biosphere Nature Reserve
Horki
Hislaviči
Ljudinovo
Talačyn
Ruslavl'
Bobr
Šklov
Mscislav
Djat'kovo
Hvastoviči
E105
M18
A114
M10
E105
E95
A116
M10
M11
E105
M10
E22
M9
M1
M3
A101
E101
E105
E30
M1
E95
M8
M20
M9
E22
P20
P21
A141
A101
E30
M3
E95
117

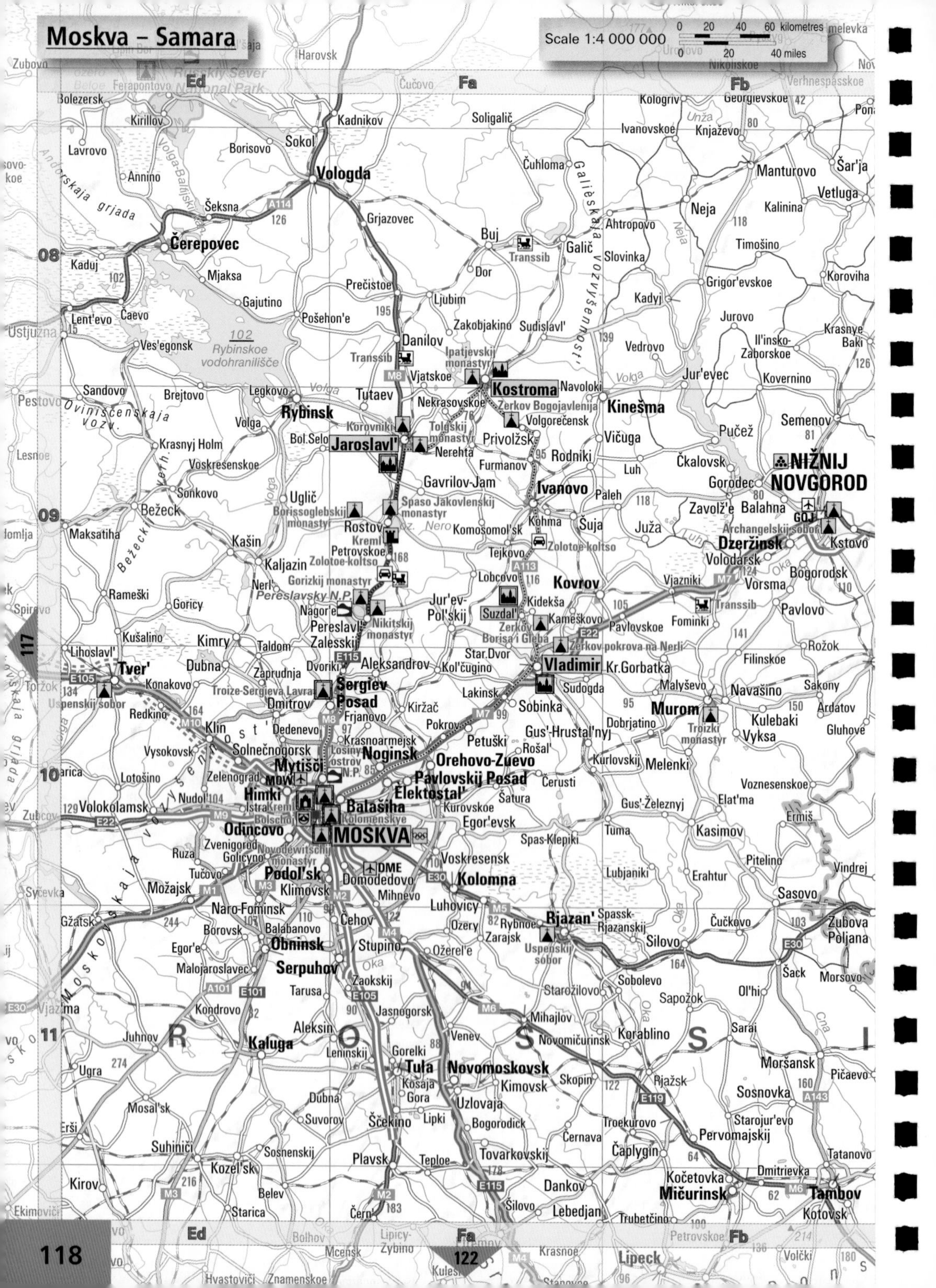
Scale 1:4 000 000
0 20 40 60 kilometres
0 20 40 miles
Ed
Fa
Fb
08
09
10
11
117
122
Vologda
Čerepovec
Rybinskoe vodohranilišče
Rybinsk
Jaroslavl'
Kostroma
Kinešma
Ivanovo
Nižnij Novgorod
Dzeržinsk
Kovrov
Vladimir
Suzdal'
Murom
Tver'
Sergiev Posad
Mytišči
Noginsk
Orehovo-Zuevo
Pavlovskij Posad
Elektostal'
Balašiha
Himki
Odincovo
MOSKVA
Podol'sk
Domodedovo
Kolomna
Rjazan'
Obninsk
Serpuhov
Kaluga
Tula
Novomoskovsk
Mičurinsk
Tambov
Lipeck
Transsib
Zolotoe koltso
Pereslavsky N.P.
Losiny ostrov N.P.
Rostov
Uglič
Kašin
Kaljazin
Dmitrov
Klin
Zelenograd
Solnečnogorsk
Volokolamsk
Možajsk
Naro-Fominsk
Aleksin
Stupino
Kašira
Ščekino
Uzlovaja
Kimovsk
Skopin
Sasovo
Kasimov
Vyksa
Kulebaki
Arzamas
Bogorodsk
Kstovo
Gorodec
Balahna
Semenov
Galič
Buj
Danilov
Tutaev
Gavrilov-Jam
Šuja
Vičuga
Furmanov
Rodniki
Privolžsk
Nerehta
Gus'-Hrustal'nyj
Sobinka
Petuški
Pokrov
Aleksandrov
Kirzhač
Egor'evsk
Voskresensk
Luhovicy
Zarajsk
Čehov
Tarusa
Venev
Efremov
Bogoroditsk
Dankov
Lebedjan
Morsansk
Ržaksa
Pervomajskij
Kirov
Suhiniči
Kozel'sk
Belev
R O S S I

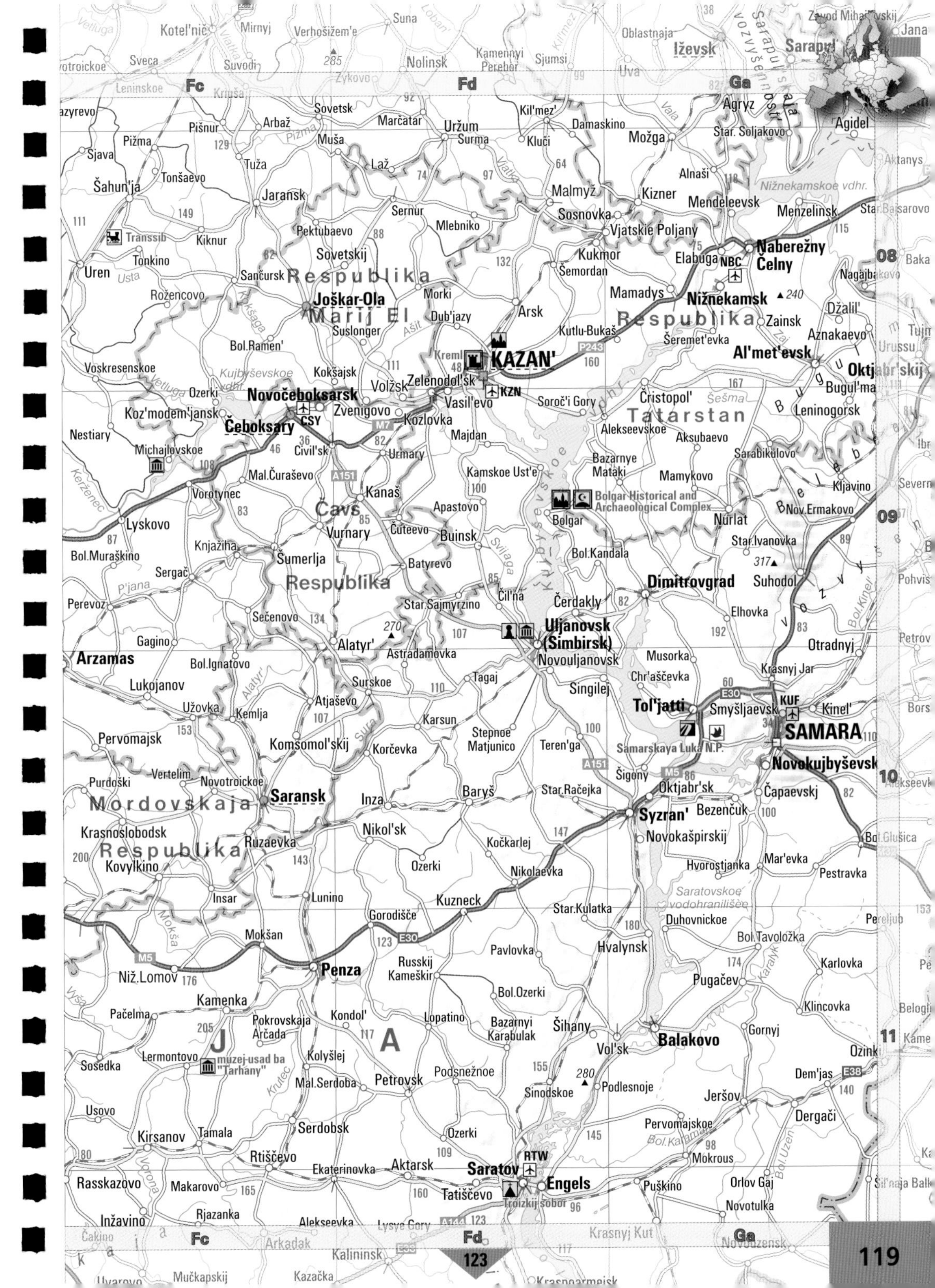

Kotel'nič
Mirnyj
Verhošižem'e
Suna
Oblastnaja
Iževsk
Sarapul
Jana
Sveca
Suvodi
285
Nolinsk
Kamennyj Perebor
Sjumsi
Uva
Leninskoe
Fc
Krиša
Zykovo
Fd
Ga
Agryz
Sovetsk
Marčatar
Kil'mez'
Pišnur
Arbaž
Uržum
Surma
Kluči
Damaskino
Možga
Stár. Soljakovo
Agidel
Pižma
Sjava
Muša
Tuža
Tonšaevo
Šahun'ja
Jaransk
Laž
Malmyž
Kizner
Alnaši
Aktanys
Nižnekamskoe vdhr.
Mendeleevsk
Menzelinsk
Star.Bajsarovo
Sernur
Mlebniko
Sosnovka
Vjatskie Poljany
Transsib
Kiknur
Pektubaevo
Sovetskij
Kukmor
Elabuga
NBC
Naberežny Čelny
08
Baka
Uren
Tonkino
Usta
Sančursk
Respublika
Šemordan
Nagajbakovo
Rožencovo
Joškar-Ola
Marij El
Morki
Arsk
Mamadys
Nižnekamsk
240
Džalil'
Dub'jazy
Suslonger
Kutlu-Bukaš
Respublika
Zainsk
Šeremet'evka
Aznakaevo
Tujm
Urussu
Bol.Ramen'
Kreml
KAZAN'
P243
Al'met'evsk
Voskresenskoe
Kokšajsk
Oktjabr'skij
Kujbyševskoe vdhr.
Ozerki
Novočeboksarsk
Volžsk
Zelenodol'sk
KZN
Čistopol'
Šešma
Bugul'ma
Koz'modem'jansk
Zvenigovo
Vasil'evo
Soroč'i Gory
Tatarstan
Leninogorsk
Nestiary
Čeboksary
CSY
Kozlovka
Majdan
Alekseevskoe
Aksubaevo
Michajlovskoe
Civil'sk
Urmary
Sarabikulovo
Kerženec
Mal.Čuraševo
A151
Kamskoe Ust'e
Bazarnye Mataki
Mamykovo
Kljavino
Severn
Vorotynec
Kanaš
Bolgar Historical and Archaeological Complex
Lyskovo
Čavs
Apastovo
Bolgar
Nurlat
Nov.Ermakovo
09
Vurnary
Čuteevo
Buinsk
Bol.Muraškino
Knjažiha
Šumerlja
Svijaga
Bol.Kandala
Star.Ivanovka
Sergač
Batyrevo
317
P'jana
Respublika
Dimitrovgrad
Suhodol
Pohvis
Perevoz
Star.Sajmyrzino
Čil'na
Čerdakly
Sečenovo
270
Uljanovsk (Simbirsk)
Elhovka
Bol.Kinel'
Gagino
Alatyr'
Astradamovka
Otradnyj
Petrov
Arzamas
Bol.Ignatovo
Novouljanovsk
Musorka
Krasnyj Jar
Lukojanov
Surskoe
Tagaj
Chr'aščevka
Singilej
Užovka
Kemlja
Atjaševo
E30
Tol'jatti
Smyšljaevsk
KUF
Kinel'
Bors
Karsun
Pervomajsk
Komsomol'skij
Korčevka
Stepnoe Matjunico
Teren'ga
SAMARA
Samarskaya Luka N.P.
Novokujbyševsk
Vertelim
Novotroickoe
Purdoški
Šigony
M5
10
Alekseevk
Mordovskaja
Saransk
Inza
Baryš
Star.Račejka
Oktjabr'sk
Čapaevskj
Syzran'
Bezenčuk
Krasnoslobodsk
Nikol'sk
Novokašpirskij
Ruzaevka
Kočkarlej
Respublika
Bol.Glušica
Kovylkino
Ozerki
Hvorostjanka
Mar'evka
Pestravka
Nikolaevka
Saratovskoe vodohranilišče
Insar
Lunino
Kuzneck
Mokša
Gorodišče
Star.Kulatka
Duhovnickoe
Pereljub
Mokšan
Bol.Tavoložka
Pavlovka
Hvalynsk
Penza
Russkij Kameškir
Pugačev
Karlovka
Niž.Lomov
Bol.Ozerki
Kamenka
Klincovka
Belogli
Pačelma
Pokrovskaja Arčada
Kondol'
Lopatino
Bazarnyi Karabulak
Šihany
Balakovo
Gornyj
J
A
11
Kame
Vol'sk
Ozinki
Sosedka
Lermontovo
muzej-usad ba "Tarhany"
Kolyšlej
Krutec
Mal.Serdoba
Petrovsk
Podsnežnoe
280
Podlesnoje
Dem'jas
E38
Sinodskoe
Jeršov
Usovo
Serdobsk
Dergači
Kirsanov
Tamala
Ozerki
Pervomajskoe
Bol.Karaman
Rtiščevo
Vorona
RTW
Mokrous
Ekaterinovka
Aktarsk
Saratov
Engels
Rasskazovo
Makarovo
Tatiščevo
Troizkij sobor
Puškino
Orlov Gaj
Bol.Uzen
Sil'naja Balk
Novotulka
Inžavino
Rjazanka
Alekseevka
Lysye Gory
A144
Čakino
Fc
Arkadak
Fd
Krasnyj Kut
Ga
Novouzensk
Kalininsk
E38
123
Uvarovo
Mučkapskij
Kazačka
Krasnoarmejsk

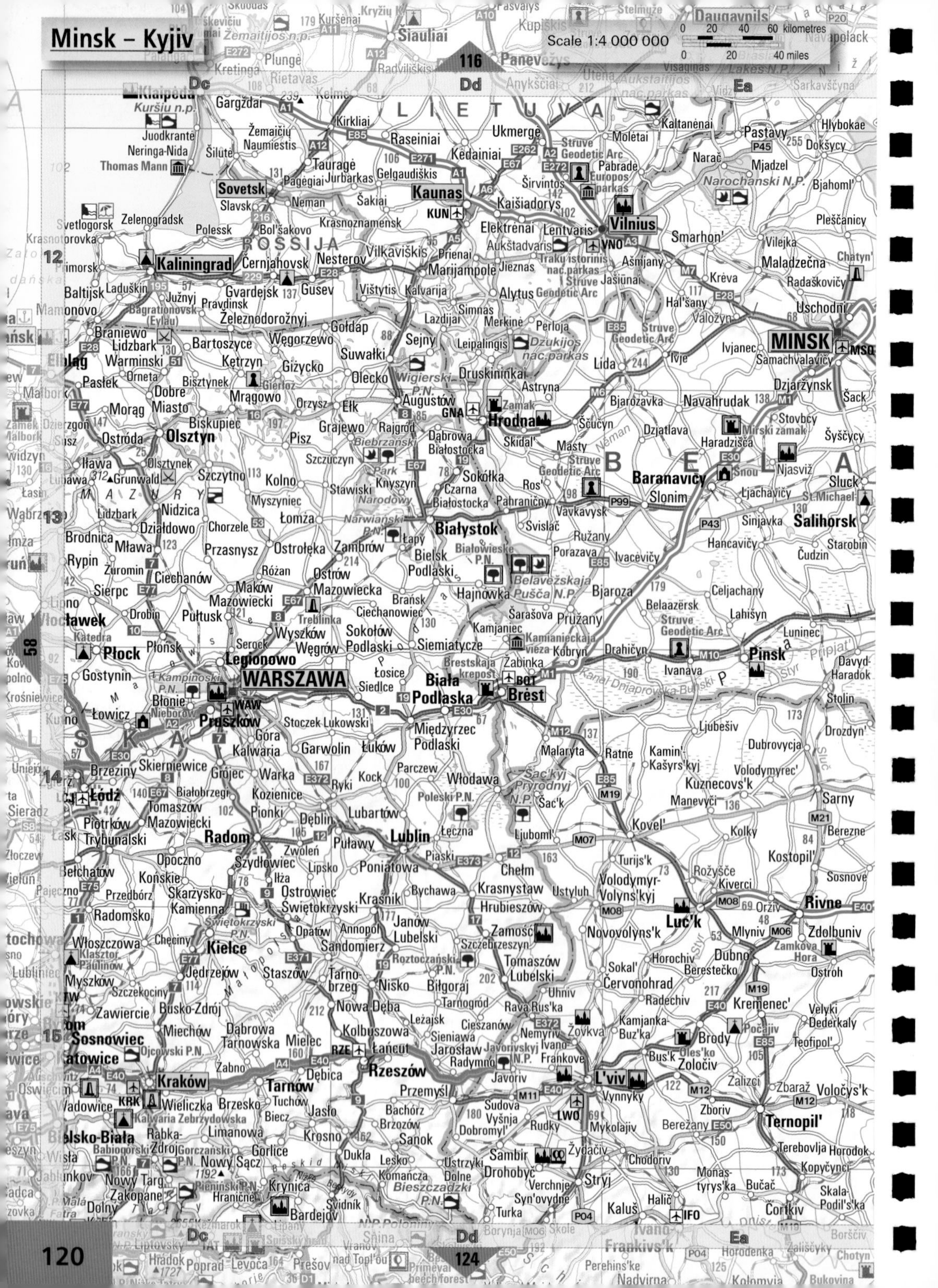

Minsk – Kyjiv
Scale 1:4 000 000
0 20 40 60 kilometres
0 20 40 miles
116
58
124
Dc
Dd
Ea
12
13
14
15
LIETUVA
ROSSIJA
BELA
MAZURY
Šiauliai
Panevėžys
Daugavpils
Klaipėda
Kaunas
Vilnius
Kaliningrad
Sovetsk
MINSK
Hrodna
Baranavičy
Salihorsk
Pinsk
Brest
Biała Podlaska
Białystok
Olsztyn
WARSZAWA
Legionowo
Pruszków
Łódź
Płock
Radom
Lublin
Kielce
Kraków
Tarnów
Rzeszów
L'viv
Ternopil'
Rivne
Luc'k
Sosnowiec
Katowice
Bielsko-Biała

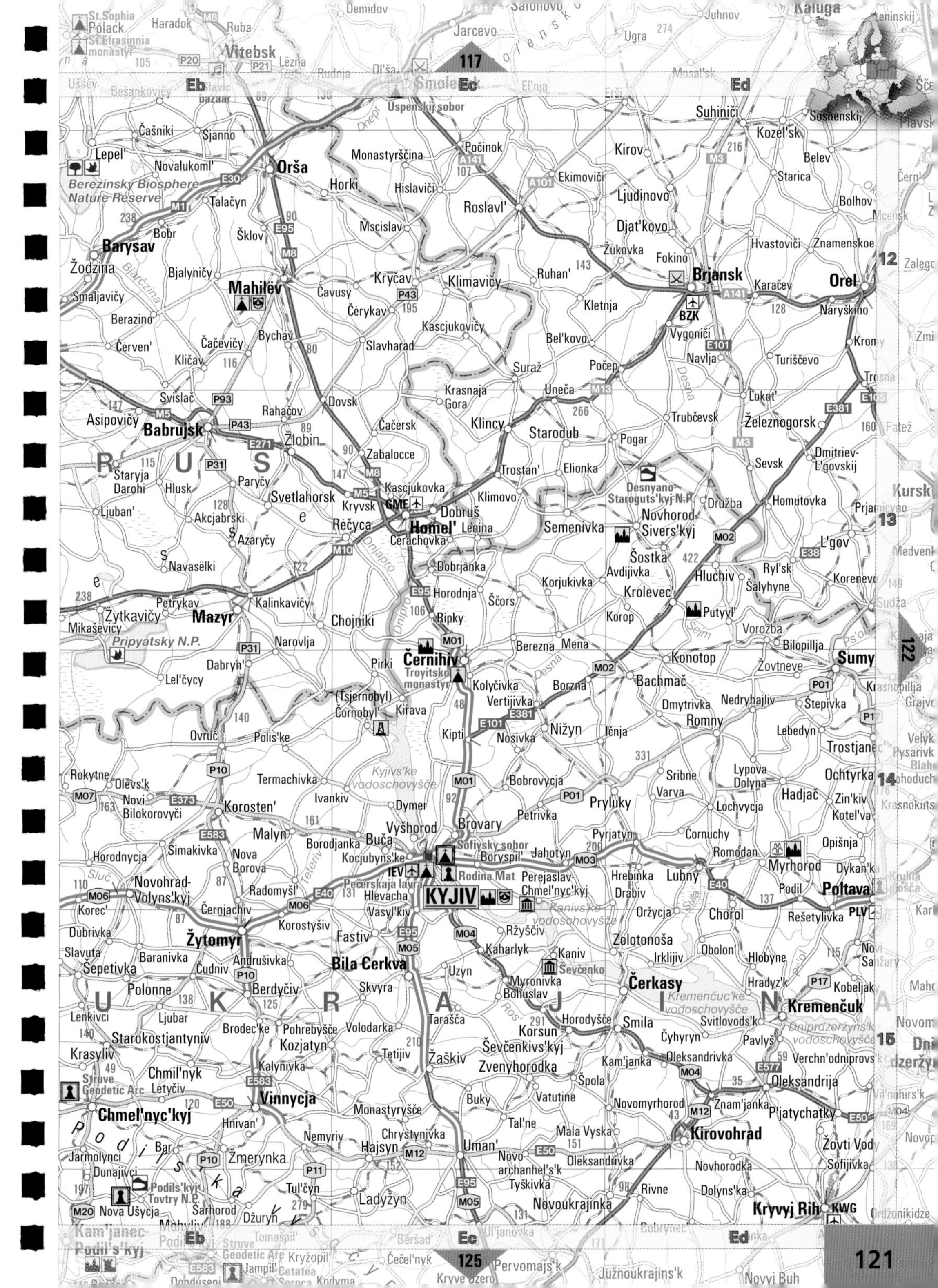

St.Sophia
Polack
St.Efrasinnia monastyr
Haradok
Ruba
Vitebsk
Lëzna
Demidov
Jarcevo
Ugra
Juhnov
Kaluga
117
Smolensk
Uspenskij sobor
Ušačy
Bešankovičy
Slavic bazaar
Rudnja
Ol'ša
El'nja
Erši
Mosal'sk
Eb
Ec
Ed
Suhiniči
Sosnenskij
Kozel'sk
Čašniki
Sjanno
Lepel'
Novalukoml'
Orša
Berezinsky Biosphere Nature Reserve
Monastyrščina
Počinok
Kirov
Belev
Horki
Hislaviči
Roslavl'
Ekimoviči
Ljudinovo
Starica
Talačyn
Bolhov
Mcensk
Barysav
Bobr
Šklov
Mscislav
Djat'kovo
Žukovka
Fokino
Hvastoviči
Znamenskoe
Žodzina
Bjalyničy
Mahilëv
Kryčav
Klimavičy
Ruhan'
Brjansk
Karačev
Orel
Smaljavičy
Čavusy
Čerykav
Kletnja
BZK
Naryškino
Berazino
Kascjukovičy
Bel'kovo
Vygoniči
Červen'
Čačevičy
Bychav
Slavharad
Kromy
Kličav
Navlja
Turiščevo
Surаž
Počep
Svislač
Dovsk
Krasnaja Gora
Uneča
Lokot'
Trosna
Asipovičy
Babrujsk
Rahačov
Čačersk
Klincy
Starodub
Trubčevsk
Železnogorsk
Fatež
Žlobin
Zabalocce
Pogar
Dmitriev-L'govskij
Staryja Darohi
Hlusk
Paryčy
Trostan'
Elionka
Sevsk
Kascjukovka
Klimovo
Desnyano-Staroguts'kyj N.P.
Svetlahorsk
Kryvsk
GME
Dobruš
Družba
Homutovka
Kursk
Ljuban'
Akcjabrski
Rėčyca
Homel'
Lenina
Semenivka
Novhorod-Sivers'kyj
Azaryčy
Cerachovka
Šostka
L'gov
Navasëlki
Dobrjanka
Hluchiv
Ryl'sk
Avdijivka
Korjukivka
Šalyhyne
Korenevo
Horodnja
Ščors
Krolevec'
Petrykav
Žytkavičy
Mazyr
Kalinkavičy
Chojniki
Ripky
Putyvl'
Sudža
Mikaševičy
Pripyatsky N.P.
Narovlja
Černihiv
Korop
Vorožba
Berezna
Mena
Bilopillja
Dabryn'
Troyitsko monastyr
Pirki
Konotop
Sumy
Žovtneve
Lel'čycy
(Tsjernobyl)
Čornobyl'
Kolyčivka
Borzna
Bachmač
Kirava
Vertijivka
Dmytrivka
Nedryhajliv
Štepivka
Ovruč
Polis'ke
Kipti
Nosivka
Nižyn
Ičnja
Romny
Lebedyn
Trostjanec'
Kyjivs'ke vodoschovyšče
Rokytne
Olevs'k
Termachivka
Bobrovycja
Sribne
Lypova Dolyna
Ochtyrka
Novi Bilokorovyči
Korosten'
Ivankiv
Dymer
Brovary
Varva
Pryluky
Hadjač
Zin'kiv
Kotel'va
Vyšhorod
Petrivka
Lochvycja
Malyn
Buča
Sofiysky sobor
Pyrjatyn
Čornuchy
Opišnja
Horodnycja
Simakivka
Borodjanka
Kocjubyns'ke
Boryspil'
Jahotyn
Romodan
Myrhorod
Dykan'ka
Nova Borova
IEV
Rodina Mat
Perejaslav-Chmel'nyc'kyj
Hrebinka
Lubny
Pečerskaja lavra
Novohrad-Volyns'kyj
Radomyšl'
Hlevacha
KYJIV
Drabiv
Podil
Poltava
Korec'
Černjachiv
Vasyl'kiv
Kanivs'ke vodoschovyšče
Oržycja
Chorol
Rešetylivka
PLV
Dubrivka
Žytomyr
Korostyšiv
Fastiv
Ržyščiv
Zolotonoša
Slavuta
Baranivka
Andrušivka
Kaharlyk
Kaniv
Irklijiv
Obolon'
Hlobyne
Šepetivka
Čudniv
Bila Cerkva
Uzyn
Ševčenko
Čerkasy
Polonne
Berdyčiv
Skvyra
Myronivka
Bohuslav
Hradyz'k
Kobeljaky
Kremenčuk
Kremenčuc'ke vodoschovyšče
U K R A J I N A
Lenkivci
Ljubar
Taraščа
Horodyšče
Smila
Svitlovods'k
Brodec'ke
Pohrebyšče
Volodarka
Korsun'
Čyhyryn
Pavlyš
Dniprodzeržyns'ke vodoschovyšče
Starokostjantyniv
Kozjatyn
Tetijiv
Ševčenkivs'kyj
Krasyliv
Kalynivka
Žaškiv
Zvenyhorodka
Kam'janka
Oleksandrivka
Verchn'odniprovs'k
Struve Geodetic Arc
Chmil'nyk
Letyčiv
Špola
Oleksandrija
Vinnycja
Buky
Vatutine
Chmel'nyc'kyj
Hnivan'
Monastyryšče
Novomyrhorod
Znam'janka
P'jatychatky
Tal'ne
Chrystynivka
Mala Vyska
Kirovohrad
Podil's'ka vysočyna
Bar
Nemyriv
Hajsyn
Uman'
Žovti Vody
Jarmolynci
Žmerynka
Novoarchanhel's'k
Oleksandrivka
Sofijivka
Dunajivci
Novhorodka
Podils'kyj Tovtry N.P.
Tul'čyn
Ladyžyn
Tyškivka
Rivne
Dolyns'ka
Nova Ušycja
Šarhorod
Novoukrajinka
Kryvyj Rih
KWG
Mohyliv-Podil's'kyj
Džuryn
Kam'janec-Podil's'kyj
Tomašpil'
Beršad'
Ul'janovka
Bobrynec'
Kryžopil'
Čečel'nyk
125
Pervomajs'k
Južnoukrajins'k
Novyj Buh
Jampil'
Krve Ozero
Kodyma
Dondjušeni
12
13
14
15
122

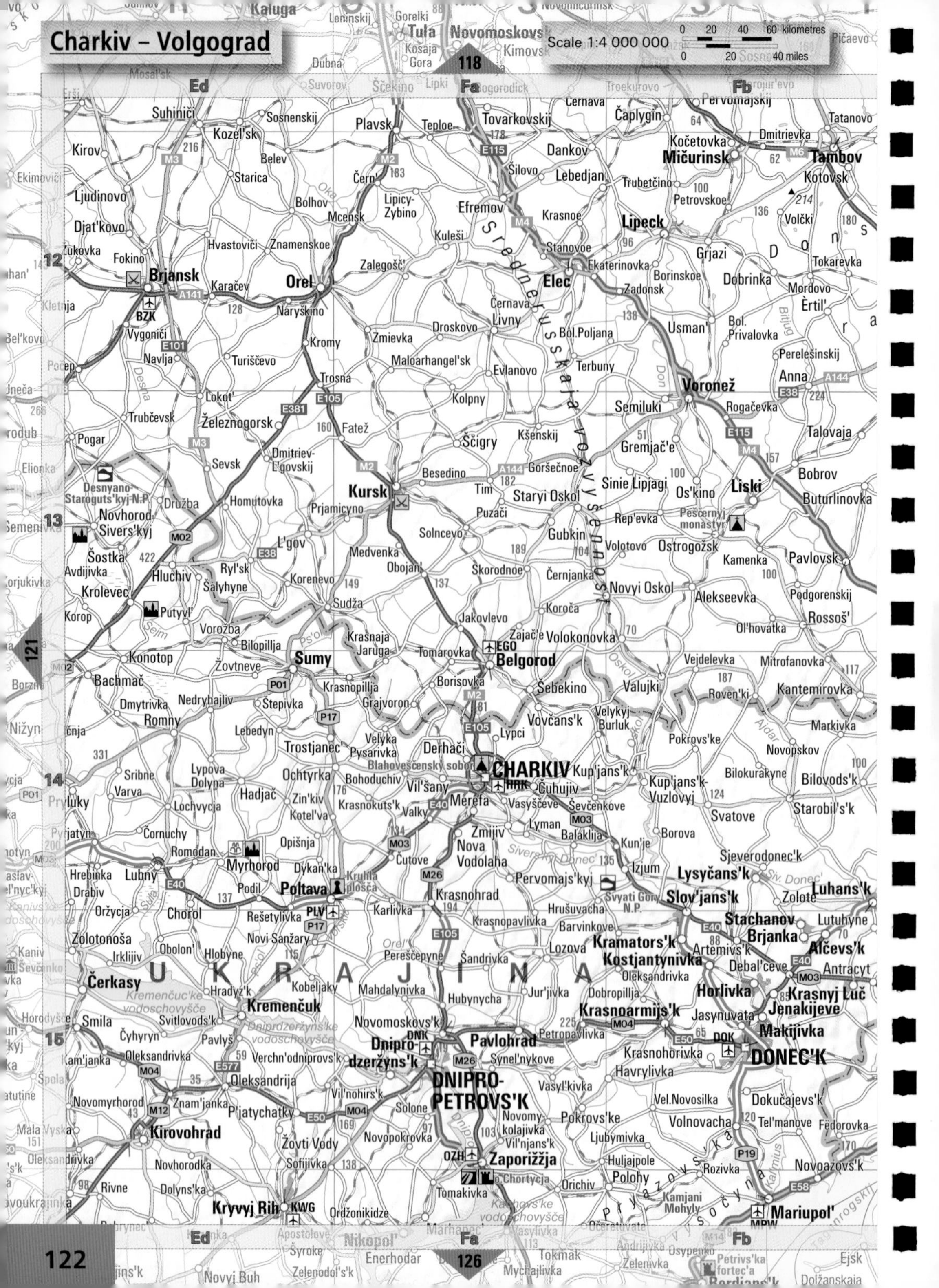
Scale 1:4 000 000
0 20 40 60 kilometres
0 20 40 miles
118
Ed
Fa
Fb
12
13
14
15
121
126
Kaluga
Tula
Novomoskovsk
Kimovsk
Dubna
Kosaja Gora
Gorelki
Leninskij
Mosal'sk
Suvorov
Ščekino
Lipki
Bogorodick
Troekurovo
Pičaevo
Suhiniči
Sosnenskij
Kozel'sk
Plavsk
Teploe
Tovarkovskij
Černava
Čaplygin
Pervomajskij
Tatanovo
Kirov
Belev
Černʼ
Dankov
Kočetovka
Dmitrievka
Mičurinsk
Tambov
Ekimoviči
Starica
Šilovo
Lebedjan
Trubetčino
Kotovsk
Ljudinovo
Bolhov
Lipicy-Zybino
Efremov
Petrovskoe
Mcensk
Krasnoe
Lipeck
Volčki
Djat'kovo
Kuleši
Žukovka
Fokino
Hvastoviči
Znamenskoe
Stanovoe
Grjazi
Tokarevka
Zalegošč'
Ekaterinovka
Borinskoe
Dobrinka
Brjansk
Karačev
Orel
Elec
Zadonsk
Mordovo
Ertil'
Kletnja
BZK
Naryškino
Černava
Livny
Vygoniči
Kromy
Zmievka
Droskovo
Bol.Poljana
Usman'
Bol. Privalovka
Bel'kovo
Navlja
Turiščevo
Maloarhangel'sk
Evlanovo
Terbuny
Perelešinskij
Počep
Trosna
Voronež
Anna
Unecha
Lokot'
Kolpny
Semiluki
Rogačevka
Trubčevsk
Železnogorsk
Fatež
Talovaja
Starodub
Pogar
Ščigry
Kšenskij
Gremjač'e
Dmitriev-L'govskij
Sevsk
Besedino
Goršečnoe
Elionka
Bobrov
Kursk
Tim
Sinie Lipjagi
Os'kino
Liski
Desnyano-Staroguts'kyj N.P.
Družba
Homutovka
Prjamicyno
Staryi Oskol
Buturlinovka
Puzači
Rep'evka
Peščernyj monastyr
Novhorod-Sivers'kyj
Semenivka
L'gov
Solncevo
Gubkin
Volotovo
Ostrogožsk
Šostka
Medvenka
Kamenka
Pavlovsk
Avdijivka
Hluchiv
Ryl'sk
Obojan'
Skorodnoe
Černjanka
Korjukivka
Šalyhyne
Korenevo
Novyi Oskol
Alekseevka
Podgorenskij
Krolevec'
Putyvl'
Sudža
Korop
Koroča
Jakovlevo
Rossoš'
Vorožba
Ol'hovatka
Bilopillja
Krasnaja Jaruga
Zajač'e
Volokonovka
Konotop
Žovtneve
Sumy
Tomarovka
EGO
Belgorod
Vejdelevka
Mitrofanovka
Bachmač
Krasnopillja
Borisovka
Šebekino
Valujki
Roven'ki
Kantemirovka
Borzna
Dmytrivka
Nedryhajliv
Štepivka
Grajvoron
Velykyj Burluk
Romny
Vovčans'k
Markivka
Nižyn
Lebedyn
Velyka Pysarivka
Lypci
Trostjanec'
Derhači
Pokrovs'ke
Novopskov
Blahoveščenskyj sobor
CHARKIV
Kup'jans'k
Sribne
Lypova Dolyna
Ochtyrka
Bohoduchiv
Bilokurakyne
Bilovods'k
Varva
Hadjač
Vil'šany
HRK
Čuhujiv
Kup'jans'k-Vuzlovyj
Pryluky
Lochvycja
Zin'kiv
Krasnokuts'k
Valky
Mereфa
Vasyščeve
Ševčenkove
Starobil's'k
Kotel'va
Svatove
Pyrjatyn
Čornuchy
Zmijiv
Lyman
Balaklija
Borova
Romodan
Opišnja
Nova Vodolaha
Kun'je
Sjeverodonec'k
Lubny
Myrhorod
Dykan'ka
Čutove
Siverskyj Donec'
Izjum
Lysyčans'k
Hrebinka
Drabiv
Podil
Poltava
Krulila plošča
Pervomajs'kyj
Luhans'k
Chorol
Krasnohrad
Svyati Gory N.P.
Slov'jans'k
Zolote
Oržycja
Rešetylivka
PLV
Karlivka
Hrušuvacha
Stachanov
Lutuhyne
Zolotonoša
Novi Sanžary
Krasnopavlivka
Barvinkove
Brjanka
Irklijiv
Obolon'
Hlobyne
Pereščepyne
Lozova
Kramators'k
Artemivs'k
Alčevs'k
Kaniv
Ševčenko
Šandrivka
Kostjantynivka
Debal'ceve
Antracyt
Čerkasy
U K R A J I N A
Kobeljaky
Mahdalynivka
Oleksandrivka
Kremenčuc'ke vodoschovyšče
Hradyz'k
Hubynycha
Jur'jivka
Dobropillja
Horlivka
Krasnyj Luč
Kremenčuk
Jenakijeve
Smila
Svitlovods'k
Novomoskovs'k
Krasnoarmijs'k
Jasynuvata
Dniprodzeržyns'ke vodoschovyšče
Makijivka
Čyhyryn
Pavlyš
DNK
Dnipro-dzeržyns'k
Pavlohrad
Petropavlivka
DOK
Kam'janka
Oleksandrivka
Verchn'odniprovs'k
Synel'nykove
Krasnohorivka
DONEC'K
Oleksandrija
DNIPRO-PETROVS'K
Havrylivka
Vasyl'kivka
Vil'nohirs'k
Dokučajevs'k
Novomyrhorod
Znam'janka
P'jatychatky
Solone
Pokrovs'ke
Vel.Novosilka
Novomy-kolajivka
Volnovacha
Tel'manove
Fedorovka
Kirovohrad
Žovti Vody
Novopokrovka
Vil'njans'k
Ljubymivka
Mala Vyska
Sofijivka
OZH
Zaporižžja
Huljajpole
Novoazovs'k
Oleksandrivka
Novhorodka
Rozivka
Rivne
Dolyns'ka
o.Chortycja
Orichiv
Polohy
Tomakivka
Kamjani Mohyly
Pryazovs'ka vysočyna
Kryvyj Rih
KWG
Ordžonikidze
Kachovs'ke vodoschovyšče
Mariupol'
MPW
Apostolove
Nikopol'
Marhanec'
Vasylivka
Očeretuvate
Andrijivka
Osypenko
Široke
Enerhodar
Tokmak
Zelenivka
Petrivs'ka fortec'a
Ejsk
Novyj Buh
Zelenodol's'k
Mychajlivka
Berdjans'k
Dolžanskaja
Sredne-russkaja vozvyšennost'
Don
Oskol
Ajdar
Sula
Psel
Orel'
Dnipro
Kal'mius

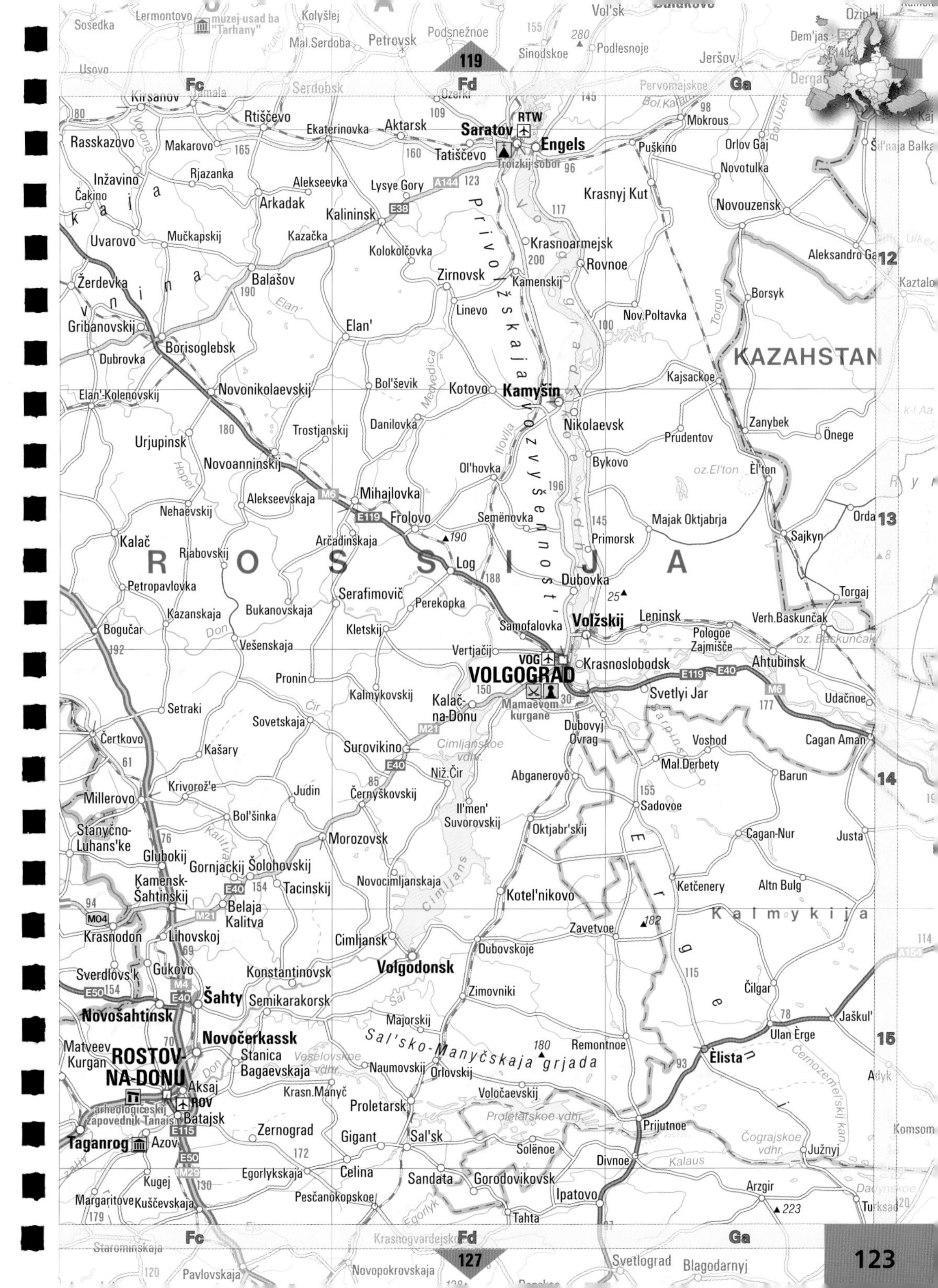

Sosedka
Lermontovo
muzej-usad'ba "Tarhany"
Kolyšlej
Vol'sk
Ozinki
Mal.Serdoba
Petrovsk
Podsnežnoe
Sinodskoe
Podlesnoje
Dem'jas
Jeršov
119
Usovo
Fc
Fd
Ga
Serdobsk
Pervomajskoe
Dergač
Kirsanov
Ozerki
Bol.Karaman
Mokrous
Rtiščevo
Ekaterinovka
Aktarsk
Saratov
RTW
Engels
Rasskazovo
Makarovo
Tatiščevo
Troizkij sobor
Puškino
Orlov Gaj
Šil'naja Balka
Inžavino
Rjazanka
Alekseevka
Lysye Gory
A144
Novotulka
Čakino
Arkadak
Kalininsk
E38
Krasnyj Kut
Novouzensk
Privolžskaja vozvyšennost'
Uvarovo
Mučkapskij
Kazačka
Kolokolčovka
Krasnoarmejsk
Aleksandro Gaj
12
Rovnoe
Žerdevka
Balašov
Zirnovsk
Kamenskij
Kaztalov
Borsyk
Linevo
Nov.Poltavka
Gribanovskij
Elan'
Elan'
Borisoglebsk
KAZAHSTAN
Dubrovka
Medvedica
Bol'ševik
Kotovo
Kamyšin
Kajsackoe
Elan'-Kolenovskij
Novonikolaevskij
Nikolaevsk
Zanybek
Danilovka
Ilovlja
Urjupinsk
Trostjanskij
Prudentov
Önege
Novoanninskij
Ol'hovka
Bykovo
oz.El'ton
Èl'ton
Hoper
Alekseevskaja
M6
Mihajlovka
Nehaevskij
E119
Frolovo
Semënovka
Majak Oktjabrja
Orda
13
Primorsk
Sajkyn
Kalač
Arčadinskaja
Rjabovskij
R O S S I J A
Log
Petropavlovka
Dubovka
Serafimovič
Torgaj
Perekopka
Kazanskaja
Bukanovskaja
Samofalovka
Volžskij
Leninsk
Verh.Baskunčak
Bogučar
Don
Kletskij
Pologoe Zajmišče
oz. Baskunčak
Vešenskaja
Vertjačij
VOG
Krasnoslobodsk
Ahtubinsk
Pronin
VOLGOGRAD
E40
Kalmykovskij
Kalač-na-Donu
Mamaevom kurgane
Svetlyi Jar
Udačnoe
Setraki
Čir
Sovetskaja
M21
Dubovyj Ovrag
Čertkovo
Surovikino
Cimljanskoe vdhr.
Voshod
Cagan Aman
Kašary
E40
Mal.Derbety
Niž.Čir
Abganerovo
Barun
14
Krivorož'e
Judin
Černyškovskij
Millerovo
Sadovoe
Bol'šinka
Il'men' Suvorovskij
Stanyčno-Luhans'ke
Oktjabr'skij
Morozovsk
Cagan-Nur
Justa
Kalitva
Glubokij
Gornjackij
Šolohovskij
Kamensk-Šahtinskij
E40
Tacinskij
Novocimljanskaja
Cimljans
Kotel'nikovo
Ketčenery
Altn Bulg
Belaja Kalitva
M04
M21
Kalmykija
Krasnodon
Lihovskoj
Cimljansk
Zavetnoe
Dubovskoje
Sverdlovs'k
Gukovo
Konstantinovsk
Volgodonsk
Čilgar
M4
E40
E50
Šahty
Semikarakorsk
Zimovniki
Novošahtinsk
Sal
Majorskij
Jaškul'
Ulan Èrge
15
Matveev Kurgan
ROSTOV-NA-DONU
Novočerkassk
Sal'sko-Manyčskaja grjada
Remontnoe
Stanica Bagaevskaja
Veselovskoe vdhr.
Naumovskij
Orlovskij
Èlista
Adyk
Černozemel'skij kan.
Aksaj
Krasn.Manyč
Voločaevskij
ROV
Proletarsk
arheologičeskij zapovednik Tanais
Batajsk
Proletarskoe vdhr.
Prijutnoe
Komsom
Taganrog
Azov
E115
Zernograd
Gigant
Sal'sk
Čograjskoe vdhr.
E50
Solënoe
Južnyj
M29
Celina
Divnoe
Kalaus
Kugej
Egorlykskaja
Sandata
Gorodovikovsk
Arzgir
Margaritove
Kuščevskaja
Ipatovo
Pesčanokopskoe
Egorlyk
Tahta
Turksad
Fc
Krasnogvardejskoe
Fd
Ga
Starominskaja
127
Pavlovskaja
Novopokrovskaja
Svetlograd
Blagodarnyj

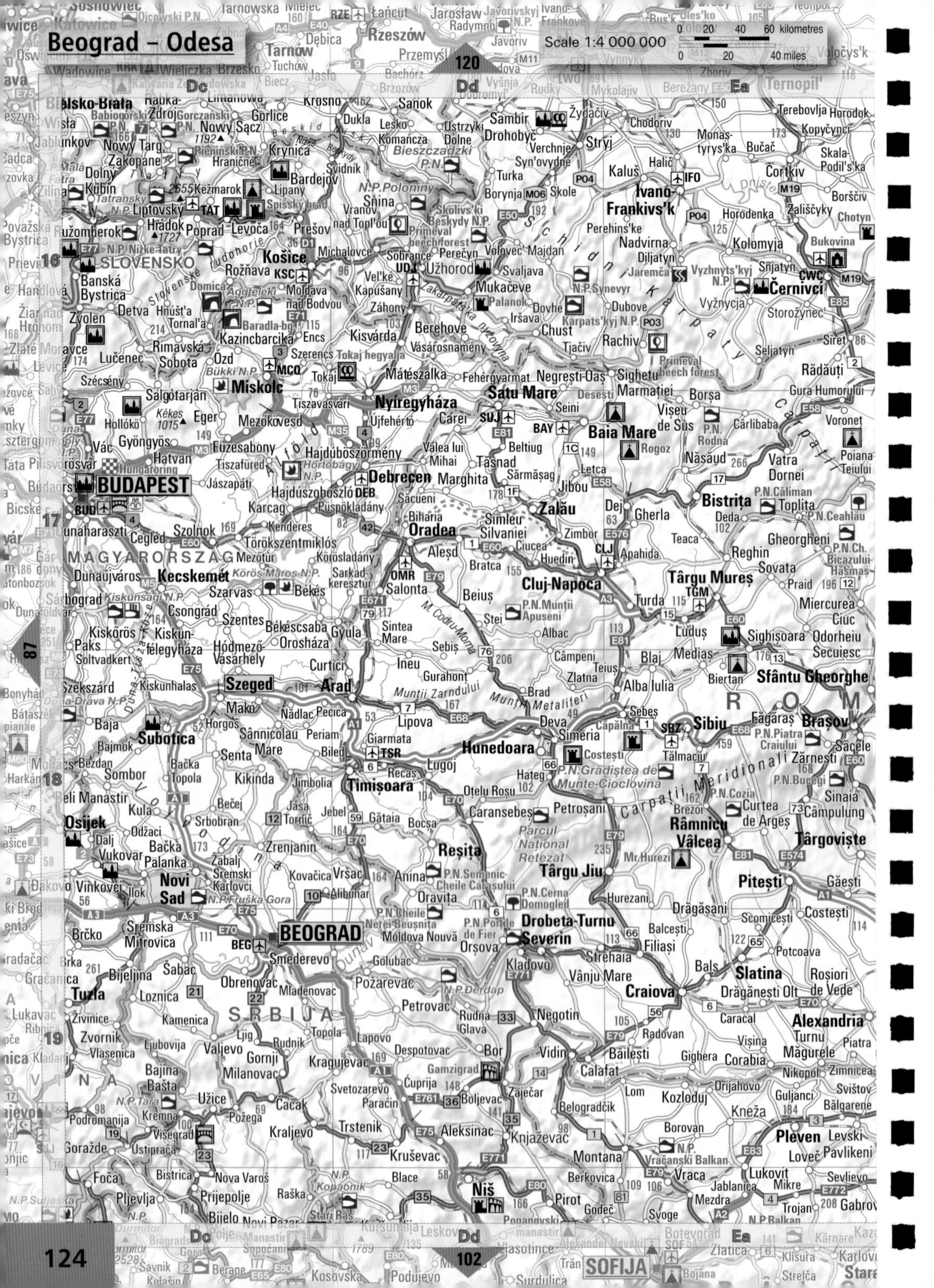
Scale 1:4 000 000
0 20 40 60 kilometres
0 20 40 miles
120
Dc
Dd
Ea
16
17
18
19
87
102
Bielsko-Biała
Nowy Targ
Zakopane
Nowy Sącz
Gorlice
Krosno
Sanok
Dukla
Krynica
Bardejov
Poprad
Levoča
Prešov
Košice
SLOVENSKO
Michalovce
Rožňava
Banská Bystrica
Zvolen
Lučenec
Rimavská Sobota
Kazincbarcika
Miskolc
Eger
Gyöngyös
Hatvan
Vác
BUDAPEST
Cegléd
Szolnok
MAGYARORSZÁG
Kecskemét
Dunaújváros
Kiskunfélegyháza
Csongrád
Szentes
Hódmezővásárhely
Szeged
Makó
Baja
Subotica
Sombor
Osijek
Vukovar
Novi Sad
Zrenjanin
BEOGRAD
Smederevo
Požarevac
Šabac
Valjevo
SRBIJA
Kragujevac
Čačak
Kraljevo
Kruševac
Niš
Pirot
Užice
Tuzla
Rzeszów
Tarnów
Dębica
Jarosław
Przemyśl
Sambir
Drohobyč
Stryj
Ivano-Frankivs'k
Kaluš
Kolomyja
Černivci
Ternopil'
Užhorod
Mukačeve
Berehove
Chust
Rachiv
Nyíregyháza
Tokaj
Mátészalka
Debrecen
Hajdúböszörmény
Püspökladány
Oradea
Satu Mare
Baia Mare
Sighetu Marmației
Zalău
Cluj-Napoca
Bistrița
Dej
Gherla
Turda
Târgu Mureș
Reghin
Sighișoara
Mediaș
Alba Iulia
Sibiu
Făgăraș
Brașov
Sfântu Gheorghe
Miercurea Ciuc
Odorheiu Secuiesc
Békéscsaba
Gyula
Orosháza
Arad
Lipova
Deva
Hunedoara
Timișoara
Lugoj
Caransebeș
Reșița
Petroșani
Târgu Jiu
Râmnicu Vâlcea
Pitești
Târgoviște
Drobeta-Turnu Severin
Craiova
Slatina
Alexandria
Calafat
Vidin
Montana
Vraca
Pleven
Lovеč
Zaječar
Bor
Negotin
Carpații Meridionali
Dunav
SOFIJA

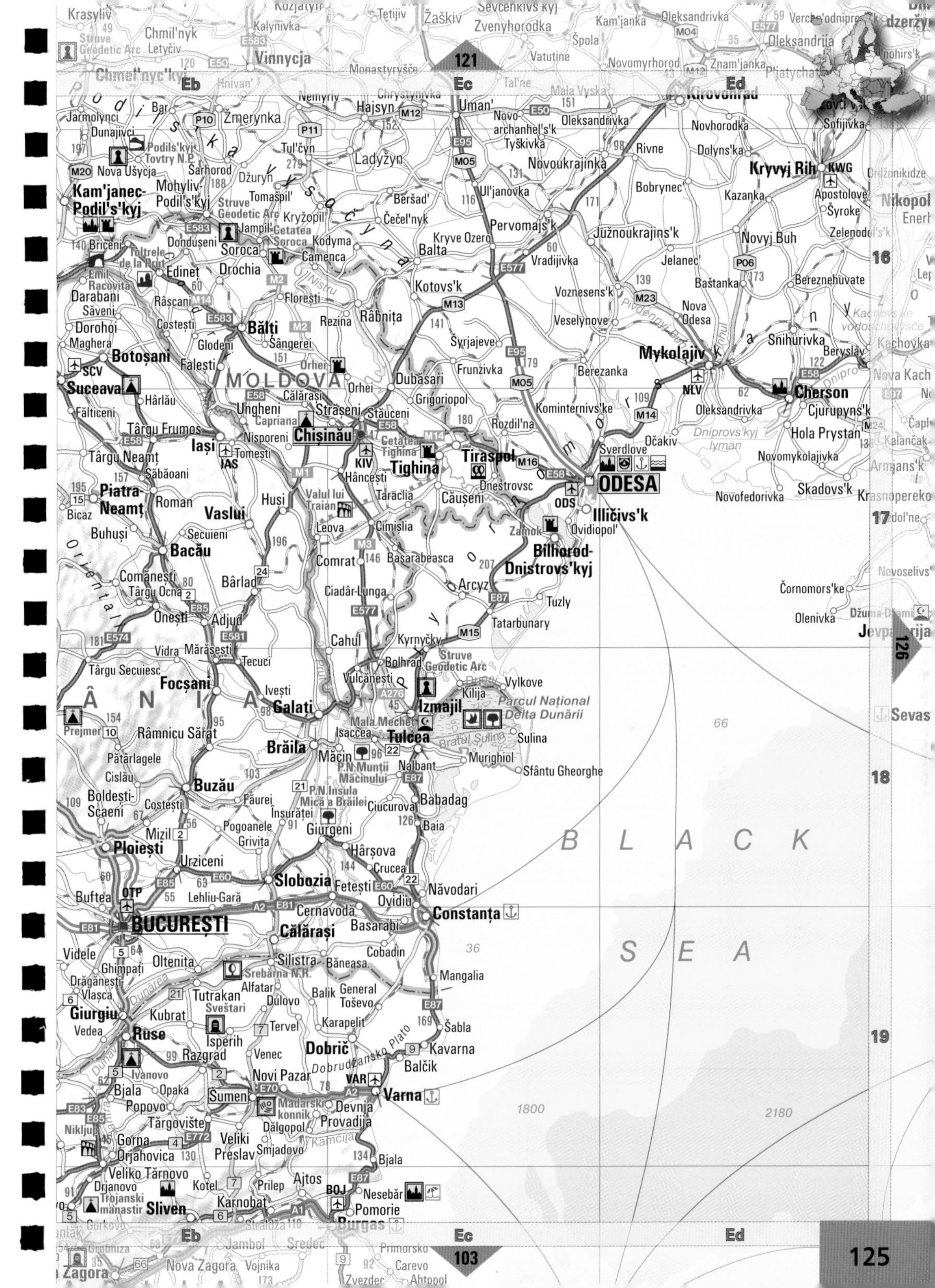
121
Eb
Ec
Ed
Krasyliv
Chmil'nyk
Kalynivka
Tetijiv
Žaškiv
Zvenyhorodka
Kam'janka
Oleksandrivka
Oleksandrija
Struve Geodetic Arc
Letyčiv
Vinnycja
Monastyryšče
Vatutine
Špola
Novomyrhorod
Znam'janka
Pjatychatky
Chmel'nyc'kyj
Hnivan'
Tal'ne
Mala Vyska
Kirovohrad
Nemyriv
Chrystynivka
Uman'
Bar
Hajsyn
Novo-archanhel's'k
Oleksandrivka
Novhorodka
Sofijivka
Jarmolynci
Žmerynka
Dunajivci
Tyškivka
Podils'kyj Tovtry N.P.
Tul'čyn
Rivne
Dolyns'ka
Kryvyj Rih
KWG
Ladyžyn
Novoukrajinka
Nova Ušycja
Šarhorod
Kam'janec-Podil's'kyj
Mohyliv-Podil's'kyj
Džuryn
Ul'janovka
Bobrynec'
Kazanka
Apostolove
Nikopol
Tomašpil'
Beršad'
Struve Geodetic Arc
Kryžopil'
Čečel'nyk
Šyroke
Jampil'
Cetatea Soroca
Kodyma
Pervomajs'k
Južnoukrajins'k
Zelenodol's'k
Briceni
Dondușeni
Soroca
Kryve Ozero
Novyj Buh
Toltrele de la Prut
Camenca
Balta
Vradijivka
Jelanec'
16
Edineț
Drochia
Baštanka
Bereznehuvate
Emil Racoviță
Nistru
Kotovs'k
Voznesens'k
Darabani
Râșcani
Florești
Nova Odesa
Săveni
Bălți
Rezina
Râbnița
Dorohoi
Costești
Veselynove
Maghera
Glodeni
Sângerei
Šyrjajeve
Mykolajiv
Snihurivka
Beryslav
Kachovka
Botoșani
Falești
Orhei
Frunzivka
SCV
MOLDOVA
Dubăsari
Berezanka
Nova Kachovka
Suceava
Orhei
Chersón
Hârlău
Călărași
Grigoriopol
NLV
Cherson
Fălticeni
Ungheni
Strășeni
Stăuceni
Kominternivs'ke
Oleksandrivka
Cjurupyns'k
Capriana
Rozdil'na
Târgu Frumos
Chișinău
Iași
Nisporeni
Cetatea Tighina
Očakiv
Dniprovs'kyj lyman
Hola Prystan'
Sverdlove
Târgu Neamț
Tomești
IAS
KIV
Tiraspol
Tighina
Novomykolajivka
Săbăoani
Hâncești
Dnestrovsc
ODESA
Piatra-Neamț
Roman
Huși
Taraclia
Căușeni
ODS
Skadovs'k
Bicaz
Valul lui Traian
Novofedorivka
Vaslui
Illičivs'k
Krasnoperekops'k
Buhuși
Secuieni
Leova
Cimișlia
Zamok
Ovidiopol'
17
Bacău
Bilhorod-Dnistrovs'kyj
Comrat
Basarabeasca
Novoselivs'ke
Comănești
Bârlad
Arcyz
Târgu Ocna
Ciadâr-Lunga
Tuzly
Čornomors'ke
Onești
Adjud
Tatarbunary
Olenivka
Kyrnyčky
Cahul
Vidra
Mărășești
Tecuci
Bolhrad
Struve Geodetic Arc
126
Târgu Secuiesc
Focșani
Vulcănești
Vylkove
Ivești
Kilija
Parcul Național Delta Dunării
Galați
Izmajil
Prejmer
Mala Mechet
Sevastopol'
Râmnicu Sărat
Isaccea
Tulcea
Sulina
66
Brăila
Măcin
Bratul Sulina
Pătârlagele
P.N. Munții Măcinului
Nalbant
Murighiol
Sfântu Gheorghe
18
Cislău
Buzău
Boldești-Scaeni
Costești
Făurei
P.N. Insula Mică a Brăilei
Babadag
Însurăței
Ciucurova
Mizil
Pogoanele
Giurgeni
Baia
Grivița
BLACK
Ploiești
Hârșova
Urziceni
Crucea
Slobozia
Fetești
Năvodari
Buftea
OTP
Lehliu-Gară
Ovidiu
Cernavodă
Constanța
BUCUREȘTI
Călărași
Basarabi
Videle
Oltenița
Cobadin
36
SEA
Ghimpați
Silistra
Băneasa
Srebărna N.R.
Mangalia
Drăgănești-Vlașca
Alfatar
Tutrakan
Dulovo
Balik
General Toševo
Giurgiu
Kubrat
Sveštari
Vedea
Tervel
Karapelit
Šabla
Ruse
Isperih
19
Dobrič
Dobrudžansko Plato
Kavarna
Razgrad
Venec
Balčik
Ivanovo
Novi Pazar
VAR
Bjala
Opaka
Šumen
Varna
Popovo
Madarski konnik
Devnja
Provadija
1800
2180
Nikljup
Tărgovište
Dălgopol
Gorna Orjahovica
Veliki Preslav
Smjadovo
Kamčija
Bjala
Veliko Tărnovo
Drjanovo
Kotel
Prilep
Ajtos
Nesebăr
BOJ
Trojanski manastir
Sliven
Karnobat
Pomorie
Burgas
Jambol
Sredec
Nova Zagora
Vojnika
Primorsko
Carevo
Ahtopol
103

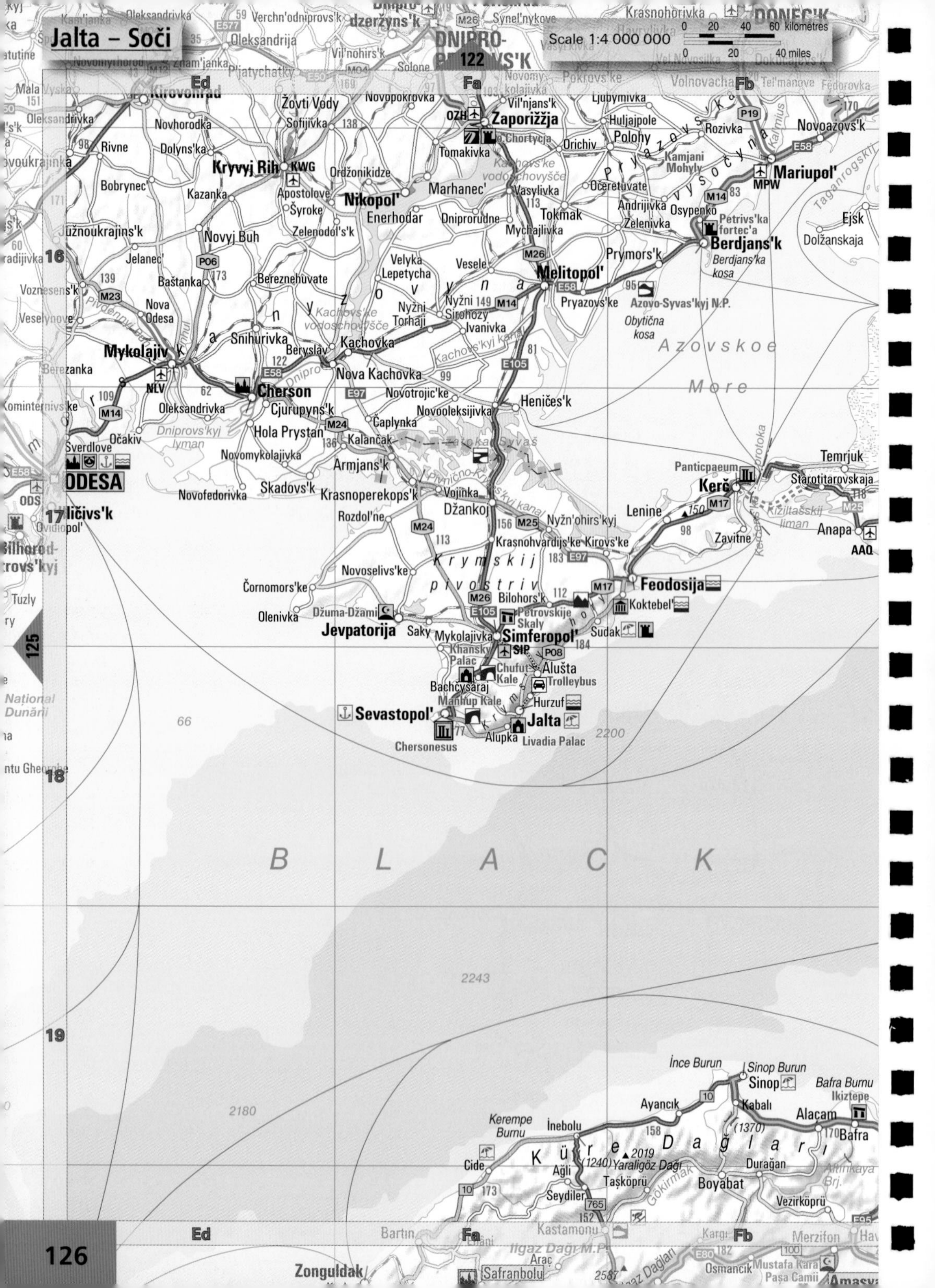
Scale 1:4 000 000
0 20 40 60 kilometres
0 20 40 miles
122
125
Ed
Fa
Fb
16
17
18
19
Kirovohrad
Žovti Vody
Novopokrovka
Zaporižžja
Vil'njans'k
Ljubymivka
Huljajpole
Polohy
Rozivka
Novoazovs'k
Mariupol'
Oleksandrivka
Novhorodka
Sofijivka
Rivne
Dolyns'ka
Kryvyj Rih
KWG
Tomakivka
Orichiv
Kamjani Mohyly
Bobrynec'
Kazanka
Apostolove
Ordžonikidze
Nikopol'
Marhanec'
Vasylivka
Očeretuvate
Andrijivka
Osypenko
Petrivs'ka fortec'a
Ejsk
Dolžanskaja
Južnoukrajins'k
Novyj Buh
Šyroke
Zelenodol's'k
Enerhodar
Dniprorudne
Tokmak
Mychajlivka
Zelenivka
Berdjans'k
Berdjans'ka kosa
Jelanec'
Baštanka
Bereznehuvate
Velyka Lepetycha
Vesele
Melitopol'
Prymors'k
Voznesens'k
Nova Odesa
Nyžni Sirohozy
Nyžni Torhaji
Ivanivka
Pryazovs'ke
Azovo-Syvas'kyj N.P.
Obytična kosa
Veselynove
Snihurivka
Beryslav
Kachovka
Kachovs'ke vodoschovyšče
Mykolajiv
NLV
Berezanka
Nova Kachovka
Azovskoe More
Cherson
Novotrojic'ke
Novooleksijivka
Heničes'k
Oleksandrivka
Cjurupyns'k
Čaplynka
Sverdlove
Očakiv
Hola Prystan'
Dniprovs'kyj lyman
Kalančak
Novomykolajivka
Armjans'k
ODESA
ODS
Temrjuk
Panticpaeum
Kerč
Starotitarovskaja
Skadovs'k
Novofedorivka
Krasnoperekops'k
Vojinka
Džankoj
Lenine
Kiziltašskij liman
Rozdol'ne
Nyžn'ohirs'kyj
Zavitne
Anapa
AAQ
Krasnohvardijs'ke
Kirovs'ke
Krymskij pivostriv
Novoselivs'ke
Čornomors'ke
Feodosija
Bilohors'k
Koktebel'
Olenivka
Džuma-Džami
Jevpatorija
Saky
Mykolajivka
Simferopol'
SIP
Petrovskije Skaly
Sudak
Khansky Palac
Chufut Kale
Alušta
Trolleybus
Bachčysaraj
Mankup Kale
Hurzuf
Sevastopol'
Jalta
Alupka
Livadia Palac
Chersonesus
66
2200
B L A C K
2243
2180
İnce Burun
Sinop Burun
Sinop
Bafra Burnu
Ikiztepe
Ayancık
Kabalı
Alaçam
Kerempe Burnu
İnebolu
Bafra
Küre Dağları
Yaralıgöz Dağı
Cide
Ağlı
Taşköprü
Durağan
Boyabat
Seydiler
Vezirköprü
Bartın
Kastamonu
Kargı
Merzifon
Ilgaz Dağı M.P.
Araç
Zonguldak
Safranbolu
Osmancık
Mustafa Kara Paşa Camii
Amasya
National Dunării
Tuzly
Ovidiopol'
Bilhorod-Dnistrovs'kyj
Illičivs'k
Dnipro
Dniprodzerzyns'k
DNIPROPETROVS'K
Verchn'odniprovs'k
Oleksandrija
Synel'nykove
Krasnohorivka
DONEC'K
Vil'nohirs'k
Pjatychatky
Pokrovs'ke
Volnovacha
Tel'manove
Fedorovka
Znam'janka
Solone
Novomykolajivka
Kam'janka
Mala Vyska
Kominternivs'ke
Pryazovs'ka vysočyna
Taganrogskij zaliv
M14
M23
M24
M25
M26
M17
E58
E97
E105
P06
P08
P19
10
765

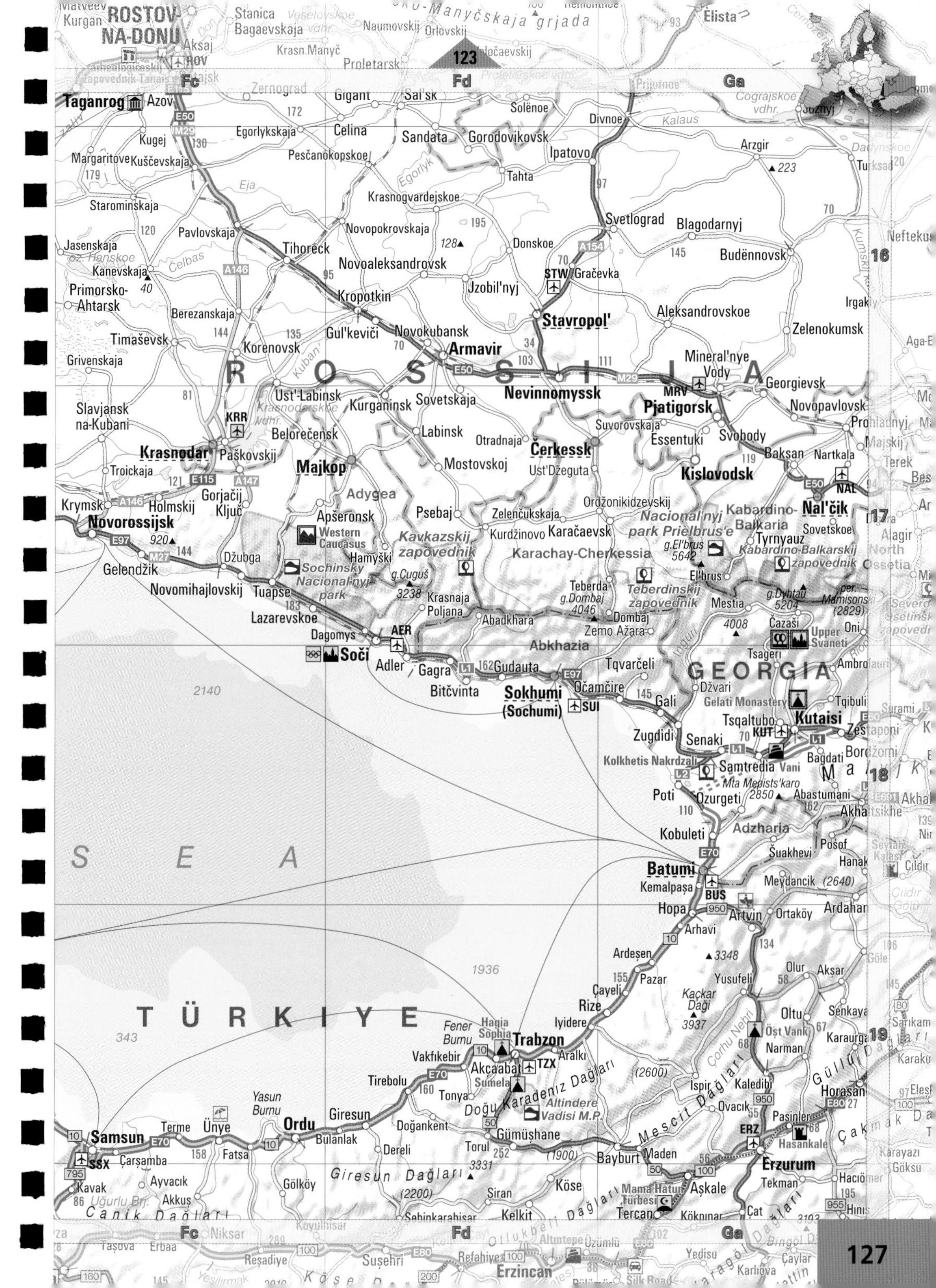
ROSTOV-NA-DONU
Stanica Bagaevskaja
Veselovskoe vdhr.
Naumovskij
Orlovskij
Manyčskaja grjada
Elista
Aksaj
ROV
Krasn.Manyč
Proletarsk
123
Proletarskoe vdhr.
Fc
Fd
Ga
Prijutnoe
Zernograd
Gigant
Sal'sk
Taganrog
Azov
Solënoe
Cograjskoe vdhr.
Južnyj
E50
M29
172
Divnoe
Kalaus
Celina
Egorlykskaja
Kugej
130
Sandata
Gorodovikovsk
Ipatovo
Arzgir
Margaritove
Kuščevskaja
Pesčanokopskoe
Egorlyk
Tahta
223
Turksad
179
Eja
97
Starominskaja
Krasnogvardejskoe
195
Svetlograd
Blagodarnyj
70
120
Pavlovskaja
Novopokrovskaja
Neftekumsk
128
Donskoe
Jasenskaja
Tihoreck
A154
145
Budënnovsk
16
Kanevskaja
Čelbas
A146
95
Novoaleksandrovsk
70
STW
Gračevka
Primorsko-Ahtarsk
40
Kropotkin
Jzobil'nyj
Irgakly
Berezanskaja
Stavropol'
Aleksandrovskoe
144
135
Gul'keviči
Novokubansk
Zelenokumsk
Timaševsk
Korenovsk
70
Armavir
34
Kuban'
103
111
Mineral'nye Vody
Grivenskaja
R O S S I J A
E50
M29
MRV
Georgievsk
81
Ust'-Labinsk
Nevinnomyssk
Slavjansk na-Kubani
Krasnodarskoe vdhr.
Kurganinsk
Sovetskaja
Pjatigorsk
Novopavlovsk
KRR
Suvorovskaja
Prohladnyj
Beloreчensk
Labinsk
Otradnaja
Essentuki
Svobody
Majskij
Krasnodar
Paškovskij
Čerkessk
119
Baksan
Nartkala
Terek
Troickaja
Majkop
Mostovskoj
Ust'Džeguta
Kislovodsk
121
E115
A147
E50
NAL
Gorjačij Ključ
Adygea
Ordžonikidzevskij
Krymsk
A146
Holmskij
Kabardino-Balkaria
Nal'čik
Novorossijsk
Apšeronsk
Psebaj
Zelenčukskaja
Nacional'nyj park Priel'brus'e
17
920
Western Caucasus
Kavkazskij zapovednik
Kurdžinovo
Karačaevsk
Tyrnyauz
Sovetskoe
Alagir
E97
144
Hamyški
g.El'brus 5642
Kabardino-Balkarskij zapovednik
North Ossetia
M27
Džubga
Karachay-Cherkessia
Gelendžik
Sochinsky Nacional'nyj park
g.Cuguš 3238
El'brus
Novomihajlovskij
Tuapse
Teberda
Teberdinskij zapovednik
g.Dombaj 4046
Mestia
g.Dyhtau 5204
per. Mamisonskij (2829)
183
Krasnaja Poljana
Lazarevskoe
Abadkhara
Dombaj
4008
Čažaši
Oni
Dagomys
AER
Zemo Ažara
Upper Svaneti
Abkhazia
Inguri
Tsageri
Soči
Adler
Gagra
L1
162
Gudauta
E97
Tqvarčeli
GEORGIA
Ambrolauri
2140
Bitčvinta
Sokhumi (Sochumi)
SUI
Očamčire
145
Gali
Džvari
Gelati Monastery
Tqibuli
Tsqaltubo
Kutaisi
Zestaponi
Surami
KUT
Zugdidi
Senaki
70
L1
L1
Bagdati
Borjomi
Kolkhetis Nakrdzali
Samtredia
Vani
L2
18
Mta Mepists'karo 2850
Poti
Ozurgeti
Abastumani
Akhaltsikhe
110
162
E691
Adzharia
Kobuleti
Posof
Šuakhevi
Hanak
S E A
E70
Batumi
Çıldır
Kemalpaşa
BUS
Meydancik (2640)
Hopa
950
Artvin
Ortaköy
Ardahan
Arhavi
10
134
Ardeşen
3348
Göle
1936
155
Pazar
Olur
Akşar
Yusufeli
58
Çayeli
Kaçkar Dağı 3937
Rize
Oltu
Şenkaya
T Ü R K I Y E
Hagia Sophia
Fener Burnu
Iyidere
Öşt Vank
67
Karaurgan
19
343
Trabzon
Çoruh Nehri
68
Narman
10
Aralkı
Karakurt
Vakfıkebir
Akçaabat
TZX
(2600)
Tirebolu
E70
Sumela
Ispir
Kaledibi
Horasan
Güllü Dağları
160
Tonya
Doğu Karadeniz Dağları
Yasun Burnu
Altindere Vadisi M.P.
Ovacık
55
950
Eleşkirt
Giresun
Mescit Dağları
Pasinler
E80
27
Samsun
Terme
Ünye
Ordu
Doğankent
50
68
Çakmak Dağları
10
E70
10
Bulanlak
Gümüşhane
ERZ
Hasankale
SSX
Çarşamba
158
Fatsa
Dereli
Torul
252
(1900)
Bayburt
Maden
56
Erzurum
Karayazı
795
3331
50
100
Göksu
Kavak
Ayvacık
Gölköy
Giresun Dağları
Köse
Mama Hatun Türbesi
Aşkale
Tekman
Hacıömer
86
Uğurlu Br.
Akkuş
(2200)
Şiran
195
Canik Dağları
Şebinkarahisar
Kelkit
Tercan
Kökpınar
Çat
955
Hınıs
Niksar
Koyulhisar
Otlukbeli Dağları
Altıntepe
Üzümlü
102
Bingöl Dağları
289
100
Taşova
Erbaa
Reşadiye
Suşehri
E80
Refahiye
100
Yedisu
Çaylar
Karlıova
Erzincan
Silk Road
Köse Dağı
Yeşilırmak
160
145
200

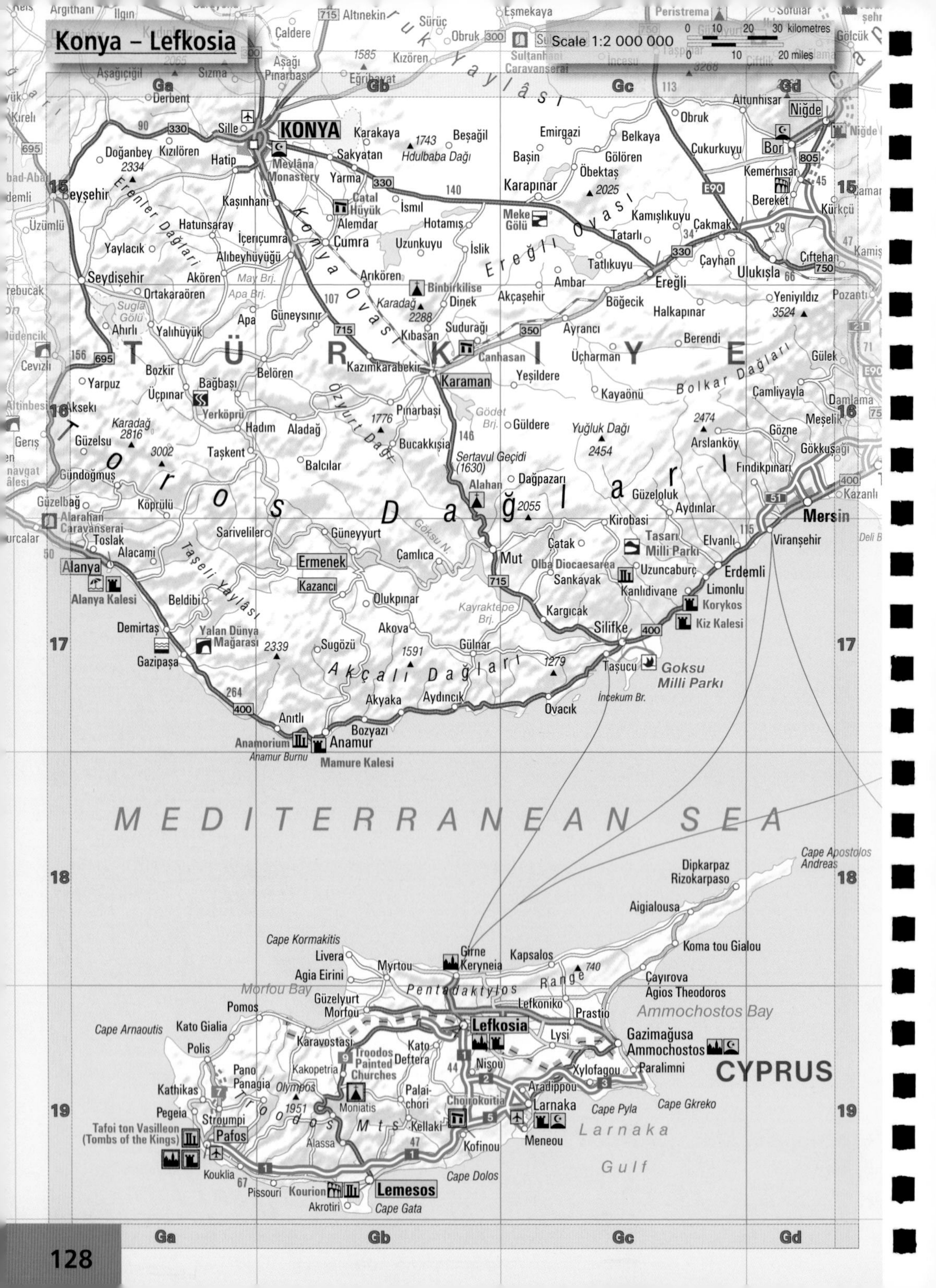
Konya – Lefkosia
Scale 1:2 000 000
0 10 20 30 kilometres
0 10 20 miles
Ga
Gb
Gc
Gd
15
16
17
18
19
KONYA
Mevlâna Monastery
Sille
Hatip
Kızılören
Doğanbey
Derbent
Sızma
Aşağıçiğil
Aşağı Pınarbaşı
Eğribayat
Çaldere
Altınekin
Sürüç
Obruk
Kızören
Sultanhanı Caravanserai
Eşmekaya
Peristrema
Karakaya
Beşağil
Hdulbaba Dağı
Sakyatan
Yarma
Çatal Hüyük
İsmil
Alemdar
Çumra
Kaşınhanı
Hatunsaray
İçericumra
Alıbeyhüyüğü
Erenler Dağları
Konya Ovası
Beyşehir
Üzümlü
Yaylacık
Seydişehir
Akören
Ortakaraören
May Brj.
Apa Brj.
Suğla Gölü
Apa
Güneysınır
Ahırlı
Yalıhüyük
Cevizli
Emirgazi
Belkaya
Başin
Gölören
Öbektaş
Karapınar
Meke Gölü
Hotamış
Uzunkuyu
İslik
Ereğli Ovası
Kamışlıkuyu
Tatarlı
Tatlıkuyu
Ambar
Ereğli
Obruk
Altunhisar
Niğde
Bor
Çukurkuyu
Kemerhisar
Bereket
Çakmak
Çayhan
Ulukışla
Çiftehan
Yeniyıldız
Pozantı
Halkapınar
Böğecik
Akçaşehir
Arıkören
Binbirkilise
Karadağ
Dinek
Kıbasan
Sudurağı
Ayrancı
Berendi
Canhasan
Üçharman
Karaman
Kazımkarabekir
Belören
Bozkir
Yarpuz
Bağbaşı
Üçpınar
Yerköprü
Hadım
Aladağ
Pınarbaşı
Özyurt Dağı
Bucakkışla
Gödet Brj.
Güldere
Yeşildere
Kayaönü
Bolkar Dağları
Yuğluk Dağı
Arslanköy
Gözne
Meşelik
Gökkuşağı
Fındıkpınarı
Çamliyayla
Gülek
Damlama
TÜRKİYE
Toros Dağları
Akseki
Karadağ
Güzelsu
Taşkent
Balcılar
Sertavul Geçidi (1630)
Alahan
Dağpazarı
Güzeloluk
Aydınlar
Kirobasi
Mersin
Kazanlı
Viranşehir
Elvanlı
Erdemli
Gündoğmuş
Güzelbağ
Köprülü
Alarahan Caravanserai
Toslak
Alacami
Sariveliler
Güneyyurt
Çamlıca
Göksu N.
Mut
Çatak
Tasarı Milli Parkı
Uzuncaburç
Olba Diocaesarea
Sankavak
Kanlıdivane
Limonlu
Korykos
Kiz Kalesi
Alanya
Alanya Kalesi
Taşeli Yaylâsı
Ermenek
Kazancı
Olukpınar
Beldibi
Kayraktepe Brj.
Kargıcak
Silifke
Demirtaş
Yalan Dünya Mağarası
Akova
Gülnar
Sugözü
Gazipaşa
Akçali Dağları
Taşucu
Goksu Milli Parkı
İncekum Br.
Akyaka
Aydıncık
Ovacık
Anıtlı
Bozyazı
Anamorium
Anamur
Anamur Burnu
Mamure Kalesi
MEDITERRANEAN SEA
Cape Apostolos Andreas
Dipkarpaz
Rizokarpaso
Aigialousa
Koma tou Gialou
Cape Kormakitis
Livera
Girne
Keryneia
Kapsalos
Myrtou
Agia Eirini
Pentadaktylos Range
Çayırova
Agios Theodoros
Morfou Bay
Güzelyurt
Morfou
Lefkoniko
Prastio
Ammochostos Bay
Pomos
Cape Arnaoutis
Kato Gialia
Lefkosia
Lysi
Gazimağusa
Ammochostos
Polis
Karavostasi
Troodos Painted Churches
Kato Deftera
Nisou
Xylofagou
Paralimni
CYPRUS
Pano Panagia
Kakopetria
Kathikas
Olympos
Troodos Mts
Palaichori
Aradippou
Pegeia
Moniatis
Choirokoitia
Larnaka
Cape Pyla
Cape Gkreko
Stroumpi
Kellaki
Tafoi ton Vasilleon (Tombs of the Kings)
Pafos
Alassa
Kofinou
Meneou
Larnaka Gulf
Kouklia
Pissouri
Kourion
Lemesos
Cape Dolos
Akrotiri
Cape Gata

The index explained

All of the places named on the maps in the atlas are listed in the atlas index. The place names are listed alpabetically. Special symbols and letters including accents and umlauts are ignored in the order of the index. For example, the letters Á, Ä, Â are all categorized under A, and Ž, Ż, ź are all treated as the standard Latin letter Z. Written characters consisting of two letters joined together (ligatures) are treated as two separate characters in the index: for example, words beginning with the character Æ would be indexed under A E.

The grid references for towns and cities identify the location of the place name on the map. The place names are followed by international vehicle registration codes and the page numbers of relevant maps as well as a number-letter combination indicating the area's location in the map. Letters indicate the east-west position and numbers the north-south position of an area.

International vehicle registration codes of Europe

AL	Albania	**LV**	Latvia
GBA	Alderney	**FL**	Liechtenstein
AND	Andorra	**LT**	Lithuania
A	Austria	**L**	Luxembourg
BY	Belarus'	**MK**	Macedonia
B	Belgium	**M**	Malta
BIH	Bosnia and Herzegovina	**MD**	Moldova
BG	Bulgaria	**MC**	Monaco
HR	Croatia	**MNE**	Montenegro
CY	Cyprus	**NL**	Netherlands
CZ	Czech Republic	**N**	Norway
DK	Denmark	**PL**	Poland
EST	Estonia	**P**	Portugal
FIN	Finland	**RO**	Romania
F	France	**RUS**	Russia
D	Germany	**RSM**	San Marino
GBZ	Gibraltar	**SRB**	Serbia
GR	Greece	**SK**	Slovakia
GBG	Guernsey	**SLO**	Slovenia
H	Hungary	**E**	Spain
IS	Iceland	**S**	Sweden
IRL	Ireland	**CH**	Switzerland
GBM	Isle of Man	**TR**	Turkey
I	Italy	**UA**	Ukraine
GBJ	Jersey	**GB**	United Kingdom
RKS	Kosovo	**V**	Vatican City

A

Å N 32 Fc12
Aabenraa DK 48 Fa24
Aabybro DK 49 Fb21
Aachen D 63 Ec29
Aakirkeby DK 50 Ga24
Aalborg DK 49 Fb21
Aalen D 64 Fa32
Aalestrup DK 49 Fb22
Aalst B 62 Ea29
Aalter B 54 Ea28
Äänekoski FIN 40 Hc13
Aapua S 30 Ha08
Aarau CH 71 Ed34
Aareavaara S 30 Ha07
Aarhus DK 49 Fb22
Aars DK 49 Fb21
Aarschot B 63 Eb29
Aarup DK 49 Fb23
Aavasaksa FIN 34 Hb09
Abanilla E 107 Cb44
Abano Terme I 84 Fc37
Abarán E 107 Ca44
Abbadia San Salvatore I 84 Fb40
Abbasanta I 97 Ec43
Abbeville F 62 Dc30
Abbeyfeale IRL 18 Bd24
Abbeyleix IRL 18 Ca24
Abbiategrasso I 83 Ed37
Abborrträsk S 34 Gd10
Abbotsbury GB 24 Cd28
Abejar E 79 Ca39
Abelvær N 32 Fc11
Abenójar E 106 Bc43
Abensberg D 64 Fc32
Aberaeron GB 23 Cc26
Aberdeen GB 17 Db20
Aberfeldy GB 17 Da20
Abergavenny GB 24 Cd26
Abergele GB 20 Cd24
Abersoch GB 23 Cc25
Aberystwyth GB 23 Cc25
Abetone I 84 Fb38
Abganerovo RUS 123 Fd14
Abide TR 103 Jd43
Abingdon GB 24 Da27
Abington GB 21 Da22
Abisko S 29 Gc06
Abjarovščyna BY 59 Hc27
Åbo FIN 40 Hb16
Abony H 74 Ha34
Aboyne GB 17 Db20
Abrantes P 90 Ac41
Abraur S 33 Gc09
Abrene RUS 47 Jb20
Abrud RO 75 Hd35
Åby S 44 Ga20
Åby S 44 Gb19
Åbyggeby S 39 Gc16
Åbyn S 34 Ha10
Åbytorp S 44 Ga18
A Cañiza E 78 Ad37
Acceglio I 83 Eb38
Acerenza I 99 Gb43
Achim D 56 Fa26
Achnasheen GB 17 Da19
Aci Castello I 109 Ga47
Aci Catena I 109 Ga47
Acireale I 109 Gb47
Acle GB 25 Dd26
A Coruña E 78 Ba36
Acqua Doria F 96 Ed41
Acquapendente I 84 Fb40
Acquasanta Terme I 85 Fd40
Acquaviva delle Fonti I 99 Gc43
Acqui Terme I 83 Ed37
Acri I 109 Gc45
Acsa H 74 Ha33
Ada SRB 75 Hb36
Adak S 33 Gc10
Ådalsbruk N 37 Fc16
Adámas GR 111 Jc47
Adamclisi RO 89 Ka37
Adamova BY 53 Jb22
Adamsfjord N 27 Hb03
Adamuz E 105 Bb44
Adare IRL 18 Bd24
Ademuz E 93 Cb42
Adenau D 63 Ec30
Adjud RO 77 Jd35
Adliswil CH 71 Ed34
Adrnjany BY 53 Ja24
Admont A 73 Ga34
Adolfsström S 33 Gb09
Adony H 74 Ha34
Adorf D 64 Fc30
Adra E 106 Bc46
Adrall E 81 Da40
Adrano I 109 Ga47
Adria I 84 Fc37
Adunații-Copăceni RO 88 Jc37
Adutiškis LT 53 Ja23
Aegviidu EST 47 Hd18
A Estrada E 78 Ad37
Aetorráhi GR 110 Hd46
Äetsä FIN 40 Hb15
Afándou GR 115 Kc47
Åfarnes N 36 Fa14
Afétes GR 101 Ja44
Afumați RO 88 Jc37
Agápi GR 112 Jc46
Agapia RO 76 Jc34
Agde F 81 Dc39
Agen F 81 Da37
Agerbæk DK 48 Fa23
Agger DK 48 Fa21
Aggtelek H 75 Hb33
Aghireșu RO 75 Hd34
Agiá GR 101 Ja44
Agia Eirini CY 128 Gb18
Agía Galíni GR 114 Jc49
Agía Marína GR 112 Jb46
Agía Marína GR 112 Jb46
Agía Pelagía GR 111 Ja48
Agía Triáda GR 110 Hd46
Agía Varvára GR 115 Jd49
Agighiol RO 89 Ka36
Ágii Apóstoli GR 111 Ja48
Ágii Theódori GR 111 Ja46
Aginta RO 76 Ja35
Agiókambos GR 101 Ja44
Agiokambos GR 111 Ja45
Agiorgítika GR 111 Ja47
Ágios Andréas GR 111 Ja47
Agios Charalampos GR 102 Jc42
Ágios Dimítrios GR 101 Hd43
Ágios Dimítrios GR 111 Ja47
Ágios Efstrátios GR 113 Jc44
Ágios Geórgios GR 110 Hd45
Ágios Kírikos GR 113 Jd46
Ágios Mámas GR 114 Jc49
Ágios Nikolaos GR 110 Hc47
Ágios Nikólaos GR 110 Hd46
Ágios Nikólaos GR 115 Jd49
Ágios Pétros GR 111 Ja47
Ágios Stéfanos GR 110 Hd45
Agios Theódori GR 101 Hc44
Agios Theodoros CY 128 Gc18
Agira I 109 Ga47
Ăglen BG 88 Jb39
Aglona LV 53 Ja22
Agnantiá GR 101 Hc44
Agnone I 99 Ga41
Ágordo I 72 Fc36
Agramunt E 81 Da40
Ágreda E 80 Cb39
Agreliá GR 101 Hd44
Agriáni GR 111 Ja47
Agrigento I 108 Fd47
Agrínio GR 110 Hd45
Agriovótano GR 111 Ja45
Agropoli I 99 Ga43
Ågskardet N 28 Ga08
A Guarda E 78 Ad37
A Gudiña E 78 Ba38
Agudo E 91 Bb42
Águeda P 78 Ad39
Aguilar E 105 Bb44
Aguilar de Campóo E 79 Bd38
Águilas E 107 Ca45
Ahaus D 55 Ec28
Åheim N 36 Ed14
Ahırlı TR 128 Ga16
Ahladiá GR 102 Jb41
Ahladohóri GR 101 Ja42
Ahlainen FIN 40 Ha15
Ahlbeck D 57 Ga25
Ahlen D 55 Ed28
Ahmalahti RUS 27 Hd04
Ahmetli TR 113 Kb45
Ahmovaara FIN 35 Ja12
Ahrensbök D 56 Fb25
Ahrensburg D 56 Fb26
Ähtäri FIN 40 Hb14
Ahtme EST 47 Ja17
Ahtopol BG 103 Ka40
Ahtropovo RUS 118 Fb08
Ahtubinsk RUS 123 Ga14
Ahun F 69 Db35
Åhus S 50 Ga23
Ahvenselkä FIN 31 Hd07
Aibar E 80 Cc39
Aichach D 72 Fb33
Aigen A 65 Fd32
Aigen A 73 Ga34
Aigiali GR 115 Jd47
Aigialousa CY 128 Gc18
Aigle CH 71 Ec35
Aignay-le-Duc F 70 Ea33
Aigre F 69 Da35
Aigrefeuille-d'Aunis F 68 Cd34
Aiguebelle F 71 Eb36
Aigues-Mortes F 82 Dd38
Aiguilles F 83 Eb37
Aiguillon F 81 Da37
Aigurande F 69 Db34
Ailefroide F 83 Eb37
Ailly-sur-Noye F 62 Dc30
Ainaži LV 46 Hc20
Ainhoa F 80 Cc38
Ainsa E 80 Cd39
Airaines F 62 Dc30
Airasca I 83 Ec37
Aire-sur-l'Adour F 80 Cd37
Aire-sur-la-Lys F 62 Dd29
Airolo CH 71 Ed35
Airvault F 69 Da33
Aiud RO 76 Ja35
Aix-en-Othe F 62 Dd32
Aix-en-Provence F 82 Ea39
Aixe-sur-Vienne F 69 Db35
Aix-les-Bains F 71 Eb36
Aizenay F 68 Cd33
Aizkrāukle LV 53 Hd21
Aizpute LV 52 Hb21
Ajaccio F 96 Ed41
Ajaureforsen S 33 Gb10
Ajka H 74 Gc35
Ajtos BG 89 Jd39
Äkäsjokisuu FIN 30 Ha07
Äkäslompolo FIN 30 Hb07
Akçaabat TR 127 Fd19
Akçaova TR 113 Kb46
Akçașehir TR 128 Gc16
Akcjabrski BY 121 Eb13
Aken D 56 Fc28
Åkernes N 42 Fa19
Åkersberga S 45 Gc18
Åkersjön S 33 Ga12
Akhisar TR 113 Kb44
Akkerfjord N 26 Ha03
Akköy TR 113 Ka46
Akniste LV 53 Ja22
Akolica BY 53 Jb24
Akören TR 128 Ga15
Akova TR 128 Gb17

Altdorf **CH** 71 Ed35
Altdorf **D** 64 Fb31
Altea **E** 94 Cc44
Altenberg **D** 65 Fd30
Altenburg **D** 64 Fc29
Altenkirchen **D** 63 Ed29
Altenmarkt **A** 73 Ga34
Altenmarkt **A** 73 Ga34
Altensteig **D** 63 Ed32
Altentreptow **D** 57 Fd26
Alter do Chão **P** 90 Ad41
Altheim **A** 73 Fd33
Althofen **A** 73 Ga35
Alţına **RO** 76 Ja35
Altınova **TR** 113 Ka44
Altkirch **F** 71 Ec33
Altnaharra **GB** 17 Da18
Altn Bulg **RUS** 123 Ga14
Alton **GB** 24 Da28
Altötting **D** 72 Fc33
Altunhisar **TR** 128 Gc15
Altura **E** 93 Cc42
Alūksne **LV** 47 Ja20
Alunda **S** 45 Gc17
Alupka **UA** 126 Fa18
Alušta **UA** 126 Fa18
Alvalade **P** 90 Ac42
Älvängen **S** 43 Fc20
Alvdal **N** 37 Fc14
Älvdalen **S** 38 Ga16
Alvesta **S** 50 Ga21
Ålvho **S** 38 Ga15
Ålvik **N** 36 Ed16
Alvito **P** 90 Ac42
Älvkarleby **S** 45 Gc17
Älvros **S** 38 Fd15
Älvros **S** 38 Ga15
Älvsbyn **S** 34 Gd10
Älvsered **S** 49 Fd21
Alytus **LT** 53 Hd24
Alzey **D** 63 Ed31
Alzira **E** 93 Cc43
Ämådalen **S** 38 Ga16
Amadora **P** 90 Ab41
Åmål **S** 43 Fd19
Amalfi **I** 99 Ga43
Amaliáda **GR** 110 Hd46
Amandola **I** 85 Fd40
Amantea **I** 109 Gb45
Amara **RO** 89 Jd37
Amarante **P** 78 Ad38
Amărăştii de Jos **RO** 88 Ja38
Amareleja **P** 105 Ad43
Amárinthos **GR** 112 Jb45
Amaru **RO** 88 Jc37
Amatrice **I** 85 Fd40
Ambar **TR** 128 Gc15
Ambazac **F** 69 Db35
Ambelákia **GR** 101 Ja44
Ambelónas **GR** 100 Hb44
Ambelónas **GR** 101 Hd44
Amberg **D** 64 Fc31
Ambérieu-en-Bugey **F** 70 Ea35
Ambert **F** 70 Dd36

Ambjörby **S** 44 Fd17
Amble **GB** 21 Db22
Ambleside **GB** 21 Da23
Amboise **F** 69 Db33
Ameixial **P** 104 Ac43
Amelia **I** 84 Fc40
Amélie-les-Bains **F** 81 Db40
Amelinghausen **D** 56 Fb26
Amendolara **I** 99 Gc44
Amersfoort **NL** 55 Eb27
Amesbury **GB** 24 Da28
Amfíklia **GR** 111 Ja45
Amfilohía **GR** 110 Hc45
Ámfissa **GR** 111 Ja45
Amiens **F** 62 Dc30
Amilly **F** 62 Dc32
Amíndeo **GR** 101 Hd43
Åminne **S** 45 Gd20
Åmli **N** 42 Fa19
Amlwch **GB** 20 Cd24
Ämmänsaari **FIN** 35 Ja10
Ammarnäs **S** 33 Gb09
Ammochostos **CY** 128 Gc19
Amolianí **GR** 102 Ja43
Amorgós **GR** 115 Jd47
Amot **N** 37 Fb16
Åmot **N** 42 Fa18
Åmot **N** 43 Fb17
Åmot **S** 38 Gb16
Åmotfors **S** 43 Fd18
Amou **F** 80 Cd38
Ampezzo **I** 72 Fc35
Amplepuis **F** 70 Dd35
Amposta **E** 93 Cd41
Åmsele **S** 34 Gd11
Amsterdam **NL** 55 Eb27
Amstetten **A** 73 Ga33
Amusquillo **E** 79 Bd39
Amzacea **RO** 89 Ka37
Anáfi **GR** 115 Jd48
Anafonítria **GR** 110 Hc46
Anagni **I** 98 Fd42
Anaharavi **GR** 100 Hb44
Anamur **TR** 128 Gb17
Anan'iv **UA** 77 Ka32
Anapa **RUS** 126 Fb17
Anascaul **IRL** 18 Bc24
Ånåset **S** 34 Ha11
Ance **LV** 46 Hb20
Ancenis **F** 68 Cd33
Ancerville **F** 62 Ea32
Ancona **I** 85 Fd39
Ancy-le-Franc **F** 70 Ea33
Åndalsnes **N** 36 Fa14
Ånddalsvågen **N** 32 Fd10
Andebu **N** 43 Fb18
Andelot **F** 63 Eb32
Andenes **N** 28 Gb05
Anderlecht **B** 62 Ea29
Andermatt **CH** 71 Ed35
Andernach **D** 63 Ec30
Andernos-les-Bains **F** 68 Cc36
Anderstorp **S** 49 Fd21
Andírio **GR** 110 Hd46
Andoain **E** 80 Cb38

Andocs **H** 74 Gd35
Andorra **E** 93 Cc41
Andorra la Vella **AND** 81 Da39
Andover **GB** 24 Da28
Andratx **E** 95 Da43
Andravída **GR** 110 Hc46
Andreapol' **RUS** 117 Ec10
Andria **I** 99 Gc42
Andrievo-Ivanivka **MD** 77 Kb32
Andrijevica **MNE** 87 Hb40
Andrijivka **UA** 126 Fb16
Andrítsena **GR** 110 Hd47
Ándros **GR** 112 Jc46
Andrušivka **UA** 121 Eb15
Andrychów **PL** 67 Ha31
Andselv **N** 26 Gc05
Andújar **E** 106 Bc44
Anduze **F** 82 Dd38
Aneby **S** 44 Ga20
Änge **S** 38 Ga13
Ånge **S** 38 Gb14
Ängelholm **S** 49 Fd22
Angeli **FIN** 27 Hb05
Angelókastro **GR** 110 Hc45
Angelókastro **GR** 111 Ja46
Ängelsberg **S** 44 Gb17
Angermünde **D** 57 Ga27
Angern **A** 74 Gc33
Angers **F** 69 Da33
Angerville **F** 62 Dc32
Anglès **E** 81 Db40
Angles **F** 68 Cd34
Anglure **F** 62 Dd32
Angoulême **F** 69 Da35
Angüés **E** 80 Cd40
Anguse **EST** 47 Ja18
Anina **RO** 87 Hc37
Anıtlı **TR** 128 Gb17
Anjalankoski **FIN** 41 Hd16
Anjan **S** 32 Fd12
Ankarsrum **S** 44 Gb20
Ankarvattnet **S** 33 Ga11
Anklam **D** 57 Fd26
Ånn **S** 38 Fd13
Anna **RUS** 122 Fb12
Annaberg-Buchholz **D** 65 Fd30
Annan **GB** 21 Da22
Anna Paulowna **NL** 55 Eb26
Annecy **F** 71 Eb36
Annemasse **F** 71 Eb35
Annino **RUS** 117 Ed08
Annonay **F** 70 Dd36
Annopol **PL** 67 Hc29
Annot **F** 83 Eb38
Áno Poróia **GR** 101 Ja42
Áno Vrondoú **GR** 101 Ja42
Anröchte **D** 55 Ed28
Ans **B** 63 Eb38
Ansbach **D** 64 Fb31
Antequera **E** 105 Bb45
Anthótopos **GR** 101 Ja44
Antibes **F** 83 Eb39
Antíparos **GR** 111 Jc47

Antnäs **S** 34 Ha10
Antonin **PL** 66 Gc29
Antonovo **BG** 88 Jc39
Antracyt **UA** 122 Fb15
Antrim **GB** 20 Cc22
Antrodoco **I** 98 Fd41
Antsla **EST** 47 Ja20
Anttis **S** 30 Ha07
Anttola **FIN** 41 Ja14
Antwerpen **B** 54 Ea28
Anykščiai **LT** 53 Hd23
Anzin **F** 62 Ea29
Anzio **I** 98 Fc42
Aoiz **E** 80 Cc38
Aosta **I** 71 Ec36
Apa **TR** 128 Ga16
Apagy **H** 75 Hc33
Apahida **RO** 76 Ja34
Apastovo **RUS** 119 Fd09
Apatin **SRB** 74 Ha36
Ape **LV** 47 Ja20
Apeldoorn **NL** 55 Ec27
Apen **D** 55 Ed26
Apidiá **GR** 111 Ja47
Apolda **D** 64 Fc29
Apólonas **GR** 115 Jd47
Apostolove **UA** 125 Ed16
Äppelbo **S** 44 Ga17
Appenzell **CH** 72 Fa34
Appingedam **NL** 55 Ed26
Appleby-in-Westmorland **GB** 21 Da23
Apricena **I** 99 Gb42
Apriķi **LV** 52 Hb21
Aprilci **BG** 88 Jb39
Aprilia **I** 98 Fc42
Aprilovo **BG** 88 Jc39
Apšeronsk **RUS** 127 Fc17
Apšupe **LV** 52 Hc21
Apt **F** 82 Ea38
Aquileia **I** 73 Fd36
Aracena **E** 105 Ad43
Arad **RO** 75 Hc35
Aradippou **CY** 128 Gc19
Aragona **I** 108 Fd47
Aráhova **GR** 111 Ja45
Aralkı **TR** 127 Fd19
Aramits **F** 80 Cc38
Aranda de Duero **E** 79 Bd39
Aranda de Moncayo **E** 80 Cb40
Arandjelovac **SRB** 87 Hb38
Aranjuez **E** 92 Bd41
Arantzazu **E** 80 Cb38
Aras de Alpuente **E** 93 Cb42
Aravete **EST** 47 Hd18
Arbatax **I** 97 Ed44
Arboga **S** 44 Gb18
Arbois **F** 71 Eb34
Arborea **I** 97 Ec44
Årbostad **N** 28 Gb06
Arbrå **S** 38 Gb15
Arbroath **GB** 17 Db20
Arbus **I** 97 Ec44
Arbuzinka **MD** 77 Kb32
Arcachon **F** 68 Cc36

Aubenas F 82 Dd37
Aubergenville F 62 Dc31
Auberive F 70 Ea33
Aubiet F 81 Da38
Aubigny-sur-Nère F 69 Dc33
Aubin F 81 Db37
Aubusson F 69 Dc35
Auce LV 52 Hc22
Auch F 81 Da38
Auchterarder GB 21 Da21
Audierne F 60 Cb31
Audincourt F 71 Ec34
Audru EST 46 Hc19
Audruicq F 62 Dd29
Aue D 65 Fd30
Auer I 72 Fb35
Auerbach D 64 Fc30
Auerbach D 64 Fc31
Aughnacloy GB 20 Cb22
Augsburg D 72 Fb33
Augusta I 109 Gb47
Augustów PL 59 Hc25
Aukštadvaris LT 53 Hd24
Auktsjaur S 34 Gd10
Aulla I 84 Fa38
Aullène F 96 Ed41
Aulnay F 68 Cd34
Ault F 62 Dc29
Aulum DK 48 Fa22
Aumale F 62 Dc30
Aumont-Aubrac F 81 Dc37
Aunay-sur-Odon F 61 Da31
Auneau F 62 Dc32
Auneuil F 62 Dc31
Auning DK 49 Fb22
Aups F 83 Eb39
Aura FIN 40 Hb16
Auray F 60 Cc32
Aurdal N 37 Fb16
Aure N 37 Fb13
Aurich D 55 Ed26
Aurillac F 69 Dc36
Auriol F 82 Ea39
Aurlandsvangen N 36 Fa16
Auronzo di Cadore I 72 Fc35
Aurora RO 89 Ka38
Austad N 42 Fa18
Austevoll N 42 Ec17
Austmarka N 43 Fd17
Austnes N 36 Ed13
Auterive F 81 Da38
Authon-du-Perche F 61 Db32
Auttoinen FIN 40 Hc15
Autun F 70 Dd34
Auvillar F 81 Da37
Auxerre F 70 Dd33
Auxi-le-Château F 62 Dc29
Auxonne F 70 Ea34
Auzances F 69 Dc35
Availles-Limouzine F 69 Da35
Avaldsnes N 42 Ec18
Avallon F 70 Dd33
Avaviken S 33 Gc10

Avdijivka UA 121 Ed13
Ávdira GR 102 Jc42
Avebury GB 24 Da27
A Veiga E 78 Bb38
Aveiro P 78 Ad39
Avellino I 99 Ga43
Aversa I 99 Ga43
Avesnes-sur-Helpe F 62 Ea30
Avesta S 44 Gb17
Avezzano I 98 Fd41
Avgustivka UA 77 Kb34
Aviemore GB 17 Da19
Avigliana I 83 Ec37
Avigliano I 99 Gb43
Avignon F 82 Dd38
Ávila E 91 Bc40
Avilés E 79 Bc36
Avinurme EST 47 Ja18
Avion F 62 Dd29
Avis P 90 Ad41
Avize F 62 Ea31
Avlémonas GR 111 Jb48
Avliotes GR 100 Hb44
Avlóna GR 112 Jb46
Avola I 109 Ga48
Avram Iancu RO 75 Hc35
Avram Iancu RO 75 Hd35
Avranches F 61 Cd31
Avrig RO 88 Ja36
Avrillé F 61 Da32
Ax-les-Thermes F 81 Db39
Axmarby S 39 Gc16
Axvall S 44 Fd19
Ayamonte E 104 Ac44
Ayancık TR 126 Fb19
Aydın TR 113 Kb45
Aydıncık TR 128 Gb17
Aydınlar TR 128 Gc16
Ayerbe E 80 Cc39
Aylesbury GB 25 Db27
Ayllón E 92 Ca40
Aylsham GB 25 Dc26
Ayora E 93 Cb43
Ayr GB 20 Cd21
Ayrancı TR 128 Gc16
Ayton GB 21 Db21
Aytré F 68 Cd34
Ayvacık TR 103 Jd43
Ayvalık TR 113 Ka44
Azaila E 80 Cc40
Azaryčy BY 121 Eb13
Azay-le-Rideau F 69 Da33
Aziory BY 59 Hd25
Aznakaevo RUS 119 Ga08
Azov RUS 123 Fc15
Azpeitia E 80 Cb38
Azuaga E 105 Ba43

B

Babadag RO 89 Ka36
Babaeski TR 103 Jd41
Babaevo RUS 117 Ec08
Babek BG 102 Jb40

Băbeni RO 88 Ja37
Babica PL 67 Hc30
Babilafuente E 91 Bc40
Babriškės LT 53 Hd24
Babrujsk BY 121 Eb13
Babtai LT 52 Hc24
Báč SK 74 Gc33
Bacău RO 76 Jc34
Baccarat F 63 Ec32
Băcești RO 76 Jc34
Bacharach D 63 Ed30
Bachčysaraj UA 126 Fa18
Bachmač UA 121 Ed14
Bachórz PL 67 Hc31
Bačina SRB 87 Hc39
Baciu RO 75 Hd34
Baciuty PL 59 Hc26
Bačka Palanka SRB 86 Ha37
Bačka Topola SRB 74 Ha36
Backe S 33 Gb12
Bäckebo S 50 Gb21
Bäckefors S 43 Fd19
Bäckhammar S 44 Ga18
Backnang D 64 Fa32
Bačko Novo Selo SRB 86 Ha37
Bad Aibling D 72 Fc33
Badajoz E 90 Ad42
Badalona E 95 Db41
Bad Arolsen D 64 Fa29
Bad Aussee A 73 Fd34
Bad Bederkesa D 56 Fa26
Bad Bentheim D 55 Ed27
Bad Bergzabern D 63 Ed32
Bad Berka D 64 Fb29
Bad Berleburg D 63 Ed29
Bad Bevensen D 56 Fb26
Bad Bibra D 64 Fc29
Bad Bramstedt D 56 Fb25
Bad Brückenau D 64 Fa30
Bad Camberg D 63 Ed30
Bad Doberan D 56 Fc25
Bad Driburg D 56 Fa28
Bad Düben D 57 Fd28
Bad Dürkheim D 63 Ed31
Bademli TR 103 Kb43
Baden A 73 Gb33
Baden CH 71 Ed34
Baden-Baden D 63 Ed32
Bad Endorf D 72 Fc33
Bad Fallingbostel D 56 Fa27
Bad Freienwalde D 57 Ga27
Bad Friedrichshall D 64 Fa31
Bad Gandersheim D 56 Fb28
Bad Gastein A 73 Fd34
Bad Gleichenberg A 73 Gb35
Bad Griesbach D 73 Fd33
Bad Hall A 73 Ga33
Bad Hersfeld D 64 Fa29
Bad Hofgastein A 73 Fd34
Bad Homburg D 63 Ed30
Bad Honnef D 63 Ec29

Badia Gran E 95 Db44
Bad Ischl A 73 Fd34
Bad Karlshafen D 56 Fa28
Bad Kissingen D 64 Fb30
Bad Kleinen D 56 Fc26
Bad Königshofen D 64 Fb30
Bad Kreuznach D 63 Ed31
Bad Krozingen D 71 Ec33
Bad Laasphe D 63 Ed29
Bad Langensalza D 64 Fb29
Bad Lausick D 65 Fd29
Bad Lauterberg D 56 Fb28
Bad Leonfelden A 73 Ga33
Bad Liebenwerda D 65 Fd29
Bad Mergentheim D 64 Fa31
Bad Münstereifel D 63 Ec30
Bad Muskau D 65 Ga29
Bad Nauheim D 64 Fa30
Bad Neuenahr-Ahrweiler D 63 Ec30
Bad Neustadt D 64 Fb30
Bad Oeynhausen D 56 Fa28
Bad Oldesloe D 56 Fb25
Badonviller F 63 Ec32
Bad Pyrmont D 56 Fa28
Bad Radkersburg A 73 Gb35
Bad Reichenhall D 73 Fd34
Bad Säckingen D 71 Ed34
Bad Salzuflen D 56 Fa28
Bad Salzungen D 64 Fb29
Bad Sankt Leonhard A 73 Ga35
Bad Saulgau D 72 Fa33
Bad Schönborn D 63 Ed31
Bad Schwalbach D 63 Ed30
Bad Schwartau D 56 Fb25
Bad Segeberg D 56 Fb25
Bad Sobernheim D 63 Ed31
Bad Sülze D 57 Fd25
Bad Tölz D 72 Fc34
Bad Urach D 64 Fa32
Bad Vöslau A 73 Gb33
Bad Waldsee D 72 Fa33
Bad Wildungen D 64 Fa29
Bad Wilsnack D 56 Fc27
Bad Windsheim D 64 Fb31
Bad Wünnenberg D 56 Fa28
Bad Wurzach D 72 Fa33
Bad Zwischenahn D 55 Ed26
Baena E 105 Bb44
Baeza E 106 Bc44
Bafra TR 126 Fb19
Bagà E 81 Da40
Bağarası TR 113 Kb46
Bağbaşı TR 128 Ga16
Bagenalstown IRL 19 Cb24
Bagenkop DK 49 Fb24
Bagheria I 108 Fd46
Bagienice PL 59 Hc26
Bagn N 37 Fb16
Bagnacavallo I 84 Fc38
Bagnara Calabra I 109 Gb46

Bârzava RO 75 Hc35
Bašaid SRB 75 Hb36
Basarabeasca MD 77 Ka34
Basarabi RO 89 Ka37
Bascov RO 88 Jb37
Basel CH 71 Ec34
Basi LV 52 Hb21
Basildon GB 25 Db27
Başin TR 128 Gc15
Basingstoke GB 24 Da28
Baška HR 85 Ga37
Bassano del Grappa I 72 Fc36
Bassella E 81 Da40
Bassum D 56 Fa27
Båstad S 49 Fd22
Baštanka UA 125 Ed16
Bastia F 96 Ed40
Bastogne B 63 Eb30
Bastuträsk S 34 Gd11
Băta BG 102 Jb40
Batajsk RUS 123 Fc15
Batak BG 102 Jb41
Batanovci BG 102 Ja40
Batăr RO 75 Hc35
Bátaszék H 74 Gd36
Batea E 93 Cd41
Bath GB 24 Cd27
Batina HR 74 Ha36
Batković BIH 86 Ha37
Batley GB 21 Db24
Bátonyterenye H 74 Ha33
Batovo BG 89 Ka38
Båtsfjord N 27 Hc03
Båtskärsnäs S 34 Hb09
Battenberg D 64 Fa29
Battipaglia I 99 Ga43
Battonya H 75 Hb35
Batuša SRB 87 Hc38
Batyrevo RUS 119 Fd09
Baud F 60 Cc32
Baugé F 69 Da33
Baume-les-Dames F 71 Eb34
Baunatal D 64 Fa29
Baunei I 97 Ed44
Bauska LV 52 Hc22
Băuțar RO 75 Hd36
Bautzen D 65 Ga29
Bavay F 62 Ea30
Bavella F 96 Ed41
Bawtry GB 25 Db25
Bayburt TR 127 Ga19
Bayeux F 61 Da30
Bayındır TR 113 Kb45
Bayon F 63 Eb32
Bayonne F 80 Cc37
Bayramiç TR 103 Jd43
Bayreuth D 64 Fc31
Baza E 106 Bd45
Bazarnye Mataki RUS 119 Ga09
Bazarnyi Karabulak RUS 119 Fd11
Bazas F 80 Cd37
Beasain E 80 Cb38
Beas de Segura E 106 Bd44
Beaucaire F 82 Dd38
Beaugency F 69 Db33
Beaujeu F 70 Ea35
Beaumont F 69 Da36
Beaumont-de-Lomagne F 81 Da37
Beaumont-Hague F 61 Cd29
Beaumont-le-Roger F 61 Db31
Beaumont-sur-Sarthe F 61 Da32
Beaune F 70 Ea34
Beaupréau F 68 Cd33
Beauraing B 63 Eb30
Beaurepaire F 70 Ea36
Beauvais F 62 Dc30
Beauvoir-sur-Mer F 68 Cc33
Beauvoir-sur-Niort F 68 Cd34
Bebra D 64 Fa29
Bebrene LV 53 Ja22
Bebri LV 53 Hd21
Beccles GB 25 Dd26
Bečej SRB 75 Hb36
Becerreá E 78 Bb37
Bechet RO 88 Ja38
Becilla de Valderaduey E 79 Bc38
Beckum D 55 Ed28
Beclean RO 76 Ja34
Bečov nad Teplou CZ 65 Fd31
Bédarieux F 81 Dc38
Bedekovčina HR 73 Gb36
Bedford GB 25 Db27
Beelitz D 57 Fd28
Beeskow D 57 Ga28
Bégard F 60 Cc30
Beğendik TR 103 Ka40
Beglež BG 88 Jb39
Begnadalen N 37 Fb16
Begovo BG 102 Jb40
Begunicy RUS 47 Jb17
Behramkale TR 113 Jd44
Beidaud RO 89 Ka36
Beilen NL 55 Ec26
Beilngries D 64 Fc32
Beisfjord N 29 Gc06
Beiuș RO 75 Hc35
Beja P 104 Ac43
Béjar E 91 Bb40
Békés H 75 Hb35
Békéscsaba H 75 Hb35
Bekkarfjord N 27 Hb03
Belaazërsk BY 120 Ea13
Bélâbre F 69 Db34
Bela Crkva SRB 87 Hc37
Belaja Kalitva RUS 123 Fc14
Belalcázar E 105 Bb43
Bela Palanka SRB 87 Hd39
Belarus BY 120 Ea12
Bełchatów PL 67 Ha29
Belchite E 80 Cc40
Belcoo GB 19 Cb22
Beldibi TR 128 Ga17
Beled H 74 Gc34
Belev RUS 121 Ed12
Belfast GB 20 Cc22
Belfir RO 75 Hc35
Belford GB 21 Db22
Belfort F 71 Ec33
Belgern D 65 Fd29
Belgodère F 96 Ed40
Belgorod RUS 122 Fa14
Belica MK 101 Hc42
Beli Izvor BG 88 Ja39
Beli Manastir HR 74 Gd36
Belin-Béliet F 68 Cd36
Beliș RO 75 Hd35
Belišće HR 74 Gd36
Beljanovo BG 88 Jc38
Belkaya TR 128 Gc15
Bel'ki BY 53 Jb23
Bel'kovo RUS 121 Ec12
Bellac F 69 Db35
Bellagio I 71 Ed36
Bellaria-Igea Marina I 84 Fc38
Bellegarde F 62 Dc32
Bellegarde-sur-Valserine F 71 Eb35
Bellême F 61 Db32
Belleville F 70 Ea35
Belleville-sur-Vie F 68 Cd33
Belley F 70 Ea36
Bellinzona CH 71 Ed36
Bellpuig E 81 Da40
Belluno I 72 Fc36
Bélmez E 105 Bb43
Belmonte E 92 Ca42
Belmonte P 91 Ba40
Belmullet IRL 18 Bd22
Beloci MD 77 Ka32
Belœil B 62 Ea29
Belogradčik BG 87 Hd39
Belorado E 79 Ca38
Belorečensk RUS 127 Fc17
Belören TR 128 Gb16
Beloslav BG 89 Ka39
Belotinci BG 87 Hd39
Belpasso I 109 Ga47
Belper GB 24 Da25
Belsay GB 21 Db22
Beltinci SLO 73 Gb35
Beltiug RO 75 Hd34
Belturbet IRL 19 Cb23
Belvedere Marittimo I 99 Gb44
Belvès F 69 Da36
Belyj RUS 117 Ec11
Belz UA 67 Hd30
Belzig D 57 Fd28
Bełżyce PL 67 Hc29
Benabarre E 80 Cd40
Benalup de Sidonia E 105 Ba45
Benamaurel E 106 Bd45
Benavente E 79 Bc38
Benavides E 79 Bc38
Benejama E 107 Cb44
Benešov CZ 65 Ga31
Benevento I 99 Ga42
Bengtsfors S 43 Fd19
Benicarló E 93 Cd42
Benicàssim (Benicasim) E 93 Cc42
Benidorm E 94 Cc44
Benifaió E 93 Cc43
Benkovac HR 85 Gb39
Bénodet F 60 Cb31
Bensheim D 63 Ed31
Beograd SRB 87 Hb37
Beograd-Surcin SRB 87 Hb37
Berat AL 100 Hb43
Berazino BY 53 Jb23
Berazino BY 121 Eb12
Berbinzana E 80 Cb39
Berceto I 84 Fa38
Berchtesgaden D 73 Fd34
Berck-Plage F 62 Dc29
Berdía E 78 Ba36
Berdjans'k UA 126 Fb16
Berdyčiv UA 121 Eb15
Berehomet UA 76 Jb32
Berehove UA 75 Hd33
Bereket TR 128 Gd15
Berendi TR 128 Gc16
Bere Regis GB 24 Cd28
Berestečko UA 120 Ea15
Berești RO 77 Jd35
Berettyóújfalu H 75 Hc34
Berezanka UA 125 Ec16
Berezanskaja RUS 127 Fc16
Berežany UA 120 Ea15
Berezivka MD 77 Kb33
Berezna UA 121 Ec13
Berezne UA 120 Ea14
Bereznehuvate UA 125 Ed16
Berg N 32 Fd10
Berga E 81 Da40
Bergama TR 113 Ka44
Bergamo I 72 Fa36
Bergara E 80 Cb38
Bergeforsen S 39 Gc14
Bergen D 56 Fb27
Bergen D 57 Fd25
Bergen N 36 Ed16
Bergen op Zoom NL 54 Ea28
Berger N 43 Fc18
Bergerac F 69 Da36
Bergheim D 63 Ec29
Bergö FIN 40 Ha13
Bergsfjord N 28 Gb05
Bergshamra S 45 Gd18
Bergsjö S 38 Gb15
Bergsviken S 34 Ha10
Bergues F 62 Dd29
Bergviken S 33 Gc09
Beringen B 63 Eb29
Berja E 106 Bd45
Berkåk N 37 Fc13
Berkovica BG 88 Ja39
Berkovici BIH 86 Gd40
Berlanga E 105 Ba43
Berlanga de Duero E 92 Ca40

Bled – Botoşani

Bled **SLO** 73 Ga35
Bleiburg **A** 73 Ga35
Bleik **N** 28 Gb05
Bleikvassli **N** 33 Ga09
Bléneau **F** 70 Dd33
Bleré **F** 69 Db33
Blerick **NL** 55 Ec28
Bletterans **F** 70 Ea34
Blieskastel **D** 63 Ec31
Blinisht **AL** 100 Hb41
Blizne **PL** 67 Hc31
Blois **F** 69 Db33
Blokhus **DK** 49 Fb21
Blombacka **S** 44 Ga18
Blönduós **IS** 14 Bd05
Błonie **PL** 58 Ha28
Błotno **PL** 57 Ga26
Bludenz **A** 72 Fa34
Blumau **A** 73 Gb35
Blumberg **D** 71 Ed33
Blyth **GB** 21 Db22
Bø **N** 43 Fb18
Boal **E** 78 Bb36
Boat of Garten **GB** 17 Da19
Bobâlna **RO** 75 Hd34
Bobbio **I** 83 Ed37
Bobigny **F** 62 Dc31
Bobingen **D** 72 Fb33
Böblingen **D** 64 Fa32
Bobolice **PL** 57 Gb25
Boboševo **BG** 101 Ja41
Bobovdol **BG** 102 Ja40
Bobr **BY** 121 Eb12
Bobrov **RUS** 122 Fb13
Bobrovycja **UA** 121 Ec14
Bobrowice **PL** 57 Ga28
Bobrynec' **UA** 125 Ed16
Bočac **BIH** 86 Gc38
Bochnia **PL** 67 Hb31
Bocholt **D** 55 Ec28
Bochum **D** 55 Ec28
Bockara **S** 50 Gb21
Bockenem **D** 56 Fb28
Bócki **PL** 59 Hc27
Bočkivci **UA** 76 Jb32
Bocşa **RO** 87 Hc37
Bocsig **RO** 75 Hc35
Bod **RO** 88 Jb36
Boda **S** 38 Ga16
Böda **S** 51 Gc21
Boðani **SRB** 86 Ha37
Bodators **S** 50 Ga21
Boden **S** 34 Ha09
Bodenwerder **D** 56 Fa28
Bodmin **GB** 23 Cb28
Bodø **N** 28 Ga08
Bodoc **RO** 76 Jb35
Bodrost **BG** 101 Ja41
Bodrum **TR** 115 Kb47
Bodsjö **S** 38 Ga14
Bodzentyn **PL** 67 Hb29
Boën **F** 70 Dd34
Bogarra **E** 107 Ca44
Bogatić **SRB** 86 Ha37
Bogatynia **PL** 65 Ga29
Boğaziçi **TR** 113 Kb45

Bogdana **RO** 77 Jd34
Bogë **AL** 100 Hb41
Böğecik **TR** 128 Gc16
Bogen **D** 64 Fc32
Bogen **N** 28 Gb06
Bogense **DK** 49 Fb23
Bogetići **MNE** 86 Ha40
Bognes **N** 28 Gb06
Bognor Regis **GB** 24 Da28
Bogny-sur-Meuse **F** 62 Ea30
Bogorodick **RUS** 118 Fa11
Bogorodsk **RUS** 118 Fb09
Bogova **RO** 87 Hd38
Bogučar **RUS** 123 Fc13
Bogutovac **SRB** 87 Hb39
Bohain-en-Vermandois **F** 62 Dd30
Bohdalov **CZ** 65 Gb31
Bohoduchiv **UA** 122 Fa14
Bohonal de Ibor **E** 91 Bb41
Böhönye **H** 74 Gc35
Bohorodčany **UA** 76 Ja32
Bohuslav **UA** 121 Ec15
Boiro **E** 78 Ad37
Bois-le-Roi **F** 62 Dd32
Boizenburg **D** 56 Fb26
Bojano **I** 99 Ga42
Bojanovo **BG** 103 Jd40
Bojanów **PL** 67 Hc30
Bojanowo **PL** 58 Gc28
Bøjden **DK** 49 Fb24
Bojnik **SRB** 87 Hc40
Boksjön **S** 33 Gb10
Bol **HR** 86 Gc40
Bol.Selo **RUS** 117 Ed09
Bolaños de Calatrava **E** 92 Bc43
Bolayır **TR** 103 Jd42
Bolbec **F** 61 Db30
Boldeşti Scăeni **RO** 88 Jc36
Bolechiv **UA** 67 Hd31
Bolesławiec **PL** 65 Gb29
Bolewicko **PL** 57 Gb27
Bolhó **H** 74 Gc36
Bolhov **RUS** 121 Ed12
Bolhrad **UA** 77 Ka35
Boliden **S** 34 Gd11
Bolintin-Vale **RO** 88 Jc37
Boljanići **MNE** 86 Ha38
Boljevac **SRB** 87 Hc39
Bolków **PL** 65 Gb29
Bollebygd **S** 43 Fd20
Bollène **F** 82 Dd38
Bollnäs **S** 38 Gb15
Bollstabruk **S** 39 Gc13
Bollullos del Condado **E** 105 Ad44
Bologna **I** 84 Fb38
Bologoe **RUS** 117 Ec09
Bologovo **RUS** 117 Eb10
Bol'šaja Ižora **RUS** 41 Jb16
Bol'šakovo **RUS** 52 Hb24
Bolsena **I** 84 Fc40
Bol'ševik **RUS** 123 Fd12
Bol'šinka **RUS** 123 Fc14
Bol'šoj Sabsk **RUS** 47 Jb18

Bol'šoj Taglino **RUS** 47 Jb17
Bolsward **NL** 55 Ec26
Boltaña **E** 80 Cd39
Bolton **GB** 21 Da24
Bolungarvík **IS** 14 Bc04
Bolzano **I** 72 Fb35
Bombarral **P** 90 Ac41
Boñar **E** 79 Bc37
Bonar Bridge **GB** 17 Da18
Bonäs **S** 38 Ga16
Bondeno **I** 84 Fb37
Bonifacio **F** 96 Ed42
Bonn **D** 63 Ec29
Bonnat **F** 69 Db34
Bonnétable **F** 61 Db32
Bonneval **F** 61 Db32
Bonneville **F** 71 Eb35
Bono **I** 97 Ed43
Bonorva **I** 97 Ec43
Bonyhád **H** 74 Gd36
Boo **S** 45 Gc18
Bopfingen **D** 64 Fb32
Boppard **D** 63 Ed30
Bor **CZ** 65 Fd31
Bor **S** 50 Ga21
Bor **SRB** 87 Hd38
Bor **TR** 128 Gd15
Borås **S** 43 Fd20
Borba **P** 90 Ad42
Borca **RO** 76 Jb34
Bordeaux **F** 68 Cd36
Bordeira **P** 104 Ab43
Bordesholm **D** 56 Fb25
Borðeyri **IS** 14 Bd05
Bordighera **I** 83 Ec39
Borek Wielkopolski **PL** 58 Gc28
Borensberg **S** 44 Gb19
Borga **FIN** 41 Hd16
Borgarnes **IS** 14 Bc06
Borger **NL** 55 Ec26
Borgholm **S** 50 Gb21
Borgomanero **I** 71 Ed36
Borgorose **I** 98 Fd41
Borgo San Dalmazzo **I** 83 Ec38
Borgo San Lorenzo **I** 84 Fb39
Borgosesia **I** 71 Ed36
Borgo Val di Taro **I** 84 Fa38
Borgo Valsugana **I** 72 Fb36
Borhaug **N** 42 Ed20
Borinskoe **RUS** 122 Fb12
Borisoglebsk **RUS** 123 Fc12
Borisovka **RUS** 122 Fa14
Borisovo **RUS** 117 Ed08
Borisovo-Sudskoe **RUS** 117 Ec08
Borja **E** 80 Cb40
Borkavičy **BY** 53 Jb22
Borken **D** 55 Ec28
Borlänge **S** 44 Gb17
Borlaug **N** 36 Fa16
Borlu **TR** 113 Kb44
Bormio **I** 72 Fa35
Borna **D** 64 Fc29

Bornheim **D** 63 Ec29
Boroaia **RO** 76 Jc33
Borobia **E** 80 Cb40
Borodinskoe **RUS** 41 Jb15
Borodjanka **UA** 121 Ec14
Borodyno **UA** 77 Ka34
Borova **UA** 122 Fb14
Borovan **BG** 88 Ja39
Borovany **CZ** 65 Ga32
Borovci **BG** 88 Ja39
Borovec **BG** 102 Ja40
Borovenka **RUS** 117 Ec09
Boroviči **RUS** 117 Ec09
Borovik **RUS** 47 Jb19
Borovsk **RUS** 117 Ed11
Borrisokane **IRL** 18 Ca24
Borşa **RO** 76 Ja33
Boršćiv **UA** 76 Jb32
Borščiv **UA** 124 Ea16
Borsec **RO** 76 Jb34
Børselv **N** 27 Hb03
Borsh **AL** 100 Hb44
Bort-les-Orgues **F** 69 Dc36
Börtnan **S** 38 Ga14
Borup **DK** 49 Fc23
Borve **GB** 16 Cc18
Borvika **UA** 77 Jd32
Borynja **UA** 67 Hd32
Boryslav **UA** 67 Hd31
Boryspil' **UA** 121 Ec14
Borzna **UA** 121 Ec14
Borzysław **PL** 58 Gc25
Bosa **I** 97 Ec43
Bosanci **HR** 85 Gb37
Bosanska Dubica **BIH** 86 Gc37
Bosanska Gradiška **BIH** 86 Gc37
Bosanska Kostajnica **BIH** 86 Gc37
Bosanska Krupa **BIH** 85 Gb37
Bosanski Brod **BIH** 86 Gd37
Bosanski Kobaš **BIH** 86 Gd37
Bosanski Novi **BIH** 86 Gc37
Bosanski Petrovac **BIH** 86 Gc38
Bosanski Šamac **BIH** 86 Gd37
Bosansko Grahovo **BIH** 86 Gc38
Bosilegrad **SRB** 87 Hd40
Boskovice **CZ** 66 Gc31
Bossbøen **N** 42 Fa17
Boston **GB** 25 Db25
Bosut **SRB** 86 Ha37
Böszénfa **H** 74 Gd36
Bote **S** 39 Gc13
Boteşti **RO** 76 Jc34
Boteşti **RO** 88 Jb37
Botevgrad **BG** 102 Ja40
Boticas **P** 78 Ba38
Botiz **RO** 75 Hd33
Botngård **N** 32 Fc12
Botoşani **RO** 76 Jc33

138

Botsmark **S** 34 Gd12
Bottrop **D** 55 Ec28
Boueilho **F** 80 Cd38
Bouillon **B** 63 Eb30
Bouligny **F** 63 Eb31
Bouloc **F** 81 Dc37
Boulogne-Billancourt **F** 62 Dc31
Boulogne-sur-Gesse **F** 81 Da38
Boulogne-sur-Mer **F** 62 Dc29
Bouloire **F** 61 Db32
Bourbon-Lancy **F** 70 Dd34
Bourbon-l'Archambault **F** 69 Dc34
Bourbonne-les-Bains **F** 71 Eb33
Bourbriac **F** 60 Cc31
Bourdeaux **F** 82 Ea37
Bourganeuf **F** 69 Db35
Bourg-Argental **F** 70 Ea36
Bourg-en-Bresse **F** 70 Ea35
Bourges **F** 69 Dc34
Bourg-et-Comin **F** 62 Dd31
Bourg-Madame **F** 81 Db40
Bourgneuf-en-Retz **F** 68 Cc33
Bourgoin-Jallieu **F** 70 Ea36
Bourg-Saint-Andéol **F** 82 Dd37
Bourg-Saint-Maurice **F** 71 Eb36
Bournemouth **GB** 24 Da28
Boussac **F** 69 Dc34
Boussens **F** 81 Da38
Bouxwiller **F** 63 Ec32
Bovalino Mare **I** 109 Gb46
Bova Marina **I** 109 Gb47
Bovenden **D** 56 Fb28
Boves **F** 62 Dd30
Bovino **I** 99 Gb42
Bowes **GB** 21 Db23
Bowmore **GB** 20 Cc21
Boxberg **D** 65 Ga29
Boxholm **S** 44 Ga20
Boxmeer **NL** 55 Ec28
Boxtel **NL** 55 Eb28
Boyle **IRL** 18 Ca23
Božava **HR** 85 Ga38
Bozburun **TR** 115 Kb47
Bozcaada **TR** 103 Jd43
Bozdoğan **TR** 113 Kb46
Bozen **I** 72 Fb35
Bozioru **RO** 88 Jc36
Bozkir **TR** 128 Ga16
Bozlar **TR** 103 Ka42
Bozouls **F** 81 Dc37
Bozovici **RO** 87 Hc37
Bozyazı **TR** 128 Gb17
Bozzolo **I** 84 Fa37
Bra **I** 83 Ec37
Braås **S** 50 Ga21
Brabova **RO** 88 Ja38
Bracciano **I** 98 Fc41
Brachlewo **PL** 58 Gd25

Bräcke **S** 38 Gb14
Brackley **GB** 24 Da27
Brad **RO** 75 Hd35
Brädeni **RO** 76 Jb35
Bradford **GB** 21 Db24
Brædstrup **DK** 49 Fb23
Braemar **GB** 17 Da20
Braga **P** 78 Ad38
Bragadiru **RO** 88 Jc37
Bragança **P** 78 Bb38
Brăila **RO** 89 Jd36
Braine **F** 62 Dd31
Braintree **GB** 25 Dc27
Brake **D** 56 Fa26
Brakel **D** 56 Fa28
Brålanda **S** 43 Fd19
Brálos **GR** 111 Ja45
Bramming **DK** 48 Fa23
Brampton **GB** 21 Da22
Bramsche **D** 55 Ed27
Brånaberg **S** 33 Gb10
Branäs **S** 38 Fd16
Brancaleone Marina **I** 109 Gb46
Brandbu **N** 43 Fc17
Brande **DK** 48 Fa23
Brandenburg **D** 57 Fd27
Brand-Erbisdorf **D** 65 Fd30
Brändö **FIN** 46 Ha17
Brandon **GB** 25 Dc26
Brandval **N** 43 Fd17
Brandýs nad Labem-Stará Boleslav **CZ** 65 Ga30
Braniewo **PL** 58 Ha25
Bränna **S** 43 Fd19
Brańsk **PL** 59 Hc27
Brantôme **F** 69 Da35
Braslav **BY** 53 Ja22
Braşov **RO** 88 Jb36
Brastad **S** 43 Fc19
Brąszewice **PL** 66 Gd29
Brataj **AL** 100 Hb43
Bratca **RO** 75 Hd34
Bratislava **SK** 74 Gc33
Bratovoeşti **RO** 88 Ja38
Bråttås **S** 34 Ha11
Brattmon **S** 38 Fd16
Brattvåg **N** 36 Fa14
Bratunac **BIH** 86 Ha38
Braunau **A** 73 Fd33
Braunfels **D** 63 Ed30
Braunlage **D** 56 Fb28
Braunschweig **D** 56 Fb28
Braunton **GB** 23 Cc27
Bray **IRL** 19 Cb24
Bray-sur-Seine **F** 62 Dd32
Bray-sur-Somme **F** 62 Dd30
Brazatortas **E** 106 Bc43
Brbinj **HR** 85 Ga39
Brčko **BIH** 86 Ha37
Breaza **RO** 76 Ja34
Breaza **RO** 88 Jc36
Brechin **GB** 17 Db20
Břeclav **CZ** 66 Gc32
Brecon **GB** 24 Cd26
Breda **NL** 55 Eb28

Bredaryd **S** 50 Ga21
Bredbyn **S** 39 Gc13
Bredstedt **D** 48 Fa24
Bree **B** 63 Eb29
Bregenz **A** 72 Fa34
Bregovo **BG** 87 Hd38
Bréhal **F** 61 Cd31
Breiðdalsvík **IS** 15 Cc08
Breidvikeidet **N** 26 Gc04
Breil-sur-Roya **F** 83 Ec38
Breisach **D** 71 Ec33
Breivika **N** 28 Gb06
Breivikbotn **N** 26 Gd03
Breja **RUS** 47 Jb18
Brejtovo **RUS** 117 Ed09
Brekken **N** 37 Fd14
Brekstad **N** 32 Fb12
Bremen **D** 56 Fa26
Bremerhaven **D** 56 Fa26
Bremervörde **D** 56 Fa26
Brem-sur-Mer **F** 68 Cc33
Breń **PL** 57 Gb27
Brenes **E** 105 Ba44
Brenna **N** 33 Ga10
Breno **I** 72 Fa36
Brescia **I** 72 Fa36
Bressanone **I** 72 Fc35
Bressuire **F** 69 Da33
Brěst **BY** 59 Hd27
Brest **F** 60 Cb31
Brestovac **SRB** 87 Hd38
Brestovo **BG** 88 Jb39
Breţcu **RO** 76 Jc35
Bretenoux **F** 69 Db36
Breteuil **F** 62 Dd30
Breteuil-sur-Iton **F** 61 Db31
Bretten **D** 63 Ed32
Breuil-Cervínia **I** 71 Ec36
Breza **BIH** 86 Gd38
Brežice **SLO** 73 Gb36
Breznik **BG** 87 Hd40
Brezno **SK** 67 Ha32
Brezoi **RO** 88 Ja36
Brezovo **BG** 102 Jb40
Briançon **F** 83 Eb37
Briare **F** 69 Dc33
Bribir **HR** 85 Gb39
Briceni **MD** 76 Jc32
Bricquebec **F** 61 Cd30
Bridge End **IRL** 19 Cb21
Bridgend **GB** 24 Cd27
Bridgnorth **GB** 24 Da26
Bridgwater **GB** 24 Cd27
Bridlington **GB** 21 Dc24
Bridport **GB** 24 Cd28
Briec **F** 60 Cb31
Brie-Comte-Robert **F** 62 Dc31
Brienne-le-Château **F** 62 Ea32
Brienz **CH** 71 Ed35
Briey **F** 63 Eb31
Brig **CH** 71 Ec35
Brighton **GB** 25 Db28
Brignogan-Plages **F** 60 Cb30

Brignoles **F** 82 Ea39
Brihuega **E** 92 Ca41
Briksdal **N** 36 Fa15
Brilon **D** 64 Fa29
Brimnes **N** 36 Fa16
Brindisi **I** 100 Gd43
Brinje **HR** 85 Ga37
Brinlack **IRL** 19 Cb21
Brintbodarna **S** 38 Ga16
Brionne **F** 61 Db31
Brioude **F** 69 Dc36
Briouze **F** 61 Da31
Brisighella **I** 84 Fb38
Bristol **GB** 24 Cd27
Brive-la-Gaillarde **F** 69 Db36
Briviesca **E** 79 Ca38
Brixen **I** 72 Fc35
Brixham **GB** 23 Cc28
Brjančaninovo **RUS** 47 Jb20
Brjanka **UA** 122 Fb15
Brjansk **RUS** 121 Ed12
Brka **BIH** 86 Ha37
Brnaze **HR** 86 Gc39
Brno **CZ** 66 Gc32
Bro **S** 45 Gd20
Broadford **GB** 16 Cd19
Broadstairs **GB** 25 Dc28
Broby **S** 50 Ga22
Broceni **LV** 52 Hb21
Brochów **PL** 58 Ha27
Brod **BIH** 86 Ha39
Brod **MK** 101 Hc42
Brod **MK** 101 Hc42
Brodaiži **LV** 53 Jb21
Brodarevo **SRB** 87 Hb39
Brodce **CZ** 65 Ga30
Brodec'ke **UA** 121 Eb15
Brodick **GB** 20 Cd21
Brodina de Jos **RO** 76 Jb33
Brodnica **PL** 58 Ha26
Brody **UA** 120 Ea15
Brojce **PL** 57 Gb25
Brokind **S** 44 Gb20
Brome **D** 56 Fb27
Bromölla **S** 50 Ga23
Brömsebro **S** 50 Gb22
Bromsgrove **GB** 24 Da26
Bromyard **GB** 24 Da26
Brønderslev **DK** 49 Fb21
Broni **I** 83 Ed37
Brønnøysund **N** 32 Fd10
Bronte **I** 109 Ga47
Broons **F** 61 Cd31
Brora **GB** 17 Da18
Brørup **DK** 48 Fa23
Brösarp **S** 50 Ga23
Brøstadbotn **N** 26 Gc05
Broşteni **RO** 87 Hd37
Broszków **PL** 59 Hc27
Broto **E** 80 Cd39
Brottby **S** 45 Gc18
Brou **F** 61 Db32
Brough **GB** 21 Da23
Broughton-in-Furness **GB** 21 Da23
Broumov **CZ** 65 Gb30

Broutzéika GR 111 Ja46
Brouwershaven NL 54 Ea28
Brovary UA 121 Ec14
Brovst DK 49 Fb21
Brozas E 91 Ba41
Brú IS 14 Bd05
Bruay-la-Buissière F 62 Dd29
Bruchsal D 63 Ed32
Bruck A 73 Fd34
Bruck D 64 Fc32
Bruck an der Leitha A 74 Gc33
Bruck an der Mur A 73 Gb34
Brüel D 56 Fc26
Brugg CH 71 Ed34
Brugge B 54 Dd28
Bruheim N 36 Fa15
Brûlon F 61 Da32
Brumath F 63 Ed32
Brumov-Bylnice CZ 66 Gd32
Brumunddal N 37 Fc16
Brundby DK 49 Fb23
Bruneck I 72 Fc35
Brunflo S 38 Ga13
Brunico I 72 Fc35
Brunsbüttel D 56 Fa25
Bruntál CZ 66 Gc31
Brus SRB 87 Hc39
Brusarci BG 87 Hd39
Brussel B 62 Ea29
Brüssow D 57 Ga26
Brusturoasa RO 76 Jc34
Bruvno HR 85 Gb38
Bruxelles B 62 Ea29
Bruyères F 71 Ec33
Bruz F 61 Cd32
Bruzaholm S 44 Ga20
Brvenik SRB 87 Hb39
Brwinow PL 59 Hb28
Bryne N 42 Ec19
Brzeg PL 66 Gc29
Brzeg Dolny PL 66 Gc29
Brześć Kujawski PL 58 Gd27
Brzesko PL 67 Hb31
Brzeszcze PL 67 Ha31
Brzeziny PL 58 Ha28
Brzostek PL 67 Hb31
Brzóza PL 59 Hb28
Brzozie Lubawskie PL 58 Ha26
Brzozów PL 67 Hc31
Buba RO 88 Jc36
Bubiai LT 52 Hc23
Buča UA 121 Ec14
Bučač UA 124 Ea16
Bucakkışia TR 128 Gb16
Buccino I 99 Gb43
Buceş RO 75 Hd35
Buchen D 64 Fa31
Buchholz D 56 Fb26
Buchloe D 72 Fb33
Buchs CH 72 Fa34
Buchy F 62 Dc30
Bučionys LT 53 Hd24
Buciumi RO 75 Hd34
Buckhaven GB 21 Da21
Bučovice CZ 66 Gc32
Bucşani RO 88 Jc37
Bucureşti RO 88 Jc37
Buczek PL 66 Gd29
Bud N 36 Fa13
Budaörs H 74 Ha34
Budapest H 74 Ha34
Buðardalur IS 14 Bc05
Buddusò I 97 Ed43
Bude GB 23 Cc27
Büdelsdorf D 56 Fb25
Budënnovsk RUS 127 Ga16
Budeşti RO 88 Ja37
Budeşti RO 88 Jc37
Buđevo SRB 87 Hb40
Büdingen D 64 Fa30
Budogošč' RUS 117 Eb08
Budrio I 84 Fb38
Budva MNE 100 Ha41
Budziszewice PL 58 Ha28
Budzyń PL 58 Gc27
Buenavista de Valdavia E 79 Bd38
Buendía E 92 Ca41
Bueu E 78 Ad37
Buftea RO 88 Jc37
Buğdaylı TR 103 Ka42
Bugeat F 69 Db35
Bugojno BIH 86 Gc39
Bugøyfjord N 27 Hd04
Bugøynes N 27 Hd04
Bugul'ma RUS 119 Ga09
Bühl D 63 Ed32
Buhovci BG 89 Jd39
Buhovo BG 102 Ja40
Buhuşi RO 76 Jc34
Builth Wells GB 24 Cd26
Buinsk RUS 119 Fd09
Buj RUS 118 Fa08
Bujalance E 105 Bb44
Bujanovac SRB 87 Hc40
Bujaraloz E 80 Cc40
Buje HR 85 Fd37
Bukanovskaja RUS 123 Fc13
Bukta N 26 Gd04
Buky UA 121 Ec15
Bülach CH 71 Ed34
Bulanlak TR 127 Fd19
Bulgar RUS 119 Fd09
Bullas E 107 Ca44
Bulle CH 71 Ec35
Bumbeşti-Jiu RO 88 Ja37
Bunclody IRL 23 Cb25
Buncrana IRL 19 Cb21
Bünde D 56 Fa27
Bundoran IRL 18 Ca22
Bunkris S 38 Fd15
Buñol E 93 Cb43
Bureå S 34 Ha11
Buren NL 55 Ec26
Burfjord N 26 Gd04
Burg D 56 Fc25
Burg D 56 Fc28
Burgas BG 89 Ka39
Burgdorf CH 71 Ec34
Burgdorf D 56 Fb27
Burgebrach D 64 Fb31
Burgess Hill GB 25 Db28
Burghausen D 73 Fd33
Burgillos del Cerro E 105 Ba43
Burglengenfeld D 64 Fc32
Burgo P 78 Ad39
Burgohondo E 91 Bc41
Burgos E 79 Ca38
Burgstädt D 65 Fd29
Burgsvik S 51 Gc21
Burgui E 80 Cc39
Burhaniye TR 103 Ka43
Burila Mare RO 87 Hd38
Burjassot E 93 Cc43
Burnham-on-Crouch GB 25 Dc27
Burnham-on-Sea GB 24 Cd27
Burnley GB 21 Da24
Burrel RKS 100 Hb42
Burriana E 93 Cc42
Burseryd S 49 Fd21
Bürstadt D 63 Ed31
Burton-upon-Trent GB 24 Da25
Burträsk S 34 Gd11
Burwick GB 17 Db17
Bury GB 21 Da24
Bury Saint Edmunds GB 25 Dc27
Busalla I 83 Ed38
Buşăuca MD 77 Ka33
Busca I 83 Ec38
Busemarke DK 49 Fd24
Buševec HR 73 Gb36
Busici MK 101 Hd41
Bus'k UA 120 Ea15
Busko-Zdrój PL 67 Hb30
Busovača BIH 86 Gd38
Buşteni RO 88 Jb36
Büsum D 56 Fa25
Butan BG 88 Ja39
Butrint AL 100 Hb44
Buttstädt D 64 Fc29
Buturlinovka RUS 122 Fb13
Butzbach D 63 Ed30
Bützow D 56 Fc25
Buxtehude D 56 Fb26
Buxton GB 24 Da25
Buxy F 70 Ea34
Büyükçekmece TR 103 Kb41
Buzançais F 69 Db34
Buzancy F 62 Ea31
Buzău RO 88 Jc36
Buzescu RO 88 Jb38
Buzet HR 85 Fd37
Buziaş RO 75 Hc36
Bychav BY 121 Eb12
Bychawa PL 67 Hc29
Byczyna PL 66 Gd29
Bydgoszcz PL 58 Gc26
Bygdeå S 34 Gd12
Bygdisheim N 37 Fb15
Bygdsiljum S 34 Gd11
Bygland N 42 Fa19
Byglandsfjord N 42 Fa19
Bykle N 42 Fa18
Bykovo RUS 123 Fd13
Byrkjedal N 42 Ed19
Byrkjelo N 36 Ed15
Byske S 34 Ha11
Bysław PL 58 Gc26
Bystrecovo RUS 47 Jb19
Bystřice nad Pernštejnem CZ 65 Gb31
Bystrycja UA 76 Ja32
Bystrzyca Kłodzka PL 66 Gc30
Byszyno PL 57 Gb25
Bytča SK 66 Gd32
Bytom PL 66 Gd30
Bytom Odrzański PL 57 Gb28
Bytoń PL 58 Gd27
Bytów PL 58 Gc25
Byxelkrok S 51 Gc21

C

Cabañaquinta E 79 Bc37
Cabanes E 93 Cc42
Cabeza del Buey E 105 Bb43
Cabezas Rubias E 105 Ad43
Cabezón de la Sal E 79 Bd37
Cabezuela del Valle E 91 Bb40
Cabourg F 61 Da30
Cabra E 105 Bb44
Cabras I 97 Ec44
Čačak SRB 87 Hb39
Caccamo I 108 Fd47
Cacela Velha P 104 Ac44
Cáceres E 91 Ba41
Čačërsk BY 121 Ec13
Čačėvičy BY 121 Eb12
Cachopo P 104 Ac43
Cadaqués E 81 Dc40
Čadca SK 66 Gd31
Cadenet F 82 Ea38
Cadillac F 68 Cd36
Cádiz E 105 Ad45
Caen F 61 Da30
Caernarfon GB 20 Cd24
Caerphilly GB 24 Cd27
Caersws GB 24 Cd25
Čaevo RUS 117 Ed08
Cagan Aman RUS 123 Ga14
Cagan-Nur RUS 123 Ga14
Çağış TR 103 Kb43
Cagli I 84 Fc39
Cagliari I 97 Ed45
Cagnano Varano I 99 Gb41

Cascante E 80 Cb39
Cascia I 85 Fd40
Casciana Terme I 84 Fa39
Cascina I 84 Fa39
Căscioarele RO 88 Jc38
Caselle Torinese I 83 Ec37
Caserta I 99 Ga42
Cashel IRL 18 Ca24
Casimcea RO 89 Ka36
Casinos E 93 Cb42
Čáslav CZ 65 Gb31
Čašniki BY 121 Eb12
Casoli I 99 Ga41
Casoria I 99 Ga43
Caspe E 93 Cc41
Cassano allo Ionio I 99 Gc44
Cassel F 62 Dd29
Cassino I 98 Fd42
Cassis F 82 Ea39
Castagneto Carducci I 84 Fa40
Castañar de Ibor E 91 Bb41
Castanheira de Píra P 90 Ad40
Castejón de Valdejasa E 80 Cc40
Castel di Sangro I 99 Ga42
Castelfidardo I 85 Fd39
Castelfranco Emilia I 84 Fb38
Castelfranco Veneto I 72 Fc36
Casteljaloux F 80 Cd37
Castellabate I 99 Ga43
Castellammare del Golfo I 108 Fc46
Castellane F 83 Eb38
Castellaneta I 99 Gc43
Castellaneta Marina I 99 Gc43
Castellar de Santiago E 92 Bd43
Castell' Arquato I 84 Fa37
Castelldans E 80 Cd40
Castelldefels E 95 Da41
Castell de Ferro E 106 Bc46
Castelló de la Plana E 93 Cc42
Castelnaudary F 81 Db38
Castelnau-de-Médoc F 68 Cd36
Castelnau-Magnoac F 80 Cd38
Castelnovo ne'Monti I 84 Fa38
Castelnuovo di Garfagnana I 84 Fa38
Castelo Branco P 90 Ad40
Castelo de Vide P 90 Ad41
Castel San Giovanni I 84 Fa37
Castel San Pietro Terme I 84 Fb38
Castelsardo I 96 Ec42
Castelsarrasin F 81 Da37
Casteltermini I 108 Fd47
Castelvetrano I 108 Fc47
Castets F 80 Cc37
Castiglioncello I 84 Fa39
Castiglione della Pescaia I 84 Fb40
Castiglione delle Stiviere I 84 Fa37
Castiglione sul Lago I 84 Fc40
Castiglion Fiorentino I 84 Fc39
Castilblanco E 91 Bb42
Castillejo de Martín Viejo E 91 Ba40
Castillon-en-Couserans F 81 Da39
Castillonnès F 69 Da36
Castlebar IRL 18 Bd22
Castlebay GB 16 Cc19
Castleblayney IRL 19 Cb23
Castle Douglas GB 20 Cd22
Castleisland IRL 18 Bd24
Castlepollard IRL 19 Cb23
Castlerea IRL 18 Ca23
Castletown GB 17 Db18
Castletown GBM 20 Cd23
Castletownbere IRL 22 Bc25
Castres F 81 Db38
Castricum NL 55 Eb27
Castril E 106 Bd44
Castrocaro Terme I 84 Fc38
Castro Daire P 78 Ad39
Castro del Río E 105 Bb44
Castrojeriz E 79 Bd38
Castropol E 78 Bb36
Castro-Urdiales E 79 Ca37
Castro Verde P 104 Ac43
Castrovillari I 99 Gb44
Castuera E 91 Bb42
Çatak TR 128 Gc17
Çatalca TR 103 Kb41
Catania I 109 Ga47
Catanzaro I 109 Gc45
Catanzaro Marina I 109 Gc45
Cateraggio F 96 Ed41
Cattolica I 84 Fc39
Căuaș RO 75 Hd34
Caudry F 62 Dd30
Caumont-l'Éventé F 61 Da30
Caunes-Minervois F 81 Db38
Cauro F 96 Ed41
Căușeni MD 77 Ka34
Caussade F 81 Db37
Cauterets F 80 Cd39
Cava de'Tirreni I 99 Ga43
Cavaillon F 82 Ea38
Cavalaire-sur-Mer F 83 Eb39
Cavalese I 72 Fb35
Cavan IRL 19 Cb23
Căvăran RO 75 Hc36
Cavnic RO 76 Ja33
Cavour I 83 Ec37
Cavtat HR 86 Gd40
Čavusy BY 121 Ec12
Çayağzı TR 103 Kb41
Çayeli TR 127 Ga19
Cayeux-sur-Mer F 62 Dc29
Çayhan TR 128 Gc15
Çayırova CY 128 Gc18
Caylus F 81 Db37
Cazalla de la Sierra E 105 Ba43
Cazaubon F 80 Cd37
Cazin BIH 85 Gb37
Čazma HR 74 Gc36
Cazorla E 106 Bd44
Cea E 79 Bc38
Ceadâr-Lunga MD 77 Ka35
Ceanu Mare RO 76 Ja35
Ceatalchioi RO 89 Ka36
Čeboksary RUS 119 Fc09
Cebreros E 91 Bc41
Cebrikove MD 77 Kb33
Čečava BIH 86 Gd38
Ceccano I 98 Fd42
Cece H 74 Gd35
Čečel'nyk UA 77 Ka32
Čečel'nyk UA 125 Ec16
Čechtice CZ 65 Ga31
Cecina I 84 Fa39
Cedeira E 78 Ba36
Cedillo E 90 Ad41
Cedrillas E 93 Cc41
Cée E 78 Ad36
Cefalù I 108 Fd46
Cegléd H 74 Ha34
Ceglie Messapica I 100 Gd43
Cehegín E 107 Ca44
Čehov RUS 118 Fa11
Cehu Silvaniei RO 75 Hd34
Čejč CZ 66 Gc32
Čekiškė LT 52 Hc23
Celano I 98 Fd41
Celanova E 78 Ba37
Celbridge IRL 19 Cb24
Čelebići BIH 86 Ha39
Čelić BIH 86 Ha38
Celina RUS 123 Fd15
Čelinac Donji BIH 86 Gc38
Celjachany BY 120 Ea13
Celje SLO 73 Gb36
Cella E 93 Cb41
Celldömölk H 74 Gc34
Celle D 56 Fb27
Celle Ligure I 83 Ed38
Celorico da Beira P 78 Ba39
Čel'ovce SK 67 Hc32
Cemerno BIH 86 Ha40
Cenovo BG 88 Jc38
Centelles E 81 Db40
Cento I 84 Fb38
Čepigovo MK 101 Hc42
Čepin HR 86 Gd37
Cer MK 101 Hc42
Cerachovka BY 121 Ec13
Cerbère F 81 Dc40
Cercal P 104 Ab43
Čerdakly RUS 119 Fd09
Cerdeira P 91 Ba40
Čerencovo RUS 117 Eb08
Čerepovec RUS 117 Ed08
Čerešovo BG 88 Jc38
Ceresole Reale I 71 Ec36
Céret F 81 Db40
Cerezo de Abajo E 92 Bd40
Cerfontaine B 62 Ea30
Cerignola I 99 Gb42
Cérilly F 69 Dc34
Cerizay F 68 Cd33
Čerkasovo RUS 41 Ja16
Čerkasy UA 121 Ed15
Čerkessk RUS 127 Fd17
Çerkezköy TR 103 Ka41
Cerknica SLO 73 Ga36
Cermei RO 75 Hc35
Čern' RUS 122 Fa12
Cerna HR 86 Gd37
Cerna RO 89 Ka36
Cerna-Sat RO 87 Hd37
Černava RUS 118 Fa11
Černava RUS 122 Fa12
Cernavodă RO 89 Ka37
Cernay F 71 Ec33
Cernégula E 79 Ca38
Černëvo RUS 47 Jb18
Cernica RO 88 Jc37
Černihiv UA 121 Ec14
Cernivci UA 76 Jb32
Černivci UA 124 Ea16
Černjachiv UA 121 Eb14
Černjahovsk RUS 52 Hb24
Černjanka RUS 122 Fa13
Černovice CZ 65 Ga32
Černyškovskij RUS 123 Fd14
Cerovica SRB 87 Hd39
Cerrigydrudion GB 24 Cd25
Cërrik RKS 100 Hb42
Certaldo I 84 Fb39
Čertižné SK 67 Hc31
Čertkovo RUS 123 Fc14
Čerusti RUS 118 Fa10
Čërven' BY 121 Eb12
Červená Skala SK 67 Ha32
Červená Voda CZ 66 Gc31
Červen Brjag BG 88 Ja39
Cervera E 81 Da40
Cervera del Río Alhama E 80 Cb39
Cervera de Pisuerga E 79 Bd37
Cerveteri I 98 Fc41
Cervia I 84 Fc38
Cervignano del Friuli I 73 Fd36
Červonoarmijs'ke UA 77 Ka35
Červonohrad UA 67 Hd30
Červonoznam'janka MD 77 Kb33
Čërykav BY 121 Ec12
Cesena I 84 Fc38

Cinfães – Courchevel

Cinfães P 78 Ad39
Cingoli I 85 Fd39
Cintei RO 75 Hc35
Cioara MD 77 Jd34
Ciocăneşti RO 76 Jb33
Ciochina RO 89 Jd37
Cioclovina RO 75 Hd36
Ciolacu Nou MD 77 Jd33
Ciorani RO 88 Jc37
Ciorăşti RO 89 Jd36
Cirencester GB 24 Da27
Cirey-sur-Vezouze F 63 Ec32
Ciriè I 83 Ec37
Ciripcău MD 77 Jd32
Cirò I 109 Gc45
Cirò Marina I 109 Gc45
Čirpan BG 102 Jc40
Cislău RO 88 Jc36
Cismişlia MD 77 Ka34
Cisterna di Latina I 98 Fc42
Cistierna E 79 Bc37
Čitluk BIH 86 Gd40
Cittadella I 72 Fc36
Città della Pieve I 84 Fc40
Città di Castello I 84 Fc39
Città Sant'Angelo I 98 Fd41
Ciucea RO 75 Hd34
Ciucurova RO 89 Ka36
Ciudad Real E 92 Bc43
Ciudad Rodrigo E 91 Ba40
Ciuperceni RO 87 Hd37
Ciutadella E 95 Dc43
Ciuteşti MD 77 Jd33
Cividale del Friuli I 73 Fd36
Civil'sk RUS 119 Fc09
Civita Castellana I 98 Fc41
Civitanova Marche I 85 Fd39
Civitavecchia I 98 Fb41
Civitella del Tronto I 85 Fd40
Civitella Roveto I 98 Fd41
Civray F 69 Da34
Cjurupyns'k UA 125 Ed17
Čkalovsk RUS 118 Fb09
Clacton-on-Sea GB 25 Dc27
Clamecy F 70 Dd33
Claonaig GB 20 Cd21
Claremorris IRL 18 Ca23
Clausthal-Zellerfeld D 56 Fb28
Cleethorpes GB 25 Dc25
Clejani RO 88 Jc37
Clelles F 82 Ea37
Clermont F 62 Dc31
Clermont-en-Argonne F 62 Ea31
Clermont-Ferrand F 69 Dc35
Clermont-l'Hérault F 81 Dc38
Clerval F 71 Eb34
Clervaux L 63 Eb30
Cles I 72 Fb35
Clevedon GB 24 Cd27

Cleveleys GB 21 Da24
Clifden IRL 18 Bd23
Clisson F 68 Cd33
Clitheroe GB 21 Da24
Cloghan IRL 18 Ca24
Clogherhead IRL 19 Cb23
Clonakilty IRL 22 Bd25
Clones IRL 19 Cb22
Clonmel IRL 22 Ca25
Cloppenburg D 55 Ed27
Clovelly GB 23 Cc27
Cloyes-sur-le-Loir F 61 Db32
Cluj-Napoca RO 75 Hd34
Cluny F 70 Ea35
Cluses F 71 Eb35
Clusone I 72 Fa36
Clydebank GB 20 Cd21
Coarnele Caprei RO 76 Jc33
Cobadin RO 89 Ka37
Cobh IRL 22 Bd25
Coburg D 64 Fb30
Coca E 91 Bc40
Cochem D 63 Ec30
Cockermouth GB 21 Da23
Codigoro I 84 Fc37
Codlea RO 88 Jb36
Codogno I 84 Fa37
Codroipo I 73 Fd36
Codru MD 77 Ka33
Coesfeld D 55 Ed28
Coevorden NL 55 Ec27
Cognac F 68 Cd35
Cogne I 71 Ec36
Cogolin F 83 Eb39
Coimbra P 90 Ad40
Coín E 105 Bb45
Coja P 90 Ad40
Colchester GB 25 Dc27
Colditz D 65 Fd29
Coldstream GB 21 Db22
Colera E 81 Dc40
Coleraine GB 20 Cc21
Colfontaine B 62 Ea29
Colibiţa RO 76 Ja34
Colico I 72 Fa36
Colintraive GB 20 Cd21
Collado-Villalba E 92 Bd40
Collecchio I 84 Fa37
Colle di Val d'Elsa I 84 Fb39
Colleferro I 98 Fc42
Colmar F 71 Ec33
Colmars F 83 Eb38
Colmenar E 105 Bb45
Colmenar Viejo E 92 Bd40
Colombey-les-Belles F 63 Eb32
Colombey-les-Deux-Églises F 62 Ea32
Colònia de Sant Jordi E 95 Db44
Colunga E 79 Bd37
Colwyn Bay GB 20 Cd24
Comacchio I 84 Fc38
Comandău RO 76 Jc35

Comăneşti RO 76 Jc35
Comarnic RO 88 Jb36
Combeaufontaine F 71 Eb33
Combles F 62 Dd30
Combourg F 61 Cd31
Comiso I 109 Ga48
Commentry F 69 Dc35
Commercy F 63 Eb32
Como I 71 Ed36
Compiègne F 62 Dd31
Comporta P 90 Ac42
Comps-sur-Artuby F 83 Eb39
Comrat MD 77 Ka34
Concarneau F 60 Cb31
Conches-en-Ouche F 61 Db31
Condat F 69 Dc36
Condé-en-Brie F 62 Dd31
Condé-sur-Noireau F 61 Da31
Condom F 81 Da37
Conegliano I 72 Fc36
Confolens F 69 Da35
Congaz MD 77 Ka35
Congleton GB 24 Da25
Congostrina E 92 Ca40
Conil de la Frontera E 105 Ad45
Connah's Guay GB 24 Cd25
Connel GB 16 Cd20
Connerré F 61 Db32
Conques F 81 Db37
Conquista E 106 Bc43
Conselice I 84 Fc38
Constanţa RO 89 Ka37
Constantina E 105 Ba43
Consuegra E 92 Bd42
Contadero E 106 Bc43
Conteşti RO 88 Jc37
Contin GB 17 Da19
Contres F 69 Db33
Contrexéville F 71 Eb33
Conversano I 99 Gc43
Cookstown GB 20 Cb22
Cootehill IRL 19 Cb23
Copălău RO 76 Jc33
Copalnic-Mănăstur RO 75 Hd33
Cope E 107 Ca45
Copertino I 100 Gd43
Çöpköy TR 103 Jd41
Copparo I 84 Fc37
Copşa Mică RO 76 Ja35
Corabia RO 88 Jb38
Corato I 99 Gc42
Corbeil-Essonnes F 62 Dc32
Corbie F 62 Dd30
Corbigny F 70 Dd34
Corbridge GB 21 Db23
Corby GB 25 Db26
Corcaigh IRL 22 Bd25
Cordes F 81 Db37
Córdoba E 105 Bb44

Corella E 80 Cb39
Corestăuţi MD 76 Jc32
Coria E 91 Ba41
Corigliano Calabro I 99 Gc44
Cork IRL 22 Bd25
Corlay F 60 Cc31
Corleone I 108 Fd47
Corleto Perticara I 99 Gb43
Çorlu TR 103 Ka41
Čorna UA 77 Ka33
Cornea RO 87 Hd37
Corneşti MD 77 Jd33
Corneşti RO 88 Jc37
Cornimont F 71 Ec33
Čornobyl' UA 121 Ec14
Čornomors'ke UA 125 Ed17
Čornuchy UA 121 Ed14
Cornudilla E 79 Ca38
Cornu Luncii RO 76 Jb33
Çorovodë AL 100 Hb43
Corporales E 78 Bb38
Corps F 83 Eb37
Corral de Almaguer E 92 Bd42
Corral de Calatrava E 92 Bc43
Corrales E 78 Bb39
Correggio I 84 Fb37
Corridonia I 85 Fd40
Corsicana F 96 Ed41
Corte F 96 Ed41
Cortemilia I 83 Ec38
Cortijos Nuevos E 106 Bd44
Cortina d'Ampezzo I 72 Fc35
Čortkiv UA 124 Ea16
Cortona I 84 Fc40
Coruche P 90 Ac41
Corund RO 76 Jb35
Corwen GB 24 Cd25
Cosenza I 109 Gc45
Coşeşti RO 88 Jb37
Cosmeşti RO 88 Jb38
Cosne-Cours-sur-Loire F 69 Dc33
Cosne-d'Allier F 69 Dc34
Cossato I 71 Ed36
Costeşeşti RO 88 Jb37
Costeşti MD 76 Jc33
Costeşti RO 88 Jc36
Costineşti RO 89 Ka37
Coswig D 56 Fc28
Coteana RO 88 Jb38
Cotofăneşti RO 76 Jc35
Cottbus D 57 Ga28
Coudekerque-Branche F 54 Dd28
Couflens F 81 Da39
Couhé F 69 Da34
Couiza F 81 Db39
Coulommiers F 62 Dd31
Coulonges-l'Autize F 68 Cd34
Coupar Anguse GB 17 Da20
Courchevel F 71 Eb36

Courmayeur I 71 Ec36
Cournon-d'Auvergne F 69 Dc35
Coursan F 81 Dc39
Courseulles-sur-Mer F 61 Da30
Cours-la Ville F 70 Dd35
Courtenay F 62 Dd32
Courtomer F 61 Db31
Coutances F 61 Cd30
Coutras F 68 Cd36
Couvin B 62 Ea30
Covaleda E 79 Ca39
Covasna RO 76 Jc35
Coventry GB 24 Da26
Covilhã P 90 Ad40
Cowes GB 24 Da28
Cózar E 92 Bd43
Cozes F 68 Cd35
Crăiești RO 76 Ja34
Craignure GB 16 Cd20
Crail GB 21 Db21
Crailsheim D 64 Fa32
Craiova RO 88 Ja38
Craiva RO 75 Hc35
Cranbrook GB 25 Db28
Craon F 61 Cd32
Craponne-sur-Arzon F 70 Dd36
Crasna RO 75 Hd34
Crasnoe MD 77 Kb34
Crathie GB 17 Db20
Crato P 90 Ad41
Craven Arms GB 24 Cd26
Crawley GB 25 Db28
Creagorry GB 16 Cc18
Crediton GB 23 Cc28
Creil F 62 Dc31
Crema I 84 Fa37
Crémieu F 70 Ea36
Cremona I 84 Fa37
Créon F 68 Cd36
Crepaja SRB 87 Hb37
Crépy-en-Valois F 62 Dd31
Cres HR 85 Ga37
Crest F 82 Ea37
Créteil F 62 Dc31
Creußen D 64 Fc31
Creutzwald F 63 Ec31
Creuzburg D 64 Fb29
Crèvecœur-le-Grand F 62 Dc30
Crevillente E 107 Cb44
Crewe GB 24 Da25
Crewkerne GB 24 Cd28
Crianlarich GB 16 Cd20
Crickhowell GB 24 Cd26
Cricova MD 77 Ka33
Crieff GB 17 Da20
Crikvenica HR 85 Ga37
Crimmitschau D 64 Fc30
Crișan RO 89 Kb36
Čristopol' RUS 119 Ga08
Cristuru Secuieșc RO 76 Jb35
Criuleni MD 77 Ka33
Crivitz D 56 Fc26
Crna Bara SRB 75 Hb36
Črnomelj SLO 85 Gb37
Crocq F 69 Dc35
Croissilles F 62 Dd30
Cromarty GB 17 Da19
Cromer GB 25 Dc26
Crookhaven IRL 22 Bc25
Cross Hands GB 23 Cc26
Crotone I 109 Gc45
Crozon F 60 Cb31
Črtil' RUS 122 Fb12
Crucea RO 76 Jb34
Crucea RO 89 Ka37
Cruden Bay GB 17 Dc19
Cruzamento de Pegões P 90 Ac41
Csakvár H 74 Gd34
Csánytelek H 75 Hb35
Csaroda H 75 Hc33
Csátalja H 74 Ha36
Csenger H 75 Hd33
Csesznek H 74 Gd34
Csongrád H 75 Hb35
Csorna H 74 Gc34
Csorvás H 75 Hb35
Csót H 74 Gc34
Cubel E 80 Cb40
Čučkovo RUS 118 Fb11
Cucoara MD 77 Jd35
Cudillero E 79 Bc36
Čudniv UA 121 Eb15
Čudovo RUS 117 Eb09
Čudzin BY 120 Ea13
Cuéllar E 79 Bd39
Cuenca E 92 Ca42
Cuers F 82 Ea39
Cuerva E 91 Bc42
Cuevas del Almanzora E 107 Ca45
Cugir RO 75 Hd36
Cugnaux F 81 Da38
Čuhloma RUS 118 Fa08
Cuhnești MD 76 Jc33
Čuhujiv UA 122 Fa14
Cuijk NL 55 Ec28
Cuiseaux F 70 Ea35
Cuisery F 70 Ea35
Çukurkuyu TR 128 Gc15
Culan F 69 Dc34
Culemborg NL 55 Eb28
Cúllar-Baza E 106 Bd45
Cullen GB 17 Db19
Cullera E 93 Cc43
Cullompton GB 23 Cc28
Culoz F 71 Eb36
Cumbernauld GB 21 Da21
Čumić SRB 87 Hb38
Cumnock GB 20 Cd21
Çumra TR 128 Gb15
Cuneo I 83 Ec38
Cunicea MD 77 Jd32
Cunlhat F 70 Dd36
Cuorgnè I 71 Ec36
Cupar GB 21 Da21
Cupcini MD 76 Jc32
Ćuprija SRB 87 Hc38
Curia P 78 Ad39
Curtea de Argeș RO 88 Jb36
Curtici RO 75 Hc35
Cusset F 70 Dd35
Čuteevo RUS 119 Fd09
Čutove UA 122 Fa14
Cutro I 109 Gc45
Cuxhaven D 56 Fa25
Cwmcarn GB 24 Cd27
Cybinka PL 57 Ga28
Čyhyryn UA 121 Ed15
Czaplinek PL 57 Gb26
Czarna PL 67 Hc31
Czarna Białostocka PL 59 Hc26
Czarna Dąbrówka PL 58 Gc25
Czarnków PL 57 Gb27
Czarny Dunajec PL 67 Ha31
Czechowice-Dziedzice PL 66 Gd31
Czekarzewice PL 67 Hb29
Czermno PL 67 Ha29
Czersk PL 58 Gc26
Czerwieńsk PL 57 Gb28
Czerwionka-Leszczyny PL 66 Gd30
Czerwony Dwór PL 59 Hb25
Częstochowa PL 66 Gd29
Człopa PL 57 Gb27
Człuchów PL 58 Gc26
Czyżew-Osada PL 59 Hc27

D

Dabas H 74 Ha34
Dąbie PL 57 Ga28
Dąbie PL 58 Gd28
Dabilja MK 101 Hd42
Dabravolja BY 59 Hd26
Dąbrowa Białostocka PL 59 Hc25
Dąbrowa Górnicza PL 67 Ha30
Dąbrowa Tarnowska PL 67 Hb30
Dabryn' BY 121 Eb14
Dăbuleni RO 88 Ja38
Dachau D 72 Fb33
Dačice CZ 65 Gb32
Dačne UA 77 Kb34
Dáfnes GR 110 Hd46
Dafni GR 102 Jb43
Dáfni GR 110 Hd46
Dáfni GR 110 Hd45
Dagali N 42 Fa17
Dagda LV 53 Jb22
Dağdere TR 113 Kb44
Dagomys RUS 127 Fd17
Dağpazarı TR 128 Gc16
Dahme D 57 Fd28
Dahn D 63 Ed31
Daimiel E 92 Bd43
Đakovica RKS 100 Hb41
Đakovo HR 86 Gd37
Dalarö S 45 Gc18
Dalbeattie GB 20 Cd22
Dălbok Dol BG 88 Jb39
Dălbok izvor BG 102 Jc40
Dale N 36 Ed16
Dale N 36 Ed15
Dalen N 42 Fa18
Dalfors S 38 Gb16
Dălghiu RO 88 Jc36
Dălgi Del BG 87 Hd39
Dălgopol BG 89 Jd39
Dalías E 106 Bd46
Dalj HR 86 Ha37
Dalkeith GB 21 Da21
Dalmally GB 16 Cd20
Dalmose DK 49 Fc24
Dalsbruk FIN 46 Hb17
Dalsjöfors S 44 Fd20
Dals Långed S 43 Fd19
Dalvík IS 15 Ca05
Dalwhinnie GB 17 Da20
Damaskinía GR 101 Hc43
Dambaslar TR 103 Ka41
Dammartin-en-Goële F 62 Dd31
Damme D 55 Ed27
Damnica PL 58 Gc25
Dampierre-sur-Salon F 71 Eb33
Danasjö S 33 Gb10
Danilov RUS 118 Fa08
Danilovgrad MNE 86 Ha40
Danilovka RUS 123 Fd13
Dankov RUS 122 Fa12
Dannenberg D 56 Fc26
Darabani RO 76 Jc32
Darány H 74 Gd36
Darbėnai LT 52 Hb22
Darda HR 74 Gd36
Dardesheim D 56 Fb28
Dardhë AL 101 Hc43
Darfo-Boario Terme I 72 Fa36
Dargosław PL 57 Gb25
Đarkavďčyna BY 53 Jb23
Darlington GB 21 Db23
Darłowo PL 57 Gb25
Dărmănești RO 88 Jc37
Darmstadt D 63 Ed31
Darney F 71 Eb33
Daroca E 93 Cb41
Dartford GB 25 Db28
Dartmouth GB 23 Cc28
Daruvar HR 74 Gc36
Darzininkai LT 53 Ja24
Dáski GR 101 Hd43
Dassel D 56 Fa28
Dassow D 56 Fb25
Datça TR 115 Kb47
Daudzeva LV 53 Hd21
Daugai LT 53 Hd24
Daugailiai LT 53 Ja23
Daugavpils LV 53 Ja22
Daun D 63 Ec30

Davhinava – Dolní Dvořiště

Davhinava BY 53 Jb24
Davor BIH 86 Gc37
Davos CH 72 Fa35
Davyd-Haradok BY 120 Ea14
Dax F 80 Cc37
Deal GB 25 Dc28
Deauville F 61 Db30
Debal'ceve UA 122 Fb15
Debar MK 100 Hb42
Debelec BG 88 Jc39
Dębica PL 57 Gb25
Dębica PL 67 Hb30
Dęblin PL 59 Hb28
Dębnica Kaszubska PL 58 Gc25
Dębno PL 57 Ga27
Debrc SRB 87 Hb38
Debrecen H 75 Hc34
Debrznica PL 57 Ga28
Dečani RKS 87 Hb40
Decazeville F 81 Db37
Děčín CZ 65 Ga30
Decize F 70 Dd34
De Cocksdorp NL 55 Eb26
Deda RO 76 Jb34
Dedemsvaart NL 55 Ec27
Dedenevo RUS 117 Ed10
Dedoviči RUS 117 Eb10
Deftera CY 128 Gb19
Degeberga S 50 Ga23
Degerby FIN 46 Ha17
Degerfors S 44 Ga18
Degerhamn S 50 Gb22
Deggendorf D 65 Fd32
Değirmendere TR 113 Ka45
Degučiai LT 52 Hb23
Degučiai LT 53 Ja22
Deinze B 62 Ea29
Dej RO 76 Ja34
Deje S 44 Fd18
Dekélia GR 112 Jb46
De Koog NL 55 Eb26
Delbrück D 56 Fa28
Delčevo MK 101 Hd41
Delémont CH 71 Ec34
Delft NL 54 Ea27
Delfzijl NL 55 Ed26
Deligrad SRB 87 Hc39
Delitzsch D 64 Fc29
Delmenhorst D 56 Fa26
Delnice HR 85 Ga37
Delsbo S 38 Gb15
Delvin IRL 19 Cb23
Demidov RUS 117 Ec11
Demidove MD 77 Kb33
Demirci TR 113 Kb44
Demir Kapija MK 101 Hd42
Demirköy TR 103 Ka40
Demirtaş TR 128 Ga17
Demitsána GR 110 Hd47
Demjansk RUS 117 Eb09
Dem'jas RUS 119 Ga11
Demmin D 57 Fd25
Demonía GR 111 Ja48
Demonte I 83 Ec38

Denain F 62 Dd29
Denbigh GB 24 Cd25
Den Burg NL 55 Eb26
Dendermonde B 62 Ea29
Den Haag NL 54 Ea27
Den Helder NL 55 Eb26
Denia E 94 Cc44
Deniz Kamp Yeri TR 113 Ka45
Denizli TR 103 Ka42
Den Oever NL 55 Eb26
Derbent TR 128 Ga15
Derby GB 24 Da25
Dereköy TR 113 Kb45
Dereli TR 127 Fd19
Dergači RUS 119 Ga11
Derhači UA 122 Fa14
Derry GB 20 Cb21
Derval F 61 Cd32
Derventa BIH 86 Gd37
Descartes F 69 Db33
Desenzano del Garda I 84 Fb37
Deskáti GR 101 Hd44
Despotovac SRB 87 Hc38
Despotovo SRB 86 Ha37
Dessau D 56 Fc28
Desvres F 62 Dc29
Deta RO 87 Hc37
Detkovo RUS 47 Jb18
Detmold D 56 Fa28
Detva SK 67 Ha32
Deurne NL 55 Eb28
Deutschfeistritz A 73 Gb34
Deutschkreuz A 74 Gc34
Deutschlandsberg A 73 Gb35
Deva RO 75 Hd36
Dévaványa H 75 Hb34
Devecikonağı TR 103 Kb43
Devecser H 74 Gc35
Deventer NL 55 Ec27
Devizes GB 24 Da27
Devnja BG 89 Ka39
Deza E 80 Cb40
Diafáni GR 115 Kb48
Diakoftó GR 110 Hd46
Diamante I 99 Gb44
Dianalund DK 49 Fc23
Diano Marina I 83 Ec39
Diavata GR 101 Ja42
Dichiseni RO 89 Jd37
Didam NL 55 Ec28
Didim TR 113 Ka46
Dídyma GR 111 Ja47
Didymoteicho GR 103 Jd41
Die F 82 Ea37
Dieburg D 64 Fa31
Diekirch L 63 Eb30
Diepholz D 56 Fa27
Dieppe F 62 Dc30
Dierdorf D 63 Ed30
Dieren NL 55 Ec28
Diest B 63 Eb29
Dietikon CH 71 Ed34
Dieulefit F 82 Ea37

Dieulouard F 63 Eb32
Dieuze F 63 Ec32
Dieveniškės LT 53 Ja24
Differdange L 63 Eb31
Digermulen N 28 Ga06
Digne-les-Bains F 83 Eb38
Digoin F 70 Dd35
Dijon F 70 Ea34
Dikanäs S 33 Gb10
Dikili TR 113 Ka44
Diksmuide B 54 Dd28
Diljatyn UA 76 Ja32
Diljatyn UA 124 Ea16
Dillenburg D 63 Ed29
Dillingen D 63 Ec31
Dillingen D 64 Fb32
Dílofo GR 101 Ja44
Dimitrie Cantemir RO 77 Jd34
Dimitrovgrad BG 102 Jc40
Dimitrovgrad RUS 119 Ga09
Dimitrovgrad SRB 87 Hd39
Dimovo BG 87 Hd39
Dinan F 61 Cd31
Dinant B 63 Eb30
Dinard F 61 Cd31
Dinek TR 128 Gb16
Dingle IRL 18 Bc24
Dingle S 43 Fc19
Dingolfing D 64 Fc32
Dingwall GB 17 Da19
Dinkelsbühl D 64 Fb32
Dinklage D 55 Ed27
Diö S 50 Ga22
Dioşti RO 88 Ja38
Dipkarpaz CY 128 Gc18
Dipótama GR 102 Jb41
Dippoldiswalde D 65 Fd29
Dirráhi GR 110 Hd47
Disentis CH 71 Ed35
Diss GB 25 Dc26
Dissen D 55 Ed28
Ditrău RO 76 Jb34
Divakë RKS 100 Hb42
Divčibare SRB 87 Hb38
Dívčice CZ 65 Ga32
Divnoe RUS 123 Ga15
Divonne F 71 Eb35
Djat'kovo RUS 121 Ed12
Djulino BG 89 Ka39
Djuni BG 103 Ka40
Djúpivogur IS 15 Cb08
Djupvik N 26 Gd04
Djurås S 44 Ga17
Dmitrievka RUS 122 Fb12
Dmitriev-L'govskij RUS 121 Ed13
Dmitrov RUS 117 Ed10
Dmytrivka UA 77 Ka35
Dmytrivka UA 121 Ed14
Dnestrovsc MD 77 Kb34
Dniprodzeržyns'k UA 122 Fa15
Dnipropetrovs'k UA 122 Fa15
Dniprorudne UA 126 Fa16

Dno RUS 117 Eb10
Dobbiaco I 72 Fc35
Dobczyce PL 67 Ha31
Dobele LV 52 Hc21
Döbeln D 65 Fd29
Dobiegniew PL 57 Gb27
Dobieszczyn PL 57 Ga26
Doboj BIH 86 Gd38
Dobra PL 57 Gb26
Dobra RO 75 Hd36
Dobra SRB 87 Hc37
Dobrá Niva SK 74 Ha33
Dobřany CZ 65 Fd31
Dobrcz PL 58 Gd26
Dobre PL 59 Hb27
Dobre Miasto PL 58 Ha25
Dobri H 74 Gc35
Dobrič BG 89 Ka38
Dobrinka RUS 122 Fb12
Dobříš CZ 65 Ga31
Dobrjanka UA 121 Ec13
Dobrjatino RUS 118 Fb10
Dobrodzień PL 66 Gd30
Dobromyl' UA 67 Hc31
Dobropillja UA 122 Fb15
Dobro Polje BIH 86 Gd39
Dobrosyn UA 67 Hd30
Dobroteşti RO 88 Jb38
Dobrotič BG 89 Jd38
Dobrotica BG 89 Jd38
Dobrovol'sk RUS 52 Hc24
Dobruči RUS 47 Ja18
Dobruš BY 121 Ec13
Dobrzeń Wielki PL 66 Gd30
Dobšiná SK 67 Hb32
Docksta S 39 Gc13
Doclin RO 87 Hc37
Doetinchem NL 55 Ec28
Doğanbey TR 113 Ka45
Doğanbey TR 128 Ga15
Doğankent TR 127 Fd19
Dogliani I 83 Ec38
Dojevice SRB 87 Hb40
Dojrenci BG 88 Jb39
Dokka N 37 Fb16
Dokkum NL 55 Ec26
Doksy CZ 65 Ga30
Dokšycy BY 53 Jb23
Dokšycy BY 120 Ea12
Dokučajevs'k UA 122 Fb15
Dol-de-Bretagne F 61 Cd31
Dole F 70 Ea34
Dølemo N 42 Fa19
Dolgellau GB 24 Cd25
Dolgorukovo RUS 59 Ha25
Dolianova I 97 Ed44
Dolišnij Šepit UA 76 Jb33
Doljani BIH 86 Gd39
Dolna Banja BG 102 Ja40
Dolna Mitropolija BG 88 Jb39
Dolna Orjahovica BG 88 Jc39
Dolní Bousov CZ 65 Ga30
Dolní Dăbnik BG 88 Jb39
Dolní Dvořiště CZ 65 Ga32

146

Dolni Lom BG 87 Hd39
Dolno Dupeni MK 101 Hc42
Dolný Kubín SK 67 Ha32
Dolo I 84 Fc37
Dolores E 107 Cb44
Dolyna UA 67 Hd32
Dolyna UA 67 Hd32
Dolyns'ka UA 125 Ed16
Dolyns'ke UA 77 Ka33
Dolžanskaja RUS 126 Fb16
Dolžicy RUS 47 Jb18
Domanivka MD 77 Kb32
Domaradz PL 58 Gc25
Domaradz PL 67 Hc31
Domažlice CZ 65 Fd31
Dombaj RUS 127 Ga17
Dombås N 37 Fb14
Dombóvár H 74 Gd35
Dombrád H 75 Hc33
Domeikava LT 52 Hc24
Domérat F 69 Dc35
Domfront F 61 Da31
Dömitz D 56 Fc26
Domme F 69 Da36
Domneşti RO 88 Jb36
Domnovo RUS 59 Ha25
Domodedovo RUS 118 Fa10
Domodossola I 71 Ed36
Domokós GR 110 Hd45
Dompaire F 71 Eb33
Dompierre-sur-Besbre F 70 Dd34
Domusnovas I 97 Ec44
Domžale SLO 73 Ga36
Donaueschingen D 71 Ed33
Donauwörth D 64 Fb32
Don Benito E 91 Ba42
Doncaster GB 25 Db25
Donduşeni MD 76 Jc32
Donec'k UA 122 Fb15
Donegal IRL 19 Cb22
Donges F 60 Cc32
Donja Stubica HR 73 Gb36
Donji Dušnik SRB 87 Hd39
Donji Kamengrad BIH 86 Gc38
Donji Lapac HR 85 Gb38
Donji Miholjac HR 74 Gd36
Donjin Milanova SRB 87 Hd38
Donji Rujani BIH 86 Gc39
Donji Stajevac SRB 87 Hd40
Donji Striževac SRB 87 Hd39
Donji Tovarnik SRB 87 Hb37
Donji Vakuf BIH 86 Gc38
Donji Žirovac HR 85 Gb37
Donostia E 80 Cb38
Donoúsa GR 115 Jd47
Donskoe RUS 127 Fd16
Donzy F 70 Dd33
Dor RUS 118 Fa08
Đorče Petrov MK 101 Hc41
Dorchester GB 24 Cd28
Dordrecht NL 55 Eb28
Dorfen D 72 Fc33
Dorgali I 97 Ed43
Dório GR 110 Hd47
Dorking GB 25 Db28
Dormagen D 63 Ec29
Dormánd H 75 Hb34
Dormans F 62 Dd31
Dornbirn A 72 Fa34
Dornes F 70 Dd34
Dornoch GB 17 Da18
Dorohoi RO 76 Jc33
Dorohusk PL 67 Hd29
Doroslovo SRB 74 Ha36
Dorotea S 33 Gb12
Dörpen D 55 Ed26
Dorsten D 55 Ec28
Dortmund D 55 Ed28
Doruchów PL 66 Gd29
Dörzbach D 64 Fa31
Dos Hermanas E 105 Ba44
Dospat BG 102 Jb41
Douai F 62 Dd29
Douarnenez F 60 Cb31
Douchy-les-Mines F 62 Dd30
Doudeville F 61 Db30
Doué-la-Fontaine F 69 Da33
Douglas GBM 20 Cd23
Doullens F 62 Dd30
Dourdan F 62 Dc32
Dover GB 25 Dc28
Dovhe UA 67 Hd32
Dovre N 37 Fb15
Dovsk BY 121 Eb13
Downham Market GB 25 Dc26
Downpatrick GB 20 Cc23
Dowra IRL 18 Ca22
Drabiv UA 121 Ed14
Drachten NL 55 Ec26
Drag N 28 Gb07
Dragalj MNE 86 Ha40
Drăgăneşti MD 77 Jd33
Drăgăneşti RO 88 Jc37
Drăgăneşti-Olt RO 88 Jb38
Drăgăneşti-Vlaşca RO 88 Jc38
Dragaš RKS 100 Hb41
Drăgăsani RO 88 Ja37
Draginac SRB 86 Ha38
Draglica SRB 87 Hb39
Dragoş Vodă RO 89 Jd37
Dragsfjärd FIN 46 Hb17
Draguignan F 83 Eb39
Drăguşeni RO 77 Jd35
Drahičyn BY 120 Ea14
Drahovce SK 74 Gd33
Drahove UA 75 Hd33
Dralfa BG 88 Jc39
Dráma GR 102 Jb42
Drammen N 43 Fb18
Drangedal N 43 Fb18
Drangsnes IS 14 Bd05
Dranske D 50 Fd24
Drávafok H 74 Gd36
Drawsko Pomorskie PL 57 Gb26
Drebkau D 57 Ga28
Drégelypalánk H 74 Ha33
Drenovac SRB 87 Hd40
Drenovci HR 86 Ha37
Drenovo MK 101 Hd42
Dresden D 65 Fd29
Drëtun' BY 117 Eb11
Dretyń PL 58 Gc25
Dreux F 62 Dc31
Drevsjø N 37 Fd15
Drezdenko PL 57 Gb27
Drežnica HR 85 Ga37
Driebes E 92 Bd41
Driffield GB 21 Dc24
Drinjača BIH 86 Ha38
Drjanovo BG 88 Jc39
Drniš HR 85 Gb39
Drnje HR 74 Gc36
Drøbak N 43 Fc18
Drobeta-Turnu Severin RO 87 Hd37
Drobin PL 58 Ha27
Drochia MD 77 Jd32
Drogheda IRL 19 Cb23
Drohiczyn PL 59 Hc27
Drohobyč UA 67 Hd31
Droitwich GB 24 Da26
Drolshagen D 63 Ed29
Dromore GB 20 Cc22
Dronero I 83 Ec38
Dronninglund DK 49 Fb21
Dronten NL 55 Ec27
Droskovo RUS 122 Fa12
Drossáto GR 101 Ja42
Drosseró GR 101 Hc43
Drozdyn' UA 120 Ea14
Druja BY 53 Jb22
Drumcliff IRL 18 Ca22
Drummore GB 20 Cd22
Drumnadrochit GB 17 Da19
Druskininkai LT 59 Hd25
Druskininkai LT 59 Hd25
Drusti LV 47 Hd20
Druten NL 55 Eb28
Družba UA 121 Ed13
Družetići SRB 87 Hb38
Drvar BIH 86 Gc38
Drvenik HR 86 Gc40
Drwęczno PL 58 Ha25
Drygały PL 59 Hb25
Duas Igrejas P 78 Bb39
Dubăsari MD 77 Ka33
Dubău MD 77 Ka33
Dubienka PL 67 Hd29
Dubin PL 58 Gc28
Dub'jazy RUS 119 Fd08
Dublin IRL 19 Cb24
Dubna RUS 117 Ed10
Dubna RUS 118 Fa11
Dub nad Moravou CZ 66 Gc31
Dubnica nad Váhom SK 66 Gd32
Dubno UA 120 Ea15
Dubova RO 87 Hd37
Dubove UA 76 Ja33
Dubovka RUS 123 Fd13
Dubovskoje RUS 123 Fd15
Dubovyj Ovrag RUS 123 Fd14
Dubrava HR 74 Gc36
Dubrivka UA 121 Eb15
Dubrovka RUS 53 Jb21
Dubrovka RUS 123 Fc12
Dubrovnik HR 86 Gd40
Dubrovycja UA 67 Hd30
Dubrovycja UA 120 Ea14
Ducey F 61 Cd31
Duchcov CZ 65 Fd30
Ducherow D 57 Fd26
Dudelange L 63 Eb31
Duderstadt D 64 Fb29
Dudley GB 24 Da26
Dueñas E 79 Bd39
Duesund N 36 Ed16
Dufftown GB 17 Db19
Duga Poljana SRB 87 Hb39
Duga Resa HR 85 Gb37
Dugo Selo HR 73 Gb36
Duhovnickoe RUS 119 Ga11
Duisburg D 55 Ec28
Dukat AL 100 Hb43
Dukla PL 67 Hc31
Dūkštas LT 53 Ja23
Dülmen D 55 Ed28
Dulovo BG 89 Jd38
Dulverton GB 23 Cc27
Dumbarton GB 20 Cd21
Dumbrăveni RO 76 Ja35
Dumbrăveni RO 89 Ka38
Dumbrăviţa MD 77 Jd33
Dumfries GB 21 Da22
Dumitreşti RO 88 Jc36
Dunaföldvár H 74 Ha35
Dunaharaszti H 74 Ha34
Dunajivci UA 125 Eb16
Dunajská Streda SK 74 Gc33
Dunakeszi H 74 Ha34
Dunaszekcső H 74 Gd36
Dunaújváros H 74 Ha35
Dunbar GB 21 Db21
Dunblane GB 21 Da21
Dundaga LV 46 Hb20
Dundalk IRL 19 Cb23
Dundee GB 17 Db20
Dunfanaghy IRL 19 Cb21
Dunfermline GB 21 Da21
Dungannon GB 20 Cb22
Dungarvan IRL 22 Ca25
Dungiven GB 20 Cb22
Dunglow IRL 18 Ca21
Dunkeld GB 17 Da20
Dunkerque F 54 Dd28
Dun Laoghaire IRL 19 Cb24
Dunmanway IRL 22 Bd25
Dunnet GB 17 Db18
Dunoon GB 20 Cd21
Dunshaughlin IRL 19 Cb23
Dunstable GB 25 Db27
Dunster GB 24 Cd27
Dun-sur-Auron F 69 Dc34

Dun-sur-Meuse **F** 63 Eb31
Dunvegan **GB** 16 Cd18
Dupnica **BG** 102 Ja40
Durak **TR** 103 Kb43
Duran **BG** 89 Jd38
Durango **E** 80 Cb38
Durankulak **BG** 89 Ka38
Duras **F** 69 Da36
Durbe **LV** 52 Hb22
Durbuy **B** 63 Eb30
Đurđenovac **HR** 86 Gd37
Đurđevac **HR** 74 Gc36
Düren **D** 63 Ec29
Durham **GB** 21 Db23
Durness **GB** 17 Da17
Durrës **AL** 100 Ha42
Durrow **IRL** 18 Ca24
Dursunbey **TR** 103 Kb43
Durtal **F** 61 Da32
Dusetos **LT** 53 Ja22
Dušinci **BG** 87 Hd40
Düsseldorf **D** 63 Ec29
Duved **S** 38 Fd13
Düvertepe **TR** 103 Kb43
Dvor **HR** 85 Gb37
Dvoriki **RUS** 118 Fa10
Dvůr Králové nad Labem **CZ** 65 Gb30
Dyce **GB** 17 Db20
Dydnia **PL** 67 Hc31
Dygowo **PL** 57 Gb25
Dykan'ka **UA** 121 Ed14
Dymer **UA** 121 Ec14
Dymniki **BY** 59 Hd27
Dynivci **UA** 76 Jb32
Dyranut **N** 42 Fa17
Dyrnes **N** 36 Fa13
Džalil' **RUS** 119 Ga08
Džankoj **UA** 126 Fa17
Dzelzava **LV** 53 Ja21
Dzeržinsk **RUS** 118 Fb09
Dziadkowice **PL** 59 Hc27
Działdowo **PL** 58 Ha26
Działoszyce **PL** 67 Ha30
Działoszyn **PL** 66 Gd29
Dziemiany **PL** 58 Gc25
Dzierzgoń **PL** 58 Gd25
Dzierżoniów **PL** 66 Gc30
Dzisna **BY** 53 Jb22
Dzivin **BY** 59 Hd28
Dzjarečyn **BY** 59 Hd26
Dzjaržynsk **BY** 120 Ea12
Dzjatlava **BY** 120 Ea13
Džubga **RUS** 127 Fc17
Džuryn **UA** 125 Eb16

E

Easingwold **GB** 21 Db24
Eastbourne **GB** 25 Db28
East Dereham **GB** 25 Dc26
East Grinstead **GB** 25 Db28
East Kilbride **GB** 20 Cd21
Eauze **F** 80 Cd37
Ebeleben **D** 64 Fb29

Ebeltoft **DK** 49 Fb22
Ebensee **A** 73 Fd34
Eberbach **D** 64 Fa31
Ebern **D** 64 Fb30
Ebersbach **D** 65 Ga29
Ebersberg **D** 72 Fc33
Eberswalde **D** 57 Fd27
Eboli **I** 99 Ga43
Ebreichsdorf **A** 73 Gb33
Eceabat **TR** 103 Jd43
Echternach **L** 63 Ec31
Écija **E** 105 Bb44
Eckernförde **D** 56 Fb25
Eckerö **FIN** 45 Gd17
Écommoy **F** 61 Da32
Ecouché **F** 61 Da31
Ecueillé **F** 69 Db33
Ed **S** 43 Fc19
Edam **NL** 55 Eb27
Edane **S** 43 Fd18
Ede **NL** 55 Eb27
Edebäck **S** 44 Fd17
Edefors **S** 34 Gd09
Edelény **H** 75 Hb33
Edemissen **D** 56 Fb27
Edenderry **IRL** 19 Cb24
Edesbyn **S** 38 Gb15
Édessa **GR** 101 Hd42
Edewecht **D** 56 Fa27
Edgeworthstown **IRL** 18 Ca23
Edinburgh **GB** 21 Da21
Edincik **TR** 103 Ka42
Edineţ **MD** 76 Jc32
Edirne **TR** 103 Jd41
Édole **LV** 52 Hb21
Edolo **I** 72 Fa36
Edremit **TR** 103 Ka43
Edsbro **S** 45 Gc17
Edsbruk **S** 44 Gb20
Edsele **S** 38 Gb13
Edsta **S** 38 Gb15
Eeklo **B** 54 Ea28
Eemshaven **NL** 55 Ed26
Efimovskij **RUS** 117 Ec08
Efkarpía **GR** 102 Jb42
Eforie **RO** 89 Ka37
Efremov **RUS** 122 Fa12
Egby **S** 51 Gc21
Egeln **D** 56 Fc28
Eger **H** 75 Hb33
Egersund **N** 42 Ed19
Eggedal **N** 43 Fb17
Eggenburg **A** 65 Gb32
Eggenfelden **D** 73 Fd33
Eggesin **D** 57 Ga26
Egilsstaðir **IS** 15 Cc07
Égina **GR** 112 Jb46
Eginio **GR** 101 Hd43
Égio **GR** 110 Hd46
Égletons **F** 69 Db36
Egmond aan Zee **NL** 55 Eb27
Egor'e **RUS** 117 Ed11
Egor'evsk **RUS** 118 Fa10
Egorlykskaja **RUS** 127 Fc16
Egósthena **GR** 111 Ja46

Egtved **DK** 48 Fa23
Egyed **H** 74 Gc34
Ehingen **D** 72 Fa33
Ehínos **GR** 102 Jc41
Ehrwald **A** 72 Fb34
Eibar **E** 80 Cb38
Eibiswald **A** 73 Gb35
Eichstätt **D** 64 Fb32
Eiðar **IS** 15 Cc07
Eide **N** 36 Fa13
Eidet **N** 26 Gc05
Eidfjord **N** 36 Fa16
Eidsdalen **N** 36 Fa14
Eidsvåg **N** 36 Fa13
Eidsvoll **N** 43 Fc17
Eidvågeid **N** 26 Ha03
Eijsden **NL** 63 Eb29
Eikefjord **N** 36 Ed15
Eiken **N** 42 Ed19
Eilenburg **D** 65 Fd29
Èilgar **RUS** 123 Ga15
Eilsleben **D** 56 Fc28
Eina **N** 37 Fc16
Einbeck **D** 56 Fb28
Eindhoven **NL** 55 Eb28
Eisenach **D** 64 Fb29
Eisenberg **D** 64 Fc29
Eisenerz **A** 73 Ga34
Eisenhüttenstadt **D** 57 Ga28
Eisenstadt **A** 74 Gc34
Eisfeld **D** 64 Fb30
Eišiškės **LT** 59 Hd25
Eišiškės **LT** 59 Hd25
Eitorf **D** 63 Ed29
Eivindvik **N** 36 Ed16
Eivissa (Ibiza) **E** 94 Cd44
Ejea de los Caballeros **E** 80 Cc39
Ejsk **RUS** 126 Fb16
Ekaterinovka **RUS** 122 Fa12
Ekaterinovka **RUS** 123 Fc12
Ekeby **S** 49 Fd23
Ekenäs **FIN** 46 Hb17
Ekenäs **S** 44 Fd19
Ekerö **S** 45 Gc18
Ekimoviči **RUS** 121 Ec12
Ekshärad **S** 44 Fd17
Eksjö **S** 44 Ga20
Ekträsk **S** 34 Gd11
Ekzarh Antimovo **BG** 103 Jd40
Elabuga **RUS** 119 Ga08
Elan' **RUS** 123 Fd12
Elan'-Kolenovskij **RUS** 123 Fc13
El Arahal **E** 105 Ba44
Elassóna **GR** 101 Hd44
El Astillero **E** 79 Ca37
Elátia **GR** 111 Ja45
Elat'ma **RUS** 118 Fb10
Elatohóri **GR** 101 Hc44
Élatos **GR** 101 Hc43
El Barco de Ávila **E** 91 Bb40
Elbasan **RKS** 100 Hb42
Elbeuf **F** 61 Db30
Elbląg **PL** 58 Gd25

El Bonillo **E** 92 Ca43
El'brus **RUS** 127 Ga17
El Burgo de Osma **E** 92 Ca40
Elche **E** 107 Cb44
Elche de la Sierra **E** 107 Ca44
El Cubo de Tierra del Vino **E** 78 Bb39
Elda **E** 107 Cb44
Eléa **GR** 111 Ja48
Elec **RUS** 122 Fa12
Elefsína **GR** 112 Jb46
Eleftheroúpoli **GR** 102 Jb42
Eleja **LV** 52 Hc22
Èlektostal' **RUS** 118 Fa10
Elektrénai **LT** 53 Hd24
Elena **BG** 88 Jc39
Elgå **N** 37 Fd14
Elgin **GB** 17 Db19
El Grado **E** 80 Cd40
Elhovka **RUS** 119 Ga09
Elhovo **BG** 103 Jd40
Eliá **GR** 110 Hd47
Elimäki **FIN** 41 Hd16
Elin Pelin **BG** 102 Ja40
Elionka **RUS** 121 Ec13
Èlista **RUS** 123 Ga15
Ełk **PL** 59 Hc25
Ellon **GB** 17 Db19
Ellös **S** 43 Fc20
Ellwangen **D** 64 Fa32
El Molinillo **E** 91 Bc42
El Moral **E** 107 Ca44
Elmshorn **D** 56 Fb26
Elne **F** 81 Db39
Elnesvågen **N** 36 Fa13
El'nja **RUS** 117 Ec11
Elopía **GR** 111 Ja46
El Pedroso **E** 105 Ba43
El Pilar de la Mola **E** 94 Cd44
El Pobo de Dueñas **E** 93 Cb41
el Pont de Suert **E** 80 Cd39
El Puente del Arzobispo **E** 91 Bb41
El Puerto de Santa María **E** 105 Ad45
El Real de la Jara **E** 105 Ba43
El Real de San Vicente **E** 91 Bc41
El Rocío **E** 105 Ad44
El Rubio **E** 105 Ba44
El Saucejo **E** 105 Bb45
Elsfjord **N** 33 Ga09
Elsfleth **D** 56 Fa26
Elst **NL** 55 Ec28
Elsterwerda **D** 65 Fd29
Eltmann **D** 64 Fb31
Èl'ton **RUS** 123 Ga13
Eltville **D** 63 Ed30
Elva **EST** 47 Ja19
El Vacar **E** 105 Bb43
Elvanlı **TR** 128 Gc17

Elvas **P** 90 Ad42
Elven **F** 60 Cc32
el Vendrell **E** 95 Da41
Elverum **N** 37 Fc16
El Villar de Arnedo **E** 80 Cb39
El Viso **E** 105 Bb43
Elvkroken **N** 28 Gb07
Elx (Elche) **E** 107 Cb44
Ely **GB** 25 Dc26
Elze **D** 56 Fa28
Embrun **F** 83 Eb37
Embüte **LV** 52 Hb22
Emden **D** 55 Ed26
Emecik **TR** 115 Kb47
Emiralem **TR** 113 Ka45
Emirgazi **TR** 128 Gc15
Emlichheim **D** 55 Ec27
Emmaboda **S** 50 Gb22
Emmaljunga **S** 49 Fd22
Emmaste **EST** 46 Hb19
Emmeloord **NL** 55 Ec27
Emmen **NL** 55 Ec27
Emmendingen **D** 71 Ed33
Emmerich **D** 55 Ec28
Empessós **GR** 110 Hc45
Empoli **I** 84 Fb39
Emsdetten **D** 55 Ed27
Ёna **RUS** 31 Ja06
Enånger **S** 38 Gb15
Encekler **TR** 113 Kb44
Enciso **E** 80 Cb39
Encs **H** 75 Hb33
Enerhodar **UA** 126 Fa16
Eneryda **S** 50 Ga22
Enez **TR** 103 Jd42
Enge **N** 37 Fb13
Engelberg **CH** 71 Ed35
Engels **RUS** 123 Fd12
Enger **D** 56 Fa28
Engerneset **N** 37 Fd15
Engstingen **D** 72 Fa33
Enguera **E** 93 Cb43
Enguídanos **E** 93 Cb42
Engure **LV** 52 Hc21
Enisala **RO** 89 Ka36
Enkhuizen **NL** 55 Ec27
Enköping **S** 45 Gc18
Enna **I** 109 Ga47
Ennigerloh **D** 55 Ed28
Ennis **IRL** 18 Bd24
Enniscorthy **IRL** 23 Cb25
Enniskerry **IRL** 19 Cb24
Enniskillen **GB** 19 Cb22
Ennistimon **IRL** 18 Bd24
Enns **A** 73 Ga33
Eno **FIN** 41 Jb13
Enonkoski **FIN** 41 Ja14
Enontekiö Enkodak **FIN** 30 Ha06
Enschede **NL** 55 Ec27
Ensisheim **F** 71 Ec33
Entraygues-sur-Truyère **F** 81 Dc37
Entre-os-Rios **P** 78 Ad39
Entrevaux **F** 83 Eb38

Envermeu **F** 62 Dc30
Enviken **S** 38 Gb16
Épernay **F** 62 Ea31
Épila **E** 80 Cb40
Épinal **F** 71 Eb33
Epískopí **GR** 114 Jc49
Eppingen **D** 64 Fa32
Epsom **GB** 25 Db28
Eptahóri **GR** 101 Hc43
Équeurdreville-Hainneville **F** 61 Cd30
Erahtur **RUS** 118 Fb10
Erátira **GR** 101 Hc43
Erba **I** 71 Ed36
Erbach **D** 64 Fa31
Erbach **D** 72 Fa33
Erd **H** 74 Ha34
Erdek **TR** 103 Ka42
Erdemli **TR** 128 Gc17
Erdeven **F** 60 Cc32
Erding **D** 72 Fc33
Erdut **HR** 86 Ha37
Ereğli **TR** 128 Gc15
Eremiivka **MD** 77 Kb33
Eremitu **RO** 76 Jb34
Erfurt **D** 64 Fb29
Ērgli **LV** 53 Hd21
Ergolding **D** 72 Fc33
Ergoldsbach **D** 64 Fc32
Erice **I** 108 Fc46
Ericeira **P** 90 Ab41
Erikli **TR** 103 Jd42
Eringsboda **S** 50 Gb22
Erithrés **GR** 111 Ja46
Erka **N** 37 Fb14
Erkelenz **D** 63 Ec29
Erkner **D** 57 Fd27
Erla **E** 80 Cc39
Erlangen **D** 64 Fb31
Ermakovo **RUS** 119 Ga09
Ermenek **TR** 128 Gb17
Ermesinde **P** 78 Ad38
Ermióni **GR** 111 Jb47
Ermiš **RUS** 118 Fb10
Ermoúpoli **GR** 112 Jc46
Ernée **F** 61 Da31
Erquy **F** 60 Cc31
Erro **E** 80 Cc38
Ersekë **AL** 101 Hc43
Erši **RUS** 117 Ed11
Ersmark **S** 34 Gd12
Ersmark **S** 34 Gd11
Erstein **F** 63 Ec32
Ertuğrul **TR** 103 Ka43
Ervenik **HR** 85 Gb38
Ervy-le-Châtel **F** 70 Dd33
Erwitte **D** 55 Ed28
Erzurum **TR** 127 Ga19
Eržvilkas **LT** 52 Hc23
Esbjerg **DK** 48 Fa23
Esbo **FIN** 46 Hc17
Escalada **E** 79 Ca38
Escalaplano **I** 97 Ed44
Escalona **E** 91 Bc41
Escalos de Cima **P** 90 Ad40
Escároz **E** 80 Cc38

Eschede **D** 56 Fb27
Eschenburg **D** 63 Ed29
Esch-sur-Alzette **L** 63 Eb31
Esch-sur-Sûre **L** 63 Eb30
Eschwege **D** 64 Fb29
Eschweiler **D** 63 Ec29
Esens **D** 55 Ed26
Eskifjörður **IS** 15 Cc07
Eskilstuna **S** 44 Gb18
Eslohe **D** 63 Ed29
Eslöv **S** 49 Fd23
Es Mercadal **E** 95 Dc43
Espalion **F** 81 Dc37
Espeland **N** 36 Ed16
Espiel **E** 105 Bb43
Espinama **E** 79 Bd37
Espinhal **P** 90 Ad40
Espinho **P** 78 Ad39
Espinosa de los Monteros **E** 79 Ca38
Espoo **FIN** 46 Hc17
Esposende **P** 78 Ad38
Esrange **S** 29 Gd07
Essen **B** 54 Ea28
Essen **D** 55 Ec28
Essentuki **RUS** 127 Ga17
Esslingen **D** 64 Fa32
Essoyes **F** 70 Ea33
Estaing **F** 81 Dc37
Estarreja **P** 78 Ad39
Estella **E** 80 Cb38
Estepa **E** 105 Bb44
Estepona **E** 105 Ba45
Estercuel **E** 93 Cc41
Esternay **F** 62 Dd32
Esterri d'Àneu **E** 81 Da39
Estissac **F** 62 Dd32
Estoril **P** 90 Ab41
Estremoz **P** 90 Ad42
Esztergom **H** 74 Gd34
Étain **F** 63 Eb31
Étampes **F** 62 Dc32
Étaples **F** 62 Dc29
Etili **TR** 103 Ka43
Etne **N** 42 Ed17
Etolikó **GR** 110 Hd46
Étrépagny **F** 62 Dc31
Étretat **F** 61 Db30
Etropole **BG** 102 Ja40
Ettelbruck **L** 63 Eb30
Ettenheim **D** 71 Ed33
Etten-Leur **NL** 55 Eb28
Ettlingen **D** 63 Ed32
Eu **F** 62 Dc30
Eupen **B** 63 Eb29
Eura **FIN** 40 Ha16
Eurajoki **FIN** 40 Ha15
Euskirchen **D** 63 Ec29
Eutin **D** 56 Fb25
Evanger **N** 36 Ed16
Evaux-les-Bains **F** 69 Dc35
Evciler **TR** 103 Ka43
Évdilos **GR** 113 Jd46
Evenskjer **N** 28 Gb06
Evergem **B** 54 Ea28
Evertsberg **S** 38 Ga16

Evesham **GB** 24 Da26
Évian-les-Bains **F** 71 Eb35
Evijärvi **FIN** 40 Hb13
Evisa **F** 96 Ed41
Evje **N** 42 Fa19
Evlanovo **RUS** 122 Fa12
Evolène **CH** 71 Ec35
Évora **P** 90 Ac42
Évoramonte **P** 90 Ad42
Evreşe **TR** 103 Jd42
Évreux **F** 61 Db31
Évron **F** 61 Da32
Évry **F** 62 Dc32
Éxarhos **GR** 111 Ja45
Exeter **GB** 23 Cc28
Extremo **P** 78 Ad38
Eydehavn **N** 42 Fa19
Eyemouth **GB** 21 Db21
Eygurande **F** 69 Dc35
Eymoutiers **F** 69 Db35
Eyrarbakki **IS** 14 Bc07
Ezcaray **E** 79 Ca39
Ezere **LV** 52 Hb22
Ežerėlis **LT** 52 Hc24
Ezernieki **LV** 53 Jb22
Ezine **TR** 103 Jd43

F

Faaborg **DK** 49 Fb24
Fåberg **N** 36 Fa15
Fåberg **N** 37 Fc16
Fábiánsebestyén **H** 75 Hb35
Fäboda **FIN** 34 Ha12
Fabriano **I** 84 Fc39
Fábricas de Riópar **E** 107 Ca44
Faenza **I** 84 Fc38
Fafe **P** 78 Ad38
Făgăraş **RO** 88 Jb36
Fågelsjö **S** 38 Ga15
Fagerås **S** 44 Fd18
Fagerhult **S** 43 Fc19
Fagerhult **S** 50 Gb21
Fagernes **N** 26 Gc05
Fagernes **N** 37 Fb16
Fagersta **S** 44 Gb17
Fåget **RO** 75 Hc36
Fagurhólsmýri **IS** 15 Ca08
Fakenham **GB** 25 Dc26
Fåker **S** 38 Ga13
Fakija **BG** 103 Jd40
Falaise **F** 61 Da31
Falconara Marittima **I** 85 Fd39
Falerum **S** 44 Gb20
Fălești **MD** 77 Jd33
Falkenberg **D** 65 Fd29
Falkenberg **S** 49 Fd21
Falkensee **D** 57 Fd27
Falkenstein **D** 64 Fc30
Falkirk **GB** 21 Da21
Falköping **S** 44 Fd20
Fällfors **S** 34 Gd10
Fälloheden **S** 33 Gc10

Falmouth GB 23 Cb28
Falset E 93 Cd41
Falsterbo S 49 Fd23
Fălticeni RO 76 Jc33
Falun S 44 Gb17
Fameck F 63 Eb31
Fana N 42 Ed17
Fannrem N 37 Fc13
Fano I 85 Fd39
Fântânița MD 77 Jd32
Faraonivka UA 77 Kb34
Fărău RO 76 Ja35
Fărcașa RO 75 Hd33
Fårdea RO 75 Hc36
Fareham GB 24 Da28
Farestad N 42 Fa20
Färgelanda S 43 Fc19
Färila S 38 Gb15
Faringdon GB 24 Da27
Farini I 84 Fa38
Färjestaden S 50 Gb22
Farkadóna GR 101 Hd44
Fârliug RO 75 Hc36
Faro P 104 Ac44
Fårösund S 45 Gd20
Farranfore IRL 18 Bd24
Fársala GR 101 Hd44
Farsø DK 49 Fb21
Farsund N 42 Ed20
Farum DK 49 Fd23
Fasano I 100 Gd43
Fáskrúðsfjörður IS 15 Cc07
Fastiv UA 121 Ec15
Fatež RUS 122 Fa13
Fátima P 90 Ac40
Fatsa TR 127 Fc19
Faulquemont F 63 Ec32
Faura E 93 Cc43
Făurei RO 76 Jc34
Făurei RO 89 Jd36
Fauske N 28 Ga08
Fauville-en-Caux F 61 Db30
Fåvang N 37 Fc15
Favara I 108 Fd47
Faverges F 71 Eb36
Faversham GB 25 Dc28
Favignana I 108 Fc46
Favone F 96 Ed41
Faxe DK 49 Fc24
Fayence F 83 Eb39
Fayl-Billot F 71 Eb33
Fayón E 93 Cd41
Fay-sur-Lignon F 82 Dd37
Fécamp F 61 Db30
Feda N 42 Ed19
Fëdorovka RUS 122 Fb15
Fegyvernek H 75 Hb34
Fehérgyarmat H 75 Hc33
Fehring A 73 Gb35
Felanitx E 95 Db44
Feldbach A 73 Gb35
Feldberg D 57 Fd26
Feldkirch A 72 Fa34
Feldkirchen A 73 Ga35
Felixstowe GB 25 Dc27
Fellabær IS 15 Cc07

Felletin F 69 Dc35
Fellingsbro S 44 Gb18
Felnac RO 75 Hc36
Felsőzsolca H 75 Hb33
Feltre I 72 Fc36
Fensmark DK 49 Fc24
Feodosija UA 126 Fb17
Fère-Champenoise F 62 Ea32
Fère-en-Tardenois F 62 Dd31
Ferentillo I 84 Fc40
Ferentino I 98 Fd42
Feres GR 103 Jd42
Ferlach A 73 Ga35
Fermo I 85 Fd40
Fermoselle E 78 Bb39
Fermoy IRL 22 Bd25
Ferrandina I 99 Gc43
Ferrara I 84 Fb37
Ferreira do Alentejo P 90 Ac42
Ferrette F 71 Ec34
Ferriere I 84 Fa38
Ferrol E 78 Ba36
Fertőszentmiklós H 74 Gc34
Festvåg N 28 Ga07
Fetești RO 89 Jd37
Fethard IRL 22 Ca25
Fetsund N 43 Fc17
Feuchtwangen D 64 Fb32
Feurs F 70 Dd36
Fevik N 42 Fa19
Ffestiniog GB 24 Cd25
Fibiș RO 75 Hc36
Fidenza I 84 Fa37
Fier AL 100 Hb43
Fierzë AL 100 Hb41
Fiesole I 84 Fb39
Figari F 96 Ed42
Figeac F 81 Db37
Figeholm S 50 Gb21
Figiás GR 112 Jb46
Figueira da Foz P 90 Ac40
Figueira de Castelo Rodrigo P 78 Ba39
Figueiró dos Vinhos P 90 Ad40
Figueres E 81 Db40
Filadelfia I 109 Gc45
Fil'akovo SK 74 Ha33
Filey GB 21 Dc24
Filiași RO 88 Ja37
Filiátes GR 100 Hb44
Filiatrá GR 110 Hd47
Filinskoe RUS 118 Fb10
Filipești RO 76 Jc34
Filipiáda GR 110 Hc45
Filipstad S 44 Ga18
Fillan N 32 Fb12
Filótas GR 101 Hd43
Filóti GR 115 Jd47
Finale Emilia I 84 Fb37
Finale Ligure I 83 Ed38
Finaña E 106 Bd45

Fındıklı TR 103 Jd42
Fındıkpınarı TR 128 Gd16
Fínikas GR 112 Jc46
Finnerödja S 44 Ga19
Finnøya N 28 Gb07
Finnsnes N 26 Gc05
Finnstad N 37 Fc14
Finse N 36 Fa16
Finspång S 44 Gb19
Finsterwalde D 57 Fd28
Fintown IRL 19 Cb21
Fionnphort GB 16 Cc20
Fiorenzuola d'Arda I 84 Fa37
Firenze I 84 Fb39
Firenzuola I 84 Fb38
Firminy F 70 Dd36
Firovo RUS 117 Ec09
Fishguard GB 23 Cc26
Fiskárdo GR 110 Hc46
Fiskebäckskil S 43 Fc20
Fiskebøl N 28 Ga06
Fismes F 62 Dd31
Fitíes GR 110 Hc45
Fitjar N 42 Ed17
Fiuggi I 98 Fd41
Fiumicino I 98 Fc42
Fivizzano I 84 Fa38
Fjæra N 42 Ed17
Fjærland N 36 Fa15
Fjällbacka S 43 Fc19
Fjällnäs S 38 Fd14
Fjellerup DK 49 Fb22
Fjerritslev DK 49 Fb21
Fjordgård N 28 Gb05
Fjugesta S 44 Ga18
Fladungen D 64 Fb30
Flakaberg S 30 Ha08
Flakaträsk S 33 Gb10
Flakstad N 28 Ga07
Flåm N 36 Fa16
Flatøydegard N 37 Fb16
Fleetwood GB 21 Da24
Flekkefjord N 42 Ed19
Flen S 44 Gb19
Flensburg D 48 Fa24
Flers F 61 Da31
Flesberg N 43 Fb17
Flesnes N 28 Gb06
Fleurance F 81 Da37
Fleury-les-Aubrais F 62 Dc32
Flims CH 72 Fa35
Flisa N 37 Fd16
Flix E 93 Cd41
Flize F 62 Ea30
Floby S 44 Fd20
Flogny-la-Chapelle F 70 Dd33
Flöha D 65 Fd30
Florac F 81 Dc37
Florange F 63 Eb31
Florennes B 62 Ea30
Florenville B 63 Eb31
Florești MD 77 Jd32
Floridia I 109 Ga48

Flórina GR 101 Hc43
Florø N 36 Ed15
Florynka PL 67 Hb31
Flötningen S 38 Fd15
Fluberg N 37 Fc16
Flúðir IS 14 Bc07
Fluminimaggiore I 97 Ec44
Foča BIH 86 Ha39
Foça TR 113 Ka45
Fochabers GB 17 Db19
Focșani RO 77 Jd35
Foggia I 99 Gb42
Fohnsdorf A 73 Ga34
Foix F 81 Da39
Fojnica BIH 86 Gd39
Fokino RUS 121 Ed12
Folégandros GR 111 Jc47
Folelli F 96 Ed40
Foligno I 84 Fc40
Folkestad N 36 Ed14
Folkestone GB 25 Dc28
Follafors N 32 Fc12
Folldal N 37 Fc14
Follebu N 37 Fc16
Follingbo S 45 Gd20
Föllinge S 33 Ga12
Follonica I 84 Fb40
Foltești RO 77 Jd35
Fominki RUS 118 Fb09
Fondi I 98 Fd42
Fonni I 97 Ed43
Fonsagrada E 78 Bb37
Fontainebleau F 62 Dc32
Fontaine-Française F 70 Ea33
Fontanka UA 77 Kb34
Fontdepou E 80 Cd40
Fontenay-le-Comte F 68 Cd34
Fontenay-Trésigny F 62 Dd32
Fontevraud-l'Abbaye F 69 Da33
Fontiveros E 91 Bc40
Font-Romeu F 81 Db39
Fonyód H 74 Gc35
Foppolo I 72 Fa36
Forbach F 63 Ec31
Forcalquier F 82 Ea38
Forcarei E 78 Ba37
Forchheim D 64 Fb31
Førde N 36 Ed15
Førde N 42 Ed17
Forfar GB 17 Db20
Forges-les-Eaux F 62 Dc30
Forlì I 84 Fc38
Forlimpopoli I 84 Fc38
Formazza I 71 Ed35
Formby GB 21 Da24
Formia I 98 Fd42
Formofoss N 32 Fd11
Fornells E 95 Dc43
Forneset N 26 Gc05
Fornovo di Taro I 84 Fa38
Forøya N 28 Ga08

Forres **GB** 17 Da19
Fors **S** 44 Gb17
Forserum **S** 44 Ga20
Forshaga **S** 44 Fd18
Förslöv **S** 49 Fd22
Forsmark **S** 33 Gb10
Forsmo **S** 39 Gc13
Forsnäs **S** 33 Gc09
Forsnes **N** 37 Fb13
Forssa **FIN** 40 Hb16
Forst **D** 57 Ga28
Forsvik **S** 44 Ga19
Fort Augustus **GB** 17 Da19
Forte dei Marmi **I** 84 Fa39
Fort-Mahon-Plage **F** 62 Dc29
Fortrose **GB** 17 Da19
Fortuna **E** 107 Cd44
Fortunes-well **GB** 24 Cd28
Fort William **GB** 16 Cd20
Forvika **N** 32 Fd10
Fosnavåg **N** 36 Ed14
Fossacesia Marina **I** 99 Ga41
Fossano **I** 83 Ec38
Fossbakken **N** 29 Gc06
Fosses-la-Ville **B** 62 Ea30
Fossli **N** 36 Fa16
Fossombrone **I** 84 Fc39
Fos-sur-Mer **F** 82 Dd39
Fót **H** 74 Ha34
Fougères **F** 61 Cd31
Fourchambault **F** 70 Dd34
Fourfourás **GR** 114 Jc49
Fourmies **F** 62 Ea30
Fours **F** 70 Dd34
Foústani **GR** 101 Hd42
Fowey **GB** 23 Cb28
Foxford **IRL** 18 Ca22
Foynes **IRL** 18 Bd24
Foz **E** 78 Bb36
Foz de Odeleite **P** 104 Ac44
Frącki **PL** 59 Hc25
Fraga **E** 80 Cd40
Fragístra **GR** 110 Hd45
Framlev **DK** 49 Fb22
Frammersbach **D** 64 Fa30
Frampol **PL** 67 Hc29
Francardo **F** 96 Ed41
Francavilla al Mare **I** 99 Ga41
Francavilla di Sicilia **I** 109 Ga47
Francavilla Fontana **I** 100 Gd43
Francoforte **I** 109 Ga47
Franeker **NL** 55 Ec26
Frankenberg **D** 64 Fa29
Frankenthal **D** 63 Ed31
Frankfurt (Main) **D** 63 Ed30
Frankfurt (Oder) **D** 57 Ga28
Fränsta **S** 38 Gb14
Františkovy Lázně **CZ** 64 Fc30
Frascati **I** 98 Fc41
Fraserburgh **GB** 17 Db19

Frashër **AL** 100 Hb43
Frătăuţii Noi **RO** 76 Jb33
Frátsia **GR** 111 Ja48
Frauenfeld **CH** 71 Ed34
Frauenkirchen **A** 74 Gc34
Frecăţei **RO** 89 Ka36
Fredericia **DK** 49 Fb23
Frederikshavn **DK** 49 Fb21
Frederikssund **DK** 49 Fc23
Frederiksværk **DK** 49 Fc23
Fredrika **S** 33 Gc12
Fredriksberg **S** 44 Ga17
Fredrikstad **N** 43 Fc18
Fregenal de la Sierra **E** 105 Ad43
Freiberg **D** 65 Fd29
Freiburg **D** 71 Ed33
Freilassing **D** 73 Fd34
Freising **D** 72 Fc33
Freistadt **A** 73 Ga33
Freital **D** 65 Fd29
Fréjus **F** 83 Eb39
Frenštát pod Radhoštěm **CZ** 66 Gd31
Freren **D** 55 Ed27
Fresnay-sur-Sarthe **F** 61 Da32
Fresno-Alhándiga **E** 91 Bb40
Fresno de Caracena **E** 92 Ca40
Fretigney **F** 71 Eb34
Freudenberg **D** 63 Ed29
Freudenstadt **D** 63 Ed32
Frévent **F** 62 Dd29
Freyburg **D** 64 Fc29
Freyming-Merlebach **F** 63 Ec31
Freyung **D** 65 Fd32
Frí **GR** 115 Kb49
Fribourg **CH** 71 Ec35
Friedberg **A** 73 Gb34
Friedberg **D** 64 Fa30
Friedberg **D** 72 Fb33
Friedewald **D** 64 Fa29
Friedland **D** 57 Fd26
Friedland **D** 57 Ga28
Friedland **D** 64 Fb29
Friedrichshafen **D** 72 Fa34
Friedrichstadt **D** 56 Fa25
Friesach **A** 73 Ga35
Friesack **D** 57 Fd27
Friesoythe **D** 55 Ed26
Friggesund **S** 38 Gb15
Frihetsli **N** 29 Gc06
Frillesås **S** 49 Fc21
Friol **E** 78 Ba36
Fristad **S** 44 Fd20
Fritsla **S** 49 Fd21
Fritzlar **D** 64 Fa29
Friville-Escarbotin **F** 62 Dc30
Frjanovo **RUS** 118 Fa10
Frohnleiten **A** 73 Gb34
Frolovo **RUS** 123 Fd13
Frombork **PL** 58 Ha25

Frome **GB** 24 Cd27
Frómista **E** 79 Bd38
Frontignan **F** 81 Dc38
Frosinone **I** 98 Fd42
Frosioúna **GR** 111 Ja46
Frosta **N** 32 Fc12
Froussioúna **GR** 111 Ja46
Frövi **S** 44 Gb18
Fruges **F** 62 Dc29
Frunzivka **UA** 77 Ka33
Frunzivka **UA** 125 Ec16
Frutigen **CH** 71 Ec35
Frýdek-Místek **CZ** 66 Gd31
Frýdlant **CZ** 65 Ga29
Fuengirola **E** 105 Bb45
Fuensalida **E** 91 Bc41
Fuensanta **E** 107 Ca45
Fuente-Álamo **E** 107 Ca45
Fuente de Cantos **E** 105 Ba43
Fuente del Arco **E** 105 Ba43
Fuente el Fresno **E** 91 Bc42
Fuente Obejuna **E** 105 Bb43
Fuentesaúco **E** 79 Bc39
Fuentes de Ebro **E** 80 Cc40
Fügen **A** 72 Fc34
Fulda **D** 64 Fa30
Fulunäs **S** 38 Fd16
Fumay **F** 62 Ea30
Fumel **F** 81 Da37
Funäsdalen **S** 38 Fd14
Fundão **P** 90 Ad40
Fundulea **RO** 88 Jc37
Furculeşti **RO** 88 Jb38
Furmanov **RUS** 118 Fa09
Fürstenau **D** 55 Ed27
Fürstenberg **D** 57 Fd26
Fürstenfeld **A** 73 Gb35
Fürstenfeldbruck **D** 72 Fb33
Fürstenwalde **D** 57 Ga28
Furta **H** 75 Hc34
Fürth **D** 64 Fb31
Furth im Wald **D** 65 Fd32
Furtwangen **D** 71 Ed33
Furudal **S** 38 Ga16
Furuflaten **N** 26 Gd05
Furusund **S** 45 Gd18
Fusa **N** 42 Ed17
Fushë-Muhur **AL** 100 Hb41
Füssen **D** 72 Fb34
Fustiñana **E** 80 Cb39
Füzesabony **H** 75 Hb33
Füzesgyarmat **H** 75 Hb34
Fyllinge **S** 49 Fd22
Fynshav **DK** 49 Fb24
Fyresdal **N** 42 Fa18

G

Gabare **BG** 88 Ja39
Gabčíkovo **SK** 74 Gc33
Gabøl **DK** 48 Fa23
Gabrovo **BG** 88 Jc39
Gacé **F** 61 Db31
Gacko **BIH** 86 Gd40
Gäddede **S** 33 Ga11

Gadebusch **D** 56 Fc26
Gádor **E** 106 Bd46
Gærum **DK** 49 Fb21
Găeşti **RO** 88 Jb37
Gaeta **I** 98 Fd42
Gafsele **S** 33 Gc12
Gaggenau **D** 63 Ed32
Gagince **SRB** 87 Hc40
Gagino **RUS** 119 Fc09
Gagnef **S** 44 Ga17
Gaiķi **LV** 52 Hb21
Gaildorf **D** 64 Fa32
Gailey **GB** 24 Da25
Gaillac **F** 81 Db38
Gaillon **F** 62 Dc31
Gainsborough **GB** 25 Db25
Gairloch **GB** 16 Cd18
Gajutino **RUS** 117 Ed08
Gajvoron **UA** 77 Ka32
Gakilköy **TR** 103 Kb42
Gakkovo **RUS** 47 Ja17
Gălăbovo **BG** 102 Jc40
Galanta **SK** 74 Gd33
Galashiels **GB** 21 Da22
Galaţi **RO** 89 Jd36
Galatina **I** 100 Gd44
Galátista **GR** 101 Ja43
Galaxídi **GR** 111 Ja46
Galera **E** 106 Bd44
Galéria **F** 96 Ed40
Galgaguta **H** 74 Ha33
Gâlgău **RO** 76 Ja34
Galič **RUS** 118 Fa08
Gallarate **I** 71 Ed36
Gallipoli **I** 100 Gd44
Gällivare **S** 29 Gd08
Gallneukirchen **A** 73 Ga33
Gällö **S** 38 Ga13
Gällstad **S** 44 Fd20
Galtström **S** 39 Gc14
Galway **IRL** 18 Bd23
Gaming **A** 73 Ga33
Gamleby **S** 44 Gb20
Gammelbo **S** 44 Gb18
Gammelstaden **S** 34 Ha10
Gammertingen **D** 72 Fa33
Gamvik **N** 27 Hc02
Gan **F** 80 Cd38
Ganderkesee **D** 56 Fa26
Gandesa **E** 93 Cd41
Gandia **E** 94 Cc44
Gandvik **N** 27 Hc04
Ganges **F** 81 Dc38
Gangi **I** 109 Ga47
Gannat **F** 69 Dc35
Gap **F** 83 Eb37
Gara Hitrino **BG** 89 Jd38
Gara Läkatnik **BG** 88 Ja39
Garbatka-Letnisko **PL** 59 Hb28
Gârbou **RO** 75 Hd34
Garbów **PL** 67 Hc29
Garbsen **D** 56 Fa27
Garching **D** 72 Fc33
Garda **I** 72 Fb36
Gardanne **F** 82 Ea39

Gårdby S 50 Gb22
Gardelegen D 56 Fc27
Gardermoen N 43 Fc17
Gardete P 90 Ad41
Gardíki GR 101 Hc44
Garding D 56 Fa25
Gärdnäs S 33 Ga12
Gardone Riviera I 72 Fb36
Gardone Val Trompia I 72 Fa36
Gárdony H 74 Gd34
Garður IS 14 Bb06
Garešnica HR 74 Gc36
Garessio I 83 Ec38
Gargaliáni GR 110 Hd47
Gargnäs S 33 Gc10
Gargždai LT 52 Hb23
Garlasco I 83 Ed37
Garliava LT 52 Hc24
Gărljano BG 101 Hd41
Garmisch-Partenkirchen D 72 Fb34
Garoaia RO 77 Jd35
Garphyttan S 44 Ga18
Garrovillas E 91 Ba41
Garrucha E 107 Ca45
Gärsnäs S 50 Ga23
Gartz D 57 Ga26
Garvão P 104 Ac43
Garve GB 17 Da19
Garwolin PL 59 Hb28
Gasteiz E 80 Cb38
Gastoúni GR 110 Hc46
Gătaia RO 75 Hc36
Gatčina RUS 47 Jb17
Gatehouse of Fleet GB 20 Cd22
Gateshead GB 21 Db23
Gattinara I 71 Ed36
Gaucín E 105 Ba45
Gaupne N 36 Fa15
Gauting D 72 Fb33
Gavarnie F 80 Cd39
Gavião P 90 Ad41
Gävle S 39 Gc16
Gavorrano I 84 Fb40
Gavray F 61 Cd31
Gavrilov-Jam RUS 118 Fa09
Gávrio GR 112 Jc46
Gávros GR 101 Hc43
Gavry RUS 53 Jb21
Gaworzyce PL 57 Gb28
Gazimağusa CY 128 Gc19
Gazipaşa TR 128 Ga17
Gdańsk PL 58 Gd25
Gdov RUS 47 Ja18
Gdynia PL 58 Gd25
Gedser DK 49 Fc25
Geel B 63 Eb29
Geeste D 55 Ed27
Geesthacht D 56 Fb26
Gefell D 64 Fc30
Geilenkirchen D 63 Ec29
Geilo N 36 Fa16
Geiranger N 36 Fa14
Geiselhöring D 64 Fc32
Geisenfeld D 64 Fc32
Geisingen D 71 Ed33
Geislingen D 64 Fa32
Geithus N 43 Fb17
Gela I 109 Ga48
Geldern D 55 Ec28
Geldrop NL 55 Eb28
Geleen NL 63 Eb29
Gelenbe TR 113 Kb44
Gelendžik RUS 127 Fc17
Gelgaudiškis LT 52 Hc24
Gelibolu TR 103 Jd42
Gelnhausen D 64 Fa30
Gelsenkirchen D 55 Ec28
Gelting D 49 Fb24
Gelu RO 75 Hb36
Gembloux B 62 Ea29
Gemla S 50 Ga22
Gemona del Friuli I 73 Fd36
Gemünden D 64 Fa29
Gemünden D 64 Fa30
Gençay F 69 Da34
Generalski Stol HR 85 Gb37
General Toševo BG 89 Ka38
Genève CH 71 Eb35
Gengenbach D 63 Ed32
Genk B 63 Eb29
Genlis F 70 Ea34
Gennep NL 55 Ec28
Génolhac F 82 Dd37
Genova I 83 Ed38
Gent B 62 Ea29
Genthin D 56 Fc27
Genzano di Lucania I 99 Gb43
George Enescu RO 76 Jc32
Georgievsk RUS 127 Ga17
Gera D 64 Fc29
Geraardsbergen B 62 Ea29
Gerace I 109 Gc46
Gerakaroú GR 101 Ja43
Geráki GR 111 Ja47
Gerakiní GR 101 Ja43
Gérardmer F 71 Ec33
Gerena E 105 Ba44
Gérgal E 106 Bd45
Gergova RO 89 Ka36
Germencik TR 113 Kb45
Germering D 72 Fb33
Germersheim D 63 Ed31
Gernika E 80 Cb37
Gernsheim D 63 Ed31
Gerolstein D 63 Ec30
Gerolzhofen D 64 Fb31
Gersfeld D 64 Fa30
Gersthofen D 72 Fb33
Gescher D 55 Ec28
Gesunda S 38 Ga16
Gèsves B 63 Eb30
Geta FIN 45 Gd17
Getafe E 92 Bd41
Getinge S 49 Fd21
Gettorf D 56 Fb25
Getxo E 79 Ca37
Gevgelija MK 101 Hd42
Gex F 71 Eb35
Geyikli TR 103 Jd43
Ghedi I 84 Fa37
Gheorgheni RO 76 Jb34
Gherla RO 76 Ja34
Gherța Mică RO 75 Hd33
Ghilarza I 97 Ed43
Ghimpați RO 88 Jc38
Ghisonaccia F 96 Ed41
Ghisoni F 96 Ed41
Gianitsá GR 101 Hd42
Giardini-Naxos I 109 Gb47
Giarmata RO 75 Hc36
Giarre I 109 Gb47
Gibellina Nuova I 108 Fc47
Gibostad N 26 Gc05
Gibraleón E 105 Ad44
Gibraltar GBZ 105 Ba46
Gibzde LV 52 Hb21
Gic H 74 Gd34
Gideå S 39 Gc13
Gideåkroken S 33 Gc11
Gieboldehausen D 56 Fb28
Gien F 69 Dc33
Giengen D 64 Fb32
Giens F 82 Ea39
Giera RO 87 Hb37
Gießen D 63 Ed30
Gieten NL 55 Ec26
Gietrzwałd PL 58 Ha26
Gifhorn D 56 Fb27
Gigant RUS 123 Fd15
Ghighera RO 88 Ja38
Gignac F 81 Dc38
Gijón E 79 Bc36
Gilău RO 75 Hd35
Gilavë AL 100 Hb43
Gilleleje DK 49 Fd22
Gimåfors S 38 Gb14
Gimo S 45 Gc17
Gimone F 81 Da38
Ginduliai LT 52 Hb23
Ginosa I 99 Gc43
Gioia del Colle I 99 Gc43
Gioia Tauro I 109 Gb46
Gioiosa Ionica I 109 Gc46
Giraltovce SK 67 Hb32
Giresun TR 127 Fd19
Girne CY 128 Gb18
Giromagny F 71 Ec33
Girona E 81 Db40
Girvan GB 20 Cd22
Gisburn GB 21 Da24
Gislaved S 49 Fd21
Gisors F 62 Dc31
Githio GR 111 Ja48
Giulianova I 85 Fd40
Giulvăz RO 75 Hb36
Giurgeni RO 89 Jd37
Giurgiu RO 88 Jc38
Give DK 48 Fa23
Givet F 62 Ea30
Givors F 70 Ea36
Givry F 70 Ea34
Givry-en-Argonne F 62 Ea31
Giżałki PL 58 Gc28
Giżycko PL 59 Hb25
Gjermundshamn N 42 Ed17
Gjerstad N 43 Fb19
Gjersvik N 33 Ga11
Gjesvær N 27 Hb02
Gjirokastër AL 100 Hb44
Gjøra N 37 Fb14
Gjøvik N 37 Fc16
Gladenbach D 63 Ed29
Gladstad N 32 Fd10
Glamoč BIH 86 Gc39
Glamsbjerg DK 49 Fb24
Glandorf D 55 Ed28
Glarus CH 71 Ed34
Glasgow GB 21 Da21
Glastonbury GB 24 Cd27
Glavatićevo BIH 86 Gd39
Glavinica BG 89 Jd38
Głębokie PL 67 Hc29
Gleisdorf A 73 Gb34
Glenariff GB 20 Cc22
Glenarm GB 20 Cc22
Glenbeigh IRL 18 Bc24
Glencolumbkille IRL 18 Ca21
Glenfinnan GB 16 Cd19
Glengarriff IRL 22 Bc25
Glenluce GB 20 Cd22
Glenrothes GB 21 Da21
Glenties IRL 18 Ca21
Glífa GR 111 Ja45
Glifáda GR 100 Hb44
Glimåkra S 50 Ga22
Glina HR 85 Gb37
Glinojeck PL 58 Ha27
Gliwice PL 66 Gd30
Glodeanu-Siliștea RO 89 Jd37
Glodeni MD 76 Jc33
Gloggnitz A 73 Gb34
Glogovac RKS 87 Hc40
Głogów PL 57 Gb28
Głogówek PL 66 Gd30
Głogów Małopolski PL 67 Hc30
Glomfjord N 28 Ga08
Glommen S 49 Fd21
Glommersträsk S 34 Gd10
Glöte S 38 Fd15
Gloucester GB 24 Da27
Główczyce PL 51 Gc24
Głowno PL 58 Ha28
Głubczyce PL 66 Gd30
Glubokij RUS 123 Fc14
Głuchołazy PL 66 Gc30
Głuchowo PL 58 Gc28
Glücksburg D 49 Fb24
Glückstadt D 56 Fa25
Gluhove RUS 118 Fb10
Gmünd A 65 Ga32
Gmünd A 73 Fd35
Gmunden A 73 Fd33
Gnarp S 39 Gc15
Gnarrenburg D 56 Fa26
Gnesta S 45 Gc19
Gniazdowo PL 59 Hb26
Gniechowice PL 66 Gc29

Gniew PL 58 Gd25
Gniezno PL 58 Gc27
Gnjilane RKS 87 Hc40
Gnoien D 57 Fd25
Gnosjö S 50 Ga21
Gobesh AL 100 Hb43
Göçbeyli TR 113 Ka44
Goce Delčev BG 101 Ja41
Goce Delčev BG 101 Ja41
Goch D 55 Ec28
Göd H 74 Ha34
Godby FIN 45 Gd17
Godeanu RO 87 Hd37
Godeč BG 88 Ja39
Goderville F 61 Db30
Gödöllő H 74 Ha34
Goes NL 54 Ea28
Gogolin PL 66 Gd30
Göhren D 57 Fd25
Goián E 78 Ad37
Góis P 90 Ad40
Goito I 84 Fb37
Gójsk PL 58 Ha27
Gökçeada TR 103 Jd43
Gökçen TR 113 Kb45
Gökkuşağı TR 128 Gd16
Gol N 37 Fb16
Golce PL 57 Gb26
Gölcük TR 103 Kb43
Golčův Jeníkov CZ 65 Gb31
Golczewo PL 57 Ga26
Gołdap PL 59 Hb25
Goldberg D 56 Fc26
Göle TR 127 Ga19
Goleniów PL 57 Ga26
Golfo Aranci I 96 Ed42
Golica BG 89 Ka39
Golicyno RUS 117 Ed10
Goliševa LV 53 Jb21
Goljam Manastir BG 103 Jd40
Goljamo Kruševo BG 103 Jd40
Gölmarmara TR 113 Kb44
Gölören TR 128 Gc15
Golspie GB 17 Da18
Golßen D 57 Fd28
Golubac SRB 87 Hc37
Golub-Dobrzyń PL 58 Gd26
Gołymin-Ośrodek PL 59 Hb27
Gómara E 80 Cb40
Gömeç TR 113 Ka44
Gommern D 56 Fc28
Gomulin PL 67 Ha29
Goncelin F 71 Eb36
Gondomar P 78 Ad39
Gondrecourt-le-Château F 63 Eb32
Gönen TR 103 Ka43
Goniądz PL 59 Hc26
Goole GB 21 Db24
Goor NL 55 Ec27
Göppingen D 64 Fa32
Góra PL 57 Gb28
Góra PL 58 Ha27
Góra Kalwaria PL 59 Hb28
Goráni GR 111 Ja47
Goražde BIH 86 Ha39
Gorban RO 77 Jd34
Gördalen S 38 Fd15
Gördes TR 113 Kb44
Gorelki RUS 118 Fa11
Gorey IRL 23 Cb25
Gorica BG 89 Ka39
Goricë AL 101 Hc42
Goricy RUS 117 Ed09
Gorinchem NL 55 Eb28
Goritsá GR 111 Ja47
Gorizia I 73 Fd36
Gorjačij Ključ RUS 127 Fc17
Gorki RUS 47 Jb17
Gørlev DK 49 Fc23
Gorlice PL 67 Hb31
Görlitz D 65 Ga29
Gormanstown IRL 19 Cb23
Gorna Bešovica BG 88 Ja39
Gorna Orjahovica BG 88 Jc39
Gorni Okol BG 102 Ja40
Gornjackij RUS 123 Fc14
Gornja Radgona SLO 73 Gb35
Gornja Sabanta SRB 87 Hc38
Gornje Peulje BIH 86 Gc38
Gornji Jabolčište MK 101 Hc41
Gornji Milanovac SRB 87 Hb38
Gornji Vakuf-Uskoplje BIH 86 Gd39
Górno PL 67 Hb29
Gornyj RUS 119 Ga11
Gorodec RUS 118 Fb09
Gorodišče RUS 119 Fd11
Gorodovikovsk RUS 127 Fd16
Górowo Iławeckie PL 58 Ha25
Gorron F 61 Da31
Goršečnoe RUS 122 Fa13
Gort IRL 18 Bd24
Görükle TR 103 Kb42
Görvik S 38 Gb13
Gorzkowice PL 67 Ha29
Gorzków-Osada PL 67 Hc29
Gorzów Wielkopolski PL 57 Gb27
Gorzyń PL 57 Gb27
Gosau A 73 Fd34
Gościkowo Jordanowo PL 57 Gb27
Gosforth GB 21 Da23
Goslar D 56 Fb28
Gospić HR 85 Gb38
Gostilja BG 88 Ja39
Gostivar MK 101 Hc41
Göstling A 73 Ga34
Gostomia PL 57 Gb26
Gostyń PL 58 Gc28
Gostynin PL 58 Ha27
Göteborg S 43 Fc20
Götene S 44 Fd19
Gotha D 64 Fb29
Götlunda S 44 Gb18
Göttingen D 56 Fb28
Gottskär S 49 Fc21
Gouda NL 55 Eb27
Gouménissa GR 101 Hd42
Goúmero GR 110 Hd46
Gourdon F 69 Db36
Gourin F 60 Cb31
Gournay-en-Bray F 62 Dc30
Gouveia P 90 Ad40
Gouzon F 69 Dc35
Govedari HR 86 Gc40
Gowidlino PL 58 Gc25
Gozdnica PL 65 Ga29
Gözne TR 128 Gd16
Grabarka PL 59 Hc27
Graben-Neudorf D 63 Ed32
Grabovica SRB 87 Hb38
Grabovica SRB 87 Hd38
Grabow D 56 Fc26
Grabów nad Prosną PL 66 Gd29
Grabowno PL 58 Gc26
Grabowo PL 59 Hb25
Gračac HR 85 Gb38
Gračanica BIH 86 Gd39
Gračanica BIH 86 Gd38
Gračanica RKS 87 Hc40
Graçay F 69 Dc33
Gračevka RUS 127 Fd16
Gradac HR 85 Gb37
Gradačac BIH 86 Gd37
Gradec BG 87 Hd38
Gradešnica MK 101 Hd42
Gradina BG 88 Jc39
Grădinari RO 87 Hc37
Gradište HR 86 Ha37
Grădiştea RO 89 Jd37
Grădistea RO 88 Ja37
Grădiştea de Munte RO 75 Hd36
Gradnica BG 88 Jb39
Grado I 73 Fd36
Gradojević SRB 86 Ha38
Grafenau D 65 Fd32
Gräfenberg D 64 Fb31
Gräfenhainichen D 56 Fc28
Grafenwöhr D 64 Fc31
Graiguenamanagh IRL 23 Cb25
Grajduri RO 77 Jd34
Grajewo PL 59 Hc26
Grajvoron RUS 122 Fa14
Gram DK 48 Fa23
Gramat F 69 Db36
Grammichele I 109 Ga47
Gramsh AL 100 Hb43
Gramzow D 57 Ga26
Gran N 43 Fc17
Granada E 106 Bc45
Granard IRL 19 Cb23
Grandas de Salime E 78 Bb36
Grandcamp-Maisy F 61 Da30
Grândola P 90 Ac42
Grandrieu F 82 Dd37
Grandvillars F 71 Ec34
Grandvilliers F 62 Dc30
Grañén E 80 Cc40
Grangärde S 44 Ga17
Grangemouth GB 21 Da21
Grängesberg S 44 Ga17
Graniceşti RO 76 Jb33
Graninge S 38 Gb13
Granítis GR 102 Jb42
Grankullavik S 51 Gc21
Granliden S 33 Gb11
Gränna S 44 Ga20
Grannäs S 33 Gb10
Granö S 34 Gd12
Granollers E 95 Db41
Gransee D 57 Fd27
Gransherad N 43 Fb18
Grantham GB 25 Db25
Grantown-on-Spey GB 17 Da19
Granville F 61 Cd31
Granvin N 36 Ed16
Grapska BIH 86 Gd38
Gräsgård S 50 Gb22
Grassano I 99 Gc43
Grassau D 72 Fc34
Grasse F 83 Eb39
Gråsten DK 49 Fb24
Grästorp S 43 Fd20
Gratwein A 73 Gb34
Graulhet F 81 Db38
Graus E 80 Cd40
Grávavencsellő H 75 Hc33
Gravberget N 37 Fd16
Gravedona I 72 Fa36
Gravelines F 54 Dd28
Gravesend GB 25 Db28
Graviá GR 111 Ja45
Gravina in Puglia I 99 Gc43
Gray F 71 Eb34
Graz A 73 Gb35
Gražiškiai LT 52 Hc24
Great Ayton GB 21 Db23
Great Malvern GB 24 Da26
Great Yarmouth GB 25 Dd26
Grebbestad S 43 Fc19
Grebenhain D 64 Fa30
Grębocin PL 58 Gd26
Greenlaw GB 21 Db21
Greenock GB 20 Cd21
Greenodd GB 21 Da23
Greetsiel D 55 Ed26
Greifenburg A 73 Fd35
Greifswald D 57 Fd25
Grein A 73 Ga33
Greiz D 64 Fc30
Gremjač'e RUS 122 Fb13
Grenaa DK 49 Fc22
Grenade F 81 Da38
Grenade-sur-l'Adour F 80 Cd37

Grenchen **CH** 71 Ec34
Grenivik **IS** 15 Ca05
Grenoble **F** 82 Ea37
Gressoney-la-Trinite **I** 71 Ec36
Gretna Green **GB** 21 Da22
Greve in Chianti **I** 84 Fb39
Greven **D** 55 Ed28
Grevená **GR** 101 Hc43
Grevenbroich **D** 63 Ec29
Grevenmacher **L** 63 Ec31
Grevesmühlen **D** 56 Fc25
Greve Strand **DK** 49 Fd23
Grevie **S** 49 Fd22
Greystones **IRL** 19 Cb24
Grgurnica **MK** 101 Hc41
Gribanovskij **RUS** 123 Fc12
Grieskirchen **A** 73 Fd33
Grigor'evskoe **RUS** 118 Fb08
Grigoriopol **MD** 77 Ka33
Grillby **S** 45 Gc18
Grimma **D** 65 Fd29
Grimmen **D** 57 Fd25
Grimsby **GB** 25 Dc25
Grímsey **IS** 15 Cb05
Grímsstaðir **IS** 15 Cb06
Grimstad **N** 42 Fa19
Grinăuţi **MD** 77 Jd32
Grindavik **IS** 14 Bb07
Grindelwald **CH** 71 Ed35
Grindsted **DK** 48 Fa23
Grinkiškis **LT** 52 Hc23
Griškabūdis **LT** 52 Hc24
Grisolles **F** 81 Da38
Grisslehamn **S** 45 Gd17
Grivenskaja **RUS** 127 Fc16
Grivița **RO** 89 Jd37
Grjady **RUS** 117 Eb09
Grjazi **RUS** 122 Fb12
Grjazovec **RUS** 118 Fa08
Grobiņa **LV** 52 Ha22
Grocka **SRB** 87 Hb38
Gródek **PL** 59 Hd26
Gröditz **D** 65 Fd29
Gródki **PL** 58 Ha26
Gródki **PL** 67 Hc29
Grodków **PL** 66 Gc30
Grodziczno **PL** 58 Ha26
Grodzisk Mazowiecki **PL** 58 Ha28
Grodzisk Wielkopolski **PL** 57 Gb28
Groix **F** 60 Cb32
Grójec **PL** 59 Hb28
Grömitz **D** 56 Fb25
Gromnik **PL** 67 Hb31
Grong **N** 32 Fd11
Gröningen **D** 56 Fc28
Groningen **NL** 55 Ec26
Grönskåra **S** 50 Gb21
Gropeni **RO** 89 Jd36
Großenhain **D** 65 Fd29
Großenkneten **D** 55 Ed26
Grosseto **I** 84 Fb40
Grosseto Prugna **F** 96 Ed41

Groß-Gerau **D** 63 Ed31
Groß Gerungs **A** 73 Ga33
Großpetersdorf **A** 73 Gb34
Großräschen **D** 65 Ga29
Grosuplje **SLO** 73 Ga36
Grøtevær **N** 28 Gb05
Grotli **N** 36 Fa14
Grottaglie **I** 100 Gd43
Grottaminarda **I** 99 Ga42
Grottammare **I** 85 Fd40
Grov **N** 28 Gb06
Grövelsjön **S** 38 Fd14
Grožnjan **HR** 85 Fd37
Grubišno Polje **HR** 74 Gc36
Grudusk **PL** 58 Ha26
Grudziądz **PL** 58 Gd26
Grumento Nova **I** 99 Gb43
Grums **S** 44 Fd18
Grünberg **D** 64 Fa30
Grundarfjörður **IS** 14 Bb05
Grundträsk **S** 34 Ha09
Grünstadt **D** 63 Ed31
Grunwald **PL** 58 Ha26
Gruszka **PL** 67 Ha29
Gruža **SRB** 87 Hb39
Gruzdžiai **LT** 52 Hc22
Grybów **PL** 67 Hb31
Grycksbro **S** 38 Gb16
Gryfice **PL** 57 Ga25
Gryfino **PL** 57 Ga26
Gryfów Śląski **PL** 65 Gb29
Grykë **AL** 100 Ha43
Gryllefjord **N** 28 Gb05
Gryt **S** 44 Gb20
Grythyttan **S** 44 Ga18
Gstaad **CH** 71 Ec35
Guadalajara **E** 92 Bd41
Guadalcanal **E** 105 Ba43
Gualdo Tadino **I** 84 Fc40
Guarda **P** 91 Ba40
Guardamar del Segura **E** 107 Cb45
Guardiagrele **I** 99 Ga41
Guardo **E** 79 Bd38
Guareña **E** 91 Ba42
Guastalla **I** 84 Fb37
Gubbio **I** 84 Fc39
Gubbträsk **S** 33 Gc10
Guben **D** 57 Ga28
Gubin **PL** 57 Ga28
Gubkin **RUS** 122 Fa13
Guča **SRB** 87 Hb39
Guderup **DK** 49 Fb24
Gudhjem **DK** 50 Ga24
Gudvangen **N** 36 Fa15
Guebwiller **F** 71 Ec33
Guémené-Penfao **F** 61 Cd32
Guémené-sur-Scorff **F** 60 Cc31
Guer **F** 61 Cd32
Guérande **F** 60 Cc32
Guéret **F** 69 Db35
Gueugnon **F** 70 Dd34
Gugești **RO** 89 Jd36
Guglionesi **I** 99 Ga41

Guijuelo **E** 91 Bb40
Guildford **GB** 25 Db28
Guillaumes **F** 83 Eb38
Guilvinec **F** 60 Cb31
Guimarães **P** 78 Ad38
Guimiliau **F** 60 Cb31
Guînes **F** 62 Dc29
Guingamp **F** 60 Cc31
Guipavas **F** 60 Cb31
Guisborough **GB** 21 Db23
Guiscard **F** 62 Dd30
Guise **F** 62 Ea30
Guissona **E** 81 Da40
Guitiriz **E** 78 Ba36
Gujan-Mestras **F** 68 Cc36
Gukovo **RUS** 123 Fc15
Gulbene **LV** 47 Ja20
Güldere **TR** 128 Gc16
Guljanci **BG** 88 Jb38
Guljanic'ke **MD** 77 Kb32
Gul'keviči **RUS** 127 Fd16
Gullbrandstorp **S** 49 Fd22
Gullesfjordbotn **N** 28 Gb06
Gullspång **S** 44 Ga19
Güllük **TR** 113 Kb46
Gülnar **TR** 128 Gb17
Gülpınar **TR** 113 Jd44
Gulsvik **N** 43 Fb17
Gumiel de Hizán **E** 79 Bd39
Gummersbach **D** 63 Ed29
Gümüldür **TR** 113 Ka45
Gümüşçay **TR** 103 Ka42
Gümüşhane **TR** 127 Fd19
Gundelfingen **D** 64 Fb32
Gündoğmuş **TR** 128 Ga16
Güneysınır **TR** 128 Gb16
Güneyyurt **TR** 128 Gb17
Gunnarn **S** 33 Gc11
Gunnarnes **N** 26 Ha03
Gunnarsbyn **S** 34 Ha09
Gunnebo **S** 44 Gb20
Gunnfarnes **N** 28 Gb05
Guntin de Pallares **E** 78 Ba37
Günzburg **D** 72 Fb33
Gunzenhausen **D** 64 Fb32
Gura Haitii **RO** 76 Jb34
Gurahonț **RO** 75 Hd35
Gura Humorului **RO** 76 Jb33
Gurasada **RO** 76 Hd34
Gur'evsk **RUS** 52 Ha24
Gurk **A** 73 Ga35
Gurkovo **BG** 102 Jc40
Gürpınar **TR** 103 Kb41
Gusev **RUS** 52 Hb24
Gus'-Hrustal'nyj **RUS** 118 Fa10
Gusinje **MNE** 87 Hb40
Guspini **I** 97 Ec44
Gusselby **S** 44 Ga18
Güssing **A** 73 Gb35
Gustavsberg **S** 45 Gc18
Güstrow **D** 56 Fc26
Gusum **S** 44 Gb20
Gus'-Železnyj **RUS** 118 Fb10
Gütersloh **D** 55 Ed28
Gützkow **D** 57 Fd25

Güzelbağ **TR** 128 Ga16
Güzelçamlı **TR** 113 Ka46
Güzeloluk **TR** 128 Gc16
Güzelsu **TR** 128 Ga16
Güzelyurt **CY** 128 Gb19
Gvardejsk **RUS** 52 Hb24
Gvarv **N** 43 Fb18
Gvozd **HR** 85 Gb37
Gy **F** 71 Eb34
Gyál **H** 74 Ha34
Gylien **S** 34 Ha09
Gyomaendrőd **H** 75 Hb35
Gyömrő **H** 74 Ha34
Gyöngyös **H** 74 Ha33
Győr **H** 74 Gc34
Győrtelek **H** 75 Hc33
Gysinge **S** 44 Gb17
Gyttorp **S** 44 Ga18
Gyula **H** 75 Hc35
Gžatsk **RUS** 117 Ed11

Häädemeeste **EST** 46 Hc19
Haag (Niederösterreich) **A** 73 Ga33
Haag am Hausruck **A** 73 Fd33
Haag in Oberbayern **D** 72 Fc33
Haaksbergen **NL** 55 Ec27
Haamstede **NL** 54 Ea28
Haapajärvi **FIN** 35 Hc12
Haapavesi **FIN** 35 Hc11
Haapsalu **EST** 46 Hc18
Haarlem **NL** 55 Eb27
Habay-la-Neuve **B** 63 Eb31
Habo **S** 44 Ga20
Hachenburg **D** 63 Ed29
Hackås **S** 38 Ga13
Haczów **PL** 67 Hc31
Hadamar **D** 63 Ed30
Haddington **GB** 21 Da21
Haderslev **DK** 49 Fb24
Hadım **TR** 128 Ga16
Hadımköy **TR** 103 Kb41
Hadjač **UA** 121 Ed14
Hadsten **DK** 49 Fb22
Hadsund **DK** 49 Fb22
Hadžići **BIH** 86 Gd39
Hægeland **N** 42 Fa19
Hafnarfjörður **IS** 14 Bc06
Hafnir **IS** 14 Bb06
Hagen **D** 63 Ed29
Hagenow **D** 56 Fc26
Hagetmau **F** 80 Cd37
Hagfors **S** 44 Ga17
Häggenäs **S** 38 Ga13
Häggnäset **S** 33 Ga11
Hagondange **F** 63 Eb31
Haguenau **F** 63 Ed32
Hahót **H** 74 Gc35
Haiger **D** 63 Ed29
Hailuoto **FIN** 34 Hb10
Hainburg **A** 74 Gc33

Hainfeld A 73 Gb33
Hainichen D 65 Fd29
Hajdúböszörmény H 75 Hc33
Hajdúnánás H 75 Hc33
Hajdúsámson H 75 Hc34
Hajdúszoboszló H 75 Hc34
Hajnówka PL 59 Hd27
Hajós H 74 Ha35
Hajsyn UA 121 Ec15
Håkafot S 33 Ga11
Hakkas S 30 Ha08
Häkkilä FIN 40 Hc13
Halástra GR 101 Ja43
Halberstadt D 56 Fb28
Halden N 43 Fc18
Haldensleben D 56 Fc28
Halesworth GB 25 Dc27
Halič UA 124 Ea16
Halifax GB 21 Da24
Halikko FIN 40 Hb16
Haljala EST 47 Hd17
Halkapınar TR 128 Gc16
Halkída GR 112 Jb45
Halkirk GB 17 Db18
Hälla S 33 Gc12
Halle (Saale) D 64 Fc29
Hällefors S 44 Ga18
Hälleforsnäs S 44 Gb18
Hallein A 73 Fd34
Hällekis S 44 Fd19
Hallen S 38 Ga13
Hällesjö S 38 Gb13
Hall in Tirol A 72 Fb34
Hällnäs S 34 Gd11
Hallormsstaður IS 15 Cb07
Hallsberg S 44 Ga19
Hållsta S 44 Gb18
Hallstahammar S 44 Gb18
Hallstatt A 73 Fd34
Hallstavik S 45 Gc17
Hallviken S 33 Gb12
Halmstad S 49 Fd22
Hals DK 49 Fb21
Halsa N 37 Fb13
Hal'ďany BY 53 Ja24
Hal'šany BY 120 Ea12
Halstead GB 25 Dc27
Halsteren NL 54 Ea28
Halsua FIN 34 Hb12
Halsvik N 36 Ed16
Haltern D 55 Ed28
Haltwhistle GB 21 Da22
Halvarsgårdarna S 44 Gb17
Ham F 62 Dd30
Hamar N 37 Fc16
Hamburg D 56 Fb26
Hamdibey TR 103 Ka43
Hämeenkyrö FIN 40 Hb15
Hämeenlinna FIN 40 Hc16
Hameln D 56 Fa28
Hamidiye TR 103 Jd41
Hamilton GB 21 Da21
Hamina FIN 41 Ja16
Hamm D 55 Ed28
Hammar S 44 Ga19

Hammarslund S 50 Ga23
Hammarstrand S 38 Gb13
Hammarvika N 32 Fb12
Hammel DK 49 Fb22
Hammelburg D 64 Fa30
Hammenhög S 50 Ga23
Hammerdal S 38 Ga13
Hammerfest N 26 Ha03
Hamminkeln D 55 Ec28
Hamneidet N 26 Gd04
Hamnes N 32 Fc11
Hamnvik N 28 Gb06
Håmojåkk S 29 Gd07
Hamýški RUS 127 Fd17
Hanak TR 127 Ga18
Hanau D 64 Fa30
Hancăuţi MD 76 Jc32
Hancaviçy BY 120 Ea13
Hânceşti MD 77 Ka34
Handewitt D 48 Fa24
Handlová SK 66 Gd32
Hanestad N 37 Fc15
Hanevičy BY 53 Jb24
Hånger S 50 Ga21
Hangö FIN 46 Hb17
Haniá GR 114 Jc49
Haniótis GR 101 Ja43
Hankamäki FIN 35 Ja12
Hankasalmi FIN 41 Hd14
Hanko FIN 46 Hb17
Hann. Münden D 64 Fa29
Hannover D 56 Fa27
Hannut B 63 Eb29
Hanøy N 28 Ga06
Han Pijesak BIH 86 Ha38
Hansnes N 26 Gc04
Hanstholm DK 48 Fa21
Han-sur-Nied F 63 Ec32
Hanušovce nad Topl'ou SK 67 Hb32
Hanušovice CZ 66 Gc31
Haparanda S 34 Hb09
Haradok BY 117 Eb11
Harads S 34 Gd09
Häradsbäck S 50 Ga22
Haradzišča BY 120 Ea13
Hárakas GR 115 Jd49
Harasiuki PL 67 Hc30
Harbo S 45 Gc17
Harborg N 37 Fc14
Hardelot-Plage F 62 Dc29
Hardenberg NL 55 Ec27
Harderwijk NL 55 Ec27
Hardheim D 64 Fa31
Hareid N 36 Ed14
Haren (Ems) D 55 Ed27
Hargshamn S 45 Gc17
Harjavalta FIN 40 Ha15
Harkány H 74 Gd36
Hårläu RO 76 Jc33
Hårlev DK 49 Fc24
Harlingen NL 55 Eb26
Harlow GB 25 Db27
Harlu RUS 41 Jb14
Harmånger S 39 Gc15
Härmänkyla FIN 35 Ja11

Harmanli BG 102 Jc41
Harnes F 62 Dd29
Härnösand S 39 Gc14
Haro E 79 Ca38
Harran N 32 Fd11
Harrogate GB 21 Db24
Harrsjö S 33 Gb11
Harrström FIN 40 Ha14
Harsefeld D 56 Fa26
Hârşova RO 89 Ka37
Harsovo BG 89 Jd38
Harsovo BG 89 Jd38
Harsprånget S 29 Gd08
Harstad N 28 Gb06
Harsum D 56 Fb28
Harsvika N 32 Fc12
Harta H 74 Ha35
Hartberg A 73 Gb34
Hârtieşti RO 88 Jb36
Hartlepool GB 21 Db23
Hartola FIN 41 Hd15
Harwich GB 25 Dc27
Harzgerode D 56 Fb28
Haselünne D 55 Ed27
Haskovo BG 102 Jc41
Hasle DK 50 Ga24
Haslev DK 49 Fc24
Hasparren F 80 Cc38
Hassela S 38 Gb14
Hasselt B 63 Eb29
Haßfurt D 64 Fb30
Hässleholm S 49 Fd22
Hasslö S 50 Gb22
Hastings GB 25 Db28
Hästveda S 50 Ga22
Hasvik N 26 Gd03
Haţeg RO 75 Hd36
Hatherleigh GB 23 Cc28
Hatip TR 128 Ga15
Hatrik N 42 Ed17
Hattfjelldal N 33 Ga10
Hattingen D 55 Ec28
Hattula FIN 40 Hc15
Hattuselkonen FIN 35 Ja12
Hattuvaara FIN 41 Jb12
Hatunsaray TR 128 Ga15
Hatvan H 74 Ha34
Haugastøl N 36 Fa16
Hauge N 42 Ed19
Hauho FIN 40 Hc15
Haukeli N 42 Fa17
Haukelisæter N 42 Fa17
Haukipudas FIN 35 Hc10
Haukivuori FIN 41 Hd14
Hausach D 71 Ed33
Hautajärvi FIN 31 Hd08
Hautefort F 69 Da36
Hautmont F 62 Ea30
Hauzenberg D 65 Fd32
Havant GB 24 Da28
Havdhem S 51 Gd21
Havdrup DK 49 Fc23
Havelberg D 56 Fc27
Haverfordwest GB 23 Cc26
Haverhill GB 25 Dc27
Håverud S 43 Fd19

Havířov CZ 66 Gd31
Havlíčkův Brod CZ 65 Gb31
Havneby DK 48 Fa24
Havøysund N 26 Ha03
Havran TR 103 Ka43
Havrylivka UA 122 Fb15
Havsa TR 103 Jd41
Hawick GB 21 Da22
Hayange F 63 Eb31
Hayrabolu TR 103 Ka41
Haywards Heath GB 25 Db28
Hazebrouck F 62 Dd29
Heanor GB 25 Db25
Heberg S 49 Fd21
Heby S 44 Gb17
Hechingen D 71 Ed33
Hedalen N 37 Fb16
Heddal N 43 Fb18
Hédé F 61 Cd31
Hede S 38 Fd14
Hedemora S 44 Gb17
Hedenäset S 34 Hb09
Hedensted DK 49 Fb23
Hedesunda S 44 Gb17
Hedeviken S 38 Ga14
Heek D 55 Ed28
Heerenveen NL 55 Ec26
Heerhugowaard NL 55 Eb27
Heerlen NL 63 Ec29
Hegyfalu H 74 Gc34
Heide D 56 Fa25
Heidelberg D 63 Ed31
Heidenau D 65 Fd29
Heidenheim D 64 Fa32
Heidenreichstein A 65 Ga32
Heikendorf D 56 Fb25
Heikkylä FIN 35 Ja09
Heilbronn D 64 Fa32
Heiligenblut A 73 Fd35
Heiligenhafen D 56 Fc25
Heiligenstadt D 64 Fb29
Heimaey IS 14 Bc08
Heimdal N 37 Fc13
Heinävesi FIN 41 Ja13
Heinola FIN 41 Hd15
Heinsberg D 63 Ec29
Heituinlahti FIN 41 Ja15
Heksem N 37 Fc13
Hel PL 51 Gd24
Heldrungen D 64 Fb29
Helechal E 105 Bb43
Helensburgh GB 20 Cd21
Heljulja RUS 41 Jb14
Hella IS 14 Bc07
Hella N 36 Ed15
Helleland N 42 Ed19
Hellesvikan N 32 Fb12
Hellesylt N 36 Fa14
Hellevoetsluis NL 54 Ea28
Hellín E 107 Ca44
Hellissandur IS 14 Bb05
Hellnar IS 14 Bb05
Helmond NL 55 Eb28
Helmsdale GB 17 Db18
Helmsley GB 21 Db24

Helmstedt **D** 56 Fb28
Helnessund **N** 28 Ga07
Hel'pa **SK** 67 Ha32
Helshan **AL** 100 Hb41
Helsingborg **S** 49 Fd23
Helsinge **DK** 49 Fc23
Helsingfors **FIN** 46 Hc17
Helsingør **DK** 49 Fd23
Helsinki **FIN** 46 Hc17
Helston **GB** 23 Cb28
Heltermaa **EST** 46 Hb19
Hemau **D** 64 Fc32
Hemavan **S** 33 Ga10
Hemel Hempstead **GB** 25 Db27
Hemer **D** 63 Ed29
Hemling **S** 33 Gc12
Hemmingsmark **S** 34 Ha10
Hemmoor **D** 56 Fa26
Hemnes **N** 43 Fc18
Hemnesberget **N** 33 Ga09
Hemse **S** 51 Gd21
Hemsedal **N** 37 Fb16
Hemsö **S** 39 Gc14
Henån **S** 43 Fc20
Hendaye **E** 80 Cb38
Hengelo **NL** 55 Ec27
Heničes'k **UA** 126 Fa17
Hénin-Beaumont **F** 62 Dd29
Hennan **S** 38 Gb15
Hennebont **F** 60 Cc32
Hennef **D** 63 Ec29
Hennigsdorf **D** 57 Fd27
Henningsvær **N** 28 Ga07
Henrichemont **F** 69 Dc33
Heradsbygd **N** 37 Fc16
Herbignac **F** 60 Cc32
Herborn **D** 63 Ed30
Herbrechtingen **D** 64 Fa32
Herbstein **D** 64 Fa30
Herby **PL** 66 Gd30
Herceg-Novi **MNE** 100 Ha41
Hercegszántó **H** 74 Ha36
Herdla **N** 36 Ec16
Hereford **GB** 24 Cd26
Herefoss **N** 42 Fa19
Herentals **B** 63 Eb29
Herford **D** 56 Fa28
Héricourt **F** 71 Ec33
Heringsdorf **D** 57 Ga25
Herisau **CH** 72 Fa34
Hérisson **F** 69 Dc34
Herl'any **SK** 67 Hb32
Herleshausen **D** 64 Fb29
Hermagor **A** 73 Fd35
Hermanaviči **BY** 53 Jb23
Hermannsburg **D** 56 Fb27
Hermsdorf **D** 64 Fc29
Herne **D** 55 Ed28
Herne Bay **GB** 25 Dc28
Herning **DK** 48 Fa22
Herónia **GR** 111 Ja45
Herrenberg **D** 63 Ed32
Herrera del Duque **E** 91 Bb42
Herrera de los Navarros **E** 80 Cc40

Herrera de Pisuerga **E** 79 Bd38
Herreruela **E** 91 Ba41
Herrestad **S** 43 Fc19
Herrljunga **S** 44 Fd20
Herrskog **S** 39 Gc13
Hersbruck **D** 64 Fc31
Herstal **B** 63 Eb29
Hertford **GB** 25 Db27
Hervás **E** 91 Bb40
Herzberg **D** 56 Fb28
Herzberg **D** 57 Fd28
Herzogenaurach **D** 64 Fb31
Herzogenburg **A** 73 Gb33
Hesdin **F** 62 Dc29
Hesel **D** 55 Ed26
Heskestad **N** 42 Ed19
Hessisch Lichtenau **D** 64 Fa29
Hestra **S** 44 Ga20
Hestra **S** 49 Fd21
Hetekylä **FIN** 35 Hc10
Hetényegyháza **H** 74 Ha35
Hettstedt **D** 56 Fc28
Heves **H** 75 Hb34
Hévíz **H** 74 Gc35
Hevlín **CZ** 65 Gb32
Hexham **GB** 21 Db23
Heyrieux **F** 70 Ea36
Heysham **GB** 21 Da24
Hickstead **GB** 25 Db28
Hidasnémeti **H** 67 Hb32
Hieflau **A** 73 Ga34
Hietapera **FIN** 35 Ja11
High Wycombe **GB** 25 Db27
Higueruela **E** 93 Cb43
Hiisijärvi **FIN** 35 Hd11
Híjar **E** 93 Cc41
Hijtola **RUS** 41 Jb15
Hildburghausen **D** 64 Fb30
Hilden **D** 63 Ec29
Hildesheim **D** 56 Fb28
Hillared **S** 44 Fd20
Hillerød **DK** 49 Fd23
Hillesøy **N** 26 Gc05
Hillosensalmi **FIN** 41 Hd15
Hilpoltstein **D** 64 Fb32
Hiltula **FIN** 41 Ja14
Hilvarenbeek **NL** 55 Eb28
Hilversum **NL** 55 Eb27
Himanka **FIN** 34 Hb12
Himki **RUS** 117 Ed10
Hinckley **GB** 24 Da26
Hinojosa del Duque **E** 105 Bb43
Híos **GR** 113 Jd45
Hirschaid **D** 64 Fb31
Hirson **F** 62 Ea30
Hirtshals **DK** 43 Fb20
Hirvas **FIN** 30 Hb08
Hirvensalmi **FIN** 41 Hd15
Hisarja **BG** 102 Jb40
Hisingen **S** 43 Fc20
Hislaviči **RUS** 121 Ec12
Hittarp **S** 49 Fd22
Hitzacker **D** 56 Fb26

Hjallerup **DK** 49 Fb21
Hjärnarp **S** 49 Fd22
Hjelmeland **N** 42 Ed18
Hjelset **N** 36 Fa13
Hjerkinn **N** 37 Fb14
Hjo **S** 44 Ga20
Hjørring **DK** 49 Fb21
Hjortkvarn **S** 44 Gb19
Hlevacha **UA** 121 Ec14
Hlinsko **CZ** 65 Gb31
Hlobyne **UA** 121 Ed15
Hlohovec **SK** 74 Gd33
Hluchiv **UA** 121 Ed13
Hlusk **BY** 121 Eb13
Hlybokae **BY** 53 Jb23
Hnivan' **UA** 121 Eb15
Hnjótur **IS** 14 Bb04
Hnúšt'a **SK** 67 Ha32
Hobro **DK** 49 Fb22
Höchstadt **D** 64 Fb31
Hódmező-Vásárhely **H** 75 Hb35
Hodnanes **N** 42 Ed17
Hodonín **CZ** 66 Gc32
Hoek van Holland **NL** 54 Ea27
Hof **D** 64 Fc30
Hof **N** 43 Fb18
Hofgeismar **D** 56 Fa28
Hofheim **D** 64 Fb30
Höfn **IS** 15 Cb08
Hofors **S** 44 Gb17
Hofsós **IS** 15 Ca05
Hofstad **N** 32 Fc12
Hofsvík **IS** 14 Bc06
Höganäs **S** 49 Fd22
Høgeset **N** 36 Fa16
Högland **S** 33 Gb11
Höglekardalen **S** 38 Ga13
Högsäter **S** 43 Fc19
Högsby **S** 50 Gb21
Högsjö **S** 44 Gb19
Hőgyész **H** 74 Gd35
Hohenau **A** 66 Gc32
Hohenems **A** 72 Fa34
Hohenwestedt **D** 56 Fb25
Hok **S** 50 Ga21
Hokksund **N** 43 Fb17
Hökmark **S** 34 Ha11
Hökön **S** 50 Ga22
Hol **N** 36 Fa16
Hola Prystan' **UA** 125 Ed17
Hólar **IS** 15 Ca05
Holasovice **CZ** 66 Gc31
Holbæk **DK** 49 Fb22
Holbæk **DK** 49 Fb21
Holbeach **GB** 25 Db26
Holešov **CZ** 66 Gc31
Holíč **SK** 66 Gc32
Höljes **S** 38 Fd16
Hollabrunn **A** 73 Gb33
Hollfeld **D** 64 Fb31
Hollókő **H** 74 Ha33
Hollola **FIN** 40 Hc15
Hollum **NL** 55 Ec26
Höllviken **S** 49 Fd23

Hollywood **IRL** 19 Cb24
Holm **N** 32 Fd10
Holm **RUS** 117 Eb10
Holm **S** 38 Gb14
Hólmavík **IS** 14 Bd05
Holmestrand **N** 43 Fb18
Holmsjö **S** 50 Gb22
Holmskij **RUS** 127 Fc17
Holmsund **S** 34 Gd12
Holmsveden **S** 38 Gb16
Holmudden **S** 45 Gd20
Holm-Žirkovskij **RUS** 117 Ec11
Hölö **S** 45 Gc19
Holovec'ke **UA** 67 Hd31
Holøydal **N** 37 Fc14
Holstebro **DK** 48 Fa22
Holsworthy **GB** 23 Cc27
Holwerd **NL** 55 Ec26
Holyhead **GB** 20 Cc24
Holywell **GB** 24 Cd25
Holywood **GB** 20 Cc22
Holzkirchen **D** 72 Fc33
Holzminden **D** 56 Fa28
Homberg (Efze) **D** 64 Fa29
Homberg (Ohm) **D** 64 Fa29
Homburg (Saar) **D** 63 Ec31
Homel' **BY** 121 Ec13
Hommelstø **N** 32 Fd10
Hommelvik **N** 37 Fc13
Homoroade **RO** 75 Hd33
Homorod **RO** 76 Jb35
Homps **F** 81 Db39
Homutovka **RUS** 121 Ed13
Hønefoss **N** 43 Fb17
Honfleur **F** 61 Db30
Høng **DK** 49 Fc23
Honiton **GB** 24 Cd28
Honkajoki **FIN** 40 Ha14
Honkilahti **FIN** 40 Ha16
Honningsvåg **N** 27 Hb03
Hönö **S** 43 Fc20
Hontianske Nemce **SK** 74 Ha33
Hontivka **UA** 77 Jd32
Hoogeveen **NL** 55 Ec27
Hoogezand-Sappemeer **NL** 55 Ec26
Hoogstraten **B** 55 Eb28
Höör **S** 49 Fd23
Hoorn **NL** 55 Eb27
Hopa **TR** 127 Ga19
Hopen **N** 37 Fb13
Hopfgarten **A** 72 Fc34
Hopseidet **N** 27 Hc03
Hóra **GR** 110 Hd47
Hóra **TR** 113 Ka46
Horasan **TR** 127 Ga19
Hóra Sfakíon **GR** 114 Jc49
Horb **D** 63 Ed32
Hörby **S** 49 Fd23
Horcajo de los Montes **E** 91 Bc42
Horcajo de Santiago **E** 92 Bd42
Horda **S** 50 Ga21

Horezu RO 88 Ja37
Horgen CH 71 Ed34
Horgoš SRB 75 Hb36
Horia RO 89 Ka36
Horki BY 121 Eb12
Horlivka UA 122 Fb15
Horn A 65 Gb32
Horn N 32 Fd10
Horn S 44 Gb20
Hornachos E 91 Ba42
Hornachuelos E 105 Bb44
Horncastle GB 25 Dc25
Horndal S 44 Gb17
Horneburg D 56 Fa26
Hörnefors S 34 Gd12
Horní Cerekev CZ 65 Gb32
Horní Lideč CZ 66 Gd32
Hørning DK 49 Fb22
Horní Planá CZ 65 Ga32
Hornnes N 42 Fa19
Hornsea GB 21 Dc24
Hörnsjö S 34 Gd12
Hornslet DK 49 Fb22
Horochiv UA 120 Ea15
Horodenka UA 76 Jb32
Horodenka UA 124 Ea16
Horodnja UA 121 Ec13
Horodnycja UA 121 Eb14
Horodok UA 67 Hd31
Horodok UA 120 Ea15
Horodyšče UA 121 Ec15
Hořovice CZ 65 Ga31
Hořovičky CZ 65 Fd30
Horred S 49 Fd21
Horsdal N 28 Ga08
Horse & Jockey IRL 18 Ca24
Horsens DK 49 Fb23
Horsham GB 25 Db28
Horslunde DK 49 Fc24
Horst NL 55 Ec28
Hörstel D 55 Ed27
Horten N 43 Fc18
Hortlax S 34 Ha10
Hortobágy H 75 Hb34
Horyniec PL 67 Hd30
Horyszów Ruski PL 67 Hd29
Hösbach D 64 Fa30
Hosio FIN 35 Hc09
Hossa FIN 35 Ja09
Hossegor F 80 Cc37
Hosszúhetény H 74 Gd36
Hosszúpereszteg H 74 Gc35
Hostalric E 95 Db41
Hostens F 68 Cd36
Hotagen S 33 Ga12
Hotamış TR 128 Gb15
Hoticy RUS 47 Jb19
Hoting S 33 Gb12
Houdan F 62 Dc31
Houeillès F 80 Cd37
Houffalize B 63 Eb30
Hourtin F 68 Cd35
Hourtin-Plage F 68 Cd35
Houton GB 17 Db17
Houtsklär FIN 46 Ha17
Hov DK 49 Fb23
Hova S 44 Ga19
Høvåg N 42 Fa20
Hovden N 42 Fa18
Hove GB 25 Db28
Hovsta S 44 Ga18
Howden GB 21 Db24
Howth IRL 19 Cb24
Höxter D 56 Fa28
Hoya D 56 Fa27
Høyanger N 36 Ed15
Hoyerswerda D 65 Ga29
Høylandet N 32 Fd11
Hoyos E 91 Ba40
Hoža BY 59 Hd25
Hradec Králové CZ 65 Gb30
Hradec nad Moravicí CZ 66 Gd31
Hrádek nad Nisou CZ 65 Ga30
Hradyz'k UA 121 Ed15
Hrafnagil IS 15 Ca06
Hrafnseyri IS 14 Bc04
Hranice CZ 64 Fc30
Hranice CZ 66 Gc31
Hraničné SK 67 Hb31
Hrasnica BIH 86 Gd39
Hrastelnica HR 86 Gc37
Hrastnik SLO 73 Ga36
Hrebinka UA 121 Ed14
Hredino RUS 47 Jb19
Hrísey IS 15 Ca05
Hrissoúpoli GR 102 Jb42
Hristiáni GR 110 Hd47
Hrodna BY 59 Hd25
Hronský Beňadik SK 74 Gd33
Hrubieszów PL 67 Hd29
Hrušuvacha UA 122 Fa14
Hrvatska Dubica HR 86 Gc37
Hrvatska Kostajnica HR 86 Gc37
Hubynycha UA 122 Fa15
Hucknall GB 25 Db25
Huddersfield GB 21 Da24
Hude D 56 Fa26
Hudiksvall S 39 Gc15
Huedin RO 75 Hd34
Huelgoat F 60 Cb31
Huelma E 106 Bc44
Huelva E 105 Ad44
Huéneja E 106 Bd45
Huércal-Overa E 107 Ca45
Huesca E 80 Cc39
Huéscar E 106 Bd44
Huete E 92 Ca41
Huittinen FIN 40 Hb15
Hukanmaa S 30 Ha07
Hulín CZ 66 Gc32
Huljajpole UA 122 Fb15
Hulst NL 54 Ea28
Hultsfred S 50 Gb21
Hulubești RO 88 Jb37
Humanes E 92 Ca40
Humenné SK 67 Hc32
Humpolec CZ 65 Gb31
Humppila FIN 40 Hb16
Hundested DK 49 Fc23
Hundorp N 37 Fb15
Hundsjön S 34 Ha09
Hunedoara RO 75 Hd36
Hünfeld D 64 Fa30
Hungen D 64 Fa30
Hunnebostrand S 43 Fc19
Hunstanton GB 25 Dc26
Huntingdon GB 25 Db26
Huntly GB 17 Db19
Hurbanovo SK 74 Gd33
Hurdal N 43 Fc17
Hurezani RO 88 Ja37
Hurup DK 48 Fa21
Hurzuf UA 126 Fa18
Húsafell IS 14 Bc06
Husasău de Tinca RO 75 Hc35
Húsavík IS 15 Cb05
Huși RO 77 Jd34
Husinec CZ 65 Ga32
Huskvarna S 44 Ga20
Husnes N 42 Ed17
Husum D 56 Fa25
Husum S 39 Gd13
Huuki S 30 Ha07
Huy B 63 Eb29
Hvaler N 43 Fc19
Hvalynsk RUS 119 Ga11
Hvammstangi IS 14 Bd05
Hvanneyri IS 14 Bc06
Hvar HR 86 Gc40
Hvastoviči RUS 121 Ed12
Hveragerði IS 14 Bc07
Hvide Sande DK 48 Fa22
Hvittingfoss N 43 Fb18
Hvolsvöllur IS 14 Bc07
Hvorostjanka RUS 119 Ga10
Hyères F 82 Ea39
Hyltebruk S 49 Fd21
Hyrynsalmi FIN 35 Hd10
Hyvinkää FIN 40 Hc16

I

Ía GR 115 Jd48
Ialoveni MD 77 Ka34
Ianca RO 89 Jd36
Iargara MD 77 Ka34
Iași RO 77 Jd33
Íasmos GR 102 Jc42
Iballë AL 100 Hb41
Ibbenbüren D 55 Ed27
Ibeas de Juarros E 79 Ca38
Ibi E 107 Cb44
Ibiza E 94 Cd44
Ibrice TR 103 Jd42
İçeriçumra TR 128 Gb15
Ichenhausen D 72 Fb33
Iclod RO 76 Ja34
Ičnja UA 121 Ec14
Idar-Oberstein D 63 Ec31
Idivuoma S 29 Ha06
Ídra GR 111 Jb47
Idre S 38 Fd15
Idrija SLO 73 Ga36
Idstein D 63 Ed30
Idvor SRB 87 Hb37
Iecava LV 52 Hc21
Ieper B 62 Dd29
Ierápetra GR 115 Jd49
Ierissós GR 102 Jb43
Iernut RO 76 Ja35
Ieud RO 76 Ja33
Ifjord N 27 Hb03
Igerøy N 32 Fd10
Iggesund S 39 Gc15
Ighiu RO 75 Hd35
Iglesias I 97 Ec44
Ignalina LT 53 Ja23
İğneada TR 103 Ka40
Igoumenítsa GR 100 Hb44
Igualada E 95 Da41
Igüeña E 78 Bb37
Iharosberény H 74 Gc35
Ihode FIN 40 Ha16
Ii FIN 35 Hc10
Iilvesi FIN 41 Hd13
Iisalmi FIN 35 Hd12
IJmuiden NL 55 Eb27
IJsselstein NL 55 Eb27
Ikaalinen FIN 40 Hb15
Ikast DK 48 Fa22
Ikškile LV 53 Hd21
Ilanz CH 72 Fa35
Ilava SK 66 Gd32
Iława PL 58 Ha26
Ilchester GB 24 Cd28
Il'ci UA 76 Ja33
Ildır TR 113 Ka45
Ilfeld D 56 Fb28
Ilfracombe GB 23 Cc27
İlhanköy TR 103 Ka42
Ílhavo P 90 Ac39
Ilıca TR 103 Ka43
Ilijaš BIH 86 Gd39
Il'ino RUS 117 Eb11
Il'insko-Zaborskoe RUS 118 Fb08
Iliokómi GR 102 Jb42
Ilirska Bistrica SLO 85 Ga37
Il'ja BY 53 Jb24
Illertissen D 72 Fa33
Illescas E 92 Bd41
Ille-sur-Têt F 81 Db39
Illičivs'k UA 77 Kb34
Illičivs'k UA 125 Ec17
Illiers-Combray F 61 Db32
Illkirch-Graffenstaden F 63 Ed32
Illueca E 80 Cb40
Illzach F 71 Ec33
Ilmajoki FIN 40 Hb13
Ilmenau D 64 Fb30
Il'men' Suvorovskij RUS 123 Fd14
Ilminster GB 24 Cd28

Ilok **HR** 86 Ha37
Ilomantsi **FIN** 41 Jb13
Ilūkste **LV** 53 Ja22
Ilva Mare **RO** 76 Ja34
Iłża **PL** 67 Hb29
Imatra **FIN** 41 Ja15
Imavere **EST** 47 Hd18
Immenstadt **D** 72 Fa34
Immingham **GB** 25 Dc25
Imola **I** 84 Fb38
Imotski **HR** 86 Gc39
Imperia **I** 83 Ec39
Imphy **F** 70 Dd34
Imst **A** 72 Fb34
Inari **FIN** 27 Hc05
Inca **E** 95 Db43
Inchnadamph **GB** 17 Da18
Inciems **LV** 53 Hd21
Indal **S** 38 Gb14
Inđija **SRB** 87 Hb37
Indre Arna **N** 36 Ed16
Indre Billefjord **N** 27 Hb03
Indura **BY** 59 Hd26
İnebolu **TR** 126 Fa19
İnece **TR** 103 Jd41
Ineu **RO** 75 Hc35
Infantado **P** 90 Ac41
Ingå **FIN** 46 Hc17
Ingelheim **D** 63 Ed30
Ingelstad **S** 50 Ga22
Ingolstadt **D** 64 Fb32
Inkoo **FIN** 46 Hc17
Innbygda **N** 37 Fd16
Inndyr **N** 28 Ga08
Innerleithen **GB** 21 Da21
Innfield **IRL** 19 Cb24
Innsbruck **A** 72 Fb34
Innset **N** 29 Gc06
Innset **N** 37 Fc14
Inói **GR** 110 Hd46
Inowłódz **PL** 58 Ha28
Inowrocław **PL** 58 Gd27
Insar **RUS** 119 Fc10
Insjön **S** 38 Ga16
Însurăței **RO** 89 Jd36
İntepe **TR** 103 Jd43
Interlaken **CH** 71 Ec35
Întorsura Buzăului **RO** 88 Jc36
Inveraray **GB** 16 Cd20
Invergarry **GB** 17 Da19
Invergordon **GB** 17 Da19
Invermoriston **GB** 17 Da19
Inverness **GB** 17 Da19
Inverurie **GB** 17 Db19
Inza **RUS** 119 Fd10
Inžavino **RUS** 123 Fc12
Ioánina **GR** 101 Hc44
Ion Roată **RO** 89 Jd37
Íos **GR** 115 Jd47
Ipatovo **RUS** 127 Fd16
İpsala **TR** 103 Jd42
Ipswich **GB** 25 Dc27
Iráklia **GR** 101 Ja42
Iráklia **GR** 115 Jd47
Iráklio **GR** 115 Jd49
Irbene **LV** 46 Hb20
Irečekovo **BG** 103 Jd40
Irklijiv **UA** 121 Ed15
Irmath **RKS** 100 Hb42
Ironbridge **GB** 24 Da25
Iršava **UA** 75 Hd33
Irsina **I** 99 Gb43
Irsta **S** 44 Gb18
Irun **E** 80 Cb38
Iruñea **E** 80 Cb38
Irurita **E** 80 Cc38
Irurzun **E** 80 Cb38
Irvine **GB** 20 Cd21
Irvinestown **GB** 19 Cb22
Isaba **E** 80 Cc38
Isaccea **RO** 89 Ka36
Ísafjörður **IS** 14 Bc04
Isaku **EST** 47 Ja18
Isane **N** 36 Ed14
Iscar **E** 79 Bc39
Ischgl **A** 72 Fa35
Ischia **I** 98 Fd43
Iseo **I** 72 Fa36
Iserlohn **D** 63 Ed29
Isernia **I** 99 Ga42
Isfjorden **N** 36 Fa14
Isigny-sur-Mer **F** 61 Da30
Isili **I** 97 Ed44
Islaz **RO** 88 Jb38
İslik **TR** 128 Gb15
İsmailli **TR** 113 Ka44
İsmıl **TR** 128 Gb15
Isny **D** 72 Fa34
Isojoki **FIN** 40 Ha14
Isokylä **FIN** 31 Hc08
Isokyrö **FIN** 40 Ha13
Isola **F** 83 Eb38
Isola 2000 **F** 83 Eb38
Isola del Liri **I** 98 Fd42
Ísola di Capo Rizzuto **I** 109 Gc45
Isperih **BG** 89 Jd38
Ispica **I** 109 Ga48
İspir **TR** 127 Ga19
Issoire **F** 69 Dc36
Issoudun **F** 69 Dc34
Is-sur-Tille **F** 70 Ea33
İstanbul **TR** 103 Kb41
Istiéa **GR** 111 Ja45
Istok **RKS** 87 Hb40
Istra **RUS** 117 Ed10
Istres **F** 82 Dd39
Istria **RO** 89 Ka37
Itéa **GR** 111 Ja45
Itháki **GR** 110 Hc46
Ittiri **I** 97 Ec43
Itzehoe **D** 56 Fa25
Ivacëvičy **BY** 120 Ea13
Ivajlovgrad **BG** 103 Jd41
Ivalo **FIN** 27 Hc05
Ivanava **BY** 120 Ea14
Ivančice **CZ** 65 Gb32
Ivanec **HR** 73 Gb36
Ivane-Puste **UA** 76 Jb32
Ivănești **RO** 77 Jd34
Ivangorod **RUS** 47 Ja17
Ivangrad **MNE** 87 Hb40
Ivanić Grad **HR** 74 Gc36
Ivanivci **UA** 76 Jc32
Ivanivka **MD** 77 Kb33
Ivanivka **UA** 126 Fa16
Ivanka pri Dunaji **SK** 74 Gc33
Ivankiv **UA** 121 Ec14
Ivankovo **HR** 86 Gd37
Ivano-Frankivs'k **UA** 76 Ja32
Ivano-Frankivs'k **UA** 124 Ea16
Ivano-Frankove **UA** 67 Hd30
Ivanovka **RUS** 119 Ga09
Ivanovo **BG** 88 Jc38
Ivanovo **RUS** 118 Fa09
Ivanovskoe **RUS** 118 Fb08
Ivanskaja **BIH** 86 Gc37
Ivarrud **N** 33 Ga10
Iveland **N** 42 Fa19
Ivești **RO** 77 Jd35
Ivjanec **BY** 120 Ea12
Ivje **BY** 120 Ea12
Ivrea **I** 71 Ec36
İvrindi **TR** 103 Ka43
Iyidere **TR** 127 Fd19
Izbica Kujawska **PL** 58 Gd27
Izbiceni **RO** 88 Jb38
Izbišča **BY** 53 Jb24
Izborsk **RUS** 47 Jb20
Izeda **P** 78 Bb39
Izernore **F** 70 Ea35
Izjum **UA** 122 Fb14
Izmajil **UA** 89 Ka36
İzmır **TR** 113 Ka45
Iznalloz **E** 106 Bc45
Izsák **H** 74 Ha35
Izvor **BG** 87 Hd40
Izvor **MK** 101 Hc42
Izvor **SRB** 87 Hc39
Izvoru Dulce **RO** 89 Jd36

J

Jaakonvaara **FIN** 41 Jb12
Jaala **FIN** 41 Hd15
Jablanac **HR** 85 Ga38
Jablanica **BG** 88 Jb39
Jablanica **BIH** 86 Gd39
Jablonec nad Nisou **CZ** 65 Ga30
Jablonica **SK** 66 Gc32
Jabłonka **PL** 67 Ha31
Jabłonowo Pomorskie **PL** 58 Gd26
Jabluniv **UA** 76 Ja32
Jablunkov **CZ** 66 Gd31
Jabugo **E** 105 Ad43
Jabukovac **SRB** 87 Hd38
Jabukovik **SRB** 87 Hd40
Jaca **E** 80 Cc39
Jädraås **S** 38 Gb16
Jadraque **E** 92 Ca40
Jaén **E** 106 Bc44
Jagare **BIH** 86 Gc38
Jagodina **SRB** 87 Hc38
Jahotyn **UA** 121 Ec14
Jajce **BIH** 86 Gc38
Jakabszállás **H** 74 Ha35
Jakalj **SRB** 87 Hb38
Jäkkvik **S** 33 Gb09
Jakobstad **FIN** 34 Ha12
Jakoruda **BG** 101 Ja41
Jakovlevo **RUS** 122 Fa13
Jalance **E** 93 Cb43
Jalasjärvi **FIN** 40 Hb14
Jalta **UA** 126 Fa18
Jambol **BG** 103 Jd40
Jämijärvi **FIN** 40 Hb15
Jäminkipohja **FIN** 40 Hc14
Jämjö **S** 50 Gb22
Jamkino **RUS** 47 Jb19
Jamnice **CZ** 65 Gb32
Jampil' **UA** 125 Eb16
Jämsä **FIN** 40 Hc14
Jämsänkoski **FIN** 40 Hc14
Janja **BIH** 86 Ha38
Janjina **HR** 86 Gd40
Jánoshalma **H** 74 Ha35
Jánosháza **H** 74 Gc34
Jánossomorja **H** 74 Gc34
Janów **PL** 59 Hc26
Janów **PL** 67 Ha30
Janów Lubelski **PL** 67 Hc29
Janowo **PL** 58 Ha26
Janów Podlaski **PL** 59 Hc27
Jånsmåssholmen **S** 33 Ga12
Jantarnyj **RUS** 52 Ha24
Jantra **BG** 88 Jc39
Janville **F** 62 Dc32
Janzé **F** 61 Cd32
Jäppilä **FIN** 41 Hd13
Jaraicejo **E** 91 Bb41
Jaraiz de la Vera **E** 91 Bb41
Jarandilla de la Vera **E** 91 Bb41
Jaransk **RUS** 119 Fc08
Järbo **S** 38 Gb16
Jarcevo **RUS** 117 Ec11
Jard-sur-Mer **F** 68 Cd34
Jaremča **UA** 76 Ja32
Jargeau **F** 69 Dc33
Jarhois **S** 30 Hb08
Järlåsa **S** 45 Gc17
Jarmen **D** 57 Fd25
Jarmolynci **UA** 121 Eb15
Järna **S** 44 Ga17
Järna **S** 45 Gc19
Jarnac **F** 68 Cd35
Jarny **F** 63 Eb31
Jarocin **PL** 58 Gc28
Jaroměř **CZ** 65 Gb30
Jaroměřice nad Rokytnou **CZ** 65 Gb32
Jaroslavl' **RUS** 118 Fa09
Jarosław **PL** 67 Hc30
Jarosławiec **PL** 57 Gb25
Järpen **S** 38 Fd13
Järsnäs **S** 44 Ga20
Järva-Jaani **EST** 47 Hd18

Järvakandi **EST** 46 Hc18
Järvelä **FIN** 40 Hc16
Järvenpää **FIN** 40 Hc16
Järvsö **S** 38 Gb15
Jaryšiv **UA** 76 Jc32
Jasanova **AL** 87 Hb40
Jasa Tornič **SRB** 87 Hb37
Jaščera **RUS** 47 Jb17
Jasenice **HR** 85 Gb38
Jasenskaja **RUS** 127 Fc16
Jasienica **PL** 57 Ga28
Jasinja **UA** 76 Ja32
Jašiūnai **LT** 53 Hd24
Jaškul' **RUS** 123 Ga15
Jasło **PL** 67 Hb31
Jasná **SK** 67 Ha32
Jasna Poljana **BG** 103 Ka40
Jasnoe **RUS** 52 Hb24
Jasnogorsk **RUS** 118 Fa11
Jasov **SK** 67 Hb32
Jastarnia **PL** 51 Gd24
Jastrebarsko **HR** 73 Gb36
Jastrowie **PL** 58 Gc26
Jastrząbka **PL** 59 Hb26
Jastrzębia Góra **PL** 51 Gd24
Jastrzębie-Zdrój **PL** 66 Gd31
Jasynuvata **UA** 122 Fb15
Jászalsószentgyörgy **H** 75 Hb34
Jászapáti **H** 75 Hb34
Jászárokszállás **H** 74 Ha34
Jászberény **H** 74 Ha34
Jättendal **S** 39 Gc15
Jaungulbene **LV** 53 Ja21
Jaunkalsnava **LV** 53 Hd21
Jaunpiebalga **LV** 47 Ja20
Jaunpils **LV** 52 Hc21
Javoriv **UA** 67 Hd30
Javorník **CZ** 66 Gc30
Jävre **S** 34 Ha10
Jawor **PL** 65 Gb29
Jawor Solecki **PL** 67 Hb29
Jaworzno **PL** 67 Ha30
Jazna **BY** 53 Jb23
Jebel **RO** 75 Hc36
Jedburgh **GB** 21 Da22
Jedlińsk **PL** 59 Hb28
Jednorożec **PL** 59 Hb26
Jędrzejów **PL** 67 Ha30
Jedwabne **PL** 59 Hc26
Jedwabno **PL** 58 Ha26
Jeesiö **FIN** 31 Hc07
Jēkabpils **LV** 53 Hd21
Jektvika **N** 33 Ga09
Jelanec' **UA** 125 Ed16
Jelcz-Laskowice **PL** 66 Gc29
Jelenia Góra **PL** 65 Gb29
Jelenino **PL** 57 Gb26
Jelgava **LV** 52 Hc21
Jelling **DK** 49 Fb23
Jelovac **SRB** 87 Hc38
Jelsa **N** 42 Ed18
Jemielno **PL** 65 Gb29
Jena **D** 64 Fc29

Jenakijeve **UA** 122 Fb15
Jenbach **A** 72 Fc34
Jennersdorf **A** 73 Gb35
Jepua **FIN** 40 Hb13
Jerez de la Frontera **E** 105 Ad45
Jerez de los Caballeros **E** 105 Ad43
Jergucat **AL** 100 Hb44
Jerichow **D** 56 Fc27
Jerka **PL** 58 Gc28
Jeršov **RUS** 119 Ga11
Jerzens **A** 72 Fb34
Jerzu **I** 97 Ed44
Jesenice **CZ** 65 Ga31
Jesenice **SLO** 73 Ga35
Jeseník **CZ** 66 Gc30
Jesi **I** 85 Fd39
Jesolo **I** 84 Fc37
Jessen **D** 57 Fd28
Jessheim **N** 43 Fc17
Jeumont **F** 62 Ea30
Jever **D** 55 Ed26
Jevnaker **N** 43 Fc17
Jevpatorija **UA** 126 Fa17
Jeziorany **PL** 58 Ha25
Jeżów **PL** 58 Ha28
Jeżowe **PL** 67 Hc30
Jibert **RO** 76 Jb35
Jibou **RO** 75 Hd34
Jičín **CZ** 65 Gb30
Jieznas **LT** 53 Hd24
Jihlava **CZ** 65 Gb31
Jilava **RO** 88 Jc37
Jiltjaur **S** 33 Gb10
Jimbolia **RO** 75 Hb36
Jimena de la Frontera **E** 105 Ba45
Jindřichov **CZ** 66 Gc30
Jindřichův Hradec **CZ** 65 Ga32
Jitia **RO** 88 Jc36
Joachimsthal **D** 57 Fd27
Jock **S** 30 Ha08
Jódar **E** 106 Bc44
Joensuu **FIN** 41 Jb13
Joesjö **S** 33 Ga10
Jõgeva **EST** 47 Hd18
Johanngeorgenstadt **D** 65 Fd30
John o'Groats **GB** 17 Db18
Johnstone **GB** 20 Cd21
Jõhvi **EST** 47 Ja17
Joigny **F** 70 Dd33
Joinville **F** 62 Ea32
Joița **RO** 88 Jc37
Jokikylä **FIN** 35 Hc12
Jokina Čuprija **SRB** 86 Ha39
Jokkmokk **S** 29 Gd08
Jöllen **S** 38 Ga15
Jomala **FIN** 45 Gd17
Jonava **LT** 53 Hd23
Jondal **N** 42 Ed17
Joniškis **LT** 52 Hc22
Joniŝlėlis **LT** 52 Hc22
Jönköping **S** 44 Ga20

Jonquières **F** 82 Dd38
Jonzac **F** 68 Cd35
Jordanów Śląski **PL** 66 Gc29
Jordbro **S** 45 Gc18
Jordet **N** 37 Fd15
Jorgastak **N** 27 Hb05
Jormvattnet **S** 33 Ga11
Jörn **S** 34 Gd10
Joroinen **FIN** 41 Ja14
Jørpeland **N** 42 Ed18
Jošanica **SRB** 87 Hc39
Jošanička Banja **SRB** 87 Hb39
Joseni **RO** 76 Jb34
Josenii Bârgăului **RO** 76 Ja34
Josipdol **HR** 85 Gb37
Joškar-Ola **RUS** 119 Fc08
Josselin **F** 60 Cc32
Joukokylä **FIN** 35 Hd10
Joure **NL** 55 Ec26
Joutsa **FIN** 41 Hd14
Joutseno **FIN** 41 Ja15
Joutsijärvi **FIN** 31 Hd08
Jovsa **SK** 67 Hc32
Józefów **PL** 59 Hb28
Józefów **PL** 67 Hc29
Józefów **PL** 67 Hc30
Juankoski **FIN** 35 Ja12
Jübek **D** 48 Fa24
Juchavičy **BY** 53 Jb22
Juchnowiec Dolny **PL** 59 Hc26
Judenburg **A** 73 Ga34
Judin **RUS** 123 Fc14
Juelsminde **DK** 49 Fb23
Juhnov **RUS** 117 Ed11
Juillac **F** 69 Db36
Jukkasjärvi **S** 29 Gd07
Jule **N** 33 Ga12
Jülich **D** 63 Ec29
Jumaliskylä **FIN** 35 Ja10
Jumeaux **F** 69 Dc36
Jumilla **E** 107 Cb44
Juminen **FIN** 35 Hd12
Jumisko **FIN** 31 Hd08
Jumurda **LV** 53 Hd21
Jung **S** 44 Fd20
Junosuando **S** 30 Ha07
Junsele **S** 33 Gb12
Juntusranta **FIN** 35 Ja10
Juodkrantė **LT** 52 Ha23
Juoksengi **S** 30 Hb08
Juorkuna **FIN** 35 Hd10
Jurbarkas **LT** 52 Hc24
Jur'evec **RUS** 118 Fc08
Jur'ev-Pol'skij **RUS** 118 Fa09
Jüri **EST** 46 Hc18
Jurilovca **RO** 89 Ka36
Jur'jivka **UA** 122 Fa15
Jūrkalne **LV** 52 Ha21
Jūrmala **LV** 52 Hc21
Jurovo **RUS** 118 Fa08
Jurva **FIN** 40 Ha14
Juškino **RUS** 47 Ja18

Jussey **F** 71 Eb33
Justa **RUS** 123 Ga14
Juszkowy Gród **PL** 59 Hd26
Jüterbog **D** 57 Fd28
Juuka **FIN** 35 Ja12
Juuma **FIN** 31 Hd08
Juupoajoki **FIN** 40 Hc15
Juva **FIN** 41 Ja14
Juža **RUS** 118 Fb09
Južnoukrains'k **MD** 77 Kb32
Južnoukrajins'k **UA** 125 Ec16
Južnyj **RUS** 52 Ha24
Južnyj **RUS** 123 Ga15
Juzufova **BY** 53 Jb24
Jyderup **DK** 49 Fc23
Jyrkänkoski **FIN** 31 Ja08
Jyrkkä **FIN** 35 Hd12
Jyväskylä **FIN** 40 Hc14
Jzobil'nyj **RUS** 127 Fd16

K

Kaamanen **FIN** 27 Hc05
Kaamasmukka **FIN** 27 Hb05
Kaansoo **EST** 47 Hd19
Kaaresuvanto Karasavvon **FIN** 30 Ha06
Kaarina **FIN** 40 Hb16
Kaavi **FIN** 41 Ja13
Kabalı **TR** 126 Fb19
Kåbdalis **S** 34 Gd09
Kabelvåg **N** 28 Ga06
Kabile **LV** 52 Hb21
Kablešovo **BG** 89 Ka39
Kabli **EST** 46 Hc20
Kačanovo **RUS** 47 Jb20
Kačerginė **LT** 52 Hc24
Kačergiškė **LT** 53 Ja23
Kachanavičy **BY** 53 Jb22
Kachovka **UA** 126 Fa16
Kačurivka **UA** 77 Ka32
Kaczorów **PL** 65 Gb29
Kadrifakovo **MK** 101 Hd41
Kaduj **RUS** 117 Ed08
Kadyj **RUS** 118 Fb08
Kadzidło **PL** 59 Hb26
Kåfjord **N** 27 Hb03
Kåfjordbotn **N** 26 Gd05
Kåge **S** 34 Gd11
Kaharlyk **UA** 121 Ec15
Kahla **D** 64 Fc30
Käina **EST** 46 Hb19
Kaipiainen **FIN** 41 Hd15
Kaipola **FIN** 40 Hc14
Kairala **FIN** 31 Hc07
Kaiserslautern **D** 63 Ed31
Kaišiadorys **LT** 53 Hd24
Kaitum **S** 29 Gd07
Kajaani **FIN** 35 Hd11
Kajsackoe **RUS** 123 Ga12
Kakanj **BIH** 86 Gd38
Kaki **GR** 112 Jb46
Kąkol **PL** 58 Gd27
Kakopetria **CY** 128 Gb19

Kalač RUS 123 Fc13
Kalač-na-Donu RUS 123 Fd14
Kalajoki FIN 34 Hb11
Kalakoski FIN 40 Hb14
Kalamáki GR 101 Ja44
Kalamáta GR 110 Hd47
Kalambáka GR 101 Hd44
Kalambáki GR 102 Jb42
Kalana EST 46 Hb19
Kalančak UA 126 Fa17
Kalándra GR 101 Ja43
Kálanos GR 110 Hd46
Kalanti FIN 40 Ha16
Kälarne S 38 Gb13
Kalavárda GR 115 Kb47
Kalávrita GR 110 Hd46
Kalbe D 56 Fc27
Kaldfjord N 26 Gc05
Kaledibi TR 127 Ga19
Kalérgo GR 112 Jc46
Kálimnos GR 115 Ka47
Kalinina RUS 118 Fb08
Kaliningrad RUS 52 Ha24
Kalininsk RUS 123 Fd12
Kalinkavičy BY 121 Eb13
Kalinovik BIH 86 Gd39
Kalipéfki GR 101 Hd43
Kalisko PL 67 Ha29
Kalisz PL 58 Gd28
Kalisz Pomorski PL 57 Gb26
Kalithéa GR 101 Ja43
Kalitino RUS 47 Jb17
Kalivári GR 112 Jc46
Kalix S 34 Ha09
Kalixforsbron S 29 Gd07
Kaljazin RUS 117 Ed09
Kalkūne LV 53 Ja22
Kall S 38 Fd13
Kallaste EST 47 Ja18
Kållered S 43 Fc20
Kalli EST 46 Hc19
Kallinge S 50 Gb22
Kallithéa GR 101 Hd43
Kallmet AL 100 Hb41
Kalloní GR 111 Jb47
Kalmar S 50 Gb22
Kalmthout B 54 Ea28
Kalmykovskij RUS 123 Fd14
Kalna SRB 87 Hd39
Kalná nad Hronom SK 74 Gd33
Kalná Roztoka SK 67 Hc32
Kalnciems LV 52 Hc21
Kalocsa H 74 Ha35
Kalofer BG 102 Jb40
Kaló Horío GR 112 Jb45
Kalpáki GR 101 Hc44
Kalsdorf A 73 Gb35
Kaltanėnai LT 53 Ja23
Kaltenkirchen D 56 Fb25
Kaltern I 72 Fb35
Kaluga RUS 117 Ed11
Kalugerovc BG 102 Jb40
Kalundborg DK 49 Fc23
Kaluš UA 124 Ea16
Kalvåg N 36 Ed15
Kalvarija LT 52 Hc24
Kälviä FIN 34 Hb12
Kalvitsa FIN 41 Hd14
Kalvola FIN 40 Hc15
Kalynivka UA 121 Eb15
Kamáres GR 110 Hd46
Kamáres GR 111 Jc47
Kamári GR 115 Jd48
Kamarino RUS 47 Jb19
Kambánis GR 101 Ja42
Kámbos GR 111 Ja47
Kamčija BG 89 Ka39
Kamen D 55 Ed28
Kamenec RUS 47 Jb18
Kamenica SRB 86 Ha38
Kamenice nad Lipou CZ 65 Ga32
Kamenka RUS 41 Jb16
Kamenka RUS 119 Fc11
Kamenka RUS 122 Fb13
Kamennogorsk RUS 41 Jb15
Kamenný Přívoz CZ 65 Ga31
Kameno BG 89 Jd39
Kamenskij RUS 123 Fd12
Kamensk-Šahtinskij RUS 123 Fc14
Kamenz D 65 Ga29
Kameškovo RUS 118 Fa09
Kamień PL 67 Ha29
Kamień Pomorski PL 57 Ga25
Kamin'-Kašyrs'kyj UA 120 Ea14
Kamışlıkuyu TR 128 Gc15
Kam'janec'-Podil's'kyj UA 76 Jc32
Kam'janec-Podil's'kyj UA 125 Eb16
Kamjaniec BY 59 Hd27
Kamjanjuki BY 59 Hd27
Kam'janka UA 77 Kb34
Kam'janka UA 121 Ed15
Kamjanka-Buz'ka UA 120 Ea15
Kam'jans'ke UA 77 Ka35
Kamlunge S 34 Ha09
Kamnik SLO 73 Ga36
Kampen NL 55 Ec27
Kamskoe Ust'e RUS 119 Fd09
Kamyšin RUS 123 Fd13
Kanaküla EST 47 Hd19
Kanaš RUS 119 Fd09
Kańczuga PL 67 Hc30
Kándanos GR 114 Jb49
Kandava LV 52 Hb21
Kandel D 63 Ed32
Kandersteg CH 71 Ec35
Kandila GR 111 Ja46
Kanepi EST 47 Ja19
Kanevskaja RUS 127 Fc16
Kanfanar HR 85 Fd37
Kangaslampi FIN 41 Ja14
Kangasniemi FIN 41 Hd14
Kangos S 30 Ha07
Kangosjärvi FIN 30 Ha07
Kaniv UA 121 Ec15
Kanjiža SRB 75 Hb36
Kankaanpää FIN 40 Hb15
Kankainen FIN 41 Hd14
Kanlıdivane TR 128 Gc17
Kannankoski FIN 40 Hc13
Kannus FIN 34 Hb12
Kantala FIN 41 Hd14
Kantemirovka RUS 122 Fb14
Kanturk IRL 22 Bd25
Kaolinovo BG 89 Jd38
Kaona SRB 87 Hb39
Kapandríti GR 112 Jb46
Kapellen B 54 Ea28
Kapfenberg A 73 Gb34
Kapitan Dimitrovo BG 89 Jd38
Kaplice CZ 65 Ga32
Kaposvár H 74 Gd35
Kappeln D 49 Fb24
Kappelshamn S 45 Gd20
Kappelskär S 45 Gd18
Kaprun A 72 Fc34
Kapsáli GR 111 Ja48
Kapsalos CY 128 Gc18
Kapuvár H 74 Gc34
Karabiga TR 103 Ka42
Karaburun TR 103 Kb41
Karaburun TR 113 Jd45
Karacabey TR 103 Kb42
Karacadağ TR 103 Ka40
Karačaevsk RUS 127 Ga17
Karacaköy TR 103 Kb41
Karačev RUS 121 Ed12
Karacva TR 113 Kb46
Karadere TR 113 Ka44
Karakaya TR 128 Gb15
Karakólithos GR 111 Ja45
Karali RUS 41 Jb13
Karaman TR 128 Gb16
Karamyševo RUS 47 Jb19
Karapelit BG 89 Jd38
Karapinar TR 103 Jd41
Karapınar TR 128 Gc15
Kararkút H 74 Gd36
Karasjok N 27 Hb04
Karatepe TR 103 Jd43
Karats S 29 Gc08
Karaurgan TR 127 Ga19
Karavás GR 111 Ja48
Karavómilos GR 111 Ja45
Karavostasi CY 128 Gb19
Kårböle S 38 Ga15
Karcag H 75 Hb34
Kardakáta GR 110 Hc46
Kardamíli GR 111 Ja47
Kardašova Řečice CZ 65 Ga32
Kardítsa GR 101 Hd44
Kärdla EST 46 Hb18
Kardos H 75 Hb35
Kărdžali BG 102 Jc41
Kårehamn S 51 Gc21
Karesuando S 29 Ha06
Kärevete EST 47 Hd18
Kargıcak TR 128 Gc17
Kargowa PL 57 Gb28
Karhukangas FIN 35 Hc11
Karhula FIN 41 Hd16
Kariá GR 111 Ja46
Karianí GR 102 Jb42
Karigasniemi FIN 27 Hb05
Karijoki FIN 40 Ha14
Karine TR 113 Ka46
Karis FIN 46 Hc17
Káristos GR 112 Jc46
Karjaa FIN 46 Hc17
Karjala FIN 40 Ha16
Karjalohja FIN 46 Hc17
Karkkila FIN 40 Hc16
Karksi-Nuia EST 47 Hd19
Karleby FIN 34 Hb12
Karlholmsbruk S 45 Gc17
Karlino PL 57 Gb25
Karlivka UA 122 Fa14
Karlobag HR 85 Ga38
Karlovac HR 85 Gb37
Karlovássi TR 113 Ka46
Karlovice CZ 66 Gc31
Karlovka RUS 119 Ga11
Karlovo BG 102 Jb40
Karlovy Vary CZ 65 Fd30
Karlsborg S 44 Ga19
Karlshamn S 50 Ga22
Karlskoga S 44 Ga18
Karlskrona S 50 Gb22
Karlsruhe D 63 Ed32
Karlstad S 44 Fd18
Karlstadt D 64 Fa31
Kărnare BG 102 Jb40
Karnezéika GR 111 Ja47
Karnobat BG 89 Jd39
Kärpänkylä FIN 35 Ja09
Kárpathos GR 115 Kb48
Karpeníssi GR 110 Hd45
Karpuzlu TR 103 Jd42
Kärsämäki FIN 35 Hc12
Kārsava LV 53 Jb21
Kårsta S 45 Gc18
Karstädt D 56 Fc26
Karstula FIN 40 Hc13
Karsun RUS 119 Fd10
Kartal TR 103 Kb41
Karterés GR 101 Ja42
Karttula FIN 41 Hd13
Kartuzy PL 58 Gd25
Karungi S 34 Hb09
Karunki FIN 34 Hb09
Karup DK 48 Fa22
Kärväskylä FIN 35 Hc12
Karvia FIN 40 Hb14
Karviná PL 66 Gd31
Karvio FIN 41 Ja13
Karvoskylä FIN 35 Hc12
Kašary RUS 123 Fc14
Kascjanevičy BY 53 Jb24
Kascjukovičy BY 121 Ec12

Kascjukovka BY 121 Ec13
Kåseberga S 50 Ga23
Kasimov RUS 118 Fb10
Kašin RUS 117 Ed09
Kaşınhanı TR 128 Gb15
Kaskii FIN 41 Ja14
Kaskinen FIN 40 Ha14
Kaskö FIN 40 Ha14
Kassari EST 46 Hb19
Kassel D 64 Fa29
Kastaniá GR 101 Hc44
Kastaniá GR 101 Hd44
Kastanítsa GR 111 Ja47
Kastéli GR 115 Jd49
Kastellaun D 63 Ec30
Kaštel-Stari HR 86 Gc39
Kastl D 64 Fc31
Kastoriá GR 101 Hc43
Kastrí GR 114 Jc50
Kástro GR 110 Hc46
Kástro GR 111 Ja45
Katákolo GR 110 Hd47
Katápola GR 115 Jd47
Katastári GR 110 Hc46
Katerini GR 101 Hd43
Katheni GR 112 Jb45
Kathikas CY 128 Ga19
Katlanovska Banja MK 101 Hc41
Kato CY 128 Gb19
Káto Ahaía GR 110 Hd46
Káto Almirí GR 111 Ja46
Káto Asséa GR 111 Ja47
Kato Gialia CY 128 Ga19
Káto Makrinoú GR 110 Hd45
Káto Nevrokópi GR 102 Jb42
Káto Vlassía GR 110 Hd46
Katowice PL 66 Gd30
Katrineholm S 44 Gb19
Katsimbalis GR 110 Hd47
Kattavía GR 115 Kb48
Katthammarsvik S 51 Gd21
Katy Wrocławskie PL 66 Gc29
Kaufbeuren D 72 Fb33
Kaufungen D 64 Fa29
Kauhajoki FIN 40 Ha14
Kauhava FIN 40 Hb13
Kaukonen FIN 30 Hb07
Kaulsdorf D 64 Fc30
Kaunas LT 52 Hc24
Kaupanger N 36 Fa15
Kausala FIN 41 Hd16
Kauske EST 47 Ja18
Kaustinen FIN 34 Hb12
Kautokeino N 26 Ha05
Kavacık TR 103 Kb43
Kavadarci MK 101 Hd42
Kavajë RKS 100 Hb42
Kavaklıdere TR 113 Kb46
Kavála GR 102 Jb42
Kavarna BG 89 Ka38
Kavarskas LT 53 Hd23
Kävlinge S 49 Fd23
Kaxholmen S 44 Ga20

Kayaönü TR 128 Gc16
Kayapa TR 103 Ka43
Käylä FIN 31 Hd08
Kaymakçı TR 113 Kb45
Kaysersberg F 71 Ec33
Kazačka RUS 123 Fc12
Kazan' RUS 119 Fd08
Kazancı TR 128 Gb17
Kazanka UA 125 Ed16
Kazanläk BG 102 Jc40
Kazanskaja RUS 123 Fc13
Kazıklı TR 113 Kb46
Kazimierza Wielka PL 67 Hb30
Kazimierz Dolny PL 67 Hc29
Kazımkarabekir TR 128 Gb16
Kazincbarcika H 75 Hb33
Kaz'jany BY 53 Ja23
Kazlų Rūda LT 52 Hc24
Kaznějov CZ 65 Fd31
Kcynia PL 58 Gc27
Kdyně CZ 65 Fd31
Kéa GR 112 Jc46
Kecskemét H 74 Ha35
Kėdainiai LT 52 Hc23
Kédros GR 101 Hd44
Kędzierzyn-Koźle PL 66 Gd30
Keel IRL 18 Bd22
Kéfalos GR 115 Ka47
Keflavík IS 14 Bb06
Kehl D 63 Ed32
Kehra EST 47 Hd18
Keighley GB 21 Da24
Keila EST 46 Hc18
Ķeipene LV 53 Hd21
Keitele FIN 41 Hd13
Keith GB 17 Db19
Kelankylä FIN 35 Hc09
Këlcyrë AL 100 Hb43
Kelheim D 64 Fc32
Kellaki CY 128 Gb19
Kellinghusen D 56 Fb25
Kello FIN 35 Hc10
Kellokoski FIN 40 Hc16
Kelloselkä FIN 31 Hd07
Kells IRL 19 Cb23
Kelmė LT 52 Hc23
Kel'menci UA 76 Jc32
Kelmis B 63 Eb29
Kelso GB 21 Db22
Kemalpaşa TR 113 Ka45
Kemalpaşa TR 127 Ga18
Kemerburgaz TR 103 Kb41
Kemerhısar TR 128 Gd15
Kemi FIN 34 Hb09
Kemijärvi FIN 31 Hc08
Kemilä FIN 35 Ja09
Keminmaa FIN 34 Hb09
Kemiö FIN 46 Hb17
Kemlja RUS 119 Fc10
Kemnath D 64 Fc31
Kempele FIN 35 Hc10
Kempten D 72 Fb34
Kendal GB 21 Da23

Kenderes H 75 Hb34
Kenmare IRL 22 Bc25
Kennacraig GB 20 Cd21
Kenttan N 27 Hb05
Kępno PL 66 Gd29
Kepsut TR 103 Kb43
Keramidi GR 101 Ja44
Keramotí GR 102 Jb42
Keratea GR 112 Jb46
Kerava FIN 40 Hc16
Kerč UA 126 Fb17
Kergu EST 46 Hc19
Kerí GR 110 Hc47
Kerimäki FIN 41 Ja14
Kérkira GR 100 Hb44
Kerkrade NL 63 Ec29
Kermen BG 103 Jd40
Kéros GR 115 Jd47
Kerpen D 63 Ec29
Kerteminde DK 49 Fb23
Keryneia CY 128 Gb18
Kesälahti FIN 41 Ja14
Keşan TR 103 Jd42
Kesh GB 19 Cb22
Kesteri LV 52 Hb22
Kestilä FIN 35 Hc11
Keswick GB 21 Da23
Keszthely H 74 Gc35
Ketčenery RUS 123 Ga14
Kętrzyn PL 59 Hb25
Kettering GB 25 Db26
Keuruu FIN 40 Hc14
Kevastu EST 47 Ja19
Kevelaer D 55 Ec28
Kežmarok SK 67 Hb32
Kiáto GR 111 Ja46
Kibæk DK 48 Fa22
Kıbasan TR 128 Gb16
Kiberg N 27 Hd03
Kičevo MK 101 Hc42
Kicman' UA 76 Jb32
Kidderminster GB 24 Da26
Kidekša RUS 118 Fa09
Kiefersfelden D 72 Fc34
Kiekinkoski FIN 35 Ja11
Kiel D 56 Fb25
Kielce PL 67 Hb29
Kierinki FIN 30 Hb07
Kierspe D 63 Ed29
Kigyósgárgyán H 74 Ha35
Kihelkonna EST 46 Hb19
Kihlanki FIN 30 Ha07
Kihlanki S 30 Ha07
Kihniö FIN 40 Hb14
Kiikala FIN 40 Hb16
Kiikoinen FIN 40 Hb15
Kiiminki FIN 35 Hc10
Kiistala FIN 30 Hb07
Kijevo HR 86 Gc39
Kikerino RUS 47 Jb17
Kikinda SRB 75 Hb36
Kiknur RUS 119 Fc08
Kil N 43 Fb19
Kil S 44 Fd18
Kilafors S 38 Gb16
Kilbaha IRL 18 Bc24

Kilboghamn N 32 Fd09
Kilchoan GB 16 Cd19
Kilcolgan IRL 18 Bd23
Kildare IRL 19 Cb24
Kil'dinstroj RUS 31 Ja05
Kilija UA 77 Ka35
Kilingi-Nõmme EST 47 Hd19
Kilini GR 110 Hc46
Kilkee IRL 18 Bd24
Kilkeel GB 20 Cc23
Kilkenny IRL 18 Ca24
Kilkhampton GB 23 Cc27
Kilkís GR 101 Ja42
Killarney IRL 22 Bd25
Killbeggan IRL 18 Ca23
Killenaule IRL 18 Ca24
Killimer IRL 18 Bd24
Killin GB 17 Da20
Killinkoski FIN 40 Hb14
Killorglin IRL 18 Bc24
Killybegs IRL 18 Ca22
Kilmaine IRL 18 Bd23
Kilmarnock GB 20 Cd21
Kilmore Quay IRL 23 Cb25
Kilpisjärvi FIN 26 Gd05
Kilrush IRL 18 Bd24
Kilyos TR 103 Kb41
Kími GR 112 Jb45
Kimito FIN 46 Hb17
Kímolos GR 111 Jc47
Kimovsk RUS 118 Fa11
Kimry RUS 117 Ed09
Kinbrace GB 17 Da18
Kinel' RUS 119 Ga10
Kinešma RUS 118 Fb09
Kingisepp RUS 47 Jb17
Kingsbridge GB 23 Cc28
King's Lynn GB 25 Dc26
Kingston upon Hull GB 21 Dc24
Kingussie GB 17 Da19
Kíni GR 112 Jc46
Kınık TR 113 Ka44
Kinlochewe GB 16 Cd18
Kinna S 49 Fd21
Kinnarp S 44 Fd20
Kinnegad IRL 19 Cb23
Kinnula FIN 35 Hc12
Kinross GB 21 Da21
Kinsale IRL 22 Bd25
Kinsarvik N 42 Ed17
Kintore GB 17 Db20
Kinvarre IRL 18 Bd23
Kióni GR 110 Hc46
Kiparíssi GR 111 Ja47
Kiparissia GR 110 Hd47
Kipinä FIN 35 Hc10
Kipséli GR 101 Hc43
Kipséli GR 101 Ja44
Kipti UA 121 Ec14
Kirava UA 121 Ec14
Kiraz TR 113 Kb45
Kirchberg D 63 Ec30
Kirchdorf A 73 Ga33
Kirchhain D 64 Fa29
Kirchheim (Teck) D 64 Fa32

Kirchheimbolanden D 63 Ed31
Kirchschlag A 73 Gb34
Kireç TR 103 Kb43
Kiriáki GR 111 Ja45
Kirillovskoe RUS 41 Jb16
Kırkağaç TR 113 Ka44
Kirkby Lonsdale GB 21 Da23
Kirkcaldy GB 21 Da21
Kirkcudbright GB 20 Cd22
Kirkenær N 43 Fd17
Kirkenes N 27 Hd04
Kirke Såby DK 49 Fc23
Kirkjubæjarklaustur IS 14 Bd08
Kirkkonummi FIN 46 Hc17
Kirkkovo RUS 47 Ja17
Kırklareli TR 103 Jd41
Kirkliai LT 52 Hc23
Kirkwall GB 17 Db17
Kirn D 63 Ec31
Kirobasi TR 128 Gc17
Kirov RUS 121 Ed12
Kirovohrad UA 121 Ed15
Kirovsk RUS 117 Eb08
Kirovs'ke UA 126 Fa17
Kirriemuir GB 17 Db20
Kirsanov RUS 119 Fc11
Kiruna S 29 Gd07
Kiržač RUS 118 Fa10
Kisa S 44 Gb20
Kisbér H 74 Gd34
Kiseljak BIH 86 Gd39
Kiseljak BIH 86 Ha38
Kisielice PL 58 Gd26
Kiskkunmajsa H 74 Ha35
Kisko FIN 46 Hb17
Kisköre H 75 Hb34
Kiskőrös H 74 Ha35
Kiskunfélegyháza H 74 Ha35
Kiskunhalas H 74 Ha35
Kiskunlacháza H 74 Ha34
Kislovodsk RUS 127 Ga17
Kissamos GR 114 Jb49
Kisszentmiklós H 74 Ha35
Kist D 64 Fa31
Kistanje HR 85 Gb39
Kistelek H 75 Hb35
Kisvárda H 75 Hc33
Kitee FIN 41 Jb14
Kíthnos GR 111 Jc47
Kitkiöjoki S 30 Ha07
Kítros GR 101 Hd43
Kittelfjäll S 33 Gb10
Kittilä FIN 30 Hb07
Kitzbühel A 72 Fc34
Kitzingen D 64 Fb31
Kiuruvesi FIN 35 Hd12
Kiverci UA 120 Ea14
Kivesjärvi FIN 35 Hd11
Kivijärvi FIN 40 Hc13
Kivik S 50 Ga23
Kiviõli EST 47 Ja18
Kivotós GR 101 Hc43
Kıyıköy TR 103 Ka41
Kızılören TR 128 Ga15
Kizner RUS 119 Ga08
Kjeldebotn N 28 Gb06
Kjellerup DK 49 Fb22
Kjellmyra N 37 Fd16
Kjernmoen N 37 Fd16
Kjøllefjord N 27 Hb03
Kjøpsvik N 28 Gb07
Kjustendil BG 87 Hd40
Kladanj BIH 86 Ha38
Kladnica SRB 87 Hb39
Kladno CZ 65 Ga30
Kladovo SRB 87 Hd37
Klæbu N 37 Fc13
Klagenfurt A 73 Ga35
Klaipėda LT 52 Ha23
Klanac HR 85 Gb38
Kläppen S 34 Gd11
Klášterec nad Ohří CZ 65 Fd30
Klatovy CZ 65 Fd31
Klausen I 72 Fb35
Kłecko PL 58 Gc27
Kleive N 36 Fa13
Klembivka UA 77 Jd32
Klenovac BIH 86 Gc38
Kleppe N 42 Ec18
Kleppestø N 36 Ed16
Kleszczele PL 59 Hc27
Kletnja RUS 121 Ec12
Kletskij RUS 123 Fd13
Kleve D 55 Ec28
Klezevo RUS 47 Ja20
Kličav BY 121 Eb12
Kliczków PL 65 Gb29
Klimavičy BY 121 Ec12
Klimovo RUS 121 Ec13
Klimovsk RUS 117 Ed10
Klin RUS 117 Ed10
Klincovka RUS 119 Ga11
Klincy RUS 121 Ec13
Klingenthal D 64 Fc30
Klingnau CH 71 Ed34
Kliniča Sela HR 73 Gb36
Klintehamn S 51 Gc21
Klippan S 49 Fd22
Klissoúra GR 101 Hc44
Klisura BG 102 Jb40
Klitmøller DK 48 Fa21
Klitoría GR 110 Hd46
Kljajićevo SRB 74 Ha36
Kljascicy BY 53 Jb22
Kljavica BY 53 Ja24
Kljavino RUS 119 Ga09
Ključ BIH 86 Gc38
Kłobuck PL 66 Gd29
Kłodawa PL 58 Gd28
Kłodzko PL 66 Gc30
Kløfta N 43 Fc17
Klokkarvik N 42 Ec17
Kłomnice PL 67 Ha29
Klos RKS 100 Hb42
Kloštar Ivanić HR 74 Gc36
Kloster CH 72 Fa35
Klosterneuburg A 73 Gb33
Kloten CH 71 Ed34
Kloten S 44 Gb17
Klötze D 56 Fc27
Klövsjö S 38 Ga14
Kluczbork PL 66 Gd29
Klütz D 56 Fc25
Knäred S 49 Fd22
Knaresborough GB 21 Db24
Knarvik N 36 Ed16
Kneža BG 88 Ja39
Knežević Sušica SRB 87 Hb39
Kneževi Vinogradi HR 74 Ha36
Knićanin SRB 87 Hb37
Knighton GB 24 Cd26
Knin HR 85 Gb39
Knislinge S 50 Ga22
Knittelfeld A 73 Ga34
Knivsta S 45 Gc18
Knjaževac SRB 87 Hd39
Knjaževo RUS 118 Fb08
Knocklong IRL 18 Bd24
Knokke-Heist B 54 Ea28
Knurów PL 66 Gd30
Knurowiec PL 59 Hb27
Knutsford GB 24 Da25
Knyszyn PL 59 Hc26
Kobarid SLO 73 Fd36
Kobbfoss N 27 Hd04
Kobeljaky UA 121 Ed15
København DK 49 Fd23
Koblenz D 63 Ed30
Kobona RUS 117 Eb08
Koboža RUS 117 Ec08
Kobryn BY 59 Hd27
Kobylin PL 58 Gc28
Kočani MK 101 Hd41
Koceljevo SRB 87 Hb38
Kočerin BIH 86 Gd39
Kočetovka RUS 122 Fb12
Kočevje SLO 73 Ga36
Kock PL 59 Hc28
Kočkarlej RUS 119 Fd10
Kocsola H 74 Gd35
Kócsújfalu H 75 Hb34
Kode S 43 Fc20
Kodeń PL 59 Hd28
Kodrąb PL 67 Ha29
Kodyma UA 77 Ka32
Kodyma UA 125 Ec16
Kofçaş TR 103 Jd40
Kofinou CY 128 Gb19
Köflach A 73 Ga35
Køge DK 49 Fc23
Kogula EST 46 Hb19
Kohila EST 46 Hc18
Kohma RUS 118 Fa09
Kohtlajärve EST 47 Ja17
Koilovci BG 88 Jb39
Koirakosk FIN 35 Hd12
Koivu FIN 34 Hb09
Koivulahti FIN 40 Ha13
Kojetín CZ 66 Gc31
Kökar FIN 46 Ha17
Kokemäki FIN 40 Hb15
Kokinombléa GR 111 Ja45
Kokkola FIN 34 Hb12
Koknese LV 53 Hd21
Kokotí GR 111 Ja45
Koktebel' UA 126 Fb17
Kola RUS 31 Ja05
Kołacze PL 59 Hd28
Kolari FIN 30 Hb07
Kolárovo SK 74 Gd33
Kolåsen S 32 Fd12
Kolašin MNE 86 Ha40
Kolbäck S 44 Gb18
Kolbu N 37 Fc16
Kolbudy Grn. PL 58 Gd25
Kolbuszowa PL 67 Hc30
Kol'čugino RUS 118 Fa10
Kolding DK 49 Fb23
Koler S 34 Gd10
Kölesd H 74 Gd35
Kolga-Jaani EST 47 Hd19
Kolgompja RUS 47 Ja17
Kolho FIN 40 Hc14
Koli FIN 35 Ja12
Kolín CZ 65 Ga31
Kolka LV 46 Hb20
Kolky UA 120 Ea14
Kölleda D 64 Fc29
Köln D 63 Ec29
Kolno PL 59 Hb26
Koło PL 58 Gd28
Kołobrzeg PL 57 Gb25
Koločava UA 67 Hd32
Kolokolčovka RUS 123 Fd12
Kolomna RUS 118 Fa10
Kolomyja UA 76 Ja32
Kolomyja UA 124 Ea16
Kolpino RUS 117 Eb08
Kolpny RUS 122 Fa12
Kolsva S 44 Gb18
Koluszki PL 58 Ha28
Kolvereid N 32 Fd11
Kolyčivka UA 121 Ec14
Kolyšlej RUS 119 Fc11
Komańcza PL 67 Hc31
Komárno SK 74 Gd34
Komarno UA 67 Hd31
Komárom H 74 Gd34
Komarówka Podlaska PL 59 Hc28
Koma tou Gialou CY 128 Gc18
Kominternivs'ke MD 77 Kb33
Kominternivs'ke UA 125 Ec17
Komiža HR 85 Gb40
Komló H 74 Gd36
Komniná GR 101 Hd43
Komorzno PL 66 Gd29
Komosomol'sk RUS 118 Fa09
Komotini GR 102 Jc42
Kompina PL 58 Ha28
Komsomol'sk RUS 52 Ha24
Komsomol'skij RUS 119 Fc10

Komsomol'sk Zap. RUS 52 Ha24
Kömürlimanı TR 102 Jc43
Konak SRB 87 Hb37
Konakovo RUS 117 Ed10
Konakpınar TR 103 Kb43
Konare BG 89 Ka38
Konarzyny PL 58 Gc26
Kondolovo BG 103 Ka40
Kondrovo RUS 117 Ed11
Köngas FIN 30 Hb07
Konginkangas FIN 40 Hc13
Kongsberg N 43 Fb18
Kongsmoen N 32 Fd11
Kongsvinger N 43 Fd17
Konice CZ 66 Gc31
Königsbrück D 65 Fd29
Königsbrunn D 72 Fb33
Königsee D 64 Fb30
Königstein D 63 Ed30
Königstein D 65 Ga29
Königswiesen A 73 Ga33
Königswinter D 63 Ec29
Königs Wusterhausen D 57 Fd28
Konin PL 58 Gd28
Kónitsa GR 101 Hc44
Köniz CH 71 Ec34
Konjic BIH 86 Gd39
Könnern D 56 Fc28
Konnevesi FIN 41 Hd13
Konopki PL 58 Ha27
Konotop PL 57 Gb28
Konotop UA 121 Ed14
Końskie PL 67 Ha29
Konsmo N 42 Fa19
Konstancin-Jeziorna PL 59 Hb28
Konstantin BG 88 Jc39
Konstantinovsk RUS 123 Fc15
Konstantinovy Lázně CZ 65 Fd31
Konstantynów PL 59 Hc27
Konstantynów Łódzki PL 58 Ha28
Konstanz D 72 Fa34
Kontiolahti FIN 41 Jb13
Kontiomäki FIN 35 Hd11
Konttajärvi FIN 30 Hb08
Konya TR 128 Gb15
Konz D 63 Ec31
Koosa EST 47 Ja19
Koparnes N 36 Ed14
Kópasker IS 15 Cb05
Kópavogur IS 14 Bc06
Koper SLO 85 Fd37
Kopidlno CZ 65 Gb30
Köping S 44 Gb18
Koplik i Poshtëm AL 100 Ha41
Köpmanholmen S 39 Gc13
Kopor'e RUS 47 Jb17
Koppang N 37 Fc15
Kopparberg S 44 Ga17
Koppelo FIN 27 Hc05
Kopperå N 37 Fd13
Koppom S 43 Fd18
Koprivna BIH 86 Gd37
Koprivnica HR 74 Gc36
Kopřivnice CZ 66 Gd31
Koprivštica BG 102 Jb40
Köprübaşı TR 113 Kb44
Köprülü TR 128 Ga16
Kopyčynci UA 124 Ea16
Korablino RUS 118 Fb11
Korbach D 64 Fa29
Korbeniči RUS 117 Ec08
Korçe AL 101 Hc43
Korčevka RUS 119 Fd10
Korčula HR 86 Gc40
Korec' UA 121 Eb14
Korenevo RUS 121 Ed13
Korenica HR 85 Gb38
Korenovsk RUS 127 Fc16
Korfantów PL 66 Gc30
Korgen N 33 Ga09
Koria FIN 41 Hd16
Korifási GR 110 Hd47
Korinós GR 101 Hd43
Kórinthos GR 111 Ja46
Korita BIH 86 Gd40
Korita MNE 86 Ha40
Korjukivka UA 121 Ec13
Körmen TR 115 Kb47
Körmend H 74 Gc35
Korneuburg A 73 Gb33
Kórnik PL 58 Gc28
Kornofolia GR 103 Jd41
Kornwestheim D 64 Fa32
Koroča RUS 122 Fa13
Koromačno HR 85 Ga37
Koróni GR 110 Hd48
Koronowo PL 58 Gc26
Korop UA 121 Ed13
Körösladány H 75 Hb34
Korosten' UA 121 Eb14
Korostyšiv UA 121 Eb15
Koroviha RUS 118 Fb08
Korpilahti FIN 40 Hc14
Korpilombolo S 30 Ha08
Korpiselkja RUS 41 Jb13
Korpo FIN 46 Ha17
Korppoo FIN 46 Ha17
Korsberga S 50 Ga21
Korskrogen S 38 Gb15
Korsnäs FIN 40 Ha13
Korsør DK 49 Fc24
Korsun'-Ševčenkivs'kyj UA 121 Ec15
Korsvegen N 37 Fc13
Korsvoll N 37 Fb13
Korsze PL 59 Hb25
Korten BG 102 Jc40
Kortesjärvi FIN 40 Hb13
Kórthio GR 112 Jc46
Kortrijk B 62 Dd29
Korucu TR 103 Ka43
Korvala FIN 31 Hc08
Koryčany CZ 66 Gc32
Korycin PL 59 Hc26
Korzybie PL 58 Gc25
Kós GR 115 Kb47
Kosaja Gora RUS 118 Fa11
Kosanica MNE 86 Ha40
Košarovce SK 67 Hc32
Kościan PL 58 Gc28
Kościelec PL 58 Gd28
Kościerzyna PL 58 Gc25
Kose EST 47 Hd18
Košice SK 67 Hb32
Košická Belá SK 67 Hb32
Kosihovce SK 74 Ha33
Kosiv UA 76 Ja32
Kosjerić SRB 87 Hb38
Koška HR 86 Gd37
Koskenpää FIN 40 Hc14
Koski FIN 40 Hb16
Koskolovo RUS 47 Ja17
Koskue FIN 40 Hb14
Koskullskulle S 29 Gd08
Kosmás GR 111 Ja47
Kosovska Mitrovica RKS 87 Hc40
Kosów Lacki PL 59 Hc27
Kosta S 50 Gb22
Kostanjevica na Krki SLO 73 Gb36
Kostelec nad Černými Lesy CZ 65 Ga31
Kostelec na Hané CZ 66 Gc31
Kostenec BG 102 Ja40
Kostinbrod BG 102 Ja40
Kostjantynivka UA 122 Fb15
Kostomłoty PL 66 Gc29
Kostomukša RUS 35 Ja10
Kostopil' UA 120 Ea14
Kostroma RUS 118 Fa08
Kostryna UA 67 Hc32
Kostrzyn PL 57 Ga27
Koszalin PL 57 Gb25
Kőszeg H 74 Gc34
Koszuty PL 58 Gc28
Kotel BG 89 Jd39
Kotel'nikovo RUS 123 Fd14
Kotel'skij RUS 47 Jb17
Kotel'va UA 121 Ed14
Köthen D 56 Fc28
Kotila FIN 35 Hd10
Kotka FIN 41 Hd16
Kotly RUS 47 Jb17
Kotor MNE 100 Ha41
Kotoriba HR 74 Gc35
Kotorsko BIH 86 Gd37
Kotor Varoš BIH 86 Gc38
Kotovo RUS 123 Fd12
Kotovsk RUS 122 Fb12
Kotovs'k UA 77 Ka32
Kotovs'k UA 125 Ec16
Kótronas GR 111 Ja48
Kötschach A 73 Fd35
Kötzting D 65 Fd32
Koufália GR 101 Hd42
Kouklia CY 128 Ga19
Kounávi GR 115 Jd49
Koúndouros GR 112 Jc46
Kounoupítsa GR 112 Jb46
Koutalás GR 111 Jc47
Kouvola FIN 41 Hd16
Kovačevci BG 102 Ja40
Kovačica SRB 87 Hb37
Kovdor RUS 31 Ja06
Kovel' UA 120 Ea14
Kovernino RUS 118 Fb08
Kovero FIN 41 Jb13
Kovrov RUS 118 Fa09
Kovylkino RUS 119 Fc10
Kowal PL 58 Gd27
Kowale Oleckie PL 59 Hc25
Kowary PL 65 Gb30
Kozac'ke UA 77 Kb34
Kozak TR 113 Ka44
Kozáni GR 101 Hd43
Kozel'sk RUS 117 Ed11
Koziegłowy PL 67 Ha30
Kozienice PL 59 Hb28
Kozjatyn UA 121 Eb15
Kozloduj BG 88 Ja38
Kozlovka RUS 119 Fd09
Kozłów PL 67 Ha30
Koźmin PL 58 Gc28
Koźminek PL 58 Gd28
Koźminiec PL 58 Gc28
Koz'modem'jansk RUS 119 Fc09
Kożuchów PL 57 Gb28
Kräckelbäcken S 38 Ga15
Kraddsele S 33 Gb10
Kragenæs DK 49 Fc24
Kragerø N 43 Fb19
Kragujevac SRB 87 Hc38
Krakhella N 36 Ec15
Kräklingbo S 51 Gd21
Krakovec' UA 67 Hd30
Kraków PL 67 Ha30
Krakow am See D 56 Fc26
Kraljevica HR 85 Ga37
Kraljevo SRB 87 Hb39
Kralovice CZ 65 Fd31
Král'ovský Chlmec SK 67 Hc32
Kralupy nad Vltavou CZ 65 Ga30
Kramators'k UA 122 Fb15
Kramfors S 39 Gc13
Kramjanica BY 59 Hd26
Kranídi GR 111 Ja47
Kranj SLO 73 Ga36
Kranjska Gora SLO 73 Fd35
Krapina HR 73 Gb36
Krapinske Toplice HR 73 Gb36
Krapkowice PL 66 Gd30
Krāslava LV 53 Ja22
Krasnae BY 53 Jb24
Krasnaja Gora RUS 121 Ec13
Krasnaja Jaruga RUS 122 Fa13
Krasnaja Poljana RUS 127 Fd17
Krásna nad Hornádom SK 67 Hb32

Kraśnik PL 67 Hc29
Krasni Okny UA 77 Ka33
Krasnoarmejsk RUS 118 Fa10
Krasnoarmejsk RUS 123 Fd12
Krasnoarmijs'k UA 122 Fb15
Krasnobród PL 67 Hd30
Krasnodar RUS 127 Fc17
Krasnodon UA 123 Fc15
Krasnoe RUS 52 Hb24
Krasnoe RUS 122 Fa12
Krasnogorodskoe RUS 53 Jb21
Krasnogvardejskoe RUS 127 Fd16
Krasnohorivka UA 122 Fb15
Krásnohorské Podhradie SK 67 Hb32
Krasnohrad UA 122 Fa14
Krasnohvardijs'ke UA 126 Fa17
Krasnojil's'k UA 76 Jb33
Krasnokuts'k UA 122 Fa14
Krasnomajskij RUS 117 Ec09
Krasnopavlivka UA 122 Fa15
Krasnoperekops'k UA 126 Fa17
Krasnopillja UA 122 Fa14
Krasnosielc PL 59 Hb26
Krasnoslobodsk RUS 119 Fc10
Krasnoslobodsk RUS 123 Fd14
Krasnotorovka RUS 52 Ha24
Krasnoznamensk RUS 52 Hc24
Krasnye Baki RUS 118 Fb08
Krasnyj Holm RUS 117 Ed09
Krasnyj Jar RUS 119 Ga10
Krasnyj Kut RUS 123 Ga12
Krasnyj Luč UA 122 Fb15
Krasnystaw PL 67 Hd29
Krastë RKS 100 Hb42
Krasti LV 53 Hd22
Krasyliv UA 121 Eb15
Kratovo MK 101 Hd41
Kražiai LT 52 Hc23
Krefeld D 55 Ec28
Krekenava LT 53 Hd23
Kremenčuk UA 121 Ed15
Kremenec' UA 120 Ea15
Kremidivka MD 77 Kb33
Kremmen D 57 Fd27
Kremna SRB 86 Ha39
Krems A 73 Fd35
Krems A 73 Gb33
Krepoljin SRB 87 Hc38
Krępsko PL 58 Gc26
Kreševo BIH 86 Gd39
Kresk-Królowa PL 59 Hc28
Kresna BG 101 Ja41
Krestcy RUS 117 Eb09
Kréstena GR 110 Hd47
Kretinga LT 52 Hb23
Kreuztal D 63 Ed29
Krëva BY 53 Ja24
Krëva BY 120 Ea12
Kriátsi GR 110 Hd45
Krieglach A 73 Gb34
Kriens CH 71 Ed34
Kríkelos GR 110 Hc45
Kríni GR 101 Hd44
Krinídes GR 102 Jb42
Kristdala S 50 Gb21
Kristiansand N 42 Fa20
Kristianstad S 50 Ga23
Kristiansund N 36 Fa13
Kristiinankaupunki FIN 40 Ha14
Kristineberg S 33 Gc11
Kristinehamn S 44 Ga18
Kristinestad FIN 40 Ha14
Kriva Feja SRB 87 Hd40
Kriva Palanka MK 101 Hd41
Krive Ozero MD 77 Kb32
Krivodol BG 88 Ja39
Krivolak MK 101 Hd41
Krivorož'e RUS 123 Fc14
Křižanov CZ 65 Gb31
Križevci HR 74 Gc36
Križpolje HR 85 Gb37
Krk HR 85 Ga37
Krnja MNE 86 Ha40
Krnov CZ 66 Gc31
Krobia PL 58 Gc28
Krøderen N 43 Fb17
Krokek S 44 Gb19
Krokílio GR 110 Hd45
Krokom S 38 Ga13
Króksfjarðarnes IS 14 Bc05
Krokvåg S 38 Gb13
Krolevec' UA 121 Ed13
Kroměříž CZ 66 Gc32
Kromy RUS 121 Ed12
Kronach D 64 Fb30
Kroņauce LV 52 Hc22
Kronshagen D 56 Fb25
Kronštadt RUS 41 Jb16
Kröpelin D 56 Fc25
Kropotkin RUS 127 Fd16
Krośnice PL 66 Gc29
Krośniewice PL 58 Gd28
Krosno PL 67 Hc31
Krosno Odrzańskie PL 57 Ga28
Krotoszyn PL 58 Gc28
Krško SLO 73 Gb36
Krstac MNE 86 Ha40
Krujë RKS 100 Hb42
Krukenyči UA 67 Hd31
Krukowo PL 59 Hb26
Krumbach D 72 Fb33
Krupa na Vrbasu BIH 86 Gc38
Krupanj SRB 86 Ha38
Krušari BG 89 Ka38
Krusedol Selo SRB 87 Hb37
Kruševac SRB 87 Hc39
Kruševo MK 101 Hc42
Krušovene BG 88 Jb39
Krušovica BG 88 Ja39
Kruszów PL 58 Ha28
Kruszwica PL 58 Gd27
Kruszyna PL 67 Ha29
Kruszyniany PL 59 Hd26
Kruunupyy FIN 34 Hb12
Kryčav BY 121 Ec12
Krylovo RUS 59 Hb25
Krymsk RUS 127 Fc17
Krynica PL 67 Hb31
Krynica Morska PL 58 Gd25
Krynki PL 59 Hd26
Krynyčne UA 77 Ka35
Kryve Ozero UA 125 Ec16
Kryvičy BY 53 Jb24
Kryvsk BY 121 Ec13
Kryvyj Rih UA 125 Ed16
Kryžopil' UA 77 Jd32
Kryžopil' UA 125 Eb16
Krzęcin PL 57 Gb27
Krzeczów PL 66 Gd29
Krzepice PL 66 Gd29
Krzeszyce PL 57 Ga27
Krzywa PL 65 Gb29
Kšenskij RUS 122 Fa13
Księżpol PL 67 Hc30
Kstovo RUS 118 Fb09
Ktísmata GR 100 Hb44
Kubrat BG 88 Jc38
Kučevište MK 101 Hc41
Kučevo SRB 87 Hc38
Kuchary PL 58 Gd28
Kućište RKS 87 Hb40
Küçükbahçe TR 113 Jd45
Küçükkuyu TR 103 Jd43
Kuczbork-Osada PL 58 Ha26
Kudirkos Naumiestis LT 52 Hc24
Kudowa-Zdrój PL 65 Gb30
Kuflew PL 59 Hb28
Kufstein A 72 Fc34
Kugej RUS 127 Fc16
Kuha FIN 35 Hc09
Kühlungsborn D 56 Fc25
Kuhmalahti FIN 40 Hc15
Kuhmo FIN 35 Ja11
Kuhmoinen FIN 40 Hc15
Kuimetsa EST 47 Hd18
Kuivaniemi FIN 34 Hb09
Kuivastu EST 46 Hc19
Kukës AL 100 Hb41
Kuklin PL 58 Ha26
Kukmor RUS 119 Fd08
Kukulje BIH 86 Gc37
Kula BG 87 Hd38
Kula SRB 74 Ha36
Kuldīga LV 52 Hb21
Kulebaki RUS 118 Fb10
Kulen Vakuf BIH 85 Gb38
Kuleši RUS 122 Fa12
Kulevča UA 77 Kb35
Kuliai LT 52 Hb23
Kulmbach D 64 Fc30
Kuloharju FIN 35 Hd09
Kumanovo MK 101 Hc41
Kumielsk PL 59 Hb26
Kumkale TR 103 Jd43
Kumköy TR 103 Kb41
Kumla S 44 Ga18
Kumlinge FIN 46 Ha17
Kummavuopio S 26 Gd05
Kunda EST 47 Hd17
Kungälv S 43 Fc20
Kungsäter S 49 Fd21
Kungsbacka S 49 Fc21
Kungshamn S 43 Fc19
Kungsör S 44 Gb18
Kunhegyes H 75 Hb34
Kun'je UA 122 Fb14
Kunmadaras H 75 Hb34
Kunowo PL 58 Gc28
Kunszentmárton H 75 Hb35
Kunszentmiklós H 74 Ha35
Künzelsau D 64 Fa31
Kuolajärvi RUS 31 Hd07
Kuolio FIN 35 Hd09
Kuopio FIN 41 Hd13
Kuortane FIN 40 Hb13
Kuortti FIN 41 Hd15
Kupiškis LT 53 Hd22
Kup'jans'k UA 122 Fb14
Kup'jans'k- Vuzlovyj UA 122 Fb14
Küplü TR 103 Jd42
Kuprava LV 47 Ja20
Kupres BIH 86 Gc39
Kuražyn UA 76 Jc32
Kurdžinovo RUS 127 Fd17
Kuremäe EST 47 Ja18
Kuressaare EST 46 Hb19
Kurganinsk RUS 127 Fd17
Kurgolovo RUS 47 Ja17
Kurikka FIN 40 Ha14
Kuřim CZ 66 Gc32
Kürkçü TR 128 Gd15
Kurkijoki RUS 41 Jb15
Kurlovskij RUS 118 Fa10
Kurovskoe RUS 118 Fa10
Kurów PL 59 Hc28
Kurowo PL 57 Gb25
Kurravaara S 29 Gd07
Kuršėnai LT 52 Hc22
Kursk RUS 122 Fa13
Kursu FIN 31 Hd08
Kuršumlija SRB 87 Hc39
Kurtakko FIN 30 Hb07
Kuru FIN 40 Hb14
Kurylavďčy BY 59 Hd26
Kuşadası TR 113 Ka45
Kušalino RUS 117 Ed09
Kuščevskaja RUS 127 Fc16
Kusel D 63 Ec31
Kušela RUS 47 Jb18
Kuševanda RUS 35 Ja09
Kušnin RKS 100 Hb41
Kusnyšča UA 59 Hd28
Kustavi FIN 40 Ha16
Kutina HR 86 Gc37
Kutjevo HR 86 Gd37

Leźno PL 58 Gd25
Lezoux F 70 Dd35
L'gov RUS 121 Ed13
L'Hospitalet E 95 Da41
L'Hospitalet F 81 Da39
Lianokládi GR 110 Hd45
Liatorp S 50 Ga22
Liberec CZ 65 Ga30
Libiąż PL 67 Ha30
Libina CZ 66 Gc31
Libohovë AL 100 Hb44
Libourne F 68 Cd36
Libramont-Chevigny B 63 Eb30
Licata I 108 Fd48
Lich D 64 Fa30
Lichtenau D 56 Fa28
Lichtenfels D 64 Fb30
Lichtenvoorde NL 55 Ec28
Lički Osik HR 85 Gb38
Ličko Lešće HR 85 Gb38
Lida BY 120 Ea12
Liden S 38 Gb14
Lidhult S 49 Fd22
Lidingö S 45 Gc18
Lidköping S 44 Fd19
Lido di Jesolo I 84 Fc37
Lido di Metaponto I 99 Gc43
Lidoríki GR 110 Hd45
Lidsjöberg S 33 Ga12
Lidzbark PL 58 Ha26
Lidzbark Warminski PL 58 Ha25
Liebenwalde D 57 Fd27
Lieberose D 57 Ga28
Liège B 63 Eb29
Lieksa FIN 35 Ja12
Lielauce LV 52 Hc22
Lielvārde LV 53 Hd21
Lienz A 72 Fc35
Liepāja LV 52 Ha22
Liepene LV 46 Hb20
Liepna LV 47 Ja20
Lier B 62 Ea29
Lierbyen N 43 Fb17
Liestal CH 71 Ec34
Lieto FIN 40 Hb16
Lievestuore FIN 41 Hd14
Liévin F 62 Dd29
Liezen A 73 Ga34
Liffol-le-Grand F 63 Eb32
Lifford IRL 19 Cb22
Lignano Sabbiadoro I 73 Fd36
Lignières F 69 Dc34
Ligny-en-Barrois F 63 Eb32
Ligny-le-Châtel F 70 Dd33
Ligueil F 69 Db33
Lihás GR 111 Ja45
Lihoslavl' RUS 117 Ed10
Lihovskoj RUS 123 Fc15
Lihula EST 46 Hc19
Liinahamari RUS 27 Hd04
Likenäs S 38 Fd16
Liknes N 42 Ed19
Likovskoe RUS 47 Jb18
Lilienfeld A 73 Gb33
Lilienthal D 56 Fa26
Liljendal FIN 41 Hd16
Lilla Edet S 43 Fd20
Lillärdal S 38 Ga15
Lille F 62 Dd29
Lillebonne F 61 Db30
Lillehammer N 37 Fc16
Lillers F 62 Dd29
Lillesand N 42 Fa19
Lillestrøm N 43 Fc17
Lilli EST 47 Hd19
Lillkågeträsk S 34 Gd11
Lillo E 92 Bd42
Lillselet S 30 Ha08
Lima S 38 Fd16
Limanáki GR 110 Hd46
Limanowa PL 67 Hb31
Limavady GB 20 Cb21
Limbaži LV 47 Hd20
Limburg D 63 Ed30
Liménas Géraka GR 111 Ja47
Liménas Hersonissou GR 115 Jd49
Limerick IRL 18 Bd24
Liminka FIN 35 Hc10
Limmared S 49 Fd21
Límnes GR 111 Ja46
Límni GR 111 Ja45
Límni Vouliagménis GR 111 Ja46
Limoges F 69 Db35
Limone Piemonte I 83 Ec38
Limonlu TR 128 Gc17
Limoux F 81 Db39
Lin AL 101 Hc42
Linares E 106 Bc44
Linariá GR 112 Jc45
Lincoln GB 25 Db25
Lind DK 48 Fa22
Lindås N 36 Ed16
Lindau D 72 Fa34
Linde LV 53 Hd21
Lindelse DK 49 Fb24
Linden D 64 Fa30
Lindesberg S 44 Ga18
Lindesnes N 42 Ed20
Lindome S 49 Fc21
Lindos GR 115 Kc48
Lindoso P 78 Ad38
Lindow D 57 Fd27
Lindsdal S 50 Gb22
Linevo RUS 123 Fd12
Lingbo S 38 Gb16
Linge N 36 Fa14
Lingen (Ems) D 55 Ed27
Linghem S 44 Gb19
Linguaglossa I 109 Ga47
Linia PL 58 Gc25
Linköping S 44 Gb19
Linkuva LT 52 Hc22
Linlithgow GB 21 Da21
Linsell S 38 Ga14
Linz A 73 Ga33
Linz D 63 Ec30
Lipany SK 67 Hb32
Lipari I 109 Ga46
Lipcani MD 76 Jc32
Lipeck RUS 122 Fb12
Liperi FIN 41 Ja13
Lipiany PL 57 Ga27
Lipicy-Zybino RUS 122 Fa12
Lipik HR 86 Gc37
Lipka PL 58 Gc26
Lipki RUS 118 Fa11
Lipljan RKS 87 Hc40
Lipniak PL 59 Hc25
Lipnica PL 58 Gc25
Lipnica Murowana PL 67 Hb31
Lipník nad Bečvou CZ 66 Gc31
Lipno PL 58 Gd27
Lipolist SRB 86 Ha38
Lipova RO 75 Hc36
Lipoven'ke MD 77 Kb32
Lipovljani HR 86 Gc37
Lippstadt D 55 Ed28
Lipsk PL 59 Hc25
Lipsko PL 67 Hb29
Liptovský Hrádok SK 67 Ha32
Lisa Gora MD 77 Kb32
Lisboa P 90 Ab41
Lisburn GB 20 Cc22
Lisdoonvarna IRL 18 Bd23
Lisieux F 61 Db31
Liskeard GB 23 Cc28
Liski RUS 122 Fb13
L'Isle-Adam F 62 Dc31
L'Isle-en-Dodon F 81 Da38
L'Isle-Jourdain F 69 Da34
L'Isle-Jourdain F 81 Da38
L'Isle-sur-la-Sorgue F 82 Ea38
L'Isle-sur-le-Doubs F 71 Eb34
Lisma FIN 30 Hb06
Lismore IRL 22 Ca25
Lisnaskea GB 20 Cb22
Lišov CZ 65 Ga32
List D 48 Fa24
Listowel IRL 18 Bd24
Lit S 38 Ga13
Liteni RO 76 Jc33
Lití GR 101 Ja42
Litija SLO 73 Ga36
Litóhoro GR 101 Hd43
Litoměřice CZ 65 Ga30
Litomyšl CZ 65 Gb31
Litovel CZ 66 Gc31
Litvínov CZ 65 Fd30
Livada RO 75 Hd33
Livaderó GR 101 Hd43
Livaderó GR 102 Jb42
Livádi GR 111 Jc47
Livadiá GR 111 Ja45
Livadohóri GR 102 Jc43
Līvāni LV 53 Ja22
Livari MNE 100 Ha41
Livarot F 61 Db31
Livera CY 128 Gb18
Liverpool GB 21 Da24
Livezi RO 76 Jc35
Livigno I 72 Fa35
Livingston GB 21 Da21
Livizile RO 76 Ja35
Livno BIH 86 Gc39
Livny RUS 122 Fa12
Livo FIN 35 Hc09
Livorno I 84 Fa39
Livron-sur-Drôme F 82 Ea37
Liw PL 59 Hb27
Lixoúri GR 110 Hc46
Līzespasts LV 47 Ja20
Lizums LV 47 Ja20
Ljachavičy BY 120 Ea13
Ljady RUS 47 Jb18
Ljaplëvka BY 59 Hd28
Ljaskelja RUS 41 Jb14
Ljig SRB 87 Hb38
Ljørndalen N 37 Fd15
Ljuban' BY 121 Eb13
Ljuban' RUS 117 Eb08
Ljubar UA 121 Eb15
Ljubašivka MD 77 Kb32
Ljubešiv UA 120 Ea14
Ljubija BIH 86 Gc37
Ljubim RUS 118 Fa08
Ljubinje BIH 86 Gd40
Ljubiš SRB 87 Hb39
Ljubljana SLO 73 Ga36
Ljuboml' UA 67 Hd29
Ljubovija SRB 86 Ha38
Ljubuški BIH 86 Gd40
Ljubymivka UA 122 Fb15
Ljubytino RUS 117 Ec09
Ljudinovo RUS 121 Ed12
Ljugarn S 51 Gd21
Ljung S 44 Fd20
Ljunga S 44 Gb19
Ljungaverk S 38 Gb14
Ljungby S 50 Ga22
Ljungbyhed S 49 Fd23
Ljungbyholm S 50 Gb22
Ljungdalen S 38 Fd13
Ljunghusen S 49 Fd23
Ljungsbro S 44 Gb19
Ljungskile S 43 Fc20
Ljusdal S 38 Gb15
Ljusfallshammar S 44 Gb19
Ljustorp S 39 Gc14
Ljutomer SLO 73 Gb35
Llagostera E 81 Db40
Llanberis GB 24 Cd25
Llandeilo GB 23 Cc26
Llandovery GB 24 Cd26
Llandrindod-Wells GB 24 Cd26
Llandudno GB 20 Cd24
Llanelli GB 23 Cc26
Llanes E 79 Bd37
Llangollen GB 24 Cd25
Llangurig GB 24 Cd26
Llanidloes GB 24 Cd26
Llanrwst GB 24 Cd25

Llanwddyn **GB** 24 Cd25
Llanwrtyd Wells **GB** 24 Cd26
Lleida **E** 80 Cd40
Llerena **E** 105 Ba43
Llíria **E** 93 Cc43
Llivynci **UA** 76 Jc32
L'Ile-Rousse **F** 96 Ed40
Llodio **E** 79 Ca38
Lloret de Mar **E** 95 Db41
Llucena **E** 93 Cc42
Llucmajor **E** 95 Db43
Lnáře **CZ** 65 Fd31
Loano **I** 83 Ec38
Löbau **D** 65 Ga29
Lobcovo **RUS** 118 Fa09
Lobenstein **D** 64 Fc30
Löberöd **S** 49 Fd23
Łobez **PL** 57 Gb26
Lobonäs **S** 38 Gb15
Loburg **D** 56 Fc28
Łobżenica **PL** 58 Gc26
Locarno **CH** 71 Ed36
Lochaline **GB** 16 Cd20
Lochboisdale **GB** 16 Cc19
Lochearnhead **GB** 17 Da20
Lochem **NL** 55 Ec27
Loches **F** 69 Db33
Lochgilphead **GB** 16 Cd20
Lochinver **GB** 17 Da18
Lochmaddy **GB** 16 Cc18
Łochów **PL** 59 Hb27
Lochranza **GB** 20 Cd21
Lochvycja **UA** 121 Ed14
Lockerbie **GB** 21 Da22
Löcknitz **D** 57 Ga26
Locminé **F** 60 Cc32
Locri **I** 109 Gc46
Locronan **F** 60 Cb31
Loctudy **F** 60 Cb31
Löderup **S** 50 Ga23
Lodève **F** 81 Dc38
Lodi **I** 84 Fa37
Løding **N** 28 Ga08
Lødingen **N** 28 Gb06
Lodosa **E** 80 Cb39
Lödöse **S** 43 Fc20
Łódź **PL** 58 Ha28
Løfallstrand **N** 42 Ed17
Lofer **A** 72 Fc34
Lofsdalen **S** 38 Fd14
Loftahammar **S** 44 Gb20
Lofthus **N** 42 Ed17
Log **RUS** 123 Fd13
Logatec **SLO** 73 Ga36
Lögdeå **S** 34 Gd12
Lógos **GR** 111 Ja45
Logroño **E** 80 Cb39
Logrosán **E** 91 Bb42
Løgstør **DK** 49 Fb21
Løgumkloster **DK** 48 Fa24
Lohals **DK** 49 Fc24
Lohikoski **FIN** 41 Ja14
Lohiniva **FIN** 30 Hb07
Lohja **FIN** 46 Hc17
Lohmar **D** 63 Ec29
Lohne **D** 55 Ed27

Lohr **D** 64 Fa31
Lohtaja **FIN** 34 Hb12
Loimaa **FIN** 40 Hb16
Loitz **D** 57 Fd25
Loja **E** 105 Bb45
Løken **N** 43 Fc18
Lokeren **B** 62 Ea29
Lokka **FIN** 31 Hc06
Løkken **N** 37 Fb13
Loknja **RUS** 117 Eb10
Lőkösháza **H** 75 Hb35
Lokot' **RUS** 121 Ed13
Loksa **EST** 47 Hd17
Lollar **D** 64 Fa30
Lom **BG** 88 Ja38
Lom **N** 37 Fb15
Lombez **F** 81 Da38
Lomen **N** 37 Fb16
Łomianki **PL** 59 Hb27
Lomma **S** 49 Fd23
Lom nad Rimavicou **SK** 67 Ha32
Lomonosov **RUS** 41 Jb16
Łomża **PL** 59 Hb26
London **GB** 25 Db27
Londonderry **GB** 20 Cb21
Lonevåg **N** 36 Ed16
Longarone **I** 72 Fc36
Longeau **F** 70 Ea33
Longford **IRL** 18 Ca23
Longobucco **I** 109 Gc45
Long Preston **GB** 21 Da24
Longtown **GB** 21 Da22
Longué-Jumelles **F** 69 Da33
Longuyon **F** 63 Eb31
Longwy **F** 63 Eb31
Löningen **D** 55 Ed27
Łoniów **PL** 67 Hb30
Lönsboda **S** 50 Ga22
Lons-le-Saunier **F** 70 Ea35
Lopar **HR** 85 Ga38
Lopătari **RO** 88 Jc36
Lopatino **RUS** 119 Fd11
Lopatovo **RUS** 47 Jb19
Loppa **N** 26 Gd04
Loppi **FIN** 40 Hc16
Lopuhinka **RUS** 47 Jb17
Lora del Río **E** 105 Ba44
Lorca **E** 107 Ca45
Lorch **D** 63 Ed30
Loreto **I** 85 Fd39
Lorgues **F** 83 Eb39
Lorient **F** 60 Cb32
Lőrinci **H** 74 Ha34
Loriol-sur-Drôme **F** 82 Ea37
Lormes **F** 70 Dd33
Lörrach **D** 71 Ec34
Lorris **F** 69 Dc33
Los **S** 38 Ga15
Los Arcos **E** 80 Cb38
Los Barrios **E** 105 Ba46
Los Corrales de Buelna **E** 79 Ca37
Los Cortijos de Arriba **E** 91 Bc42

Losheim **D** 63 Ec31
Łosice **PL** 59 Hc27
Los Navalmorales **E** 91 Bc41
Løsning **DK** 49 Fb23
Los Palacios y Villafranca **E** 105 Ba44
Lossiemouth **GB** 17 Db19
Lostwithiel **GB** 23 Cb28
Los Yébenes **E** 92 Bd42
Løten **N** 37 Fc16
Lotošino **RUS** 117 Ed10
Lotta **RUS** 27 Hc05
Lottigna **CH** 71 Ed35
Löttorp **S** 51 Gc21
Lotyń **PL** 58 Gc26
Loudéac **F** 60 Cc31
Loudun **F** 69 Da33
Loué **F** 61 Da32
Loue **FIN** 34 Hb09
Loughborough **GB** 25 Db26
Loughrea **IRL** 18 Ca23
Louhans **F** 70 Ea35
Louisburgh **IRL** 18 Bd22
Loukíssia **GR** 112 Jb45
Loulé **P** 104 Ac44
Louny **CZ** 65 Fd30
Lourdes **F** 80 Cd38
Loures **P** 90 Ab41
Lourinhã **P** 90 Ab41
Louth **GB** 25 Dc25
Loutrá **GR** 112 Jc46
Loutrá Edipsoú **GR** 111 Ja45
Loutrá Eleftherón **GR** 102 Jb42
Loutráki **GR** 110 Hc45
Loutráki **GR** 111 Ja46
Loutropigí **GR** 110 Hd45
Loutrós **GR** 103 Jd42
Louverné **F** 61 Da32
Louvie-Juzon **F** 80 Cd38
Louviers **F** 61 Db31
Louvigné-du-Désert **F** 61 Cd31
Lövånger **S** 34 Ha11
Lövberga **S** 33 Gb12
Loveč **BG** 88 Jb39
Lovere **I** 72 Fa36
Loviisa **FIN** 41 Hd16
Lovisa **FIN** 41 Hd16
Lovište **HR** 86 Gc40
Lövnäs **S** 38 Fd15
Lövnäsvallen **S** 38 Fd15
Lövő **H** 74 Gc34
Lovosice **CZ** 65 Ga30
Lovran **HR** 85 Ga37
Lovreć **HR** 86 Gc39
Lovrin **RO** 75 Hb36
Lövstabruk **S** 45 Gc17
Löwenberg **D** 57 Fd27
Lowestoft **GB** 25 Dd26
Łowicz **PL** 58 Ha28
Loxstedt **D** 56 Fa26
Lož **SLO** 73 Ga36
Loznica **BG** 89 Jd39
Loznica **SRB** 86 Ha38

Lozova **UA** 122 Fa15
Lozoyuela **E** 92 Bd40
Luanco **E** 79 Bc36
Luarca **E** 78 Bb36
Lubaczów **PL** 67 Hd30
Lubań **PL** 65 Gb29
Lubāna **LV** 53 Ja21
Lubartów **PL** 59 Hc28
Lubawa **PL** 58 Ha26
Lübbecke **D** 56 Fa27
Lübben (Spreewald) **D** 57 Ga28
Lübbenau (Spreewald) **D** 57 Ga28
Lübeck **D** 56 Fb25
Lubersac **F** 69 Db36
Lubiąż **PL** 65 Gb29
Lubień Kujawski **PL** 58 Gd27
Lubin **PL** 65 Gb29
Lubjaniki **RUS** 118 Fb10
Lublin **PL** 67 Hc29
Lubliniec **PL** 66 Gd30
Lubniewice **PL** 57 Gb27
Lubny **UA** 121 Ed14
Lubomino **PL** 58 Ha25
Luboń **PL** 58 Gc28
L'ubotín **SK** 67 Hb31
Lubsko **PL** 57 Ga28
Lubuczewo **PL** 58 Gc25
Lubycza Królewska **PL** 67 Hd30
Lübz **D** 56 Fc26
Luca Cernii de Jos **RO** 75 Hd36
Lucca **I** 84 Fa39
Lucena **E** 105 Bb44
Luc-en-Diois **F** 82 Ea37
Lučenec **SK** 74 Ha33
Lucera **I** 99 Gb42
Lüchow **D** 56 Fc27
Lučica **SRB** 87 Hc38
Luc'k **UA** 120 Ea15
Luckau **D** 57 Fd28
Luckenwalde **D** 57 Fd28
Luçon **F** 68 Cd34
Luc-sur-Mer **F** 61 Da30
Ludbreg **HR** 74 Gc36
Lüdenscheid **D** 63 Ed29
Lüdinghausen **D** 55 Ed28
Ludlow **GB** 24 Cd26
Ludomy **PL** 58 Gc27
Luduş **RO** 76 Ja35
Ludvika **S** 44 Ga17
Ludwigsburg **D** 64 Fa32
Ludwigsfelde **D** 57 Fd28
Ludwigshafen **D** 63 Ed31
Ludwigslust **D** 56 Fc26
Ludwigstadt **D** 64 Fc30
Ludza **LV** 53 Jb21
Lug **HR** 74 Ha36
Lugano **CH** 71 Ed36
Lugo **E** 78 Ba36
Lugo **I** 84 Fc38
Lugoj **RO** 75 Hc36
Luh **RUS** 118 Fb09

Luhamaa **EST** 47 Ja20
Luhanka **FIN** 40 Hc14
Luhans'k **UA** 122 Fb14
Luhovicy **RUS** 118 Fa10
Luidja **EST** 46 Hb18
Luikonlahti **FIN** 41 Ja13
Luino **I** 71 Ed36
Luizi Călugăra **RO** 76 Jc34
Luka **SRB** 87 Hd38
Lukavac **BIH** 86 Gd38
Lukiv **UA** 67 Hd29
Lukojanov **RUS** 119 Fc10
Lukovit **BG** 88 Jb39
Lukovnikovo **RUS** 117 Ec10
Lukovo **HR** 85 Ga37
Lukovo **MK** 101 Hc42
Łuków **PL** 59 Hc28
Łukta **PL** 58 Ha25
Luleå **S** 34 Ha10
Lüleburgaz **TR** 103 Ka41
Lumbier **E** 80 Cc39
Lumbrales **E** 78 Ba39
Lunca Corbului **RO** 88 Jb37
Lunca de Jos **RO** 76 Jb34
Lund **N** 32 Fd11
Lund **S** 49 Fd23
Lundamo **N** 37 Fc13
Lunde **N** 43 Fb18
Lunde **S** 39 Gc13
Lunderskov **DK** 48 Fa23
Lüneburg **D** 56 Fb26
Lunel **F** 82 Dd38
Lünen **D** 55 Ed28
Lunéville **F** 63 Ec32
Luninec **BY** 120 Ea13
Lunino **RUS** 119 Fc10
Lunna **BY** 59 Hd26
Luopioinen **FIN** 40 Hc15
Luostari **RUS** 27 Hd04
Lurcy-Lévis **F** 69 Dc34
Lure **F** 71 Eb33
Lurgan **GB** 20 Cc22
Lurnfeld **A** 73 Fd35
Lushnjë **RKS** 100 Hb42
Lusignan **F** 69 Da34
Lusigny-sur-Barse **F** 62 Ea32
Luso **P** 78 Ad39
Luspebryggan **S** 29 Gd08
Luss **GB** 20 Cd21
Lussac-les-Châteaux **F** 69 Da34
Lussan **F** 82 Dd38
Lütfiye **TR** 113 Kb44
Lutherstadt Eisleben **D** 64 Fc29
Lutherstadt Wittenberg **D** 57 Fd28
Lütjenburg **D** 56 Fb25
Luton **GB** 25 Db27
Lutuhyne **UA** 122 Fb15
Lututów **PL** 66 Gd29
Luumäki **FIN** 41 Ja15
Luusua **FIN** 31 Hc08
Luvia **FIN** 40 Ha15
Luxembourg **L** 63 Eb31

Luxeuil-les-Bains **F** 71 Eb33
Lužajka **RUS** 41 Ja15
Luzern **CH** 71 Ed34
Luzino **PL** 58 Gc25
Lužki **BY** 53 Jb23
Luz-Saint-Sauveur **F** 80 Cd39
Luzy **F** 70 Dd34
L'viv **UA** 67 Hd30
Lwówek Śląski **PL** 65 Gb29
Lychen **D** 57 Fd26
Lycksele **S** 33 Gc11
Lydney **GB** 24 Cd27
Lyman **UA** 77 Kb35
Lyman **UA** 122 Fa14
Lyme Regis **GB** 24 Cd28
Lymington **GB** 24 Da28
Lyngdal **N** 42 Ed19
Lyngseidet **N** 26 Gd05
Lynton **GB** 23 Cc27
Lyntupy **BY** 53 Ja23
Lyon **F** 70 Ea36
Lyons-la-Forêt **F** 62 Dc30
Lypci **UA** 122 Fa14
Lypova Dolyna **UA** 121 Ed14
Łyse **PL** 59 Hb26
Lysekil **S** 43 Fc20
Lysi **CY** 128 Gc19
Lyskovo **RUS** 119 Fc09
Lysnes **N** 26 Gc05
Lysøysundet **N** 32 Fc12
Lyss **CH** 71 Ec34
Lystrup **DK** 49 Fb22
Lysvik **S** 44 Fd17
Lysyčans'k **UA** 122 Fb14
Lysye Gory **RUS** 123 Fd12
Lytham Saint Anne's **GB** 21 Da24
Lyubimets **BG** 102 Jc41

M

Maam Cross **IRL** 18 Bd23
Maaninka **FIN** 35 Hd12
Maaninkavaara **FIN** 31 Hd08
Maanselkä **FIN** 35 Ja11
Maardu **EST** 46 Hc18
Maarianhamina **FIN** 45 Gd17
Maarja **EST** 47 Ja19
Maasbracht **NL** 63 Eb29
Maaseik **B** 63 Eb29
Maasmechelen **NL** 63 Eb29
Maastricht **NL** 63 Eb29
Mablethorpe **GB** 25 Dc25
Macclesfield **GB** 24 Da25
Macea **RO** 75 Hc35
Maceda **E** 78 Ba37
Macedo de Cavaleiros **P** 78 Ba39
Macerata **I** 85 Fd40
Machault **F** 62 Ea31
Machecoul **F** 68 Cd33
Machynlleth **GB** 24 Cd25
Maciejowice **PL** 59 Hb28
Măcin **RO** 89 Ka36

Macinaggio **F** 96 Ed40
Macomer **I** 97 Ec43
Mâcon **F** 70 Ea35
Macroom **IRL** 22 Bd25
Macugnaga **I** 71 Ec36
Madan **BG** 102 Jc41
Mäddesholm **S** 44 Ga20
Maddaloni **I** 99 Ga43
Maden **TR** 127 Ga19
Madesimo **I** 72 Fa35
Madliena **LV** 53 Hd21
Madona **LV** 53 Ja21
Madonna di Campiglio **I** 72 Fb36
Mädrec **BG** 102 Jc40
Madrid **E** 92 Bd41
Madridejos **E** 92 Bd42
Madrigal de las Altas Torres **E** 91 Bc40
Madrigalejo **E** 91 Bb42
Mädrino **BG** 89 Jd39
Madroñera **E** 91 Bb41
Maël-Carhaix **F** 60 Cc31
Maella **E** 93 Cd41
Mafra **P** 90 Ab41
Magdeburg **D** 56 Fc28
Magenta **I** 71 Ed36
Magganári **GR** 115 Jd47
Maghera **GB** 20 Cc22
Magherani **RO** 76 Jb35
Magione **I** 84 Fc40
Maglaj **BIH** 86 Gd38
Maglavit **RO** 87 Hd38
Maglie **I** 100 Gd44
Mägliž **BG** 102 Jc40
Magnetity **RUS** 31 Ja05
Magnor **N** 43 Fd17
Magny-en-Vexin **F** 62 Dc31
Mágocs **H** 74 Gd35
Maguiresbridge **GB** 20 Cb22
Măgura **RO** 88 Jc36
Măgurele **RO** 88 Jc36
Magyarkeszi **H** 74 Gd35
Mahdalynivka **UA** 122 Fa15
Mahilëv **BY** 121 Eb12
Mahón **E** 95 Dc43
Mahora **E** 92 Ca43
Maials **E** 93 Cd41
Măicănești **RO** 89 Jd36
Maiche **F** 71 Ec34
Maidenhead **GB** 25 Db27
Maidstone **GB** 25 Db28
Măieruş **RO** 76 Jb35
Mailly-le-Camp **F** 62 Ea32
Mainburg **D** 64 Fc32
Maintenon **F** 62 Dc31
Mainua **FIN** 35 Hd11
Mainz **D** 63 Ed30
Maišiagala **LT** 53 Hd24
Majak Oktjabrja **RUS** 123 Ga13
Majaky **UA** 77 Ka33
Majdan **RUS** 119 Fd09
Majdan **UA** 67 Hd32
Majdanpek **SRB** 87 Hc38

Majilovac **SRB** 87 Hc37
Majkop **RUS** 127 Fd17
Majorskij **RUS** 123 Fd15
Makarovo **RUS** 123 Fc12
Makarska **HR** 86 Gc40
Makijivka **UA** 122 Fb15
Makó **H** 75 Hb35
Makov **SK** 66 Gd31
Makovo **MK** 101 Hc42
Mąkowarsko **PL** 58 Gc26
Maków Mazowiecki **PL** 59 Hb27
Makrakómi **GR** 110 Hd45
Makrany **BY** 59 Hd28
Makrigialós **GR** 115 Ka49
Makrinítsa **GR** 101 Ja44
Makriráhi **GR** 101 Ja44
Maksatiha **RUS** 117 Ed09
Malå **S** 33 Gc10
Malacky **SK** 74 Gc33
Maladzečna **BY** 53 Jb24
Maladzečna **BY** 120 Ea12
Málaga **E** 105 Bb45
Malagón **E** 91 Bc42
Mălăieşti **RO** 75 Hd36
Malaja Višera **RUS** 117 Eb09
Mala Kladuša **BIH** 85 Gb37
Malanów **PL** 58 Gd28
Malarrif **IS** 14 Bb05
Malaryta **BY** 59 Hd28
Mala Vyska **UA** 121 Ed15
Malax Maalahti **FIN** 40 Ha13
Malbork **PL** 58 Gd25
Malbuisson **F** 71 Eb34
Malcesine **I** 72 Fb36
Malchin **D** 57 Fd26
Malchow **D** 57 Fd26
Maldegem **B** 54 Ea28
Maldon **GB** 25 Dc27
Małdyty **PL** 58 Ha25
Malè **I** 72 Fb35
Małe Gacno **PL** 58 Gd26
Máleme **GR** 114 Jb49
Malente **D** 56 Fb25
Malesherbes **F** 62 Dc32
Malestroit **F** 60 Cc32
Malgrat de Mar **E** 95 Db41
Målilla **S** 50 Gb21
Mali Lošinj **HR** 85 Ga38
Maliniec **PL** 58 Gd28
Malinska **HR** 85 Ga37
Maliq **AL** 101 Hc43
Maljiševo **RKS** 87 Hc40
Malkara **TR** 103 Jd42
Malko Tărnovo **BG** 103 Ka40
Mal'kovo **RUS** 53 Jb21
Mallaig **GB** 16 Cd19
Mallaranny **IRL** 18 Bd22
Mallén **E** 80 Cb40
Malles Venosta **I** 72 Fb35
Mallnitz **A** 73 Fd35
Mallow **IRL** 22 Bd25
Mallwyd **GB** 24 Cd25
Malm **N** 32 Fc12
Malmbäck **S** 50 Ga21

Malmberget S 29 Gd08
Malmedy B 63 Eb30
Malmesbury GB 24 Da27
Malmköping S 44 Gb18
Malmö S 49 Fd23
Malmslätt S 44 Gb19
Malmyž RUS 119 Fd08
Maloarhangel'sk RUS 122 Fa12
Maloe BY 59 Hd25
Malojaroslavec RUS 117 Ed11
Małomice PL 65 Gb29
Måløy N 36 Ed14
Malpartida de Plasencia E 91 Bb41
Malpica de Bergantiños E 78 Ad36
Mālpils LV 53 Hd21
Mals im Vinschgau I 72 Fb35
Malta LV 53 Ja21
Malton GB 21 Db24
Małujowice PL 66 Gc30
Malung S 38 Ga16
Malungsfors S 38 Fd16
Maluszyn PL 67 Ha29
Malyn UA 121 Eb14
Mały Płock PL 59 Hb26
Malyševo RUS 118 Fb10
Mamadys RUS 119 Ga08
Mamaia RO 89 Ka37
Mamalyha UA 76 Jc32
Mamers F 61 Db32
Mamonovo RUS 59 Ha25
Mamykovo RUS 119 Ga09
Manacor E 95 Db43
Manamensalo FIN 35 Hd11
Mănăstirea RO 89 Jd37
Mancha Real E 106 Bc44
Manchester GB 21 Da24
Manching D 64 Fc32
Manciano I 84 Fb40
Mandal N 42 Fa20
Mandas I 97 Ed44
Mandráki GR 115 Kb47
Manduria I 100 Gd43
Manerbio I 84 Fa37
Manevyči UA 120 Ea14
Manfredonia I 99 Gb42
Mangalia RO 89 Ka38
Mangen N 43 Fc17
Manger N 36 Ec16
Mangualde P 78 Ad39
Maniago I 72 Fc36
Manisa TR 113 Ka44
Manises E 93 Cc43
Månkarbo S 45 Gc17
Manlleu E 81 Db40
Mannheim D 63 Ed31
Manningtree GB 25 Dc27
Manole BG 102 Jb40
Manoleasa RO 76 Jc32
Manorhamilton IRL 18 Ca22
Manosque F 82 Ea38
Manresa E 81 Da40
Mansfeld D 56 Fc28
Mansfield GB 25 Db25
Mansilla E 79 Bd38
Mansilla E 79 Ca39
Mansilla de las Mulas E 79 Bc38
Mansle F 69 Da35
Mantamádos GR 113 Jd44
Mantes-la-Jolie F 62 Dc31
Mantes-la-Ville F 62 Dc31
Manthiréa GR 111 Ja47
Mantorp S 44 Gb20
Mantova I 84 Fb37
Mäntsälä FIN 40 Hc16
Mänttä FIN 40 Hc14
Manturovo RUS 118 Fb08
Mäntyharju FIN 41 Hd15
Mäntyjärvi FIN 35 Hd09
Mäntyluoto FIN 40 Ha15
Manyas TR 103 Kb43
Manzanares E 92 Bd43
Maó (Mahón) E 95 Dc43
Maqueda E 91 Bc41
Maranello I 84 Fb38
Marans F 68 Cd34
Mărășești RO 77 Jd35
Mărașu RO 89 Ka36
Maratea I 99 Gb44
Marathónas GR 112 Jb46
Marazion GB 23 Cb28
Marbach D 64 Fa32
Marbella E 105 Bb45
Marburg D 64 Fa29
Marcali H 74 Gc35
Marcaltő H 74 Gc34
Marčana HR 85 Fd37
March GB 25 Db26
Marche-en-Famenne B 63 Eb30
Marchena E 105 Ba44
Marchenoir F 61 Db32
Marciac F 80 Cd38
Marciana Marina I 84 Fa40
Marcigny F 70 Dd35
Marcillac-la-Croisille F 69 Db36
Marcinkonys LT 59 Hd25
Marcinkonys LT 59 Hd25
Marck F 54 Dc28
Marco de Canaveses P 78 Ad39
Mardalen N 36 Fa14
Mårdsele S 34 Gd11
Marennes F 68 Cd35
Mareuil-sur-Lay F 68 Cd34
Mar'evka RUS 119 Ga10
Marevo RUS 117 Eb10
Margaríti GR 101 Hc44
Margaritove RUS 127 Fc16
Margate GB 25 Dc28
Mărgău RO 75 Hd35
Margecany SK 67 Hb32
Margherita di Savoia I 99 Gb42
Marghita RO 75 Hc34
Margone I 83 Ec37
Margonin PL 58 Gc27
Marhanec' UA 126 Fa16
Mariager DK 49 Fb22
Marialva P 78 Ba39
Mariannelund S 50 Gb21
Mariánské Lázně CZ 65 Fd31
Mariazell A 73 Gb34
Maribo DK 49 Fc24
Maribor SLO 73 Gb35
Mariefred S 45 Gc18
Mariehamn FIN 45 Gd17
Marielund S 33 Gc10
Marielyst DK 49 Fc24
Marienberg D 65 Fd30
Mariés GR 102 Jb42
Mariestad S 44 Ga19
Marignane F 82 Ea39
Marijampolė LT 52 Hc24
Marín E 78 Ad37
Marina di Belvedere I 99 Gb44
Marina di Carrara I 84 Fa38
Marina di Cetraro I 99 Gb44
Marina di Grosseto I 84 Fb40
Marina di Leuca I 100 Ha44
Marina di Pisa I 84 Fa39
Marina di Ragusa I 109 Ga48
Marina di Ravenna I 84 Fc38
Marine de Sisco F 96 Ed40
Marinella I 108 Fc47
Marineo I 108 Fd47
Maringues F 70 Dc35
Marinha Grande P 90 Ac40
Marinka BG 103 Ka40
Mariupol' UA 126 Fb16
Märjamaa EST 46 Hc18
Markabygd N 32 Fc12
Markaryd S 49 Fd22
Market Drayton GB 24 Da25
Market Harborough GB 25 Db26
Market Rasen GB 25 Db25
Market Weighton GB 21 Db24
Markivka MD 77 Kb33
Markivka UA 122 Fb14
Markkina FIN 30 Ha06
Markkleeberg D 64 Fc29
Markópoulo GR 112 Jb46
Markovo BG 89 Jd39
Marksewo PL 59 Hb26
Marktheidenfeld D 64 Fa31
Markt Indersdorf D 72 Fb33
Marktoberdorf D 72 Fb34
Marktredwitz D 64 Fc31
Marl D 55 Ec28
Marlborough GB 24 Da27
Marle F 62 Ea30
Marma S 38 Gb16
Marma S 45 Gc17
Marmande F 81 Da37
Marmara TR 103 Ka42
Marmaraereğlisi TR 103 Ka41
Mármaro GR 113 Jd45
Marnay F 71 Eb34
Marne D 56 Fa25
Marotta I 85 Fd39
Marovac SRB 87 Hc40
Marquise F 62 Dc29
Marradi I 84 Fb38
Marraskoski FIN 30 Hb08
Marsala I 108 Fc47
Maršavicy RUS 47 Jb20
Marsberg D 64 Fa29
Marsciano I 84 Fc40
Marseille F 82 Ea39
Marseille-en-Beauvaisis F 62 Dc30
Marsico Nuovo I 99 Gb43
Märsta S 45 Gc18
Marstal DK 49 Fb24
Marstrand S 43 Fc20
Martelange B 63 Eb30
Mártha GR 115 Jd49
Martigné-Ferchaud F 61 Cd32
Martigny CH 71 Ec35
Martigues F 82 Dd39
Martilla FIN 40 Hb16
Martin SK 66 Gd32
Martina Franca I 100 Gd43
Martinniemi FIN 35 Hc10
Martinšćica HR 85 Ga38
Martinsicuro I 85 Fd40
Martna EST 46 Hc18
Martonvaara FIN 35 Ja12
Martorell E 95 Da41
Martos E 106 Bc44
Martti FIN 31 Hd07
Marvão P 90 Ad41
Marvejols F 81 Dc37
Marvik N 42 Ed18
Maryport GB 21 Da23
Mas de las Matas E 93 Cc41
Masegoso de Tajuña E 92 Ca41
Masfjorden N 36 Ed16
Masi N 26 Ha05
Masku FIN 40 Hb16
Massa I 84 Fa38
Massafra I 99 Gc43
Massa Marittima I 84 Fb40
Massat F 81 Da39
Masseube F 81 Da38
Massiac F 69 Dc36
Mastihári GR 115 Ka47
Masty BY 59 Hd26
Masugnsbyn S 30 Ha07
Måsvik N 26 Gc04
Mátala GR 114 Jc50
Matamala de Almazán E 92 Ca40
Mataró E 95 Db41
Mätäsvaara FIN 35 Ja12
Matching Green GB 25 Db27
Matelica I 85 Fd40

Matera I 99 Gc43
Mátészalka H 75 Hc33
Matfors S 38 Gb14
Matha F 68 Cd35
Matīši LV 47 Hd20
Matkasel'kja RUS 41 Jb14
Matosinhos P 78 Ad38
Mátraháza H 74 Ha33
Matrei A 72 Fc35
Mattersburg A 73 Gb34
Mattighofen A 73 Fd33
Matveev Kurgan RUS 123 Fc15
Matyli BY 59 Hd25
Maubeuge F 62 Ea30
Maubourguet F 80 Cd38
Mauléon F 68 Cd33
Mauléon-Licharre F 80 Cc38
Maunu S 29 Ha06
Maura N 43 Fc17
Maure-de-Bretagne F 61 Cd32
Mauriac F 69 Dc36
Mauron F 60 Cc31
Maurs F 81 Db37
Maurvangen N 37 Fb15
Mauterndorf A 73 Fd34
Mauthausen A 73 Ga33
Mauvezin F 81 Da38
Mauzé-sur-le-Mignon F 68 Cd34
Mauzé-sur-le-Mignon F 68 Cd34
Mavas S 28 Gb08
Mavréli GR 101 Hd44
Mavromáta GR 110 Hd45
Mavroúda GR 101 Ja42
Mavrovi Anovi MK 101 Hc41
Măxineni RO 89 Jd36
Maybole GB 20 Cd22
Mayen D 63 Ec30
Mayenne F 61 Da31
Maynooth IRL 19 Cb24
Mayorga E 79 Bc38
Mayrhofen A 72 Fc34
Mazagón E 105 Ad44
Mazamet F 81 Db38
Mazara del Vallo I 108 Fc47
Mazarrón E 107 Ca45
Mažeikiai LT 52 Hb22
Mazières-en-Gâtine F 69 Da34
Mazilmāja LV 52 Hb22
Mazirbe LV 46 Hb20
Mazsalaca LV 47 Hd20
Mazyr BY 121 Eb13
Mazzarino I 109 Ga47
Mcensk RUS 122 Fa12
Meaux F 62 Dd31
Mechelen B 62 Ea29
Mecidiye TR 103 Jd42
Mečka BG 88 Jc38
Mede I 83 Ed37
Medele S 34 Gd11
Medemblik NL 55 Eb26
Medenyči UA 67 Hd31
Medevi S 44 Ga19
Medgidia RO 89 Ka37
Medgyesegyháza H 75 Hb35
Mediaş RO 76 Ja35
Medicina I 84 Fb38
Medinaceli E 92 Ca40
Medina del Campo E 79 Bc39
Medina de Pomar E 79 Ca38
Medina de Ríoseco E 79 Bc39
Medina Sidonia E 105 Ba45
Medininkai LT 53 Ja24
Medulin HR 85 Fd38
Međurečje SRB 87 Hb39
Međuriječje MNE 86 Ha40
Medvedja SRB 87 Hc40
Medvenka RUS 122 Fa13
Medyka UA 67 Hd31
Medze LV 52 Ha22
Medzilaborce SK 67 Hc31
Meerane D 64 Fc30
Megáli Panagía GR 102 Jb43
Megáli Stérna GR 101 Ja42
Megáli Vríssi GR 101 Ja42
Megalohóri GR 101 Hd44
Megálo Horío GR 115 Kb47
Megalópoli GR 110 Hd47
Mégara GR 112 Jb46
Megève F 71 Eb36
Mehamn N 27 Hc02
Mehikoorma EST 47 Ja19
Mehring D 63 Ec31
Mehun-sur-Yèvre F 69 Dc33
Meilen CH 71 Ed34
Meinersen D 56 Fb27
Meinhardt D 64 Fa32
Meiningen D 64 Fb30
Meira E 78 Bb36
Meiringen CH 71 Ed35
Meißen D 65 Fd29
Meitingen D 64 Fb32
Melá GR 112 Jc45
Melaje SRB 87 Hb40
Melalahti FIN 41 Ja13
Melates GR 110 Hc45
Melbu N 28 Ga06
Meldal N 37 Fb13
Meldorf D 56 Fa25
Melegnano I 83 Ed37
Melenci SRB 75 Hb36
Melenki RUS 118 Fb10
Melfi I 99 Gb43
Melfjorden N 33 Ga09
Melgar de Fernamental E 79 Bd38
Melhus N 37 Fc13
Melide E 78 Ba36
Melides P 90 Ab42
Melíki GR 101 Hd43
Melilli I 109 Ga47
Melineşti RO 88 Ja37
Mélissa GR 101 Ja44
Melitopol' UA 126 Fa16
Melito Porto Salvo I 109 Gb47
Melívia GR 101 Ja44
Melk A 73 Gb33
Mellakoski FIN 34 Hb09
Mellansel S 39 Gc13
Mellanström S 33 Gc10
Mellbystrand S 49 Fd22
Melle D 55 Ed27
Melle F 69 Da34
Mellerud S 43 Fd19
Mellrichstadt D 64 Fb30
Melnica SRB 87 Hc38
Melnik BG 101 Ja41
Mělník CZ 65 Ga30
Mel'nikovo RUS 41 Jb15
Melnsils LV 46 Hb20
Mels CH 72 Fa34
Melsungen D 64 Fa29
Meltaus FIN 30 Hb08
Melton Mowbray GB 25 Db26
Meltosjärvi FIN 30 Hb08
Melun F 62 Dc32
Melvich GB 17 Db18
Membrío E 91 Ba41
Memmingen D 72 Fa33
Mena UA 121 Ec13
Menaggio I 71 Ed36
Menai Bridge GB 20 Cd24
Mende F 81 Dc37
Mendeleevsk RUS 119 Ga08
Menden D 55 Ed28
Mendrisio CH 71 Ed36
Menemen TR 113 Ka45
Menen B 62 Dd29
Meneou CY 128 Gc19
Menesjärvi FIN 27 Hb05
Menfi I 108 Fc47
Mengen D 72 Fa33
Mengeš SLO 73 Ga36
Mengíbar E 106 Bc44
Menídi GR 110 Hc45
Mentana I 98 Fc41
Menton F 83 Ec39
Menzelinsk RUS 119 Ga08
Meppel NL 55 Ec27
Meppen D 55 Ed27
Mequinenza E 93 Cd41
Mer F 69 Db33
Meråker N 37 Fd13
Meran I 72 Fb35
Merano I 72 Fb35
Merasjärvi S 30 Ha07
Mercato Saraceno I 84 Fc39
Merdrignac F 60 Cc31
Merefa UA 122 Fa14
Merei RO 88 Jc36
Méribel F 71 Eb36
Meričleri BG 102 Jc40
Mérida E 91 Ba42
Mérignac F 68 Cd36
Mérihas GR 111 Jc47
Merijärvi FIN 34 Hb11
Merikarvia FIN 40 Ha15
Meri-Pori FIN 40 Ha15
Merkinė LT 59 Hd25
Merkinė LT 59 Hd25
Mernye H 74 Gd35
Mersch L 63 Eb31
Merseburg D 64 Fc29
Mersin TR 128 Gd16
Mērsrags LV 52 Hc21
Merthyr Tydfil GB 24 Cd26
Mértola P 104 Ac43
Méru F 62 Dc31
Mëry BY 53 Jb22
Merzig D 63 Ec31
Mesagne I 100 Gd43
Meschede D 63 Ed29
Meselefors S 33 Gb11
Mesihovina BIH 86 Gc39
Meslay-du-Maine F 61 Da32
Mesohóri GR 101 Hd44
Mesopotamiá GR 101 Hc43
Mesopótamo GR 110 Hc45
Messaure S 29 Gd08
Messelt N 37 Fc15
Messina I 109 Gb46
Messini GR 110 Hd47
Messinó GR 111 Ja46
Meßkirch D 72 Fa33
Messolóngi GR 110 Hd46
Messongí GR 100 Hb44
Mesta BG 101 Ja41
Mestá GR 113 Jd45
Mestanza E 106 Bc43
Mesti GR 102 Jc42
Město Albrechtice CZ 66 Gc30
Město Touškov CZ 65 Fd31
Mestre I 84 Fc37
Mesvres F 70 Dd34
Metajna HR 85 Ga38
Metamorfósi GR 111 Ja47
Méthana GR 112 Jb46
Methóni GR 110 Hd48
Metković HR 86 Gd40
Metlika SLO 73 Gb36
Metóhi GR 112 Jb45
Metsäkylä FIN 35 Hd10
Metsküla EST 46 Hb19
Métsovo GR 101 Hc44
Mettlach D 63 Ec31
Metz F 63 Eb31
Metzingen D 64 Fa32
Meulan F 62 Dc31
Meuselwitz D 64 Fc29
Meydancik TR 127 Ga18
Meyenburg D 56 Fc26
Meymac F 69 Db36
Meyrueis F 81 Dc37
Meyzieu F 70 Ea36
Mézapos GR 111 Ja48
Mezdra BG 88 Ja39
Mężenin PL 59 Hc26
Mežica SLO 73 Ga35
Mézières-en-Brenne F 69 Db34
Mézières-sur-Issoire F 69 Da35

Mézin **F** 80 Cd37
Mezőberény **H** 75 Hb35
Mezőcsát **H** 75 Hb33
Mezőkovácsháza **H** 75 Hb35
Mezőkövesd **H** 75 Hb33
Mézos **D** 64 Cc37
Mežotne **LV** 52 Hc22
Mezőtúr **H** 75 Hb34
Miajadas **E** 91 Ba42
Miastko **PL** 58 Gc25
Michajlovskoe **RUS** 119 Fc09
Michalin **PL** 58 Gd27
Michalovce **SK** 67 Hc32
Michelstadt **D** 64 Fa31
Miclești **RO** 77 Jd34
Mičurinsk **RUS** 122 Fb12
Mičurinskoe **RUS** 41 Jb16
Middelburg **NL** 54 Ea28
Middelfart **DK** 49 Fb23
Middelharnis **NL** 54 Ea28
Middlesbrough **GB** 21 Db23
Midhurst **GB** 24 Da28
Midleton **IRL** 22 Bd25
Midsund **N** 36 Fa13
Miechów **PL** 67 Ha30
Miedźno **PL** 66 Gd29
Międzychód **PL** 57 Gb27
Międzylesie **PL** 66 Gc30
Międzyrzec Podlaski **PL** 59 Hc28
Międzyrzecz **PL** 57 Gb27
Międzywodzie **PL** 57 Ga25
Międzyzdroje **PL** 57 Ga25
Miehikkälä **FIN** 41 Ja16
Miélan **F** 80 Cd38
Mielec **PL** 67 Hb30
Mieraslompolo **FIN** 27 Hc04
Miercurea-Ciuc **RO** 76 Jb35
Miercurea Sibiului **RO** 88 Ja36
Mieres **E** 79 Bc37
Mierojokki **N** 26 Ha05
Miesbach **D** 72 Fc34
Mieszków **PL** 58 Gc28
Mieszkowice **PL** 57 Ga27
Mietoinen **FIN** 40 Ha16
Mifol **AL** 100 Hb43
Migennes **F** 70 Dd33
Miglionico **I** 99 Gc43
Mihăești **RO** 88 Jb38
Mihail Kogălniceanu **RO** 89 Ka37
Mihailovca **MD** 77 Ka33
Mihailovca **MD** 77 Ka34
Mihajlov **RUS** 118 Fa11
Mihajlovka **RUS** 123 Fd13
Mihajlovo **BG** 88 Ja39
Mihalkovo **BG** 102 Jb41
Miheșu de Câmpie **RO** 76 Ja35
Mihnevo **RUS** 118 Fa10
Mikaševičy **BY** 121 Eb13
Mikaszówka **PL** 59 Hc25
Mikeltornis **LV** 46 Hb20
Mikkeli **FIN** 41 Hd14

Mikkelvik **N** 26 Gc04
Mikolaivka **MD** 77 Kb32
Mikołajki **PL** 59 Hb25
Mikołów **PL** 66 Gd30
Míkonos **GR** 113 Jd46
Mikre **BG** 88 Jb39
Mikulov **CZ** 66 Gc32
Miladinovci **MK** 101 Hc41
Milagro **E** 80 Cb39
Miłakowo **PL** 58 Ha25
Milano **I** 71 Ed36
Milas **TR** 113 Kb46
Milazzo **I** 109 Gb46
Miléa **GR** 101 Hc44
Mileševo **SRB** 74 Ha36
Milestone **IRL** 18 Ca24
Mileto **I** 109 Gb46
Milevsko **CZ** 65 Ga31
Milford **GB** 25 Db28
Milford Haven **GB** 23 Cc26
Milići **BIH** 86 Ha38
Milicz **PL** 66 Gc29
Milín **CZ** 65 Ga31
Militello **I** 109 Ga47
Militsa **GR** 110 Hd48
Millas **F** 81 Db39
Millau **F** 81 Dc38
Millerovo **RUS** 123 Fc14
Millom **GB** 21 Da23
Milltown Malbay **IRL** 18 Bd24
Milmersdorf **D** 57 Fd27
Milna **HR** 86 Gc40
Mílos **GR** 111 Jc47
Milot **RKS** 100 Hb42
Milówka **PL** 67 Ha31
Miltenberg **D** 64 Fa31
Milton Keynes **GB** 25 Db27
Mimizan **F** 80 Cc37
Mimoň **CZ** 65 Ga30
Mina de São Domingos **P** 104 Ac43
Mindelheim **D** 72 Fb33
Minden **D** 56 Fa27
Minehead **GB** 23 Cc27
Mineral'nye Vody **RUS** 127 Ga16
Minervino Murge **I** 99 Gb42
Minglanilla **E** 93 Cb42
Mingorría **E** 91 Bc40
Minićevo **SRB** 87 Hd39
Minsk **BY** 120 Ea12
Mińsk Mazowiecki **PL** 59 Hb28
Mintlaw **GB** 17 Db19
Minturno **I** 98 Fd42
Miomo **F** 96 Ed40
Mionica **SRB** 87 Hb38
Mioveni **RO** 88 Jb37
Mira **E** 93 Cb42
Mira **I** 84 Fc37
Mira **P** 90 Ac39
Miramas **F** 82 Dd39
Mirambeau **F** 68 Cd35
Miramont-de-Guyenne **F** 69 Da36

Miranda de Ebro **E** 79 Ca38
Miranda do Douro **P** 78 Bb39
Mirande **F** 80 Cd38
Mirandela **P** 78 Ba39
Mirandola **I** 84 Fb37
Mirano **I** 84 Fc37
Mircze **PL** 67 Hd29
Mirebeau **F** 69 Da34
Mirebeau-sur-Bèze **F** 70 Ea34
Mirecourt **F** 63 Eb32
Mirepoix **F** 81 Db39
Mirești **MD** 77 Jd34
Mírina **GR** 102 Jc43
Mirne **UA** 77 Kb34
Mirosławiec **PL** 57 Gb26
Mirotice **CZ** 65 Ga31
Mirovice **CZ** 65 Ga31
Mirow **D** 57 Fd26
Mírtos **GR** 115 Jd49
Mischii **RO** 88 Ja38
Misi **FIN** 31 Hc08
Miskolc **H** 75 Hb33
Mišnjak **HR** 85 Ga38
Misso **EST** 47 Ja20
Mistelbach **A** 74 Gc33
Misten **N** 28 Ga07
Misterbianco **I** 109 Ga47
Misterhult **S** 50 Gb21
Mistretta **I** 109 Ga47
Mitchelstown **IRL** 22 Bd25
Míthimna **GR** 113 Jd44
Mítikas **GR** 110 Hc45
Mitrašinci **MK** 101 Hd41
Mitrofanovka **RUS** 122 Fb14
Mitrovo **SRB** 87 Hc39
Mittådalen **S** 38 Fd14
Mittenwald **D** 72 Fb34
Mittersill **A** 72 Fc34
Mitterteich **D** 64 Fc31
Mittweida **D** 65 Fd29
Mizil **RO** 88 Jc36
Mjadzel **BY** 53 Jb23
Mjadzel **BY** 120 Ea12
Mjakiševo **RUS** 53 Jb21
Mjaksa **RUS** 117 Ed08
Mjölby **S** 44 Ga20
Mjönäs **S** 44 Fd17
Mjøndalen **N** 43 Fb18
Mladá Boleslav **CZ** 65 Ga30
Mladá Vožice **CZ** 65 Ga31
Mladenovac **SRB** 87 Hb38
Mława **PL** 58 Ha26
Mlebniko **RUS** 119 Fd08
Mlinište **BIH** 86 Gc38
Młodasko **PL** 57 Gb27
Młogoszyn **PL** 58 Ha28
Młynary **PL** 58 Ha25
Młynarze **PL** 59 Hb26
Mlyniv **UA** 120 Ea15
Mníšek nad Hnilcom **SK** 67 Hb32
Mo **N** 43 Fc17
Moacșa **RO** 76 Jc35
Moara Vlăsiei **RO** 88 Jc37

Moate **IRL** 18 Ca23
Mochy **PL** 57 Gb28
Mociu **RO** 76 Ja34
Möckern **D** 56 Fc28
Mockfjärd **S** 44 Ga17
Modane **F** 83 Eb37
Modena **I** 84 Fb38
Modica **I** 109 Ga48
Modigliana **I** 84 Fb38
Modliborzyce **PL** 67 Hc29
Mödling **A** 73 Gb33
Modriča **BIH** 86 Gd37
Modugno **I** 99 Gc42
Moelv **N** 37 Fc16
Moen **N** 26 Gc05
Moers **D** 55 Ec28
Moffat **GB** 21 Da22
Moftin **RO** 75 Hd33
Mogadouro **P** 78 Ba39
Mogili **RUS** 53 Jb21
Mogilno **PL** 58 Gc27
Mogliano Veneto **I** 72 Fc36
Mogosoaia **RO** 88 Jc37
Moguer **E** 105 Ad44
Mohács **H** 74 Gd36
Mohed **S** 38 Gb16
Moheda **S** 50 Ga21
Mohelnice **CZ** 66 Gc31
Möhnesee **D** 55 Ed28
Mohora **H** 74 Ha33
Mohyliv-Podil's'kyj **UA** 77 Jd32
Mohyliv-Podil's'kyj **UA** 125 Eb16
Moi **N** 42 Ed19
Moinești **RO** 76 Jc35
Mo i Rana **N** 33 Ga09
Mõisaküla **EST** 47 Hd19
Moisiovaara **FIN** 35 Ja10
Moissac **F** 81 Da37
Mojácar **E** 107 Ca45
Mojados **E** 79 Bc39
Möklinta **S** 44 Gb17
Mokobody **PL** 59 Hc27
Mokre **PL** 58 Gc25
Mokren **BG** 89 Jd39
Mokrous **RUS** 119 Ga11
Mokšan **RUS** 119 Fc11
Mol **B** 63 Eb29
Mola di Bari **I** 99 Gc42
Mold **GB** 24 Cd25
Moldava nad Bodvou **SK** 67 Hb32
Molde **N** 36 Fa13
Molėtai **LT** 53 Hd23
Molfetta **I** 99 Gc42
Moliden **S** 39 Gc13
Molières **F** 81 Da37
Molina **E** 93 Cb41
Molina de Segura **E** 107 Cb44
Molinella **I** 84 Fb38
Molkom **S** 44 Ga18
Mollerussa **E** 80 Cd40
Mölln **D** 56 Fb26
Mölltorp **S** 44 Ga19

Molodi – Morskoj

Molodi RUS 47 Jb19
Mólos GR 111 Ja45
Moloskovicy RUS 47 Jb17
Molsheim F 63 Ec32
Molunat HR 100 Gd41
Mombuey E 78 Bb38
Momčilgrad BG 102 Jc41
Mommark DK 49 Fb24
Mon S 33 Ga11
Monaco MC 83 Ec39
Monaghan IRL 19 Cb22
Monaši UA 77 Kb34
Monasterace Marina I 109 Gc46
Monastir I 97 Ed44
Monastyrščina RUS 121 Ec12
Monastyryšče UA 121 Ec15
Monastyrys'ka UA 121 Ea16
Moncada E 93 Cc43
Moncalieri I 83 Ec37
Moncalvo I 83 Ed37
Monção P 78 Ad37
Mönchengladbach D 63 Ec29
Monchique P 104 Ab43
Moncontour F 60 Cc31
Mondéjar E 92 Bd41
Mondello I 108 Fd46
Mondim de Basto P 78 Ad38
Mondolfo I 85 Fd39
Mondoñedo E 78 Bb36
Mondoubleau F 61 Db32
Mondovì I 83 Ec38
Mondragone I 98 Fd42
Mondriz E 78 Bb36
Mondsee A 73 Fd33
Moneasa RO 75 Hc35
Monein F 80 Cd38
Monemvassía GR 111 Ja48
Monesterio E 105 Ba43
Moneymore GB 20 Cb22
Monfalcone I 73 Fd36
Monforte P 90 Ad41
Monheim D 64 Fb32
Moniatis CY 128 Gb19
Mõniste EST 47 Ja20
Monistrol-d'Allier F 70 Dd36
Monistrol-sur-Loire F 70 Dd36
Mońki PL 59 Hc26
Monmouth GB 24 Cd26
Monolithio GR 101 Hc44
Monólithos GR 115 Kb48
Monopoli I 99 Gc43
Monóvar E 107 Cb44
Monreal del Campo E 93 Cb41
Monreale I 108 Fd46
Monroy E 91 Ba41
Monroyo E 93 Cc41
Mons B 62 Ea29
Monsanto P 91 Ba40
Monsaraz P 90 Ad42
Monschau D 63 Ec29

Monselice I 84 Fc37
Mönsterås S 50 Gb21
Montagnac F 81 Dc38
Montagnana I 84 Fb37
Montaigu F 68 Cd33
Montalbán E 93 Cc41
Montalcino I 84 Fb40
Montalegre P 78 Ba38
Montalivet-les-Bains F 68 Cd35
Montalto di Castro I 98 Fb41
Montalto Uffogo I 109 Gb45
Montamarta E 78 Bb39
Montana BG 88 Ja39
Montargil P 90 Ac41
Montargis F 62 Dc32
Montauban F 81 Da37
Montauban-de-Bretagne F 61 Cd31
Montbard F 70 Ea33
Montbazon F 69 Db33
Montbéliard F 71 Ec34
Montblanc E 95 Da41
Montbrison F 70 Dd36
Montbron F 69 Da35
Montceau-les-Mines F 70 Ea34
Montchanin F 70 Ea34
Montcuq F 81 Da37
Mont-Dauphin F 83 Eb37
Mont-de-Marsan F 80 Cd37
Montdidier F 62 Dd30
Montealegre del Castillo E 93 Cb43
Monte Argentario-Porto San Stefano I 98 Fb41
Montebelluna I 72 Fc36
Montecatini Terme I 84 Fb39
Montecchio Emilia I 84 Fa38
Montecchio Maggiore I 84 Fb37
Montech F 81 Da37
Montefiascone I 84 Fc40
Monteforte de Lemos E 78 Ba37
Montefrío E 106 Bc45
Montehermoso E 91 Ba40
Montélimar F 82 Dd37
Montella I 99 Ga43
Montellano E 105 Ba45
Montemor-o-Novo P 90 Ac42
Montendre F 68 Cd35
Montepulciano I 84 Fb40
Montereau F 62 Dd32
Monteriggioni I 84 Fb39
Monterosso al Mare I 84 Fa38
Monterotondo I 98 Fc41
Monte San Savino I 84 Fb39
Monte Sant' Angelo I 99 Gb42
Montesilvano I 99 Ga41
Montesquieu-Volvestre F 81 Da38

Montevarchi I 84 Fb39
Montfaucon-d'Argonne F 63 Eb31
Montfaucon-en-Velay F 70 Dd36
Montguyon F 68 Cd36
Monthey CH 71 Ec35
Monti I 97 Ed43
Montichiari I 84 Fa37
Monticiano I 84 Fb40
Montier-en-Der F 62 Ea32
Montignac F 69 Da36
Montigny F 63 Eb31
Montigny-le-Roi F 71 Eb33
Montigny-sur-Aube F 70 Ea33
Montijo E 91 Ba42
Montijo P 90 Ac41
Montilla E 105 Bb44
Montivilliers F 61 Db30
Mont-Louis F 81 Db39
Montluçon F 69 Dc35
Montluel F 70 Ea36
Montmarault F 69 Dc35
Montmédy F 63 Eb31
Montmirail F 62 Dd31
Montmoreau-Saint-Cybard F 69 Da35
Montmorency F 62 Dc31
Montmorillon F 69 Db34
Montoire-sur-le-Loir F 61 Db32
Montón E 80 Cb40
Montoro E 106 Bc44
Montpellier F 81 Dc38
Montpon-Ménestérol F 69 Da36
Montréjeau F 80 Cd38
Montreuil F 62 Dc29
Montreuil-Bellay F 69 Da33
Montreux CH 71 Ec35
Montrevel-en-Bresse F 70 Ea35
Montrichard F 69 Db33
Montrond-les-Bains F 70 Dd36
Montrose GB 17 Db20
Montroy E 93 Cd43
Mont-Saint-Aignan F 61 Db30
Montsalvy F 81 Dc37
Montségur F 81 Db39
Montseny E 81 Db40
Montsûrs F 61 Da32
Montuïri E 95 Db43
Monza I 71 Ed36
Monzón E 80 Cd40
Moosburg D 72 Fc33
Mór H 74 Gd34
Mora E 92 Bd42
Mora P 90 Ac41
Mora S 38 Ga16
Mora de Rubielos E 93 Cc42
Morag PL 58 Ha25
Mórahalom H 74 Ha36

Morakovo MNE 86 Ha40
Morakowo PL 58 Gc27
Móra la Nova E 93 Cd41
Moral de Calatrava E 92 Bd43
Moraleja E 91 Ba40
Morărești RO 88 Jb37
Moratalla E 107 Ca44
Moravița RO 87 Hc37
Morávka CZ 66 Gd31
Moravská Třebová CZ 66 Gc31
Moravské Budějovice CZ 65 Gb32
Moravské Lieskové SK 66 Gd32
Moravský Beroun CZ 66 Gc31
Moravský Krumlov CZ 65 Gb32
Morawica PL 67 Hb29
Morbach D 63 Ec31
Mörbylånga S 50 Gb22
Morcenx F 80 Cd37
Morcone I 99 Ga42
Mordelles F 61 Cd32
Mordoğan TR 113 Ka45
Mordovo RUS 122 Fb12
Mordy PL 59 Hc27
Mor'e RUS 117 Eb08
Morecambe GB 21 Da24
Moreda E 106 Bc45
Morée F 61 Db32
Morella E 93 Cc41
Moreni RO 88 Jb37
Mores I 97 Ed43
Moreton-in-Marsh GB 24 Da26
Moret-sur-Loing F 62 Dd32
Moreuil F 62 Dd30
Morez F 71 Eb35
Morfou CY 128 Gb19
Morges CH 71 Eb35
Morgins CH 71 Ec35
Morgongåva S 45 Gc17
Morgos RO 75 Hd35
Morhange F 63 Ec32
Moriani-Plage F 96 Ed41
Morjärv S 34 Ha09
Morki RUS 119 Fd08
Mörkret S 38 Fd15
Morlaàs F 80 Cd38
Morlaix F 60 Cb30
Mörlunda S 50 Gb21
Morón de Almazán E 92 Ca40
Morón de la Frontera E 105 Ba44
Morottaja FIN 31 Hd08
Morozeni MD 77 Jd33
Morozovsk RUS 123 Fc14
Morpeth GB 21 Db22
Mörrum S 50 Ga22
Moršansk RUS 118 Fb11
Mörsil S 38 Ga13
Morskoj RUS 52 Ha24

Newcastle **GB** 20 Cc23
Newcastle-under-Lyme **GB** 24 Da25
Newcastle upon Tyne **GB** 21 Db23
Newcastle West **IRL** 18 Bd24
Newhaven **GB** 25 Db28
Newmarket **GB** 25 Dc27
Newport **GB** 24 Cd27
Newport **GB** 24 Da28
Newport **GB** 24 Da25
Newport Pagnell **GB** 25 Db26
Newquay **GB** 23 Cb28
New Romney **GB** 25 Dc28
New Ross **IRL** 22 Ca25
Newry **GB** 20 Cc23
Newton Abbot **GB** 23 Cc28
Newtonmore **GB** 17 Da19
Newton Stewart **GB** 20 Cd22
Newtown **GB** 24 Cd25
Newtownabbey **GB** 20 Cc22
Newtownards **GB** 20 Cc22
Newtown Saint Boswells **GB** 21 Da22
Newtownstewart **GB** 20 Cb22
Nexø **DK** 50 Ga24
Nezvys'ko **UA** 76 Jb32
Nianfors **S** 38 Gb15
Nibe **DK** 49 Fb21
Nicaj-Shalë **AL** 100 Hb41
Nice **F** 83 Eb39
Nicgale **LV** 53 Ja22
Nicosia **I** 109 Ga47
Nicotera **I** 109 Gb46
Niculiţel **RO** 89 Ka36
Nidda **D** 64 Fa30
Nidderau **D** 64 Fa30
Nidri **GR** 110 Hc45
Nidzica **PL** 58 Ha26
Niebüll **D** 48 Fa24
Niedalino **PL** 57 Gb25
Niederaula **D** 64 Fa29
Niederbronn-les-Bains **F** 63 Ec32
Niedrzwica Duża **PL** 67 Hc29
Nielisz **PL** 67 Hc29
Niemce **PL** 67 Hc29
Niemisel **S** 34 Ha09
Nienburg **D** 56 Fa27
Nierstein **D** 63 Ed31
Niesky **D** 65 Ga29
Nieuwegein **NL** 55 Eb27
Nieuwpoort **B** 54 Dd28
Niewęgłosz **PL** 59 Hc28
Niezabyszewo **PL** 58 Gc25
Niğde **TR** 128 Gd15
Nigrita **GR** 101 Ja42
Níjar **E** 106 Bd46
Nijkerk **NL** 55 Eb27
Nijmegen **NL** 55 Ec28
Nijverdal **NL** 55 Ec27
Níkea **GR** 101 Hd44

Nikel' **RUS** 27 Hd04
Nikifóros **GR** 102 Jb42
Nikitas **GR** 102 Jb43
Nikkaluokta **S** 29 Gc07
Nikolaevka **RUS** 119 Fd10
Nikolaevo **BG** 102 Jc40
Nikolaevo **RUS** 47 Jb19
Nikolaevsk **RUS** 123 Fd13
Nikol'sk **RUS** 119 Fd10
Nikopol **BG** 88 Jb38
Nikopol' **UA** 126 Fa16
Nikópoli **GR** 110 Hc45
Nikšić **MNE** 86 Ha40
Nilivaara **S** 30 Ha08
Nilsiä **FIN** 35 Hd12
Nîmes **F** 82 Dd38
Nin **HR** 85 Ga38
Ninove **B** 62 Ea29
Niort **F** 68 Cd34
Niš **SRB** 87 Hc39
Nisa **P** 90 Ad41
Niscemi **I** 109 Ga48
Niška Banja **SRB** 87 Hd39
Nisko **PL** 67 Hc30
Nisou **CY** 128 Gb19
Nisporeni **MD** 77 Jd33
Nissedal **N** 42 Fa18
Nissi **EST** 46 Hc18
Nissilä **FIN** 35 Hd12
Nitaure **LV** 53 Hd21
Nitra **SK** 74 Gd33
Nitrianske Pravno **SK** 66 Gd32
Nittedal **N** 43 Fc17
Nittenau **D** 64 Fc32
Nivala **FIN** 35 Hc12
Nivelles **B** 62 Ea29
Nivenskoe **RUS** 52 Ha24
Nižná Boca **SK** 67 Ha32
Nižnekamsk **RUS** 119 Ga08
Nižnij Novgorod **RUS** 118 Fb09
Nižyn **UA** 121 Ec14
Nizza Monferrato **I** 83 Ed37
Njasviž **BY** 120 Ea13
Njivice **HR** 85 Ga37
Njurundabommen **S** 39 Gc14
Noailles **F** 62 Dc31
Noci **I** 99 Gc43
Nodeland **N** 42 Fa20
Nödinge-Nol **S** 43 Fc20
Nœux-les-Mines **F** 62 Dd29
Nogales **E** 91 Ba42
Nogarejas **E** 78 Bb38
Nogent **F** 71 Eb33
Nogent-le-Roi **F** 62 Dc31
Nogent-le-Rotrou **F** 61 Db32
Nogent-sur-Seine **F** 62 Dd32
Noginsk **RUS** 118 Fa10
Noguera **E** 93 Cb41
Nohfelden **D** 63 Ec31
Noia **E** 78 Ad36
Noirétable **F** 70 Dd35
Noirmoutier-en-l'Île **F** 68 Cc33

Nokia **FIN** 40 Hb15
Nola **I** 99 Ga43
Nolay **F** 70 Ea34
Nomeny **F** 63 Eb32
Nomitsís **GR** 111 Ja48
Nonancourt **F** 61 Db31
Nonantola **I** 84 Fb38
Nontron **F** 69 Da35
Nonza **F** 96 Ed40
Noordwijk aan Zee **NL** 55 Eb27
Noormarkku **FIN** 40 Ha15
Nora **S** 44 Ga18
Norberg **S** 44 Gb17
Norcia **I** 85 Fd40
Nordagutu **N** 43 Fb18
Nordborg **DK** 49 Fb24
Nordby **DK** 48 Fa23
Nordby **DK** 49 Fb23
Norddal **N** 36 Ed15
Norden **D** 55 Ed26
Nordenham **D** 56 Fa26
Norderstedt **D** 56 Fb26
Nordfjordeid **N** 36 Ed14
Nordfold **N** 28 Ga07
Nordhausen **D** 64 Fb29
Nordholz **D** 56 Fa25
Nordhorn **D** 55 Ed27
Nordingrå **S** 39 Gc13
Nordkjosbotn **N** 26 Gc05
Nördlingen **D** 64 Fb32
Nordmaling **S** 34 Gd12
Nordmark **S** 44 Ga18
Nordmela **N** 28 Gb05
Nordøyvågen **N** 32 Fd09
Nordre Osen **N** 37 Fc16
Nord-Sel **N** 37 Fb15
Noresund **N** 43 Fb17
Norheimsund **N** 36 Ed16
Norråker **S** 33 Gb11
Norra Tresund **S** 33 Gb11
Norrbäck **S** 33 Gc11
Nørre Aaby **DK** 49 Fb23
Nørre Alslev **DK** 49 Fc24
Nørre Nebel **DK** 48 Fa23
Nørre Vorupør **DK** 48 Fa21
Norrfjärden **S** 34 Ha10
Norrfors **S** 33 Gc12
Norrhult **S** 50 Ga21
Norrköping **S** 44 Gb19
Norrsundet **S** 39 Gc16
Norrtälje **S** 45 Gd18
Nors **DK** 48 Fa21
Norsholm **S** 44 Gb19
Norsjö **S** 34 Gd11
Northallerton **GB** 21 Db23
Northampton **GB** 25 Db26
North Berwick **GB** 21 Db21
Northeim **D** 56 Fb28
North Kessock **GB** 17 Da19
Northleach **GB** 24 Da27
North Walsham **GB** 25 Dd26
Nortorf **D** 56 Fb25
Nort-sur-Erdre **F** 61 Cd32
Norwich **GB** 25 Dc26
Nosivka **UA** 121 Ec14

Nosovo **RUS** 47 Jb20
Nossebro **S** 43 Fd20
Nössemark **S** 43 Fc18
Nossen **D** 65 Fd29
Noszolop **H** 74 Gc34
Noto **I** 109 Ga48
Notodden **N** 43 Fb18
Nottingham **GB** 25 Db25
Növa **EST** 46 Hc18
Nova Borova **UA** 121 Eb14
Nová Bystřice **CZ** 65 Ga32
Novačene **BG** 88 Ja39
Novaci **MK** 101 Hc42
Novaci **RO** 88 Ja37
Nova Crnja **SRB** 75 Hb36
Nova Gorica **SLO** 73 Fd36
Nova Gradiška **HR** 86 Gc37
Novaja Derevnja **RUS** 52 Hb24
Novaja Ladoga **RUS** 117 Eb08
Novaja Ruda **BY** 59 Hd25
Nova Kachovka **UA** 126 Fa16
Novalja **HR** 85 Ga38
Novalukoml' **BY** 121 Eb12
Nova Odesa **UA** 125 Ed16
Novara **I** 71 Ed36
Nova Topola **BIH** 86 Gc37
Nova Ušycja **UA** 125 Eb16
Nova Varoš **SRB** 87 Hb39
Nova Vodolaha **UA** 122 Fa14
Nova Zagora **BG** 102 Jc40
Nové Hrady **CZ** 65 Ga32
Novellara **I** 84 Fb37
Nové Město nad Metují **CZ** 65 Gb30
Nové Město na Moravě **CZ** 65 Gb31
Nové Zámky **SK** 74 Gd33
Novgorod **RUS** 117 Eb09
Novgorodka **RUS** 47 Jb20
Novhorodka **UA** 121 Ed15
Novhorod-Sivers'kyj **UA** 121 Ed13
Novi Bečej **SRB** 75 Hb36
Novi Bilokorovyči **UA** 121 Eb14
Novi Grad **BIH** 86 Gd37
Novigrad **HR** 85 Fd37
Novigrad-Podravski **HR** 74 Gc36
Novi Iskăr **BG** 102 Ja40
Novi Ligure **I** 83 Ed37
Novion-Porcien **F** 62 Ea31
Novi Pazar **BG** 89 Jd38
Novi Pazar **SRB** 87 Hb40
Novi Sad **SRB** 86 Ha37
Novi Sanžary **UA** 121 Ed15
Novi Vinodolski **HR** 85 Ga37
Novoaleksandrovsk **RUS** 127 Fd16
Novoanninskij **RUS** 123 Fc13
Novoarchanhel's'k **UA** 121 Ec15

Novoazovs'k **UA** 126 Fb16
Novočeboksarsk **RUS** 119 Fc09
Novočerkassk **RUS** 123 Fc15
Novocimljanskaja **RUS** 123 Fd14
Novofedorivka **UA** 125 Ed17
Novohrad-Volyns'kyj **UA** 121 Eb14
Novokašpirskij **RUS** 119 Ga10
Novokrasne **MD** 77 Kb32
Novokubansk **RUS** 127 Fd16
Novokujbyševsk **RUS** 119 Ga10
Novo Mesto **SLO** 73 Ga36
Novomičurinsk **RUS** 118 Fa11
Novomihajlovskij **RUS** 127 Fc17
Novomoskovsk **RUS** 118 Fa11
Novomoskovs'k **UA** 122 Fa15
Novomykolajivka **UA** 122 Fa15
Novomykolajivka **UA** 125 Ed17
Novomyrhorod **UA** 121 Ed15
Novonikolaevskij **RUS** 123 Fc13
Novooleksijivka **UA** 126 Fa17
Novopavlovsk **RUS** 127 Ga17
Novopokrovka **UA** 122 Fa15
Novopokrovskaja **RUS** 127 Fd16
Novopskov **UA** 122 Fb14
Novorossijsk **RUS** 127 Fc17
Novoržev **RUS** 117 Eb10
Novošahtinsk **RUS** 123 Fc15
Novoselci **BG** 103 Jd40
Novosel'e **RUS** 47 Jb19
Novoselec **BG** 102 Jc40
Novoselivs'ke **UA** 126 Fa17
Novo Selo **BG** 88 Jc39
Novo Selo **BG** 101 Hd41
Novo Selo **BIH** 86 Gd37
Novoselycja **UA** 76 Jb32
Novosokol'niki **RUS** 117 Eb10
Novotroickoe **RUS** 119 Fc10
Novotrojic'ke **UA** 126 Fa17
Novotulka **RUS** 123 Ga12
Novoukrajinka **UA** 125 Ed16
Novouljanovsk **RUS** 119 Fd10
Novouzensk **RUS** 123 Ga12
Novovolyns'k **UA** 67 Hd29
Novska **HR** 86 Gc37
Nový Bor **CZ** 65 Ga30
Novycja **UA** 76 Ja32
Novy Dvor **BY** 59 Hd26
Novy Dvor **BY** 59 Hd25
Novyi Oskol **RUS** 122 Fb13
Novyj Buh **UA** 125 Ed16
Nový Jičín **CZ** 66 Gd31
Novyj Rozdil **UA** 67 Hd31
Nowa Brzeźnica **PL** 66 Gd29

Nowa Cerekwia **PL** 66 Gd30
Nowa Dęba **PL** 67 Hc30
Nowa Karczma **PL** 58 Gd25
Nowa Ruda **PL** 65 Gb30
Nowa Słupia **PL** 67 Hb29
Nowa Sól **PL** 57 Gb28
Nowa Wieś **PL** 59 Hb26
Nowa Wieś Ełcka **PL** 59 Hc25
Nowa Wieś Lęborska **PL** 58 Gc25
Nowe Miasteczko **PL** 57 Gb28
Nowe Miasto **PL** 58 Ha27
Nowe Miasto nad Pilicą **PL** 58 Ha28
Nowe Warpno **PL** 57 Ga26
Nowinka **PL** 59 Hc25
Nowogard **PL** 57 Ga26
Nowogród **PL** 59 Hb26
Nowogród Bobrzański **PL** 57 Gb28
Nowo Miasto nad Wartą **PL** 58 Gc28
Nowosiółki **PL** 67 Hd30
Nowy Duninów **PL** 58 Ha27
Nowy Dwór **PL** 65 Gb29
Nowy Dwór Gdański **PL** 58 Gd25
Nowy Dwór Mazowiecki **PL** 59 Hb27
Nowy Korczyn **PL** 67 Hb30
Nowy Sącz **PL** 67 Hb31
Nowy Staw **PL** 58 Gd25
Nowy Targ **PL** 67 Ha31
Nowy Tomyśl **PL** 57 Gb28
Nowy Żmigród **PL** 67 Hb31
Noyant **F** 69 Da33
Noyers **F** 70 Dd33
Noyon **F** 62 Dd30
Nozay **F** 61 Cd32
Nucet **RO** 75 Hd35
Nudol' **RUS** 117 Ed10
Nudyże **UA** 59 Hd28
Nuenen **NL** 55 Eb28
Nufăru **RO** 89 Ka36
Nuijamaa **FIN** 41 Ja15
Nuits-Saint-Georges **F** 70 Ea34
Nules **E** 93 Cc42
Nummela **FIN** 40 Hc16
Nummi **FIN** 40 Hc16
Nummijärvi **FIN** 40 Hb14
Nuneaton **GB** 24 Da26
Nunnanen **FIN** 30 Hb06
Nuorgam **FIN** 27 Hc04
Nuoro **I** 97 Ed43
Núpsstaður **IS** 15 Ca08
Nurlat **RUS** 119 Ga09
Nurmes **FIN** 35 Ja12
Nurmijärvi **FIN** 35 Ja12
Nurmijärvi **FIN** 40 Hc16
Nurmo **FIN** 40 Hb13
Nürnberg **D** 64 Fb31
Nürtingen **D** 64 Fa32
Nușfalau **RO** 75 Hd34

Nusnäs **S** 38 Ga16
Nuupas **FIN** 35 Hc09
Nuvvus **FIN** 27 Hb04
Nyåker **S** 34 Gd12
Nybergsund **N** 37 Fd16
Nyborg **DK** 49 Fb24
Nyborg **S** 34 Ha09
Nybro **S** 50 Gb22
Nyékládháza **H** 75 Hb33
Nyergesújfalu **H** 74 Gd34
Nyhammar **S** 44 Ga17
Nýidalur **IS** 15 Ca07
Nyírábrány **H** 75 Hc34
Nyiradony **H** 75 Hc33
Nyírbátor **H** 75 Hc33
Nyírbéltek **H** 75 Hc33
Nyíregyháza **H** 75 Hc33
Nyírmada **H** 75 Hc33
Nyírtelek **H** 75 Hc33
Nykøbing F **DK** 49 Fc24
Nykøbing M **DK** 48 Fa21
Nykøbing S **DK** 49 Fc23
Nyköping **S** 45 Gc19
Nykroppa **S** 44 Ga18
Nykvarn **S** 45 Gc18
Nyland **S** 39 Gc13
Nymburk **CZ** 65 Ga30
Nynäshamn **S** 45 Gc19
Nyneset **N** 32 Fd11
Nyon **CH** 71 Eb35
Nyons **F** 82 Ea38
Nýřany **CZ** 65 Fd31
Nyrud **N** 27 Hd05
Nysa **PL** 66 Gc30
Nysäter **S** 43 Fd18
Nystad **FIN** 40 Ha16
Nysted **DK** 49 Fc24
Nyvoll **N** 26 Ha04
Nyži Sirohozy **UA** 126 Fa16
Nyžni Torhaji **UA** 126 Fa16
Nyžni Vorota **UA** 67 Hd32
Nyžn'ohirs'kyj **UA** 126 Fa17

O

Oakham **GB** 25 Db26
Oban **GB** 16 Cd20
O Barco **E** 78 Bb37
Obbnäs **FIN** 46 Hc17
Obbola **S** 34 Gd12
Öbektaş **TR** 128 Gc15
Obeliai **LT** 53 Ja22
Oberammergau **D** 72 Fb34
Oberhausen **D** 55 Ec28
Oberkirch **D** 63 Ed32
Obernai **F** 63 Ec32
Obernburg **D** 64 Fa31
Oberndorf **A** 73 Fd33
Oberndorf **D** 71 Ed33
Oberpullendorf **A** 74 Gc34
Oberstdorf **D** 72 Fa34
Obertyn **UA** 76 Ja32
Oberviechtach **D** 64 Fc31
Oberwart **A** 73 Gb34
Óbidos **P** 90 Ac41

Obninsk **RUS** 117 Ed11
Obodivka **UA** 77 Ka32
Obojan' **RUS** 122 Fa13
Obolon' **UA** 121 Ed15
Oborniki **PL** 58 Gc27
Oborniki Śląskie **PL** 66 Gc29
Oborowo **PL** 58 Gd27
Obory **CZ** 65 Ga31
Obrenovac **SRB** 87 Hb38
Obrež **HR** 73 Gb36
Obrovac **HR** 85 Gb38
Obruk **TR** 128 Gc15
Obsza **PL** 67 Hc30
Obzor **BG** 89 Ka39
Obžyle **UA** 77 Ka32
Očakiv **UA** 125 Ed17
Ocaña **E** 92 Bd41
Očeretuvate **UA** 126 Fa16
Ochsenfurt **D** 64 Fa31
Ochsenhausen **D** 72 Fa33
Ochtrup **D** 55 Ed27
Ochtyrka **UA** 121 Ed14
Ocieka **PL** 67 Hb30
Ockelbo **S** 38 Gb16
Ocland **RO** 76 Jb35
Ocna Mureş **RO** 76 Ja35
Ocna Sibiului **RO** 88 Ja36
Ocnele Mari **RO** 88 Ja37
Ocnița **MD** 76 Jc32
Ocoliş **RO** 75 Hd35
Ödåkra **S** 49 Fd22
Odda **N** 42 Ed17
Odden Færgehavn **DK** 49 Fc23
Odder **DK** 49 Fb23
Odeceixe **P** 104 Ab43
Odemira **P** 104 Ab43
Ödemiş **TR** 113 Kb45
Odensbacken **S** 44 Gb18
Odense **DK** 49 Fb23
Oderzo **I** 72 Fc36
Odesa **UA** 77 Kb34
Odesa **UA** 125 Ec17
Odincovo **RUS** 117 Ed10
Odobasca **RO** 88 Jc36
Odobeşti **RO** 77 Jd35
Odolanów **PL** 66 Gc29
Odoorn **NL** 55 Ec27
Odorheiu Secuiesc **RO** 76 Jb35
Odry **CZ** 66 Gd31
Odrzywół **PL** 58 Ha28
Ødsted **DK** 49 Fb23
Odžaci **SRB** 86 Ha37
Odžak **BIH** 86 Gd37
Oebisfelde **D** 56 Fb27
Öekény **H** 74 Ha34
Oelsnitz **D** 64 Fc30
Oettingen **D** 64 Fb32
Oetz **A** 72 Fb34
Offenbach **D** 63 Ed30
Offenburg **D** 63 Ed32
Ogošte **RKS** 87 Hc40
Ogre **LV** 53 Hd21
Ogrodniki **PL** 59 Hc25
Ogrodzieniec **PL** 67 Ha30

Ogulin HR 85 Gb37
Ohrid MK 101 Hc42
Öhringen D 64 Fa32
Oijärvi FIN 35 Hc09
Oikarainen FIN 31 Hc08
Oisemont F 62 Dc30
Oitti FIN 40 Hc16
Öja FIN 34 Hb12
Öje S 38 Ga16
Öjebyn S 34 Ha10
Ojos Negros E 93 Cb41
Ojrzeń PL 58 Ha27
Öjung S 38 Gb15
Okartowo PL 59 Hb25
Okehampton GB 23 Cc28
Okkelberg N 37 Fc13
Okovcy RUS 117 Ec10
Okrzeja PL 59 Hc28
Oksbøl DK 48 Fa23
Øksfjord N 26 Gd04
Okstad N 37 Fc13
Oktjabr'sk RUS 119 Ga10
Oktjabr'skij RUS 123 Fd14
Okučani HR 86 Gc37
Okulovka RUS 117 Ec09
Ólafsfjörður IS 15 Ca05
Ólafsvík IS 14 Bb05
Olaine LV 52 Hc21
Olargues F 81 Dc38
Oława PL 66 Gc29
Olbernhau D 65 Fd30
Olbia I 96 Ed42
Oldeide N 36 Ed14
Olden N 36 Fa15
Olden S 33 Ga12
Oldenburg D 55 Ed26
Oldenburg in Holstein D 56 Fb25
Oldenzaal NL 55 Ec27
Olderdalen N 26 Gd05
Olderfjord N 27 Hb03
Oldervik N 26 Gc04
Oldham GB 21 Da24
Oldmeldrum GB 17 Db19
Olecko PL 59 Hc25
Oleggio I 71 Ed36
Oleiros P 90 Ad40
Oleksandrija UA 121 Ed15
Oleksandrivka MD 77 Kb32
Oleksandrivka UA 121 Ed15
Oleksandrivka UA 121 Ed15
Oleksandrivka UA 122 Fb15
Oleksandrivka UA 125 Ed17
Ølen N 42 Ed17
Olenino RUS 117 Ec10
Olenivka UA 125 Ed17
Oleśnica PL 66 Gc29
Olesno PL 66 Gd29
Oleszno PL 67 Ha29
Oleszyce PL 67 Hd30
Olevs'k UA 121 Eb14
Olfen D 55 Ed28
Ølgod DK 48 Fa23
Olhão P 104 Ac44
Olhava FIN 35 Hc10
Ol'hi RUS 118 Fb11

Ol'hovatka RUS 122 Fb13
Ol'hovka RUS 123 Fd13
Oliena I 97 Ed43
Olimbía GR 110 Hd47
Olimp RO 89 Ka37
Olimpiáda RO 102 Jb42
Olite E 80 Cb39
Oliva E 94 Cc44
Oliva de la Frontera E 105 Ad43
Oliveira de Azeméis P 78 Ad39
Oliveira do Hospital P 90 Ad40
Olivenza E 90 Ad42
Olivet F 62 Dc32
Olkusz PL 67 Ha30
Ollerton GB 25 Db25
Olmedo E 79 Bc39
Olmeto F 96 Ed41
Olofström S 50 Ga22
Olomouc CZ 66 Gc31
Oloron-Sainte-Marie F 80 Cc38
Olot E 81 Db40
Olovo BIH 86 Gd38
Olpe D 63 Ed29
Ol'ša RUS 117 Ec11
Olsberg D 63 Ed29
Olshammar S 44 Ga19
Olszamy PL 59 Hd28
Olszanka PL 59 Hc25
Olsztyn PL 58 Ha25
Olsztynek PL 58 Ha26
Olszyna PL 57 Ga28
Oltedal N 42 Ed18
Olten CH 71 Ed34
Olteniţa RO 89 Jd38
Oltina RO 89 Jd37
Oltu TR 127 Ga19
Oltuš BY 59 Hd28
Olukpınar TR 128 Gb17
Olur TR 127 Ga19
Olustvere EST 47 Hd19
Ólvega E 80 Cb40
Olvera E 105 Ba45
Ólymbos GR 115 Kb48
Omagh GB 20 Cb22
Omalí GR 101 Hc43
Omarska BIH 86 Gc37
Omegna I 71 Ed36
Omiš HR 86 Gc39
Ommen NL 55 Ec27
Omurtag BG 89 Jd39
Onda E 93 Cc42
Ondarroa E 80 Cb37
Oneşti RO 76 Jc35
Onich GB 16 Cd20
Ontinyent E 107 Cb44
Ontojoki FIN 35 Ja11
Ontur E 107 Ca44
Onuškis LT 53 Hd22
Oostburg NL 54 Ea28
Oostende B 54 Dd28
Oosterend NL 55 Eb26
Oosterhout NL 55 Eb28

Oosterwolde NL 55 Ec26
Oostkapelle NL 54 Ea28
Oost-Vlieland NL 55 Eb26
Opaka BG 88 Jc38
Oparić SRB 87 Hc39
Opatija HR 85 Ga37
Opatów PL 66 Gd29
Opatów PL 67 Hb29
Opava CZ 66 Gd31
Ope S 38 Ga13
Opišnja UA 121 Ed14
Opličići BIH 86 Gd40
Opočka RUS 53 Jb21
Opoczno PL 67 Ha29
Opole PL 66 Gd30
Opol'e RUS 47 Jb17
Opole Lubelskie PL 67 Hc29
Opovo SRB 87 Hb37
Oppdal N 37 Fb14
Oppenheim D 63 Ed31
Opuzen HR 86 Gd40
Ora I 72 Fb35
Oradea RO 75 Hc34
Orahova BIH 86 Gc37
Orahovac RKS 87 Hb40
Orahovačko Polje BIH 86 Gd38
Orahovica BIH 86 Gd38
Orahovica HR 86 Gd37
Oraison F 82 Ea38
Orajärvi FIN 30 Hb08
Orange F 82 Dd38
Oranienburg D 57 Fd27
Oranmore IRL 18 Bd23
Orăştie RO 75 Hd36
Oraşu Nou RO 75 Hd33
Oravainen FIN 40 Ha13
Oraviţa RO 87 Hc37
Oravská Lesná SK 67 Ha31
Oravská Polhora SK 67 Ha31
Oravský Podzámok SK 67 Ha31
Orbassano I 83 Ec37
Orbeasca RO 88 Jb38
Orbec F 61 Db31
Orbetello I 98 Fb41
Örbyhus S 45 Gc17
Orce E 106 Bd45
Orchowo PL 58 Gd27
Orcières F 83 Eb37
Ordes E 78 Ba36
Ordu TR 127 Fc19
Orduña E 79 Ca38
Ordžonikidze UA 126 Fa16
Ordžonikidzevskij RUS 127 Ga17
Orea E 93 Cb41
Orebić HR 86 Gc40
Örebro S 44 Ga19
Oredež RUS 117 Eb09
Öregrund S 45 Gc17
Orehovno RUS 47 Jb18
Orehovo-Zuevo RUS 118 Fa10
Orel RUS 47 Ja18

Orel RUS 121 Ed12
Ören TR 113 Kb46
Orense E 78 Ba37
Orestiada GR 103 Jd41
Öreström S 33 Gc12
Orford GB 25 Dc27
Organyà E 81 Da40
Orgaz E 92 Bd42
Orgelet F 70 Ea35
Órgiva E 106 Bc45
Orgosolo I 97 Ed43
Orhei MD 77 Ka33
Orhomenós GR 111 Ja45
Oria E 106 Bd45
Orichiv UA 126 Fa16
Orihuela E 107 Cb44
Orijahovo BG 88 Ja38
Orimattila FIN 41 Hd16
Ório GR 112 Jb45
Oriolo I 99 Gc44
Orissaare EST 46 Hb19
Oristano I 97 Ec44
Öriszentpéter H 74 Gc35
Orivesi FIN 40 Hc15
Ørje N 43 Fc18
Orkanger N 37 Fc13
Örkelljunga S 49 Fd22
Orlea RO 88 Jb38
Orléans F 62 Dc32
Orleşti RO 88 Ja37
Orlivka UA 89 Ka36
Orlja BY 59 Hd25
Orlov Gaj RUS 123 Ga12
Orlovskij RUS 123 Fd15
Orly F 62 Dc31
Ormea I 83 Ec38
Órmos Panórmou GR 112 Jc46
Ormož SLO 73 Gb35
Ormskirk GB 21 Da24
Ornans F 71 Eb34
Ørnes N 28 Ga08
Orneta PL 58 Ha25
Örnsköldsvik S 39 Gc13
Oropesa E 91 Bb41
Orosei I 97 Ed43
Orosháza H 75 Hb35
Oroszlány H 74 Gd34
Orpesa E 93 Cc42
Orrefors S 50 Gb22
Orrliden S 38 Fd16
Orrviken S 38 Ga13
Orša BY 121 Eb12
Orsa S 38 Ga16
Oršac BIH 85 Gb38
Orşova RO 87 Hd37
Ørsta N 36 Ed14
Örsundsbro S 45 Gc18
Ortakaraören TR 128 Ga16
Ortakent TR 113 Kb46
Ortaklar TR 113 Kb45
Ortaköy TR 103 Jd42
Ortaköy TR 127 Ga19
Orta Nova I 99 Gb42
Orta San Giulio I 71 Ed36
Orte I 98 Fc41

Orthez F 80 Cc38
Ortigueira E 78 Ba36
Ortisei I 72 Fc35
Ortnevik N 36 Ed15
Orto F 96 Ed41
Ortona I 99 Ga41
Ortrand D 65 Fd29
Orvault F 68 Cd33
Orvieto I 84 Fc40
Orzesze PL 66 Gd30
Orzinuovi I 84 Fa37
Orživ UA 120 Ea14
Oržycja UA 121 Ed15
Orzysz PL 59 Hb25
Os N 37 Fc14
Osby S 50 Ga22
Oschatz D 65 Fd29
Oschersleben D 56 Fc28
Oschiri I 97 Ed43
Ose N 42 Fa18
Osečina SRB 86 Ha38
Osen N 32 Fc11
Osenovlag BG 88 Ja39
Osieczna PL 58 Gc28
Osieczno PL 57 Gb27
Osiek PL 58 Gd26
Osijek HR 74 Ha36
Osimo I 85 Fd39
Osinów PL 57 Ga27
Osjaków PL 66 Gd29
Osječenica MNE 86 Ha40
Oskarshamn S 50 Gb21
Oskarström S 49 Fd22
Os'kino RUS 122 Fb13
Oslo N 43 Fc17
Os'mino RUS 47 Jb18
Ösmo S 45 Gc19
Osmolda UA 76 Ja32
Osnabrück D 55 Ed27
Ośno Lubuskie PL 57 Ga27
Osor HR 85 Ga38
Osorno la Mayor E 79 Bd38
Osøyro N 42 Ed17
Oss NL 55 Eb28
Ossa de Montiel E 92 Bd43
Östansjö S 44 Ga19
Ostaškov RUS 117 Ec10
Ostatija SRB 87 Hb39
Östavall S 38 Gb14
Østby N 37 Fd16
Osterburg D 56 Fc27
Osterburken D 64 Fa31
Österbybruk S 45 Gc17
Österbymo S 44 Gb20
Österforse S 38 Gb13
Osterhofen D 65 Fd32
Osterholz-Scharmbeck D 56 Fa26
Øster Hurup DK 49 Fb21
Osterode D 56 Fb28
Östersund S 38 Ga13
Östervåla S 45 Gc17
Östhammar S 45 Gc17
Östmark S 44 Fd17
Ostra RO 76 Jb33
Ostrava CZ 66 Gd31
Ostren i madhë RKS 100 Hb42
Ostritz D 65 Ga29
Ostróda PL 58 Ha26
Ostrogožsk RUS 122 Fb13
Ostroh UA 120 Ea15
Ostrołęka PL 59 Hb26
Ostrov CZ 65 Fd30
Ostrov RO 89 Jd37
Ostrov RO 89 Ka36
Ostrov RUS 47 Jb20
Ostrowice PL 57 Gb26
Ostrowiec Świętokrzyski PL 67 Hb29
Ostrowieczno PL 58 Gc28
Ostrowite PL 58 Gd27
Ostrów Lubelski PL 59 Hc28
Ostrów Mazowiecka PL 59 Hb27
Ostrów Wielkopolski PL 58 Gc28
Ostrožac BIH 85 Gb37
Ostrzeszów PL 66 Gd29
Ostuni I 100 Gd43
Ostvik S 34 Gd11
Osuna E 105 Bb44
Oswestry GB 24 Cd25
Oświęcim PL 67 Ha30
Osypenko UA 126 Fb16
Otaci MD 77 Jd32
Otanmäki FIN 35 Hd11
Oțelu Roșu RO 75 Hd36
Otepää EST 47 Ja19
Oteren N 26 Gc05
Oteștii de Jos RO 88 Ja37
Otišić HR 86 Gc39
Otnes N 37 Fc15
Otok HR 86 Gc39
Otok HR 86 Ha37
Otorowo PL 57 Gb27
Otradnaja RUS 127 Fd17
Otradnyj RUS 119 Ga10
Otranto I 100 Ha44
Otrokovice CZ 66 Gc32
Otta N 37 Fb15
Ottenby S 50 Gb22
Otterbäcken S 44 Ga19
Otterburn GB 21 Db22
Otterndorf D 56 Fa25
Otterup DK 49 Fb23
Ottobrunn D 72 Fc33
Otwock PL 59 Hb28
Otynja UA 76 Ja32
Ouddorp NL 54 Ea28
Oudenaarde B 62 Ea29
Oude Pekela NL 55 Ed26
Oughterard IRL 18 Bd23
Ouistreham F 61 Da30
Oulainen FIN 35 Hc11
Oulu FIN 35 Hc10
Oulunsalo FIN 35 Hc10
Oundle GB 25 Db26
Ouranoúpoli GR 102 Jb43
Ourense E 78 Ba37
Ourique P 104 Ac43
Outakoski FIN 27 Hb04
Outokumpu FIN 41 Ja13
Ouzouer-sur-Loire F 69 Dc33
Ovacık TR 127 Ga19
Ovacık TR 128 Gc17
Ovada I 83 Ed38
Ovanåker S 38 Gb15
Ovar P 78 Ad39
Ovča SRB 87 Hb37
Overath D 63 Ec29
Øverdalen N 36 Fa14
Øvergård N 26 Gc05
Överhörnäs S 39 Gc13
Överkalix S 34 Ha09
Överlida S 49 Fd21
Övermark FIN 40 Ha14
Overpelt B 63 Eb29
Övertorneå S 34 Hb09
Överturingen S 38 Ga14
Överum S 44 Gb20
Ovidiopol' UA 77 Kb34
Ovidiopol' UA 125 Ec17
Ovidiu RO 89 Ka37
Oviedo E 79 Bc37
Øvre Årdal N 36 Fa15
Øvre Rendal N 37 Fc15
Övre Soppero S 29 Gd06
Ovruč UA 121 Eb14
Owińska PL 58 Gc27
Oxelösund S 45 Gc19
Oxford GB 24 Da27
Oxie S 49 Fd23
Øye N 36 Fa16
Oyonnax F 70 Ea35
Øyslebø N 42 Fa20
Oyten D 56 Fa26
Ozalj HR 85 Gb37
Ożarów PL 67 Hb29
Özbaşı TR 113 Kb46
Ózd H 75 Hb33
Ožd'any SK 74 Ha33
Ożenna PL 67 Hb31
Ožerel'e RUS 118 Fa11
Ozerki RUS 119 Fc09
Ozerki RUS 119 Fd10
Ozerki RUS 119 Fd11
Ozersk RUS 59 Ha25
Ozery RUS 118 Fa11
Ozieri I 97 Ed43
Ozimek PL 66 Gd30
Ozorków PL 58 Ha28

P

Paakkola FIN 34 Hb09
Paavola FIN 35 Hc11
Pabianice PL 58 Ha28
Pabradė LT 53 Ja23
Pačelma RUS 119 Fc11
Pachino I 109 Ga48
Pacov CZ 65 Ga31
Pacy-sur-Eure F 62 Dc31
Paczków PL 66 Gc30
Padarosk BY 59 Hd26
Padasjoki FIN 40 Hc15
Padej SRB 75 Hb36
Paderborn D 56 Fa28
Padina RO 89 Jd37
Padova I 84 Fc37
Padrón E 78 Ad36
Padstow GB 23 Cb28
Padsville BY 53 Jb23
Padul E 106 Bc45
Pafos CY 128 Ga19
Pag HR 85 Ga38
Pagėgiai LT 52 Hb24
Pagelažiai LT 53 Hd23
Pagny-sur-Moselle F 63 Eb32
Pahraničny BY 59 Hd26
Paide EST 47 Hd18
Paignton GB 23 Cc28
Paimbœuf F 60 Cc32
Paimio FIN 40 Hb16
Paimpol F 60 Cc30
Paisley GB 20 Cd21
Paitasjärvi S 29 Ha06
Păiușeni RO 75 Hc35
Pajala S 30 Ha08
Pajęczno PL 66 Gd29
Páka H 74 Gc35
Pakrac HR 86 Gc37
Pakruojis LT 52 Hc22
Paks H 74 Ha35
Palačany BY 53 Jb24
Palafrugell E 81 Dc40
Palagonia I 109 Ga47
Palaichori CY 128 Gb19
Palaiseau F 62 Dc31
Palamás GR 101 Hd44
Palamós E 81 Dc40
Palanga LT 52 Ha23
Palárikovo SK 74 Gd33
Palas de Rei E 78 Ba37
Palatna RKS 87 Hc40
Palau I 96 Ed42
Palazzolo Acreide I 109 Ga48
Palazzolo sull'Oglio I 72 Fa36
Paldiski EST 46 Hc18
Pale BIH 86 Gd39
Paleh RUS 118 Fb09
Palékastro GR 115 Ka49
Palencia E 79 Bd39
Paleohóra GR 114 Jb49
Paleohóri GR 101 Hd44
Paleokastrítsa GR 100 Hb44
Paleópoli GR 102 Jc42
Paleópoli GR 112 Jc46
Palermo I 108 Fd46
Palestrina I 98 Fc41
Pálháza H 67 Hc32
Paligrad MK 101 Hc41
Palin H 74 Gc35
Palinuro I 99 Gb44
Paliochori GR 111 Jc47
Palioúri GR 102 Jb43
Paliouriá GR 101 Hd44
Páliros GR 111 Ja48

Perísta GR 110 Hd45
Perithóri GR 110 Hd46
Perivólia GR 111 Ja47
Perleberg D 56 Fc26
Perloja LT 59 Hd25
Perloja LT 59 Hd25
Pernik BG 102 Ja40
Perniö FIN 46 Hb17
Pernitz A 73 Gb33
Péronne F 62 Dd30
Perpignan F 81 Db39
Perros-Guirec F 60 Cc30
Persbo S 44 Ga17
Perstorp S 49 Fd22
Perth GB 17 Da20
Pertoúli GR 101 Hd44
Pertteli FIN 40 Hb16
Pertuis F 82 Ea38
Pertunmaa FIN 41 Hd15
Perugia I 84 Fc40
Perušić HR 85 Gb38
Pervomaisc MD 77 Kb34
Pervomajs'k MD 77 Kb32
Pervomajsk RUS 119 Fc10
Pervomajs'k UA 125 Ec16
Pervomajskij RUS 118 Fb11
Pervomajskoe RUS 41 Jb16
Pervomajskoe RUS 119 Ga11
Pervomajs'kyj UA 122 Fa14
Pesaro I 84 Fc39
Pesčanokopskoe RUS 127 Fd16
Pescara I 99 Ga41
Pescasseroli I 98 Fd41
Peschiera del Garda I 84 Fb37
Pescia I 84 Fb39
Pescina I 98 Fd41
Pesco Sannita I 99 Ga42
Peshkopi AL 100 Hb41
Pesiökylä FIN 35 Hd10
Pesmes F 71 Eb34
Pesočani MK 101 Hc42
Peso da Régua P 78 Ba39
Pessac F 68 Cd36
Peštera BG 102 Jb41
Peştişani RO 87 Hd37
Pestovo RUS 117 Ec09
Pestravka RUS 119 Ga10
Petäiskylä FIN 35 Ja12
Petäjäskoski FIN 34 Hb09
Petäjävesi FIN 40 Hc14
Petalax Petolahti FIN 40 Ha13
Petalidi GR 110 Hd47
Peterborough GB 25 Db26
Peterhead GB 17 Dc19
Peterlee GB 21 Db23
Petersfield GB 24 Da28
Petilia Policastro I 109 Gc45
Petín E 78 Bb37
Pet'ki BY 59 Hd27
Petkula FIN 31 Hc07
Petra GR 113 Jd44
Petralia-Sottana I 108 Fd47
Petran AL 100 Hb43
Petreni MD 77 Jd32
Petrič BG 101 Ja42
Petrila RO 88 Ja36
Petrinja HR 85 Gb37
Petrivka MD 77 Kb33
Petrivka UA 77 Ka34
Petrivka UA 121 Ec14
Petropavlivka UA 122 Fa15
Petropavlovka RUS 123 Fc13
Petroşani RO 88 Ja36
Petrova RO 76 Ja33
Petrovac SRB 87 Hc38
Petrovice CZ 65 Ga31
Petrovo RUS 117 Ec09
Petrovsk RUS 119 Fd11
Petrovskoe RUS 41 Jb15
Petrovskoe RUS 118 Fa09
Petrovskoe RUS 122 Fb12
Petrykav BY 121 Eb13
Petsikko FIN 27 Hc04
Petsmo FIN 40 Ha13
Petuški RUS 118 Fa10
Peuilly-sur-Claise F 69 Db34
Peurasuvanto FIN 31 Hc06
Peyrat-le-Château F 69 Db35
Peyrehorade F 80 Cc37
Pézenas F 81 Dc38
Pezens F 81 Db38
Pezinok SK 74 Gc33
Pfaffenhofen D 72 Fc33
Pfarrkirchen D 73 Fd33
Pforzheim D 63 Ed32
Pfronten D 72 Fb34
Pfullendorf D 72 Fa33
Pfungstadt D 63 Ed31
Phals-bourg F 63 Ec32
Philippeville B 62 Ea30
Piacenza I 84 Fa37
Piana di Albanesi I 108 Fd46
Pias P 105 Ad43
Piaseczno PL 59 Hb28
Piasek PL 66 Gd30
Piaski PL 67 Hc29
Piątek PL 58 Ha28
Piatra RO 88 Jb38
Piatra-Neamţ RO 76 Jc34
Piatra-Olt RO 88 Ja38
Piazza Armerina I 109 Ga47
Pičaevo RUS 118 Fb11
Pickering GB 21 Db24
Picquigny F 62 Dc30
Piedimonte Matese I 99 Ga42
Piedrabuena E 91 Bc42
Piedrahita E 91 Bb40
Piekary Śląskie PL 66 Gd30
Pieksämäki FIN 41 Hd14
Pielavesi FIN 35 Hd12
Pieniężno PL 58 Ha25
Pienza I 84 Fb40
Pierre-Buffière F 69 Db35
Pierre-de-Bresse F 70 Ea34
Pierrefonds F 62 Dd31
Pierrefort F 69 Dc36
Pierrelatte F 82 Dd37
Piešt'any SK 66 Gd32
Pieszyce PL 66 Gc30
Pietarsaari FIN 34 Ha12
Pietrasanta I 84 Fa39
Pietroşani RO 88 Jc38
Pieve di Cadore I 72 Fc35
Pieve San Stefano I 84 Fc39
Pigés GR 101 Hc44
Pihtipudas FIN 35 Hc12
Piippola FIN 35 Hc11
Pikalevo RUS 117 Ec08
Pikasilla EST 47 Hd19
Piła PL 58 Gc26
Pilas E 105 Ad44
Pilawa PL 59 Hb28
Pilgrimstad S 38 Ga13
Pilis H 74 Ha34
Pilisvörösvár H 74 Ha34
Pílos GR 110 Hd47
Piltene LV 52 Hb21
Pilvlškiai LT 52 Hc24
Pilzno PL 67 Hb30
Pimpiö S 30 Ha08
Pınarbaşi TR 128 Gb16
Pınarcık TR 113 Kb46
Pinarello F 96 Ed41
Pınarhisar TR 103 Ka41
Pincehely H 74 Gd35
Pinczów PL 67 Hb30
Pinerolo I 83 Ec37
Pineto I 85 Fd40
Piney F 62 Ea32
Þingeyri IS 14 Bc04
Pinhão P 78 Ba39
Pinhel P 78 Ba39
Pinkafeld A 73 Gb34
Pinneberg D 56 Fb26
Pino F 96 Ed40
Pinoso E 107 Cb44
Pinos-Puente E 106 Bc45
Pinsk BY 120 Ea14
Pintamo FIN 35 Hd09
Pinto E 92 Bd41
Pioltikasvaara S 29 Gd07
Piombino I 84 Fa40
Pionerskij RUS 52 Ha24
Pionki PL 59 Hb28
Piotrków Trybunalski PL 67 Ha29
Pipirig RO 76 Jb34
Pipriac F 61 Cd32
Piran SLO 85 Fd37
Pirčiupiai LT 53 Hd24
Pirdop BG 102 Jb40
Pireás GR 112 Jb46
Pirgadíkia GR 102 Jb43
Pirgí GR 100 Hb44
Pirgío GR 113 Jd45
Pírgos GR 110 Hd47
Pirin BG 101 Ja41
Pirki BY 121 Ec14
Pirkkala FIN 40 Hb15
Pirmasens D 63 Ec31
Pirna D 65 Ga29
Pirot SRB 87 Hd39
Pirovac HR 85 Gb39
Pirsógiani GR 101 Hc43
Pirttikoski FIN 31 Hc08
Pirttikylä FIN 40 Ha14
Pirttimäki FIN 35 Hd11
Pisa I 84 Fa39
Pišča UA 59 Hd28
Piščana UA 77 Ka32
Piščanka UA 77 Jd32
Pisciotta I 99 Gb44
Piscu RO 89 Jd36
Písek CZ 65 Ga32
Pisogne I 72 Fa36
Píso Livádi GR 115 Jd47
Pissos F 80 Cd37
Pissouri CY 128 Gb19
Pisticci I 99 Gc43
Pistoia I 84 Fb39
Pisz PL 59 Hb26
Piteå S 34 Ha10
Pitelino RUS 118 Fb10
Piteşti RO 88 Jb37
Pithiviers F 62 Dc32
Pitigliano I 84 Fb40
Pitkälahti FIN 41 Hd13
Pitkovo RUS 41 Jb15
Pitlochry GB 17 Da20
Pitomača HR 74 Gc36
Pitvaros H 75 Hb35
Pivka SLO 73 Ga36
Piwniczna-Zdrój PL 67 Hb31
Pižma RUS 119 Fc08
Pizzighettone I 84 Fa37
Pizzo I 109 Gb45
Pizzoli I 98 Fd41
Pjaozero RUS 35 Ja09
Pjatigorsk RUS 127 Ga17
P'jatychatky UA 121 Ed15
Plabennec F 60 Cb30
Pláka GR 102 Jc43
Plakotí GR 101 Hc44
Planá nad Labem CZ 65 Ga32
Plancoët F 61 Cd31
Plandište SRB 87 Hc37
Plan-du-Var F 83 Eb38
Plášťovce SK 74 Gd33
Plasencia E 91 Bb41
Plaški HR 85 Gb37
Platamónas GR 101 Ja43
Platamónas GR 102 Jb42
Plataniá GR 101 Ja44
Platánia GR 110 Hd47
Plátanos GR 110 Hd45
Plátanos GR 114 Jb49
Platariá GR 100 Hb44
Platís Gialós GR 111 Jc47
Platís Gialós GR 113 Jd46
Plattling D 65 Fd32
Plau D 56 Fc26
Plauen D 64 Fc30
Plav MNE 87 Hb40
Plavecký Mikuláš SK 74 Gc33
Pļaviņas LV 53 Hd21

Plavsk RUS 118 Fa11
Plélan-le-Grand F 61 Cd31
Pléneuf-Val-André F 60 Cc31
Pleščanicy BY 53 Jb24
Pleščanicy BY 120 Ea12
Plešin SRB 87 Hb39
Plešivec SK 67 Hb32
Plestin-les-Grèves F 60 Cc30
Pleszew PL 58 Gc28
Pleternica HR 86 Gd37
Pleven BG 88 Jb39
Pleyben F 60 Cb31
Plisa BY 53 Jb23
Pliska BG 89 Jd38
Plitvička Jezera HR 85 Gb37
Pljevlja MNE 86 Ha39
Pljussa RUS 47 Jb18
Ploče HR 86 Gd40
Plochingen D 64 Fa32
Płock PL 58 Ha27
Plodovoe RUS 41 Jb15
Ploemeur F 60 Cb32
Ploërmel F 60 Cc32
Plœuc-sur-Lié F 60 Cc31
Ploiești RO 88 Jc37
Plomári GR 113 Jd44
Plombières-les-Bains F 71 Eb33
Plön D 56 Fb25
Plonéour-Lanvern F 60 Cb31
Płońsk PL 58 Ha27
Plopana RO 76 Jc34
Plopeni RO 89 Ka37
Plopi RO 87 Hd37
Plopii-Slăvitești RO 88 Jb38
Plopșoru RO 88 Ja37
Ploske UA 67 Hd32
Ploski PL 59 Hc26
Ploskoš' RUS 117 Eb10
Płoty PL 57 Gb26
Plouagat F 60 Cc31
Plouay F 60 Cc31
Ploudalmézeau F 60 Cb30
Plouescat F 60 Cb30
Plougasnou F 60 Cb30
Plouguerneau F 60 Cb30
Plouha F 60 Cc31
Plovdiv BG 102 Jb40
Plozévet F 60 Cb31
Plungė LT 52 Hb23
Pluvigner F 60 Cc32
Plužine MNE 86 Ha40
Płużnica PL 58 Gd26
Plymouth GB 23 Cc28
Plzeň CZ 65 Fd31
Pniewy PL 57 Gb27
Pobedino RUS 52 Hc24
Pobiedziska PL 58 Gc27
Pobierowo PL 57 Ga25
Počep RUS 121 Ed12
Počinok RUS 121 Ec12
Počitelj BIH 86 Gd40
Pocking D 73 Fd33
Pocola RO 75 Hc35
Pocrovca MD 77 Jd32
Pocsaj H 75 Hc34
Podberez'e RUS 47 Jb20
Podberez'e RUS 117 Eb09
Podberez'e RUS 117 Eb10
Podbořanský Rohozec CZ 65 Fd30
Podbořany CZ 65 Fd30
Podborov'e RUS 47 Jb19
Podbožur MNE 86 Ha40
Poddor'e RUS 117 Eb10
Poděbrady CZ 65 Ga30
Podgora HR 86 Gc40
Podgorac SRB 87 Hc38
Podgorenskij RUS 122 Fb13
Podgorica MNE 100 Ha41
Podil UA 121 Ed14
Podil's'ke UA 76 Jc32
Podkova BG 102 Jc41
Podlesnoje RUS 119 Fd11
Podoleš'e RUS 47 Jb18
Podol'sk RUS 117 Ed10
Podrašnica BIH 86 Gc38
Podromanija BIH 86 Ha39
Podsnežnoe RUS 119 Fd11
Podu Iloaiei RO 76 Jc33
Podujevo RKS 87 Hc40
Podu Turcului RO 77 Jd35
Pogana RO 77 Jd35
Pogar RUS 121 Ed13
Poggibonsi I 84 Fb39
Poggio Mirteto I 98 Fc41
Pogoanele RO 89 Jd36
Pogradec AL 101 Hc42
Pohja FIN 46 Hb17
Pohjaslahti FIN 35 Hc09
Pohlois-li FIN 35 Hc10
Pohoarna MD 77 Jd32
Pohořelice CZ 66 Gc32
Pohrebyšče UA 121 Eb15
Poiana Lacului RO 88 Jb37
Poiana Largului RO 76 Jb34
Poiana Mare RO 87 Hd38
Poiana Mărului RO 75 Hd36
Poiana Stampei RO 76 Jb34
Poibrene BG 102 Ja40
Pöide EST 46 Hb19
Poienile de Sub Munte RO 76 Ja33
Poissy F 62 Dc31
Poitiers F 69 Da34
Poix-de-Picardie F 62 Dc30
Pojo FIN 46 Hb17
Pokka FIN 30 Hb06
Pokrov RUS 118 Fa10
Pokrovskaja Arčada RUS 119 Fc11
Pokrovs'ke UA 122 Fa15
Pokrovs'ke UA 122 Fb14
Polack BY 117 Eb11
Pola de Laviana E 79 Bc37
Pola de Lena E 79 Bc37
Pola de Siero E 79 Bc37
Pola de Somiedo E 79 Bc37
Połajewo PL 58 Gc27
Połaniec PL 67 Hb30
Polanów PL 58 Gc25
Połczyn-Zdrój PL 57 Gb26
Polesella I 84 Fb37
Polessk RUS 52 Hb24
Polgár H 75 Hb33
Polgárdi H 74 Gd35
Poliçan AL 100 Hb43
Police PL 57 Ga26
Polička CZ 65 Gb31
Policoro I 99 Gc44
Polidámio GR 101 Ja44
Polígiros GR 101 Ja43
Polignano a Mare I 99 Gc42
Poligny F 71 Eb34
Polihnítos GR 113 Jd44
Polikastro GR 101 Hd42
Polímilos GR 101 Hd43
Polis CY 128 Ga19
Polis'ke UA 121 Eb14
Polistena I 109 Gb46
Poljana BG 103 Jd40
Poljany RUS 41 Jb16
Poljice BIH 86 Gd38
Polkowice PL 65 Gb29
Polla I 99 Gb43
Pollença E 95 Db43
Polmak N 27 Hc04
Polna RUS 47 Jb19
Pologi RO 88 Jc37
Pologoe Zajmišče RUS 123 Ga13
Polohy UA 126 Fb16
Polom SRB 87 Hb38
Polonne UA 121 Eb15
Polovragi RO 88 Ja37
Polski Trămbeš BG 88 Jc39
Poltava UA 121 Ed14
Põltsamaa EST 47 Hd19
Põlva EST 47 Ja19
Polvijärvi FIN 41 Ja13
Polyantho GR 102 Jc42
Pomarance I 84 Fb39
Pomarkku FIN 40 Ha15
Pombal P 90 Ac40
Pomezia I 98 Fc42
Pomorie BG 89 Ka39
Pomos CY 128 Gb19
Pompey F 63 Eb32
Ponferrada E 78 Bb37
Poniatowa PL 67 Hc29
Ponikiew Mała PL 59 Hb27
Ponoarele RO 87 Hd37
Ponoševac RKS 100 Hb41
Pons F 68 Cd35
Pontacq F 80 Cd38
Pontailler-sur-Saône F 70 Ea34
Pont-à-Mousson F 63 Eb32
Pontão P 90 Ad40
Pontarion F 69 Db35
Pontarlier F 71 Eb34
Pontassieve I 84 Fb39
Pont-Audemer F 61 Db30
Pontaumur F 69 Dc35
Pontcharra F 71 Eb36
Pontchâteau F 60 Cc32
Pont-d'Ain F 70 Ea35
Pont-de-Roide F 71 Ec34
Pont-de-Vaux F 70 Ea35
Ponteareas E 78 Ad37
Pontecorvo I 98 Fd42
Ponte da Barca P 78 Ad38
Ponte de Lima P 78 Ad38
Pontedera I 84 Fa39
Ponte de Sor P 90 Ad41
Pontedeume E 78 Ba36
Pontefract GB 21 Db24
Ponte Leccia F 96 Ed40
Pontenova Villaodriz E 78 Bb36
Pont-en-Royans F 82 Ea37
Ponte Tresa I 71 Ed36
Pontevedra E 78 Ad37
Pontgibaud F 69 Dc35
Pontivy F 60 Cc31
Pont-l'Abbé F 60 Cb31
Pont-l'Evêque F 61 Db30
Pontoise F 62 Dc31
Pontokerasiá GR 101 Ja42
Pontorson F 61 Cd31
Pontremoli I 84 Fa38
Pontresina CH 72 Fa35
Ponts E 81 Da40
Pont-Sainte-Maxence F 62 Dd31
Pont-Saint-Esprit F 82 Dd38
Pont-Saint-Vincent F 63 Eb32
Pont-sur-Yonne F 62 Dd32
Pontypool GB 24 Cd27
Ponza I 98 Fc43
Poole GB 24 Cd28
Popčevo MK 101 Hd42
Pope LV 52 Hb21
Poperinge B 62 Dd29
Popești RO 75 Hc34
Popielów PL 66 Gc30
Popoli I 98 Fd41
Popovača HR 86 Gc37
Popovići BIH 86 Gd38
Popovo BG 88 Jc39
Popovyči UA 67 Hd31
Popow PL 58 Gd28
Poppi I 84 Fb39
Poprad SK 67 Hb32
Popšica SRB 87 Hd39
Popsko BG 102 Jc41
Populonia I 84 Fa40
Porazava BY 59 Hd26
Porcuna E 106 Bc44
Pordenone I 72 Fc36
Pordim BG 88 Jb39
Porebeni MD 77 Ka33
Poreč HR 85 Fd37
Poreč'e RUS 47 Jb17
Porhov RUS 117 Eb10
Pori FIN 40 Ha15
Porjus S 29 Gd08
Þorlákshöfn IS 14 Bc07
Pornic F 68 Cc33

Póros – Pryazovs'ke

Póros **GR** 110 Hc46
Póros **GR** 111 Jb47
Porozina **HR** 85 Ga37
Porpliđča **BY** 53 Jb23
Porras **FIN** 40 Hc16
Porrentruy **CH** 71 Ec34
Porretta Terme **I** 84 Fb38
Porriño **E** 78 Ad37
Porsangermoen **N** 27 Hb04
Porsgrunn **N** 43 Fb18
Þórshöfn **IS** 15 Cc06
Portadown **GB** 20 Cc22
Portaferry **GB** 20 Cc23
Portalegre **P** 90 Ad41
Portarlington **IRL** 19 Cb24
Port Askaig **GB** 20 Cc21
Portavadie **GB** 20 Cd21
Porta Westfalica **D** 56 Fa27
Port d'Addaia **E** 95 Dc43
Port-de-Bouc **F** 82 Dd39
Port de Pollença **E** 95 Db43
Port d'es Torrent **E** 94 Cd44
Portel **P** 90 Ad42
Port Ellen **GB** 20 Cc21
Port-en-Bessin **F** 61 Da30
Port Erin **GBM** 20 Cd23
Port Grimaud **F** 83 Eb39
Porthcawl **GB** 23 Cc27
Portimão **P** 104 Ab43
Portimo **FIN** 35 Hc09
Portinatx **E** 94 Cd44
Port-Joinville **F** 68 Cc33
Port-la-Nouvelle **F** 81 Dc39
Port Laoise **IRL** 18 Ca24
Port-Louis **F** 60 Cc32
Portmeirion **GB** 24 Cd25
Portnacroish **GB** 16 Cd20
Portnahaven **GB** 20 Cc21
Port-Navalo **F** 60 Cc32
Porto **F** 96 Ed41
Porto **P** 78 Ad38
Porto Alto **P** 90 Ac41
Porto Azzurro **I** 84 Fa40
Porto Cervo **I** 96 Ed42
Porto Cesareo **I** 100 Gd43
Portocristo **E** 95 Db43
Porto da Balsa **P** 90 Ad40
Porto do Son **E** 78 Ad36
Porto Empedocle **I** 108 Fd47
Portoferraio **I** 84 Fa40
Portofino **I** 83 Ed38
Port of Ness **GB** 16 Cd17
Portogruaro **I** 72 Fc36
Pórto Koufós **GR** 102 Jb43
Pörtom **FIN** 40 Ha14
Portomaggiore **I** 84 Fc38
Portomarín **E** 78 Ba37
Porto Recanati **I** 85 Fd39
Portorož **SLO** 85 Fd37
Porto San Giorgio **I** 85 Fd40
Porto Sant'Elipido **I** 85 Fd40
Portoscuso **I** 97 Ec45
Porto Tolle **I** 84 Fc37
Porto Torres **I** 96 Ec42
Porto Vecchio **F** 96 Ed42

Portovenere **I** 84 Fa38
Porto Viro **I** 84 Fc37
Portpatrick **GB** 20 Cd22
Portree **GB** 16 Cd19
Portrush **GB** 20 Cc21
Port-Saint-Louis-du-Rhône **F** 82 Dd39
Portsalon **IRL** 19 Cb21
Pörtschach **A** 73 Ga35
Portsmouth **GB** 24 Da28
Portsoy **GB** 17 Db19
Port-sur-Saône **F** 71 Eb33
Port Talbot **GB** 23 Cc27
Portugalete **E** 79 Ca37
Portumna **IRL** 18 Ca24
Port-Vendres **F** 81 Dc40
Porvoo **FIN** 41 Hd16
Porzuna **E** 91 Bc42
Posadas **E** 105 Bb44
Poschiavo **CH** 72 Fa35
Posedarje **HR** 85 Gb38
Pošehon'e **RUS** 117 Ed08
Posio **FIN** 35 Hd09
Positano **I** 99 Ga43
Posof **TR** 127 Ga18
Postojna **SLO** 73 Ga36
Postomino **PL** 58 Gc25
Posušje **BIH** 86 Gc39
Potamós **GR** 114 Jb49
Potamoúla **GR** 110 Hd45
Potcoava **RO** 88 Jb37
Potenza **I** 99 Gb43
Potenza Picena **I** 85 Fd39
Potes **E** 79 Bd37
Potsdam **D** 57 Fd27
Potworów **PL** 59 Hb28
Pouancé **F** 61 Cd32
Pouzauges **F** 68 Cd33
Považská Bystrica **SK** 66 Gd32
Póvoa de São Miguel **P** 90 Ad42
Póvoa de Varzim **P** 78 Ad38
Poyracık **TR** 113 Ka44
Poysdorf **A** 66 Gc32
Požarevac **SRB** 87 Hc38
Požega **HR** 86 Gd37
Požega **SRB** 87 Hb39
Pozezdrze **PL** 59 Hb25
Poznań **PL** 58 Gc27
Pozo Alcón **E** 106 Bd44
Pozoblanco **E** 105 Bb43
Pozo-Cañada **E** 92 Ca43
Pozohondo **E** 92 Ca43
Pozuelo de Alarcón **E** 92 Bd41
Pozzallo **I** 109 Ga48
Pozzuoli **I** 98 Fd43
Prača **BIH** 86 Ha39
Prachatice **CZ** 65 Ga32
Pradelles **F** 82 Dd37
Prades **E** 93 Cd41
Prades **F** 81 Db39
Pradła **PL** 67 Ha30
Prado del Rey **E** 105 Ba45

Pradoluengo **E** 79 Ca39
Præstø **DK** 49 Fc24
Praha **CZ** 65 Ga31
Prahovo **SRB** 87 Hd38
Praia a Mare **I** 99 Gb44
Praia da Barra **P** 90 Ac39
Praia da Vieira **P** 90 Ac40
Praia de Mira **P** 90 Ac39
Praid **RO** 76 Jb35
Pralognan **F** 71 Eb36
Pra-Loup **F** 83 Eb38
Prámanda **GR** 101 Hc44
Prastio **CY** 128 Gc19
Praszka **PL** 66 Gd29
Prato **I** 84 Fb39
Prats de Lluçanès **E** 81 Db40
Prats-de-Mollo **F** 81 Db40
Pravda **UA** 67 Hd29
Pravdinsk **RUS** 59 Hb25
Pravec **BG** 102 Ja40
Pravia **E** 79 Bc36
Prazaroki **BY** 53 Jb23
Prečistoe **RUS** 117 Ec11
Prečistoe **RUS** 118 Fa08
Predajane **SRB** 87 Hd40
Predazzo **I** 72 Fb35
Predeal **RO** 88 Jb36
Predeşti **RO** 88 Ja37
Pré-en-Pail **F** 61 Da31
Preetz **D** 56 Fb25
Pregarten **A** 73 Ga33
Preiļi **LV** 53 Ja22
Prejmer **RO** 88 Jb36
Preko **HR** 85 Ga39
Prelog **HR** 74 Gc36
Prémery **F** 70 Dd34
Premnitz **D** 56 Fc27
Prenzlau **D** 57 Fd26
Přerov **CZ** 66 Gc31
Preševo **SRB** 101 Hc41
Presjaka **MNE** 86 Ha40
Prešov **SK** 67 Hb32
Pressac **F** 69 Da34
Pressath **D** 64 Fc31
Prestatyn **GB** 20 Cd24
Presteid **N** 28 Gb07
Prestesætra **N** 32 Fd12
Prestfoss **N** 43 Fb17
Přeštice **CZ** 65 Fd31
Preston **GB** 21 Da24
Prestwick **GB** 20 Cd21
Pretzsch **D** 57 Fd28
Préveza **GR** 110 Hc45
Priboj **BIH** 86 Ha38
Priboj **SRB** 86 Ha39
Priboj **SRB** 87 Hd40
Pribojska Goleša **SRB** 86 Ha39
Příbor **CZ** 66 Gd31
Pribovce **SK** 66 Gd32
Příbram **CZ** 65 Ga31
Přibyslav **CZ** 65 Gb31
Priego **E** 92 Ca41
Priego de Córdoba **E** 106 Bc44

Priekulė **LT** 52 Hb23
Priekule **LV** 52 Hb22
Prienai **LT** 53 Hd24
Prievidza **SK** 66 Gd32
Prigor **RO** 87 Hc37
Prijedor **BIH** 86 Gc37
Prijepolje **SRB** 86 Ha39
Prijutnoe **RUS** 123 Ga15
Prilep **BG** 89 Jd39
Prilep **MK** 101 Hc42
Prilike **SRB** 87 Hb39
Primorsk **RUS** 41 Ja16
Primorsk **RUS** 52 Ha24
Primorsk **RUS** 123 Fd13
Primors'ke **UA** 77 Kb35
Primorski Dolac **HR** 85 Gb39
Primorsko **BG** 103 Ka40
Primorsko- Ahtarsk **RUS** 127 Fc16
Primošten **HR** 85 Gb39
Prínos **GR** 101 Hd44
Priólithos **GR** 110 Hd46
Priolo Gargallo **I** 109 Gb48
Priozersk **RUS** 41 Jb15
Prirečnyj **RUS** 27 Hd05
Prisoje **BIH** 86 Gc39
Priština **RKS** 87 Hc40
Pritzwalk **D** 56 Fc26
Privas **F** 82 Dd37
Priverno **I** 98 Fd42
Privlaka **HR** 85 Ga38
Privolžsk **RUS** 118 Fa09
Prizren **RKS** 101 Hc41
Prizzi **I** 108 Fd47
Prjamicyno **RUS** 122 Fa13
Prnjavor **BIH** 86 Gd37
Probijnivka **UA** 76 Ja33
Prodănești **MD** 77 Jd33
Prokuplje **SRB** 87 Hc39
Proletarij **RUS** 117 Eb09
Proletarsk **RUS** 123 Fd15
Pronin **RUS** 123 Fc14
Propriano **F** 96 Ed41
Prosek **AL** 100 Hb41
Prossotsáni **GR** 102 Jb42
Prostějov **CZ** 66 Gc31
Proszowice **PL** 67 Ha30
Protivín **CZ** 65 Ga32
Proussós **GR** 110 Hd45
Provadija **BG** 89 Jd39
Provins **F** 62 Dd32
Provištip **MK** 101 Hd41
Prozor = Rama **BIH** 86 Gd39
Prrenjas **RKS** 100 Hb42
Pruchnik **PL** 67 Hc30
Prudentov **RUS** 123 Ga13
Prudnik **PL** 66 Gc30
Prüm **D** 63 Ec30
Prunete **F** 96 Ed41
Pruské **SK** 66 Gd32
Pruszcz Gdański **PL** 58 Gd25
Pruszków **PL** 59 Hb28
Pružany **BY** 59 Hd27
Pryazovs'ke **UA** 126 Fa16

Prylęk **PL** 67 Hb30
Pryluky **UA** 121 Ed14
Prymors'k **UA** 126 Fb16
Pryozerne **UA** 77 Ka35
Przasnysz **PL** 59 Hb26
Przechlewo **PL** 58 Gc26
Przedbórz **PL** 67 Ha29
Przemyśl **PL** 67 Hc31
Przeworsk **PL** 67 Hc30
Przewóz **PL** 65 Ga29
Przybiernów **PL** 57 Ga26
Przyborowice **PL** 58 Ha27
Przyłęki **PL** 58 Gc27
Przystawy **PL** 57 Gb25
Przysucha **PL** 67 Hb29
Przytoczno **PL** 59 Hc28
Przytuty **PL** 59 Hc26
Psahná **GR** 112 Jb45
Psará **GR** 113 Jd45
Psarádes **GR** 101 Hc42
Psári **GR** 111 Ja46
Psebaj **RUS** 127 Fd17
Pskov **RUS** 47 Jb19
Pszczyna **PL** 66 Gd31
Pszów **PL** 66 Gd31
Ptolemaída **GR** 101 Hd43
Ptuj **SLO** 73 Gb36
Ptujska Gora **SLO** 73 Gb36
Pučež **RUS** 118 Fb09
Púchov **SK** 66 Gd32
Pucioasa **RO** 88 Jb36
Pučišća **HR** 86 Gc39
Puck **PL** 51 Gd24
Puçol **E** 93 Cc43
Pudasjärvi **FIN** 35 Hc10
Puebla de Alcocer **E** 91
  Bb42
Puebla de Don Fadrique **E**
  106 Bd44
Puebla de Don Rodrigo **E**
  91 Bc42
Puebla de Guzmán **E** 105
  Ad43
Puebla de Lillo **E** 79 Bc37
Puebla de Sanabria **E** 78
  Bb38
Puebla de Trives **E** 78 Ba37
Puente-Genil **E** 105 Bb44
Puente la Reina **E** 80 Cb38
Puente la Reina de Jaca **E**
  80 Cc39
Puentelarrá **E** 79 Ca38
Puerto de San Vicente **E** 91
  Bb42
Puertollano **E** 92 Bc43
Puerto Lumbreras **E** 107
  Ca45
Puerto Real **E** 105 Ad45
Puerto Rey **E** 91 Bb42
Pufești **RO** 77 Jd35
Pugačev **RUS** 119 Ga11
Puget-Ville **F** 82 Ea39
Puhos **FIN** 35 Hd10
Puhos **FIN** 41 Jb14
Pui **RO** 75 Hd36
Puiatu **EST** 47 Hd19

Puiești **RO** 77 Jd34
Puigcerdà **E** 81 Da40
Puig-reig **E** 81 Da40
Puiseaux **F** 62 Dc32
Pukalaidun **FIN** 40 Hb16
Pukavik **S** 50 Ga22
Pukë **AL** 100 Hb41
Pula **HR** 85 Fd37
Pula **I** 97 Ed45
Pulaj **AL** 100 Ha41
Puławy **PL** 67 Hc29
Pulju **FIN** 30 Hb06
Pulkkila **FIN** 35 Hc11
Pulkkinen **FIN** 34 Hb12
Pulpí **E** 107 Ca45
Pulsano **I** 100 Gd43
Pulsnitz **D** 65 Ga29
Pulsnitz **D** 65 Ga29
Pulsujärvi **S** 29 Gd06
Pułtusk **PL** 59 Hb27
Pumpėnai **LT** 53 Hd22
Punkaharju **FIN** 41 Jb14
Punta Križa **HR** 85 Ga38
Punta Umbría **E** 105 Ad44
Puokio **FIN** 35 Hd10
Puolanka **FIN** 35 Hd10
Puoltsa **S** 29 Gd07
Puottaure **S** 34 Gd09
Purchena **E** 106 Bd45
Purdoški **RUS** 119 Fc10
Purmerend **NL** 55 Eb27
Puškino **RUS** 123 Ga12
Puškinskie Gory **RUS** 47 Jb20
Püspökladány **H** 75 Hb34
Pustoška **RUS** 117 Eb11
Putbus **D** 57 Fd25
Putignano **I** 99 Gc43
Putlitz **D** 56 Fc26
Puttgarden **D** 56 Fc25
Putyvl' **UA** 121 Ed13
Puumala **FIN** 41 Ja15
Puurmani **EST** 47 Hd19
Puy l'Evêque **F** 81 Da37
Puzači **RUS** 122 Fa13
Pwllheli **GB** 23 Cc25
Pyhäjärvi **FIN** 27 Hb05
Pyhäjärvi **FIN** 31 Hc07
Pyhäjärvi **FIN** 35 Hc12
Pyhäjoki **FIN** 34 Hb11
Pyhäkylä **FIN** 35 Hd10
Pyhäntä **FIN** 35 Hc11
Pyhäntä **FIN** 35 Hd11
Pyhäranta **FIN** 40 Ha16
Pyhäselkä **FIN** 41 Jb13
Pyhtää **FIN** 41 Hd16
Þykkvibær **IS** 14 Bc07
Pyla-sur-Mer **F** 68 Cc36
Pylkönmäki **FIN** 40 Hc13
Pynjany **UA** 67 Hd31
Þyrill **IS** 14 Bc06
Pyrjatyn **UA** 121 Ed14
Pyrzyce **PL** 57 Ga26
Pyskowice **PL** 66 Gd30
Pytalovo **RUS** 47 Jb20
Pyttis **FIN** 41 Hd16
Pyzdry **PL** 58 Gc28

Qafëzez **AL** 101 Hc43
Quafmollë **RKS** 100 Hb42
Quakenbrück **D** 55 Ed27
Quarré-les-Tombes **F** 70
  Dd33
Quarteira **P** 104 Ac44
Quartu Sant'Elena **I** 97 Ed45
Quedlinburg **D** 56 Fb28
Querfurt **D** 64 Fc29
Quesada **E** 106 Bd44
Questembert **F** 60 Cc32
Quiberon **F** 60 Cc32
Quick born **D** 56 Fb26
Quillan **F** 81 Db39
Quimper **F** 60 Cb31
Quimperlé **F** 60 Cb31
Quingey **F** 71 Eb34
Quintana de Castillo **E** 79
  Bc37
Quintana del Puente **E** 79
  Bd39
Quintanar de la Orden **E** 92
  Bd42
Quintanar del Rey **E** 92
  Ca43
Quintin **F** 60 Cc31
Quinto **E** 80 Cc40
Quiroga **E** 78 Ba37

Raabs **A** 65 Gb32
Raahe **FIN** 34 Hb11
Rääkkylä **FIN** 41 Ja13
Raanujärvi **FIN** 30 Hb08
Raattama **FIN** 30 Hb06
Rab **HR** 85 Ga38
Rabac **HR** 85 Ga37
Rábafüzes **HR** 73 Gb35
Rábahidvég **H** 74 Gc33
Rabka-Zdroj **PL** 67 Ha31
Râbnița **MD** 77 Ka32
Rača **SRB** 87 Hc40
Răcaciuni **RO** 76 Jc35
Racalmuto **I** 108 Fd47
Răcășdia **RO** 87 Hc37
Racconigi **I** 83 Ec37
Rachiv **UA** 76 Ja33
Rachiv **UA** 124 Ea16
Raciąż **PL** 58 Ha27
Racibórz **PL** 66 Gd30
Racičy **BY** 59 Hc25
Rača Vas **HR** 85 Ga37
Racksund **S** 33 Gc09
Radakowice **PL** 66 Gc29
Radalj **SRB** 86 Ha38
Radaškovičy **BY** 53 Jb24
Radaškovičy **BY** 120 Ea12
Rădăuți **RO** 76 Jb33
Rădăuți-Prut **RO** 76 Jc32
Radeberg **D** 65 Fd29
Radebeul **D** 65 Fd29

Radeburg **D** 65 Fd29
Radechiv **UA** 67 Hd29
Radechiv **UA** 120 Ea15
Radenci **SLO** 73 Gb35
Radenthein **A** 73 Fd35
Radijovce **MK** 101 Hc41
Radilovo **BG** 102 Jb41
Radisne **MD** 77 Kb33
Radlje ob Dravi **SLO** 73
  Gb35
Radnevo **BG** 102 Jc40
Radom **PL** 67 Hb29
Radomicko **PL** 57 Ga28
Radomir **BG** 102 Ja40
Radomsko **PL** 67 Ha29
Radomyšl' **UA** 121 Eb14
Radomyśl nad Sanem **PL**
  67 Hc29
Radomyśl Wielki **PL** 67
  Hb30
Radovan **RO** 88 Ja38
Radovec **BG** 103 Jd40
Radoviš **MK** 101 Hd41
Radovljica **SLO** 73 Ga36
Radstadt **A** 73 Fd34
Radun' **BY** 59 Hd25
Radviliškis **LT** 52 Hc23
Radymno **PL** 67 Hc30
Radzanów **PL** 58 Ha27
Radziejów **PL** 58 Gd27
Radzyń Chełmiński **PL** 58
  Gd26
Radzyń Podlaski **PL** 59
  Hc28
Raesfeld **D** 55 Ec28
Rafina **GR** 112 Jb46
Raftópoulo **GR** 110 Hd45
Ragaciems **LV** 52 Hc21
Ragusa **I** 109 Ga48
Rahačov **BY** 121 Eb13
Rahden **D** 56 Fa27
Raheste **EST** 46 Hc19
Rain **D** 64 Fb32
Raippaluoto **FIN** 40 Ha13
Raippo **FIN** 41 Ja15
Raisdorf **D** 56 Fb25
Raisio **FIN** 40 Hb16
Raivala **FIN** 40 Hb14
Raja-Jooseppi **FIN** 31 Hc06
Rajakoski **RUS** 27 Hd05
Rájec-Jestřebí **CZ** 66 Gc31
Rajec Poduchowny **PL** 59
  Hb28
Rajgród **PL** 59 Hc25
Rajka **H** 74 Gc33
Rakaca **H** 75 Hb33
Rakkestad **N** 43 Fc18
Rakovica **BG** 87 Hd39
Rakovica **HR** 85 Gb37
Rakovník **CZ** 65 Fd31
Rakovski **BG** 102 Jb40
Rakvere **EST** 47 Hd18
Rama-Prozor **BIH** 86 Gd39
Rambervillers **F** 63 Ec32
Rambouillet **F** 62 Dc31
Rameški **RUS** 117 Ed09

Ramnäs – Rietschen

Ramnäs **S** 44 Gb18
Râmnicelu **RO** 89 Jd36
Râmnicu Sărăt **RO** 89 Jd36
Râmnicu Vâlcea **RO** 88 Ja37
Ramsele **S** 38 Gb13
Ramsey **GBM** 20 Cd23
Ramsgate **GB** 25 Dc28
Ramsjö **S** 38 Gb14
Ramstein **D** 63 Ec31
Ramvik **S** 39 Gc14
Ramygala **LT** 53 Hd23
Randalstown **GB** 20 Cc22
Randazzo **I** 109 Ga47
Rånddalen **S** 38 Fd14
Randers **DK** 49 Fb22
Randijaur **S** 29 Gc08
Randsverk **N** 37 Fb15
Råneå **S** 34 Ha09
Ranemsletta **N** 32 Fd11
Rankweil **A** 72 Fa34
Rannoch Station **GB** 17 Da20
Ransta **S** 44 Gb18
Rantasalmi **FIN** 41 Ja14
Rantsila **FIN** 35 Hc11
Ranua **FIN** 35 Hc09
Raon-l'Etape **F** 63 Ec32
Rapallo **I** 83 Ed38
Räpina **EST** 47 Ja19
Rapla **EST** 46 Hc18
Rapperswil **CH** 71 Ed34
Räsåker **S** 38 Gb13
Râșcani **MD** 76 Jc32
Rașcov **MD** 77 Jd32
Raseiniai **LT** 52 Hc23
Raška **SRB** 87 Hb39
Râşnov **RO** 88 Jb36
Rasova **RO** 89 Ka37
Rasovo **BG** 88 Ja42
Rasskazovo **RUS** 123 Fc12
Rastatt **D** 63 Ed32
Rastede **D** 55 Ed26
Rasti **FIN** 30 Hb07
Rätan **S** 38 Ga14
Ratasjärvi **FIN** 30 Hb08
Rathdrum **IRL** 19 Cb24
Rathenow **D** 56 Fc27
Rathfriland **GB** 20 Cc23
Rathmore **IRL** 22 Bd25
Rathnew **IRL** 19 Cb24
Ratíškovice **CZ** 66 Gc32
Ratne **UA** 58 Hd28
Ratne **UA** 120 Ea14
Ratten **A** 73 Gb34
Rättvik **S** 38 Ga16
Ratuș **MD** 77 Jd33
Ratzeburg **D** 56 Fb26
Raubling **D** 72 Fc34
Raudeberg **N** 36 Ed14
Raudlia **N** 33 Ga09
Raufarhöfn **IS** 15 Cc05
Raufoss **N** 37 Fc16
Rauland **N** 42 Fa17
Rauma **FIN** 40 Ha16
Rauna **LV** 47 Hd20
Râu Sadului **RO** 88 Ja36

Răuseni **RO** 76 Jc33
Rautalampi **FIN** 41 Hd13
Rautavaara **FIN** 35 Ja12
Rautjärvi **FIN** 41 Jb14
Ravanusa **I** 108 Fd47
Rava Rus'ka **UA** 67 Hd30
Ravenna **I** 84 Fc38
Ravensburg **D** 72 Fa33
Ravna Gora **HR** 85 Ga37
Ravnaja **SRB** 86 Ha38
Ravne na Koroškem **SLO** 73 Ga35
Ravno Bučje **SRB** 87 Hd39
Rawa Mazowiecka **PL** 58 Ha28
Rawicz **PL** 66 Gc29
Ražanka **BY** 59 Hd25
Războieni **RO** 76 Jc34
Razbojna **SRB** 87 Hc39
Razdol **BG** 101 Ja41
Răzeni **MD** 77 Ka34
Razgrad **BG** 89 Jd38
Razlog **BG** 101 Ja41
Reading **GB** 24 Da27
Réalmont **F** 81 Db38
Rebirechioulet **F** 81 Da38
Rebordelo **P** 78 Ba38
Recanati **I** 85 Fd39
Recaș **RO** 75 Hc36
Recea **RO** 88 Jb36
Recess **IRL** 18 Bd23
Recey-sur-Ource **F** 70 Ea33
Recklinghausen **D** 55 Ed28
Recoaro Terme **I** 72 Fb36
Rėčyca **BY** 121 Ec13
Recz **PL** 57 Gb26
Ręczno **PL** 67 Ha29
Reda **PL** 51 Gd24
Redange-sur-Attert **L** 63 Eb30
Redcar **GB** 21 Db23
Redditch **GB** 24 Da26
Redea **RO** 88 Ja38
Redkino **RUS** 117 Ed10
Redon **F** 60 Cc32
Redondela **E** 78 Ad37
Redondo **P** 90 Ad42
Redruth **GB** 23 Cb28
Rędzikowo **PL** 58 Gc25
Rędziny **PL** 67 Ha29
Rees **D** 55 Ec28
Regalbuto **I** 109 Ga47
Regen **D** 65 Fd32
Regensburg **D** 64 Fc32
Regenstauf **D** 64 Fc32
Reggio di Calabria **I** 109 Gb46
Reggio Nell'emilia **I** 84 Fb38
Reghin **RO** 76 Ja34
Reghiu **RO** 76 Jc35
Regínio **GR** 111 Ja45
Reguengos de Monsaraz **P** 90 Ad42
Rehau **D** 64 Fc30
Rehburg-Loccum **D** 56 Fa27
Reichenbach **D** 64 Fc30

Reichshoffen **F** 63 Ed32
Reife **N** 29 Gc06
Reigate **GB** 25 Db28
Reims **F** 62 Ea31
Reinach **CH** 71 Ed34
Reinbek **D** 56 Fb26
Reinberg **D** 57 Fd25
Reine **N** 28 Fd07
Reinheim **D** 64 Fa31
Reinosa **E** 79 Bd37
Reinsvik **N** 36 Fa13
Reinsvoll **N** 37 Fc16
Reisjärvi **FIN** 35 Hc12
Reit im Winkel **D** 72 Fc34
Rejmyre **S** 44 Gb19
Rejowiec **PL** 67 Hd29
Rejštejn **CZ** 65 Fd32
Rekavice **BIH** 86 Gc38
Relleu **E** 94 Cc44
Remagen **D** 63 Ec30
Remda **RUS** 47 Ja19
Remeskylä **FIN** 35 Hc12
Remiremont **F** 71 Ec33
Remontnoe **RUS** 123 Ga15
Remscheid **D** 63 Ec29
Rémuzat **F** 82 Ea37
Rena **N** 37 Fc16
Rencēni **LV** 47 Hd20
Renda **LV** 52 Hb21
Rende **I** 109 Gb45
Rendina **GR** 101 Ja42
Rendsburg **D** 56 Fb25
Reni **UA** 89 Ka36
Renko **FIN** 40 Hc16
Rennebu **N** 37 Fb13
Rennes **F** 61 Cd31
Renningen **D** 63 Ed32
Rensjön **S** 29 Gd07
Renträsk **S** 34 Gd10
Reola **EST** 47 Ja19
Rep'evka **RUS** 122 Fb13
Repojoki **FIN** 30 Hb06
Reposaari **FIN** 40 Ha15
Repvåg **N** 27 Hb03
Requena **E** 93 Cb43
Réquista **F** 81 Db38
Reșadiye **TR** 115 Kb47
Resen **MK** 101 Hc42
Rešetylivka **UA** 121 Ed15
Reșița **RO** 87 Hc37
Reszel **PL** 59 Hb25
Retford **GB** 25 Db25
Rethel **F** 62 Ea31
Rethem **D** 56 Fa27
Réthimno **GR** 114 Jc49
Retiers **F** 61 Cd32
Rétság **H** 74 Ha33
Retuerta del Bullaque **E** 91 Bc42
Retz **A** 65 Gb32
Reus **E** 93 Cd41
Reuterstadt Stavenhagen **D** 57 Fd26
Reutlingen **D** 64 Fa32
Reutte **A** 72 Fb34
Revel **F** 81 Db38

Revfülöp **H** 74 Gc35
Revigny-sur-Ornain **F** 62 Ea32
Revin **F** 62 Ea30
Řevnice **CZ** 65 Ga31
Revsnes **N** 28 Gb06
Revúca **SK** 67 Ha32
Reyðarfjörður **IS** 15 Cc07
Reykhólar **IS** 14 Bc05
Reykholt **IS** 14 Bc07
Reykholt **IS** 14 Bc06
Reykjadiskur **IS** 15 Ca05
Reykjahlíð **IS** 15 Cb06
Reykjanes **IS** 14 Bc04
Reykjavík **IS** 14 Bc06
Rezé **F** 68 Cd33
Rēzekne **LV** 53 Ja21
Rezovo **BG** 103 Ka40
Rgotina **SRB** 87 Hd38
Rhayader **GB** 24 Cd26
Rheda-Wiedenbrück **D** 55 Ed28
Rheinau **D** 63 Ed32
Rheine **D** 55 Ed27
Rheinfelden **D** 71 Ec34
Rheinsberg **D** 57 Fd27
Rheinstetten **D** 63 Ed32
Rhiconich **GB** 17 Da18
Rhinow **D** 56 Fc27
Rho **I** 71 Ed36
Rhondda **GB** 24 Cd27
Riákia **GR** 101 Hd43
Riala **S** 45 Gc18
Riaño **E** 79 Bd37
Rians **F** 82 Ea37
Riaza **E** 92 Bd40
Ribadavia **E** 78 Ba37
Ribadelago **E** 78 Bb38
Ribadeo **E** 78 Bb36
Ribadesella **E** 79 Bd37
Ribarica **BG** 102 Jb40
Ribarska Banja **SRB** 87 Hc39
Ribe **DK** 48 Fa23
Ribécourt **F** 62 Dd30
Ribera **I** 108 Fd47
Ribérac **F** 69 Da36
Ribnica **BIH** 86 Gd38
Ribnica **SLO** 73 Ga36
Ribnitz-Damgarten **D** 57 Fd25
Říčany **CZ** 65 Ga31
Riccia **I** 99 Ga42
Riccione **I** 84 Fc39
Richelieu **F** 69 Da33
Richmond **GB** 21 Db23
Richmond **GB** 25 Db27
Ricobayo **E** 78 Bb39
Ridderkerk **NL** 55 Eb28
Ried im Innkreis **A** 73 Fd33
Riedlingen **D** 72 Fa33
Riesa **D** 65 Fd29
Riesi **I** 108 Fd47
Rietavas **LT** 52 Hb23
Rieti **I** 98 Fc41
Rietschen **D** 65 Ga29

Rouen – Saint Anne

Rouen **F** 61 Db30
Rougemont **F** 71 Eb34
Rouillac **F** 69 Da35
Roulans **F** 71 Eb34
Roussillon **F** 70 Ea36
Roussilon **F** 82 Ea38
Rovaniemi **FIN** 31 Hc08
Rovato **I** 72 Fa36
Roveň **SK** 67 Hc32
Roven'ki **RUS** 122 Fb14
Rovereto **I** 72 Fb36
Roverud **N** 43 Fd17
Rovigo **I** 84 Fc37
Rovinari **RO** 87 Hd37
Rovinj **HR** 85 Fd37
Rovnoe **RUS** 123 Fd12
Rów **PL** 57 Ga27
Rowy **PL** 51 Gc24
Royal Tunbridge Wells **GB**
  25 Db28
Royan **F** 68 Cd35
Roye **F** 62 Dd30
Røyken **N** 43 Fc18
Røyrvik **N** 33 Ga11
Royston **GB** 25 Db27
Roza **BG** 103 Jd40
Rožaj **MNE** 87 Hb40
Różan **PL** 59 Hb27
Rozay-en-Brie **F** 62 Dd32
Rozdil'na **UA** 125 Ec17
Rozdol'ne **UA** 126 Fa17
Rozdyl'na **MD** 77 Kb33
Rožencovo **RUS** 119 Fc08
Rozivka **UA** 126 Fb16
Rožmitál pod Třemšínem **CZ**
  65 Fd31
Rožňava **SK** 67 Hb32
Rožnov pod Radhoštěm **CZ**
  66 Gd31
Rozogi **PL** 59 Hb26
Rožok **RUS** 118 Fb09
Rozoy-sur-Serre **F** 62 Ea30
Rozprza **PL** 67 Ha29
Roztoky **CZ** 65 Ga30
Rožyšče **UA** 120 Ea14
Rrogozhinë **RKS** 100 Hb42
Rtiščevo **RUS** 119 Fc11
Ruba **BY** 117 Ec13
Rubbestadneset **N** 42 Ec17
Rubiás **E** 78 Bb36
Rucăr **RO** 88 Jb36
Rucava **LV** 52 Ha22
Ruciane-Nida **PL** 59 Hb26
Ruda **S** 50 Gb21
Ruda Śląska **PL** 66 Gd30
Rude **HR** 73 Ga36
Rüdersdorf **D** 57 Fd27
Rüdesheim **D** 63 Ed30
Rudilla **E** 93 Cc41
Rudinka **HR** 85 Ga38
Rūdiškės **LT** 53 Hd24
Rudkøbing **DK** 49 Fb24
Rudky **UA** 67 Hd31
Rudna Glava **SRB** 87 Hd38
Rudnik **BG** 89 Ka39
Rudnik **SRB** 87 Hb38

Rudniki **PL** 66 Gd29
Rudnja **RUS** 117 Eb11
Rudo **BIH** 86 Ha39
Rudolstadt **D** 64 Fc30
Rue **F** 62 Dc29
Rueda **E** 79 Bc39
Ruen **BG** 89 Jd39
Ruffec **F** 69 Da35
Rugāji **LV** 53 Ja21
Rugby **GB** 24 Da26
Rugles **F** 61 Db31
Ruguj **RUS** 117 Eb08
Ruhan' **RUS** 121 Ec12
Ruhland **D** 65 Fd29
Ruidera **E** 92 Bd43
Rūjiena **LV** 47 Hd20
Ruka **FIN** 31 Hd08
Ruma **SRB** 86 Ha37
Rumboci **BIH** 86 Gd39
Rumburk **CZ** 65 Ga29
Rumia **PL** 51 Gd24
Rumilly **F** 71 Eb36
Rumšiškės **LT** 53 Hd24
Runcorn **GB** 24 Da25
Rundfloen **N** 37 Fd16
Rundvik **S** 39 Gd13
Rungsted **DK** 49 Fd23
Runtuna **S** 45 Gc19
Ruokojärvi **FIN** 30 Hb07
Ruokolahti **FIN** 41 Ja15
Ruokto **S** 29 Gc08
Ruovesi **FIN** 40 Hb14
Rupe **HR** 85 Gb39
Rupea **RO** 76 Jb35
Ruse **BG** 88 Jc38
Rusele **S** 33 Gc11
Rushden **GB** 25 Db26
Ruskeala **RUS** 41 Jb14
Rusksele **S** 33 Gc11
Rusnė **LT** 52 Hb23
Rüsselsheim **D** 63 Ed30
Russelv **N** 26 Gd04
Russkij Kameškir **RUS** 119
  Fd11
Russnes **N** 27 Hb03
Rust **A** 74 Gc34
Rusterfjelbma **N** 27 Hc03
Ruszów **PL** 65 Ga29
Rute **E** 105 Bb44
Rüthen **D** 55 Ed28
Ruthin **GB** 24 Cd25
Rutigliano **I** 99 Gc42
Rutka-Tartak **PL** 59 Hc25
Rutledalen **N** 36 Ed15
Ruukki **FIN** 35 Hc11
Ruuvaoja **FIN** 31 Hd07
Ruvo di Puglia **I** 99 Gc42
Ruza **RUS** 117 Ed10
Ruzaevka **RUS** 119 Fc10
Ružany **BY** 120 Ea13
Ružomberok **SK** 67 Ha32
Ry **DK** 49 Fb22
Rybačij **RUS** 52 Ha24
Rybczewice **PL** 67 Hc29
Rybinsk **RUS** 117 Ed09
Rybnik **PL** 59 Hc26

Rybnik **PL** 66 Gd30
Rybno **PL** 59 Hb25
Rybnoe **RUS** 118 Fa11
Rychłocice **PL** 66 Gd29
Rychnowo **PL** 58 Ha26
Rychtal **PL** 66 Gc29
Rychwał **PL** 58 Gd28
Ryd **S** 50 Ga22
Rydaholm **S** 50 Ga21
Ryde **GB** 24 Da28
Rydet **S** 49 Fc21
Rydsnäs **S** 44 Ga20
Rydzewo **PL** 59 Hb26
Rye **GB** 25 Dc28
Rykene **N** 42 Fa19
Ryki **PL** 59 Hc28
Ryl'sk **RUS** 121 Ed13
Rymań **PL** 57 Gb25
Rymanów **PL** 67 Hc31
Rýmařov **CZ** 66 Gc31
Rymättylä **FIN** 46 Ha17
Ryn **PL** 59 Hb25
Rypefjord **N** 26 Ha03
Rypin **PL** 58 Ha26
Rysjedalsvika **N** 36 Ed15
Rytinki **FIN** 35 Hd09
Rząśnik **PL** 59 Hb27
Rzecznica **PL** 58 Gc26
Rzepin **PL** 57 Ga28
Rzeszów **PL** 67 Hc30
Ržev **RUS** 117 Ec10
Ržyščiv **UA** 121 Ec15

S

Sääksjärvi **FIN** 40 Hb13
Saalfeld **D** 64 Fc30
Saalfelden am Steinernen
  Meer **A** 73 Fd34
Saarbrücken **D** 63 Ec31
Saarburg **D** 63 Ec31
Sääre **EST** 46 Hb20
Saari **FIN** 41 Jb14
Saarijärvi **FIN** 40 Hc13
Saariselkä **FIN** 31 Hc06
Saarivaara **FIN** 35 Ja10
Saarlouis **D** 63 Ec31
Saas Fee **CH** 71 Ec36
Šabac **SRB** 86 Ha37
Sabadell **E** 95 Da41
Šabany **RUS** 47 Jb20
Sabarat **F** 81 Da39
Sabatinivka **UA** 77 Ka32
Sabaudia **I** 98 Fc42
Sabbioneta **I** 84 Fa37
Sabile **LV** 52 Hb21
Sabiñánigo **E** 80 Cd39
Sabinov **SK** 67 Hb32
Šabla **BG** 89 Ka39
Sablé-sur-Sarthe **F** 61 Da32
Saborsko **HR** 85 Gb37
Sabres **F** 80 Cd37
Sabugal **P** 91 Ba40
Säby **S** 44 Ga20
Sacecorbo **E** 92 Ca41

Sacedón **E** 92 Ca41
Săcel **RO** 76 Ja33
Săcele **RO** 88 Jb36
Săcele **RO** 89 Ka37
Săceni **RO** 88 Jb38
Sacile **I** 72 Fc36
Šack **BY** 120 Ea13
Šack **RUS** 118 Fb11
Sacoşu Turcesc **RO** 75
  Hc36
Săcueni **RO** 75 Hc34
Sada **E** 78 Ba36
Sádaba **E** 80 Cc39
Sadala **EST** 47 Ja18
Sadova **RO** 88 Ja38
Sadovo **BG** 102 Jb40
Sadovoe **RUS** 123 Ga14
Sæbø **N** 36 Fa14
Sæby **DK** 49 Fb21
Săedinenie **BG** 102 Jb40
Săedinenie **BG** 102 Jc40
Saelices **E** 92 Ca42
Sævareid **N** 42 Ed17
Safara **P** 105 Ad43
Säffle **S** 43 Fd18
Saffron Walden **GB** 25 Db27
Safonovo **RUS** 117 Ec11
Sâg **RO** 75 Hd34
Sagadi **EST** 47 Hd17
Sagard **D** 57 Fd25
Sagone **F** 68 Ed41
Sagres **P** 104 Ab43
Sagunt (Sagunto) **E** 93
  Cc43
Sagvåg **N** 42 Ed17
Sahagún **E** 79 Bc38
Saharna Nouă **MD** 77 Ka33
Sahechores **E** 79 Bc38
Sahin **TR** 103 Jd42
Šahty **RUS** 123 Fc15
Šahun'ja **RUS** 119 Fc08
Šahy **SK** 74 Ha33
Saija **FIN** 31 Hd07
Saillans **F** 82 Ea37
Saint-Affrique **F** 81 Dc38
Saint-Agrève **F** 82 Dd37
Saint-Aignan **F** 69 Db33
Saint Albans **GB** 25 Db27
Saint-Amand-en-Puisaye **F**
  70 Dd33
Saint-Amand-les-Eaux **F** 62
  Dd29
Saint-Amand-Montrond **F**
  69 Dc34
Saint-Ambroix **F** 82 Dd38
Saint-Amé **F** 71 Ec33
Saint-Amour **F** 70 Ea35
Saint-André-de-Cubzac **F**
  68 Cd34
Saint-André-de-l'Eure **F** 61
  Db31
Saint-André-les-Alpes **F** 83
  Eb38
Saint Andrews **GB** 21 Db21
Saint Anne **GBA** 61 Cd29

Saint-Antoine F 96 Ed41
Saint-Aubin-d'Aubigné F 61 Cd31
Saint-Aubin-du-Cormier F 61 Cd31
Saint Austell GB 23 Cb28
Saint-Avold F 63 Ec31
Saint-Beat F 81 Da39
Saint-Benoît-du-Sault F 69 Db34
Saint-Bertrand-de-Comminges F 80 Cd39
Saint-Bonnet F 83 Eb37
Saint-Brévin-les-Pins F 68 Cc33
Saint-Brice-en-Cógles F 61 Cd31
Saint-Brieuc F 60 Cc31
Saint-Calais F 61 Db32
Saint-CaSaint-le-Guildo F 61 Cd31
Saint-Céré F 69 Db36
Saint-Chamond F 70 Dd36
Saint-Chély-d'Apcher F 81 Dc37
Saint-Chinian F 81 Dc38
Saint-Claud F 69 Da35
Saint-Claude F 71 Eb35
Saint Clears GB 23 Cc26
Saint David's GB 23 Cb26
Saint-Denis F 62 Dc31
Saint-Dié-des-Vosges F 71 Ec33
Saint-Dizier F 62 Ea32
Saint-Doulchard F 69 Dc34
Sainte-Énimie F 81 Dc37
Sainte-Foy-la-Grande F 69 Da36
Sainte-Hermine F 68 Cd34
Sainte-Livrade-sur-Lot F 81 Da37
Saint-Eloy-les-Mines F 69 Dc35
Sainte-Maure-de-Touraine F 69 Db33
Sainte-Maxime F 83 Eb39
Sainte-Menehould F 62 Ea31
Sainte-Mère-Église F 61 Da30
Saint-Émilion F 68 Cd36
Saintes F 68 Cd35
Sainte-Savine F 62 Ea32
Sainte-Sévère-sur-Indre F 69 Dc34
Saintes-Maries-de-la-Mer F 82 Dd39
Sainte-Suzanne F 61 Da32
Saint-Étienne F 70 Dd36
Saint-Étienne-de-Saint-Geoirs F 70 Ea36
Saint-Étienne-du-Rouvray F 61 Db30
Saint-Etienne-les-Orgues F 82 Ea38
Saint-Fargeau F 70 Dd33
Saint Fergus GB 17 Dc19

Saint-Florent F 96 Ed40
Saint-Florentin F 70 Dd33
Saint-Florent-sur-Cher F 69 Dc34
Saint-Flour F 69 Dc36
Saint-Fort-sur-Gironde F 68 Cd35
Saint-Gaudens F 81 Da38
Saint-Gaultier F 69 Db34
Saint-Geniez-d'Olt F 81 Dc37
Saint-Genix-sur-Guiers F 70 Ea36
Saint-Georges-de-Didonne F 68 Cd35
Saint-Germain-du-Bois F 70 Ea34
Saint-Germain-en-Laye F 62 Dc31
Saint-Germain-Laval F 70 Dd35
Saint-Gervais-d'Auvergne F 69 Dc35
Saint-Gervais-les-Bains F 71 Eb36
Saint-Gildas-des-Bois F 60 Cc32
Saint-Gilles F 82 Dd38
Saint-Gilles-Croix-de-Vie F 68 Cc33
Saint-Girons F 81 Da39
Saint-Girons-en-Marensin F 80 Cc37
Saint-Guénolé F 60 Cb31
Saint-Guilhem-le-Désert F 81 Dc38
Saint Helens GB 21 Da24
Saint Helier GBJ 61 Cd30
Saint-Hilaire-du-Harcouët F 61 Da31
Saint-Hippolyte F 71 Ec34
Saint-Hippolyte-du-Fort F 82 Dd38
Saint-Honoré-les-Bains F 70 Dd34
Saint-Hubert B 63 Eb30
Saint-Imier CH 71 Ec34
Saint Ives GB 23 Cb28
Saint Ives GB 25 Db26
Saint-James F 61 Cd31
Saint-Jean-Brévelay F 60 Cc32
Saint-Jean-d'Angely F 68 Cd35
Saint-Jean-de-Luz F 80 Cc38
Saint-Jean-de-Maurienne F 71 Eb36
Saint-Jean-de-Monts F 68 Cc33
Saint-Jean-Pied-de-Port F 80 Cc38
Saint-Jean-Poutge F 80 Cd38
Saint John's Town of Dalry GB 20 Cd22

Saint-Julien-en-Genevois F 71 Eb35
Saint-Junien F 69 Da35
Saint-Just-en-Chaussée F 62 Dd30
Saint-Just-en-Chevalet F 70 Dd35
Saint-Justin F 80 Cd37
Saint-Just-Saint-Rambert F 70 Dd36
Saint-Lary-Soulan F 80 Cd39
Saint-Laurent-de-la-Cabrerisse F 81 Db39
Saint-Laurent-de-la-Salanque F 81 Dc39
Saint-Laurent-en-Grandvaux F 71 Eb35
Saint-Léonard-de-Noblat F 69 Db35
Saint-Lô F 61 Da30
Saint-Loup-sur-Semouse F 71 Eb33
Saint-Maixent-l'École F 69 Da34
Saint-Malo F 61 Cd31
Saint-Marcellin F 70 Ea36
Saint-Mars-la-Jaille F 61 Cd32
Saint-Martin-de-Ré F 68 Cd34
Saint-Martin-Vésubie F 83 Ec38
Saint-Mathieu F 69 Da35
Saint-Maximin-la-Ste-Baume F 82 Ea39
Saint-Médard-en-Jalles F 68 Cd36
Saint-Méen-le-Grand F 61 Cd31
Saint-Michel F 62 Ea30
Saint-Mihiel F 63 Eb32
Saint-Nazaire F 60 Cc32
Saint Neots GB 25 Db26
Saint-Nicolas-de-Port F 63 Eb32
Saint-Omer F 62 Dd29
Saint-Paul-de-Fenouillet F 81 Db39
Saint-Paulien F 70 Dd36
Saint-Paul-lès-Dax F 80 Cc37
Saint-Péray F 82 Ea37
Saint-Père-en-Retz F 68 Cc33
Saint Peter-Port GBG 61 Cd30
Saint-Philbert-de-Grand-Lieu F 68 Cd33
Saint-Pierre F 81 Dc38
Saint-Pierre-de-Chignac F 69 Da36
Saint-Pierre-d'Oléron F 68 Cd34
Saint-Pierre-le-Moûtier F 69 Dc34

Saint-Pierre-sur-Dives F 61 Da31
Saint-Pol-de-Léon F 60 Cb30
Saint-Pol-sur-Mer F 54 Dd28
Saint-Pol-sur-Ternoise F 62 Dd29
Saint-Pons-de-Thomières F 81 Db38
Saint-Pourçain-sur-Sioule F 70 Dd35
Saint-Priest F 70 Ea36
Saint-Privat F 69 Db36
Saint-Quay-Portrieux F 60 Cc31
Saint-Quentin F 62 Dd30
Saint-Raphaël F 83 Eb39
Saint-Rémy-de-Provence F 82 Dd38
Saint-Renan F 60 Cb30
Saint-Saëns F 62 Dc30
Saint-Saulge F 70 Dd34
Saint-Sauveur-en-Puisaye F 70 Dd33
Saint-Sauveur-le-Vicomte F 61 Cd30
Saint-Sauveur-sur-Tinée F 83 Eb38
Saint-Savin F 69 Db34
Saint-Seine-l'Abbaye F 70 Ea33
Saint-Sever F 80 Cd37
Saint-Sulpice F 81 Db38
Saint-Thégonnec F 60 Cb31
Saint-Tropez F 83 Eb39
Saint-Vaast-la-Hougue F 61 Da30
Saint-Valéry-en-Caux F 61 Db30
Saint-Valery-sur-Somme F 62 Dc29
Saint-Vallier F 70 Ea36
Saint Vincent I 71 Ec36
Saint-Yorre F 70 Dd35
Saint-Yrieix-la-Perche F 69 Db35
Saissac F 81 Db38
Saittarova S 30 Ha07
Saivomuotka S 29 Ha06
Sajkaš SRB 87 Hb37
Sajósvámos H 75 Hb33
Saka LV 52 Ha21
Šakiai LT 52 Hc24
Säkilahti FIN 41 Ja14
Sakony RUS 118 Fb10
Sakskøbing DK 49 Fc24
Saky UA 126 Fa17
Sakyatan TR 128 Gb15
Säkylä FIN 40 Hb16
Sala S 44 Gb17
Šaľa SK 74 Gd33
Salacgriva LV 46 Hc20
Sala Consilina I 99 Gb43
Salakas LT 53 Ja23
Salamanca E 91 Bb40
Salamína GR 112 Jb46

Salantai – Santa Coloma de Queralt

Salantai **LT** 52 Hb22
Salas **E** 79 Bc36
Salas de los Infantes **E** 79 Ca39
Sălătrucu **RO** 88 Ja36
Salbris **F** 69 Dc33
Salcia **RO** 87 Hd38
Salcia **RO** 88 Jb38
Šalčininkai **LT** 53 Ja24
Sălcuţa **MD** 77 Ka34
Saldaña **E** 79 Bd38
Saldus **LV** 52 Hb21
Salemi **I** 108 Fc47
Sälen **S** 38 Fd16
Salerno **I** 99 Ga43
Salers **F** 69 Dc36
S'Algar **E** 95 Dc43
Salgótarján **H** 74 Ha33
Salhus **N** 36 Ed16
Sali **HR** 85 Ga39
Salihler **TR** 103 Jd43
Salihli **TR** 113 Kb45
Salihorsk **BY** 120 Ea13
Salins-les-Bains **F** 71 Eb34
Salisbury **GB** 24 Da28
Sălişte **RO** 88 Ja36
Salla **FIN** 31 Hd08
Sallanches **F** 71 Eb36
Sallent **E** 81 Da40
Salme **EST** 46 Hb20
Salmenkylä **FIN** 40 Hb14
Salmerón **E** 92 Ca41
Salmijärvi **RUS** 27 Hd04
Salò **I** 72 Fb36
Salo **FIN** 40 Hb16
Salon-de-Provence **F** 82 Ea38
Salonta **RO** 75 Hc35
Salsbruket **N** 32 Fd11
Salses-le-Château **F** 81 Db39
Sal'sk **RUS** 123 Fd15
Salsomaggiore Terme **I** 84 Fa37
Saltash **GB** 23 Cc28
Saltburn-by-the-Sea **GB** 21 Db23
Saltvik **FIN** 45 Gd17
Saluzzo **I** 83 Ec37
Salvatierra-Agurain **E** 80 Cb38
Salvatierra de los Barros **E** 91 Ba42
Šalyhyne **UA** 121 Ed13
Salzburg **A** 73 Fd34
Salzgitter **D** 56 Fb28
Salzkotten **D** 56 Fa28
Salzwedel **D** 56 Fc27
Samachvalavičy **BY** 120 Ea12
Samara **RUS** 119 Ga10
Samarína **GR** 101 Hc43
Sâmbăta **RO** 75 Hc35
Sambir **UA** 67 Hd31
Sambuca di Sicilia **I** 108 Fd47

Sámi **GR** 110 Hc46
Sämi **EST** 47 Hd17
Sămica **BG** 102 Jb41
Şamlı **TR** 103 Kb43
Samobor **HR** 73 Gb36
Samoëns **F** 71 Eb35
Samofalovka **RUS** 123 Fd13
Samokov **BG** 102 Ja40
Samolva **RUS** 47 Ja19
Samos **SRB** 87 Hb37
Sámos **TR** 113 Ka46
Samothráki **GR** 102 Jc42
Samro **RUS** 47 Jb18
Samsun **TR** 127 Fc19
Samtens **D** 57 Fd25
Sanadinovo **BG** 88 Jb39
Sânandrei **RO** 75 Hc36
Sanary-sur-Mer **F** 82 Ea39
San Bartolomé de la Torre **E** 105 Ad44
San Bartolomeo in Galdo **I** 99 Ga42
San Benedetto del Tronto **I** 85 Fd40
San Benedetto Po **I** 84 Fb37
San Cataldo **I** 100 Gd43
Sancerre **F** 69 Dc33
Sanchidrián **E** 91 Bc40
San Clemente **E** 92 Ca42
Sancoins **F** 69 Dc34
San Cristóbal de Entreviñas **E** 79 Bc38
Sancti-Spíritus **E** 91 Bb40
Sančursk **RUS** 119 Fc08
Sand **N** 42 Ed18
Sand **N** 43 Fc17
Sandane **N** 36 Ed15
San Daniele del Friuli **I** 73 Fd36
Sandanski **BG** 101 Ja41
Sandata **RUS** 127 Fd16
Sandbach **GB** 24 Da25
Sande **D** 55 Ed26
Sande **N** 36 Ed15
Sandefjord **N** 43 Fb18
Sandgerði **IS** 14 Bb06
Sand in Taufers **I** 72 Fc35
Sandnes **N** 42 Ed18
Sandnessjøen **N** 32 Fd09
Sandoméri **GR** 110 Hd46
Sandomierz **PL** 67 Hb29
Sândominic **RO** 76 Jb34
San Donà di Piave **I** 72 Fc36
Sandovo **RUS** 117 Ed09
Sandøysund **N** 43 Fb18
Šandrivka **UA** 122 Fa15
Sandsele **S** 33 Gc10
Sandstad **N** 32 Fb12
Sandvik **S** 51 Gc21
Sandvika **N** 32 Fd12
Sandvika **N** 33 Ga11
Sandviken **S** 38 Gb16
Sandvikvåg **N** 42 Ed17
Sandwich **GB** 25 Dc28
Sandy **GB** 25 Db27
San Elia a Pianisi **I** 99 Ga42

San Esteban de Gormaz **E** 79 Ca39
San Ferdinando di Puglia **I** 99 Gb42
San Fernando **E** 105 Ad45
San Fratello **I** 109 Ga46
Sangaste **EST** 47 Ja19
San Gavino Monreale **I** 97 Ec44
Sângeorgiu de Pădure **RO** 76 Jb35
Sângeorz-Băi **RO** 76 Ja34
Sângera **MD** 77 Ka34
Sângerei **MD** 77 Jd33
Sangerhausen **D** 64 Fc29
Sângeru **RO** 88 Jc36
San Gimignano **I** 84 Fb39
Sanginkylä **FIN** 35 Hc10
San Giovanni in Fiore **I** 109 Gc45
San Giovanni in Persiceto **I** 84 Fb38
San Giovanni Rotondo **I** 99 Gb42
San Giovanni Valdarno **I** 84 Fb39
Sangis **S** 34 Hb09
San Giuliano Terme **I** 84 Fa39
Sangla **EST** 47 Hd19
Sangüesa **E** 80 Cc39
San Javier **E** 107 Cb45
San José **E** 106 Bd46
Sankavak **TR** 128 Gc17
Sankt Andrä **A** 73 Ga35
Sankt Anna **S** 44 Gb19
Sankt Anton **A** 72 Fa34
Sankt Gallen **CH** 72 Fa34
Sankt Georgen **D** 71 Ed33
Sankt Gilgen **A** 73 Fd34
Sankt Goar **D** 63 Ed30
Sankt Ingbert **D** 63 Ec31
Sankt Jakob **A** 72 Fc35
Sankt Johann **A** 73 Fd34
Sankt Johann **A** 72 Fc34
Sankt Margrethen **CH** 72 Fa34
Sankt Michaelisdonn **D** 56 Fa25
Sankt Moritz **CH** 72 Fa35
Sankt-Peterburg **RUS** 41 Jb16
Sankt-Peterburg **RUS** 117 Eb08
Sankt Peter-Ording **D** 56 Fa25
Sankt Pölten **A** 73 Gb33
Sankt Ulrich **I** 72 Fc35
Sankt Valentin **A** 73 Ga33
Sankt Veit an der Glan **A** 73 Ga35
Sankt Vika **S** 45 Gc19
Sankt-Vith **B** 63 Ec30
Sankt Wendel **D** 63 Ec31
San Leonardo de Yagüe **E** 79 Ca39

San Lorenzo de Calatrava **E** 106 Bc43
San Lorenzo de El Escorial **E** 92 Bd40
San Lorenzo de la Parrilla **E** 92 Ca42
Sanlúcar de Barrameda **E** 105 Ad45
Sanlúcar de Guadiana **E** 104 Ac43
San Lucido **I** 109 Gb45
Sanluri **I** 97 Ed44
San Marco in Lamis **I** 99 Gb42
San Marino **RSM** 84 Fc39
Sânmartin **RO** 76 Jc35
San Martín del Pimpollar **E** 91 Bc41
San Martín de Montalbán **E** 91 Bc42
San Martín de Valdeiglesias **E** 91 Bc41
San Martino di Castrozza **I** 72 Fc36
San Miguel de Salinas **E** 107 Cb45
Sânmihaiu de Câmpie **RO** 76 Ja34
San Miniato **I** 84 Fb39
Sänna **EST** 47 Ja20
San Nicandro Garganico **I** 99 Gb41
Sânnicolau Mare **RO** 75 Hb36
Sanniki **PL** 58 Ha27
Sanok **PL** 67 Hc31
Šanovo **BG** 102 Jc40
San Pedro **E** 92 Ca43
San Pedro del Pinatar **E** 107 Cb45
San Pellegrino Terme **I** 72 Fa36
Sanquhar **GB** 21 Da22
San Quirico d'Orcia **I** 84 Fb40
Sanremo **I** 83 Ec39
San Roque **E** 105 Ba46
San Salvo **I** 99 Ga41
San Sebastián **E** 80 Cb38
San Sebastián de los Reyes **E** 92 Bd41
Sansepolcro **I** 84 Fc39
San Severino Marche **I** 85 Fd40
San Severo **I** 99 Gb42
Sanski Most **BIH** 86 Gc38
San Stefano di Camastra **I** 109 Ga46
Santa Amalia **E** 91 Ba42
Santa Bárbara de Casa **E** 105 Ad43
Santa Cesarea Terme **I** 100 Ha44
Santa Clara-a-Velha **P** 104 Ab43
Santa Coloma de Queralt **E** 95 Da41

Santa Comba **E** 78 Ad36
Santa Croce Camarina **I** 109 Ga48
Santa Cruz de Campezo **E** 80 Cb38
Santa Cruz de Mudela **E** 92 Bd43
Santadi **I** 97 Ec45
Santa Eufemia **E** 105 Bb43
Santa Eugenia (Ribeira) **E** 78 Ad37
Santa Eulalia **E** 93 Cb41
Santa Eulália **P** 90 Ad42
Santa Eulària des Riu **E** 94 Cd44
Santa Fé **E** 106 Bc45
Sant' Agata di Militello **I** 109 Ga46
Santa Margherita **I** 97 Ec45
Santa Maria **CH** 72 Fa35
Santa María de la Peña **E** 80 Cc39
Santa Maria del Calmí **E** 95 Db43
Santa María del Páramo **E** 79 Bc38
Santa María la Real de Nieva **E** 92 Bd40
Santa Marinella **I** 98 Fb41
Santa Marta **E** 91 Ba42
Santana da Serra **P** 104 Ac43
Santander **E** 79 Ca37
Sant'Andrea Frius **I** 97 Ed44
Sant'Angelo dei Lombardi **I** 99 Gb43
Sant'Angelo Lodigia **I** 84 Fa37
Sant'Antioco **I** 97 Ec45
Sant Antoni de Portmany **E** 94 Cd44
Sant'Antonio di Santadi **I** 97 Ec44
Santanyí **E** 95 Db44
Santa Olalla del Cala **E** 105 Ba43
Santa Pau **E** 81 Db40
Santa Pola **E** 107 Cb44
Sant' Arcangelo **I** 99 Gc44
Santarcangelo di Romagna **I** 84 Fc39
Santarém **P** 90 Ac41
Santa-Severa **F** 96 Ed40
Santa Teresa di Riva **I** 109 Gb47
Santa Teresa Gallura **I** 96 Ed42
Sant Carles de la Ràpita **E** 93 Cd42
Sant Carles de Peralta **E** 94 Cd44
Sant Celoni **E** 95 Db41
San Teodoro **I** 97 Ed43
Santeramo in Colle **I** 99 Gc43
Santesteban **E** 80 Cc38

Sant' Eufemia Lamezia **I** 109 Gc45
Sant Feliu de Guíxols **E** 95 Db41
Sant Francesc de Formentera **E** 94 Cd44
Santhià **I** 83 Ed37
Santiago de Alcántara **E** 90 Ad41
Santiago de Compostela **E** 78 Ad36
Santiago do Cacém **P** 90 Ab42
Santibáñez de la Sierra **E** 91 Bb40
Santillana del Mar **E** 79 Ca37
Santisteban del Puerto **E** 106 Bd44
Sant Joan d'Alacant **E** 107 Cb44
Sant Llorenç de Morunys **E** 81 Da40
Sant Mateu **E** 93 Cc42
Santo Domingo de la Calzada **E** 79 Ca38
Santo Domingo de Silos **E** 79 Ca39
Santoña **E** 79 Ca37
Santo Tirso **P** 78 Ad38
Santu Lussurgiu **I** 97 Ec43
San Vicente de Alcántara **E** 90 Ad41
San Vicente de la Barquera **E** 79 Bd37
San Vincenzo **I** 84 Fa40
San Vito **I** 97 Ed44
San Vito al Tagliamento **I** 73 Fd36
San Vito dei Normanni **I** 100 Gd43
San Vito lo Capo **I** 108 Fc46
Sanxenxo Sangenjo **E** 78 Ad37
Sanza **I** 99 Gb44
São Brás de Alportel **P** 104 Ac44
São João da Madeira **P** 78 Ad39
São Marcos da Serra **P** 104 Ac43
São Martinho de Angueira **P** 78 Bb39
Saorge **F** 83 Ec38
São Teotónio **P** 104 Ab43
Sápai **GR** 102 Jc42
Sapernoe **RUS** 41 Jb15
Sapožok **RUS** 118 Fb11
Sapri **I** 99 Gb44
Sara **FIN** 40 Hb14
Sarabikulovo **RUS** 119 Ga09
Saraby **N** 26 Ha03
Sarai **RUS** 118 Fb11
Säräisniemi **FIN** 35 Hd11
Saraiu **RO** 89 Ka37
Sarajärvi **FIN** 35 Hd09

Sarajevo **BIH** 86 Gd39
Sarakína **GR** 101 Hd43
Sarakína **GR** 101 Hd44
Sarakiní **GR** 101 Hd42
Saramon **F** 81 Da38
Saranci **BG** 102 Ja40
Sáránd **H** 75 Hc34
Sarandë **AL** 100 Hb44
Saransk **RUS** 119 Fc10
Sarantáporo **GR** 101 Hd43
Šarašova **BY** 59 Hd27
Sarata **UA** 77 Kb35
Sărăteni **MD** 77 Ka34
Saratov **RUS** 123 Fd12
Saray **TR** 103 Ka41
Sarbinowo **PL** 57 Gb25
Sárbogard **H** 74 Gd35
Sardara **I** 97 Ec44
Šarečensk **RUS** 31 Ja07
S'Arenal **E** 95 Db43
Šarengrad **HR** 86 Ha37
Šarhorod **UA** 125 Eb16
Saria **GR** 115 Kb48
Sarıköy **TR** 103 Ka42
Sariñena **E** 80 Cd40
Sarivelíler **TR** 128 Gb17
Sariyer **TR** 103 Kb41
Šar'ja **RUS** 117 Eb08
Šar'ja **RUS** 118 Fb08
Sarkadkeresztúr **H** 75 Hc35
Särkelä **FIN** 31 Hd07
Särkijarvi **FIN** 30 Ha07
Şarköy **TR** 103 Ka42
Sarlat-la-Canéda **F** 69 Da36
Sărmăşag **RO** 75 Hd34
Särna **S** 38 Fd15
Sarnaki **PL** 59 Hc27
Sarnano **I** 85 Fd40
Sarnen **CH** 71 Ed35
Sărnevo **BG** 102 Jc40
Sarnico **I** 72 Fa36
Sarno **I** 99 Ga43
Sarny **UA** 120 Ea14
Särö **S** 49 Fc21
Saronída **GR** 111 Jb47
Saronída **GR** 112 Jb46
Saronno **I** 71 Ed36
Sárosd **H** 74 Gd35
Sárospatak **H** 75 Hc33
Šarovce **SK** 74 Gd33
Sarpsborg **N** 43 Fc18
Sarralbe **F** 63 Ec32
Sarrebourg **F** 63 Ec32
Sarreguemines **F** 63 Ec32
Sarre-Union **F** 63 Ec32
Sarria **E** 78 Ba37
Sartène **F** 96 Ed42
Sárti **GR** 102 Jb43
Saruhanlı **TR** 113 Ka44
Sárvár **H** 74 Gc34
Särvsjön **S** 38 Fd14
Sarzana **I** 84 Fa38
Sarzeau **F** 60 Cc32
Sarzedas **P** 90 Ad40
Sa Savina **E** 94 Cd44
Sásd **H** 74 Gd36

Sasino **PL** 51 Gc24
Sasovo **RUS** 118 Fb10
Sassari **I** 97 Ec43
Sassnitz **D** 57 Fd25
Sassoferrato **I** 84 Fc39
Sasso Marconi **I** 84 Fb38
Sassuolo **I** 84 Fb38
Sástago **E** 80 Cc40
Šaštín-Stráže **SK** 66 Gc32
Såtenäs **S** 43 Fd19
Säter **S** 38 Ga14
Säter **S** 44 Gb17
Sātiņi **LV** 52 Hb22
Sátoraljaújhely **H** 75 Hc33
Satovča **BG** 102 Jb41
Sattanen **FIN** 31 Hc07
Satu Mare **RO** 75 Hd33
Šatura **RUS** 118 Fa10
Saucats **F** 68 Cd36
Sauclières **F** 81 Dc38
Sauda **N** 42 Ed17
Sauðárkrókur **IS** 15 Ca05
Saue **EST** 46 Hc18
Saugues **F** 81 Dc37
Saujon **F** 68 Cd35
Sauland **N** 43 Fb18
Săuleşti **RO** 88 Ja37
Saulieu **F** 70 Dd34
Saulkrasti **LV** 52 Hc21
Sault **F** 82 Ea38
Saumur **F** 69 Da33
Saunajärvi **FIN** 35 Ja11
Sauveterre-de-Béarn **F** 80 Cc38
Sauveterre-de-Guyenne **F** 68 Cd36
Sauvo **FIN** 46 Hb17
Sauxillanges **F** 69 Dc36
Sauzé-Vaussais **F** 69 Da34
Sävar **S** 34 Gd12
Săvârşin **RO** 75 Hc36
Sävast **S** 34 Ha09
Savaştepe **TR** 103 Ka43
Savenay **F** 61 Cd32
Săveni **RO** 76 Jc33
Saverdun **F** 81 Da38
Saverne **F** 63 Ec32
Savigliano **I** 83 Ec37
Savignano sul Rubicone **I** 84 Fc38
Savikylä **FIN** 35 Ja12
Şavirii Vechi **MD** 77 Jd32
Savitaipale **FIN** 41 Ja15
Šavnik **MNE** 86 Ha40
Savona **I** 83 Ed38
Savonlinna **FIN** 41 Ja14
Savonranta **FIN** 41 Ja14
Savran **UA** 77 Ka32
Sävsjö **S** 50 Ga21
Savukoski **FIN** 31 Hd07
Sawin **PL** 67 Hd29
Saxmundham **GB** 25 Dc27
Saxnäs **S** 33 Ga11
Säyneinen **FIN** 35 Ja12
Scaër **F** 60 Cb31
Scăeşti **RO** 88 Ja38

Scalasaig – Şevketiye

Scalasaig **GB** 16 Cc20
Scalea **I** 99 Gb44
Scanno **I** 98 Fd41
Scansano **I** 84 Fb40
Scanzano Ionico **I** 99 Gc43
Scarborough **GB** 21 Dc24
Scariñish **GB** 16 Cc20
Scarriff **IRL** 18 Ca24
Ščekino **RUS** 118 Fa11
Schaffhausen **CH** 71 Ed33
Schagen **NL** 55 Eb26
Scharbeutz **D** 56 Fb25
Schärding **A** 73 Fd33
Scheeßel **D** 56 Fb27
Scheibbs **A** 73 Ga33
Scheifling **A** 73 Ga34
Scheßlitz **D** 64 Fb31
Scheveningen **NL** 54 Ea27
Schiermonnikoog **NL** 55
  Ec26
Schiffdorf **D** 56 Fa26
Schiltach **D** 71 Ed33
Schio **I** 72 Fb36
Schirmeck **F** 63 Ec32
Schitu Duca **RO** 77 Jd34
Schitu Goleşti **RO** 88 Jb36
Schladming **A** 73 Fd34
Schlanders **I** 72 Fb35
Schleiden **D** 63 Ec30
Schleiz **D** 64 Fc30
Schleswig **D** 49 Fb24
Schleusingen **D** 64 Fb30
Schlieben **D** 57 Fd28
Schlitz **D** 64 Fa30
Schlüchtern **D** 64 Fa30
Schmalkalden **D** 64 Fb30
Schneverdingen **D** 56 Fb26
Schönberg **D** 56 Fb25
Schönberg **D** 56 Fb25
Schöne beck **D** 56 Fc28
Schongau **D** 72 Fb33
Schöningen **D** 56 Fb28
Schönsee **D** 64 Fc31
Schopfheim **D** 71 Ec33
Schörfling **A** 73 Fd33
Schorndorf **D** 64 Fa32
Schramberg **D** 71 Ed33
Schrobenhausen **D** 64 Fb32
Schruns **A** 72 Fa34
Schwaan **D** 56 Fc25
Schwabach **D** 64 Fb31
Schwäbisch Gmünd **D** 64
  Fa32
Schwäbisch Hall **D** 64 Fa32
Schwabmünchen **D** 72 Fb33
Schwaigern **D** 64 Fa32
Schwalmstadt **D** 64 Fa29
Schwalmtal **D** 64 Fa30
Schwandorf **D** 64 Fc32
Schwanewede **D** 56 Fa26
Schwarmstedt **D** 56 Fa27
Schwarzenbek **D** 56 Fb26
Schwaz **A** 72 Fc34
Schwechat **A** 74 Gc33
Schwedt **D** 57 Ga27
Schweich **D** 63 Ec30

Schweinfurt **D** 64 Fb30
Schwerin **D** 56 Fc26
Schwerte **D** 55 Ed28
Schwetzingen **D** 63 Ed31
Schwyz **CH** 71 Ed34
Sciacca **I** 108 Fc47
Scicli **I** 109 Ga48
Ščigry **RUS** 122 Fa13
Scilla **I** 109 Gb46
Ścinawa **PL** 65 Gb29
Scoarţa **RO** 88 Ja37
Scorniceşti **RO** 88 Jb37
Ščors **UA** 121 Ec13
Scourie **GB** 17 Da18
Scrabster **GB** 17 Db18
Ščučyn **BY** 59 Hd25
Sculeni **MD** 77 Jd33
Scunthorpe **GB** 25 Db25
Scuol **CH** 72 Fa35
Scutaru **RO** 76 Jc35
Ščyrec' **UA** 67 Hd31
Seahouses **GB** 21 Db22
Seamer **GB** 21 Dc24
Šebekino **RUS** 122 Fa14
Sebeş **RO** 88 Ja36
Sebež **RUS** 53 Jb21
Sebiş **RO** 75 Hc35
Sebnitz **D** 65 Ga29
Secemin **PL** 67 Ha29
Sečenovo **RUS** 119 Fc09
Seclin **F** 62 Dd29
Secondigny **F** 69 Da34
Seda **LT** 52 Hb22
Sedan **F** 62 Ea30
Séderon **F** 82 Ea38
Sedini **I** 96 Ed42
Sedlčany **CZ** 65 Ga31
Šeduva **LT** 52 Hc23
Sędziszów **PL** 67 Ha30
Seefeld **A** 72 Fb34
Seehausen **D** 56 Fc27
Seelow **D** 57 Ga27
Sées **F** 61 Db31
Seferihisar **TR** 113 Ka45
Şegarcea **RO** 88 Ja38
Segorbe **E** 93 Cc42
Segovia **E** 92 Bd40
Segré **F** 61 Cd32
Segura **P** 91 Ba41
Segura de la Sierra **E** 106
  Bd44
Segura de León **E** 105 Ba43
Seia **P** 90 Ad40
Şeica Mare **RO** 76 Ja35
Seilhac **F** 69 Db36
Seinäjoki **FIN** 40 Hb13
Seini **RO** 75 Hd33
Seirijai **LT** 59 Hd25
Seirijai **LT** 59 Hd25
Sejny **PL** 59 Hd25
Sękowa **PL** 67 Hb31
Šeksna **RUS** 117 Ed08
Sekulovo **BG** 89 Jd38
Selargius **I** 97 Ed45
Şelaru **RO** 88 Jb37
Selb **D** 64 Fc30

Selbekken **N** 37 Fc13
Selbitz **D** 64 Fc30
Selbu **N** 37 Fc13
Selby **GB** 21 Db24
Sel'co **RUS** 47 Jb19
Selçuk **TR** 113 Ka45
Selde **DK** 48 Fa21
Sélestat **F** 71 Ec33
Selet **S** 34 Gd10
Selevac **SRB** 87 Hb38
Selfoss **IS** 14 Bc07
Seligenstadt **D** 64 Fa30
Selimiye **TR** 113 Kb46
Selımpaşa **TR** 103 Kb41
Selište **SRB** 87 Hd38
Seližarovo **RUS** 117 Ec10
Seljaküla **EST** 46 Hc18
Seljatyn **UA** 76 Jb33
Seljatyn **UA** 124 Ea16
Selje **N** 36 Ed14
Seljebø **N** 37 Fb13
Seljord **N** 42 Fa18
Selkirk **GB** 21 Da22
Selles-sur-Cher **F** 69 Db33
Selongey **F** 70 Ea33
Selsjön **S** 39 Gc13
Seltjärn **S** 39 Gc13
Semenivka **UA** 121 Ec13
Semenov **RUS** 118 Fb09
Semënovka **RUS** 123 Fd13
Semerdžievo **BG** 88 Jc38
Semikarakorsk **RUS** 123
  Fc15
Semiluki **RUS** 122 Fb13
Šemordan **RUS** 119 Fd08
Šempeter **SLO** 73 Ga36
Sempujärvi **FIN** 34 Hb09
Semur-en-Auxois **F** 70 Ea33
Senden **D** 72 Fa33
Şendreni **RO** 89 Jd36
Senec **SK** 74 Gc33
Senftenberg **D** 65 Ga29
Senica **SK** 66 Gc32
Senigallia **I** 85 Fd39
Senj **HR** 85 Ga37
Senkaya **TR** 127 Ga19
Senlis **F** 62 Dd31
Sennecey-le-Grand **F** 70
  Ea34
Sennen **GB** 23 Ca28
Sennybridge **GB** 24 Cd26
Senohrad **SK** 74 Ha33
Senokos **BG** 89 Ka38
Senonches **F** 61 Db31
Senorbì **I** 97 Ed44
Senovo **BG** 88 Jc38
Sens **F** 62 Dd32
Senta **SRB** 75 Hb36
Separeva Banja **BG** 102
  Ja40
Šepelevo **RUS** 41 Jb16
Šepetivka **UA** 121 Eb15
Sępólno Krajeńskie **PL** 58
  Gc26
Sępopol **PL** 59 Hb25
Septemvri **BG** 102 Jb40

Sepúlveda **E** 92 Bd40
Serafimoviè **RUS** 123 Fd13
Seraing **B** 63 Eb29
Serdobsk **RUS** 119 Fc11
Serebrjanskij **RUS** 47 Jb18
Sered' **SK** 74 Gd33
Seredžius **LT** 52 Hc24
Seregno **I** 71 Ed36
Šeremet'evka **RUS** 119
  Ga08
Séres **GR** 101 Ja42
Serfaus **A** 72 Fb34
Sergač **RUS** 119 Fc09
Sergiev Posad **RUS** 118
  Fa10
Sergines **F** 62 Dd32
Sérifos **GR** 111 Jc47
Sermaize-les-Bains **F** 62
  Ea32
Sermehin **MK** 101 Hd42
Sernancelhe **P** 78 Ba39
Sernur **RUS** 119 Fd08
Serock **PL** 59 Hb27
Serón **E** 106 Bd45
Serón de Nágima **E** 80 Cb40
Seròs **E** 80 Cd40
Serpa **P** 104 Ac43
Serpuhov **RUS** 117 Ed11
Serracapriola **I** 99 Ga41
Serra de Outes **E** 78 Ad36
Serradilla **E** 81 Bb41
Serra San Bruno **I** 109 Gc46
Serres **F** 82 Ea37
Serrières **F** 70 Ea36
Sertã **P** 90 Ad40
Sertolovo **RUS** 41 Jb16
Sérvia **GR** 101 Hd43
Sesimbra **P** 90 Ab42
Seskarö **S** 34 Hb09
Sessa Aurunca **I** 98 Fd42
Sesto Fiorentino **I** 84 Fb39
Sesto San Giovanni **I** 71
  Ed36
Sestriere **I** 83 Eb37
Sestri Levante **I** 83 Ed38
Sestroreck **RUS** 41 Jb16
Sesvete **HR** 73 Gb36
Šeta **LT** 53 Hd23
Sète **F** 81 Dc39
Setermoen **N** 29 Gc06
Setraki **RUS** 123 Fc14
Settimo Torinese **I** 83 Ec37
Settle **GB** 21 Da24
Setúbal **P** 90 Ac42
Seui **I** 97 Ed44
Seurre **F** 70 Ea34
Sevaster **AL** 100 Hb43
Sevastopol' **UA** 126 Fa18
Ševčenkove **UA** 122 Fa14
Sevenoaks **GB** 25 Db28
Séverac-le-Château **F** 81
  Dc37
Sevettijarvi **FIN** 27 Hc04
Sevilla **E** 105 Ba44
Şevketiye **TR** 103 Ka43

Sevlievo – Skansnäs

Sevlievo BG 88 Jb39
Sevnica SLO 73 Gb36
Sevsk RUS 121 Ed13
Sevštari BG 89 Jd38
Seydişehir TR 128 Ga15
Seyðisfjörður IS 15 Cc07
Seyne F 83 Eb38
Seyssel F 71 Eb36
Sežana SLO 73 Fd36
Sézanne F 62 Dd32
Sezze I 98 Fd42
Sfáka GR 111 Ja45
Sfáka GR 115 Ka49
Sfântu Gheorghe RO 76 Jb35
Sfântu Gheorghe RO 89 Kb36
Sfinári GR 114 Jb49
's-Gravenhage NL 54 Ea27
Shaftesbury GB 24 Cd28
Shanklin GB 24 Da28
Shannon IRL 18 Bd24
Sheerness GB 25 Dc28
Sheffield GB 25 Db25
Shelcan RKS 100 Hb42
Shëmil RKS 100 Hb42
Shënmër AL 100 Hb41
Shepton Mallet GB 24 Cd27
Sherborne GB 24 Cd28
Sheringham GB 25 Dc26
's-Hertogenbosch NL 55 Eb28
Shëvasija AL 100 Hb44
Shiel Bridge GB 16 Cd19
Shieldaig GB 16 Cd19
Shinoúsa GR 115 Jd47
Shkodër AL 100 Ha41
Shrewsbury GB 24 Da25
Sianów PL 57 Gb25
Šiaulénai LT 52 Hc23
Šiauliai LT 52 Hc22
Sibari I 99 Gc44
Sibbo FIN 40 Hc16
Šibenik HR 85 Gb39
Sibiu RO 88 Ja36
Şiboț RO 75 Hd36
Sichnice PL 66 Gc29
Siciska PL 58 Ha28
Šid SRB 86 Ha37
Sideby FIN 40 Ha14
Sidensjö S 39 Gc13
Siderno I 109 Gc46
Sidirókastro GR 101 Ja42
Sidmouth GB 24 Cd28
Siebe N 26 Ha05
Siedlce PL 59 Hc27
Siegburg D 63 Ec29
Siegen D 63 Ed29
Sielpia Wielka PL 67 Ha29
Siemiatycze PL 59 Hc27
Siemień PL 59 Hc28
Siena I 84 Fb39
Sieniawa PL 67 Hc30
Šienlaukis LT 52 Hc23
Siennica PL 59 Hb28
Sieppijärvi FIN 30 Hb08

Sieradz PL 58 Gd28
Sieraków PL 66 Gd30
Sierentz F 71 Ec33
Sierpc PL 58 Ha27
Sierre CH 71 Ec35
Şieu RO 76 Ja34
Sieuleni RO 76 Jb35
Sievi FIN 34 Hb12
Sievin FIN 34 Hb12
Sigean F 81 Dc39
Siggerud N 43 Fc18
Sighetu Marmaţiei RO 76 Ja33
Sighişoara RO 76 Jb35
Siglufjörður IS 15 Ca05
Sigmaringen D 72 Fa33
Šigony RUS 119 Ga10
Sigrí GR 113 Jd44
Sigtuna S 45 Gc18
Sigüenza E 92 Ca40
Sigüés E 80 Cc39
Sigulda LV 53 Hd21
Šihany RUS 119 Fd11
Sihtuuna FIN 34 Hb09
Siikainen FIN 40 Ha15
Siikajoki FIN 34 Hb11
Siilinjärvi FIN 41 Hd13
Siipyy FIN 40 Ha14
Siivikko FIN 35 Hd10
Sikeå S 34 Gd12
Sikfors S 34 Gd10
Sikiés GR 101 Hd44
Síkinos GR 111 Jc47
Sikourió GR 101 Ja44
Sikovicy RUS 47 Jb19
Siksjö S 33 Gc11
Šilalė LT 52 Hb23
Silandro I 72 Fb35
Silbaš SRB 86 Ha37
Silene LV 53 Ja22
Siles E 106 Bd44
Silian A 72 Fc35
Silifke TR 128 Gc17
Silistra BG 89 Jd37
Silivaşu de Câmpie RO 76 Ja34
Silivri TR 103 Kb41
Siljan N 43 Fb18
Siljansnäs S 38 Ga16
Silkeborg DK 49 Fb22
Silla E 93 Cc43
Sillamäe EST 47 Ja17
Sille TR 128 Ga15
Silleda E 78 Ba37
Sillé-le-Guillaume F 61 Da32
Sillerud S 43 Fd18
Silloth GB 21 Da22
Silovo RUS 118 Fb11
Šilovo RUS 122 Fa12
Silsand N 26 Gc05
Šilutė LT 52 Hb23
Silvalen N 32 Fd09
Silván E 78 Bb38
Silverdalen S 50 Gb21
Silves P 104 Ab43
Silvi I 99 Ga41

Simakivka UA 121 Eb14
Simbach D 73 Fd33
Simbirsk RUS 119 Fd09
Simeria RO 75 Hd36
Simferopol' UA 126 Fa17
Sími GR 115 Kb47
Šimkaičiai LT 52 Hc23
Simlångsdalen S 49 Fd22
Şimleu Silvaniei RO 75 Hd34
Simmern D 63 Ed30
Simnas LT 52 Hc24
Simo FIN 34 Hb09
Simos GR 110 Hd45
Simrishamn S 50 Ga23
Simsk RUS 117 Eb09
Simuna EST 47 Hd18
Sinaia RO 88 Jb36
Sinalunga I 84 Fb40
Şinca Nouă RO 88 Jb36
Sindal DK 49 Fb21
Sindelfingen D 64 Fa32
Sindi EST 46 Hc19
Sındırgı TR 113 Kb44
Sinekli TR 103 Kb41
Sinemorec BG 103 Ka40
Sines P 90 Ab42
Sinettä FIN 30 Hb08
Sineu E 95 Db43
Singen D 71 Ed33
Singilej RUS 119 Fd10
Sinie Lipjagi RUS 122 Fb13
Siniscola I 97 Ed43
Sinj HR 86 Gc39
Sinjavka BY 120 Ea13
Sinnai I 97 Ed44
Sinnes N 42 Ed18
Sinodskoe RUS 119 Fd11
Sinop TR 126 Fb19
Sinsheim D 64 Fa31
Sintea Mare RO 75 Hc35
Sintra P 90 Ab41
Sint-Niklaas B 54 Ea28
Sint-Truiden B 63 Eb29
Sinzig D 63 Ec30
Siófok H 74 Gd35
Sion CH 71 Ec35
Šipka BG 102 Jc40
Sipoo FIN 40 Hc16
Šipovo BIH 86 Gc38
Sippola FIN 41 Hd16
Sira N 42 Ed19
Siracusa I 109 Gb48
Siret RO 76 Jb33
Sirevåg N 42 Ed19
Şiria RO 75 Hc35
Siriu RO 88 Jc36
Širjaêve MD 77 Kb33
Sirkka FIN 30 Hb07
Sirmione I 84 Fb37
Sirok H 75 Hb33
Široka läka BG 102 Jb41
Široké SK 67 Hb32
Široki Brijeg BIH 86 Gd39
Širvintos LT 53 Hd23
Sisak HR 85 Gb37

Sisante E 92 Ca42
Sissone F 62 Ea31
Şiştărovaţ RO 75 Hc36
Sisteron F 82 Ea38
Sitges E 95 Da41
Sitía GR 115 Ka49
Sitohóri GR 101 Ja42
Sittard NL 63 Eb29
Sittingbourne GB 25 Dc28
Sivac SRB 74 Ha36
Šivačevo BG 88 Jc39
Sivakka FIN 35 Ja11
Sivakka FIN 35 Ja11
Siverskij RUS 117 Eb09
Six-Fours-les-Plages F 82 Ea39
Sizun F 60 Cb31
Sjanno BY 121 Eb12
Sjas'stroj RUS 117 Eb08
Sjava RUS 119 Fc08
Sjenica SRB 87 Hb39
Sjeverodonec'k UA 122 Fb14
Sjoa N 37 Fb15
Sjøasen N 32 Fc12
Sjöbo S 49 Fd23
Sjøholt N 36 Fa14
Sjötofta S 49 Fd21
Sjötorp S 44 Ga19
Sjøvegan N 29 Gc06
Sjuntorp S 43 Fd20
Sjuvjaoro RUS 41 Jb14
Skadovs'k UA 125 Ed17
Skælskør DK 49 Fc24
Skærbæk DK 48 Fa24
Skaftung FIN 40 Ha14
Skagaströnd IS 14 Bd05
Skagen DK 43 Fc20
Skagshamn S 39 Gd13
Skaidi N 26 Ha03
Skaill GB 17 Db17
Skaistgirys LT 52 Hc22
Skaistkalne LV 53 Hd22
Skaitekojan N 28 Gb07
Skaitekojan S 29 Gd08
Skála GR 111 Ja47
Skála GR 113 Ka46
Skała PL 67 Ha30
Skála Eressú GR 113 Jd44
Skála Marión GR 102 Jb42
Skála Oropoú GR 112 Jb45
Skala-Podil's'ka UA 124 Ea16
Skalica BG 103 Jd40
Skalica SK 66 Gc32
Skalltivaara FIN 27 Hc04
Skalmodal S 33 Ga10
Skalotí GR 102 Jb41
Skalstugan S 38 Fd13
Skandáli GR 102 Jc43
Skandawa PL 59 Hb25
Skanderborg DK 49 Fb23
Skånevik N 42 Ed17
Skåningen N 26 Gc04
Skänninge S 44 Ga19
Skansnäs S 33 Gb10

Solana del Pino **E** 106 Bc43
Solares **E** 79 Ca37
Solberg **S** 33 Gc12
Solca **RO** 76 Jb33
Sol'cy **RUS** 117 Eb09
Șoldănești **MD** 77 Ka32
Sölden **A** 72 Fb35
Solec Kujawski **PL** 58 Gd26
Solënoe **RUS** 123 Fd15
Solenzara **F** 96 Ed41
Solihull **GB** 24 Da26
Solingen **D** 63 Ec29
Sollebrunn **S** 43 Fd20
Sollefteå **S** 39 Gc13
Sollentuna **S** 45 Gc18
Sóller **E** 95 Db43
Sollihøgda **N** 43 Fc17
Solncevo **RUS** 122 Fa13
Solnečnogorsk **RUS** 117 Ed10
Solnice **CZ** 65 Gb30
Šolohovskij **RUS** 123 Fc14
Solone **UA** 122 Fa15
Solonț **RO** 76 Jc34
Solothurn **CH** 71 Ec34
Solotvyn **UA** 76 Ja32
Solotvyna **UA** 76 Ja33
Sølsnes **N** 36 Fa14
Solsona **E** 81 Da40
Solsvik **N** 36 Ec16
Solt **H** 74 Ha35
Soltau **D** 56 Fb27
Soltvadkert **H** 74 Ha35
Solvarbo **S** 44 Gb17
Sölvesborg **S** 50 Ga23
Soly **BY** 53 Ja24
Sol y Nieve **E** 106 Bc45
Soma **TR** 113 Ka44
Somaén **E** 92 Ca40
Somain **F** 62 Dd29
Sombor **SRB** 74 Ha36
Șomcuta Mare **RO** 75 Hd34
Somero **FIN** 40 Hb16
Somianki **PL** 59 Hb27
Sömmerda **D** 64 Fb29
Sommersete **N** 27 Hd03
Sommesous **F** 62 Ea32
Sommières **F** 82 Dd38
Somogyvár **H** 74 Gd35
Somonino **PL** 58 Gd25
Sompolno **PL** 58 Gd27
Soncillo **E** 79 Ca38
Sondalo **I** 72 Fa35
Søndeled **N** 43 Fb19
Sønderborg **DK** 49 Fb24
Sønder Nissum **DK** 48 Fa22
Sønder Omme **DK** 48 Fa23
Sondershausen **D** 64 Fb29
Søndersø **DK** 49 Fb23
Søndervig **DK** 48 Fa22
Sondrio **I** 72 Fa36
Son en Breugel **NL** 55 Eb28
Sonkajärvi **FIN** 35 Hd12
Sonkovo **RUS** 117 Ed09
Sonneberg **D** 64 Fb30
Sonseca **E** 91 Bc42

Sonthofen **D** 72 Fa34
Sontra **D** 64 Fa29
Sopot **PL** 58 Gd25
Sopot **SRB** 87 Hb38
Sopotnica **MK** 101 Hc42
Sopron **H** 74 Gc34
Sora **I** 98 Fd42
Söråker **S** 39 Gc14
Sorano **I** 84 Fb40
Sorbas **E** 106 Bd45
Sörbygden **S** 38 Gb14
Sore **F** 80 Cd37
Søre Moen **N** 32 Fd12
Soresina **I** 84 Fa37
Sør-Flatanger **N** 32 Fc11
Sörforsa **S** 38 Gb15
Sorgono **I** 97 Ed44
Sorgues-l'Ouvèze **F** 82 Dd38
Sør-Gutvika **N** 32 Fd11
Soria **E** 79 Ca39
Sørkjosen **N** 26 Gd04
Sørland **N** 28 Fd07
Sørli **N** 33 Ga12
Sörmjöle **S** 34 Gd12
Sornac **F** 69 Db35
Sorø **DK** 49 Fc23
Soroca **MD** 77 Jd32
Soroč'i Gory **RUS** 119 Fd09
Sørreisa **N** 26 Gc05
Sorrento **I** 99 Ga43
Sørrollnes **N** 28 Gb06
Sorsakoski **FIN** 41 Hd13
Sorsele **S** 33 Gc10
Sorso **I** 97 Ec43
Sørstraumen **N** 26 Gd04
Sort **E** 81 Da39
Sortavala **RUS** 41 Jb14
Sortland **N** 28 Gb06
Sør-Tverrfjord **N** 26 Gd04
Sørumsand **N** 43 Fc17
Sørvær **N** 26 Gd03
Sørvågen **N** 28 Fd07
Sörvattnet **S** 38 Fd14
Sørvika **N** 37 Fd14
Sösdala **S** 49 Fd23
Sos del Rey Católico **E** 80 Cc39
Sosedka **RUS** 119 Fc11
Sosnenskij **RUS** 117 Ed11
Sosnicy **RUS** 47 Jb17
Sosnove **UA** 120 Ea14
Sosnovka **RUS** 118 Fb11
Sosnovka **RUS** 119 Fd08
Sosnovo **RUS** 41 Jb16
Sosnovyj Bor **RUS** 47 Jb17
Sosnowica **PL** 59 Hc28
Sosnowiec **PL** 67 Ha30
Sospel **F** 83 Ec39
Šoštanj **SLO** 73 Ga35
Šostka **UA** 121 Ed13
Sotasæter **N** 36 Fa15
Sotillo de la Adrada **E** 91 Bc41
Sotkamo **FIN** 35 Hd11
Soto del Barco **E** 79 Bc36

Sotogrande **E** 105 Ba46
Sottunga **FIN** 46 Ha17
Soufflenheim **F** 63 Ed32
Soufli **GR** 103 Jd41
Souillac **F** 69 Db36
Souilly **F** 63 Eb31
Soulac-sur-Mer **F** 68 Cd35
Soúli **GR** 111 Ja46
Souloúpoulo **GR** 101 Hc44
Sourpi **GR** 111 Ja45
Sousceyrac **F** 69 Db36
Sousel **P** 90 Ad41
Soustons **F** 80 Cc37
Southampton **GB** 24 Da28
Southend-on-Sea **GB** 25 Dc27
South Molton **GB** 23 Cc27
Southport **GB** 21 Da24
South Shields **GB** 21 Db23
Southwold **GB** 25 Dd27
Souvigny **F** 69 Dc34
Sovata **RO** 76 Jb35
Soverato **I** 109 Gc46
Sovetsk **RUS** 52 Hb24
Sovetskaja **RUS** 123 Fc14
Sovetskaja **RUS** 127 Fd17
Sovetskij **RUS** 41 Ja16
Sovetskij **RUS** 119 Fd08
Sovetskoe **RUS** 127 Ga17
Sowczyce **PL** 66 Gd29
Sowia Góra **PL** 57 Gb27
Sozopol **BG** 103 Ka40
Spa **B** 63 Eb30
Spalding **GB** 25 Db26
Spálené Poříčí **CZ** 65 Fd31
Sparbu **N** 32 Fc12
Sparreholm **S** 44 Gb19
Spárti **GR** 111 Ja47
Spas-Klepiki **RUS** 118 Fa10
Spasovo **BG** 89 Ka38
Spassk- Rjazanskij **RUS** 118 Fb11
Spean Bridge **GB** 16 Cd19
Spentrup **DK** 49 Fb22
Spétses **GR** 111 Ja47
Speyer **D** 63 Ed31
Spezzano Albanese **I** 99 Gc44
Spezzano della Sila **I** 109 Gc45
Spiddle **IRL** 18 Bd23
Spiez **CH** 71 Ec35
Spijkenisse **NL** 54 Ea28
Spilimbergo **I** 73 Fd36
Spiljani **MNE** 87 Hb40
Spilsby **GB** 25 Dc25
Spinazzola **I** 99 Gb43
Špindlerův Mlýn **CZ** 65 Gb30
Spirovo **RUS** 117 Ec09
Spišská Belá **SK** 67 Hb32
Spittal an der Drau **A** 73 Fd35
Spitz **A** 73 Gb33
Spjelkavik **N** 36 Fa14
Split **HR** 86 Gc39

Splügen **CH** 72 Fa35
Spodsbjerg **DK** 49 Fb24
Špogi **LV** 53 Ja22
Špola **UA** 121 Ec15
Spoleto **I** 84 Fc40
Spotorno **I** 83 Ed38
Spremberg **D** 65 Ga29
Șpring **RO** 76 Ja35
Springe **D** 56 Fa28
Sproge **S** 51 Gc21
Spuž **MNE** 86 Ha40
Squillace **I** 109 Gc45
Squinzano **I** 100 Gd43
Srb **HR** 85 Gb38
Srbac **BIH** 86 Gc37
Srbica **RKS** 87 Hc40
Srbobran **SRB** 74 Ha36
Srbovac **RKS** 87 Hc40
Srdiečko **SK** 67 Ha32
Srebărna **BG** 89 Jd37
Srebrenica **BIH** 86 Ha38
Srebrenik **BIH** 86 Gd38
Sredec **BG** 102 Jc40
Sredec **BG** 103 Jd40
Šrem **PL** 58 Gc28
Sremska Mitrovica **SRB** 86 Ha37
Sremski Karlovci **SRB** 87 Hb37
Sribne **UA** 121 Ed14
Środa Wielkopolska **PL** 58 Gc28
Srokowo **PL** 59 Hb25
Stachanov **UA** 122 Fb15
Stachy **CZ** 65 Fd32
Staðarskáli **IS** 14 Bd06
Stade **D** 56 Fa26
Stadskanaal **NL** 55 Ed26
Stadthagen **D** 56 Fa27
Stadtlohn **D** 55 Ec28
Staffanstorp **S** 49 Fd23
Stafford **GB** 24 Da25
Stahnsdorf **D** 57 Fd27
Staicele **LV** 47 Hd20
Stakkvik **N** 26 Gc04
Stakliškes **LT** 53 Hd24
Stalbe **LV** 47 Hd20
Ställdalen **S** 44 Ga17
Staloluokta **S** 28 Gb08
Stalon **S** 33 Gb11
Stalowa Wola **PL** 67 Hc30
Stambolijski **BG** 102 Jb40
Stamford **GB** 25 Db26
Stamford Bridge **GB** 21 Db24
Stamnes **N** 36 Ed16
Stamsund **N** 28 Ga07
Stânceni **RO** 76 Jb34
Stånga **S** 51 Gd21
Stange **N** 37 Fc16
Stanhope **GB** 21 Db23
Stanica Bagaevskaja **RUS** 123 Fc15
Stanišić **SRB** 74 Ha36
Staňkov **CZ** 65 Fd31
Stanovoe **RUS** 122 Fa12

Stans CH 71 Ed34
Stanyčno- Luhans'ke UA 123 Fc14
Staphorst NL 55 Ec27
Stąporków PL 67 Hb29
Stara PL 67 Ha29
Stara Caryčanka UA 77 Kb34
Starachowice PL 67 Hb29
Staraja Russa RUS 117 Eb09
Stara Kiszewa PL 58 Gd25
Stara Moravica SRB 74 Ha36
Stara Novalja HR 85 Ga38
Stara Pazova SRB 87 Hb37
Stara Rečka BG 88 Jc39
Stara Reka BG 88 Jc39
Stara Ušycja UA 76 Jc32
Stara Vyživka UA 59 Hd28
Stara Zagora BG 102 Jc40
Stare Dolistowo PL 59 Hc26
Stare Jeżewo PL 59 Hc26
Stare Kiełbonki PL 59 Hc26
Stare Strącze PL 57 Gb28
Stargard Szczeciński PL 57 Ga26
Stårheim N 36 Ed14
Starica RUS 117 Ec10
Starica RUS 121 Ed12
Starigrad HR 86 Gc40
Starnberg D 72 Fb33
Starobil's'k UA 122 Fb14
Starobin BY 120 Ea13
Starodub RUS 121 Ec13
Starogard PL 57 Gb26
Starogard Gdański PL 58 Gd25
Starojur'evo RUS 118 Fb11
Starokostjantyniv UA 121 Eb15
Starominskaja RUS 127 Fc16
Staro Nagoričane MK 101 Hd41
Staro Petrovo Selo HR 86 Gd37
Starosel BG 102 Jb40
Staro Selo BG 88 Jc38
Starotitarovskaja RUS 126 Fb17
Starožilovo RUS 118 Fa11
Stary Dzierzgoń PL 58 Gd25
Staryi Oskol RUS 122 Fa13
Staryja Darohi BY 121 Eb13
Staryj Sambir UA 67 Hd31
Staßfurt D 56 Fc28
Staszów PL 67 Hb30
Stathelle N 43 Fb18
Staume N 36 Ed15
Stavanger N 42 Ed18
Stave SRB 86 Ha38
Stavelot B 63 Eb30
Stavern N 43 Fb19
Stavky UA 67 Hd29

Stavre S 38 Ga14
Stavrodrómi GR 110 Hd46
Stavropol' RUS 127 Fd16
Stavrós GR 101 Ja42
Stavroskiádi GR 101 Hc44
Stavroúpoli GR 102 Jb42
Stawiski PL 59 Hb26
Stawiszyn PL 58 Gd28
Steenbergen NL 54 Ea28
Steenvoorde F 62 Dd29
Steenwijk NL 55 Ec27
Stefan Karadža BG 89 Jd38
Ștefan-Vodă MD 77 Kb34
Steffisburg CH 71 Ec35
Stege DK 49 Fc24
Stegna PL 58 Gd25
Ștei RO 75 Hd35
Steķi LV 53 Ja21
Stein D 64 Fb31
Steinach A 72 Fb34
Steinach D 64 Fb30
Stein am Rhein CH 71 Ed34
Steinau D 64 Fa30
Steine N 28 Ga06
Steinfeld D 55 Ed27
Steinfurt D 55 Ed27
Steinhagen D 57 Fd25
Steinheim D 56 Fa28
Steinkjer N 32 Fc12
Steinshamn N 36 Fa13
Steinsstaðabyggð IS 15 Ca06
Stekenjokk S 33 Ga11
Stenay F 63 Eb31
Stendal D 56 Fc27
Stende LV 52 Hb21
Štěnovice CZ 65 Fd31
Stensele S 33 Gb11
Stenstorp S 44 Fd20
Stenträsk S 34 Gd09
Stenudden S 33 Gc09
Stenungsund S 43 Fc20
Stepanci MK 101 Hc42
Štepivka UA 121 Ed14
Stepnica PL 57 Ga26
Stepnoe Matjunico RUS 119 Fd10
Stepojevac SRB 87 Hb38
Sterdyń-Osada PL 59 Hc27
Sternberg D 56 Fc26
Šternberk CZ 66 Gc31
Stérnes GR 114 Jc49
Sterzing I 72 Fb35
Stęszew PL 58 Gc28
Stevenage GB 25 Db27
Steyr A 73 Ga33
Stężyca PL 58 Gc25
Stigen S 43 Fc19
Stigliano I 99 Gb43
Stigtomta S 44 Gb19
Stilída GR 111 Ja45
Stilo I 109 Gc46
Štimlje RKS 87 Hc40
Stinăpari RO 87 Hc37
Štip MK 101 Hd41
Stíra GR 112 Jb46

Stirling GB 21 Da21
Štítary CZ 65 Gb32
Štítnik SK 67 Hb32
Stjørdal N 37 Fc13
Stockach D 71 Ed33
Stockaryd S 50 Ga21
Stockbridge GB 24 Da28
Stockerau A 73 Gb33
Stockholm S 45 Gc18
Stockport GB 24 Da25
Stockton-on-Tees GB 21 Db23
Stoczek Lukowski PL 59 Hc28
Stod CZ 65 Fd31
Stöde S 38 Gb14
Stødi N 33 Ga09
Stöðvarfjörður IS 15 Cc08
Stoholm DK 48 Fa22
Stoke-on-Trent GB 24 Da25
Stokkseyri IS 14 Bc07
Stokkvågen N 32 Fd09
Stokmarknes N 28 Ga06
Stolac BIH 86 Gd40
Stolin BY 120 Ea14
Stollberg D 65 Fd30
Stöllet S 44 Fd17
Stoloiceni MD 77 Jd34
Stómio GR 101 Ja44
Stone GB 24 Da25
Stonehaven GB 17 Db20
Stonglandet N 28 Gb05
Stopnica PL 67 Hb30
Storå S 44 Ga18
Stora Blåsjön S 33 Ga11
Storberg S 33 Gc10
Storby FIN 45 Gd17
Stordalen N 36 Fa14
Stordalen S 29 Gc06
Stordalselv N 26 Gc05
Storebro S 50 Gb21
Store Heddinge DK 49 Fd24
Storekorsnes N 26 Ha04
Storelv N 26 Ha03
Store Molvik N 27 Hc03
Støren N 37 Fc13
Storfors S 44 Ga18
Storforshei N 33 Ga09
Storjola S 33 Ga11
Storjord N 28 Gb08
Storjorda N 28 Ga08
Storkow D 57 Ga28
Storlien S 38 Fd13
Stornoway GB 16 Cd18
Storožynec' UA 76 Jb32
Storožynec' UA 124 Ea16
Storslett N 26 Gd04
Storstein N 26 Gd04
Storsteinnes N 26 Gc05
Storuman S 33 Gb11
Storvorde DK 49 Fb21
Storvreta S 45 Gc17
Stöten S 38 Fd16
Stovbcy BY 120 Ea13
Støvring DK 49 Fb21
Stowięcino PL 58 Gc25

Stowmarket GB 25 Dc27
Stow-on-the-Wold GB 24 Da27
Strabane GB 20 Cb22
Stradella I 83 Ed37
Straelen D 55 Ec28
Strakonice CZ 65 Fd32
Straldža BG 103 Jd40
Stralki BY 53 Jb22
Stralsund D 57 Fd25
Strambino I 71 Ec36
Strâmtura RO 76 Ja33
Stranda N 36 Fa14
Strandby DK 49 Fb21
Strandebarm N 42 Ed17
Strangford GB 20 Cc23
Strängnäs S 45 Gc18
Strångsjö S 44 Gb19
Stranraer GB 20 Cd22
Strasbourg F 63 Ec32
Strasburg D 57 Fd26
Strășeni MD 77 Ka33
Straßwalchen A 73 Fd33
Stratford-upon-Avon GB 24 Da26
Stratínista GR 101 Hc44
Stratinska BIH 86 Gc38
Stratóni GR 102 Jb43
Strátos GR 110 Hc45
Stratton GB 23 Cc27
Straubing D 64 Fc32
Straumen N 26 Gc05
Straumen N 28 Ga08
Straumen N 28 Gb08
Straumen N 32 Fc12
Straumsnes N 28 Ga06
Strausberg D 57 Ga27
Stražica BG 88 Jc39
Strážný CZ 65 Fd32
Štrba SK 67 Ha32
Štrbské Pleso SK 67 Ha32
Strečno SK 66 Gd32
Strehaia RO 87 Hd37
Strekov SK 74 Gd33
Strelča BG 102 Jb40
Strelkino RUS 47 Jb20
Strenči LV 47 Hd20
Stresa I 71 Ed36
Strezimirovci SRB 87 Hd40
Strezovce RKS 87 Hc40
Stříbro CZ 65 Fd31
Strilky UA 67 Hd31
Strimasund S 33 Ga09
Strimonikó GR 101 Ja42
Strmica HR 85 Gb38
Strofiliá GR 111 Ja45
Stromeferry GB 16 Cd19
Stromiec PL 59 Hb28
Stromness GB 17 Db17
Strömsbruk S 39 Gc15
Strömsnäsbruk S 49 Fd22
Strömstad S 43 Fc19
Strömsund S 33 Gb12
Strongoli I 109 Gc45
Strontian GB 16 Cd20
Stropkov SK 67 Hc31

Százhalombatta H 74 Ha34
Szczawne PL 67 Hc31
Szczawnica PL 67 Hb31
Szczebrzeszyn PL 67 Hc29
Szczecin PL 57 Ga26
Szczecinek PL 58 Gc26
Szczekociny PL 67 Ha30
Szczerców PL 66 Gd29
Szczuczyn PL 59 Hc26
Szczurowa PL 67 Hb30
Szczytno PL 59 Hb26
Szécsény H 74 Ha33
Szederkény H 74 Gd36
Szeged H 75 Hb35
Székely H 75 Hc33
Székesfehérvár H 74 Gd34
Székkutas H 75 Hb35
Szekszárd H 74 Gd35
Szendrő H 75 Hb33
Szentendre H 74 Ha34
Szentes H 75 Hb35
Szentlőrinc H 74 Gd36
Szepietowo PL 59 Hc27
Szerencs H 75 Hb33
Szigetvár H 74 Gd36
Szilvásvárad H 75 Hb33
Szin H 67 Hb32
Szklarska Poręba PL 65 Gb30
Szolnok H 75 Hb34
Szombathely H 74 Gc34
Szprotawa PL 65 Gb29
Sztabin PL 59 Hc25
Sztum PL 58 Gd25
Szubin PL 58 Gc27
Szydłów PL 67 Hb30
Szydłowiec PL 67 Hb29
Szypliszki PL 59 Hc25

T

Taalintehdas FIN 46 Hb17
Tábara E 78 Bb38
Taberg S 44 Ga20
Tabernas E 106 Bd45
Tablate E 106 Bc45
Tábor CZ 65 Ga31
Tabuenca E 80 Cb40
Täby S 45 Gc18
Tachov CZ 64 Fc31
Tacinskij RUS 123 Fc14
Tafalla E 80 Cb39
Täfteå S 34 Gd12
Ţaga RO 76 Ja34
Tagaj RUS 119 Fd10
Taganrog RUS 123 Fc15
Taggia I 83 Ec39
Tagliacozzo I 98 Fd41
Tahkuna EST 46 Hb18
Tahta RUS 127 Fd16
Taicy RUS 47 Jb17
Tain GB 17 Da18
Tain-l'Hermitage F 82 Ea37
Tairove UA 77 Kb34
Taivalkoski FIN 35 Hd09
Taivassalo FIN 40 Ha16
Talačyn BY 121 Eb12
Talarrubias E 91 Bb42
Talavera de la Reina E 91 Bc41
Taldom RUS 117 Ed10
Talgarth GB 24 Cd26
Tallard F 83 Eb38
Tallåsen S 38 Gb15
Tällberg S 38 Ga16
Tallinn EST 46 Hc18
Talloires F 71 Eb36
Tallsjö S 33 Gc12
Talluskylä FIN 41 Hd13
Tălmaciu RO 88 Ja36
Talmont-Saint-Hilaire F 68 Cd34
Tal'ne UA 121 Ec15
Talovaja RUS 122 Fb13
Talsi LV 52 Hb21
Tamala RUS 119 Fc11
Tamames E 91 Bb40
Tamanhos P 78 Ba39
Tamarinda E 95 Dc43
Tamarite de Litera E 80 Cd40
Tamási H 74 Gd35
Tambov RUS 122 Fb12
Tammisaari FIN 46 Hb17
Tampere FIN 40 Hb15
Tamsalu EST 47 Hd18
Tamsweg A 73 Fd34
Tamworth GB 24 Da26
Tana bru N 27 Hc03
Ţăndărei RO 89 Jd37
Tandsbyn S 38 Ga13
Tandsjöborg S 38 Ga15
Tångaberg S 49 Fc21
Tangen N 37 Fc16
Tangerhütte D 56 Fc27
Tangermünde D 56 Fc27
Tanhua FIN 31 Hc07
Tankavaara FIN 31 Hc06
Tännäs S 38 Fd14
Tannay F 70 Dd33
Tänndalen S 38 Fd14
Tannila FIN 35 Hc10
Tanum N 43 Fc17
Tanumshede S 43 Fc19
Taormina I 109 Gb47
Tapa EST 47 Hd18
Tapia de Casariego E 78 Bb36
Tápiószele H 74 Ha34
Tapizë RKS 100 Hb42
Tapolca H 74 Gc35
Taraclia MD 77 Ka34
Taraclia MD 77 Ka35
Tarancón E 92 Bd42
Taranto I 99 Gc43
Tarare F 70 Dd35
Tarašča UA 121 Ec15
Tarascon F 82 Dd38
Tarascon-sur-Ariège F 81 Da39
Tarazona E 80 Cb39
Tarazona de la Mancha E 92 Ca43
Tarbert GB 16 Cd20
Tarbert GB 16 Cd18
Tarbert GB 20 Cd21
Tarbert IRL 18 Bd24
Tarbes F 80 Cd38
Tarcento I 73 Fd36
Tarczyn PL 59 Hb28
Tärendö S 30 Ha08
Târgovişte RO 88 Jb37
Tărgovište BG 89 Jd39
Târgu Bujor RO 77 Jd35
Târgu Cărbuneşti RO 88 Ja37
Târgu Frumos RO 76 Jc33
Târgu Gânguleşti RO 88 Ja37
Târgu Jiu RO 87 Hd37
Târgu Lăpuş RO 76 Ja34
Târgu Mureş RO 76 Ja35
Târgu-Neamţ RO 76 Jc34
Târgu Ocna RO 76 Jc35
Târgu Secuiesc RO 76 Jc35
Târguşor RO 89 Ka37
Tarifa E 105 Ba46
Târlişua RO 76 Ja34
Tarm DK 48 Fa23
Tärnaby S 33 Ga10
Tarna-lelesz H 75 Hb33
Tarna Mare RO 75 Hd33
Tärnamo S 33 Ga10
Târnăveni RO 76 Ja35
Tarnobrzeg PL 67 Hb30
Tarnogród PL 67 Hc30
Tarnov SK 67 Hb31
Târnova RO 75 Hc35
Tarnów PL 67 Hb30
Tarnowskie Góry PL 66 Gd30
Tärnsjö S 44 Gb17
Tårnvika N 28 Ga07
Tarporley GB 24 Da25
Tarquinia I 98 Fb41
Tarragona E 95 Da41
Tàrrega E 81 Da40
Tårs DK 49 Fc24
Tartas F 80 Cc37
Tărtăşeşti RO 88 Jc37
Tartaul de Salcie MD 77 Ka35
Tartu EST 47 Ja19
Tarusa RUS 117 Ed11
Tarutyne UA 77 Ka34
Tarvin GB 24 Da25
Tarvisio I 73 Fd35
Tåsjö S 33 Gb12
Taşkent TR 128 Ga16
Taşlâc MD 77 Ka33
Tăşnad RO 75 Hd34
Taşucu TR 128 Gc17
Tata H 74 Gd34
Tatabánya H 74 Gd34
Tătădrăştii de Jos RO 88 Jb37
Tataháza H 74 Ha36
Tatanovo RUS 118 Fb11
Tătăranu RO 89 Jd36
Tatarbunary UA 77 Kb35
Tatarbunary UA 125 Ec17
Tatarlı TR 128 Gc15
Tatiščevo RUS 123 Fd12
Tatlıkuyu TR 128 Gc15
Tau N 42 Ed18
Tauberbischofsheim D 64 Fa31
Taucha D 64 Fc29
Taufkirchen D 72 Fc33
Taulov DK 49 Fb23
Taunton GB 24 Cd27
Tauragė LT 52 Hb23
Taurianova I 109 Gb46
Taurisano I 100 Gd44
Tauste E 80 Cc40
Tavakli İsk. TR 103 Jd43
Tavelsjö S 34 Gd12
Tavernes de la Valldigna E 93 Cc43
Tavíkovice CZ 65 Gb32
Tavira P 104 Ac44
Tavistock GB 23 Cc28
Tayfur TR 103 Jd42
Tayinloan GB 20 Cc21
Tazlău RO 76 Jc34
Tczew PL 58 Gd25
Tczów PL 67 Hb29
Teaca RO 76 Ja34
Teano I 98 Fd42
Teba E 105 Bb45
Tebay GB 21 Da23
Teberda RUS 127 Ga17
Techirghiol RO 89 Ka37
Tecuci RO 77 Jd35
Tegelträsk S 33 Gc12
Tegernsee D 72 Fc34
Teignmouth GB 23 Cc28
Teiuş RO 76 Ja35
Tejkovo RUS 118 Fa09
Tekirdağ TR 103 Ka41
Telč CZ 65 Gb32
Telciu RO 76 Ja34
Teleneşti MD 77 Jd33
Telese I 99 Ga42
Telford GB 24 Da25
Telfs A 72 Fb34
Telgte D 55 Ed28
Tellejåkk S 34 Gd09
Tel'manove UA 122 Fb15
Telšiai LT 52 Hb22
Teltow D 57 Fd27
Tembleque E 92 Bd42
Temerin SRB 87 Hb37
Temmes FIN 35 Hc11
Tempio Pausania I 96 Ed42
Templemore IRL 18 Ca24
Templin D 57 Fd26
Temrjuk RUS 126 Fb17
Tenala FIN 46 Hb17
Tenby GB 23 Cc26
Tendilla E 92 Ca41
Tenec RUS 47 Jb20
Tenhola FIN 46 Hb17
Tenhult S 44 Ga20
Tenja HR 86 Ha37

Tenterden **GB** 25 Dc28
Teofipol' **UA** 120 Ea15
Teovo **MK** 101 Hc41
Tepasto **FIN** 30 Hb06
Tepelenë **AL** 100 Hb43
Teplice **CZ** 65 Fd30
Teploe **RUS** 118 Fa11
Tepsa **FIN** 30 Hb07
Terälahti **FIN** 40 Hb15
Teramo **I** 85 Fd40
Ter Apel **NL** 55 Ed26
Teratyn **PL** 67 Hd29
Terbuny **RUS** 122 Fa12
Terebovlja **UA** 120 Ea15
Teremia Mare **RO** 75 Hb36
Teren'ga **RUS** 119 Fd10
Tergnier **F** 62 Dd30
Terlizzi **I** 99 Gc42
Termachivka **UA** 121 Eb14
Terme **TR** 127 Fc19
Terme di Lurisia **I** 83 Ec38
Termini Imerese **I** 108 Fd46
Termoli **I** 99 Ga41
Terneuzen **NL** 54 Ea28
Terni **I** 84 Fc40
Ternitz **A** 73 Gb34
Ternopil' **UA** 120 Ea15
Terpnás **GR** 101 Hc44
Terracina **I** 98 Fd42
Terråk **N** 32 Fd11
Terralba **I** 97 Ec44
Terrassa **E** 95 Da41
Teruel **E** 93 Cb42
Tervakoski **FIN** 40 Hc16
Tervel **BG** 89 Jd38
Tervo **FIN** 41 Hd13
Tervola **FIN** 34 Hb09
Tešanj **BIH** 86 Gd38
Tešel **BG** 102 Jb41
Tešica **SRB** 87 Hc39
Teslić **BIH** 86 Gd38
Tét **H** 74 Gc34
Tetbury **GB** 24 Da27
Teterow **D** 57 Fd26
Teteven **BG** 88 Jb39
Tetijiv **UA** 121 Ec15
Tetovo **BG** 88 Jc38
Tetovo **MK** 101 Hc41
Teulada **I** 97 Ec45
Teulada-Moraira **E** 94 Cc44
Teuva **FIN** 40 Ha14
Tewkesbury **GB** 24 Da26
Thann **F** 71 Ec33
Thaon-les-Vosges **F** 71 Eb33
Thássos **GR** 102 Jb42
The Mumbles **GB** 23 Cc27
Theológos **GR** 111 Ja45
Thermo **GR** 110 Hd45
Thesprotikó **GR** 110 Hc45
Thessaloníki **GR** 101 Ja43
Thetford **GB** 25 Dc26
Thiene **I** 72 Fb36
Thiers **F** 70 Dd35
Thiesi **I** 97 Ec43
Thionville **F** 63 Eb31

Thíra **GR** 115 Jd48
Thirsk **GB** 21 Db24
Thisted **DK** 48 Fa21
Thíva **GR** 111 Ja45
Thiviers **F** 69 Da35
Thizy **F** 70 Dd35
Tholária **GR** 115 Jd47
Thonon-les-Bains **F** 71 Eb35
Thorne **GB** 21 Db24
Thornhill **GB** 21 Da22
Thorsminde **DK** 48 Fa22
Thouars **F** 69 Da33
Thrapston **GB** 25 Db26
Thueyts **F** 82 Dd37
Thuir **F** 81 Db39
Thun **CH** 71 Ec35
Thurles **IRL** 18 Ca24
Thursby **GB** 21 Da23
Thurso **GB** 17 Db18
Thury-Harcourt **F** 61 Da31
Thusis **CH** 72 Fa35
Thyborøn **DK** 48 Fa22
Tibana **RO** 77 Jd34
Tibro **S** 44 Ga19
Tiča **BG** 89 Jd39
Tidaholm **S** 44 Ga20
Tidan **S** 44 Ga19
Tiel **NL** 55 Eb28
Tielt **B** 62 Ea29
Tienen **B** 63 Eb29
Tierp **S** 45 Gc17
Tigharry **GB** 16 Cc18
Tighina **MD** 77 Ka34
Tihoreck **RUS** 127 Fc16
Tihvin **RUS** 117 Eb08
Tikkakoski **FIN** 40 Hc14
Tilaj **H** 74 Gc35
Tilburg **NL** 55 Eb28
Tilbury **GB** 25 Db28
Til-Châtel **F** 70 Ea33
Tileagd **RO** 75 Hc34
Tillberga **S** 44 Gb18
Tilža **LV** 53 Ja21
Tim **RUS** 122 Fa13
Timaševsk **RUS** 127 Fc16
Timfristós **GR** 110 Hd45
Timişoara **RO** 75 Hc36
Timmele **S** 44 Fd20
Timohino **RUS** 117 Ec08
Timošino **RUS** 118 Fb08
Timrå **S** 39 Gc14
Tineo **E** 79 Bc36
Tinglev **DK** 48 Fa24
Tingsryd **S** 50 Ga22
Tingstäde **S** 45 Gd20
Tingvoll **N** 37 Fb13
Tinlot **B** 63 Eb30
Tinos **GR** 112 Jc46
Tinqueux **F** 62 Ea31
Tinténiac **F** 61 Cd31
Tinūži **LV** 53 Hd21
Tione di Trento **I** 72 Fb36
Tipasoja **FIN** 35 Ja11
Tipperary **IRL** 18 Ca24
Tiranë **RKS** 100 Hb42
Tirano **I** 72 Fa36

Tiraspol **MD** 77 Ka34
Tire **TR** 113 Kb45
Tirebolu **TR** 127 Fd19
Tirkšliai **LT** 52 Hb22
Tírnavos **GR** 101 Hd44
Tirrenia **I** 84 Fa39
Tirschenreuth **D** 64 Fc31
Tišća **BIH** 86 Ha38
Tišnov **CZ** 65 Gb31
Tisovec **SK** 67 Ha32
Tisvildeleje **DK** 49 Fc23
Tiszabecs **H** 75 Hd33
Tiszacsege **H** 75 Hb33
Tiszacsermely **H** 75 Hc33
Tiszadada **H** 75 Hb33
Tiszaföldvár **H** 75 Hb35
Tiszafüred **H** 75 Hb34
Tiszakécske **H** 75 Hb35
Tiszalúc **H** 75 Hb33
Tiszaújváros **H** 75 Hb33
Tiszavasvári **H** 75 Hb33
Titisee-Neustadt **D** 71 Ed33
Titran **N** 32 Fb12
Titu **RO** 88 Jb37
Tivat **MNE** 100 Ha41
Tiverton **GB** 23 Cc28
Tivoli **I** 98 Fc41
Tizzano **F** 96 Ed42
Tjačiv **UA** 75 Hd33
Tjæreborg **DK** 48 Fa23
Tjällmo **S** 44 Gb19
Tjåmotis **S** 29 Gc08
Tjautjas **S** 29 Gd07
Tjeldnes **N** 28 Gb06
Tjentište **BIH** 86 Ha39
Tjøtta **N** 32 Fd10
Tłuchowo **PL** 58 Ha27
Tłuszcz **PL** 59 Hb27
Tobarra **E** 107 Ca44
Tobercurry **IRL** 18 Ca22
Tobermory **GB** 16 Cd20
Toblach **I** 72 Fc35
Töcksfors **S** 43 Fc18
Todi **I** 84 Fc40
Todireşti **RO** 76 Jb33
Todorići **BIH** 86 Gc38
Todtnau **D** 71 Ed33
Tofta **S** 40 Hb33
Tofta **S** 51 Gc21
Tofte **N** 43 Fc18
Töftedal **S** 43 Fc19
Toftlund **DK** 48 Fa24
Tohmajärvi **FIN** 41 Jb13
Tohmo **FIN** 31 Hc08
Toholampi **FIN** 34 Hb12
Toijala **FIN** 40 Hb15
Toivakka **FIN** 41 Hd14
Toivala **FIN** 41 Hd13
Tokaj **H** 75 Hc33
Tokarevka **RUS** 122 Fb12
Tokmak **UA** 126 Fa16
Toledo **E** 91 Bc41
Tolentino **I** 85 Fd40
Tolfa **I** 98 Fc41
Tolga **N** 37 Fc14
Tol'jatti **RUS** 119 Ga10

Tollarp **S** 50 Ga23
Tolmezzo **I** 73 Fd35
Tolmin **SLO** 73 Fd36
Tolosa **E** 80 Cb38
Tolva **FIN** 31 Hd08
Tomakivka **UA** 126 Fa16
Tomar **P** 90 Ac40
Tomarovka **RUS** 122 Fa14
Tomaševac **SRB** 87 Hb37
Tomašpil' **UA** 77 Jd32
Tomašpil' **UA** 125 Eb16
Tomaszów Lubelski **PL** 67 Hd30
Tomaszów Mazowiecki **PL** 58 Ha28
Tomelilla **S** 50 Ga23
Tomelloso **E** 92 Bd43
Tomeşti **RO** 75 Hd36
Tomeşti **RO** 77 Jd33
Tomintoul **GB** 17 Db19
Tomislavgrad **BIH** 86 Gc39
Tømmerneset **N** 28 Gb07
Tømmervåg **N** 36 Fa13
Tompa **H** 74 Ha36
Tomrefjord **N** 36 Fa14
Tonara **I** 97 Ed44
Tonbridge **GB** 25 Db28
Tondela **P** 78 Ad39
Tønder **DK** 48 Fa24
Tongeren **B** 63 Eb29
Tongue **GB** 17 Da18
Tonkino **RUS** 119 Fc08
Tonnay-Boutonne **F** 68 Cd34
Tonnay-Charente **F** 68 Cd34
Tonneins **F** 81 Da37
Tonnerre **F** 70 Dd33
Tönning **D** 56 Fa25
Tonšaevo **RUS** 119 Fc08
Tønsberg **N** 43 Fb18
Tonstad **N** 42 Ed19
Tonya **TR** 127 Fd19
Topczewo **PL** 59 Hc27
Toplet **RO** 87 Hd37
Topli Do **SRB** 87 Hd39
Topliţa **RO** 76 Jb34
Topola **SRB** 87 Hb38
Topolčani **MK** 101 Hc42
Topol'čany **SK** 66 Gd32
Topolog **RO** 89 Ka36
Topoloveni **RO** 88 Jb37
Topolovgrad **BG** 103 Jd40
Topolovo **BG** 102 Jc41
Toponica **SRB** 87 Hb38
Toporu **RO** 88 Jc38
Topusko **HR** 85 Gb37
Torà **E** 81 Da40
Torbalı **TR** 113 Ka45
Tordesillas **E** 79 Bc39
Töre **S** 34 Ha09
Toreboda **S** 44 Ga19
Torekov **S** 49 Fd22
Torelló **E** 81 Db40
Toreno **E** 78 Bb37
Torfjanovka **RUS** 41 Ja16
Torgåsmon **S** 38 Fd16

Torgau – Tuhala

Torgau **D** 65 Fd29
Torgelow **D** 57 Ga26
Torhout **B** 54 Dd28
Torigni-sur-Vire **F** 61 Da30
Torija **E** 92 Ca41
Toril **E** 93 Cb42
Torino **I** 83 Ec37
Tormac **RO** 75 Hc36
Törmänen **FIN** 27 Hc05
Tornal'a **SK** 75 Hb33
Torneträsk **S** 29 Gd06
Tornio **FIN** 34 Hb09
Tornjoš **SRB** 74 Ha36
Toro **E** 79 Bc39
Törökbalint **H** 74 Ha34
Törökszentmiklós **H** 75 Hb34
Torony **H** 74 Gc34
Toropec **RUS** 117 Eb10
Torošino **RUS** 47 Jb19
Torpo **N** 37 Fb16
Torpshammar **S** 38 Gb14
Torquay **GB** 23 Cc28
Torrão **P** 90 Ac42
Torre Annunziata **I** 99 Ga43
Torrebeleña **E** 92 Ca40
Torreblanca **E** 93 Cc42
Torrecampo **E** 105 Bb43
Torrecilla en Cameros **E** 79 Ca39
Torre de la Higuera **E** 105 Ad44
Torre del Greco **I** 99 Ga43
Torre de Moncorvo **P** 78 Ba39
Torre de'Passeri **I** 98 Fd41
Torredonjimeno **E** 106 Bc44
Torrejón de Ardoz **E** 92 Bd41
Torrelaguna **E** 92 Bd40
Torrelavega **E** 79 Ca37
Torremaggiore **I** 99 Gb42
Torremolinos **E** 105 Bb45
Torremormojón **E** 79 Bc39
Torrent **E** 93 Cc43
Torre-Pacheco **E** 107 Cb45
Torre Pellice **I** 83 Ec37
Torrequemada **E** 91 Ba41
Torres Novas **P** 90 Ac41
Torres Vedras **P** 90 Ab41
Torrevieja **E** 107 Cb45
Torri del Benaco **I** 72 Fb36
Torriglia **I** 83 Ed38
Torrijas **E** 93 Cb42
Torrijos **E** 91 Bc41
Tørring **DK** 49 Fb23
Tørring **N** 32 Fc12
Torrington **GB** 23 Cc27
Torroella de Montgrí **E** 81 Dc40
Torsåker **S** 44 Gb17
Torsås **S** 50 Gb22
Torsborg **S** 38 Fd14
Torsby **S** 44 Fd17
Torshälla **S** 44 Gb18
Tórtoles de Esgueva **E** 79 Bd39

Tortolì **I** 97 Ed44
Tortona **I** 83 Ed37
Tortorici **I** 109 Ga46
Tortosa **E** 93 Cd41
Torul **TR** 127 Fd19
Toruń **PL** 58 Gd27
Torup **S** 49 Fd21
Tõrva **EST** 47 Hd19
Toržok **RUS** 117 Ec10
Torzym **PL** 57 Ga28
Tosbotn **N** 32 Fd10
Toslak **TR** 128 Ga17
Tosno **RUS** 117 Eb08
Tõstamaa **EST** 46 Hc19
Tostedt **D** 56 Fb26
Totana **E** 107 Ca45
Totebo **S** 44 Gb20
Tótes **F** 61 Db30
Tótkomlós **H** 75 Hb35
Tøtlandsvik **N** 42 Ed18
Totnes **GB** 23 Cc28
Toucy **F** 70 Dd33
Toul **F** 63 Eb32
Toulon **F** 82 Ea39
Toulon-sur-Arroux **F** 70 Dd34
Toulouse **F** 81 Da38
Tourcoing **F** 62 Dd29
Tourlaville **F** 61 Cd30
Tournai **B** 62 Dd29
Tournon-d'Agenais **F** 81 Da37
Tournon-sur-Rhône **F** 82 Ea37
Tournus **F** 70 Ea35
Tours **F** 69 Db33
Toury **F** 62 Dc32
Tovarkovskij **RUS** 118 Fa11
Tovarnik **HR** 86 Ha37
Tovste **UA** 76 Jb32
Töysä **FIN** 40 Hb13
Trabanca **E** 78 Bb39
Traben-Trarbach **D** 63 Ec30
Trabzon **TR** 127 Fd19
Tragacete **E** 93 Cb41
Trahiá **GR** 111 Ja47
Traiskirchen **A** 73 Gb33
Tralee **IRL** 18 Bc24
Tramore **IRL** 22 Ca25
Trän **BG** 87 Hd40
Tranås **S** 44 Ga20
Tranemo **S** 49 Fd21
Tranent **GB** 21 Da21
Trani **I** 99 Gc42
Tranøya **N** 28 Gb07
Transtrand **S** 38 Fd16
Trapani **I** 108 Fc46
Trasacco **I** 98 Fd41
Traun **A** 73 Ga33
Traunreut **D** 72 Fc33
Traunstein **D** 72 Fc33
Travemünde **D** 56 Fb25
Travnik **BIH** 86 Gd38
Travo **F** 96 Ed41
Trawniki **PL** 67 Hc29
Trbovlje **SLO** 73 Ga36

Trebbin **D** 57 Fd28
Třebíč **CZ** 65 Gb32
Trebinje **BIH** 86 Gd40
Trebisacce **I** 99 Gc44
Trebišov **SK** 67 Hc32
Treblinka **PL** 59 Hb27
Trebnje **SLO** 73 Ga36
Třeboň **CZ** 65 Ga32
Trecate **I** 83 Ed37
Treffurt **D** 64 Fb29
Tregaron **GB** 24 Cd26
Trégastel-Plage **F** 60 Cc30
Tréguier **F** 60 Cc30
Trehörningsjö **S** 33 Gc12
Treignac **F** 69 Db35
Trekljano **BG** 87 Hd40
Trélazé **F** 69 Da33
Trelleborg **S** 49 Fd24
Tremezzo **I** 71 Ed36
Tremp **E** 81 Da40
Trenčín **SK** 66 Gd32
Trento **I** 72 Fb36
Tresfjord **N** 36 Fa14
Trespaderne **E** 79 Ca38
Tretten **N** 37 Fc15
Treuchtlingen **D** 64 Fb32
Treuenbrietzen **D** 57 Fd28
Treviglio **I** 72 Fa36
Treviso **I** 72 Fc36
Tribunj **HR** 85 Gb39
Tricarico **I** 99 Gb43
Tricase **I** 100 Ha44
Tridubi **MD** 77 Kb32
Trieben **A** 73 Ga34
Trier **D** 63 Ec31
Trieste **I** 73 Fd36
Trie-sur-Baïse **F** 80 Cd38
Trifești **RO** 77 Jd33
Trignac **F** 60 Cc32
Trigono **GR** 101 Hc43
Trikala **GR** 101 Hd44
Trikéri **GR** 111 Ja45
Trillo **E** 92 Ca41
Trim **IRL** 19 Cb23
Třinec **CZ** 66 Gd31
Trinitapoli **I** 99 Gb42
Trino **I** 83 Ed37
Triora **I** 83 Ec38
Trípoli **GR** 111 Ja47
Trivento **I** 99 Ga42
Trjavna **BG** 88 Jc39
Trnava **SK** 74 Gc33
Trnovo **BIH** 86 Gd39
Tročany **SK** 67 Hb32
Trödje **S** 39 Gc16
Troekurovo **RUS** 118 Fb11
Trofaiach **A** 73 Ga34
Trofors **N** 33 Ga10
Trogir **HR** 85 Gb39
Troglan Bara **SRB** 87 Hc38
Troia **I** 99 Gb42
Tróia **P** 90 Ab42
Troickaja **RUS** 127 Fc17
Troic'ke **MD** 77 Kb32
Troisdorf **D** 63 Ec29
Troița Nouă **MD** 77 Ka34

Trojaci **MK** 101 Hd42
Trojan **BG** 88 Jb39
Trollhättan **S** 43 Fd20
Tromsø **N** 26 Gc05
Tromvik **N** 26 Gc04
Trondheim **N** 37 Fc13
Troon **GB** 20 Cd21
Troøyen **N** 37 Fc13
Tropea **I** 109 Gb46
Trosa **S** 45 Gc19
Troškas **LV** 53 Ja21
Troškūnai **LT** 53 Hd23
Trosna **RUS** 121 Ed12
Trostan' **RUS** 121 Ec13
Trostberg **D** 72 Fc33
Trostjanec' **UA** 121 Ed14
Trostjanskij **RUS** 123 Fc13
Trouville-sur-Mer **F** 61 Db30
Trowbridge **GB** 24 Cd27
Troyes **F** 62 Ea32
Trsa **MNE** 86 Ha40
Tršće **HR** 85 Ga37
Trstenik **SRB** 87 Hc39
Trubčevsk **RUS** 121 Ed13
Trubetčino **RUS** 122 Fb12
Trud **BG** 102 Jb40
Trujillo **E** 91 Bb41
Trumieje **PL** 58 Gd26
Trun **F** 61 Da31
Truro **GB** 23 Cb28
Trușești **RO** 76 Jc33
Trustrup **DK** 49 Fc22
Trutnov **CZ** 65 Gb30
Tryškiai **LT** 52 Hb22
Tržac **BIH** 85 Gb37
Trzcianka **PL** 57 Gb27
Trzcianne **PL** 59 Hc26
Trzciel **PL** 57 Gb28
Trzebiatów **PL** 57 Gb25
Trzebień **PL** 65 Gb29
Trzebinia **PL** 67 Ha30
Trzebnica **PL** 66 Gc29
Trzemeszno **PL** 58 Gc27
Trzydnik Duży **PL** 67 Hc29
Tsepélovo **GR** 101 Hc44
Tsjernobyl **UA** 121 Ec14
Tuam **IRL** 18 Ca23
Tuapse **RUS** 127 Fc17
Tubbergen **NL** 55 Ec27
Tübingen **D** 64 Fa32
Tubize **B** 62 Ea29
Tuchan **F** 81 Db39
Tuchola **PL** 58 Gc26
Tuchów **PL** 67 Hb31
Tučovo **RUS** 117 Ed10
Tuczna **PL** 59 Hd28
Tuczno **PL** 57 Gb27
Tuczno **PL** 57 Gb26
Tudela **E** 80 Cb39
Tudela de Duero **E** 79 Bc39
Tudu **EST** 47 Ja18
Tudulinna **EST** 47 Ja18
Tuéjar **E** 93 Cb42
Tufeni **RO** 88 Jb37
Tugotino **RUS** 47 Jb19
Tuhala **EST** 46 Hc18

Tuhkala RUS 35 Ja09
Tui E 78 Ad37
Tuin MK 101 Hc41
Tūja LV 46 Hc20
Tukums LV 52 Hc21
Tula RUS 118 Fa11
Tulare SRB 87 Hc40
Tulcea RO 89 Ka36
Tul'čyn UA 125 Eb16
Tulgheş RO 76 Jb34
Tuliszków PL 58 Gd28
Tullamore IRL 18 Ca24
Tulle F 69 Db36
Tulln A 73 Gb33
Tullow IRL 19 Cb24
Tułowice PL 66 Gc30
Tulppio FIN 31 Hd06
Tulsk IRL 18 Ca23
Tuma RUS 118 Fb10
Tumba S 45 Gc18
Tunadal S 39 Gc14
Tungozero RUS 35 Ja09
Tunstall GB 21 Da23
Tuntsa FIN 31 Hd07
Tupicino RUS 47 Jb18
Turčianske Teplice SK 66 Gd32
Turda RO 76 Ja35
Turégano E 92 Bd40
Turek PL 58 Gd28
Tureni RO 76 Ja35
Turgutlu TR 113 Kb45
Turgutreıs TR 115 Kb47
Türi EST 47 Hd18
Turijs'k UA 120 Ea14
Turís E 93 Cb43
Turiščevo RUS 121 Ed12
Turka UA 67 Hd31
Türkeli TR 103 Ka42
Túrkeve H 75 Hb34
Turksad RUS 127 Ga16
Turku FIN 40 Hb16
Turnhout B 55 Eb28
Türnitz A 73 Gb33
Turnov CZ 65 Ga30
Turnu RO 75 Hc35
Turnu Măgurele RO 88 Jb38
Turoś PL 59 Hb26
Turriff GB 17 Db19
Turtel MK 101 Hd41
Turtola FIN 30 Hb08
Turzovka SK 66 Gd31
Tuscania I 98 Fb41
Tutaev RUS 118 Fa09
Tutin SRB 87 Hb40
Tutova RO 77 Jd35
Tutrakan BG 89 Jd38
Tuttlingen D 71 Ed33
Tuulos FIN 40 Hc15
Tuupovaara FIN 41 Jb13
Tuusniemi FIN 41 Ja13
Tuusula FIN 40 Hc16
Tuutisjärvi RUS 31 Ja08
Tuža RUS 119 Fc08
Tuzi MNE 100 Ha41
Tuzla BIH 86 Ha38

Tuzly UA 77 Kb35
Tuzly UA 125 Ec17
Tvääker S 49 Fd21
Tväråsund S 34 Gd12
Tvărdica BG 88 Jc39
Tvardiţa MD 77 Ka35
Tvedestrand N 43 Fb19
Tveitsund N 42 Fa18
Tver' RUS 117 Ed10
Tverrvika N 28 Ga08
Tving S 50 Gb22
Tvrdošín SK 67 Ha31
Twardogóra PL 66 Gc29
Twello NL 55 Ec27
Twistringen D 56 Fa27
Tychowo PL 57 Gb25
Tychy PL 66 Gd30
Tyczyn PL 67 Hc30
Tyfors S 44 Ga17
Tykocin PL 59 Hc26
Tylawa PL 67 Hc31
Tylkowo PL 58 Ha26
Tylösand S 49 Fd22
Tymkove MD 77 Ka32
Tyndrum GB 16 Cd20
Tynemouth GB 21 Db23
Tyngsjö S 44 Ga17
Tyniec PL 67 Ha31
Týniště nad Orlicí CZ 65 Gb30
Týn nad Vltavou CZ 65 Ga32
Tynset N 37 Fc14
Tyringe S 49 Fd22
Tyristrand N 43 Fb17
Tyrnävä FIN 35 Hc11
Tyrnyauz RUS 127 Ga17
Tyškivka UA 125 Ec16
Tysnes N 42 Ed17
Tyssebotn N 36 Ed16
Tyssedal N 42 Ed17
Tystberga S 45 Gc19
Tyszowce PL 67 Hd29
Tytuvėnai LT 52 Hc23
Tywyn GB 24 Cd25
Tzermiádo GR 115 Jd49

U

Ub SRB 87 Hb38
Úbeda E 106 Bc44
Überlingen D 72 Fa33
Ubieszyn PL 67 Hc30
Ubl'a SK 67 Hc32
Ubli MNE 86 Ha40
Ubrique E 105 Ba45
Ucero E 79 Ca39
Üçharman TR 128 Gc16
Uchte D 56 Fa27
Uckfield GB 25 Db28
Üçpınar TR 128 Ga16
Uda RO 88 Jb37
Udačnoe RUS 123 Ga14
Udbina HR 85 Gb38
Uddevalla S 43 Fc19
Uddheden S 44 Fd17

Uden NL 55 Eb28
Udine I 73 Fd36
Udomlja RUS 117 Ec09
Ueckermünde D 57 Ga26
Uelzen D 56 Fb27
Uetersen D 56 Fb26
Uetze D 56 Fb27
Uffenheim D 64 Fb31
Ugāle LV 52 Hb21
Ugao SRB 87 Hb40
Ugărčin BG 88 Jb39
Ugíjar E 106 Bc45
Ugine F 71 Eb36
Uglič RUS 117 Ed09
Ugljan HR 85 Ga38
Ugra RUS 117 Ed11
Uherské Hradiště CZ 66 Gc32
Uherský Brod CZ 66 Gc32
Uhniv UA 67 Hd30
Uig GB 16 Cd18
Uimaharju FIN 41 Jb12
Uithuizen NL 55 Ec26
Uivar RO 75 Hb36
Ujeździec Mały PL 66 Gc29
Újfehértó H 75 Hc33
Ujma PL 58 Gd27
Ujście PL 58 Gc27
Ukiernica PL 57 Ga26
Ukmergė LT 53 Hd23
Ukrajina UA 121 Eb15
Ulan Ėrge RUS 123 Ga15
Ulanów PL 67 Hc30
Ulbroka LV 52 Hc21
Ulcinj MNE 100 Ha41
Ulefoss N 43 Fb18
Uleila del Campo E 106 Bd45
Ulfborg DK 48 Fa22
Úlibice CZ 65 Gb30
Ulieş RO 76 Jb35
Ul'janovka MD 77 Kb32
Ul'janovka MD 77 Kb32
Ul'janovka UA 125 Ec16
Uljanovo RUS 52 Hb24
Uljanovsk RUS 119 Fd09
Ullånger S 39 Gc13
Ullapool GB 17 Da18
Ullared S 49 Fd21
Ullatti S 30 Ha08
Ullava FIN 34 Hb12
Ulldecona E 93 Cd42
Ullerslev DK 49 Fb23
Ulm D 72 Fa33
Ulmu RO 89 Jd36
Ulricehamn S 44 Fd20
Ulrika S 44 Gb20
Ulriksfors S 33 Gb12
Ulsteinvik N 36 Ed14
Ulukışla TR 128 Gd15
Uluköy TR 103 Jd43
Ulvåker S 44 Ga19
Ulverston GB 21 Da23
Ulvik N 36 Fa16
Ulvila FIN 40 Ha15
Ulvsvåg N 28 Gb07

Umag HR 85 Fd37
Uman' UA 121 Ec15
Umbertide I 84 Fc40
Umčari SRB 87 Hb38
Umeå S 34 Gd12
Umgransele S 33 Gc11
Umka SRB 87 Hb38
Umurbey TR 103 Jd43
Umurga LV 47 Hd20
Umurlu TR 113 Kb45
Unari FIN 30 Hb07
Uncastillo E 80 Cc39
Undenäs S 44 Ga19
Undersåker S 38 Fd13
Uneča RUS 121 Ec13
Ungheni MD 77 Jd33
Ungheni RO 88 Jb37
Unguriņi LV 47 Hd19
Unichowo PL 58 Gc25
Uničov CZ 66 Gc31
Uniejów PL 58 Gd28
Unisław PL 58 Gd26
Unna D 55 Ed28
Unnaryd S 49 Fd21
Unterhaching D 72 Fc33
Ünye TR 127 Fc19
Upa EST 46 Hb19
Upinniemi FIN 46 Hc17
Upolokša RUS 31 Ja06
Upplands-Väsby S 45 Gc18
Uppsala S 45 Gc17
Ura-Vajgurore AL 100 Hb43
Urbania I 84 Fc39
Urbino I 84 Fc39
Uren RUS 119 Fc08
Urganlı TR 113 Kb45
Uria RO 76 Ja34
Uriž UA 67 Hd31
Urjala FIN 40 Hb16
Urjupinsk RUS 123 Fc13
Urk NL 55 Ec27
Urla TR 113 Ka45
Urlaţi RO 88 Jc36
Urlingford IRL 18 Ca24
Urmary RUS 119 Fd09
Uroševac RKS 101 Hc41
Ursviken S 34 Ha11
Urszulewo PL 58 Ha27
Urzędów PL 67 Hc29
Urziceni RO 88 Jc37
Uržum RUS 119 Fd08
Ušačy BY 117 Eb11
Usadišče RUS 117 Ec08
Usagre E 105 Ba43
Uschodni BY 120 Ea12
Usedom D 57 Ga26
Usingen D 63 Ed30
Usk GB 24 Cd27
Uskoplje (Gornji Vakuf) BIH 86 Gd39
Uslar D 56 Fa28
Usman' RUS 122 Fb12
Usovo RUS 119 Fc11
Ussel F 69 Dc36
Ust'Džeguta RUS 127 Fd17
Uster CH 71 Ed34

Ustibar – Varhaug

Ustibar **BIH** 86 Ha39
Ustikolina **BIH** 86 Ha39
Ústí nad Labem **CZ** 65 Ga30
Ústí nad Orlicí **CZ** 65 Gb31
Ustiprača **BIH** 86 Ha39
Ustjužna **RUS** 117 Ec08
Ustka **PL** 58 Gc25
Ust'-Labinsk **RUS** 127 Fc17
Ust'-Luga **RUS** 47 Ja17
Ustovo **BG** 102 Jb41
Ustrem **BG** 103 Jd40
Ustroń **PL** 66 Gd31
Ustronie Morskie **PL** 57
  Gb25
Ustrzyki Dolne **PL** 67 Hc31
Ustyluh **PL** 67 Hd29
Usvjaty **RUS** 117 Eb11
Utajärvi **FIN** 35 Hc10
Utåker **N** 42 Ed17
Utansjö **S** 39 Gc14
Utena **LT** 53 Ja23
Utiel **E** 93 Cb43
Utne **N** 36 Ed16
Utrecht **NL** 55 Eb27
Utrera **E** 105 Ba44
Utsjoki **FIN** 27 Hc04
Uttoxeter **GB** 24 Da25
Utvin **RO** 75 Hc36
Utvorda **N** 32 Fc11
Uukuniemi **FIN** 41 Jb14
Uurainen **FIN** 40 Hc14
Uusikaarlepyy **FIN** 34 Ha12
Uusikaupunki **FIN** 40 Ha16
Úvaly **CZ** 65 Ga31
Uvarovo **RUS** 123 Fc12
Uvdal **N** 43 Fb17
Uzdowo **PL** 58 Ha26
Uzerche **F** 69 Db36
Uzès **F** 82 Dd38
Užhorod **UA** 67 Hc32
Užice **SRB** 87 Hb39
Uzlovaja **RUS** 118 Fa11
Užovka **RUS** 119 Fc10
Uzuncaburç **TR** 128 Gc17
Uzunköprü **TR** 103 Jd41
Uzunkuyu **TR** 128 Gb15
Užventis **LT** 52 Hc23
Uzyn **UA** 121 Ec15

V

Vääkio **FIN** 35 Hd10
Vaala **FIN** 35 Hd11
Vaalajärvi **FIN** 31 Hc07
Vaalimaa **FIN** 41 Ja16
Vaaraslahti **FIN** 35 Hd12
Vaasa **FIN** 40 Ha13
Vabalninkas **LT** 53 Hd22
Vabre **F** 81 Db38
Vác **H** 74 Ha34
Vacha **D** 64 Fb29
Väckelsång **S** 50 Ga22
Vadheim **N** 36 Ed15
Vadsø **N** 27 Hd03
Vadstena **S** 44 Ga19

Vadu Crişului **RO** 75 Hc34
Vaduz **FL** 72 Fa34
Vågaholmen **N** 28 Ga08
Vågåmo **N** 37 Fb15
Vaggeryd **S** 50 Ga21
Vagnhärad **S** 45 Gc19
Vägsele **S** 33 Gc11
Vähäkyrö **FIN** 40 Ha13
Vahto **FIN** 40 Hb16
Vaihingen (Enz) **D** 64 Fa32
Vailly-sur-Sauldre **F** 69 Dc33
Vainikkala **FIN** 41 Ja15
Vaiņode **LV** 52 Hb22
Vaison-la-Romaine **F** 82 Ea38
Vajszló **H** 74 Gd36
Vakfıkebir **TR** 127 Fd19
Vakıf **TR** 103 Jd42
Valaam **RUS** 41 Jb14
Vålådalen **S** 38 Fd13
Valandovo **MK** 101 Hd42
Valaská Belá **SK** 66 Gd32
Valašská Polanka **CZ** 66
  Gd32
Valašské Meziříčí **CZ** 66
  Gd31
Vålberg **S** 44 Fd18
Valbo **S** 38 Gb16
Valbonæ **AL** 100 Hb41
Vălčedrăm **BG** 88 Ja39
Vălčidol **BG** 89 Jd38
Valdagno **I** 72 Fb36
Valdahon **F** 71 Eb34
Valdaj **RUS** 117 Ec09
Valdefuentes **E** 91 Ba42
Valdelagua **E** 92 Bd41
Valdeltormo **E** 92 Bd41
Valdemārpils **LV** 52 Hb21
Valdemarsvik **S** 44 Gb20
Valdemeca **E** 93 Cb42
Valdemoro **E** 92 Bd41
Valdenoceda **E** 79 Ca38
Valdepeñas **E** 92 Bd43
Valdepeñas de Jaén **E** 106
  Bc44
Valderas **E** 79 Bc38
Val de Reuil **F** 61 Db31
Valderrobres **E** 93 Cd41
Val d'Isère **F** 71 Eb36
Valdobbiadene **I** 72 Fc36
Valea Ierii **RO** 75 Hd35
Valea lui Mihai **RO** 75 Hc34
Valea Mare-Pravăţ **RO** 88
  Jb36
Valea Mărului **RO** 77 Jd35
Valea Perjei **MD** 77 Ka34
Valea Sării **RO** 76 Jc35
Valea Ursului **RO** 76 Jc34
Valea Uzului **RO** 76 Jc35
Valejkidki **BY** 53 Ja24
Valença do Minho **P** 78
  Ad37
Valençay **F** 69 Db33
Valence **F** 81 Da37
Valence **F** 82 Ea37
Valence-sur-Baïse **F** 81
  Da37

València **E** 93 Cc43
Valencia de Alcántara **E**
  90 Ad41
Valencia de Don Juan **E** 79
  Bc38
Valenciennes **F** 62 Ea29
Vălenii de Munte **RO** 88
  Jc36
Valeni-Stânişoara **RO** 76
  Jb33
Valensole **F** 82 Ea38
Valentano **I** 84 Fb40
Valenza **I** 83 Ed37
Våler **N** 37 Fc16
Valeria **E** 92 Ca42
Valevåg **N** 42 Ed17
Valga **EST** 47 Hd20
Valguarnera Caropepe **I** 109
  Ga47
Valira **GR** 110 Hd47
Vălişoara **RO** 75 Hd35
Văliug **RO** 87 Hc37
Valjevo **SRB** 87 Hb38
Valka **LV** 47 Hd20
Valkeakoski **FIN** 40 Hc15
Valkeala **FIN** 41 Hd15
Valkenswaard **NL** 55 Eb28
Valko **FIN** 41 Hd16
Valkom **FIN** 41 Hd16
Valky **UA** 122 Fa14
Valla **S** 44 Gb19
Valladolid **E** 79 Bc39
Vallargärdet **S** 44 Fd18
Valldemossa **E** 95 Db43
Valle **N** 42 Fa18
Valle de Cabuérniga **E** 79
  Bd37
Vallentuna **S** 45 Gc18
Vallgrund **FIN** 40 Ha13
Vallon-Pont-d'Arc **F** 82 Dd37
Vallorbe **CH** 71 Eb35
Valls **E** 95 Da41
Vallsta **S** 38 Gb15
Vallvik **S** 39 Gc16
Valmanya **F** 81 Db39
Valmiera **LV** 47 Hd20
Valognes **F** 61 Cd30
Valøy **N** 32 Fc11
Valožyn **BY** 120 Ea12
Valpaços **P** 78 Ba38
Valpovo **HR** 74 Gd36
Valréas **F** 82 Ea37
Valset **N** 32 Fb12
Valsjöbyn **S** 33 Ga12
Val-Thorens **F** 71 Eb36
Valtimo **FIN** 35 Ja12
Valtournenche **I** 71 Ec36
Valujki **RUS** 122 Fb14
Valverde de Júcar **E** 92
  Ca42
Valverde del Camino **E** 105
  Ad43
Valverde de Leganés **E** 90
  Ad42
Valverde del Fresno **E** 91
  Ba40

Vama **RO** 76 Jb33
Vamberk **CZ** 65 Gb30
Vamdrup **DK** 48 Fa23
Våmhus **S** 38 Ga16
Vamlingbo **S** 51 Gc21
Vammala **FIN** 40 Hb15
Vampula **FIN** 40 Hb16
Vana-Kuuste **EST** 47 Ja19
Vânatori **RO** 76 Jb35
Vânatori **RO** 87 Hd38
Vändra **EST** 47 Hd19
Vändträsk **S** 34 Ha09
Vandžiogala **LT** 52 Hc23
Vāne **LV** 52 Hb21
Vänersborg **S** 43 Fd19
Vangaži **LV** 53 Hd21
Vängel **S** 33 Gb12
Vangsnes **N** 36 Ed15
Vänjaurträsk **S** 33 Gc12
Vânju Mare **RO** 87 Hd38
Vannareid **N** 26 Gc04
Vännäs **S** 34 Gd12
Vännäsberget **S** 34 Ha09
Vännäsby **S** 34 Gd12
Vannes **F** 60 Cc32
Vansbro **S** 44 Ga17
Vänsjö **S** 38 Ga15
Vanttauskoski **FIN** 31 Hc08
Vanvikan **N** 32 Fc12
Vara **S** 43 Fd20
Varades **F** 68 Cd33
Varakļāni **LV** 53 Ja21
Varallo **I** 71 Ed36
Vărăncău **MD** 77 Ka33
Varangerbotn **N** 27 Hc03
Varapaeva **BY** 53 Jb23
Varaždin **HR** 73 Gb36
Varaždinske Toplice **HR** 74
  Gc36
Varazze **I** 83 Ed38
Varberg **S** 49 Fd21
Vărbica **BG** 89 Jd39
Várda **GR** 110 Hd46
Varde **DK** 48 Fa23
Vardø **N** 27 Hd03
Vårdö **FIN** 46 Ha17
Varekil **S** 43 Fc20
Varel **D** 55 Ed26
Varėna **LT** 59 Hd25
Varėna **LT** 59 Hd25
Varena I **LT** 59 Hd25
Varena I **LT** 59 Hd25
Varengeville-sur-Mer **F** 61
  Db30
Varennes-en-Argonne **F** 62
  Ea31
Varennes-sur-Allier **F** 70
  Dd35
Vareš **BIH** 86 Gd38
Varese **I** 71 Ed36
Varese Ligure **I** 84 Fa38
Vârfu Câmpului **RO** 76 Jc33
Vârfurile **RO** 75 Hd35
Vårgårda **S** 43 Fd20
Vargön **S** 43 Fd19
Varhaug **N** 42 Ec19

202

Vrå – Wilton

Vrå **S** 49 Fd22
Vráble **SK** 74 Gd33
Vraca **BG** 88 Ja39
Vrácevšnica **SRB** 87 Hb38
Vrådal **N** 42 Fa18
Vradijvka **MD** 77 Kb32
Vradijivka **UA** 125 Ec16
Vranje **SRB** 87 Hd40
Vranov nad Topl'ou **SK** 67 Hc32
Vrapce Polje **MNE** 87 Hb40
Vratěnín **CZ** 65 Gb32
Vratnica **MK** 101 Hc41
Vrbanja **BIH** 86 Gc38
Vrbanja **HR** 86 Ha37
Vrbovec **HR** 74 Gc36
Vrbovsko **HR** 85 Ga37
Vrchlabí **CZ** 65 Gb30
Vrésthena **GR** 111 Ja47
Vretstorp **S** 44 Ga19
Vrgorac **HR** 86 Gc40
Vrhnika **SLO** 73 Ga36
Vrhopolje **BIH** 86 Gc38
Vrigstad **S** 50 Ga21
Vríses **GR** 114 Jc49
Vrissohóri **GR** 101 Hc44
Vrlika **HR** 86 Gc39
Vrnjačka Banja **SRB** 87 Hc39
Vrpolje **HR** 86 Gd37
Vršac **SRB** 87 Hc37
Vrsar **HR** 85 Fd37
Vrtoče **BIH** 85 Gb38
Vrulja **MNE** 86 Ha39
Vsetín **CZ** 66 Gd31
Vsevolozsk **RUS** 117 Eb08
Vučitrn **RKS** 87 Hc40
Vuka **HR** 86 Gd37
Vukovar **HR** 86 Ha37
Vuku **N** 32 Fd12
Vulcan **RO** 75 Hd36
Vulcan **RO** 88 Jb36
Vulcănești **MD** 77 Ka35
Vultureni **RO** 75 Hd34
Vultureni **RO** 77 Jd34
Vulturu **RO** 77 Jd35
Vuoggatjålme **S** 33 Gb09
Vuohtomäki **FIN** 35 Hc12
Vuojärvi **FIN** 31 Hc07
Vuokatti **FIN** 35 Hd11
Vuolijoki **FIN** 35 Hd11
Vuollerim **S** 34 Gd09
Vuorijarvi **RUS** 31 Ja07
Vuostimo **FIN** 31 Hc08
Vuotso **FIN** 31 Hc06
Vuottas **S** 34 Ha09
Vurnary **RUS** 119 Fc09
Vyborg **RUS** 41 Ja16
Vygoniči **RUS** 121 Ed12
Vyksa **RUS** 118 Fb10
Vylkove **UA** 77 Kb35
Vynnyky **UA** 67 Hd30
Vynohradiv **UA** 75 Hd33
Vypolzovo **RUS** 117 Ec09
Vyra **RUS** 47 Jb17
Vyrica **RUS** 117 Eb08

Vyšgorodok **RUS** 47 Jb20
Vyšhorod **UA** 121 Ec14
Vyška **UA** 67 Hc32
Vyškov **CZ** 66 Gc32
Vyšné Nemecké **SK** 67 Hc32
Vyšné Ružbachy **SK** 67 Hb31
Vyšnij Voloček **RUS** 117 Ec09
Vysock **RUS** 41 Ja16
Vysokaje **BY** 59 Hc27
Vysoké Mýto **CZ** 65 Gb31
Vysokovsk **RUS** 117 Ed10
Vyšší Brod **CZ** 65 Ga32
Vyžnycja **UA** 76 Jb32
Vyžnycja **UA** 124 Ea16

W

Waalre **NL** 55 Eb28
Waalwijk **NL** 55 Eb28
Wąbrzeźno **PL** 58 Gd26
Wąchock **PL** 67 Hb29
Wächtersbach **D** 64 Fa30
Wadebridge **GB** 23 Cb28
Wädenswil **CH** 71 Ed34
Wadlew **PL** 67 Ha29
Wadowice **PL** 67 Ha31
Wageningen **NL** 55 Eb28
Wagrain **A** 73 Fd34
Wągrowiec **PL** 58 Gc27
Waiblingen **D** 64 Fa32
Waidhaus **D** 64 Fc31
Waidhofen an der Thaya **A** 65 Gb32
Waidhofen an der Ybbs **A** 73 Ga33
Waimes **B** 63 Ec30
Wakefield **GB** 21 Db24
Wałbrzych **PL** 65 Gb30
Wałcz **PL** 57 Gb26
Waldbröl **D** 63 Ed29
Waldeck **D** 64 Fa29
Waldkirch **D** 71 Ed33
Waldkirchen **D** 65 Fd32
Waldkraiburg **D** 72 Fc33
Waldshut-Tiengen **D** 71 Ed33
Wallasey **GB** 20 Cd24
Walldürn **D** 64 Fa31
Wallenfels **D** 64 Fc30
Wallingford **GB** 24 Da27
Walsall **GB** 24 Da26
Walsrode **D** 56 Fa27
Walton-on-the-Naze **GB** 25 Dc27
Wangen **D** 72 Fa34
Wantage **GB** 24 Da27
Waplewo **PL** 58 Ha26
Warburg **D** 56 Fa28
Wardenburg **D** 55 Ed26
Waregem **B** 62 Ea29
Wareham **GB** 24 Cd28
Waremme **B** 63 Eb29

Waren **D** 57 Fd26
Warendorf **D** 55 Ed28
Warka **PL** 59 Hb28
Warlubie **PL** 58 Gd26
Warminster **GB** 24 Cd27
Warnemünde **D** 56 Fc25
Warrington **GB** 21 Da24
Warstein **D** 55 Ed28
Warszawa **PL** 59 Hb27
Warszkowo **PL** 58 Gc25
Warta **PL** 58 Gd28
Wartkowice **PL** 58 Gd28
Warwick **GB** 24 Da26
Washington **GB** 21 Db23
Wasilków **PL** 59 Hc26
Wąsosz **PL** 58 Gc27
Wąsosz **PL** 66 Gc29
Wassenaar **NL** 55 Eb27
Wasserburg **D** 72 Fc33
Wassy **F** 62 Ea32
Waterford **IRL** 22 Ca25
Waterloo **B** 62 Ea29
Waterville **IRL** 22 Bc25
Watford **GB** 25 Db27
Wattens **A** 72 Fc34
Wattwil **CH** 71 Ed34
Wavre **B** 62 Ea29
Wearhead **GB** 21 Da23
Węchadłów **PL** 67 Ha30
Wedel **D** 56 Fb26
Weener **D** 55 Ed26
Weert **NL** 63 Eb29
Węgliniec **PL** 65 Ga29
Węgorzewo **PL** 59 Hb25
Węgorzyno **PL** 57 Gb26
Węgrów **PL** 59 Hb27
Weida **D** 64 Fc30
Weiden **D** 64 Fc31
Weikersheim **D** 64 Fa31
Weil am Rhein **D** 71 Ec34
Weilburg **D** 63 Ed30
Weilheim **D** 72 Fb33
Weimar **D** 64 Fc29
Weingarten **D** 72 Fa33
Weinheim **D** 63 Ed31
Weißenburg **D** 64 Fb32
Weißenfels **D** 64 Fc29
Weißenhorn **D** 72 Fa33
Weißwasser **D** 65 Ga29
Weitra **A** 65 Ga32
Weiz **A** 73 Gb34
Wejherowo **PL** 51 Gd24
Wellingborough **GB** 25 Db26
Wellington **GB** 24 Cd27
Wells **GB** 24 Cd27
Wells-next-the-Sea **GB** 25 Dc26
Wels **A** 73 Ga33
Welshpool **GB** 24 Cd25
Welver **D** 55 Ed28
Welzheim **D** 64 Fa32
Wemyss Bay **GB** 20 Cd21
Werdohl **D** 63 Ed29
Werl **D** 55 Ed28
Werneck **D** 64 Fb31

Wernigerode **D** 56 Fb28
Wertheim **D** 64 Fa31
Wesel **D** 55 Ec28
Westbury **GB** 24 Cd27
Westerland **D** 48 Fa24
Westerstede **D** 55 Ed26
Weston-super-Mare **GB** 24 Cd27
Westport **IRL** 18 Bd22
West-Terschelling **NL** 55 Eb26
Wetherby **GB** 21 Db24
Wetlina **PL** 67 Hc31
Wetteren **B** 62 Ea29
Wetzikon **CH** 71 Ed34
Wetzlar **D** 63 Ed30
Wexford **IRL** 23 Cb25
Weyer Markt **A** 73 Ga33
Weymouth **GB** 24 Cd28
Whitby **GB** 21 Dc23
Whitchurch **GB** 24 Da25
Whitehaven **GB** 21 Da23
Whithorn **GB** 20 Cd22
Wiązów **PL** 66 Gc30
Wick **GB** 17 Db18
Wickede **D** 55 Ed28
Wicklow **IRL** 19 Cb24
Wicko **PL** 51 Gc24
Widminy **PL** 59 Hb25
Widuchowa **PL** 57 Ga26
Więcbork **PL** 58 Gc26
Wiehl **D** 63 Ed29
Wielbark **PL** 59 Hb26
Wieleń **PL** 57 Gb27
Wieliczka **PL** 67 Ha31
Wieluń **PL** 66 Gd29
Wien **A** 73 Gb33
Wiener Neustadt **A** 73 Gb34
Wieniawa **PL** 67 Hb29
Wieruszów **PL** 66 Gd29
Wierzbica **PL** 67 Hb29
Wierzchowo **PL** 57 Gb25
Wierzchucino **PL** 51 Gc24
Wierzchy **PL** 58 Gd28
Wiesbaden **D** 63 Ed30
Wieselburg **A** 73 Ga33
Wiesenburg **D** 56 Fc28
Wiesentheid **D** 64 Fb31
Wiesloch **D** 63 Ed31
Wiesmoor **D** 55 Ed26
Wigan **GB** 21 Da24
Wigston **GB** 25 Db26
Wigton **GB** 21 Da22
Wijchen **NL** 55 Eb28
Wikrowo **PL** 59 Hb25
Wil **CH** 71 Ed34
Wilchta **PL** 59 Hb28
Wilczęta **PL** 58 Ha25
Wildalpen **A** 73 Ga34
Wildeshausen **D** 56 Fa27
Wilga **PL** 59 Hb28
Wilhelmsburg **A** 73 Gb33
Wilhelmshaven **D** 55 Ed26
Williton **GB** 24 Cd27
Wilster **D** 56 Fa25
Wilton **GB** 24 Da28